CHRISTOPH

La Misión
de Dios

Ediciones Certeza Unida
Barcelona, Buenos Aires, La Paz, Lima
2009

Wright, Christopher
    La misión de Dios: Descubriendo el gran mensaje de la Biblia - 1a. ed. -
Buenos Aires: Certeza Unida, 2009.
    746 páginas ; 23x15 cm.

    ISBN: 978-950-683-156-1

    1. Misión. 2. Dios. 3. Hermenéutica.
    CDD

Título del original en inglés:
The Mission of God: Unlocking the Bible's grand narrative.

Salvo que se mencione otra versión, las citas bíblicas corresponden
a la Nueva Versión Internacional.

Traducción: David Powell
Revisión bíblica: Jorge Olivares
Edición literaria: Adriana Powell
Diseño cubierta e interior: Coated Studio, Barcelona, España
Fotografía portada: Stockphoto

Ediciones Certeza Unida es la casa editorial de la Comunidad Internacional de
Estudiantes Evangélicos (CIEE) en los países de habla hispana. La CIEE es un movimiento compuesto por grupos estudiantiles que buscan cumplir y capacitar a otros
para la misión en la universidad y el mundo.

Más información en:
Certeza Argentina, Bernardo de Irigoyen 654, (C1072AAN) Ciudad Autónoma de
Buenos Aires, Argentina. certeza@certezaargentina.com.ar | www.certezaonline.com

Ediciones Puma, Av. Arnaldo Márquez 855 Jesús María, Lima, Perú.
puma@cenip.org | ventas@edicionespuma.org | www.edicionespuma.org

Editorial Andamio, Alts Forns 68, Sótano 1, 08038, Barcelona, España.
editorial@publicacionesandamio.com | www.publicacionesandamio.com

Lámpara, Calle Almirante Grau Nº 464, San Pedro, Casilla 8924, La Paz, Bolivia.
coorlamp@entelnet.bo

Impreso en Colombia. *Printed in Colombia.*

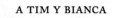

A TIM Y BIANCA

Contenido

Bosquejo de la Obra

Abreviaturas

BA *Biblia de las Américas*, Fundación Bíblica Lockman, 1986.

DHH *Dios Habla Hoy, la Biblia en Versión Popular*, Sociedades Bíblicas Unidas, 1994.

LXX *La Septuaginta*, el Antiguo Testamento en griego.

NASB *New American Standard Bible*, Fundación Bíblica Lockman, 1995.

NBLH *Nueva Biblia de los Hispanos*, The Lockman Foundation, 2005.

NIV *New International Version of the Bible* en inglés, 1973, 1978, 1984.

NVI *Nueva Versión Internacional*, Sociedad Bíblica Internacional, 1999.

PDT *Palabra de Dios para Todos*, Centro Mundial de Traducción de la Biblia, 2005.

RVA *Reina Valera Actualizada*, Mundo Hispano, 1999.

RVR09 *La Santa Biblia Reina-Valera*, Revision 1909.

RVR95 *La Santa Biblia Reina-Valera*, Revisión 1995, Sociedades Bíblicas Unidas, 1995.

Prefacio

'¿En qué estás trabajando en este momento?' Me ha resultado difícil ofrecer una respuesta sencilla a esta pregunta tan común durante los últimos años en los que he estado trabajando en este libro. 'En un libro sobre la Biblia y la misión,' respondía casi siempre, pero nunca estaba seguro sobre cuál de las dos palabras colocar en primer término. ¿Estoy procurando entender la misión cristiana a la luz de la Biblia, o comprender la Biblia a la luz de la misión de Dios? O, con frases que se explican en la introducción, ¿es acaso este libro una teología bíblica de la misión, o una lectura misional de la Biblia? Creo que el producto final probablemente sea un poco de ambas cosas, pero con mayor énfasis en el segundo aspecto. Contamos con obras excelentes y completas en las que se ha ofrecido un fundamento bíblico para la misión cristiana. Mi preocupación principal en esta obra ha consistido en desarrollar un enfoque sobre la hermenéutica bíblica que vea la misión de Dios (y la participación en ella del pueblo de Dios) como un marco dentro del cual podamos leer toda la Biblia. La misión es, según mi parecer, una clave fundamental que desentraña todo el gran relato del canon de la Escritura. En esa medida ofrezco este estudio no solamente como una reflexión bíblica sobre la misión, sino también, espero, como un ejercicio de teología bíblica.

Los libros que ofrecen una teología bíblica de la misión típicamente tienen una sección sobre el Antiguo Testamento y luego una sección (generalmente mucho más grande) sobre el Nuevo Testamento. Luego, en cada sección (y especialmente en la segunda), tienden a examinar diferentes partes del canon o a considerar por separado la teología de la misión de diferentes autores, tales como cada uno de los escritores de los Evangelios, el apóstol Pablo y otros.

Mi enfoque ha sido muy diferente. He procurado identificar algunos de los temas subyacentes que están entretejidos en todo el gran relato de la Biblia, temas que constituyen los pilares fundacionales de la cosmovisión bíblica y por consiguiente también de la teología bíblica: el monoteísmo, la creación, la humanidad, la elección, la redención, el pacto, la ética, la esperanza futura. En cada caso he procurado prestar plena atención a sus raíces en el Antiguo Testamento, antes de proceder a considerar el desarrollo, cumplimiento o extensión neotestamentario en cada caso. La mayoría de los capítulos, por lo tanto, incluyen reflexiones basadas en ambos Testamentos, a veces retrocediendo y avanzando entre ellos.

Dado que mi propio campo de interés especial ha sido durante más de treinta años el Antiguo Testamento, resulta inevitable que se haya acordado mucho más espacio y mayor profundidad a sus textos y temas. En algunos momentos pensé que este libro sería simplemente una teología veterotestamentaria de la misión (y son contados los buenos modelos de ese género). Sin embargo escribo como un teólogo cristiano, y si bien procuro leer y atender al Antiguo Testamento con su propia integridad y en sus propios términos, no puedo menos que leerlo también desde el punto de vista de un cristiano. Y eso significa, como lo veo yo, que lo leo sujeto a Aquel que afirmó ser su foco y cumplimiento último: Jesucristo, a la luz de las Escrituras del Nuevo Testamento que dan testimonio de él y en relación con la misión que encomendó a sus discípulos. Sin embargo, si en última instancia hay más en este libro sobre el Antiguo Testamento que sobre el Nuevo, supongo que por lo menos puedo sostener que lo mismo vale, después de todo, para la Biblia.

Por cuanto mi objetivo principal ha sido argumentar a favor de una lectura misionológica de la teología bíblica, no he sentido la necesidad de extenderme en las notas al pie para documentar los matices eruditos de una exégesis o un análisis crítico de todos los textos a los que me he referido. Para ciertos textos clave que revisten fundamental importancia para mi argumento, he procurado ofrecer exégesis y documentación adecuadas. En un buen número de casos, los eruditos o entendidos que quieran seguir esas cuestiones en comentarios y publicaciones sabrán dónde buscar.

Todos los autores saben la deuda que tienen para con otros en la formación de sus propios pensamientos y perspectivas. De modo que ofrezco mi sincero agradecimiento a una multitud de personas que han transitado este camino conmigo en trechos más o menos largos. Dichas personas incluyen:

Dos décadas de estudiantes en el Seminario Bíblico Unión, Pune, India, y en la Universidad Cristiana *All Nations*, Inglaterra, que compartieron mis primeros esfuerzos por relacionar la Biblia y la misión, y muchos de los cuales siguen luchando con dichas cuestiones en el servicio misionero práctico por todo el mundo.

Jonathan Bonk, director del *Overseas Ministries Study Center* (OMSC), New Haven, Connecticut, y Gerald Anderson antes de él, quienes, juntamente con su personal y su comunidad, tan maravillosos, me han dado hospitalidad repetidas veces en el OMSC para investigar y escribir este proyecto.

John Stott, quien me ha alentado y ha orado constantemente por mí en relación con este proyecto, y gentilmente me ha permitido aprovechar con frecuencia el beneficio de su casa de retiro, Hookses, en la costa occidental de Gales, para escribir allí.

El *Langham Partnership International Council*, no solamente por proporcionarme trabajo que me mantiene en contacto con las realidades de la misión mundial sino también el tiempo específico necesario para estudiar y escribir.

Eckhard J. Schnabel, M. Daniel Carroll R., Dean Flemming y Dan Reid, quienes leyeron el manuscrito original y ofrecieron constructivos comentarios críticos que en muchos casos me han ayudado a aclarar y mejorar lo que yo quería decir. Gracias también a Chris Jones por ayudar a preparar los índices.

Mi esposa y mi familia, que me han alentado en este como en todos los anteriores proyectos y han sido pacientes conmigo, están representados en la dedicatoria por el que es nuestro primogénito (como lo fue Israel para Dios), Tim y su mujer Bianca, con el gozo y la oración de 3 Juan 4.

Christopher J. H. Wright

Introducción

Recuerdo en forma vívida desde mi niñez aquellos grandes estandartes con textos alrededor de las paredes de las convenciones misioneras en Irlanda del Norte, donde solía ayudar a mi padre en el puesto de la Misión a los Campos no Evangelizados (*Unevangelized Fields Mission*), de la que él era el secretario por Irlanda después de haber estado veinte años en el Brasil. 'Vayan por todo el mundo y anuncien las buenas nuevas a toda criatura' me urgían, insistentemente, junto con otros imperativos similares en resplandeciente caligrafía gótica. Cuando llegué a los doce años de edad seguramente podría haber recitado los principales textos: 'Por tanto, vayan y hagan discípulos ...' '¿Cómo oirán ...?' 'Serán mis testigos . . . hasta los confines de la tierra.' '¿A quién enviaré? ... Heme aquí, envíame a mí.' Yo conocía los versículos misioneros de mi Biblia. Había respondido a muchos sermones conmovedores inspirados en ellos.

Cuando alcancé la edad de veintiún años tenía un diploma en teología de Cambridge, donde curiosamente faltaban aquellos textos. Para decir lo menos, ahora me resulta curioso. En ese entonces parecía no haber mayor relación entre la teología y la misión en la mente de los profesores, o en mí mismo, o, hasta donde yo pudiera saberlo, tampoco en la mente de Dios. La *teología* tenía que ver con Dios: cómo era Dios, lo que Dios había dicho y hecho, y lo que habían especulado personas ya mayormente muertas sobre estos tres asuntos. La *misión* tenía que ver con nosotros, los que vivimos, y lo que venimos haciendo desde William Carey (quien era, desde luego, el primer misionero, o por lo menos eso era lo que erróneamente creíamos).

'Misión es lo que hacemos.' Eso era lo que se daba por sentado, apoyado desde luego por claros mandamientos bíblicos. 'Cristo me envía, bien lo sé, pues la Biblia me dice así', cantábamos. Muchos años más tarde, incluidos años cuando yo mismo enseñaba teología como misionero en la India, me encontré enseñando un módulo llamado 'La base bíblica de la misión' en la Universidad Cristiana *All Nations*, una entidad internacional de posgrado dedicada a la preparación para la misión, radicada en el sudeste de Inglaterra. El título mismo del módulo refleja este supuesto. *Misión* es un sustantivo, la realidad dada. Es algo que hacemos, fundamentalmente sabemos de qué se trata; *bíblico* es un adjetivo, lo que usamos para justificar lo que ya sabemos que tendríamos que estar haciendo. La razón por la cual sabemos que tendríamos que estar cumpliendo la misión, la base, fundamento o motivo que nos proporciona una justificación, ha de encontrarse en la Biblia. Como cristianos, necesitamos una base bíblica para todo lo que hacemos. ¿Cuál es, entonces, 'la base bíblica para la misión'? Abramos el rollo de textos. Agreguemos algunos que no se le hubieran ocurrido a nadie antes. Hagamos algunos enlaces teológicos. Agreguemos un poco de fervor motivacional. Y la clase se sentirá agradecida. Ahora ya tienen aun más apoyo bíblico para lo que de todos modos ya creían, porque se trata de estudiantes de *All Nations*, después de todo. Acudieron a esta universidad porque están comprometidos a hacer misión.

Esta leve caricatura no tiene el menor sentido de desprecio. Yo creo apasionadamente que misión es lo que tenemos que estar haciendo, y creo que la Biblia nos respalda y nos manda hacerlo. Sin embargo, cuando más enseñaba ese curso, tanto más solía iniciarlo diciéndoles a los alumnos que me gustaría cambiarle el nombre: en lugar de 'La base bíblica de la misión', denominarlo 'La base misional de la Biblia'. Quería que vieran no solamente que la Biblia contiene una cantidad de textos que sirven para proporcionar la razón de ser para la empresa misionera, sino que toda la Biblia misma es *un fenómeno 'misional'*. Los escritos que ahora comprenden nuestra Biblia son a la vez el producto y el testimonio de la misión última de Dios. La Biblia nos ofrece la misión de Dios a través del pueblo de Dios en su relación con el mundo de Dios para el bien de toda la creación de Dios. La Biblia es el drama de este Dios de propósitos, dedicado a la misión de lograr ese propósito universalmente, abarcando el pasado, el presente y el futuro, Israel y las naciones, 'la vida, el universo y absolutamente todo', y con su centro y su culminación en Jesucristo. La misión no es simplemente una de una lista de cosas sobre las que habla la Biblia, solo que con algo más de urgencia que sobre otras. La misión es, valiéndonos de esa frase muy abusada por cierto, justamente 'de lo que se trata'.

Algunas definiciones

A esta altura sería conveniente ofrecer algunas definiciones de la forma en que me propongo usar el término *misión*, y las palabras relacionadas: *misionero, misional* y *misionológico*.

Misión. Quedará claro de inmediato por mis reminiscencias más arriba que no estoy satisfecho con el uso popular de la palabra *misión* (o más comúnmente en los Estados Unidos, *misiones*) de manera exclusiva en relación con los esfuerzos humanos de diversos tipos. En absoluto cuestiono la validez de un activo compromiso cristiano en la misión, pero sí quiero insistir a lo largo de este libro en la prioridad teológica de la misión de Dios. *Sobre todo, nuestra misión (si está bíblicamente informada y validada) significa nuestra participación comprometida como el pueblo de Dios, a invitación y por mandato de Dios, en la misión de Dios en el seno de la historia del mundo de Dios para la redención de la creación de Dios.* Ese es el modo en que generalmente contesto cuando se me pregunta cómo definiría yo la *misión*. Nuestra misión nace de, y participa en, la misión de Dios.

Más todavía, no me satisfacen las descripciones de la misión que solo recalcan las 'raíces' de la palabra en el verbo latino *mitto*, 'enviar', y que luego ven su significación primaria en la dinámica del enviar o ser enviado. Además, esto no es porque dude de la importancia de este tema en la Biblia, sino porque me da la impresión de que si definimos el término *misión* solamente en función de un 'envío', necesariamente excluimos de nuestro inventario de recursos pertinentes muchos otros aspectos de la enseñanza bíblica que directa o indirectamente afectan nuestro entendimiento de la misión de Dios y la práctica de la nuestra.

Usaré el término misión en su sentido más general de un propósito o meta a largo plazo que se ha de lograr mediante objetivos inmediatos y acciones planificadas. Dentro de una misión tan amplia (como se aplica a cualquier grupo o empresa), hay lugar para misiones subordinadas, en el sentido de tareas específicas asignadas a una persona o grupo que se han de llevar a cabo como pasos hacia una misión más amplia. En el mundo no religioso las 'declaraciones de misión' parecen estar muy de moda. Hasta los restaurantes (cuyo propósito en la vida, se pensaría, es bastante obvio), a veces los dan a conocer en los frentes de sus edificios, con el fin de vincular su tarea de alimentar a sus clientes sobre la base de un sentido de misión más amplio. Las empresas, escuelas, obras de caridad —incluidas algunas iglesias (cuyo propósito en la vida tendría que ser más obvio de lo que lo es, incluso para sus propios miembros)— sienten que les ayuda contar con una declaración de su misión, que sintetiza el propósito para el cual existen y lo que esperan lograr. La Biblia nos presenta un retrato de Dios que tiene, incuestionablemente, un propósito. El Dios que transita las sendas de la historia a lo largo de las páginas de la Biblia, coloca una declaración de la misión en cada uno de los postes del camino. Se podría decir que mi misión en este libro consiste en explorar la misión divina y todo cuanto hay por detrás de ella y cuanto surge de ella en relación con Dios mismo, con el pueblo de Dios y el mundo de Dios, en la medida en que nos es revelada en la Palabra de Dios.

Misionero. Por lo general esta palabra es un sustantivo, que se refiere a personas que se ocupan de la misión, normalmente en una cultura que no es la propia. Hasta tiene un sabor aun más marcado del 'ser enviado' que la palabra *misión* en sí misma. Así, misioneros son típicamente los que son enviados por sus iglesias o agencias a trabajar en la misión o en las misiones. Esta palabra se usa también como adjetivo, como en 'el mandato misionero' o 'una persona con fervor misionero'. Lamentablemente, también ha generado una especie de caricatura, el estereotipo del misionero, como un efecto lateral peyorativo del gran esfuerzo misionero de las iglesias occidentales de los siglos diecinueve y veinte. El término *misionero* todavía evoca imágenes de expatriados occidentales blancos entre 'nativos' de países lejanos. Y todavía lo hace, tanto más lamentablemente, en iglesias que tendrían que tener otra actitud, y que por cierto tendrían que saber que la mayoría de quienes se dedican a la misión transcultural no son occidentales en absoluto sino pertenecientes a iglesias nativas florecientes del mundo mayoritario. Como resultado, muchas agencias misioneras que actualmente organizan redes y asociaciones con iglesias y agencias del mundo mayoritario prefieren evitar el término *misionero* debido a estas imágenes mentales erróneas, y describen, en cambio, a su personal como 'compañeros en la misión'.

Debido a la dominante asociación de la palabra *misionero* con la actividad de enviar y con la comunicación transcultural del evangelio (es decir, con una dinámica mayormente centrífuga de la misión) prefiero no usar el término en relación con el Antiguo Testamento. Según mi punto de vista (con el cual no todos están de acuerdo), Israel no recibió el mandato de Dios de mandar misioneros a las naciones. De modo que si bien quedará claro que sí leo, por cierto, el Antiguo Testamento misionológicamente, no elegiría hablar del 'mensaje misionero del Antiguo Testamento' (el título de un excelente libro anterior por H. H. Rowley, de 1944).[1] Hay muchos recursos bíblicos (en el Antiguo y en el Nuevo Testamento) que enriquecen nuestra comprensión de la misión en su sentido más amplio (y especialmente la misión de Dios) que no se refieren al envío de misioneros. Por consiguiente, tal vez sea inapropiado hacer referencia a dichos textos y temas con el término 'misionero'.[2] Hasta hasta hace poco tiempo *misionero* parecía ser el único adjetivo disponible que se formaba a partir del término *misión*. Otra forma, sin embargo, está adquiriendo un uso más amplio.

Misional. Este es simplemente un adjetivo que denota algo que se relaciona con o se caracteriza por ser misión, o que tiene las cualidades, los atributos o las dinámicas de la misión. Misional es a la palabra *misión* lo que pactual es al *pacto*, o ficticio a *ficción*. Así, podríamos hablar de una lectura misional del éxodo, en el sentido de una lectura que explora su significación dinámica en la misión de Dios para Israel y el mundo y su pertinencia para la misión cristiana hoy. O podríamos decir que Israel tenía

---

1 H. H. Rowley: *The Missionary Message of the Old Testament*, Carey Press, Londres, 1944.
2 Es interesante, sin embargo, que en su uso más antiguo el término *missio Dei* (misión de Dios) se refería al envío interior de Dios, es decir el envío al mundo del Hijo por parte del Padre, y el envío del Espíritu Santo por el Padre y el Hijo. Es en este sentido (entre otros) que John Stott puede hablar de nuestro 'Dios misionero'; ver, 'Nuestro Dios es un Dios misionero' en John Stott: *El cristiano contemporáneo*, Nueva Creación, Grand Rapids, 1995, pp. 309–322.

un papel misional en medio de las naciones, dando a entender que tenían una identidad y un papel relacionados con la intención última de Dios para bendición de las naciones. De esta manera yo diría que Israel tenía una razón misional para su existencia, sin por ello suponer que habían tenido un mandato *misionero* para ir a las naciones (mientras que por cierto sé podríamos hablar del papel misionero de la *iglesia* entre las naciones).

Misionología y misionológico. La misionología es el estudio de la misión. Incluye reflexión e investigación bíblica, teológica, histórica, contemporánea y práctica. Así, normalmente utilizaré *misionológico* cuando se trate de tales aspectos teológicos o relacionados con la reflexión. En los dos ejemplos mencionados arriba, se podría hablar igualmente de una lectura misionológica del éxodo, pero sería menos apropiado hablar de que Israel tuviese un papel misionológico en medio de las naciones. De hecho, dado que ni 'papel misionero' ni 'papel misionológico' parecerían muy acertados en este último caso, que la palabra *misional* resulta cada vez más útil.

El viaje hacia adelante

Corresponde hacer una aclaración a esta altura con respecto a la estructura de este libro. Volviendo a mis reminiscencias personales: durante años seguí enseñando 'La base bíblica de la misión'. En cierto momento ofrecí una clase inicial en la que planteaba la cuestión específica mencionada en mis comentarios incidentales al comienzo del curso: la base misional de la Biblia. Esto surgió en parte debido a la cultura teológica del ambiente en la Universidad Cristiana *All Nations*, que tenía la intención de encarar todos los temas en el currículo desde un ángulo misionológico. Ocurrió que yo enseñaba también el módulo sobre la Doctrina de la Escritura y Hermenéutica Bíblica, de modo que resultaba natural que nos preguntáramos cómo afectaba una perspectiva misionológica nuestro entendimiento de lo que es la Escritura en sí misma, cómo llegó a la forma en la que hoy la tenemos, y los principios y supuestos hermenéuticos con los que nos acercamos a ella como lectores. Mi modo de pensar tendía a oscilar entre ambos acercamientos de manera tal que se nutrían mutuamente. La misión bíblica y la hermenéutica bíblica parecían apoyarse entre sí de maneras inesperadas, pero fascinantes.

Pero la necesidad de estudiar más cuidadosamente la hermenéutica misionológica de la Biblia también surgió del desafío específico de un colega en otra institución. En 1998 fui invitado a dar la Conferencia Laing en el London Bible College (ahora llamado *London School of Theology* [LST]). Presenté el tema "'Entonces sabrán que yo soy el SEÑOR': Relexiones misionológicas sobre el ministerio y el mensaje de Ezequiel". En esa época yo me encontraba trabajando con mi exposición sobre Ezequiel en la serie de libros titulada '*The Bible Speaks Today*' (La Biblia Habla Hoy), y esta era una buena oportunidad para exponer estas reflexiones a una crítica amistosa. Y eso fue justamente lo que ocurrió.

En su respuesta, Anthony Billington (profesor de Hermenéutica en el LST), si bien expresó su cálido aprecio por el contenido de la conferencia, planteó interrogantes sobre la validez de usar la misionología como marco adecuado para interpretar Ezequiel (o cualquier otro texto bíblico). Hay, por supuesto, muchos marcos dentro de los cuales la gente lee el texto (feminista, sicológico, dispensacional, etc.). Esto no está mal, ya que todos tenemos que comenzar en alguna parte. Pero, expresó Billington, la cuestión es la siguiente:

> ¿Tal o cual marco particular le *hace justicia* a la fuerza del texto en su contexto bíblico–teológico? ¿O *distorsiona* el texto? En otras palabras, no se trata de que la aplicación de un marco a un texto sea necesariamente equivocado en y por sí mismo, como tampoco que el texto no pueda ser iluminado de modos significativos cuando lo hacemos, porque con frecuencia lo es. La cuestión es más bien qué clase de *control* ejerce el marco sobre el texto, y si el texto puede en algún momento hacer la *crítica* del marco.[3]

El apropiado desafío de las palabras de Bilington me llevaron a reflexionar más sobre lo que realmente significa una hermenéutica misionológica de la Escritura y sobre si es o no un marco que hace justicia al texto o por el contrario lo distorsiona. Esto es lo que procuro analizar en la primera parte, 'La Biblia y la misión'. Es mi objetivo en este libro no solo demostrar (como lo han hecho muchos otros) que la misión cristiana está plenamente afirmada en la Escritura (si bien presto

---

3 De la respuesta escrita no publicada a mi conferencia en el London Bible College, octubre de 1998.

más atención a sus raíces en el Antiguo Testamento que lo que hace la mayoría de los libros sobre el tema), sino también demostrar que una fuerte teología de la misión de Dios provee un fructífero marco hermenéutico dentro del cual leer toda la Biblia.

De modo que en el capítulo 1 examino algunos pasos que ya hemos dado hacia una hermenéutica misionológica, pero sostengo que hace falta un esfuerzo más exhaustivo para extendernos más allá de los mismos. El capítulo 2 es un bosquejo de algunos perfiles de lo que en mi parecer es lo que envuelve una hermenéutica misionológica de la Biblia. Si todos los marcos hermenéuticos son como mapas del territorio de la Escritura, entonces la única prueba de un mapa es con cuánta fidelidad interpreta el territorio para el viajero en función de lo que él o ella quiere o necesita saber para encontrarle sentido al viaje. El resto del libro comprueba si el mapa proporcionado por un acercamiento a toda la Biblia desde la perspectiva de la misión de Dios cumple el subtítulo del libro, y de ese modo nos permite captar la vigorosa dinámica del relato total de la Biblia.

Las tres partes restantes del libro se ocupan por turno de los tres enfoques principales de la cosmovisión de Israel en el Antiguo Testamento, que son, también, fundacionales para la cosmovisión cristiana cuando se la entiende en relación con Cristo:

- El Dios de la misión (Parte 2)
- El pueblo de la misión (Parte 3)
- El campo de la misión (Parte 4)

En la Parte 2 examino las consecuencias misionológicas del monoteísmo bíblico. La identidad, el carácter único y la universalidad de YHVH, el Dios de Israel (capítulo 3), y las afirmaciones directamente relacionadas con esto que hace el Nuevo Testamento sobre Jesús (capítulo 4) tienen enormes consecuencias para la misión. Más todavía, la misión cristiana no tendría fundamento alguno aparte de estas declaraciones bíblicas acerca del solo y único Dios cuyo anhelo es ser conocido al mundo a través de Israel y a través de Cristo. Pero no podemos hacer plena justicia al monoteísmo bíblico sin percibirlo en conflicto con los dioses e ídolos de fabricación humana que consumen tanta retórica y tanta tinta en la Biblia. El conflicto con la idolatría es un tema bíblico algo descuidado hoy, y que sometemos a una medida de análisis y reflexión misionológica en el capítulo 5.

En la Parte 3 pasamos a considerar el principal agente de la misión de Dios, a saber, el pueblo de Dios. Seguiremos el orden del relato bíblico al caminar primeramente con el Israel del Antiguo Testamento. Fueron elegidos en Abraham, redimidos de Egipto, llevados a una relación pactual en el Sinaí y llamados a una vida de distinción ética en comparación con las naciones. Cada uno de estos sucesivos grandes temas es rico en significación misional. De manera que estaremos reflexionando sobre:

- La elección y la misión (en los capítulos 6–7)
- La redención y la misión (en los capítulos 8–9)
- El pacto y la misión (en el capítulo 10)
- La ética y la misión (en el capítulo 11)

En la Parte 4 pasamos al espectro más amplio del mundo: la tierra, la humanidad, las culturas y las naciones. Exploraremos en primer término las consecuencias misionales de la bondad de la creación y las conexiones entre cuidado de la creación y la misión cristiana (capítulo 12). La paradoja de la dignidad humana (porque somos hechos a la imagen de Dios) y de la depravación humana (porque estamos empantanados en rebelión contra la autoridad de Dios) tiene profundas consecuencias para la misión, a ser exploradas en el capítulo 13, juntamente con reflexiones sobre la amplia respuesta que debe ofrecer la misión evangélica al extenso asalto del mal. Los libros de Sabiduría en el Antiguo Testamento constituyen la sección más internacional de la literatura bíblica y de esa manera proporcionan una rica fuente de reflexión sobre una teología y una misionología bíblicas de las culturas humanas. El mundo bíblico es un mundo lleno de naciones, por la intención creadora de Dios. ¿Cómo figuran en las intenciones redentoras de Dios? Con seguridad que la visión escatológica del Antiguo Testamento acerca de las naciones ofrece algunas de las más emocionantes de sus trayectorias en cuanto a retórica misional, a ser exploradas en el capítulo 14, y luego seguidas en los horizontes centrífugos de la teología y la práctica de la misión según el Nuevo Testamento en el capítulo 15.

Un bosquejo diagramático de este libro podría asemejarse a algo como lo que sigue:

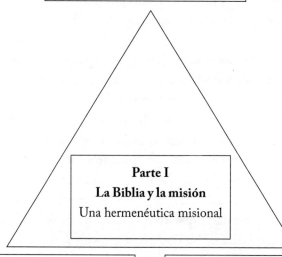

Parte II
El Dios de la misión
• YHVH y el monoteísmo
• Jesús como SEÑOR
• Enfrentamiento de la idolatría

Parte I
La Biblia y la misión
Una hermenéutica misional

Parte III
El pueblo de la misión
• La elección
• La redención
• El pacto
• La ética

Parte IV
El campo de la misión
• La tierra
• La humanidad, el pecado
y el mal
• Sabiduría y la cultura
• Las naciones y el futuro

PARTE 1

La Biblia y la misión

La misión es justamente aquello de lo cual se ocupa la Biblia; con igual validez podríamos hablar de la base misional de la Biblia como de la base bíblica de la misión. De todos modos, se trata de una afirmación audaz. No se esperaría que fuera posible invertir cualquier frase que comience con 'La base bíblica de …'. Hay, por ejemplo, una base bíblica para el matrimonio, pero no hay, obviamente, una base matrimonial para la Biblia. Hay una base bíblica para el trabajo, pero el trabajo no es el tema principal de la Biblia. Por lo tanto, ¿acaso no es un tanto exagerada o incluso presuntuosa mi afirmación? Más todavía, en vista de la enorme variedad del contenido de la Biblia y la extraordinaria cantidad de literatura erudita dedicada a explorar todas las vertientes de los géneros, autores, contextos, ideologías, fechas, ediciones e historia de todos estos documentos, ¿tiene sentido hablar de que la Biblia trata de algo en particular?

Recibo alguna medida de aliento para persistir en lo que propongo de las palabras del Jesús resucitado como están registradas en Lucas 24.[1] Primero a los dos en el camino a Emaús, y luego, más tarde, al resto de los discípulos: Jesús se presentó, en tanto el Mesías, como el centro de todo el canon de las Escrituras hebreas que actualmente llamamos el Antiguo Testamento (vv. 27, 44). De modo que estamos acostumbrados a hablar del foco cristológico de la Biblia. Para los cristianos la Biblia toda gira en torno a la persona de Cristo.

Jesús fue más allá, sin embargo, de su centralización *mesiánica* de las Escrituras del Antiguo Testamento, hacia su aporte igualmente *misional*.[2]

Entonces les abrió el entendimiento para que comprendieran las Escrituras.

—Esto es lo que está escrito —les explicó—: que el Cristo padecerá y resucitará al tercer día, y en su nombre se predicarán el arrepentimiento y el perdón de pecados a todas las naciones, comenzando por Jerusalén.

Lucas 24.45–47

---

1 Este texto también fue adoptado como punto de partida para una teología bíblica de la misión en 1971 por Henry C. Goerner: *Thus It Is Written*, Broadman, Nashville, 1971.
2 El uso de misional en lugar de misionológico aquí parece apropiado a la luz de las definiciones en la Introducción (pp. 28-31). Dado que Jesús no solo estaba ofreciendo una nueva reflexión teológica sobre la Escrituras sino también comprometiendo a sus discípulos con la misión, esa reflexión debía tener ahora forma de mandato: 'tiene que ser predicado', 'ustedes son testigos'.

Lo que expresó Jesús está contenido en la frase 'esto es lo que está escrito'. Lucas no muestra a Jesús citando ningún versículo específico del Antiguo Testamento, pero sostiene que la misión de predicar el arrepentimiento y el perdón a las naciones en su nombre es 'lo que está escrito'. Parece estar diciendo que toda la Escritura (que ahora conocemos como el Antiguo Testamento) encuentra su foco y su cumplimiento tanto en la vida, muerte y resurrección del Mesías de Israel, como en la misión a todas las naciones, que surge de ese acontecimiento.[3] Lucas nos informa que con estas palabras Jesús 'les abrió el entendimiento para que comprendieran las Escrituras,' o, como podríamos expresarlo nosotros, les estaba proporcionando la orientación hermenéutica y la agenda. El modo correcto en que los discípulos del Jesús crucificado y resucitado debían leer las Escrituras era *mesiánicamente* y *misionológicamente*.

Aunque no estuvo presente para aquella clase hermenéutica en el día de la resurrección, Pablo entendió que su encuentro con el Jesús resucitado, y su reconocimiento de Jesús como Mesías y Señor, transformaban de manera radical su propia manera de leer las Escrituras. Ahora su hermenéutica tenía el mismo doble foco. Dando testimonio ante Festo declara: 'No he dicho sino lo que los profetas y Moisés ya dijeron que sucedería: que el Cristo padecería y que, siendo el primero en resucitar, proclamaría la luz a *su propio pueblo y a las naciones*' (Hechos 26.22–23, NVI modificado, énfasis agregado). Este entendimiento dual de las Escrituras luego moldeó la síntesis paulina como el apóstol del Mesías Jesús para los gentiles.

Probablemente sería justo decir que a lo largo de los siglos los cristianos han sabido leer mesiánicamente el Antiguo Testamento pero han sido desacertados (y a veces totalmente ciegos) por lo que hace a su lectura misional del mismo. Leemos el Antiguo Testamento mesiánicamente o cristológicamente a la luz de Jesús; es decir, encontramos en él una teología y una escatología mesiánicas que entendemos como cumplida en Jesús de Nazaret. Al proceder así seguimos su propio ejemplo, desde luego, y el de sus primeros segui-

---

3 Aquí uso la palabra 'Mesías' como el indicador convencional de la amplia diversidad de términos utilizados en el Antiguo Testamento para describir a aquel mediante quien YHVH llevaría a cabo su esperada redención y restauración de Israel, aun cuando 'mesías' como término en hebreo no se usa en el Antiguo Testamento como título funcional del futuro redentor (excepto quizás en Daniel 9.25).

dores, como también los autores de los Evangelios. Pero lo que con frecuencia hacemos es conformarnos con la satisfacción de tildar o marcar las así llamadas predicciones mesiánicas que se 'han cumplido'. Y no hemos avanzado más adelante porque no hemos comprendido la significación *misional del Mesías*.

El Mesías era el prometido que habría de encarnar en su persona la identidad y la misión de Israel, como su representante, su Rey, Líder y Salvador. YHVH, el Dios de Israel, habría de llevar a cabo todo lo que se proponía para Israel por medio del Mesías, su agente ungido. Pero, ¿cuál era esa misión de Israel? Nada menos que ser 'una luz para las naciones', el medio para aportar la bendición redentora de Dios a todas las naciones del mundo, como estaba prometido originalmente en los títulos de dominio del pacto con Abraham. Porque el Dios de Israel es también el Dios Creador de todo el mundo.

Mediante el Mesías, por consiguiente, el Dios de Israel también llevaría a cabo todo cuanto tenía propuesto para las naciones. La redención y restauración escatológicas de Israel daría como resultado la reunión de las naciones. El significado pleno de reconocer a Jesús como el Mesías, por lo tanto, radica en reconocer igualmente su papel en relación con la misión de Dios para con Israel como para la bendición de las naciones. Por ello, una lectura mesiánica del Antiguo Testamento tiene que llevar a una lectura misional, y esto es precisamente lo que hace Jesús en Lucas 24.

Reconocemos que el *foco cristológico de la Biblia* opera de muchas formas diferentes, algunas directamente y otras indirectamente. Decir que la Biblia gira totalmente en torno a Cristo no significa (o no debería significar) que intentaremos encontrar a Jesús de Nazaret en cada versículo por algún milagro de la imaginación. Más bien queremos decir que la persona y la obra de Jesús constituyen la clave hermenéutica central mediante la cual, como cristianos, articulamos la significación plena de estos textos en ambos Testamentos. Cristo provee la matriz hermenéutica para nuestra lectura de toda la Biblia.

Lo mismo podemos decir en cuanto al *foco misionológico de la Biblia*. Decir que la Biblia 'gira todo en torno a la misión' no quiere decir que tratemos de encontrar algo pertinente para la evangelización en cada versículo. Nos estamos refiriendo a algo más profundo y amplio en relación con la Biblia en su totalidad. Con un enfoque misionológico de la Biblia estamos pensando en:

- El propósito para el cual existe la Biblia.
- El Dios que la Biblia nos ofrece.
- El pueblo cuya identidad y misión la Biblia nos invita a compartir.
- El relato que la Biblia nos ofrece acerca de este Dios y su pueblo y por cierto acerca de todo el mundo y su futuro.

Se trata de un relato que comprende el pasado, el presente y el futuro, 'la vida, el universo y todo lo demás'. Existe la conexión más íntima entre el gran relato bíblico y lo que se quiere decir aquí con misión bíblica. Intentar una hermenéutica misional, por lo tanto, equivale a preguntar: ¿Es posible, es válido, es provechoso, que los cristianos lean la Biblia como un todo desde una perspectiva misional, y qué ocurre cuando así lo hacen? ¿Podemos adoptar la misión como una matriz hermenéutica para nuestro entendimiento de la Biblia como un todo?

Antes de delinear en el capítulo 2 algunos contornos de una aproximación que contestarían estas preguntas afirmativamente, veremos primero en el capítulo 1 varios modos en los que la Biblia se relaciona con la misión en escritos contemporáneos sobre el tema: modos que tienen su propia validez, además de contribuciones significativas que ofrecer, pero que no parecen muy adecuados para lo que tengo en mente como un enfoque ampliamente misional para la hermenéutica bíblica. Así, el capítulo 1 esboza algunos pasos en busca de una hermenéutica misional, pero en cada caso pienso que es preciso que avancemos más.

1. En busca de una hermenéutica misional

Hay más que suficientes libros que ofrecen fundamentos bíblicos para la misión cristiana.[1] No todos son de la misma calidad, sin embargo. Algunos son tratados para los ya convertidos, que proporcionan una justificación de la tarea con la cual ya están comprometidos el autor y los lectores. Algunos no prestan atención alguna a la erudición crítica; otros, quizá, prestan demasiada.[2] Son numerosos los que dan escasa atención al cuerpo total de la Biblia. Lo que buscan hacer, no obstante, está claro: encontrar justificación y autoridad bíblicas apropiadas para la misión de la iglesia cristiana hacia las naciones. Esto puede ser aceptable para alentar a quienes ya están en la misión con la seguridad de que lo que hacen está fundado en la Biblia, o puede servir para entusiasmar a quienes todavía no están en ella, con la advertencia de que viven en desobediencia a los imperativos bíblicos.

Más allá de los 'Fundamentos bíblicos para la misión'

La apologética bíblica para la misión. Una tarea de este tipo, que podría llamarse 'apologética bíblica para la misión', es de gran importancia. Sería frustrante, después de todo, si de pronto la iglesia se viera sacudida por la convicción de que todo el esfuerzo misionero de dos mil años no estuviera asentado en claros fundamentos de la Escritura. De tanto en tanto, claro está, se han elevado voces que sostenían precisamente eso. Mas aún, fue contra voces así, que argumentaban teológicamente y bíblicamente (según pensaban) que la misión a las naciones no era un

---

1 La esencia de este capítulo, junto con el cap. 2, apareció primeramente como Christopher J. H. Wright: 'Mission as a Matrix for Hermeneutics and Biblical Theology', en *Out of Egypt: Biblical Theology and Biblical Interpretation*, ed. Craig Bartholomew y otros, Paternoster, Carlisle; Zondervan, Grand Rapids, 2004, pp. 102–43. Este excelente volumen contiene otros trabajos del Seminario en Escrituras y Hermenéutica que son pertinentes para el tema general de este libro.
Con respecto a libros que ofrecen fundamentos bíblicos para la misión cristiana, ver, por ejemplo, como una breve selección, Johannes Blauw: *The Missionary Nature of the Church*, McGraw Hill, N. York, 1962; David Burnett: *God's Mission, Healing the Nations*, ed. revisada, Paternoster, Carlisle, 1996; Roger Hedlund, *The Mission of the Church in the World*, Baker, Grand Rapids, 1991; Andreas J. Koestenberger y Peter T. O'Brien: *Salvation to the Ends of the Earth: A Biblical Theology of Mission*, Apollos, Leicester, 2001; Richard R. de Ridder, *Discipling the Nations*, Baker, Grand Rapids, 1975; Donald Senior y Carroll Stuhlmueller: *The Biblical Foundations for Mission*, scm Press, Londres, 1983; Ken Gnanakan: *Kingdom Concerns: A Biblical Theology of Mission Today* , Theological Book Trust, Bangalore, 1989; InterVarsity Press, Leicester, 1993.
2 Hay, desde luego, un lugar adecuado para las disciplinas críticas en nuestra tarea de sentar las bases para la teología bíblica, pero también tenemos que ir más allá de esos fundamentos hacia lo que aporta la misionología bíblica. Ver David J. Bosch: 'Hermeneutical Principles in the Biblical Foundation for Mission,' *Evangelical Review of Theology* 17 (1993): 437–51; y Charles Van Engen: 'The Relation of Bible and Mission in Mission Theology,' en *The Good News of the Kingdom*, ed. Charles Van Engen, Dean S. Gilliland y Paul Pierson, Orbis, Maryknoll, N.York, 1993, p. 34.

requerimiento para buenos ciudadanos cristianos, que William Carey desarrolló su defensa bíblica a favor de 'la conversión de los paganos', y vino a ser uno de los primeros en hacerlo en el período moderno.[3]

El ilustre ejemplo de Carey, sin embargo, revela una falencia inherente a muchos proyectos en lo tocante a 'fundamentos bíblicos para la misión'. Carey construyó la sección bíblica de su argumento en un solo texto, el de la llamada Gran Comisión de Mateo 28.18–20, sosteniendo que era tan válido en la actualidad como en los días de los apóstoles, y que su exigencia imperativa para con los discípulos de Cristo no había caducado con la primera generación (como argumentaban los que se oponían a la misión foránea). Si bien probablemente estaríamos de acuerdo con su argumento hermenéutico y que su elección de textos fue admirable, deja vulnerable y débil el fundamento bíblico. Tal vez podríamos defender a Carey, de todos modos, considerando que en su contexto se trataba de un avance, a pesar de estar basado en un solo texto. Menos defendible ha sido la incesante tarea en muchos círculos misioneros de seguir y seguir construyendo el monumental edificio de la agencia misionera cristiana sobre este solo texto, con variados grados de ingenio exegético. Para usar un refrán, si se colocan todos los huevos apologéticos en una sola canasta textual, ¿qué ocurre si se desprende el asa?

¿Qué ocurre, por ejemplo, si el énfasis retórico en la palabra 'Id' fuera socavado por el reconocimiento de que no es un imperativo en absoluto en el texto sino un participio de circunstancias concomitantes, un supuesto, algo que se da por sentado? Jesús no mandó a sus discípulos primordialmente a ir; les mandó que hicieran discípulos. Pero dado que ahora les manda hacer discípulos a *las naciones* (habiendo anteriormente restringido su misión a las fronteras de Israel mientras duró su vida terrenal), tendrán que acudir a las naciones como condición necesaria para obedecer el primer mandato.

---

3 Hubo, desde luego (a diferencia de lo que supone la mitología popular), misioneros protestantes mucho antes que William Carey. No obstante, Carey estuvo entre los primeros en incluir un caso bíblico claramente argumentado a favor del establecimiento de una sociedad misionera, en su uso de Mateo 28.18–20 como el versículo clave en su justamente famoso *An Enquiry into the Obligations of Christians, to use Means for the Conversion of the Heathens* (1792). David Bosch comenta: 'Los protestantes ... siempre se han enorgullecido del hecho de que hacen lo que hacen sobre la base de lo que enseña la Escritura. Con todo, en el caso de los primeros misioneros protestantes, los pietistas y los moravos, se evidenciaba muy poco fundamento bíblico real para sus empresas misioneras. William Carey fue, de hecho, uno de los primeros en intentar elaborar un fundamento para el mandato misionero de la Iglesia, ('Hermeneutical Principles', p. 438).

¿Qué ocurre si uno cuestiona el supuesto común de que este texto ofrece algún tipo de cronología para el regreso de Cristo: volverá apenas hayamos discipulado a todas las naciones? Además, ¿acaso se puede decir que se ha completado el discipulado (teniendo en cuenta, de paso, que en realidad el texto dice 'discipular' y no evangelizar)? ¿Acaso cada generación nueva en las naciones ya evangelizadas no necesita una nueva tarea de discipulado? La Gran Comisión es una tarea que se expande y automultiplica, y no un reloj con la alarma preparada para que suene al final de los tiempos.

¿Qué ocurre si, todavía más discutiblemente, prestamos oídos a las voces de críticos eruditos que cuestionan si Jesús pronunció alguna vez (en arameo por supuesto) las palabras registradas en griego en Mateo 28.18–20?[4] Como respuesta a semejante desafío se podría dar varios pasos defensivos:

- Defender la autenticidad del texto de Mateo frente a los escépticos, y hay buenas razones para hacerlo.[5]
- Argumentar que aun cuando este texto no sea un registro transcripto de palabras pronunciadas por Jesús, de hecho expresa auténticamente la necesaria relación con su identidad y su obra tal como lo entendió la iglesia posterior a la resurrección entregada a la misión.
- Buscar más textos para apoyar a este, con el fin de demostrar que Mateo realmente capturó el elemento esencial del testimonio de la Escritura y lo vinculó legítimamente con Jesús, quien reconoció su propia misión y la de sus discípulos como totalmente asentada en las Escrituras.

La última opción es la más común. La mayoría de los libros que ofrecen una base bíblica para la misión ve su tarea como la de reunir la mayor cantidad posible de textos que se puede decir que ordenan o apoyan la empresa misionera. Ahora bien, esto es importante hasta cierto punto.

---

4 Como hace, p. ej., Alan Le Grys en *Preaching to the Nations: The Origin of Mission in the Early Church*, SPCK, Londres, 1998.
5 James LaGrand: *The Earliest Christian Mission to All Nations in the Light of Matthew's Gospel*, Eerdmans, Grand Rapids, 1995.

Esta clase de respaldo de la misión es necesaria en iglesias que parecen más bien selectivas en su lectura de la Biblia.

Hay muchos cristianos cuya piedad personal los lleva a apreciar aquellos textos de la Biblia que les hablan de su propia salvación y seguridad, que los alientan en tiempos de angustia, que los guían en sus esfuerzos por caminar ante el Señor en formas que le agraden. En cambio los sorprende verse enfrentados con semejante batería de textos que los desafían en relación con el propósito universal de Dios para el mundo y las naciones, la naturaleza multicultural del evangelio y la esencia misional de la iglesia. Pero es preciso que se sobrepongan a esa sorpresa y presten atención a la esencia de la Biblia.

De la misma manera, hay muchos eruditos y estudiantes de teología cuya comprensión teológica está contenida por el horizonte de la forma clásica del currículo, en el que la misión en cualquier forma (bíblica, histórica, teológica, práctica) parece estar, curiosamente, ausente. Si se pudiera demostrar (como creo que indudablemente se puede) que hay un número enorme de textos y temas en la Biblia que se relacionan con la misión cristiana, entonces la misionología puede recuperar la respetabilidad en el mundo académico (de lo cual ya hay señales alentadoras).

El peligro de un inadecuado uso de los textos probatorios. Con todo, sea un texto o muchos, el peligro que acecha a toda la costumbre de citar textos de prueba sigue estando presente. Ya hemos decidido lo que queremos demostrar (que nuestra práctica misionera es bíblica), y nuestra colección de textos simplemente ratifica nuestro preconcepto. La Biblia se convierte en una mina de la que extraemos nuestras piedras preciosas: 'textos misioneros'. Es posible que estos textos realmente brillen, pero el solo enhebrar nuestras joyas en un cordel no es todavía lo que se podría llamar una hermenéutica misionológica de la Biblia. No proporciona un fundamento adecuado para la misión basado en toda la Biblia.

Comentando este enfoque basado en la colección de textos, David Bosch observa:

> No estoy diciendo que estos procedimientos sean ilegítimos. Es indudable que tienen su valor. Pero su contribución para establecer la validez del mandato misionero es mínima. Esta validez no debe deducirse de textos aislados e incidentes independientes unos de otros sino exclusivamente de la fuerza que proporciona el mensaje central tanto del

Antiguo como del Nuevo Testamento. Lo que es decisivo para la iglesia actual no consiste en un acuerdo formal entre lo que ella está haciendo y lo que unos textos bíblicos aislados parecerían estar diciendo, sino más bien su relación con la esencia del mensaje de las Escrituras.[6]

Ahora bien, podemos sentir que Bosch establece aquí un contraste falso entre cosas que en realidad son ambas necesarias. Por cierto que tendría que haber un acuerdo formal entre lo que hace la iglesia y lo que dicen los textos bíblicos. Y los textos pertinentes para la misión están lejos de ser textos aislados. Señalar lo inadecuado del método basado en textos de prueba mediante una muestra superficial y hermenéuticamente espuria ante un problema, no significa de ningún modo rechazar el arduo esfuerzo de probar una causa mediante un paciente estudio de textos. Volviendo a la cita de Bosch, articular lo que podría ser 'la fuerza del mensaje central' o 'la esencia del mensaje de la Escritura' es, desde luego, precisamente la cuestión que estamos procurando resolver en estas páginas. Para estar en condiciones de decir que la fuerza o esencia es la 'misión' se requiere mucho más que una simple lista de textos que benévolamente se prestan para ello.

Una limitación final de este enfoque basado en una lista de textos, es que plantea sospechas de circularidad. El peligro radica en que la persona se acerca a la Biblia con un compromiso ya instalado hacia la tarea de la misión, con una herencia de piadosa historia, con métodos y modelos disponibles en el presente, y con estrategias y metas para el futuro. Todo esto hemos dado por sentado que está garantizado bíblicamente. De manera que al indagar en las Escrituras en busca de un fundamento bíblico para la misión, puede ocurrir que encontremos lo que ya traíamos: nuestra concepción de lo que es la misión, ahora convenientemente adornada con etiquetas de equipaje.

Establecer un fundamento bíblico para la *misión per se* es legítimo y esencial. Sostener que se ha descubierto apoyo bíblico para *toda nuestra práctica misionera* es mucho más cuestionable. Algunos dirían que es imposible, incluso peligroso. Antes que buscar legitimación bíblica para nuestras actividades, deberíamos someter toda nuestra estrategia, planes y

---

6 Bosch: 'Hermeneutical Principles,' pp. 439–440.

operaciones misioneras a la crítica y la evaluación bíblicas. Marc Spindler expresa claramente este punto:

> Si el concepto de 'misión' se entiende como la suma total de las actividades misioneras actuales en el período moderno o como todo lo que se lleva a cabo bajo la bandera de las 'misiones', entonces un erudito bíblico honesto solo puede llegar a la conclusión de que semejante concepto de la misión no aparece en la Biblia. ... En consecuencia, resulta anacrónico y por ello no tiene sentido intentar basar las actividades 'misioneras' modernas en la Biblia, es decir, buscar precedentes bíblicos o mandatos bíblicos literales para todas las actividades misioneras modernas. Hoy la misión debe, más bien, verse como algo que nace a partir de algo fundamental, del movimiento básico del pueblo de Dios hacia el mundo [es decir, con las buenas nuevas de salvación por medio de Jesucristo]. ... El carácter genuino de nuestra fundamentación bíblica para la misión se mantiene o cae con la orientación de las misiones modernas hacia este pensamiento central. Todas las actividades 'misioneras' que se han desarrollado en el curso de la historia deben ser reevaluadas desde esta perspectiva. Una vez más, un fundamento bíblico para la misión de ningún modo procura legitimar las actividades misioneras que de hecho se están llevando a cabo. Su objetivo es, más bien, la evaluación de dichas actividades a la luz de la Biblia.[7]

Pero con el fin de hacer esa tarea evaluativa, es preciso que tengamos un conocimiento más claro de ese 'algo fundamental', la misión en su sentido bíblico o, más precisamente, un marco misionológico de teología bíblica.

Más allá de las perspectivas hermenéuticas multiculturales

Iglesia global, hermenéutica global. Lenta pero inexorablemente, la teología académica occidental está tomando conciencia del resto del mundo. El impacto de la misionología ha puesto de manifiesto ante la comunidad teológica en Occidente la riqueza de las perspectivas teológicas y hermenéuticas que son, en algunos casos por lo menos,

---

7 Marc R. Spindler: 'The Biblical Grounding and Orientation of Mission,' en *Missiology: An Ecumenical Introduction,* ed. A. Camps, L. A. Hoedemaker y M. R. Spindler, Eerdmans, Grand Rapids, 1995, pp. 124–125.

producto del éxito de la misión durante los siglos pasados. La misión ha transformado el mapa del cristianismo global. Desde una situación a comienzos del siglo veinte cuando aproximadamente el 90% de los cristianos del mundo vivía en Occidente o en el Norte (es decir, predominantemente Europa y América del Norte), el comienzo del siglo veintiuno encuentra por lo menos al 75% de los cristianos del mundo en los continentes del Sur y del Este: América Latina, África y partes de Asia y el Pacífico. El centro de gravedad del cristianismo mundial se ha trasladado hacia el sur, un fenómeno descrito, no en forma enteramente feliz, como 'la próxima cristiandad'.[8] Otros prefieren términos tales como 'El sur global' o 'El mundo mayoritario'.

Vivimos en una era de una iglesia multinacional y una misión multidireccional. Y es apropiado que contemos con una hermenéutica multicultural. La gente insiste en leer la Biblia por sí misma. Si bien la situación está mejorando, hay una gran ironía en que la erudición teológica occidental y protestante, que tiene sus raíces en una revolución hermenéutica (la Reforma) dirigida por personas que afirmaban el derecho a leer la Escritura con independencia de la hegemonía preponderante del escolasticismo católico medieval, ha sido lenta en prestar atención a las gentes de otras culturas que eligen leer las Escrituras a través de sus propios ojos.[9]

El fenómeno de la variedad hermenéutica retrocede hasta la Biblia misma, desde luego. El Nuevo Testamento nació a partir de una revolución hermenéutica en la lectura de esas Escrituras que ahora llamamos el Antiguo Testamento. En el seno de la iglesia primitiva había distintas maneras de entender esas mismas Escrituras, según el contexto y la necesidad que hubiera que enfrentar. Formas judías y griegas de identidad cristiana, producto de la misión de la iglesia, se sentían aludidas y exigidas de diferentes maneras por las demandas de las Escrituras. Pablo

---

8 Philip Jenkins: *The Next Christendom: The Coming of Global Christianity*, Oxford University Press, Oxford, 2002. Ver Christopher Wright: 'Future Trends in Mission', en *The Futures of Evangelicalism: Issues and Prospects*, ed. Craig Bartholomew, Robin Parry y Andrew West, InterVarsity Press, Leicester, 2003, y la bibliografía allí citada.

9 La ignorancia (sea inocente o voluntaria) sobre asuntos de importancia en el cristianismo no occidental con los que la teología no occidental tiene que vérselas me fue ilustrada en una reunión combinada del personal docente de varios institutos superiores teológicos de Londres. Un docente de Ghana en la Universidad Cristiana de *All Nations* dijo que en su tarea pastoral en Ghana, por lo menos el 50% de su tiempo tenía que dedicarlo a ayudar a creyentes, pastoralmente y teológicamente, en el área de los sueños y las visiones, como también en el del mundo espiritual. Un profesor británico de otra universidad me comentó con un mal disimulado desprecio durante el almuerzo: 'Yo creía que ya habíamos superado ese tipo de cosas'.

lucha con estas diferencias en Romanos 14—15, por ejemplo. Dejó en claro su propia posición (al identificarse teológicamente con los que se llamaban a sí mismos los 'fuertes'), pero insistió en que los que diferían en cuestiones de interpretación y aplicación de los preceptos escriturarios deben aceptarse mutuamente sin condenación ni desprecio del otro, debido a las exigencias prioritarias de Cristo y el evangelio.

De modo que una hermenéutica misional ha de incluir por lo menos el siguiente reconocimiento: la multiplicidad de perspectivas y contextos desde los cuales, y dentro de los cuales, la gente lee los textos bíblicos. Aun cuando afirmamos (y por cierto que yo lo hago) que el contexto histórico y salvífico–histórico de los textos bíblicos y sus autores tiene importancia primaria y objetiva en el discernimiento de su mensaje y su significación, la pluralidad de perspectivas desde las cuales se leen es, también, un factor vital en la riqueza hermenéutica de la iglesia global. Lo que las personas de una cultura aportan de esa cultura a su lectura de un texto puede iluminar dimensiones o inferencias que personas de otra cultura pueden no haber visto con tanta claridad.[10]

Reflexionando sobre esta pluralidad, James Brownson sostiene que se trata de algo *positivo* con raíces bíblicas y que surge de la realidad del compromiso misional que abarca a todo el mundo:

> Llamo hermenéutica *misional* al modelo que estoy desarrollando porque nace de una observación básica acerca del Nuevo Testamento: a saber, el movimiento cristiano primitivo que produjo y canonizó el Nuevo Testamento era un movimiento con un carácter específicamente *misionero*. Uno de los fenómenos más obvios del cristianismo primitivo es el modo en que el movimiento atravesó fronteras culturales y se ubicó en lugares nuevos. Más de la mitad del Nuevo Testamento fue escrito por personas ocupadas con entusiasmo en esta clase de empresa misionera en la iglesia primitiva. Esta tendencia del cristianismo primitivo a cruzar fronteras culturales constituye un fértil punto de partida para desarrollar un modelo de interpretación bíblica. Es fértil, especialmen-

---

10 Traductores occidentales del libro de Génesis al árabe chádico me dijeron cómo los creyentes chádicos, leyendo las historias de José por primera vez en su propia lengua, discernían en el relato, y especialmente en su punto culminante en el capítulo 50, aspectos de la relación entre José y sus hermanos y el lento proceso de reconciliación y la anulación de la vergüenza (que no quedó completa hasta después de la muerte de Jacob), que para ellos tenía un profundo sentido en su propia cultura. Encontraban, por ejemplo, tanto poder en el compromiso personal de José en Génesis 50.21 como en su discernimiento teológico en Génesis 50.20.

te para nuestros fines, porque ubica la cuestión de la relación entre el cristianismo y las diversas culturas en la cúspide misma de la agenda interpretativa. Este enfoque puede ser de gran ayuda para nosotros como modo de abordar hoy la pluralidad en la interpretación. ... La hermenéutica misional que propongo comienza afirmando la realidad e inevitabilidad de la pluralidad en la interpretación.[11]

La misión como punto central de coherencia hermenéutica. No obstante, no sería acertado pensar que una hermenéutica misional de la Biblia se reduce solo a agregar todas las formas posibles de leer los textos, entre todos los contextos eclesiásticos y misionales alrededor del globo. Esta sería, desde luego, una tarea fascinante y enriquecedora. Vivir y trabajar en culturas distintas de la propia y tener que leer y estudiar la Biblia a través los ojos de otros es un privilegio inmensamente instructivo que abre la mente. Pero, ¿nos quedamos solo con la pluralidad? Y de ser así, ¿quedamos relegados a un relativismo que niega toda evaluación? ¿Existen límites en cuanto a lecturas de los textos bíblicos que estén bien o mal o, incluso, simplemente mejores o peores? Además, ¿cómo habrán de definirse esos límites o criterios?

Es importante señalar aquí que 'pluralidad en la interpretación' no es pluralismo como ideología hermenéutica, así como tampoco es un programa relativista. El punto de partida para entender el significado de los textos bíblicos, en mi entender, sigue siendo una cuidadosa aplicación de las herramientas histórico–gramaticales con el fin de determinar hasta donde sea posible el significado que se propusieron darles sus autores y editores en los contextos en que fueron dichos o escritos. Pero al aplicar esas herramientas y luego pasar a hacer nuestras la significación y las consecuencias de esos textos para nuestro propio contexto, la diversidad cultural cumple su parte en la escucha y la recepción de las mismas. Pero se trata de una diversidad con límites metodológicos y teológicos.

Brownson prosigue, a partir de su análisis sobre una hermenéutica misional de la *diversidad,* a sostener 'una hermenéutica de la coherencia'. La pluralidad de posturas interpretativas exige que hablemos y nos

---

11 James V. Brownson: 'Speaking the Truth in Love: Elements of a Missional Hermeneutic', en *The Church Between Gospel and Culture,* ed. George R. Hunsberger y Craig Van Gelder, Eerdmans, Grand Rapids, 1996, pp. 232–233. Ver también Christopher J. H. Wright: 'Christ and the Mosaic of Pluralisms: Challenges to Evangelical Missiology in the 21st Century', en *Global Missiology for the 21st Century: The Iguassu Dialogue,* ed. William Taylor, Baker, Grand Rapids, 2000, reimpreso en *Evangelical Review of Theology* 24 (2000): 207–39.

escuchemos unos a otros con respeto y amor, afirmando nuestra común humanidad y nuestro común compromiso para con los mismos textos bíblicos. 'Una vez que hemos afirmado la pluralidad, sin embargo, también es preciso que nos ocupemos de ver en qué forma la Biblia puede proporcionar un centro, un punto de orientación en medio de semejante diversidad. ¿Qué significa hablar *la verdad* en amor?'[12] La respuesta que ofrece Brownson es la forma, el contenido y lo que el propio evangelio bíblico sostiene. Está de acuerdo con los entendidos que han encontrado un núcleo de afirmaciones no negociables en las diversas presentaciones del evangelio en el Nuevo Testamento e insiste en que éste debe proporcionar el marco hermenéutico o la matriz para evaluar todas las lecturas que se proponen de los textos.

> Una comprensión de la función hermenéutica del evangelio resulta crítica para una aproximación sana a la pluralidad y la coherencia en la interpretación bíblica. La interpretación siempre surgirá de diferentes contextos. Siempre habrá diferentes tradiciones traídas a colación por diversos intérpretes. ... En medio de toda esta diversidad, empero, el evangelio funciona como un marco que proporciona una sensación de coherencia y unidad.[13]

Si bien estoy totalmente de acuerdo con esto, yo iría más lejos para señalar que el evangelio (que Brownson considera en términos exclusivamente neotestamentarios) en realidad comienza en Génesis (según Pablo en Gálatas 3.8). Por ello quiero traer a colación una perspectiva totalizadora de la Biblia en relación con el tema de lo que Brownson llama 'una hermenéutica de la coherencia'.

Con seguridad esto es lo que está implícito también en la hermenéutica mesiánica y misional del canon hebreo en Lucas 24. Lucas, que vivió y trabajó con Pablo, y quien escribió la turbulenta historia de las primeras controversias teológicas en la iglesia en Hechos, conocía perfectamente bien la diversidad de interpretación de los textos del Antiguo Testamento incluso dentro de la primera generación de los que siguieron el camino de Jesús. No obstante, el relato dice que la

---

12 *Ibid.*, p. 239.
13 *Ibid.*, pp. 257–258.

palabra de Jesús 'les abrió el entendimiento para que comprendieran las Escrituras' (Lucas 24.45). En otras palabras, *Jesús mismo* proveyó la coherencia hermenéutica dentro de la cual todos los discípulos debían leer estos textos, es decir, a la luz de la historia que lleva *hacia* Cristo (lectura mesiánica) y la historia que conduce *hacia adelante a partir de Cristo* (lectura misional). Esa es la historia que fluye de la mente y el propósito de Dios en todas las Escrituras para todas las naciones. Esa es una hermenéutica misional de toda la Biblia.

Más allá de las teologías contextuales y las lecturas defensivas

Contextos e intereses. La diversidad de enfoques contextuales para la lectura de los textos bíblicos incluye aquellos que son explícitos en su posición interesada, es decir, lecturas hechas en medio de y a favor de, o para favorecer los intereses de un grupo particular de personas. Por oposición al punto de vista un tanto sesgado de la teología que se desarrolló en Occidente a partir del Iluminismo, que gustaba afirmar que era científica, objetiva, racional y libre de presuposiciones confesionales o de intereses ideológicos, han surgido teologías que declaran que esa supuesta objetividad desinteresada es un mito y que además era peligrosa, porque ocultaba presuposiciones hegemónicas. Estas teologías sostienen que los contextos sí tienen importancia, que en el acto de leer e interpretar la Biblia, las cuestiones sobre quiénes somos, dónde estamos, y entre quiénes vivimos hacen diferencia. La Biblia se ha de leer en y para el contexto en el cual se tiene que hacer oír su mensaje y en el que debe ser recibido.

En el ambiente académico occidental, estos acercamientos a la Biblia y la teología se conocieron como 'teologías contextuales'. El término mismo delataba el arrogante etnocentrismo de Occidente, dado que el supuesto era que los otros lugares constituían el contexto y que ellos hacían su teología para esos contextos; nosotros, los occidentales, hacíamos lo realmente valioso, la teología objetiva, sin contexto.

Este supuesto está siendo justamente desafiado, y Occidente aparece como lo que es: un contexto particular de la cultura humana, no necesariamente mejor ni peor que cualquier otro contexto para la lectura de la Biblia y para hacer teología.[14] Pero sucede que se trata del contexto dentro del cual surgió un cierto modo de ser cristiano consecuente que se sostuvo por siglos, y luego adquirió una posición dominante en el mundo, fundamentalmente por la actividad misionera y lo que vino después. Es el contexto cultural que culminó con esa gran torre de Babel que conocemos como la modernidad del Iluminismo, que actualmente está en proceso de fragmentación, igual que su prototipo del Génesis, tal como se refleja en la desconectada diversidad de la posmodernidad.

Lo que tienen en común muchas de estas teologías más nuevas es el apoyo que ofrecen a la posición que ocupan. Es decir, surgen de la convicción de que es fundamental para la fe bíblica ubicarse del lado de las víctimas de la injusticia en cualquier forma. Así, la Biblia ha de ser leída con una hermenéutica liberacionista, o sea, con la preocupación de liberar a los pueblos de la opresión y la explotación. La primera en hacer su impacto en el pensamiento teológico en Occidente en el siglo veinte fue la teología de la liberación procedente de América Latina.[15] La teología no debía hacerse en la oficina y aplicarse luego en el mundo. Más bien, la acción para y por los pobres y los oprimidos debía llevarse a cabo como una primera prioridad, y luego, a partir de ese compromiso y esa praxis, vendría la reflexión teológica. Esto ofrecía un desafío radical paradigmático para el modo occidental corriente de hacer teología. Otros ejemplos incluyen la teología dalit de la India, la teología minjung en Corea, y la teología negra en el África y entre los afroamericanos. Los movimientos feministas también han generado una amplia e influyente hermenéutica y teología, que probablemente haya sido más influyente en Occidente que cualquiera de las otras. Todas estas aproximaciones al texto ofrecen una hermenéutica que es intencionalmente 'interesada'. Vale decir, leen con el interés puesto en aquellos en cuyo nombre hablan: los pobres, los excluidos, los negros, las mujeres, etc.

---

14 Lo expreso de este modo porque no hay razón, me parece a mí, para hacer girar el péndulo de la hegemonía y la ignorancia hermenéutica occidental de la erudición bíblica de la mayoría mundial hacia la adulación de todo o de cualquier cosa que proceda del resto del mundo porque está en boga, y el consecuente rechazo de métodos establecidos de exégesis gramático–históricos como algo intrínsecamente occidental, colonial o imperialista.
15 El marco temporal es deliberado por cuanto siglos anteriores han visto sus propios desarrollos teológicos con orientación liberacionista. Los movimientos anabautistas de la reforma radical, por ejemplo, desarrollaron una serie de estrategias hermenéuticas en su lucha contra la intensa persecución de parte tanto del catolicismo romano como de las principales iglesias y estados protestantes.

Haciendo estallar el estereotipo misionero. ¿Podría, entonces, presentarse una hermenéutica misional como una teología de la liberación para misioneros? ¿O misionólogos? Esta idea se propone en broma solo a medias. Dado que en la mitología popular los misioneros son vistos como agregados comprometidos con el colonialismo, y casi sinónimos de la arrogancia occidental y el totalitarismo cultural, tal vez sería más natural proponer una teología liberacionista *desde* los misioneros (que es lo que de hecho han propuesto algunas formas radicales de teología no occidental).

Sin embargo, la naturaleza multinacional de la iglesia global ha generado una nueva realidad que apenas se reconoce todavía en las iglesias de Occidente, y menos aún en su cultura y sus medios informativos. Se trata del hecho de que mucho más de la mitad de todos los misioneros cristianos sirviendo en el mundo hoy no son blancos y occidentales. Son las iglesias del mundo mayoritario las que actualmente mandan a la mayoría de las personas a toda clase de tareas misionales transculturales. De modo que es tan probable que nos encontremos con un misionero africano en Gran Bretaña como con un misionero británico en el África; lo mismo vale para los brasileños en África del Norte; nigerianos en partes del África Occidental, donde pocas personas blancas se aventuran a entrar ahora; y coreanos en casi todas partes del mundo. Si bien sigue siendo cierto que los Estados Unidos manda el mayor número de misioneros a otras partes del mundo, el país que ocupa el *segundo* lugar en cuanto al número de misioneros transculturales es India.[16] Hay por lo menos treinta veces más misioneros nacionales indios que occidentales sirviendo como misioneros dentro de ese país.

Lo que de ninguna manera se puede decir sobre este nuevo fenómeno de la misión mundial es que todos estos misioneros cristianos sean agentes de poderes coloniales opresivos o que operan como un barniz religioso para el imperialismo político o económico. Por el contrario, en su mayor parte la misión cristiana, tal como la llevan a cabo las iglesias del mundo mayoritario, operan sin poder y con relativa pobreza, y con frecuencia en situaciones de considerable oposición y persecución. Tales misiones quizás no pertenezcan a una clase oprimida en la escala de, digamos, la América Latina pobre o

---

16 Además, hay estimaciones recientes que sugieren que el número de misioneros protestantes transculturales en la India ya haya sido sobrepasado por el número total enviado alrededor del mundo desde los Estados Unidos.

los dalits de la India (aunque muchos misioneros indios también son dalits). Pero les podría venir bien un poco de liberación de los opresivos estereotipos y las injustas caricaturas que todavía rodea su llamado como también de la marginación que experimenta la misión en muchas iglesias y con la que la misionología todavía lucha en los círculos teológicos académicos.

De manera que, sí, una hermenéutica misional es 'interesada'. Lee la Biblia y desarrolla una hermenéutica bíblica desde los intereses de quienes han entregado la historia de su vida personal a la historia bíblica del propósito de Dios para las naciones. Pero lo hace con la todavía más fuerte convicción de que esa entrega debería ser la posición normal de toda la iglesia, porque, con esta lectura de la Escritura, una iglesia que se deja gobernar por la Biblia no puede evadir la fuerza misional del Dios y del evangelio en ella revelada.

La lectura misional abarca la liberación. Con todo, una hermenéutica misional va más lejos. No se conforma con ocupar su lugar simplemente como una de las teologías liberacionistas, promotoras o 'interesadas' que se ofrecen (aunque incluso como tales, sostengo, tiene derecho a existir, derecho a avanzar y a defender su propia validez).[17] En cambio, una lectura misional más amplia de toda la Biblia, tal como la que espero bosquejar en estas páginas, en realidad incluye en sí misma lecturas liberacionistas. ¿De dónde más proviene la pasión por la justicia y la liberación que se respira en estas diversas teologías, sino de la revelación bíblica del Dios que batalla contra la injusticia, la opresión y la esclavitud a través de la historia y hacia el escatón? ¿De dónde más sino del Dios que triunfó decisivamente sobre toda esa perversión y esa maldad (humana, histórica y cósmica) en la cruz y en la resurrección de su Hijo, Jesucristo? ¿De dónde más, en otras palabras, sino de la misión de Dios?

Según la Biblia, toda verdadera liberación, todo interés supremo verdaderamente humano fluye de Dios, no *cualquier* dios sino el Dios revelado como YHVH en el Antiguo Testamento y encarnado en Jesús

---

17 Para una penetrante reflexión sobre la pluralidad de lecturas de los textos bíblicos entre los académicos posmodernos y el impacto que esto ha tenido en la hegemonía tradicional de la teología occidental, particularmente en el campo de los estudios del Antiguo Testamento, ver Walter Brueggemann: *Theology of the Old Testament: Testimony, Dispute, Advocacy*, Fortress Press, Minneapolis, 1997, pp. 61–114. Me parece que una lectura misionológica tiene tanto derecho a exhibir su puesto en el mercado de la hermenéutica contemporánea como cualquier otra. Ver también mis propios comentarios en Wright, 'Mosaic of Pluralisms'.

de Nazaret. De modo que en la medida en que la Biblia narra la pasión y la acción (la misión) de *este* Dios para la liberación no solo de la humanidad sino de toda la creación, una hermenéutica misional de la Escritura debe tener una dimensión liberadora. Nuevamente nos vemos obligados a reconocer cuán importante es afincar nuestra teología de la misión (y nuestra práctica de ella) en la misión de Dios y en nuestra respuesta fervorosa a todo lo que Dios es y hace. Desde esa perspectiva, somos promotores de *Dios* antes de ser promotores de *otros*.

> Esta base trinitaria de la misión debería dejar en claro que Dios y no la iglesia es el tema primario y la fuente de la misión. La promoción es lo que le toca a la iglesia, ser la promotora de Dios en el mundo. Por lo tanto la iglesia debe comenzar su misión con una doxología, porque de otro modo todo se convierte en activismo social y programas sin objeto.[18]

Más allá de la hermenéutica posmoderna

Pluralidad sí; relativismo no. El surgimiento de las teologías contextuales y luego el reconocimiento de que toda teología es de hecho contextual, incluida la de tipo occidental 'estándar', ha coincidido con la llegada del posmodernismo y su impacto masivo sobre la hermenéutica (como sobre todas las disciplinas académicas). Los teólogos académicos del Occidente contemporáneo se formaron mayormente con una cosmovisión de la modernidad iluminista que privilegiaba la objetividad y buscaba una sola construcción teológica totalmente abarcadora. Por ello, naturalmente, tuvo dificultad con las teologías que parecían estar demasiado condicionadas por contextos locales e históricos. Pero el viraje posmoderno, en contraste deliberado, acepta y eleva precisamente ese localismo y esa pluralidad.

El posmodernismo, sin embargo, no solamente celebra lo local, lo contextual y lo particular; se adelanta a declarar que esto es todo lo que tenemos. No hay ningún gran relato (o metarrelato) que explica todo, y cualquier afirmación de que hay alguna verdad para todos, que abarca la totalidad de la vida y el sentido, es rechazada como juegos de poder

---

18 Carl E. Braaten: 'The Mission of the Gospel to the Nations', *Dialog* 30 (1991): 127. Ver también el todavía pertinente recordatorio de las prioridades trinitarias y centradas en Dios de la misión, por Lesslie Newbigin, *Trinitarian Doctrine for Today's Mission*, Edinburgh House Press, Edimburgo, 1963; Paternoster, Carlisle, 1998.

opresivos. Así, la hermenéutica posmoderna se deleita en una multiplicidad de lecturas y perspectivas, pero rechaza la posibilidad de alguna verdad o coherencia que las una.[19]

Por otro lado, durante dos mil años la misión cristiana, desde el comienzo de la iglesia del Nuevo Testamento, debió luchar con los problemas de los contextos culturales múltiples. Y, sin embargo, en medio de todos ellos ha mantenido la convicción de que hay una verdad objetiva para todos en el evangelio, que está dirigida a la gente en cualquier contexto, y que reclama su adhesión. Iría más lejos y sostendría que Israel en el Antiguo Testamento luchaba con una dinámica similar, a saber, la necesidad de relacionar la fe de YHVH con contextos culturales y religiosos cambiantes a través de más de mil años de la historia de Israel. La pluralidad cultural no es nada nuevo para la misión cristiana. Más bien es el material del compromiso misional y la reflexión misionológica. Podemos sentirnos desafiados si nadamos en la piscina posmoderna, pero no tenemos por qué sentir que estamos en aguas demasiado profundas.[20]

En un interesante y complejo artículo Martha Franks explora la forma en que, en el curso del siglo veinte, la teología cristiana de la misión pasó de una presentación bastante superficial, consistente en un solo mensaje bíblico, por un entendimiento históricamente matizado (como en la teología de von Rad), a un reconocimiento de la pluralidad, a la vez dentro de la Biblia y dentro de los contextos de la misión (como en Senior y Stuhlmueller). Franks observa la forma en que Lesslie Newbigin, por ejemplo, equilibra sensitivamente la particularidad de la elección con la pluralidad de la visión de la Biblia para todas las naciones y culturas, y considera la plenitud del evangelio llevada a una gloria cada vez más visible mediante la tarea de la misión transcultural

---

19 Un elemento fundamental en el desafío de la posmodernidad se ha producido en el nivel de la epistemología: cómo sabemos lo que afirmamos saber. Esto a su vez tiene un impacto significativo sobre la forma en que vemos la misión, ya que la misión cristiana, si es algo, está fundada en lo que los cristianos afirman creer acerca de Dios y el mundo, acerca de la historia y el futuro. Algunos de estos problemas epistemológicos para la misión fueron considerados en un simposio reunidos en J. Andrew Kirk y Kevin J. Vanhoozer, eds., *To Stake a Claim: Mission and the Western Crisis of Knowledge*, Orbis, Maryknoll, N.York, 1999.

20 Andrew Walls proporciona un estudio sumamente estimulante de la forma en que a través de la historia la iglesia cristiana ha desarrollado una creciente pluriformidad, que ha ido hundiendo sus raíces en cultura tras cultura, y a la vez preservando el núcleo objetivo transcultural esencial y no negociable del evangelio. Ver Andrew F. Walls: *The Missionary Movement in Christian History: Studies in the Transmission of Faith*, Orbis, Maryknoll, N.York; T&T Clark, Edimburgo, 1996.

en doble sentido. Luego pasa a vincular esto con las preocupaciones del posmodernismo y sostiene que la misión cristiana ha precedido por lejos al posmodernismo en el reconocimiento de la validez de los contextos múltiples como 'hogar' para el evangelio.

La misión cristiana tiene larga experiencia con los desafíos 'posmodernos'. La misión, señala Franks, nunca fue simplemente una cuestión de transferir un objeto de un sujeto a otro. Más bien, la dinámica viva del evangelio ha sido tal que, mientras mantiene un núcleo inalterable debido a su raigambre histórica en las Escrituras y en el hecho de Cristo, ha sido recibida, entendida, articulada, y vivida en un sinnúmero de formas, tanto verticalmente a través de la historia, como horizontalmente en todas las culturas en las que la fe cristiana se ha arraigado.

> Newbigin ... sostiene que la tarea de la misión en la pluralidad del mundo tiene 'doble sentido'. Escuchar las nuevas comprensiones del evangelio que surgen cuando el mensaje de Cristo es llevado a un contexto nuevo, es parte importante de la comprensión del significado total del señorío de Jesús. Este discernimiento a partir de la tarea de la misión es coherente con la sugerencia semejante del posmodernismo con respecto al significado de los textos: que la comunicación entre personas, aun cuando sea mediante libros, es siempre en 'doble sentido'. ... Más aún, la comprensión que tiene Newbigin de la misión destaca el hecho de que la misionología cristiana ha precedido por mucho al mundo posmoderno en el reconocimiento del posible problema de que el trasplante de idiomas y conceptos de un contexto a otro conduce a formas nuevas de entenderlos. Con siglos de experiencia con el mismísimo problema que preocupa a los posmodernos, es apropiado reaccionar al desafío del posmodernismo, no con revulsión sino con consejo. Nosotros entendemos de estos asuntos. Tenemos algo que ofrecer.[21]

Lo que tenemos para ofrecer, sostengo, es una hermenéutica misional de la Biblia. La Biblia llegó allí antes de que se soñara con el posmodernismo... La Biblia que se gloría en la *diversidad* y celebra múltiples *culturas* humanas, la Biblia que estructura sus más elevadas afirmaciones

---

21 Martha Franks: 'Election, Pluralism, and the Missiology of Scripture in a Postmodern Age', *Missiology* 26 (1998): 342.

teológica en hechos *particulares* y a veces muy *locales*, la Biblia que ve todo en términos *relacionales*, no abstractos, y que hace la mayor parte de su trabajo por medio de *narraciones*.

Todos estos rasgos de la Biblia (culturales, locales, relacionales, narrativos) son aceptables para la mente posmoderna. Donde la hermenéutica misional se aparta de la posmodernidad radical es en su insistencia en que a través de toda esta variedad, todo este localismo, particularidad y diversidad, la Biblia es *el* relato. Esto es así. Esta es la gran narración que constituye la verdad de todo. Y dentro de *este* relato, tal como lo narra o anticipa la Biblia, está en funciones el Dios cuya misión es evidente desde la creación hasta la nueva creación. Esta es la historia de la misión de Dios. Es una historia coherente con un alcance universal. Pero también es una historia que confirma a la humanidad en toda su particular variedad cultural. Esta es la historia universal que le acuerda un lugar bajo el sol a todas las historias pequeñas.[22]

---

22 Richard Bauckham explora la constante oscilación bíblica entre lo particular y lo universal, y sus consecuencias para una hermenéutica misionológica, con especial atención a su pertinencia para la posmodernidad, en *The Bible and Mission: Christian Mission in a Postmodern World*, Paternoster, Carlisle, 2003.

2 . La formación de una hermenéutica misional

En el capítulo 1 indiqué algunos de los pasos que ya se han dado hacia una lectura misionológica de la Biblia, pero a la vez sostuve que ninguno de ellos responde en forma completa al desafío. Una medida de responsabilidad, por lo tanto, recae sobre la persona que señala las deficiencias de otros que no logran presentar algo más adecuado. Con cierta timidez, por cuanto estoy seguro de que la tarea de establecer la misionología como un marco viable para la hermenéutica bíblica está todavía en la etapa de elaboración, ofrezco las reflexiones de este capítulo con la intención de que sirvan, por lo menos, como andamiaje para el proyecto.

La Biblia como producto de la misión de Dios

Una hermenéutica misional bíblica comienza con la existencia misma de la Biblia. Para aquellos que sostienen alguna relación (por articulada que sea), entre estos textos y la revelación que nuestro Dios Creador hace de sí mismo, todo el canon de las Escrituras es un fenómeno misional en el sentido de que da testimonio del autopropulsado movimiento de este Dios hacia su creación y hacia nosotros, seres humanos hechos a la propia imagen de Dios, pero descarriados y caprichosos. Los escritos que ahora componen nuestra Biblia son producto y testigos de la misión final de Dios.

> La existencia de la Biblia es una evidencia incontrovertible del Dios que se negó a abandonar a su rebelde creación, que se negó a renunciar, que estuvo y está resuelto a redimir y restaurar a la creación caída a su designio original. ... La existencia de esa colección de escritos testifica a favor de un Dios que se abre paso hacia los seres humanos, que se dio a conocer a ellos, que se niega a dejarlos sin iluminación en las tinieblas, ... que toma la iniciativa para restablecer las relaciones rotas con nosotros.[1]

Además, los procesos mediante los cuales fueron escritos, con frecuencia eran misionales en carácter. Muchos de estos textos surgieron a partir de acontecimientos, luchas, conflictos o crisis en los que el pueblo de Dios se involucró con la desafiante y siempre renovada tarea de articular y vivir su entendimiento de la revelación de Dios y su ac-

---

1 Charles R. Taber: 'Missiology and the Bible', *Missiology* 11 (1983): 232.

ción redentora en el mundo. A veces se trataba de luchas internas del pueblo de Dios; a veces eran luchas sumamente polémicas con las cosmovisiones y exigencias religiosas en competencia en su entorno. De modo que una lectura misional de dichos textos no es, evidentemente, una cuestión de (1) descubrir el 'verdadero' significado mediante una exégesis objetiva, y solo entonces (2) elaborar algunas 'consecuencias misionológicas' como complemento homilético del texto. Más bien, consiste en advertir que, con frecuencia, un texto tiene su *origen* en alguna cuestión, necesidad, controversia o amenaza que el pueblo de Dios debe enfrentar en el contexto de su misión. El texto mismo es producto de la misión en acción.

Esto se demuestra fácilmente en el caso del Nuevo Testamento.[2] La mayoría de las cartas de Pablo fueron escritas al calor de sus esfuerzos misioneros: luchando con la base teológica de la inclusión de los gentiles, afirmando la necesidad de que judíos y gentiles se aceptasen mutuamente en Cristo, enfrentando la gama de problemas nuevos que asaltaban a las jóvenes iglesias a medida que el evangelio echaba raíces en el mundo del politeísmo griego, enfrentando las incipientes herejías con afirmaciones claras sobre la supremacía y suficiencia de Jesucristo, y otros temas semejantes.

¿Y por qué recibieron este nombre los Evangelios? Porque fueron escritos para explicar la importancia del *evangel*: las buenas noticias acerca de Jesús de Nazaret, especialmente su muerte y resurrección. La confianza en estas cosas era esencial para la tarea misionera de la iglesia en expansión. Y Lucas, la persona a la que le debemos la mayor porción del Nuevo Testamento, organiza su obra en dos tomos de tal manera que el mandato misionero a los discípulos de ser testigos de Cristo ante las naciones llega como en la cúspide al tomo uno y la introducción al tomo dos.

---

2 Marion Soards analiza cuatro asuntos actuales en los estudios del Nuevo Testamento (el judaísmo del primer siglo, la vida de Jesús, la teología paulina, y el carácter de la iglesia primitiva), y demuestra que también son pertinentes para los estudios sobre la misión. Pero termina con un comentario inverso, en línea con lo que nos ocupa aquí: 'Los estudios sobre la misión deberían recordar a los estudiosos bíblicos que muchos de los escritos que analizamos (con frecuencia en forma trabajosa y minuciosamente detallada) se dieron debido a la realidad de la misión. Tomar conciencia de las cuestiones claves de la misión bien puede ayudar a los estudios bíblicos a encontrar los focos que permitirán apreciar más profundamente el significado de la Biblia.' Marion L. Soards: 'Key Issues in Biblical Studies and Their Bearing on Mission Studies', *Missiology* 24 (1996): 107. Con esto estoy totalmente de acuerdo. Ver también Andreas J. Koestenberger: 'The Place of Mission in New Testament Theology: An Attempt to Determine the Significance of Mission within the Scope of the New Testament's Message as a Whole', *Missiology* 27 (1999), y las obras mencionadas allí.

Howard Marshall ve esto como el punto focal de la teología del Nuevo Testamento. Sin duda todos los documentos del Nuevo Testamento giran en torno al reconocimiento de Jesús de Nazaret como Salvador y Señor.

Con todo, tal vez sea más útil reconocerlos de modo específico como los documentos de una misión. No tratan, por así decirlo, de Jesús en sí mismo o Dios en sí mismo, sino de Jesús en su papel de Salvador y Señor. *La teología del Nuevo Testamento es, en esencia, teología misionera.* Por esto quiero decir que los documentos adquirieron existencia como resultado de una misión en doble sentido; primero la misión de Jesús enviado por Dios a inaugurar su reino con las bendiciones que trae aparejadas para el pueblo, y llamar a las personas a responder él, y luego la misión de sus seguidores llamados a continuar su obra mediante su proclamación como Señor y Salvador, y llamando al pueblo a la fe y a un compromiso continuo con él, como resultado de lo cual su iglesia crece. La teología nace de este movimiento y adquiere su forma por él, y a su vez la teología da forma a la continuidad de la misión de la iglesia. … De esta manera, el Nuevo Testamento relata la historia de la misión y pone un énfasis especial en la exposición del mensaje proclamado por los misioneros.[3]

Pero también en el caso del Antiguo Testamento podemos ver que muchos de estos textos nacen del compromiso de Israel con el mundo circundante, a la luz del Dios que conocían por su historia y en la relación del pacto. Se producían textos en relación con lo que creían que Dios había hecho, estaba haciendo o haría en su mundo. La Torá registra el éxodo como un acto de YHVH que enfrentó y derrotó completamente el poder del faraón y todas sus pretensiones a la deidad y la fidelidad. Ofrece una teología de la creación que presenta un agudo contraste con los mitos politeístas de la Mesopotamia acerca de la creación. Los relatos históricos cuentan la larga y dura historia de la lucha de Israel con la cultura y la religión de Canaán, una lucha que se refleja también en los profetas preexílicos. Los textos exílicos y posexílicos surgen de la tarea que la pequeña comunidad remanente de Israel encaró para definir su invariable identidad como una comunidad de fe en sucesivos imperios de variada hostilidad o tolerancia. Los textos sapienciales interactúan con las otras tradiciones de sabiduría

---

3 Howard Marshall: *New Testament Theology: Many Witnesses, One Gospel,* InterVarsity Press, Downers Grove, Ill., 2004, pp. 34–35, énfasis agregado.

en las culturas circundantes, pero lo hacen con una base de monoteísmo a toda prueba. Y en cuanto a adoración y profecía, los israelitas reflexionan sobre la relación entre su Dios, YHVH, y el resto de las naciones (algunas veces negativamente, algunas veces positivamente) y sobre la naturaleza de su propio papel como el sacerdocio elegido de YHVH en medio de ellos.

Todos los puntos mencionados en el último párrafo merecen capítulos propios, y algunos de ellos lo tendrán. Lo que queremos demostrar aquí es simplemente que la Biblia en sí misma es, en muchas maneras, un *fenómeno misional*. Los textos individuales en ella con frecuencia reflejan las luchas de ser un pueblo con una misión en un mundo de lealtades culturales y religiosas en competencia. Y el canon finalmente consolida el reconocimiento de que es mediante estos textos que el pueblo al que Dios ha llamado a ser suyo (en ambos Testamentos) ha sido modelado como una comunidad de memoria y esperanza, una comunidad de misión, fracaso, y esforzada lucha. Por cierto, como lo ha observado David Filbeck, el impulso misionológico presenta coherencia teológica en la Biblia, incluida la relación de los dos Testamentos.

> Más aún, es esa dimensión misionera, tan frecuentemente ignorada en la interpretación teológica moderna, la que unifica tanto al Antiguo como al Nuevo Testamento y coordina sus diversos temas para formar un tema único. Es la conexión lógica entre los dos Testamentos la que muchos teólogos modernos lamentablemente parecen temer que no podrán encontrar. … Sintéticamente, la dimensión de las misiones en la interpretación de las Escrituras le da estructura a toda la Biblia. Cualquier estudio teológico de las Escrituras, por lo tanto, debe formularse con la perspectiva de mantener esta estructura. La dimensión misionera para la interpretación del Antiguo Testamento como se despliega en el Nuevo Testamento logra esto, creo yo, de un modo que ningún otro tema teológico puede esperar igualar.[4]

En síntesis, la hermenéutica misional da por sentado que *toda la Biblia nos presenta el relato de la misión de Dios mediante el pueblo de Dios en su interacción con el mundo de Dios por amor a toda la creación de Dios.*[5]

---

4 David Filbeck: *Yes, God of the Gentiles Too: The Missionary Message of the Old Testament*, Billy Graham Center, Wheaton, Ill., 1994, p. 10.
5 Sobre la necesidad de tomar la Biblia como un todo en la elaboración de una teología de la misión, ver también: Charles Van Engen, 'The Relation of Bible and Mission in Mission Theology', en *The Good News of the Kingdom*, ed. Charles Van Engen, Dean S. Gilliland, y Paul Pierson, Orbis, Maryknoll, N.York, 1993, pp. 27–36.

La autoridad bíblica y la misión

La Gran Comisión supone un imperativo, un mandato. De modo que también presupone una autoridad por detrás de ese imperativo. Encontramos este y otros imperativos similares en la Biblia. Por ello nuestra participación en la misión es, en un nivel, una cuestión de obediencia a la autoridad de la Escritura, considerada como la Palabra de Dios. Esto nos ofrece una ilustración inmediata de una de las distinciones a las que me referí en el capítulo 1.

Una *base bíblica de la misión* busca esos textos bíblicos que expresan o describen el imperativo misionero, dando por sentado que la Biblia es un texto autorizado.

Una *hermenéutica misional de la Biblia*, en cambio, explora la naturaleza de la autoridad bíblica misma en relación con la misión. ¿Nos ayuda una aproximación misional a la Biblia en la articulación de lo que queremos decir por autoridad bíblica?

Autoridad como mandato. Este no es el lugar para una relación completa de la doctrina cristiana de la autoridad de la Biblia, aunque un aspecto es importante para nuestro propósito aquí. Para muchas personas el concepto de autoridad que subconscientemente aportan a su comprensión de la autoridad de la Biblia es de tipo militar. Autoridad es lo que le da a un oficial el derecho a dar órdenes. Las órdenes se deben obedecer. La Biblia es nuestra autoridad. Da las órdenes y nos dice lo que tenemos que hacer o no hacer. En este enfoque, entonces, la autoridad es simplemente cuestión de órdenes por un lado y de obediencia por el otro.

En círculos misioneros la Gran Comisión está frecuentemente rodeada de metáforas militares de esta clase. Se dice que este texto proporciona las órdenes de marcha para la iglesia, para no mencionar toda una serie de otras metáforas militares que se usan: guerra, movilización, reclutas, estrategias, blancos, campañas, cruzadas, líneas de fuego, plazas fuertes, la 'fuerza' misionera (es decir, el personal) y así. El lenguaje relacionado con la autoridad se convierte fácilmente en el lenguaje de la misión, para el que la metáfora militar funciona como conexión dinámica.

Sin embargo, aun cuando declaremos nuestra aceptación de la autoridad bíblica, esta asociación de la autoridad primariamente

LA MISIÓN DE DIOS

con las órdenes al estilo militar no encaja de manera cómoda con buena parte del material que contiene la Biblia. Desde luego que hay muchas órdenes en la Biblia, y por cierto que los salmistas celebran esto como una señal de la bondad y la gracia de Dios (p. ej. Salmos 19; 119). Esas órdenes o mandamientos que efectivamente tenemos de parte de Dios han de ser atesorados por la luz, la guía, la seguridad, el gozo y la libertad que proporcionan (por mencionar algunos de los beneficios que elogian los salmistas). Pero el grueso de la Biblia no consiste en mandatos u órdenes, en el sentido de emitir órdenes directas ya sea a sus primeros lectores o a futuras generaciones de lectores, incluidos nosotros mismos.

En la Biblia es más lo que tiene carácter narrativo, poético, profético; en ella encontramos canciones, lamentos, visiones, cartas, etc. ¿Cuál tipo de autoridad late en esas formas de expresión? ¿De qué manera una poesía o un relato, o la carta de alguien a alguna otra persona me dice a *mí* lo que *yo* debo hacer o no hacer? ¿Acaso era eso lo que debía hacer? Y más importante en relación con nuestra tarea aquí, ¿cómo se relacionan tales secciones no imperativas de la Biblia con la misión, si la misión se ve en primer lugar como obediencia a un mandato, una orden? Sugiero que en parte es porque hemos encerrado tan ajustadamente nuestra comprensión de la misión a un único (y sin duda crucial) imperativo de Jesús, que nos resulta difícil hacer conexiones entre la misión y el resto de las Escrituras, cuando esas otras Escrituras no son obvia o gramaticalmente imperativas. No percibimos ninguna *autoridad* misional en tales textos no imperativos porque concebimos la autoridad solamente en función de *mandatos u órdenes*.

Autoridad y realidad. Es preciso que ampliemos considerablemente nuestro entendimiento de la palabra *autoridad*. En su magistral defensa de la ética bíblica evangélica, *Resurrection and Moral Order* [Resurrección y orden moral], Oliver O'Donovan sostiene que la autoridad es una dimensión de la realidad que ofrece suficientes bases para la acción. El orden creado mismo, en razón de su realidad objetiva, provee una estructura en cuanto a autoridad dentro de la cual tenemos libertad para actuar (tanto en el sentido de permiso para actuar, como de una amplia gama de opciones).[6] La autoridad no es simplemente una lista de órdenes; la autoridad incluye la legitimación de autorizaciones. La autoridad autoriza; concede libertad para actuar dentro de límites. Así, la autoridad de mi licencia de manejo no es para indicarme diariamente dónde debo conducir. Más bien *me autoriza* a hacer esas elecciones, me da la libertad y la autoridad necesaria para conducir donde yo quiera. De manera similar, en mi iglesia tengo licencia para llevar a cabo cultos, predicar, bautizar, etc., pero no recibo órdenes explícitas en cuanto a qué servicio sagrado deba cumplir cada día. En esos contextos soy una persona *autorizada*, liberada por, si bien todavía sujeta a la autoridad de las realidades que están por detrás de esos documentos (las leyes viales; los cánones de la iglesia). La autoridad, por lo tanto, es el predicado de la realidad, la fuente y los límites de la libertad. Ahora bien, como sostiene O'Donovan, el orden creado, como la fundamental estructura de la realidad de nuestra existencia, es también una estructura de autoridad. Una pared de ladrillos física, por ejemplo, por su simple existencia real constituye una autoridad. Tenemos libertad de este lado o del otro lado de la misma. Pero nuestra libertad termina cuando intentamos atravesarla a alta velocidad. Ella ejerce su autoridad de manera bastante abrupta. La gravedad como una fuerza en el universo físico es una autoridad instalada en la forma en que existe el universo. Esta pauta nos autoriza una inmensa libertad de acción sobre y por encima de la superficie del planeta siempre que colaboremos con ella. Pero también fija límites a esa libertad. Podemos libremente elegir lanzarnos desde un risco, pero la autoridad de la gravedad establece que será la última elección libre que hagamos. La realidad nos pone una zancadilla. La autoridad de las leyes de la naturaleza radica en el hecho de que la naturaleza misma es real. El universo está allí, y nosotros no tenemos libertad para comportarnos como si no lo estuviera.

Ahora bien, ¿de qué manera nos ayudan estas consideraciones al entendimiento de la autoridad de la Biblia? La autoridad de la Biblia consiste en el hecho de que nos pone en contacto con la realidad:

---

6 Oliver O'Donovan: *Resurrection and Moral Order: An Outline for Evangelical Ethics*, InterVarsity Press, Leicester, 1986. He analizado con más detalle el punto de vista de O'Donovan en relación con la autoridad de la Escritura en una era de relativismo histórico y cultural en Christopher J.H. Wright: *Walking in the Ways of the Lord: The Ethical Authority of the Old Testament*, InterVarsity Press, Downers Grove, Ill., 1995, capítulo 2. El tema se desarrolla más en relación con la ética del Antiguo Testamento en Christopher J. H. Wright: *Old Testament Ethics for the People of God*, InterVarsity Press, Downers Grove, Ill., 2004.

fundamentalmente la realidad de Dios mismo cuya autoridad está por detrás incluso de la realidad de la creación. La Biblia nos proporciona varias realidades conectadas, cada una de las cuales tiene otorgada su propia autoridad intrínseca. La lectura y el conocimiento de las Escrituras nos llevan a *ocuparnos de la realidad*. Esto a su vez funciona para autorizarnos a establecer límites con respecto a nuestra libertad para actuar en el mundo. Y más específicamente para el propósito que nos ocupa aquí, estas realidades autorizan nuestra acción en la misión. Aseguran que nuestra misión sea la apropiada, legítima e, incluso, necesaria e inevitable. La autoridad de nuestra misión surge de la Biblia porque la Biblia revela la realidad en la que está basada nuestra misión.

Tengo tres realidades en mente, que nos son presentadas en primer término por las Escrituras del Antiguo Testamento y luego son confirmadas en el Nuevo. En estos textos bíblicos encontramos la realidad de *este Dios*, la realidad de *esta* historia y la realidad de *este* pueblo.

La realidad de este Dios. En cualquier exposición sobre Dios está resultando cada vez más importante tener claro sobre quién estamos hablando. *Dios* es simplemente un monosílabo que, más comúnmente, en su origen habría sido plural: *los dioses*, término genérico para las deidades del mundo politeísta de la antigüedad. La Biblia nos presenta un Dios muy específico, nombrado y biografiado, conocido como YHVH, el Santo de Israel (y otros títulos). Este es el Dios a quien Jesús llamaba *Abba*. Este es el Dios adorado como el Señor de los israelitas y como Padre, Hijo y Espíritu Santo por los cristianos. Este no es dios genérico en absoluto.

Si bien la Biblia insiste en que hay mucho que ha sido revelado acerca de este Dios por medio del mundo natural que nos rodea (mundo que es, de hecho, la creación de este Dios), son fundamentalmente los textos del canon de la Escritura en ambos Testamentos los que nos acercan al conocimiento de este Dios. No solo es YHVH el Dios 'santo', entronizado como 'rey', 'la alabanza de Israel' (Salmo 22.3), sino el Dios que nos ha sido presentado por las voces y los escritos de Israel.[7] YHVH es la realidad de la que dan testimonio las Escrituras del Antiguo Testamento. Suya

---

7 Resultará evidente que aquí tengo una deuda de gratitud para con el fascinante estudio de Dale Patrick: *The Rendering of God in the Old Testament*, Overtures to Biblical Theology, Fortress Press, Filadelfia, 1981.

es, por lo tanto, la autoridad mediatizada por dichas Escrituras, porque no tenemos otro medio de acceso a la realidad de YHVH sino a través de estas Escrituras.

Esta 'presentación de Dios' en el Antiguo Testamento incluye tanto la identidad de Dios como el carácter de Dios. La cuestión aquí es simplemente ésta: si el Dios YHVH, que nos es presentado en estos textos, realmente es Dios, entonces esa realidad (o más bien *su realidad*) autoriza una gama de respuestas como apropiadas, legítimas y por cierto imperativas. Estas incluyen no solo la respuesta de la adoración sino también la de un vivir ético de conformidad con el carácter y la voluntad del propio Dios, y una orientación misional que agregue la historia de mi propia vida al gran relato del propósito de Dios para las naciones y para la creación. La misión nace de la realidad de este Dios, el Dios bíblico. O para decirlo de otra manera: la misión es autorizada por la realidad de este Dios.

La realidad de esta historia. Que el Antiguo Testamento relata una historia no requiere defensa. Pero lo que yo planteo es mucho más amplio. El Antiguo Testamento relata su historia como *la* historia o, más bien, como parte de esa historia última y universal que finalmente abarcará la creación, el tiempo, y la humanidad en su totalidad. En otras palabras, al leer estos textos se nos invita a incluir un metarrelato, una narración grandiosa. Y en este relato abarcador se basa una cosmovisión que, como todas las cosmovisiones y metarrelatos, declara que en él se explica cómo son las cosas, cómo han llegado a existir, y lo que finalmente serán.[8]

El relato que nos ocupa en el Antiguo Testamento contesta las cuatro preguntas fundamentales sobre la cosmovisión que todas las religiones y filosofías responden de una manera u otra:[9]

- *¿Dónde estamos?*
  (¿Cuál es la naturaleza del mundo que nos rodea?)

---

8 Sobre el reciente énfasis en la importancia de la narración en la hermenéutica bíblica, su relevancia para la misionología, y una defensa del tratamiento del relato bíblico como metanarración, ver Craig Bartholomew y Michael W. Goheen, 'Story and Biblical Theology', en: *Out of Egypt: Biblical Theology and Biblical Interpretation,* ed. Craig Bartholomew y otros, Paternoster, Carlisle; Zondervan, Grand Rapids, 2004, pp. 144–171.

9 Resultará evidente aquí que me debo al útil análisis de las cosmovisiones en J. Richard Middleton y Brian J. Walsh: *Truth Is Stranger Than It Used to Be: Biblical Faith in a Postmodern Age,* InterVarsity Press, Downers Grove, Ill., 1995.

- Respuesta: Habitamos la tierra, la cual es parte de la buena creación del único Dios vivo y personal, YHVH.
- *¿Quiénes somos?* (¿Cuál es la naturaleza esencial de la humanidad?)
- Respuesta: Somos personas humanas creadas por este Dios a su misma imagen; una de las criaturas de Dios pero únicos entre ellas en cuanto a relaciones espirituales y morales y en cuanto a responsabilidad.
- *¿Qué es lo que ha salido mal?* (¿Por qué se encuentra en semejante desorden el mundo?)
- Respuesta: Por la rebelión y desobediencia contra nuestro Dios Creador, hemos generado el desorden que ahora vemos en derredor en todos los órdenes de nuestra vida, relaciones y entorno.
- *¿Qué solución hay?* (¿Qué podemos hacer para solucionarlo?)
- Respuesta: Nada por nuestra propia cuenta. Pero la solución ha sido iniciada por Dios mediante su elección y creación de un pueblo, Israel, a través del cual se propone brindar bendición a todas las naciones de la tierra y en última instancia renovar toda la creación.

Ahora bien, la realidad de esta historia es tal que nos incluye a nosotros en sus planes, por cuanto apunta a un futuro universal que alcanza a todas las naciones. Es el relato que se retoma ineludiblemente (pero no sin sorpresas) en el Nuevo Testamento. Es la historia que abarca desde Génesis hasta Apocalipsis, no simplemente como un lindo cuento, ni tampoco como un clásico de la literatura épica, sino fundamentalmente como una *descripción de la realidad*: una descripción del universo que habitamos y de la nueva creación a la que estamos destinados. Vivimos en un universo relatado o descripto. Y esa descripción de la realidad lleva en sí su autoridad intrínseca. Porque así son realmente las cosas, por la manera en que han llegado a lo que son, y hacia dónde están encaminadas, entonces hay toda clase de consecuencias sobre la forma en que deberíamos responder en sentido personal y colectivo. Además, la adoración, la ética y la misión vienen todas a la mente. Estas respuestas, incluida la misión, son autorizadas por la realidad de este relato.

La realidad de este pueblo. La tercera realidad, que nos es presentada por las Escrituras del Antiguo Testamento, es la del pueblo de Israel. El antiguo Israel, con su característico punto de vista sobre su propia elección, historia y relación con su Dios, YHVH, es una realidad histórica de enorme significación para la historia del resto de la humanidad.[10] La misión cristiana a las naciones está profundamente arraigada en el llamado de este pueblo y en la forma en que se vieron a sí mismos en el curso de su historia. En función del Antiguo Testamento la historia tuvo un pasado y un futuro, y ambos son importantes en la conformación de la respuesta ética y misional, porque, como Israel, la iglesia es, también, una comunidad de memoria y esperanza. La celebración de su pasado es legendaria para Israel. Era lo realmente medular de su existencia, porque les daba su propia identidad y misión, pero también la de YHVH, su Dios.

> Cantad a Jehová, bendecid su *nombre.*
>   Anunciad de día en día su *salvación;*
>   proclamad entre las naciones su *gloria,*
>   en todos los pueblos sus *maravillas.*
> Salmo 96.2–3, RVR95 (énfasis agregado).

El nombre, la victoria y la gloria de YHVH estaban todos relacionados con 'sus maravillas'. YHVH era conocido por lo que había hecho, e Israel sabía que para conservar la identidad de YHVH tenía que contar esa historia, ya sea para ellos mismos o (de algún modo guardado como un misterio en la época del Antiguo Testamento) para las naciones. Porque en la narración de la historia estaba representado el Dios que era su principal protagonista. De manera que Israel contaba la historia como un freno contra la idolatría (Deuteronomio 4.9–40). Contaban la historia como explicación y motivación para la ley (Deuteronomio 6.20–25). Contaban la historia como un reproche

---

10 Entre los estudiosos del Antiguo Testamento hay, desde luego, un considerable debate sobre la reconstrucción histórica de los hechos por los cuales emergió Israel en la tierra de Canaán y en los anales de la historia. Pero el debate histórico no debe ocuparnos aquí ya que, cualquiera haya sido la forma, Israel emergió y produjo una sociedad y un cuerpo de tradiciones que han tenido un impacto incuestionablemente profundo en la historia humana subsiguiente.

a sí mismos (Salmo 105—106; Miqueas 6.1–8; Amós 2.9–11) o a YHVH mismo (Salmo 44; 89). Contaban la historia como consuelo y ancla de esperanza (Jeremías 32.17–25). Toda la teología de Israel dependía de su memoria, y la memoria de Israel era constitutiva de su carácter como pueblo. Esa misma identidad como pueblo de Dios con una memoria histórica atesorada también constituye nuestra autoridad para la misión.

Pero la historia que relataba Israel tenía un *futuro anticipado* desde su comienzo. Ellos constituían un pueblo con un futuro en los propósitos de Dios. El llamado de Abraham incluía la promesa de que a través de sus descendientes Dios se proponía traer bendición a todas las naciones de la tierra. Esa visión brillaba en grados muy variados de claridad u oscuridad en diferentes épocas de la vida de Israel, pero en muchos lugares hay conciencia de la presencia de las naciones como espectadores tanto de lo que Dios hacía en y para Israel, como de la medida en que Israel reaccionaba positivamente o negativamente (Deuteronomio 4.5–8; 29.22–28; Ezequiel 36.16–23). Por último, Israel existía *por amor a* las naciones. Exploraremos estos temas en profundidad, desde luego, en los capítulos que siguen.

De manera que hay un recurso teleológico (un propósito) para la existencia de Israel como pueblo y la historia que narraban y representaban. He aquí un Dios con una misión y un pueblo con una misión. La misión de Israel era ser luz para las naciones a fin de que 'la gloria del Señor, ... la verá toda la humanidad' (Isaías 40.5). Una visión así sin duda generaba una gama de respuestas dentro del propio Israel. Porque si éste es el futuro garantizado por la fidelidad a Dios, ¿cuál debería ser ahora el impacto sobre el modo de vivir de Israel? Esta pregunta sigue teniendo autoridad para nosotros también. Porque nosotros compartimos la misma visión del futuro, un futuro que a los ojos de la fe es una realidad, 'la garantía de lo que se espera' (Hebreos 11.1), y por ello una autoridad generadora de una ética e impulsora de la misión para los que viven bajo su luz.

Así que la realidad de este pueblo, que nos llega a través de los textos del Antiguo Testamento, transmite autoridad para una ética de la gratitud en vista de las acciones de Dios a favor de Israel en el pasado y también transmite autoridad para nuestra intencionalidad misional en vista de los propósitos de Dios para la humanidad en el futuro.

La autoridad y Jesús. Estos tres rasgos del Antiguo Testamento (Dios, la historia, y el pueblo) también se presentan como realidades para los creyentes cristianos en el Nuevo Testamento. De hecho todos tienen su centro en Jesús de tal manera que su autoridad y relevancia misional no solo se sostienen sino que enriquecen y se transforman para los que están en Cristo. A esta altura estamos alcanzando la significación misionológica de una teología verdaderamente *bíblica* (es decir, transtestamental).

En Jesús nos encontramos con *este Dios*. El Nuevo Testamento declara sin lugar a dudas (como veremos en el cap. 4) que Jesús de Nazaret comparte la identidad y el carácter de YHVH y finalmente cumple lo que solo YHVH podía cumplir.[11] De modo que conocer a Jesús como Salvador y Señor es conocer la realidad del Dios vivo. Es conocer el camino, la verdad y la vida, la Palabra, el Creador, Sustentador y heredero del universo. Como fue para Israel conocer a YHVH, de la misma manera conocer la realidad de Jesús conlleva para nosotros su propia autoridad para que sepamos cómo hemos de vivir y actuar en el mundo de Dios.

En Jesús encontramos la cúspide de *esta* historia y la garantía de su culminación. Esta historia es también la historia nuestra, porque si estamos en Cristo entonces, según Pablo, también estamos en Abraham y somos herederos de conformidad con la promesa. Nuestro futuro es el futuro prometido por Dios a Abraham, adquirido por Jesús, y a ser disfrutado por toda la humanidad redimida de toda nación, tribu, pueblo y lengua (Apocalipsis 7.9–10). Nuestra vida también habrá de ser moldeada por la gratitud que vuelve la mirada hacia lo que Dios ha hecho y la misión que mira hacia adelante, hacia lo que Dios va a hacer.[12]

En Jesús entramos a formar parte de *este pueblo*, y compartimos el amplio marco de identidad y responsabilidad que disfrutaban ellos. Porque a

---

11 Ver especialmente, N. T. Wright: *Jesus and the Victory of God*, SPCK, Londres, 1996; y Richard Bauckham: *God Crucified*, Paternoster, Carlisle; Eerdmans, Grand Rapids, 1999, mi análisis en el cap. 4.

12 Un excelente retrato en el nivel popular de toda la historia bíblica como historia del compromiso de Dios con su misión, con el desafío a que nosotros participemos en ella, lo ofrece Phillip Greenslade en: *A Passion for God's Story*, Paternoster, Carlisle, 2002.

través de la cruz y el evangelio de Jesús el Mesías, nos hemos hecho ciudadanos del pueblo de Dios, miembros de la familia de Dios, del lugar donde mora Dios (Efesios 2.11—3.13). Esa identidad y pertenencia generan una responsabilidad ética y misional en la iglesia y el mundo, que el Nuevo Testamento da a conocer en detalle.

De modo entonces que nuestra misión ciertamente fluye de la autoridad de la Biblia. Pero esa autoridad es mucho más rica y profunda que un único y 'gran mandamiento' que tengamos que obedecer. Más bien, nuestra obediencia a la Gran Comisión, e incluso la Gran Comisión misma, se encuadra en el contexto de estas realidades. La Gran Comisión no es algo extra o exótico. Más bien, la autoridad de la Gran Comisión está inserta:

- en la realidad del *Dios* cuya autoridad universal le ha sido dada a Jesús,
- en la realidad del *relato* que la Gran Comisión presupone y a la vez contempla,
- en la realidad del *pueblo* que ahora debe convertirse en una comunidad que se automultiplica mediante discípulos en todas las naciones.

Éste es el Dios que adoramos, ésta es la historia de la que formamos parte, éste es el pueblo al que pertenecemos. ¿Cómo, entonces, debemos vivir? ¿Cuál es, entonces, nuestra misión?

Indicativos e imperativos para la misión

Otra forma de ver esta cuestión consiste en centrarnos en el punto observado con frecuencia en la teología bíblica, a saber, que característicamente los *imperativos* bíblicos se fundan en *indicativos* bíblicos. Un indicativo es simplemente una declaración de la realidad (o afirma serlo). Es una afirmación, una declaración o una proposición: 'esto es así'; 'así es como son las cosas'. Al situar sus imperativos en los contextos indicativos que acabamos de considerar, la Biblia asienta en forma efectiva la autoridad de los mismos sobre esas realidades.

Un ejemplo familiar de esta dinámica es la forma en que la ley del Antiguo Testamento está engarzada en un contexto narrativo. La narración expresa el indicativo: he aquí lo que ha ocurrido en la historia de ustedes, y estas son las cosas que el Dios YHVH de ustedes hizo. Luego la ley expresa el imperativo de la respuesta: ahora pues, así es como ustedes deben comportarse a la luz de tales hechos.

Éxodo 19.3–6 articula clásicamente esta orden:

> Ustedes son testigos de lo que hice … (el indicativo)
> Si ahora ustedes me son del todo obedientes, y cumplen mi pacto, serán … (el imperativo).

De forma semejante, el Decálogo no comienza con el primer mandamiento imperativo, sino con la afirmación indicativa de la identidad de Dios y la historia de Israel (hasta allí): 'Yo soy el SEÑOR tu Dios. Yo te saqué de Egipto, del país donde eras esclavo' (Éxodo 20.2). En otras palabras, el indicativo de la gracia de Dios viene primero y constituye el fundamento y la autoridad para el imperativo de la ley y la respuesta de la obediencia.

Esta prioridad fundamental de la gracia sobre la ley es aun más explícita en la respuesta que se le indica al padre que le dé a su hijo cuando este le pregunta (como han hecho innumerables cristianos desde entonces, y podrían haberse ahorrado mucha sangre, sudor y tinta teológicas prestando atención a la respuesta del padre), '¿Qué significan los mandatos?'. El padre no responde simplemente con un imperativo reforzado ('Simplemente hazlo') sino con un relato, el relato del éxodo, la antigua historia de YHVH y su amor, es decir, con el indicativo de la redención. El significado mismo de la ley está arraigado en el evangelio de la gracia salvífica de Dios que entró en la historia (Deuteronomio 6.20–25).

Cuando pensamos ahora en la Gran Comisión, a veces se señala que, en realidad, mientras el texto jamás recibe esa designación en los Evangelios, Jesús enfáticamente apoya un Gran *Mandamiento*. Cuando se le preguntó cuál era el mandamiento más grande de la Ley (cuestión muy debatida en esos días), se refirió al magnífico *šĕma'* de Deuteronomio 6.4–5, que habla sobre amar a Dios con todo el corazón, el alma y las fuerzas, y lo complementó con Levítico 19.18, el mandamiento de amar al prójimo como a uno mismo. Pero lo que no debemos pasar por alto es que estos dos mandamientos están fundados en indicativos acerca de la identidad, la unicidad, la singularidad y la santidad de YHVH como Dios.

> Escucha, Israel: El Señor nuestro Dios es el único SEÑOR. (Deuteronomio 6.4)
>
> Sean santos, porque yo, el SEÑOR su Dios, soy santo. (Levítico 19.2)

Es *la realidad de* YHVH la que constituye la autoridad para estos grandes mandamientos, de los que depende, declaró Jesús, todo el resto de la Ley y los Profetas.

Aquí, entonces, tenemos un imperativo muy claro: amar a Dios con la totalidad de nuestro ser y amar a nuestro prójimo como a nosotros mismos. Esto podría describirse fácilmente con más justificación textual aún, como 'la gran comisión', porque rige la vida cualquiera sea nuestro llamado específico. Este mandamiento fundamental doble precede, subraya y gobierna la así llamada Gran Comisión, porque no podemos hacer discípulos de las naciones sin amor a Dios y amor a ellos.

Por consiguiente, no sorprende que, cuando llegamos a la Gran Comisión, esta también sigue la misma fórmula: indicativo seguido de imperativo. Jesús comienza con la monumental declaración cósmica, palabras que hacen eco de la declaración de Moisés acerca de YHVH (Deuteronomio 4.35, 39), de que 'se me ha dado toda autoridad en el cielo y en la tierra' (Mateo 28.18). Esta es la realidad por detrás del mandamiento, el indicativo por detrás del imperativo. La identidad y la autoridad de Jesús de Nazaret, crucificado y resucitado, es el indicativo cósmico sobre el que descansa autorizada la misión imperativa.

Pero a fin de entender todo lo que esa afirmación indicativa supone e incluye para Jesús, necesitamos la totalidad de las Escrituras, como él mismo lo manifestó cuando derivó la trascendencia de su propia identidad mesiánica y del futuro misional de la iglesia del audaz indicativo 'esto es lo que está escrito' (Lucas 24.46). Necesitamos, entonces, tanto una hermenéutica misional de *toda* la Biblia y sus grandes indicativos como también una obediencia comprometida frente a un texto imperativo principal como la Gran Comisión.[13]

Una hermenéutica misional, por lo tanto, no se conforma simplemente con llamar a la obediencia a la Gran *Comisión* (aunque lo incluirá sin duda como una cuestión de importancia no negociable), ni tampoco con reflexionar sobre las consecuencias misionales del Gran *Mandamiento*. Porque por detrás de ambos encontrará la Gran *Comunicación*: la revelación de la identidad de Dios, de la acción de Dios en el mundo y el propósito salvífico de Dios para toda la creación. Y para la plenitud de esta comunicación necesitamos toda la Biblia en todas sus partes y géneros, por cuanto no es menos lo que Dios nos ha dado. Una hermenéutica misional toma el indicativo y el imperativo de la revelación bíblica con igual seriedad, e interpreta lo uno a la luz de lo otro.

Esa mutua interpretación del indicativo y el imperativo a la luz de cada cual significa que, por una parte, la misionología bíblica (al igual que la teología bíblica y sistemática) se deleita en la exploración de los grandes temas y tradiciones de la fe bíblica en toda su complejidad y notable coherencia. Pero la misionología bíblica reconoce, por otra parte, que si toda esta teología indicativa es indicativa de la *realidad*, entonces ella transmite un sólido imperativo misional para quienes sostienen esta cosmovisión como suya. Si esto realmente es así con Dios, la humanidad y el mundo, entonces ¿qué exigencia le plantea eso a la vida de la iglesia y de los creyentes individuales?

De manera inversa, una hermenéutica misional de toda la Biblia no se obsesionará con solo los grandes imperativos de la misión, tales como la Gran Comisión, ni se sentirá tentada a imponerles alguna supuesta prioridad (p. ej., la evangelización o la justicia social, o la liberación o el orden eclesiástico como única misión 'verdadera'). En cambio ubicaremos esos grandes imperativos dentro del contexto de sus indicativos fundacionales, a saber, todo lo que la Biblia dice acerca de Dios, la creación, la vida humana en su paradoja de dignidad y perversión, la redención en su magnífica gloria, y la nueva creación en la que Dios habitará con su pueblo.

---

13 Graeme Goldsworthy elabora este punto, en forma algo diferente pero con un deseo similar de evitar 'el abuso de lo imperativo'. También nota que la aparente ausencia de un mandato misionero en el Antiguo Testamento (es decir, de que los israelitas realmente deberían ir a las naciones) se equilibra dado el supuesto de lo que se entendía que debía ser Israel en el mundo: 'La función de Israel en los propósitos de Dios de llevar salvación a las naciones está en el indicativo, no en el imperativo.' Graeme L. Goldsworthy: 'The Great Indicative: An Aspect of a Biblical Theology of Mission', *Reformed Theological Review* 55 (1996): 7.

Una hermenéutica misional, por lo tanto, no puede leer indicativos sin sus imperativos tácitos. Tampoco puede aislar los imperativos bíblicos de la totalidad de los indicativos bíblicos. Procura una comprensión holística de la misión a partir de una lectura holística de los textos bíblicos.

La cosmovisión teocéntrica bíblica y la misión de Dios

No obstante, aun si aceptamos que Jesús nos ofrece una hermenéutica centrada en el Mesías y una hermenéutica de la Escritura generadora de la misión, todavía podemos cuestionar la afirmación de que de algún modo hay una hermenéutica misional de la totalidad de la Biblia tal que 'la misión es aquello de lo cual se trata'. Esta incomodidad nace del paradigma persistente, casi subconsciente, de que la misión es fundamental y primariamente algo que *nosotros* hacemos: una tarea humana de la iglesia. Esto ocurre cuando caemos en el hábito reduccionista de usar la palabra *misión* (o *misiones*) como más o menos sinónimo de evangelización. Es evidente que la Biblia no se limita a la evangelización, y por cierto que no estoy tratando de sostener esa idea, aunque la evangelización es por cierto una parte fundamental de la misión bíblica tal como nos ha sido confiada. Por cierto que la evangelización *es* algo que hacemos y que *sí* tiene el apoyo indiscutible de imperativos bíblicos. Pero no resiste el análisis decir que toda la Biblia puede estudiarse hermenéuticamente desde una perspectiva misional. Lo acertado de hablar de 'una base misional de la Biblia' solo resulta adecuado cuando trasladamos nuestro paradigma de la misión de:

- Nuestra agencia humana, a los propósitos últimos de Dios mismo.
- La misión como 'misiones' que llevamos acabo, a la misión como aquello que Dios ha venido preparando y llevando a cabo de eternidad a eternidad.
- Una concepción antropocéntrica (o eclesiocéntrica), a una cosmovisión radicalmente teocéntrica.

Al modificar nuestra perspectiva de esta manera y tratar de llegar a una definición bíblica de lo que queremos decir por misión, en efecto estamos haciendo la pregunta, *¿De quién es la misión después de todo?* La respuesta, me parece a mí, podría expresarse como una paráfrasis del canto de los redimidos en la nueva creación. 'La salvación viene de nuestro Dios, / que está sentado en el trono, / y del Cordero' (Apocalipsis 7.10). Por cuanto toda la Biblia es la historia de la forma en que este Dios, 'nuestro Dios', ha elaborado su salvación para todo el cosmos (representado en círculos concéntricos alrededor del trono de Dios en la magnífica visión de Apocalipsis 4—7), podemos afirmar con igual validez que 'La misión pertenece a nuestro Dios'. *La misión no es nuestra; la misión es de Dios.* Por cierto, la misión de Dios es la realidad previa de la que surge cualquier misión a la que nos dediquemos. O, como se ha dicho acertadamente, no es tanto que Dios tiene una misión para su iglesia en el mundo sino que Dios cuenta con una iglesia para su misión en el mundo. La misión no se hizo para la iglesia; la iglesia fue hecha para la misión: la misión de Dios.[14]

Una hermenéutica misional de la Biblia comienza allí, con la misión de Dios, y rastrea todas las otras dimensiones de la misión en tanto afectan la historia humana desde ese centro y punto de partida.

Dios con una misión. La expresión *missio Dei,* 'la misión de Dios', tiene una larga historia.[15] Al parecer retrocede hasta el misionólogo alemán Karl Hartgenstein. Él la acuñó para sintetizar la enseñanza de Karl Barth, 'quien, en una conferencia sobre la misión en 1928, había relacionado la misión con la doctrina de la Trinidad. Barth y Hartenstein quieren dejar en claro que la misión está afincada en Dios mismo y que expresa el poder de Dios por encima de la historia, ante quien la única respuesta apropiada es la obediencia'.[16] Así que originalmente la frase significaba 'el envío de Dios', en el sentido del envío del Hijo por el Padre y el envío por ellos del Espíritu Santo. Toda misión humana, en esta perspectiva, se ve como una participación *en* y extensión *de* este enviar divino.

La frase se hizo popular en círculos ecuménicos después de la con-

---

14 Ver el cap. 2, 'God's Mission and the Church's Response', de J. Andrew Kirk: *What Is Mission? Theological Explorations,* Darton, Longman & Todd, Londres; Fortress Press, Minneapolis, 1999, pp. 23–37.
15 Para un breve análisis de la historia, ver David J. Bosch: *Transforming Mission: Paradigm Shifts in Theology of Mission,* Orbis, Maryknoll, N.York, 1991, pp. 389–93.
16 L. A. Hoedemaker: 'The People of God and the Ends of the Earth', en *Missiology: An Ecumenical Introduction,* ed. A Camps, L. A. Hoedemaker y M. R. Spindler, Eerdmans, Grand Rapids, 1995, p. 163. Hoedemaker ofrece un análisis interesante y crítico sobre la historia de *missio Dei,* y sus puntos débiles.

ferencia mundial de Willinger en 1952, sobre la misión, a raíz de la obra de Georg Vicedom.[17] Tuvo la fuerza de relacionar la misión con la teología de la Trinidad: un importante avance teológico. La misión fluye del movimiento dinámico interno de Dios en sus relaciones personales. Pero luego en algunos círculos el concepto de la *missio Dei* se debilitó seriamente por la idea de que se refería solo a la actividad de Dios en todo el proceso histórico, no a alguna obra específica de la iglesia. ¡La afirmación de que la misión era de Dios pasó a significar que no era nuestra! Esa teología distorsionada excluía prácticamente la evangelización, y con razón se vio sometida a una crítica sostenida. A pesar de ese mal uso, sin embargo, la expresión puede retenerse para expresar una verdad bíblica sustantiva y vital (como el título *La misión de Dios* intenta reafirmar). El Dios revelado en las Escrituras es personal, tiene propósitos y se ha fijado metas. El relato de la creación presenta a Dios trabajando hacia una meta, completándola con satisfacción y descansando, contento con el resultado. Por la gran promesa de Dios a Abraham en Génesis 12.1–3 sabemos que este Dios está total, pactual y eternamente comprometido a cumplir la misión de bendecir a las naciones mediante la agencia del pueblo de Abraham. A continuación de Génesis 3—11 estas son, por cierto, buenas noticias para la humanidad, tales que Pablo puede decir que allí Dios estaba dando 'de antemano la buena nueva' (el evangelio, Gálatas 3.8, RVR95). A partir de ese momento la misión de Dios podría sintetizarse en las palabras del himno según las cuales 'Dios está cumpliendo su propósito / al paso que un año sucede a otro', y a medida que las generaciones vienen y van.[18]

Fundamentalmente la Biblia se nos presenta como una narración, una narración histórica en un nivel, pero con un gran metarrelato en otro.

- Comienza con el Dios de propósitos en la creación,
- pasa al conflicto y el problema generado por la rebelión humana contra dichos propósitos,

17 Georg F. Vicedom: *The Mission of God: An Introduction to a Theology of Mission*, ed. Gilbert A. Thiele y Dennis Hilgendorf, 1958; reimpreso, Concordia Press, St. Louis, 1965.
18 Arthur Campbell Aigner: 'God Is Working His Purpose Out', 1894.

- dedica la mayor parte de su viaje narrativo a la historia del propósito redentor elaborado en el escenario de la historia humana, y
- termina más allá del horizonte de su propia historia con la esperanza escatológica de una nueva creación.

Con frecuencia esto se ha presentado como un relato de cuatro puntos: *creación, caída, redención, y esperanza futura*. Toda esta cosmovisión se funda en un monoteísmo teleológico: es decir, la afirmación de que hay un Dios que está activo en el universo y en la historia humana, y que este Dios tiene una meta, un propósito, una misión que en última instancia se cumplirá por el poder de la Palabra de Dios y para gloria del nombre de Dios. Esta es la misión del Dios bíblico.

Desde luego que no es un solo relato, como un río con un solo canal. Es, más bien, una compleja mezcla de todas clases de relatos menores, muchos de ellos bastante independientes, con toda clase de otros materiales insertos entre ellos, como un gran delta. Pero este río tiene una dirección, un curso que puede describirse en los términos que he planteado. Richard Bauckham dice que es importante que 'la Biblia no tenga una sola línea cuidadosamente armada, como, por ejemplo, una novela convencional. Es más bien una irregular colección de relatos'. No es un relato agresivamente totalizador que anula a todos los demás, como expresa la acusación del posmodernismo a todos los metarrelatos.

> ... estos rasgos inevitables de la forma narrativa de la Escritura seguramente tienen un mensaje en sí mismos: que lo particular tiene su propia integridad que no debería ser suprimida por amor a un rasgo universal demasiado fácilmente abarcador. La Biblia narra una historia general que engloba todos sus otros contenidos, pero esta historia no es un chaleco de fuerza que reduce todo lo demás a una uniformidad estrecha. Es un relato que acoge un considerable grado de diversidad, de tensiones, desafíos e incluso aparentes contradicciones.[19]

Leer la Biblia a la luz de esta gran perspectiva abarcadora de la misión de Dios, entonces, es leer siguiendo la línea de toda esta co-

---

19 Richard Bauckham: *The Bible and Mission: Christian Mission in a Postmodern World*, Paternoster, Carlisle, 2003, pp. 92–94.

lección de textos que constituyen nuestro canon de la Escritura. A mi juicio esta es la clave principal de una hermenéutica misional de la Biblia. No es más que aceptar que la cosmovisión bíblica nos ubica en el centro de una narración del universo detrás de la cual se levanta la misión del Dios vivo.

> Gloria al Padre, y al Hijo y al Espíritu Santo:
> como era en el principio, ahora y siempre,
> por los siglos de los siglos. Amén.

Este no es simplemente un modo convencional de finalizar oraciones y cánticos. Es una perspectiva misional sobre la historia pasada, presente y futura, y algún día será la canción de la creación toda.

La humanidad con una misión. Desde este punto de partida teocéntrico, *Dios con una misión,* podemos ver en síntesis las otras dimensiones principales de la misión que recorren la Biblia, y que exploraremos en mayor detalle en el resto de este libro. En sus primeros capítulos nos encontramos a *la humanidad con una misión* en el planeta preparado especialmente para su arribo. La tarea encomendada es el mandato de llenar la tierra, someterla y gobernar al resto de la creación (Génesis 1.28). Esta autoridad delegada dentro del orden creado es moderada por los mandatos paralelos en el relato complementario, cuando puso al hombre 'en el jardín … para que lo cultivara y lo cuidara' (Génesis 2.15). El cuidado y el mantenimiento de la creación es nuestra misión humana. La raza humana existe en el planeta con el propósito que surge de la finalidad creativa de Dios mismo. De este entendimiento de nuestra humanidad (que también es teológico, como nuestra doctrina de Dios) surge nuestra responsabilidad ecológica, nuestra actividad económica que requiere trabajo, productividad, intercambio y comercio, y todo el mandato cultural. Ser humano es tener un papel productivo en la creación de Dios. Volveremos a estos temas en los capítulos 12 y 13.

Israel con una misión. Luego, con el trasfondo del pecado y la rebelión humanos en Génesis 3—11, encontramos a *Israel con una misión,* comenzando con el llamado de Abraham en Génesis 12. Israel inició su existencia como pueblo con una misión que le fue confiada por Dios, debido al más amplio propósito de Dios de bendecir a las naciones. La elección de Israel no significó un rechazo de otras naciones sino que fue un acto realizado por amor a las naciones. Esta universalidad del propósito de Dios, que de todas maneras abarca la particularidad de los medios elegidos por Dios, es un tema recurrente y un constante desafío teológico (para Israel tanto como para los teólogos contemporáneos). Con Israel nos embarcamos en la parte más extensa del viaje bíblico, y los grandes temas de la elección, la redención, el pacto, la adoración, la ética, y la escatología, todos esperan nuestra reflexión misionológica. Llenan la Parte 3 de este libro.

Jesús con una misión. En medio de este pueblo saturado con las Escrituras, sustentado por la memoria y la esperanza, esperando a Dios... se presenta *Jesús con una misión*. No es que Jesús simplemente llegó. Tenía una convicción muy clara de haber sido enviado. La voz de su Padre en el momento de su bautismo combinó la identidad de la figura del Siervo en Isaías (haciendo eco a la fraseología de Isaías 42.1), y la del rey mesiánico y davídico (haciendo eco a la afirmación de Salmo 2.7). Estas dos afirmaciones de su identidad y papel estaban animadas de un sentido de misión. La misión del Siervo tenía como fin restaurar a Israel para YHVH como también ser agente de la salvación de Dios alcanzando los extremos de la tierra (Isaías 49.6). La misión del rey mesiánico y davídico tenía como fin tanto gobernar al redimido Israel, de conformidad con la agenda de muchos textos proféticos, como también recibir las naciones y los extremos de la tierra como herencia (Salmo 2.8).

El sentido de misión de Jesús (los objetivos, la motivación y el entendimiento de sí mismo que surgen del registro de sus palabras y acciones) ha sido asunto de intensas consideraciones eruditas. Lo que parece estar muy claro es que Jesús organizó su propia agenda sobre lo que percibió como la agenda de su Padre. La voluntad de Jesús era hacer la voluntad de su Padre; eso fue lo que dijo. La misión de Dios determinó su propia misión. En Jesús la naturaleza teocéntrica de su misión bíblica está muy claramente centrada y desarrollada. En la obediencia de Jesús, incluso hasta la muerte, la misión de Dios alcanzó su punto culminante. Porque 'Dios estaba reconciliando al mundo consigo mismo' (2 Corintios 5.19).

La iglesia con una misión. Finalmente, el relato bíblico nos muestra a nosotros mismos como *la iglesia con una misión*. Como lo indica Lucas 24.45–47, Jesús confió a la iglesia una misión que está directamente arrai-

LA MISIÓN DE DIOS

gada en su propia identidad, pasión y victoria como el Mesías crucificado y resucitado. Jesús siguió este texto inmediatamente con las palabras, 'ustedes son testigos' —un mandato repetido en Hechos 1.8, 'serán mis testigos'. Es casi seguro que Lucas quería que en estas palabras escucháramos un eco de las mismas palabras expresadas por YHVH a Israel en Isaías 43.10–12:

'Ustedes son mis testigos —afirma el SEÑOR—,
   son mis siervos escogidos,
para que me conozcan y crean en mí,
   y entiendan que Yo soy.
Antes de mí no hubo ningún otro dios,
   ni habrá ninguno después de mí.
Yo, yo soy el SEÑOR,
   fuera de mí no hay ningún otro salvador.
Yo he anunciado, salvado y proclamado;
   yo entre ustedes, y no un dios extraño.
Ustedes son mis testigos —afirma el SEÑOR—,
   y yo soy Dios.'

Israel conocía la identidad del Dios vivo y verdadero, YHVH; por eso se les encargó que diesen testimonio de ello en un mundo de naciones y sus dioses. Los discípulos ahora conocen la verdadera identidad del Jesús crucificado y resucitado; por lo tanto, se les encarga dar testimonio de ello hasta los confines de la tierra.[20]

La misión de la iglesia surge de la identidad de Dios y su Cristo. Cuando sabemos quién es Dios, cuando sabemos quién es Jesús, la misión de ser testigos es una consecuencia ineludible. Pablo va más allá e identifica su propia misión con la misión terrenal del Siervo del SEÑOR. Citando Isaías 49.6 y Hechos 13.47 declara tajantemente:

Así *nos* lo ha mandado el Señor:
   'Te he puesto por luz para las naciones,
a fin de que lleves mi salvación hasta los confines de la tierra.'
(énfasis agregado).

---

20 Es posible que en su contexto inmediato (Lucas 24 y Hechos 1), el lenguaje de 'testigos' se refiera primariamente al papel de los apóstoles como testigos oculares directos del Señor Jesucristo, y especialmente de su resurrección. No obstante, dado que ese testimonio específico y único forma la base del continuado testimonio de todos los creyentes sobre el evangelio de Cristo, no sería impropio discernir en este término las consecuencias misionales más amplias y prolongadas en el tiempo.

84

Esta es una hermenéutica misionológica del Antiguo Testamento, si alguna vez la hubo. Como lo muestra la nota al pie en la NIV, Pablo no tiene ningún problema en remplazar el singular 'te' (usada para el Siervo) por el plural 'nos' (refiriéndose a él mismo y a su pequeña banda de fundadores de iglesias). Es decir, la misión de la iglesia surge de la misión de Dios y del cumplimiento del mandato de Dios.

Por lo tanto, en términos bíblicos, si bien la misión inevitablemente nos incorpora en la planificación y la acción, no es *primariamente* asunto de nuestra actividad o nuestra iniciativa. Misión, desde el punto de vista de nuestro esfuerzo humano, significa la *participación* comprometida del pueblo de Dios en los propósitos de Dios para la redención de toda la creación. La misión es de Dios. La maravilla está en que Dios nos invita a participar.

> La misión nace en el corazón de Dios mismo y se comunica desde su corazón al nuestro. La misión es el alcance global del pueblo global de un Dios global.[21]

Reuniendo estas perspectivas, una hermenéutica misional significa que procuramos leer cualquier parte de la Biblia a la luz de:

- El propósito de Dios para toda su creación, incluidas la redención de la humanidad y la creación de nuevos cielos y nueva tierra.
- El propósito de Dios para la vida humana en general en el planeta y de todo lo que nos enseña la Biblia acerca de la cultura, las relaciones, la ética y el comportamiento humano.
- La elección histórica, por parte de Dios, de Israel, su identidad y papel en relación con las naciones, y las demandas que les hizo en cuanto a culto, ética social, y el sistema total de valores.
- La centralidad de Jesús de Nazaret, su identidad mesiánica y su misión en relación con Israel y las naciones, su cruz y su resurrección.

---

21 John Stott: *El cristiano contemporáneo*, Nueva Creación, Grand Rapids, 1995, p. 335, del original en inglés.

- El llamado de Dios a la iglesia, la comunidad de creyentes judíos y gentiles que constituye el pueblo extendido del pacto de Abraham, para ser agente de la bendición de Dios a las naciones en el nombre del Señor Jesucristo y para su gloria.

Un mapa hermenéutico

La validez de cualquier marco para la hermenéutica o la teología bíblica debe estar siempre abierta a la crítica, y quien la ofrece debe tener la humildad de reconocer que en última instancia es el texto el que debe armar el marco, y no a la inversa. Este es el desafío de la pregunta de Anthony Billington: '¿Le *hace justicia* a la fuerza del texto en su contexto bíblico–teológico este o aquel marco en particular? ¿O distorsiona el texto?'[22] Repito que estoy de acuerdo con la preocupación de Billington. Todo lo que pediría es que el marco misional que propongo en este volumen sea evaluado por su utilidad heurística. ¿Le hace justicia, de hecho, al impacto total del canon bíblico? ¿Ilumina y clarifica? ¿Ofrece un modo de articular la coherencia del mensaje total de la Biblia? Solo el lector puede contestar, si acepta quedarse conmigo a través del largo viaje bíblico por delante.

Hay, sin embargo, un sentido en el cual *cualquier* marco necesariamente distorsiona en alguna medida el texto. La única forma de evitar distorsionar el texto bíblico consiste en reproducirlo tal como está. Cualquier intento de sintetizarlo o de proveer algún sistema o esquema para captarlo, o alguna estructura para organizar su contenido, no puede sino distorsionar el carácter dado de la realidad original: el texto mismo.

En este sentido, un marco hermenéutico para leer la Biblia (como cualquier esquema de teología bíblica) funciona más bien como un mapa. Como aceptarán los cartógrafos, todo mapa existente y cualquier mapa posible es una distorsión en alguna medida de la realidad que representa. Los mapas del mundo constituyen el más claro ejemplo de esto. No hay modo de producir en un plan bidimensional la realidad del globo tridimensional sin distorsionarlo. De modo que

---

22 Anthony Billington, respuesta escrita, no publicada, a mi conferencia ('Laing Lecture') en el *London Bible College*, en octubre de 1998.

todos los mapamundis ('proyecciones') deciden dónde van a ocurrir las distorsiones (la forma de los continentes, su relativa extensión, las líneas de latitud y longitud, la distorsión en los polos o los ejes de orientación, y otros). La elección dependerá del destino del mapa y qué es lo que tiene importancia mostrar.

Con mapas a mayor escala para extensiones más pequeñas (p. ej., para caminar por la campiña u orientarse en una ciudad), la decisión depende de lo que se incluye o lo que se excluye en la representación simbólica que, en realidad, es cualquier mapa. No todos los aspectos del paisaje real pueden figurar en un mapa, de modo que nuevamente la cuestión es, ¿qué finalidad piensa dársele al mapa? ¿Cuáles son los rasgos más significativos que la persona que use el mapa necesitará ver con claridad? ¿Qué se puede omitir en ese caso, no porque no existan en la realidad geográfica sino porque no son pertinentes para este modo de ver la realidad? En alguna parte debe haber mapas del sistema cloacal de nuestra ciudad. No cabe duda de que son de crucial importancia para los ingenieros, pero son de valor limitado para los turistas. El mapa del subterráneo es una brillante representación de ese sistema de transporte, de gran valor para turistas cuando están bajo tierra, pero de valor muy limitado afuera en las calles. Y por cierto que ese diagrama icónico ofrece un marco mucho más comprensible para entender el tránsito por subterráneo que lo que haría un mapa que mostrara con todo detalles las líneas del subterráneo con sus curvas, distancias y direcciones. Más aun, todos sabemos que el mapa para el usuario es una distorsión de la realidad en función de los fines para los cuales fue diseñado: permitir que transitemos en los subterráneos en forma sencilla y segura. El grado de distorsión se justifica y acepta por lo que es, y nadie hace una acusación por falsedad o por confundir al público. La distorsión, en este contexto, no es en absoluto lo mismo que la inexactitud. Considerando sus fines, el mapa del subterráneo es un documento adecuadamente preciso.

Creo que hay algún valor en esta analogía consistente en comparar marcos hermenéuticos con mapas. La realidad dada es el texto de la Biblia misma. Ningún marco puede dar cuenta de todos los detalles, así como ningún mapa puede representar todos los pequeños rasgos de un paisaje.

Pero como un mapa, un marco hermenéutico puede proporcionarnos una idea de todo el terreno, un modo de transitar a través de él, una forma de observar lo que tiene mayor significación, una forma de encarar la tarea de encontrarnos con la realidad misma (así como un mapa nos dice lo que podemos esperar cuando nos encontremos en el lugar que representa).

Me parece que una hermenéutica misional como la que he bosquejado cumple algunos de los requisitos de los mapas mencionados. No pretende explicar cada rasgo del vasto terreno de la Biblia, ni impedir por adelantado la exégesis de ningún texto específico. Pero cuando en nuestro paseo nos damos con algún rasgo del paisaje que no está marcado en el mapa, no negamos su existencia porque no aparece en nuestro mapa. Tampoco le echamos la culpa al mapa por haber elegido no hacerlo figurar. Más bien, el mapa nos permite ubicar ese rasgo en su lugar geográfico apropiado, y relacionarlo con los otros rasgos a su alrededor.

Cuanto más he intentado usar (o estimular a otros a usar) un mapa misional de la Biblia, orientado fundamentalmente a la misión de Dios, tanto más me parece que no solo los rasgos principales se destacan claramente, sino también que otros senderos menos transitados y menos atractivos escenográfica y turísticamente ofrecen conexiones sorprendentes y fructíferas con el panorama general.

PARTE 2
El Dios de la misión

Al Señor tu Dios le pertenecen los cielos y lo más alto de los cielos, la tierra y todo lo que hay en ella. Deuteronomio 10.14

Señor, Dios de Israel, … sólo tú eres el Dios de todos los reinos de la tierra. 2 Reyes 19.15

Yo soy el Señor, Dios de toda la humanidad. ¿Hay algo imposible para mí? Jeremías 32.27

Tu Redentor es el Santo de Israel; ¡Dios de toda la tierra es su nombre! Isaías 54.5

Tú, que eres el Juez de toda la tierra, ¿no harás justicia? Génesis 18.25

Dios es el rey de toda la tierra. Salmo 47.7

Dondequiera miremos en el canon del Antiguo Testamento encontraremos textos que declaran que YHVH, el Señor Dios de Israel, es el solo y único Dios de toda la tierra, o de todas las naciones, o de toda la humanidad. YHVH lo hizo todo, es dueño de todo, ejerce dominio sobre todo. Los textos que aparecen arriba son tomados de la Torá, de los libros históricos, los profetas y los Salmos. El carácter único y la universalidad de YHVH son axiomas fundacionales de la fe del Antiguo Testamento, los que a su vez son fundacionales para la fe, el culto y la misión cristiana en el Nuevo Testamento. En los tres capítulos de la Parte 2 examinaremos algunas dimensiones de esa cosmovisión monoteísta axiomática en cuanto ella afecta nuestra comprensión de la misión bíblica.

Si solo YHVH es el único Dios vivo y verdadero que se dio a conocer a Israel y que quiere ser conocido hasta lo último de la tierra, entonces nuestra misión no puede contemplar una meta menor a ésa (capítulo 3).

Si Jesús de Nazaret es quien encarna la identidad y la misión de YHVH, aquel a quien el Señor Dios ha entregado toda autoridad en el cielo y en la tierra, aquel ante quien toda rodilla se doblará y toda lengua confesará que él es Señor, entonces el vigor y el testimonio cristocéntricos de nuestra misión no pueden ser negociables (capítulo 4).

Si el conflicto entre el Dios vivo y su Cristo, por un lado, y los dioses e ídolos levantados por esfuerzos humanos y satánicos por otro, constituyen el gran drama cósmico de la narración bíblica, entonces nuestra misión nos envuelve en ese conflicto, aunque con la seguridad de que Dios tiene la victoria final sobre todo lo que se opone a su reinado universal (cap. 5).

Antes de embarcarnos en estas tareas, sin embargo, es preciso que nos ocupemos de dos asuntos introductorios.

Primero, no nos conciernen aquí los interrogantes en torno a los *orígenes históricos* del monoteísmo en el antiguo Israel. Estos han sido objeto de extensas investigaciones eruditas y críticas durante muchos años, y están más allá del campo que abarca este libro como para ocuparnos de ellos en profundidad. Desde luego lo que tenemos en nuestras manos como las Escrituras hebreas (nuestro Antiguo Testamento como lectores cristianos) es justamente eso: las Escrituras tal como fueron conservadas y transmitidas dentro de la tradición canónica por quienes representaban la fe 'oficial' de Israel, por así decirlo. Pero resulta difícil acceder a la mentalidad religiosa de los israelitas corrientes en cualquier punto de la historia antigua de Israel, excepto para admitir que parecería haber existido mucha confusión. Incluso dentro de las páginas de las Escrituras de Israel se nos informa acerca de la larga lucha a través de muchas generaciones entre la religión popular y los que abogaban por la fe monoteísta descrita en los documentos del pacto. Estaban los que entendían esta fe del pacto en el sentido de entregar la adoración solo a YHVH, y estaban los que veían bien, por muchas razones, adorar a otros dioses en lugar o además de a YHVH. Las pruebas arqueológicas con que contamos parecen confirmar la impresión que nos dejan profetas como Oseas, Jeremías y Ezequiel, de que había mucha mezcla de los cultos politeístas populares que se practicaban en suelo israelita (incluidos cultos a deidades femeninas tales como Asera).[1]

Los historiadores de la religión de Israel ofrecen diversas reconstrucciones de las etapas por las que se supone que Israel se hizo monoteísta. Parece

---

1 El estudio más reciente de este material arqueológico y su importancia para la religión israelita y el monoteísmo en el Antiguo Testamento es el realizado por William Dever: *Did God Have a Wife? Archaeology and Folk Religion in Ancient Israel*, Eerdmans, Grand Rapids, 2005.

estar claro que desde una época muy temprana Israel tuvo la convicción de que para ser israelita se requería una adhesión exclusiva a YHVH como su Dios. A esto se le llama a veces 'mono-yahvismo'. El que este compromiso para con YHVH incluyera originalmente la convicción de que YHVH era realmente la *única* deidad (a diferencia de la única deidad que Israel debía adorar), o bien, mediante qué etapas y en qué fecha esa convicción finalmente se instaló, es tema de un debate incesante e inconcluso.[2]

No obstante, me parece que la medida en que las afirmaciones sobre *el carácter único y universal de* YHVH penetraron todos los géneros de los textos de Israel permite creer que hubo un núcleo monoteísta en la fe de Israel desde tiempos muy tempranos, por más que se haya oscurecido y corrompido por efecto de la práctica religiosa popular.[3]

Segundo, sin embargo, es preciso que preguntemos: ¿Qué significa monoteísmo en este contexto? Si aportamos a nuestra investigación un concepto predefinido acerca del monoteísmo en términos filosóficos abstractos y luego medimos a Israel con nuestra definición, obtendremos una perspectiva bastante reducida del monoteísmo de Israel. De hecho, como lo han demostrado Nathan MacDonald y Richard Bauckham, los círculos académicos de la teología occidental en general cautivos a las categorías del Iluminismo como el marco para definir el monoteísmo han llevado, por un lado, a serios malentendidos en cuanto a las afirmaciones básicas de Israel con respecto a YHVH y, por otro lado, a reconstrucciones especulativas de la evolución del monoteísmo en Israel que no pueden verificarse y que son incompatibles con el testimonio de los textos bíblicos.[4]

---

2 Hay una enorme cantidad de estudios eruditos sobre la cuestión del monoteísmo en la religión de Israel y la teología del Antiguo Testamento, de los que no podemos ocuparnos aquí. Un estudio reciente que proporciona un amplio análisis y bibliografía sobre la variedad de estudios sobre el tema es, Robert Karl Gnuse: *No Other Gods: Emergent Monotheism in Israel,* JSOT Supplement Series 241, Sheffield Academic Press, Sheffield, 1997. Una valoración más breve pero muy perceptiva (incluida una crítica de Gnuse) la ofrece Richard Bauckham: 'Biblical Theology and the Problems of Monotheism', en *Out of Egypt: Biblical Theology and Biblical Interpretation,* ed. Craig Bartholomew y otros, Paternoster, Carlisle; Zondervan, Grand Rapids, 2004, pp. 187–232.

3 Peter Machinist analizó unos 433 textos que afirmaban diferentes elementos del carácter distintivo de la fe de Israel (particularmente aquellos que afirmaban la unicidad del Dios de Israel) y comentarios sobre el llamativo hecho de que se encuentran en todos los géneros y en todas las etapas de la literatura veterotestamentaria: 'The Question of Distinctiveness in Ancient Israel', en *Essential Papers on Israel and the Ancient Near East,* ed. F. E. Greenspan, New York University Press, N.Y., 1991, pp. 420–442. Un punto de vista similar es el que ofrece Ronald E. Clements: 'Monotheism and the Canonical Process', *Theology* 87 (1984): 336–44.

4 Nathan MacDonald, *Deuteronomy and the Meaning of 'Monotheism'* (Tübingen: Mohr Siebeck, 2003). Ver también Nathan MacDonald: 'Whose Monotheism? Which Rationality?' en *The Old Testament in Its World,* ed. Robert P. Gordon y Johannes C. de Moor, Brill, Leiden, 2005, pp. 45–67. Richard Bauckham: 'Biblical Theology and the Problems of Monotheism'.

Si, en cambio, preguntamos qué quería decir el pueblo de *Israel* cuando decía cosas como 'YHVH es Dios, y no hay otro', entonces podríamos entender el monoteísmo más en línea con la propia de dinámica de Israel. Es decir, debemos procurar entender el mundo religioso y teológico de Israel desde adentro, en lugar de hacerlo pasar por el tamiz de nuestras categorías.

Si preguntamos qué quería decir Israel con *'conocer* al Señor', abriremos una rica veta de enseñanza monoteísta bíblica. Este término maravillosamente flexible tiene varias dimensiones significativas. YHVH se presenta a sí mismo como el Dios que anhela ser conocido. Este impulso autocomunicante entra en todo lo que Dios hace en la creación, la revelación, la salvación y el juicio. Por lo tanto los seres humanos son convocados a conocer a YHVH como Dios, con la clara suposición de que *pueden* conocerlo y que *deberían* conocerlo. A los que están en relación de pacto con Dios y forman parte de los elegidos se les confía este conocimiento y han de vivir de conformidad, por lo que finalmente toda la humanidad sabrá que YHVH es el Dios verdadero de una forma o de otra. Por consiguiente, el hacer conocer a Dios forma parte de la misión de Dios que quiere ser conocido. El *'conocer* a YHVH', entonces, está entre esas expresiones dinámicas del Antiguo Testamento mediante las cuales el israelita pudo haber expresado lo que nosotros llamaríamos monoteísmo. Así que este es el viaje de descubrimiento en el cual ahora nos embarcamos. ¿Cómo llegó Israel a conocer a YHVH como único Dios? ¿Cómo veían a otros que alcanzaban el mismo conocimiento?

Nuestra senda a lo largo de estos tres capítulos, entonces, será como sigue. En el capítulo 3 observaremos la forma en que Israel llegó a conocer el carácter único de YHVH por su experiencia de la gracia redentora de Dios, especialmente en los hechos claves del éxodo y el regreso del exilio. Pero luego también notaremos lo opuesto: la forma en que Israel y otras naciones llegaron a conocer a YHVH por su exposición al juicio de Dios. Luego en el capítulo 4, pasando del Antiguo Testamento, veremos cómo el Nuevo Testamento amplía el conocimiento de Dios al reconocer su identidad en la persona de Jesús de Nazaret como Señor y Cristo. Después de eso, recogeremos y reuniremos los hilos de esos dos capítulos y averiguaremos por qué el monoteísmo bíblico es misional, o para decirlo de otra manera acorde con el propósito de este libro, cómo una hermenéutica misional ilumina nuestra lectura de estas grandes afirmaciones monoteístas bíblicas con respecto a YHVH y Jesucristo. Sin embargo, no podemos terminar nuestro repaso del monoteísmo y la misión sin prestar atención a su lado oscuro, el conflicto con dioses e ídolos. De manera que en el capítulo 5 analizaremos lo que tiene para decirnos sobre este fenómeno, ocupándonos de paso de lo que me parecen a mí algunos malentendidos superficiales y provocativos de la controversia. Finalmente reflexionaremos sobre la forma en que la misión cristiana debería ocuparse de la siempre presente realidad de la idolatría, aprovechando las variadas tácticas que encontramos en la práctica misionera y los escritos del apóstol Pablo.

3. El Dios vivo se da a conocer en Israel

Es un lugar común decir que en la Biblia a Dios se lo conoce por lo que Dios hace y dice. La combinación de las portentosas obras de Dios y las palabras mediante las que dichas obras fueron anticipadas, explicadas y celebradas conforman la doble base de buena parte de la literatura del Antiguo Testamento. Dos poderosas obras en particular, en ambos extremos de la historia antigua de Israel, se registran, por excelencia, como ocasiones en las que Israel llegó a conocer a su Dios: el éxodo y el regreso del exilio. En ambos casos consideraremos algunas de la verdades capitales que Israel asoció con estos hechos y de qué manera se relacionan con la unicidad y la universalidad de YHVH. Esto a su vez da forma e informa nuestra comprensión de esta dimensión de la misión de Dios: su voluntad de ser conocido por quién es.

Conocer a Dios a través de la experiencia de la gracia de Dios

El éxodo. En las Escrituras hebreas el éxodo se levanta como la gran demostración definitoria del poder, el amor, la fidelidad e intervención liberadora de YHVH a favor de su pueblo. Fue, por lo tanto, un acto fundamental de revelación de sí mismo por parte de Dios, y además una intensa experiencia de aprendizaje para Israel. Incluso, antes de que ocurriera, la palabra profética de Dios por medio de Moisés en anticipación del éxodo enfatiza esto como parte de su propósito.

YHVH *anhela ser conocido.* Éxodo 5.22—6.8 es un texto fundamental en el desarrollo de la historia. Desde el arribo de Moisés a Egipto y sus demandas al faraón de que concediera libertad a los esclavos hebreos, las cosas han ido de mal en peor (Éxodo 5.1–14). A medida que la opresión se hace más severa, los líderes se quejan ante Moisés, y Moisés a su vez se queja ante Dios. Acusa a Dios de no redimir a pesar de su retórica de salvación ante la zarza ardiente (Éxodo 5.15–23). Como respuesta Dios ofrece una renovada clarificación de su identidad (Éxodo 6.2–3) y una concisa pero completa síntesis de sus intenciones redentoras (Éxodo 6.6–8). Este último texto es la declaración misionera de Dios en todo este relato. Bajo la garantía de su propio nombre y carácter ('Yo soy el SEÑOR' se repite al comienzo y al final; vv. 6, 8), Dios promete hacer tres cosas a favor de Israel:

- librarlos del yugo egipcio,
- concertar una mutua relación pactual con ellos,
- llevarlos a la tierra que les había prometido a sus antepasados.

Lo único que Israel hará en toda esta escena es que llegarán a *conocer a* YHVH como Dios de modo concluyente por medio de los siguientes acontecimientos: 'Así sabrán que yo soy el SEÑOR su Dios, que los libró de la opresión de los egipcios' (Éxodo 6.7). Los meses y años siguientes verían a Israel en una empinada curva de aprendizaje, pero al finalizarla su cosmovisión habría cambiado para siempre. Sabrían verdaderamente quién era Dios en Egipto (y en todas partes).

De manera que el esperado resultado del éxodo era que Israel conociese a YHVH como Dios y también conociese algunas verdades fundamentales acerca de su carácter y su poder. Así es como Deuteronomio vuelve la vista hacia los grandes acontecimientos de esa generación. Esos constituían una revelación sin precedentes y sin paralelo acerca de la identidad y el carácter único del Señor, el Dios de Israel. Y, precisamente, habían sido diseñados para ese fin.

> Pregúntales ahora a los tiempos pasados que te precedieron, desde el día que Dios creó al ser humano en la tierra, e investiga de un extremo al otro del cielo. ¿Ha sucedido algo así de grandioso, o se ha sabido alguna vez de algo semejante? ¿Qué pueblo ha oído a Dios hablarle en medio del fuego, como lo has oído tú, y ha vivido para contarlo? ¿Qué dios ha intentado entrar en una nación y tomarla para sí mediante pruebas, señales, milagros, guerras, actos portentosos y gran despliegue de fuerza y de poder, como lo hizo por ti el SEÑOR tu Dios en Egipto, ante tus propios ojos? *A ti se te ha mostrado todo esto para que sepas que el SEÑOR es Dios, y que no hay otro fuera de él*. Deuteronomio 4.32–35 [repetido en 36–39], énfasis agregado.

¿Qué fue, entonces, lo que llegó a conocer Israel acerca de YHVH a través del éxodo? Se destacan tres lecciones, dos tomadas de Éxodo 15: (1) que YHVH es *incomparable* y (2) que es *soberano;* y (3) una tomada de Deuteronomio 4: que YHVH es *único*.

El Cántico de Moisés (Éxodo 15.1–18), que es reconocido por la mayoría de los entendidos como uno de los textos poéticos más antiguos del Antiguo Testamento, celebra dos resonantes conclusiones sobre lo que Dios había hecho para Israel al sacarlos de Egipto y llevarlos a través del mar hacia la libertad.

Yahvéh es incomparable. Este es el objetivo de la pregunta retórica, '¿Quién se te compara …?' que aparece aquí y hace eco en otros textos.

¿Quién, SEÑOR, se te compara entre los dioses? ¿Quién se te compara en grandeza y santidad? (Éxodo 15.11). Yahvéh se había mostrado superior a 'todos los dioses de Egipto' (Éxodo 12.12), en la contundente demostración de poder que ocupa los ocho capítulos anteriores de Éxodo. La cuestión aquí no es lo que se pudo haber creído o no acerca de YHVH en relación con lo que nosotros llamamos monoteísmo (es decir, si se trata de una afirmación de la deidad exclusiva de YHVH). Lo que interesa es que el Dios de Israel es claramente el Dios más poderoso en el entorno. Yahvéh está más allá de toda comparación cuando se trata de un conflicto de voluntades y poder. Quiénes o qué fueran los dioses de Egipto (y el narrador ni siquiera se toma el trabajo de mencionarlos, como tampoco menciona al faraón que afirmaba ser uno de ellos), el Dios de Israel es más que todos ellos.

Una retórica similar se usa en otras partes del Antiguo Testamento para expresar el asombro y la admiración para con YHVH como el Dios sin igual. La afirmación de que no hay dios como YHVH ('nadie como él' o 'nadie como tú') lo reconoce por encima de toda comparación:

- en guardar promesas y cumplir su palabra (2 Samuel 7.22),
- en poder y sabiduría, especialmente como se deja ver
  en la creación (Jeremías 10.6–7, 11–12),
- en la asamblea celestial (Salmo 89.6–8),
- en su dominio sobre las naciones (Jeremías 49.19; 50.44),
- en perdonar el pecado y la transgresión (Miqueas 7.18),
- en poder salvífico a favor de su pueblo (Isaías 64.4).

Y porque no hay nadie como YHVH, todas las naciones finalmente acudirán a adorarle como el único Dios verdadero (Salmo 86.8–9). Esta es la dimensión misional de esta gran verdad, que retomaremos y expandiremos en los capítulos 14 y 15.

De modo que una importante verdad que Israel llegó a conocer acerca de YHVH mediante el éxodo fue que él es incomparablemente más grande que otros dioses. Esto se sostiene con una intensidad tan superlativa que equivale a la afirmación más verdaderamente monoteísta. Es decir, la simple razón de por qué YHVH es incomparable es que no hay nada realmente con lo cual compararlo. Yahvéh es el único de su clase.

YHVH *es Rey*. La culminación del Cántico de Moisés es la aclamación triunfal: '¡El SEÑOR reina por siempre y para siempre!' (Éxodo 15.18). La forma del verbo hebreo es el imperfecto; tiene la flexibilidad de significar 'ahora ha demostrado que él es rey, que ahora reina, y que seguirá reinando para siempre.'[1] Esta es la primera ocasión en que significativamente se menciona el reino de Dios en la Biblia, y aparece en el contexto específico de la victoria de YHVH sobre aquellos que oprimían a su pueblo y se negaban a conocerlo (Éxodo 5.2). De manera que hay una dimensión polémica y enfrentada ante esta afirmación de YHVH como rey. Dado que YHVH es rey, *otros* reyes (egipcios o cananeos) tiemblan.

En este texto de Éxodo la condición real de YHVH aparece en el contexto del histórico cruce del mar y la derrota del ejército del faraón. Pero las imágenes poéticas hebreas se valen de tradiciones míticas del antiguo Cercano Oriente y en especial de los relatos épicos cananeos de El y Baal. En Ugarit, Baal fue enaltecido como 'nuestro rey' y 'Señor de la tierra'. Alcanzó esta posición después de grandes victorias sobre el caos primordial representado por el gran dios Yamm (el mar). Luego, habiendo derrotado al mar, Baal se sienta entronizado sobre él, en la montaña sagrada desde donde ejerce su 'reinado eterno'. Motivos tales como la derrota del mar, el señorío sobre los vientos, el aplastamiento del dragón marítimo (Rahab), ser entronizado sobre el abismo (o el diluvio) y reinar desde el monte santo provienen de la mitología cananea.[2] Pero también se los encuentra en el Antiguo Testamento (como aquí en Éxodo 15), como una manera de expresar y celebrar el reinado de YHVH como rey.

---

1 John Durham traduce la línea así: 'Yahvéh reina por siempre y sin interrupción', en *Exodus,* Word Biblical Commentary, Word, Waco, Tex., 1987, pp. 201–202.
2 Ver, p. ej.: John Day, 'Asherah', 'Baal (Deity)', y 'Canaan, Religion of', en *Anchor Bible Dictionary,* ed. David Noel Freedman, Doubleday, N. York, 1992, 1:483–87, 545–549, 831–837; y N. Wyatt: *Religious Texts from Ugarit,* Sheffield Academic Press, Sheffield, 1998.

Claros ecos de esta mitología cananea se pueden encontrar, por ejemplo, en los Salmos 29.10; 74.12–14; 89.9–10; 93.3–4; 104.3–9; Habacuc 3.3–15; e Isaías 51.9–16. El uso de estas imágenes cananeas no significa, por supuesto, que el Antiguo Testamento *apruebe* los mitos de El y Baal. Por lo contrario, la fe de Israel subordinaba cualquier afirmación acerca de estos dioses al reinado de YHVH. El Antiguo Testamento adoptó el lenguaje real de Baal con el objeto de combatirlo, atribuyendo todo dominio en el cielo y en la tierra solamente a YHVH.

Más todavía, mientras usaba estas imágenes míticas, el Antiguo Testamento bajaba a tierra el pleno reinado de YHVH en la historia real. Emplear esas imágenes era una manera de afirmar que los acontecimientos que habían ocurrido en el plano de la historia humana tenían una significación de alcance cósmico y revelador. En esta secuencia histórica de hechos, ahora Israel debía reconocer la verdad acerca de su Dios, YHVH. Y esa verdad es la de que los enemigos de YHVH (fueran humanos o supuestas deidades) no son rivales para su victorioso reinado. '*El Señor* es rey', canta Moisés, con la implícita pero obvia deducción '*y no Faraón*, o ningún otro de los supuestos dioses de Egipto o de Canaán'.[3]

La naturaleza del reinado de YHVH, en cambio (es decir, la forma en que YHVH realmente funciona como rey) es inesperada. Ejerce su reinado a favor de los débiles y oprimidos. Esto se insinúa ya en el Cántico de Moisés a orillas del Mar; lo que se celebra es la liberación de una comunidad étnica minoritaria que había estado siendo sometida a la explotación económica, a la opresión política y finalmente a una campaña de genocidio aterrador auspiciada por el estado. Pero al imperio del faraón hace su ingreso el reinado de YHVH, el Dios que oye el clamor de los oprimidos, el Dios que oye, ve, recuerda y se preocupa (Éxodo 2.23–25).

Una vez más Deuteronomio proporciona comentarios sobre los acontecimientos que estamos considerando. Es una paradoja que Deuteronomio 10.14–19 coloque el *reinado* universal de YHVH a la par de la altamente localizada *compasión* de YHVH. El pasaje está estructurado como un himno y adopta la forma de dos paneles con tres versículos

---

3 La idea del dominio mundial YHVH sobre todas las naciones y dioses será considerada en mayor detalle en el cap. 14.

en cada uno. El primer panel (vv. 14, 17) es una *doxología*. El segundo (vv. 15, 18) es una *sorpresa* contrastante. Y el tercero (vv. 16, 19) es la *reacción* práctica y ética que se le requería a Israel ante las declaraciones que acababa de oír (ver la tabla 3.1).

Tabla 3.1. Deuteronomio 10.14–19

14 Al SEÑOR tu Dios le pertenecen los cielos y lo más alto de los cielos, la tierra y todo lo que hay en ella.	Himno/Doxología	**17** Porque el SEÑOR tu Dios es Dios de dioses y Señor de señores; el es el gran Dios, poderoso y terrible, que no actúa con parcialidad ni acepta sobornos.
15 Sin embargo, él se encariñó con tus antepasados y los amó; y a ti, que eres su descendencia, te eligió de entre todos los pueblos, como lo vemos hoy.	Sorpresa	**18** Él defiende la causa del huérfano y de la viuda, y muestra su amor por el extranjero, proveyéndole ropa y alimentos.
16 Por eso, despójate de lo pagano que hay en tu corazón, y ya no seas terco.	Respuesta	**19** Así mismo debes tú mostrar amor por los extranjeros, porque también tú fuiste extranjero en Egipto.

Las dos doxologías con las que se inicia hacen una notable doble afirmación: YHVH es el Dios *a quien pertenece* el universo (porque le pertenece en su totalidad, v. 14), y YHVH es el Dios que *gobierna* el universo (porque todos los demás poderes y autoridades están sujetos a él, v. 17). En otras partes la afirmación de propiedad universal por parte de Dios se basa en el derecho de creación (p. ej., Salmos 24.1–2; 89.11–12; 95.3–5). De forma semejante, su afirmación de poseer la *soberanía* universal se basa en su poder como Creador (Salmos 33.6–11; 95.3; Isaías 40.21–26). Pero la declaración asombrosa en Deuteronomio 10 es, primero, que este Dios que ejerce dominio sobre todo el universo ha elegido a Israel de entre todos los pueblos como su socio en el pacto (v. 15), y segundo, que el poder de este Dios sobre toda otra forma de poder y autoridad, humana o cósmica ('dioses y señores') se ejerce por el bien de los más débiles y más marginalizados en la sociedad: la viuda, el huérfano y el extranjero (v. 18). Por cierto, el equilibrio entre los versículos 15 y 18 supone que cuando Dios salvó a *Israel* de su sufrimiento como extranjeros en Egipto, cuando *los* alimentó en el desierto, Dios estaba actuando según su carácter: haciendo para Israel lo que típicamente hace por otros. Eso es lo que YHVH hace por los extranjeros en general. Esa es la clase de Dios que es. Es Yahvéh el Dios que anhela amar, y especialmente amar al necesitado y al extranjero. Por cuanto los israelitas se encontraban en esa condición necesitada en Egipto, se convirtieron en objeto de su justicia compasiva. Yahvéh, a quien Israel ahora conoce como *rey*, es el Rey que reina con compasión y justicia: 'La justicia y el derecho son el fundamento de tu trono, / y tus heraldos, el amor y la verdad' (Salmo 89.14).[4]

YHVH *es único*. Volviendo a nuestro comentario deuteronómico sobre los acontecimientos del éxodo y el Sinaí, en Deuteronomio 4.32–39, ¿Qué se esperaba que Israel dedujese de su experiencia de la gracia de Dios en la redención (el éxodo, vv. 34, 37) y en la revelación (el Sinaí, vv. 33, 36)? La culminación del argumento de Moisés es que 'el SEÑOR es Dios ... arriba en el cielo y abajo en la tierra, y que *no hay otro*' (vv. 35, 39, énfasis agregado).

El lenguaje que habla de que 'no hay otro' dios que YHVH se encuentra en una cantidad de otros textos que habría que mencionar al lado de este.

Nadie es santo como el SEÑOR;
　no hay roca como nuestro Dios.
¡No hay nadie como él! (1 Samuel 2.2)

Así todos los pueblos de la tierra sabrán que el SEÑOR es Dios,
y que no hay otro. (1 Reyes 8.60)

Entonces sabrán que yo estoy en medio de Israel,
　que yo soy el SEÑOR su Dios,
y no hay otro fuera de mí. (Joel 2.27)

Yo soy el SEÑOR, y no hay otro;
　fuera de mí no hay ningún Dios. (Isaías 45.5; ver 6, 18)

---

4 Sobre la extendida expectativa, en todo el antiguo Cercano Oriente, de que los dioses y los reyes debían ser agentes de justicia, ver el amplio estudio de Moshe Weinfeld: *Social Justice in Ancient Israel and in the Ancient near East*, Fortress Press, Minneapolis, 1995.

Hay entendidos que cuestionan si en tales pasajes (con excepción del texto de Isaías) se está haciendo una afirmación plenamente monoteísta. Algunos argumentan que ese lenguaje todavía cae dentro de la categoría del mono–Yahvismo, es decir, que estos textos suponen que YHVH y 'no otro' ha de ser el único Dios a ser adorado *por Israel*. Este argumento sostiene que el que los otros dioses de otras naciones pudieran tener alguna existencia real no entra en la discusión y que no está siendo negada en esos textos. Más aun, el supuesto en esos textos (según estos entendidos) es que *sí* existen otros dioses, pero que ninguno de ellos tiene derecho alguno a culto o lealtad por parte de Israel.

Sin embargo, esto me parece a mí un supuesto muy *a priori*, que resulta imposible de refutar. Parecería que cualquier cosa que un israelita pudiera afirmar acerca de la unicidad de YHVH, podría ser entendido por el lector empedernido de ese modo reduccionista. Pero supongamos que un israelita realmente quisiera hacer la afirmación ontológica de que YHVH era la única deidad universal, ¿qué más podría él o ella decir que lo que expresa Deuteronomio 4.39? Nathan MacDonald tiene razón cuando dice que Deuteronomio no se ocupa de categorías o definiciones de deidad en abstracto según el Iluminismo. Pero es cierto que Deuteronomio pone todo el universo ante nuestros ojos ('arriba en el cielo y abajo en la tierra') y luego dice que hacia donde miremos, YHVH es Dios y 'no hay otro'. ¿Dónde más habría de haber dioses? Lo que se entiende, cosa que el texto de Isaías hace explícito ('fuera de mí no hay ningún Dios'), parece estar implícitamente incorporado en las otras afirmaciones. Aun cuando no haya sido expresado de esa manera, es una conclusión bastante segura.

Habiendo dicho esto, sin embargo, es preciso reconocer que con frecuencia el Antiguo Testamento habla de otros dioses de un modo que parecería dar por sentado algún tipo de existencia, aun cuando no sea comparable con la realidad categóricamente definida de YHVH como 'el Dios'. Volveremos a esta tensión en el capítulo 5 sobre YHVH y los dioses e ídolos de las naciones. Pero por el momento puedo estar de acuerdo con el argumento cuidadosamente articulado de Richard Bauckham, quien usa la frase 'la trascendente unicidad de YHVH', y la define como sigue:

> El elemento esencial de lo que he llamado el monoteísmo judío, el elemento que lo hace una especie de monoteísmo, no es la negación de la

existencia de otros 'dioses', sino un entendimiento del carácter único de YHVH que lo coloca en una clase por sí solo, una clase totalmente distinta de cualquier otro ser celestial o sobrenatural, aun cuando a estos se les llame 'dioses'. A esto le llamo 'la trascendente unicidad de YHVH'. (La mera 'unicidad' puede ser lo que distingue a un miembro de una clase de otros miembros de la misma. Por 'unicidad trascendente' quiero decir una forma de unicidad que ubica a YHVH en una clase exclusivamente suya). Para identificar esta unicidad trascendente son de especial importancia las afirmaciones que distinguen a YHVH por medio de una relación única con la totalidad de la realidad: solamente YHVH es Creador de todas las cosas, en tanto que todas las demás cosas son creadas por él; y solo YHVH es el soberano Señor de todas las cosas, mientras que todas las otras cosas sirven o están sujetas a su señorío universal.[5]

Este modo de entender el carácter único de YHVH se une al punto anterior sobre su condición de ser incomparable. La razón que explica porqué no hay otro dios *como* YHVH es que no hay otro Dios, y punto. YHVH es '*el* Dios'—*hā 'ĕlōhîm*. Como lo señala Bauckham, el uso del artículo definido de esta manera coloca a YHVH efectivamente en una clase por sí solo.

> Lo que Israel está en condiciones de reconocer acerca de YHVH, por sus acciones para Israel, que distingue a YHVH de los dioses de las naciones es que él es 'el Dios' o 'el dios de los dioses'. Esto significa en primer lugar que tiene poder sin rival en todo el cosmos. La tierra, los cielos y los cielos de los cielos le pertenecen (Deuteronomio 10.14). Por contraste, los dioses de las naciones son nulidades impotentes, que no pueden proteger ni salvar ni siquiera a sus propios pueblos … (ver especialmente Deuteronomio 32.37–39).[6]

Esto refuerza el punto de vista de que aquellos textos que hablan de YHVH como incomparable dan por sentado más el mono–Yahvismo (que YHVH es el único Dios para Israel). Para ver que significan algo más que un limitado o relativo mono–Yahvismo, deberíamos notar que algunos de ellos combinan en forma significativa la fraseología de la

---

5 Richard Bauckham: 'Biblical Theology and the Problems of Monotheism', en *Out of Egypt: Biblical Theology and Biblical Interpretation*, ed. Craig Bartholomew y otros, Paternoster, Carlisle; Zondervan, Grand Rapids, 2004, p. 211.
6 *Ibid.*, p. 196.

incomparabilidad (nadie *como* él) con la de la *unicidad* trascendente (ningún *otro* dios). Ejemplos de esta combinación incluyen:

No hay nadie como tú, y que aparte de ti no hay Dios. 2 Samuel 7.22

No hay, Señor, entre los dioses otro como tú / … ¡solo tú eres Dios! Salmo 86.8, 10

Yo soy Dios, y no hay ningún otro, yo soy Dios, y no hay nadie igual a mí. Isaías 46.9

Señor, Dios de Israel, no hay Dios como tú arriba en el cielo ni abajo en la tierra … Así todos los pueblos de la tierra sabrán que el Señor es Dios, y que no hay otro. 1 Reyes 8.23, 60

Sobre este ultimo texto, Bauckham comenta:

Por cierto que no puede significar que todos los pueblos de la tierra sabrán que YHVH es el único dios *para Israel*. Lo que reconocerán es que solo YHVH es 'el Dios'. No necesitan negar que haya otros *dioses*, pero reconocerán la unicidad del carácter de YHVH como el único a quien se le puede llamar '*el Dios*'. Es en esta categoría que 'no hay otro'.[7]

El regreso del exilio. Más adelante pensaremos en las lecciones que Israel aprendió acerca de Dios por la experiencia de haber sido *enviado* al exilio. Lo haremos cuando consideremos la forma en que compartieron con otras naciones el conocimiento de Dios mediante la exposición a su juicio. En el momento en que la palabra profética confirmó la bondadosa intención de Dios de dar por terminado el exilio y de *restablecerlos* en su propia tierra y renovar la relación del pacto con él mismo, hubo, sin embargo, otro enorme impacto de aprendizaje al que debieron someterse. En cada etapa, algo más está siendo expresado en cuanto a la unicidad y la universalidad de YHVH. Una vez más tenemos aquí una sección de la historia y las Escrituras de Israel que nos habla directamente en relación con nuestro tema. Porque si Dios tiene

7 *Ibid.*, p. 195.

la misión de traer salvación a las naciones y de recrear toda la tierra, entonces tiene que ser capaz de lograr semejante agenda monumental. La confianza de los grandes profetas exílicos está en que no encontrarán faltante en ningún aspecto de sus promesas. Las siguientes grandes afirmaciones nacen principalmente del libro de Isaías, además de algunas de visiones de Jeremías y Ezequiel.

YHVH *es soberano sobre la historia.* Está demostrado que era falsa la idea más antigua entre los eruditos del Antiguo Testamento (de que Israel era única entre todas las naciones del antiguo Cercano Oriente en cuanto a una creencia sin paralelo de que YHVH su Dios estaba activo en la historia). Otras naciones también hicieron declaraciones similares en relación con sus dioses, si bien no con la intensidad y el alcance de lo que afirmaba Israel sobre YHVH.[8] Comprometerse en los asuntos de sus propias naciones, especialmente logrando que prosperaran sus intentos militares, era la función específica de los dioses. La pregunta no es, sin embargo, cuál nación creía que su dios tenía algún control sobre los acontecimientos históricos. La cuestión es cuál nación tenía razón. O más bien, de cuál dios resultaba justificada y válida la afirmación de que estaba en control de la historia.

Lo que resulta notable acerca de la repetida afirmación que hacen los textos proféticos de Israel en la época del exilio no es solo la vehemencia y la insistencia con que la hacen. (La retórica de Israel acerca de la soberanía de YHVH sobre los acontecimientos, sobrepasa por lejos cualquiera de los textos existentes sobre afirmaciones hechas a favor de los dioses de otras naciones en la misma época). Lo que resulta notable es, en primer lugar, el solo hecho de que tales afirmaciones se hicieran. Que un gran poder imperial dijera que sus dioses estaban en control de los acontecimientos no parecería sino natural. Que una de las naciones derrotadas, ya casi ni siquiera nación, sostuviera lo mismo para su propia deidad parecería absurdo y arrogante. Con seguridad que ese pueblo vive una falsa ilusión, negando patéticamente la realidad que lo ha aplastado; y pronto lo eliminará de la historia, junto con su pequeño dios.

---

8 La obra clásica sobre este tema es todavía Albrektson: *History and the Gods: An Essay on the Idea of Historical Events as Divine Manifestations in the Ancient near East and in Israel,* Gleerup, Lund, 1967. Más recientemente, ver también Daniel I. Block: *The Gods of the Nations: Studies in Ancient near Eastern National Theology,* 2da. ed., Baker, Grand Rapids; Apollos, Leicester, 2000.

Sin embargo, los textos proféticos que hablaron acerca de la cautividad de los exiliados judíos se atrevieron a llamar a juicio a las otras naciones y sus dioses, a desafiarlos a una gran contienda para ver cuál de sus dioses estaba realmente en control de la historia, y por consiguiente cuál podía afirmar legítimamente ser el verdadero Dios.

> Acérquense y anuncien
> > lo que ha de suceder,
> y cómo fueron las cosas del pasado,
> > para que las consideremos
> y conozcamos su desenlace.
> > ¡Cuéntennos lo que está por venir!
> Digan qué nos depara el futuro;
> > así sabremos que ustedes son dioses. Isaías 41.22–23

> Yo soy Dios, y no hay ningún otro,
> > yo soy Dios, y no hay nadie igual a mí.
> Yo anuncio el fin desde el principio;
> > desde los tiempos antiguos, lo que está por venir.
> Yo digo: Mi propósito se cumplirá,
> > y haré todo lo que deseo. Isaías 46.9–10

No obstante, un segundo rasgo notable de las afirmaciones hechas en nombre del Dios de Israel, es que YHVH controla toda la historia de *todas* las naciones, no solamente los asuntos de *su propio* pueblo del pacto. En general, otras naciones en el antiguo Cercano Oriente se conformaban con anunciar la participación de sus dioses en hechos que, ya sea ampliaban su propio poder, o defendían el territorio nacional o la ciudad. No es frecuente encontrar referencias a dioses del antiguo Cercano Oriente comprometidos en la historia, la política o la fortuna de otros países, y cuando lo hacen, generalmente es mediante la participación de su propia nación. En cambio, justamente esto es lo que se afirma de YHVH. No solo interviene en la fortuna de las naciones que no lo adoran, es capaz de hacerlo con o sin la directa colaboración de su propio pueblo del pacto e independientemente de sus intereses particulares. En las profecías en cuanto al exilio puede valerse de Babilonia como agente de juicio contra Israel, pero también puede usar a Ciro como su agente contra Babilonia, y en el mismo instante sostener que todas las victorias de Ciro sobre otras naciones son, también, atribuibles a la soberanía de YHVH (Isaías 41.2–4, 25; 44.28—45.6). Estas son afirmaciones sorprendentes.

Al mismo tiempo son aseveraciones sin precedente y sin paralelo. Simon Sherwin estudia en detallada comparación este rasgo de la afirmación del Antiguo Testamento sobre YHVH con la clase de afirmaciones hechas por naciones contemporáneas sobre sus dioses, y la encuentra por completo distintiva. Analiza material de un amplio espectro de culturas del antiguo Cercano Oriente a lo largo de un amplio espacio de la historia; sostiene que este rasgo de la controversia israelita se vincula más propiamente con la cosmovisión monoteísta de Israel. Sherwin señala que la mayoría de las afirmaciones de los dioses del antiguo Cercano Oriente se referían a logros o pérdidas territoriales. Era bastante común que otras naciones sostuvieran que era su propio dios nacional el que les había conseguido territorio en el pasado distante o reciente. La acción de estos dioses nacionales estaba centrada en la fortuna de la nación que los adoraba.

> Las afirmaciones de Yahvéh van aun más allá. Afirma que puede designar reyes en otros países; puede usar naciones que no son las propias para castigar a otras; incluso puede tomar las superpotencias del momento, usarlas para sus propios fines y luego desecharlas. Por el lado positivo también puede obtener liberación para naciones que no son suyas. Esto es notable teniendo en cuenta el tamaño de los reinos de Israel y Judá, su posición insignificante en el escenario político mundial y el hecho de que incluso los imperios de Asiria y Babilonia no se atreven a tanto. Es muy probable que la explicación se encuentre en la perspectiva monoteísta de la forma final de la Biblia hebrea. Si YHVH es el único Dios, el Creador de los extremos de la tierra, 'el Altísimo', 'el soberano de todos los reinos humanos, y que se los entrega a quien él quiere' (Daniel 4.17, 32) o, para citar a Josafat, el 'que gobierna a todas las naciones' (2 Crónicas 20.6), entonces está perfectamente dentro de su jurisdicción usar a quien él quiera para lograr sus propósitos.[9]

---

9 Simon Sherwin, "'I Am Against You': Yahweh's Judgment on the Nations and Its Ancient Near Eastern Context", *Tyndale Bulletin* 54 (2003): 160.

YHVH *ejerce soberanía por medio de su palabra*. El poder de la palabra de Dios ya era una parte establecida de la fe de Israel. No solo en Génesis 1, sino también en el culto de Israel se hacía el vínculo entre la palabra del Señor y la creación del cosmos.

> Por la palabra del Señor fueron creados los cielos,
> y por el soplo de su boca, las estrellas …
> porque él habló, y todo fue creado;
> dio una orden, y todo quedó firme. Salmo 33.6, 9

El mismo salmo pasa de la soberanía de la palabra de Dios en la creación a su papel de gobernante en la historia.

> El Señor frustra los planes de las naciones;
> desbarata los designios de los pueblos.
> Pero los planes del Señor quedan firmes para siempre;
> los designios de su mente son eternos. Salmo 33.10–11

Este artículo de fe adquiere nueva prominencia a causa del exilio. En ese contexto la potencia de la palabra de Dios se destaca tanto más por la impotencia del pueblo de Dios. Si hubo alguna vez una idea de que YHVH lograba su propósito y así demostraba su incomparable soberanía por medio de las victorias militares de Israel (que en algunas situaciones habían sido reales, como, p. ej., lo celebra el canto de Débora en Jueces 5), esa opción, no estaba disponible para el Dios de una esforzada comunidad de prisioneros de guerra. En todo caso, Israel estaba en el exilio, no porque YHVH fuera incapaz de derrotar a sus enemigos sino porque había usado a Babilonia como el agente de su juicio sobre Israel. Su soberanía se había ejercido mediante una victoria militar, paradójicamente lograda contra su propio pueblo. ¿Habría de demostrar ahora su soberanía (y deidad) invirtiendo la polaridad y levantando nuevamente a los israelitas para que obtuvieran una victoria militar contra Babilonia? No. La superioridad de YHVH sobre las naciones y sus dioses no se demostraría en el campo de batalla sino en el tribunal de justicia, no mediante las armas sino mediante su palabra. A esta altura es preciso que tengamos cuidado en cuanto a las conclusiones a las que podamos arribar a partir de esto. El paso hacia la fuerza coercitiva no fue una admisión de impotencia por parte de YHVH, como si él no tuviese ninguna otra opción. No se trataba de que ahora YHVH hubiera sido derrotado militarmente y por ese motivo se veía obligado a recurrir a otros medios para imponer su voluntad. El comentario de Westermann a esta altura está peligrosamente abierto a un malentendido: 'Dado que Israel había dejado de ser un estado independiente, su Dios no podía ahora demostrar su superioridad frente a los dioses de Babilonia por medio de una victoria sobre sus enemigos. De modo que Deutero–Isaías desplaza el campo de la decisión desde el campo de batalla al tribunal de justicia.'[10]

Israel tampoco había sido un estado independiente en la época del éxodo, y no obstante Dios demostró su superioridad sobre los dioses de Egipto mediante una victoria que rutinariamente se describía como lograda 'con actos portentosos y gran despliegue de poder'. Dios podía ejercer un poder coercitivo sin ayuda humana si así lo prefería. De modo que el comentario de Westermann que sigue inmediatamente es más aceptable.

> Sin embargo, [el desplazamiento del campo de batalla al tribunal judicial] de ninguna manera supone la interrupción del vínculo entre la acción de Dios y la historia; solo significa que la prueba aceptada ahora de la divinidad de un dios, su poder para obtener victorias militares para su propio pueblo, había sido remplazado por otra, la confiable y perseverante continuidad entre lo que dice un dios y lo que hace.[11]

Era la palabra de Dios lo que contaba. Hasta el gran despliegue del poder de Dios en el éxodo había sido acompañado por la palabra predictiva e interpretativa de Dios por medio de Moisés, y fue rápidamente seguida por el imponente 'hecho verbal' de la revelación de Dios en el Sinaí. Y también, más pertinente todavía para los exiliados, la victoria militar de Nabucodonosor y la destrucción de Jerusalén constituía prueba de la verdad y el poder de la palabra de Dios hablada de antemano a través de los profetas. Millard Lind comenta:

---

10 Claus Westermann: *Isaiah 40—66*, trad. al inglés D. M. H. Stalker, SCM Press, Londres, 1969, p. 15.
11 *Ibid.*

Deutero-Isaías está diciendo que, en función de la continuidad de la comunidad, la política que trata de controlar por medio de la coerción es inefectiva y que los 'dioses' de tales comunidades no son realmente divinidades. La única política efectiva de la continuidad de la comunidad se basa no en el poder militar sino más bien en la continuidad de la palabra creadora y la acción de Yahvéh, *quien por lo tanto es solo Dios.*[12]

Así que por medio de las grandes demostraciones de la gracia redentora de Dios, el éxodo y el regreso del exilio, Israel aprendió que parte del carácter único de YHVH su Dios era que él ejercía su soberanía sobre el ir y venir de la historia internacional *a través de su palabra.* Lo que declara Isaías 40—55 es que esta capacidad no solo establecía su superioridad sobre cualquier otro supuesto dios, sino, de hecho, su exclusiva deidad.

YHVH *actúa por amor a su nombre.* Dos preguntas inician lo que queremos plantear en esta sección. Primero, ¿qué fue lo que movió a YHVH a traer del exilio a su pueblo en un segundo gran acto de redención? Segundo, ¿por qué tenía importancia que, en este proceso, demostrara su deidad con el control soberano de la historia mediante su palabra? La respuesta a ambas preguntas radica en la preocupación de Dios por su propio nombre.

A la primera pregunta, la motivación de la acción de Dios: YHVH habría de liberar a su pueblo de su cautividad porque la única alternativa (permitir que siguiera el *statu quo*) amenazaba con infligir un daño permanente a su propia reputación como Dios. Se daba aquí un antiguo principio, primeramente articulado en la intercesión de Moisés ante Dios a favor del pecaminoso pueblo de Israel en tiempos de la apostasía ante el becerro de oro, y nuevamente en medio de la rebelión en Cades-Barnea. A pesar de la anunciada decisión de Dios de destruir al pueblo de Israel, en ambas ocasiones Moisés apeló en contra. Basó su apelación (entre otras cosas) en el hecho de que Dios tenía que pensar en su reputación. ¿Qué pensarían las naciones de YHVH como Dios (y especialmente los egipcios en ese contexto) si primero liberaba a Israel de Egipto y luego los destruía en el desierto (Éxodo 32.12;

---

12 Millar C. Lind: 'Monotheism, Power and Justice: A Study in Isaiah 40-55', *Catholic Biblical Quarterly* 46 (1984): 435, énfasis agregado.

Números 14.13–16; Deuteronomio 9.28)? Pensarían que YHVH era incompetente ó maligno. ¿Era esa la clase de reputación que quería YHVH? El nombre (la reputación) de YHVH entre las naciones estaba en la balanza según lo que Dios hacía *contra* su propio pueblo, tanto como en lo que concernía a lo que hacía *por* ellos.

Fue Ezequiel, con todo, quien llevó este principio a su más radical extremo teocéntrico. En Ezequiel 36.16–38, Ezequiel sostiene, primero, que el exilio había sido una necesidad moral como un castigo por parte de Dios para una nación que se había demostrado incorregiblemente perversa por generaciones, sin haberse arrepentido. El resultado del exilio, sin embargo, había sido que el nombre de YHVH estaba siendo 'profanado' entre las naciones. Esto quiere decir que el nombre 'YHVH' estaba siendo tratado simplemente como el nombre común u ordinario de otro dios derrotado de la larga lista de dioses cuyas naciones habían sido conquistadas y exiliadas por Babilonia. Se trataba de una situación que YHVH no podía tolerar como estado de cosas permanente. En efecto, en la gráfica frase de Ezequiel, YHVH '[ha] sentido dolor al ver [su] santo nombre profanado'—tal era la vergüenza que estaba sufriendo (Ezequiel 36.21, RVR95). De modo que, sí, YHVH obraría una vez más para liberar a su pueblo, pero la motivación principal, en la inflexible teocentralidad de Ezequiel, sería la de salvaguardar el propio nombre de YHVH de la bajeza de la profanidad entre las naciones, no (en primer término) por el bien de Israel mismo.

> Voy a actuar, pero no por ustedes sino por causa de mi santo nombre, que ustedes han profanado entre las naciones por donde han ido. Daré a conocer la grandeza de mi santo nombre, el cual ha sido profanado entre las naciones, el mismo que ustedes han profanado entre ellas. Cuando dé a conocer mi santidad entre ustedes, las naciones sabrán que yo soy el SEÑOR. Lo afirma el SEÑOR omnipotente. Ezequiel 36.22–23

Isaías también comprende el hecho de que YHVH ha de actuar con perdón y restauración primariamente por su propio nombre (véase Isaías 43.25), pero pone el mayor énfasis en la parte final de la preocupación de Ezequiel, a saber, que YHVH quiere ser conocido entre las naciones por el que realmente es. Esto nos lleva a la segunda de nuestras dos preguntas: ¿Por qué tenía importancia que la soberanía de Dios a través de su palabra fuese clara e incluso forénsicamente demostrada? Una y otra vez Isaías declara que el propósito de esta demostración es que el nombre del Dios viviente y verdadero sea universalmente conocido. Las profecías en relación con Ciro son explícitas en este punto, y notablemente irónicas. Para demostrar el poder de su palabra YHVH, por medio de su profeta, menciona a Ciro por adelantado y predice su surgimiento inicial al poder, su posterior derrota de Babilonia, y su condición de instrumento en la liberación de los exiliados y la reconstrucción de Jerusalén. La ironía radica en el hecho de que si bien se menciona a *Ciro* (Isaías 44.28; 45.1), su nombre no llegará a ser conocido hasta lo último de la tierra. Ese honor será para YHVH, a quien Ciro ni siquiera reconoce.

> Yo soy el SEÑOR, y no hay otro;
>> fuera de mí no hay ningún Dios.
> Aunque tú no me conoces,
>> te fortaleceré[*a ti*, Ciro],
> para que sepan de oriente a occidente
>> que no hay ningún otro fuera de *mí*. Isaías 45.5–6
> (énfasis agregado).

De modo que desde la perspectiva del profeta, los acontecimientos históricos que estaban siendo puestos en movimiento por medio de la palabra de Dios habrían de demostrar la trascendente unicidad de YHVH como Dios, y finalmente habrían de resultar en el reconocimiento universal de ese hecho. La prueba de sus palabras se confirma por el hecho de que hoy no muchas personas, salvo historiadores de la antigüedad, conocen el nombre del Ciro del siglo seis a.C. mientras que hay millones que dan culto al Señor Dios de Israel a través de su Hijo Jesucristo.

La soberanía de YHVH *se extiende a toda la creación.* Un tema que no faltaba en la fe y el culto preexílicos en Israel adquiere especial preeminencia alrededor de la época del exilio y el retorno, a saber, la soberanía de YHVH sobre toda la creación como el único Dios viviente. El Salmo 33 vincula directamente esta afirmación con el gobierno de la historia internacional por parte de YHVH. Jeremías contrasta en forma explícita el poder de YHVH como Creador con la impotencia y la transitoriedad de otros dioses.

El SEÑOR es el Dios verdadero,
    el Dios viviente, el Rey eterno. …

'Los dioses que no hicieron los cielos ni la tierra, desaparecerán
de la tierra y de debajo del cielo'.

Dios hizo la tierra con su poder. Jeremías 10.10–12

Pero son las profecías en el libro de Isaías, pronunciadas para renovar la fe de los exiliados, las que dan mayor importancia a esta soberanía de YHVH como Creador, precisamente porque los exiliados necesitaban recuperar la confianza en la universalidad de YHVH. Lejos de ser derrotado, lejos de verse limitado ya sea a su propio pueblo o a su propia tierra, seguía siendo Señor de todo el cosmos tanto como lo había sido siempre.

Esta verdad tenía un doble filo, sin embargo. Por una parte significaba que Israel podía creer, contra todas las apariencias de su presente circunstancia, que cuando YHVH actuara a fin de llevar a cabo su regreso del exilio, nada podía impedírselo, porque todo estaba bajo su soberano control: la tierra, los cielos, las grandes profundidades, incluso las estrellas (y la supuesta divinidad astral). Esta era la antigua fe creacional de Israel, de modo que mejor será recordárselo: '¿Acaso no lo sabían ustedes? / ¿No se habían enterado?' (Isaías 40.21–26).

Por otra parte, significaba que si Israel se sintiera inclinado a protestar por los medios con los cuales Dios habría de lograr su liberación (es decir, mediante un rey pagano que ni siquiera conocía a YHVH, pero es provocativamente descrito como el 'pastor' y 'ungido' de YHVH), harían bien en recordar quién era aquel con el cual pretendían discutir: el Creador del universo.

¿Van acaso a pedirme cuentas del futuro …?
    Yo hice la tierra,
y sobre ella formé a la humanidad.
    Mis propias manos extendieron los cielos,
y di órdenes a sus constelaciones.

> Levantaré a Ciro en justicia ...
> Él reconstruirá mi ciudad
> y pondrá en libertad a mis cautivos. Isaías 45.11–13

Por lo tanto, la razón por la que la planificada acción de Dios para la liberación de Israel será espectacularmente exitosa es que está asegurada por su soberanía universal como Creador. Además, el efecto de esa acción salvífica será demostrar la posición y la identidad únicas de YHVH al resto del mundo. Israel haría bien en no protestar, porque tiene un papel que cumplir en esa agenda divina. Si la misión definitiva de Israel era ser una bendición y una luz para las naciones, es preciso que coopere con los medios de Dios para ejecutar ese propósito, sea que lo aprobaran o no.

YHVH *confía su unicidad y universalidad al testimonio de su pueblo.* ¿Cómo llegará el resto del mundo a conocer estas grandes verdades acerca de YHVH? Esta pregunta esencialmente misionológica recibe la notable respuesta de que YHVH confía su intención para las naciones al *testimonio* de su propio pueblo. Volviendo a la metáfora del tribunal de justicia una vez más, tenemos que imaginar que las otras naciones son traídas a fin de que presenten lo que puedan como apoyo a la declamada realidad y poder de sus dioses. Hay criterios, sin embargo, para lo que se consideran pruebas admisibles. No será un caso para determinar cuál de los dioses invoca las más grandes victorias militares, sino cuál de ellos tuvo la habilidad de predecir e interpretar la historia, de la manera en que lo había hecho YHVH por medio de sus profetas. ¿Pueden las naciones dar testimonio de algo semejante a favor de sus dioses? Israel tiene abundantes testimonios para ofrecer sobre esos puntos justamente a favor de YHVH. De modo que será mediante el testimonio de Israel que los poderes de revelación y salvación de YHVH, y finalmente la identidad de YHVH como único Dios, serán anunciados en la esfera pública de la historia mundial.

> Que se reúnan todas las naciones
> y se congreguen los pueblos.
> ¿Quién de entre ellos profetizó estas cosas,
> y nos anunció lo ocurrido en el pasado?

Que presenten a sus testigos
   y demuestren tener razón,
para que otros oigan y digan:
   'Es verdad'.
'Ustedes son mis testigos —afirma el Señor—,
   son mis siervos escogidos,
para que me conozcan y crean en mí,
   y entiendan que Yo soy.
Antes de mí no hubo ningún otro dios,
   ni habrá ninguno después de mí.
Yo, yo soy el Señor,
   fuera de mí no hay ningún otro salvador.
Yo he anunciado, salvado y proclamado;
   yo entre ustedes, y no un dios extraño. Isaías 43.9–12

Ahora bien, la principal responsabilidad de un testigo es la de contar lo que *sabe*. En esto radica, por lo tanto, la enorme responsabilidad de conocer a *Dios*. Esto es lo que le acuerda tanta importancia a las palabras de Moisés a Israel en Deuteronomio 4.35. Señalando todo lo que los israelitas habían testimoniado de las palabras y obras del Señor, alcanza la siguiente conclusión: '*A ti* se te ha mostrado todo esto para que *sepas* que el Señor es Dios, y que no hay otro fuera de él' (énfasis agregado).

El 'a ti' está en posición enfática en esta oración. Una paráfrasis ampliada del texto podría ser así: "*Tú*, Israel, sabes que yhvh es 'el único Dios'.[13] Otras naciones no comparten todavía el privilegio de este conocimiento, precisamente porque no han experimentado lo que ustedes acaban de hacer, por el éxodo y los encuentros en el Sinaí. De modo que este conocimiento único de este Dios único está ahora bajo su mayordomía única."

Por lo tanto, solo Israel entre las naciones es el pueblo que *efectivamente conoce a* yhvh. Otras naciones todavía no. La idolatría es, entre otras cosas, una forma de ignorancia (Isaías 44.18). Las naciones no conocen las leyes de yhvh, que él había dado solo a Israel (Salmo 147.19–20). Por consiguiente, como el pueblo que realmente conoce la verdadera identidad del

---

13 La frase precisa es, literalmente, 'yhvh, él es el Dios'. Esta es exactamente la misma fórmula como la aclamación del pueblo después de presenciar la demostración con fuego que hizo Elías de que yhvh, y no Baal, era el Dios que podía responder mediante fuego (1 Reyes 18.39).

Dios viviente, por sus actos de autorevelación y redención, Israel debe dar testimonio de ese conocimiento entre las naciones. No es necesario leer en el Antiguo Testamento un mandato misionero para este papel, en el sentido de que los israelitas fueran mandados físicamente a viajar a las naciones a dar testimonio de este conocimiento. Pero el concepto está claro: este conocimiento *ha de ser* proclamado a las naciones, así como las buenas nuevas de su liberación habían de proclamarse a Jerusalén. O para ser más precisos, las buenas nuevas de lo que Dios había hecho para Jerusalén constituiría parte de las buenas nuevas que llegaría también a las naciones, cuando 'todos los confines de la tierra verán la salvación de nuestro Dios' (Isaías 52.10; ver. Jeremías 31.10). *De qué manera* habría de suceder esto nunca se aclara por completo en el Antiguo Testamento, pero que *iba a ocurrir* resulta inequívoco.[14] Se celebra por anticipado con adoración y profecía.

Canten al Señor un cántico nuevo;
  canten al Señor, habitantes de toda la tierra.
Canten al Señor, alaben su nombre;
  anuncien día tras día su victoria.
Proclamen su gloria entre las naciones,
  sus maravillas entre todos los pueblos. Salmo 96.1–3

Alaben al Señor, invoquen su nombre;
  den a conocer entre los pueblos sus obras;
proclamen la grandeza de su nombre.
Canten salmos al Señor, porque ha hecho maravillas;
  que esto se dé a conocer en toda la tierra. Isaías 12.4–5

Está claro, entonces, al concluir esta sección, que a través de sus principales experiencias históricas de la gracia de YHVH manifestada en la redención y la liberación, Israel creía que habían llegado a conocerlo como el solo y único Dios vivo y verdadero. En su trascendente unicidad no había ningún otro dios como YHVH. Más todavía, tenían un sentido de mayordomía de este conocimiento dado que el propósito de Dios era que finalmente todas las naciones llegaran a conocer el nombre, la gloria, la salvación y los portentosos actos de YHVH y a adorar solo a él como Dios.

---

14 La única excepción a la ausencia de 'cómo' es Isaías 66.19, que efectivamente predice un envío a las naciones a proclamar la gloria de YHVH entre ellas. Todo el contexto indica que se trata de una expectativa escatológica. Más discusión sobre las naciones en la teología del Antiguo Testamento se encontrará en el cap. 14.

Conocer a Dios mediante el sometimiento a su juicio

Hemos visto, entonces, que para Israel la principal fuente para saber que YHVH es el único Dios vivo y verdadero (*el Dios*), era la experiencia de su gracia en relación con los actos históricos de liberación. Pero esos actos de liberación para *Israel* significaban juicio para sus *opresores*. Además estos enemigos llegarían a conocer a Dios, pero lo conocerían como el Dios de justicia que no podía ser resistido con impunidad. Cuando Israel mismo, por persistente rebelión, se colocaba al lado de los enemigos de YHVH, ellos también lo conocerían de esa forma. Por ello volvemos una vez más al éxodo y al exilio, pero esta vez desde la perspectiva de Egipto e Israel, respectivamente, como objetos del juicio de Dios y como sometidos a un duro aprendizaje. Después de eso, volveremos la mirada hacia adelante, con Ezequiel, al juicio final de los enemigos de Dios y del pueblo de Dios, y sintetizaremos lo que para entonces sabremos acerca de Dios.

Egipto. El relato del éxodo tiene como su principal trama, por supuesto, la liberación de Israel de su opresión bajo el faraón. Sin embargo, también tiene como su trama subsidiaria el tremendo choque de poder entre YHVH, Dios de Israel, y el faraón, rey (y dios) de Egipto, y todos los demás dioses de los egipcios. Lo que desencadena esta trama es la fatal negativa del faraón de reconocer jurisdicción alguna a YHVH en su territorio. Al pedido de Moisés de que Israel fuese liberado con el objeto de adorar a su Dios, el faraón responde: '¿Y quién es el SEÑOR ... para que yo le obedezca y deje ir a Israel? ¡No conozco al SEÑOR, ni voy a dejar que Israel se vaya!' (Éxodo 5.2).[15]

El desafío presenta el vívido relato de las plagas en Egipto, en el que oímos el estribillo recurrente, 'Así sabrán…,' a lo largo de Éxodo 7—14. YHVH, el Dios que quería hacerse conocer por los israelitas liberándolos, simultáneamente quería hacerse conocer por el faraón anulando su opresión.

---

15 Una interesante deducción de las palabras de Faraón, que no aparece mayormente en esta narración pero es, indudablemente, un aspecto fundamental para Deuteronomio y los profetas, es el vínculo entre conocer a YHVH como Dios y obedecerle. El faraón no siente ninguna obligación de obedecer porque afirma que no lo conoce. A la inversa, conocer a YHVH equivale a sentirse obligado a obedecerlo (ver Deuteronomio 4.39–40). Jeremías, incluso, define el conocimiento de Dios de esa manera, valiéndose de Josías como su ejemplo (Jeremías 22.16), y Oseas sintetiza la desobediencia de Israel a tantos mandamientos de Dios con el duro veredicto de que 'Ya no hay entre mi pueblo … conocimiento de Dios' (Oseas 4.1).

¿Qué fue, entonces, lo que el faraón llegó a conocer acerca de YHVH? Si recorremos la secuencia de pasajes pertinentes en Éxodo descubrimos numerosos puntos en el currículo de la educación del faraón, dispuestos, probablemente, en un orden ascendente y la tabla 3.2. Se trata de una pronunciada curva de aprendizaje, que finalmente termina en destrucción. Si bien esta fue la última palabra de Dios para ese faraón en particular y para las fuerzas alineadas contra YHVH y su pueblo, no era la palabra definitiva de Dios para Egipto. El gran imperio del Nilo recibe aun más palabras de juicio a medida que se desarrolla la historia de Israel,[16] pero Isaías 19.19–25, en una de las más notables piezas de visión profética en el Antiguo Testamento, pone a Egipto en la misma curva de aprendizaje que a Israel. Es decir, el profeta se proyecta hacia delante al día cuando Egipto también llegará a conocer a YHVH como Salvador, defensor y sanador.[17]

Tabla 3.2. El programa de educación del faraón

Texto bíblico	Comentario
Sabrán los egipcios que yo soy el SEÑOR (Éxodo 7.5, 17).	YHVH, el Dios a quien el faraón se había negado a reconocer, verdaderamente es Dios. Los egipcios se verán forzados a reconocer, cuando menos, que hay tal Dios como este que declara, 'Yo soy YHVH'.
Sabrás que no hay dios como el SEÑOR, nuestro Dios (Éxodo 8.10).	YHVH, el Dios de los despreciados esclavos hebreos, no tiene rivales. No hay ninguno como él. Esta imposibilidad de comparar con nada ni nadie a YHVH era algo que Israel también habría de aprender.
Así sabrán que yo, el SEÑOR, estoy en este país (Éxodo 8.22).	YHVH es Dios en Egipto (no obstante la afirmación del propio faraón, que dice ser dios) y cualquiera fuese la condición de todos los otros dioses de Egipto, YHVH no estaba sujeto a controles de visa en Egipto, ni limitado al territorio donde vivían los israelitas.

---

16 Ver, p. ej., Isaías 19.1–15; Jeremías 46; Ezequiel 29—32.
17 Estudiaremos este pasaje y muchos otros con similares inferencias aun cuando no con lenguaje tan dramático en el cap. 14.

Texto bíblico	Comentario
Para que sepas que no hay en toda la tierra nadie como yo (Éxodo 9.14).	YHVH no tiene igual, no solo en Egipto sino en toda la tierra.[a]
Te he dejado con vida precisamente para mostrarte mi poder, y para que mi nombre sea proclamado por toda la tierra (Éxodo 9.16).	YHVH, lejos de sujetarse al antojo y el favor del faraón, lo usa para su propio propósito universal: la difusión de su nombre por toda la tierra.[b]
Ejecutaré mi sentencia contra todos los dioses de Egipto. Yo soy el SEÑOR (Éxodo 12.12).	YHVH es el juez de todos los supuestos dioses de Egipto, aunque son dioses de su gran poderío y gloria imperial.
¡Voy a cubrirme de gloria a costa del faraón y su ejército, y de sus carros y jinetes! Y cuando me haya cubierto de gloria a costa de ellos, los egipcios sabrán que yo soy el SEÑOR (Éxodo 14.18; véase Éxodo 14.4, 25).	YHVH es el Dios que tiene el poder para proteger a su pueblo derrotando a sus enemigos, aun sin ayuda humana.

Lo que está inconfundiblemente claro es que, sea que nos ocupemos de lo que Israel aprendió por la experiencia de la gracia de Dios, o de lo que Egipto aprendió por su exposición al juicio de Dios, se pone de manifiesto la misma *dinámica monoteizante*. Más que ninguna otra cosa esta gran épica de YHVH Dios en acción demostraba su unicidad y su universalidad, y esa era la intención que tenía. Las declaraciones de propósito en el relato del éxodo son frecuentes e inequívocas: 'así sabrán', 'para que sepan'. Desde el punto de vista de Dios la motivación no era solo la liberación de su pueblo esclavizado, sino esta dinámica voluntad divina de ser conocido por todas las naciones como quién y qué es realmente. La misión de Dios de ser conocido es lo que da impulso a todo este relato.

Israel en el exilio. El exilio planteó enormes interrogantes acerca de Dios en la mente de Israel y en la de los profetas de esa era. Israel había

---

a Entendiendo que kol ha'ares probablemente signifique aquí 'toda la tierra [del planeta]', y no solamente 'toda la tierra [de Egipto]'.

b Hay una ironía aquí similar a la que observamos arriba en relación con Ciro. Dios había erigido a Ciro, e incluso lo había llamado por nombre (Isaías 45.4), pero el nombre que habría de conocerse universalmente como resultado, sería el nombre de YHVH. Más irónico todavía en el contexto del éxodo es el hecho de que no sabemos con certidumbre el nombre de este faraón ('faraón', desde luego, es un título, no un nombre personal). Cualquier conclusión a la que lleguemos en cuanto a la fecha y la identidad históricas del faraón del éxodo, el texto mismo decididamente rehusa nombrarlo. El nombre que había de hacerse conocido en el mundo es el nombre de YHVH, el nombre del Dios que este anónimo faraón se negó a conocer. El faraón de cuyo nombre no podemos estar seguros estará por siempre ligado con el Dios cuyo nombre conocemos sin lugar a dudas —el Señor, el Fuerte de Israel.

sido derrotado, la ciudad de Dios estaba destruida, y el pueblo de Dios había sido expulsado de su tierra. ¿Significaba esto que YHVH se había topado con su igual en los dioses de la Babilonia de Nabucodonosor? ¿YHVH mismo había sido derrotado? En la perspectiva macro-cultural del antiguo Cercano Oriente, la suposición (compartida por Israel) era que los acontecimientos en la tierra constituían un espejo de lo que ocurría en el reino celestial. El destino de los ejércitos humanos reflejaba las batallas cósmicas de los dioses. Hasta aquí, Israel creía que YHVH, el Dios de Israel, no había tenido ningún rival serio. Aun cuando los dioses de las otras naciones tuvieran alguna medida de realidad (y en algún sentido deben haberlo tenido, puesto que los asuntos de las naciones estaban vinculados con sus dioses), esos dioses nunca habían podido desafiar el poder de YHVH y su compromiso de pacto con Israel y su tierra.

¿Cómo, entonces, debía interpretarse la desastrosa derrota de Israel y la destrucción de Jerusalén a manos de Nabucodonosor? ¿Se trataba de una vindicación tardía de las arrogantes afirmaciones del comandante asirio que, en tiempos del sitio de Jerusalén por Senaquerib, en la época de Ezequías e Isaías, se había jactado de que YHVH no se mostraría más fuerte que cualquiera de los otros pequeños dioses nacionales devorados por la poderosa Asiria?

> No le hagan caso a Ezequías, que los quiere seducir cuando dice: 'El SEÑOR nos librará.' ¿Acaso alguno de los dioses de las naciones pudo librar a su país de las manos del rey de Asiria? ¿Dónde están los dioses de Jamat y de Arfad? ¿Dónde están los dioses de Sefarvayin, de Hená y de Ivá? ¿Acaso libraron a Samaria de mis manos? ¿Cuál de todos los dioses de estos países ha podido salvar de mis manos a su país? *¿Cómo entonces podrá el SEÑOR librar de mis manos a Jerusalén?* 2 Reyes 18.32–35 (énfasis agregado).

A pesar de la jactancia del oficial asirio, el SEÑOR había despachado sumariamente a los asirios. Pero ahora, apenas un siglo después, los babilonios habían pisoteado Jerusalén hasta el polvo, habían capturado al rey, habían incendiado el templo y se habían llevado la población sobreviviente al exilio. ¿Habían triunfado los enemigos de YHVH?

Paradójicamente, los profetas dieron a su pueblo (antes, durante y después del hecho mismo) la explicación que menos querían oír: YHVH no había sido vencido; por el contrario, estaba tan en control como siempre. YHVH estaba todavía en el proceso de tratar con sus enemigos. La cuestión era, ¿quién era el verdadero enemigo de YHVH? O más directamente todavía, *¿quién era el verdadero enemigo de Israel?* Por su persistente rebelión contra el Señor del pacto, Israel había convertido a YHVH en su propio enemigo. *'¡Estoy contra ti!'* Estas ominosas palabras, pronunciadas por Dios contra muchas otras naciones por medio de los profetas, ahora se volvían contra el propio pueblo del pacto (Ezequiel 5.8). De modo que la victoria de Nabucodonosor no fue una victoria *sobre* YHVH (aunque sin duda Nabucodonosor la interpretó así) sino una victoria *de* YHVH. Nabucodonosor se había convertido simplemente en el agente de Dios en su conflicto con su propio pueblo del pacto. Con el Señor de su lado, Jerusalén no podía ser destruida. Con el Señor en contra, Jerusalén no podía ser defendida. La paradójica soberanía de YHVH como Dios es confirmada en todo momento.

De manera que Israel pasó al exilio y se encontró, como los egipcios, los cananeos, e incluso más recientemente los asirios, expuestos al juicio de Dios. Siguiendo nuestra investigación a lo largo de este capítulo, ¿cómo fue que esta experiencia condujo a un mayor conocimiento de Dios? ¿Qué aprendió Israel cuando Dios los trató como un enemigo? En particular, ¿qué incluyó su aprendizaje en relación con la unicidad y la universalidad de YHVH como Dios? De los textos podemos reunir los siguientes puntos.

YHVH *no tiene favoritos.* Israel aprendió que tener a YHVH como su aliado según el pacto no significaba que fuese su dios nacional con el que siempre se podía contar que estuviera de su lado, cualquiera fuese la situación. Saber que YHVH era el Dios de toda la tierra, Soberano sobre todas las naciones, significaba que debían reconocer que la elección de Israel para entrar en relación a través del pacto no era cuestión de favoritismo en absoluto, sino una tremenda responsabilidad. Por cierto, como lo había señalado Amós más de un siglo antes del exilio, su posición como el pueblo elegido en forma exclusiva, lejos de garantizarle ningún tipo de inmunidad ante el juicio de Dios, solo servía para exponerlos tanto más completamente a su castigo cuando dejaran de vivir de conformidad con las consecuencias éticas de dicha posición.

Solo a ustedes los he escogido
    entre todas las familias de la tierra.
Por tanto, les haré pagar
    todas sus perversidades. Amós 3.2

Más aun, Amós había impugnado la idea de que el éxodo, considerado como el acto histórico de Dios de sacar al pueblo de Egipto para asentarlo en la tierra de Canaán, le otorgara alguna clase de posición única o particularmente favorable.

Además, Amós lo hizo sobre la base de la soberanía universal de yhvh sobre las historias de otros pueblos.

Israelitas, ¿acaso ustedes
    no son para mí como cusitas?
¿Acaso no saqué de Egipto a Israel,
    de Creta a los filisteos,
y de Quir a los sirios? —afirma el SEÑOR. Amós 9.7[18]

Como tantos otros aspectos de la fe de Israel, esta manera de entender ya había sido expresada en Deuteronomio. Los textos de Deuteronomio 2.10–12, 20–23 son breves secciones entre paréntesis que describen anteriores tratos de yhvh con naciones circundantes antes de que Israel apareciera siquiera en la escena. Aunque son casi incidentales en comparación con la narración principal, suponen la misma afirmación teológica: yhvh, si bien era el Dios del pacto con Israel como su pueblo elegido y redimido, es el Dios universal que ya ha estado activo en la historia y los movimientos de otras naciones.[19] No es sorprendente que hasta en un texto selecto en el que se destaca la elección especial de Israel por parte de Dios, este criterio aparece equilibrado (como para evitar toda sospecha de favoritismo) con la fuerte afirmación definitoria de la universalidad y por lo tanto la imparcialidad de yhvh: 'El SEÑOR tu Dios es Dios de dioses y Señor de señores; él es el gran Dios, poderoso y terrible, *que no actúa con*

---

18 Entendiendo que *kol ha'ares* probablemente signifique aquí 'toda la tierra [del planeta]', y no solamente 'toda la tierra [de Egipto]'.

19 Patrick Miller reflexiona más sobre la significación teológica de estos paréntesis geográficos en 'God's Other Stories: On the Margins of Deuteronomic Theology', en *Realia Dei*, ed. P. H. Williams y T. Hiebert, Scholars Press, Atlanta, 1999, pp. 185–194.

parcialidad' (Deuteronomio 10.17, énfasis agregado).

La imparcialidad de Dios al tratar con las naciones, y su verdad correlativa de que Israel no disfrutaba de una posición favorecida, recibe el apoyo de aquellos profetas que estaban más cerca del exilio. Jeremías señaló mediante las imágenes del alfarero, que Dios atendería a *cualquier* nación (incluido Israel) sobre la base de su respuesta al mensaje que él les dirigiera (Jeremías 18.1–10). Ezequiel colocó a Jerusalén 'en medio de las naciones', pero solo con el fin de mostrar, no algún tipo de superioridad exenta de castigo, sino más bien la horrorosa deformidad del hecho de que se estaban comportando aun peor que las naciones que no conocían a YHVH. Ahora Dios estaba contra Israel tanto como lo había estado contra sus enemigos en otros momentos (Ezequiel 5.5–17). Conocer a Dios significaba, por lo tanto, aprender que su universalidad estaba por encima y más allá de todo mezquino favoritismo nacional.

YHVH *puede usar a cualquier nación como su agente de juicio.* No había nada de nuevo en esta idea en tanto se refería a *Israel* como agente del juicio de Dios. La conquista de Canaán se había presentado muy explícitamente en esos términos. Cuando el Señor echó a las naciones de delante de Israel, Israel funcionó como el agente del juicio de Dios sobre la iniquidad de los cananeos (ver Levítico 18.24–28; 20.23; Deuteronomio 9.1–6). Tampoco era nuevo interpretar la opresión de Israel por sus enemigos como indicativo del enojo de Dios contra Israel por su infidelidad, como lo demuestra todo el esquema del libro de Jueces. Aun así, los profetas expresaron este lado de la cuestión muy vivamente. Isaías pudo describir a Asiria como una vara en la mano de YHVH, con la que castigaría a Israel (Isaías 10.5–6). Jeremías fue más lejos e invadió una conferencia diplomática internacional en Jerusalén para informar a los embajadores allí reunidos que YHVH, el Dios de Israel, había puesto a todos los países en manos de 'mi siervo Nabucodonosor'. Esta desconcertante interpretación de la política internacional contemporánea se fundaba en la igualmente inflexible afirmación de que YHVH el Dios de Israel tenía todo derecho y autoridad para hacer esto, dado que era el Creador y disponía de toda la tierra y sus habitantes.

Así dice el SEÑOR Todopoderoso, el Dios de Israel: 'Digan a sus señores: Yo, con mi gran poder y mi brazo poderoso, hice la tierra, y los hombres y los animales que están sobre ella, y puedo dárselos a quien me plazca. Ahora mismo entrego todos estos países en manos de mi siervo Nabucodonosor, rey de Babilonia, y hasta las bestias del campo las he puesto bajo su poder. Todas las naciones le servirán a él, y a su hijo y a su nieto, hasta que también a su país le llegue la hora y sea sometido por numerosas naciones y grandes reyes.' Jeremías 27.4–7

Aquí, entonces, el carácter único y la universalidad de YHVH, como Creador de la tierra y Señor de la historia, se combinan con su soberana libertad para usar a cualquier nación como agente de sus propósitos.[20]

El juicio de YHVH es justo y se justifica. Una cosa es hacer esas afirmaciones. Otra es defenderlas ante gente irritada y sorprendida, para quienes la caída de Jerusalén solo demostraba que YHVH era incompetente o desleal. Ezequiel enfrentaba la primera generación de exiliados, el trauma era todavía reciente. La queja amarga era que si realmente estos hechos debían verse como la obra de YHVH, entonces 'el SEÑOR es injusto' (Ezequiel 18.25). Dios los estaba tratando injustamente. Por el contrario, argumentaba Ezequiel, en su combinación de retórica evangelizadora y pastoral, lo que YHVH había hecho estaba plenamente justificado a causa de la persistente e incorregible rebeldía de la casa de Israel. El flagrante pecado de Israel había dejado a Dios sin otra alternativa moral que la de castigarlos. No solo debía *Israel* saber que YHVH no había hecho nada contra Jerusalén 'sin razón' (Ezequiel 14.23), también *las naciones* llegarán a saberlo, con el fin de que la justicia de los modos de obrar de Dios sean conocidos en la tierra (Ezequiel 38.23). Porque este era uno de los aspectos esenciales de la afirmación del dominio universal de YHVH como único Dios: a saber, que la *justicia* constituye la esencia misma de su gobierno y que *esto se aplicaba tanto a Israel como a todas las naciones.*

El pueblo de Dios, aun sometido a juicio, sigue siendo el pueblo de Dios para la misión de Dios. La carta de Jeremías a los exiliados en Jeremías 29.1–14 comenzaba ofreciéndoles una nueva perspectiva profética sobre lo que les había pasado. Hay un contraste significativo entre la forma en que el relato, muy correctamente, se refiere a los exiliados como 'el pueblo que Nabuco-

---

20 Volveremos a este tema también con mayor profundidad en el cap. 14.

donosor había desterrado' (v. 1), y la forma en que la carta los menciona, como 'todos los que [yo, YHVH] he deportado' (vv. 4, 7). En el plano de la historia humana, era real que los exiliados de Judá habían sido víctimas de la conquista imperial de Nabucodonosor. Desde la perspectiva de la soberanía de Dios, sin embargo, seguían siendo un pueblo en las manos de su Dios. La espada de Nabucodonosor estaba siendo esgrimida por el Dios de Israel. Con esta perspectiva Jeremías insta a los exiliados a asentarse y aceptar la realidad de sus circunstancias. Dios los había exiliado a Babilonia; les convendría tratarla, por el momento, como su hogar (vv. 5–6). No volverían a su tierra en solo dos años (como estaban diciendo profetas falsos); permanecerían en Babilonia por dos generaciones. Babilonia no era su hogar permanente, pero sería su hogar actual.

Esto, sin embargo, distaba mucho de una resignación desesperada ante su suerte. Jeremías sigue: 'Multiplíquense allá, y no disminuyan' (Jeremías 29.6). Sin duda el eco del pacto abrahámico no es, accidental. El gran temor de este pueblo, diezmado por sitios, hambrunas, enfermedades, la espada y el cautiverio, era que terminaran muriendo todos. ¿Qué sería, entonces, de la promesa de Dios a Abraham, tan fundacional para su existencia misma como nación, de que serían tan numerosos como la arena o las estrellas (Génesis 15.5; 22.17)? No tenían por qué temer, porque Dios no abandonaría esa promesa. Israel no desaparecería sino que prosperaría, como otros profetas también afirmaban (Isaías 44.1–5; 49.19–21; Ezequiel 36.8–12).

Pero si este consejo para Israel (de que aumentaran en número) es un claro eco del pacto abrahámico, entonces también lo es la instrucción que le sigue, y que habrá resultado una alarmante mala noticia para las víctimas de la agresión de Babilonia: 'Busquen el *shalom* de la ciudad a la cual los he exiliado, y oren por ella a YHVH, porque en su *shalom* habrá *shalom* para ustedes' (Jeremías 29.7, mi traducción).

Los exiliados tenían una tarea, de hecho una misión en medio de la ciudad de sus enemigos. Y esa tarea consistía en procurar el bienestar de esa ciudad y orar por la bendición de YHVH sobre ella. De modo que no debían ser solo los *beneficiarios* de la promesa de Dios a Abraham (en cuanto que no habrían de extinguirse sino aumentar), también debían ser *agentes* de la promesa de Dios a Abraham, de que por sus descendientes serían bendecidas las naciones. La promesa decía 'todas las naciones', sin exclusión de las naciones enemigas. Que Israel asuma, entonces, la posición abrahámica en Babilonia. Ahora se encontraban en medio de una de esas naciones. Debían ser de bendición allí entre los cuales viven, procurando su bienestar y orando por ellos.

Hay algo profundamente irónico en esto, dado que toda la historia de Israel había comenzado con el llamado a que Abraham *saliera* de la tierra de Babilonia–Babel. Podría parecer que la historia se estaba dando al revés, con Israel partiendo al exilio 'de Jerusalén a Babilonia' (Jeremías 29.1, 4), la dirección opuesta al relato sobre Israel hasta ahora. Pero en el misterioso propósito de Dios, los descendientes de aquel que fue llamado a salir de Babilonia con el fin de ser fuente de bendición para las naciones ahora vuelven a Babilonia en cautividad y reciben instrucciones para cumplir esa promesa allí mismo. Hay una ironía típicamente divina, posiblemente advertida por Jesús, en este desafío a Israel a ser una *bendición* para las naciones, *orando,* en primer lugar, por sus enemigos (comparar la combinación de bendición y oración en Mateo 5.11, 44).

Tal enseñanza, transmitida por la carta de Jeremías, convertía a las víctimas en visionarios. Israel no solo tenía una esperanza para el futuro (en las famosas palabras de los vv. 11–14); también tenía una misión en el presente. Hasta en Babilonia podían constituir una comunidad de oración y *shalom.* Como lo veía Ezequiel, YHVH estaba tan vivo y presente en Babilonia como en Jerusalén. Su poder y gloria universales se harían sentir con juicio, pero también protegerían y preservarían a su pueblo a través del juicio por amor al nombre de Dios, y para el cumplimiento de sus propósitos más amplios entre las naciones.

Las naciones bajo juicio. En su visión escatológica varios de los profetas anticipan que algunas de las naciones se volverán finalmente a YHVH en busca de salvación, pasando a compartir la bendición de Israel, llegando aun a ser incluidas e identificadas con Israel. Si Ezequiel compartía esta esperanza es imposible decirlo, ya que nunca lo dice de manera explícita. En los dichos de Ezequiel que han quedado registrados acerca de las naciones no hay nada para comparar con la universalidad redentora que encontramos en el libro de Isaías, por ejemplo.[21] Hay, sin embargo, una tremenda universalidad en la pasión de Ezequiel por *el conocimiento de Dios*. Hay algo que se destaca en todo su libro y es la certidumbre de que YHVH será conocido como Dios por Israel *y por* las naciones. La frase 'Entonces sabrás [o sabrán] que yo soy YHVH' es virtualmente la firma de Ezequiel, y aparece unas ochenta veces en sus memorias proféticas. En relación con nuestra discusión más arriba sobre la trascendente unicidad de YHVH, esto no puede significar simplemente que las naciones reconocerán que hay un Dios llamado YHVH entre todos los demás dioses de su catálogo. Significa que las naciones llegarán al decisivo e irrevocable conocimiento de que solo YHVH es el Dios vivo y verdadero, único en su identidad, universal en su dominio, e indisputable en su poder.

Hay muchos ejemplos de esta afirmación en Ezequiel, pero alcanzan un clímax cacofónico en la desagradable y repulsiva descripción del destino de Gog y Magog, en los capítulos 38—39. Se trata de una visión apocalíptica que emplea mucho lenguaje e imágenes simbólicos, de la derrota final de los enemigos del pueblo de Dios. Es el necesario preludio de la visión culminante de todo el libro, en los capítulos 40—48, de Dios morando en medio de su pueblo renovado y santificado. Antes de que pueda darse esa indisputable cohabitación de Dios con su pueblo, es preciso resolver la cuestión de los enemigos de Dios.[22]

Ezequiel 38—39 narra una historia básica dos veces, con imágenes espeluznantes y caricaturescas que aprovechan diversas otras fuentes del Antiguo Testamento (tales como el diluvio y Sodoma y Gomorra). Un feroz enemigo del norte organiza una coalición de enemigos; hay un masivo ataque sobre un Israel pacífico y desarmado, que nada sospecha; esos enemigos son totalmente derrotados y destruidos por Dios (él solo, no por ejércitos humanos); la derrota de estos malvados enemigos será sellada con su entierro (una tarea mayúscula en sí misma), y será total, dramática,

---

21 He considerado más plenamente la cuestión del parecer de Ezequiel sobre el futuro conocimiento de Dios entre las naciones y lo que se entiende por ello en Christopher J. H. Wright: *The Message of Ezekiel: A New Heart and a New Spirit*, The Bible Speaks Today, InterVarsity Press, Leicester; InterVarsity Press, Downers Grove, Ill, 2001, pp. 268–72, valiéndome del excelente análisis del tema en David A. Williams: "'Then They Will Know That I Am the Lord': The Missiological Significance of Ezekiel's Concern for the Nations as Evident in the Use of the Recognition Formula" (tesis de maestría, *All Nations Christian College*, 1998).

22 El mismo orden escatológico de acontecimientos se encuentra en Apocalipsis: primero los enemigos de Dios y el pueblo de Dios tienen que ser destruidos y solo entonces puede Dios morar en medio de su pueblo redimido para siempre.

final y definitiva. De modo que la cuestión principal de estos capítulos es la victoria completa de Dios, a favor de su pueblo, sobre todas las fuerzas que alguna vez se opondrán y procurarán destruirlos. Como tal, la visión de la derrota de Gog ha tenido múltiples cumplimientos inminentes en el curso de la historia, y no tiene sentido dedicar demasiado esfuerzo y lágrimas hermenéuticas para tratar de hacer identificaciones concluyentes de los nombres de personas y lugares misteriosos. En última instancia, dice Ezequiel, Dios vence. En última instancia el pueblo de Dios se mantiene seguro. Y en última instancia, los enemigos de Dios y del pueblo de Dios serán completa y concluyentemente derrotados y destruidos.[23]

Pero lo que no debemos pasar por alto (aunque lamentablemente esto ocurre con frecuencia con quienes están obsesionados con tratar de identificar a Gog o con tratar de predecir los tiempos de la agenda final) es el repetido estribillo: 'Entonces ustedes [o ellos] sabrán'. Una vez más encontramos que el resultado de una gran demostración del *poder* de Dios es un gran alcance del *conocimiento* de Dios: por parte de Israel, por parte de sus enemigos, y por parte de todas las naciones. La frase aparece como el prefacio de todo el escenario en el versículo final del capítulo anterior (Ezequiel 37.28). Luego acompaña el relato en Ezequiel 38.16, 23; 39.6–7, 21–23, y por último lleva la sección a un cierre en Ezequiel 39.27–28. Bien vale la pena leer juntas la secuencia de versículos para captar la sensación de la fuerza teocéntrica de lo que más quiere transmitir Ezequiel mediante esta grotesca visión. El mundo debe conocer, más allá de toda contradicción o confusión, la identidad del Dios viviente.

> Cuando mi santuario esté para siempre en medio de ellos, las naciones sabrán que yo, el SEÑOR, he hecho de Israel un pueblo santo. Ezequiel 37.28

> Yo haré que tú, Gog, vengas contra mi tierra, para que las naciones me conozcan y para que, por medio de ti, mi santidad se manifieste ante todos ellos. Ezequiel 38.16[24]

---

23 Para un estudio más completo de mi interpretación de Ezequiel 38—39, ver Wright: *Message of Ezekiel*, pp. 315–326.

24 Notamos la misma ironía divina que observamos en el mensaje de Dios al faraón y a Ciro: 'Te traeré ... para que las naciones me conozcan'. Esto hace tanto más lamentable que haya personas que se esfuerzan en tratar de averiguar quién puede ser Gog, cuando lo que corresponde es saber quién es Dios.

De esta manera mostraré mi grandeza y mi santidad, y me daré a conocer entre muchas naciones. Entonces sabrán que yo soy el SEÑOR.
Ezequiel 38.23

Me daré a conocer en medio de mi pueblo Israel. Ya no permitiré que mi
santo nombre sea profanado; las naciones sabrán que yo soy el SEÑOR,
el santo de Israel. Ezequiel 39.7

Yo manifestaré mi gloria entre las naciones. Todas ellas verán cómo los
he juzgado y castigado. Y a partir de ese día, los israelitas sabrán que
yo soy el SEÑOR, su Dios. Y sabrán las naciones que el pueblo de Israel
fue al exilio por causa de sus iniquidades, y porque me fueron infieles.
Ezequiel 39.21–23

Por medio de ellos manifestaré mi santidad. Entonces sabrán que yo
soy el SEÑOR su Dios, quien los envió al exilio entre las naciones, pero
que después volví a reunirlos en su propia tierra, sin dejar a nadie atrás.
Ezequiel 39.27–28

Por lo tanto, ¿qué llegarán a conocer Gog y todas las naciones mediante esta final exposición al juicio de Dios? Tres palabras dominan el
programa: (1) la santidad, (2) la grandeza y (3) la gloria de YHVH.

Primero, el mundo llegará a saber que YHVH, lejos de ser el nombre profanado de otra deidad común y no demasiado importante, es el 'Santo de
Israel', totalmente diferente, trascendentalmente único. Segundo, el mundo
sabrá que YHVH, lejos de ser apenas una entre las deidades menores derrotadas, en una región arrasada por ejércitos imperiales, es incomparablemente
grande. Y tercero, el mundo llegará a conocer la gloria de YHVH, es decir, que
solo él es real, el Dios de substancia y peso. Al lado de la santidad, grandeza
y gloria de YHVH, todos los dioses e idolatrías de las naciones serán expuestos como impuros, patéticos y vacíos.

La pertinencia misional de esta gran visión es evidente cuando consideramos su expreso propósito en estos términos. Como Israel en el Antiguo Testamento, a través de la historia el pueblo de Dios con frecuencia
se ha sentido desdeñado y atacado por los dioses de las culturas vecinas
dominantes. Están los ídolos de los ricos y poderosos, los símbolos de

arrogancia y rapacidad. Están los ruidosos y jactanciosos batallones de poder económico y militar. Está la amenaza y la rivalidad de los credos e ideologías que compiten entre sí. A veces están los descontrolados asaltos de persecución social y física y los intentos de exterminio. El lenguaje de Gog y Magog parece apropiado en esos momentos, cuando el pueblo de Dios puede sentirse débil, marginal, vulnerable, indefenso y expuesto. Pero precisamente para momentos así esta visión ofrece la seguridad de la victoria final del Dios viviente, cuando todos los otros dioses y poderes se verán desenmascarados en razón de la vacía falsedad que representan, aunque con una tremenda lucha. Esa visión, teniendo en cuenta que también comprende el juicio final de los perversos, no nos proporciona ningún placer, porque el mismo profeta nos recuerda enfáticamente que el propio Dios no obtiene ningún placer con la muerte de los malvados (Ezequiel 18.32; 33.11). Pero sí ubica todas las luchas del presente dentro de la certidumbre de la final exposición y destrucción de los enemigos de Dios, y el reconocimiento universal del solo y único Dios.

Síntesis

Reuniendo los hilos de nuestro análisis en este capítulo, he procurado definir lo que significa el monoteísmo en la fe de Israel. Es la afirmación de la trascendente unicidad y universalidad del Señor, el Santo de Israel. Sea como fuere lo que pueda decirse de otros dioses (lo cual será motivo de mayor exploración en el capítulo 5), solo el Señor es 'el Dios'. El Señor ocupa un lugar por sí solo: no hay otro como él; no hay otro en ningún lugar del cosmos. Sintetizando el conocimiento del Señor adquirido mediante sus actos de revelación, redención y juicio, las afirmaciones de la tabla 3.3, si bien no son exhaustivas, capturan el amplio perfil del monoteísmo en el Antiguo Testamento.

Tabla 3.3. Amplio perfil del monoteísmo en el Antiguo

Solo el Señor es:	En relación con los cielos, la tierra y todas las naciones:	
Creador	El Señor los hizo.	Salmo 33.6–9; Jeremías 10.10–12
Dueño	El Señor es su dueño.	Salmo 24.1; 84.11; Deuteronomio 10.14
Gobernador	El Señor los gobierna.	Salmo 33.10–11; Isaías 40.22–24
Juez	El Señor los llama a todos a rendir cuentas.	Salmo 33.14–15
Revelador	El Señor dice la verdad.	Salmo 33.4; 119.160; Isaías 45.19
Amante	El Señor ama todo lo que él hizo.	Salmo 145.9, 13, 17
Salvador	El Señor salva a todos los que se vuelven a él.	Salmo 36.6; Isaías 45.22
Líder	El Señor guía a las naciones.	Salmo 67.4
Reconciliador	El Señor traerá paz.	Salmo 46.8–10

Como podría haber susurrado Job: '¡Y esto es solo la muestra de sus obras!' (Job 26.14).

4 . El Dios vivo se da a conocer en Jesucristo

Jesús nació en un pueblo cuyos habitantes creían en todas las declaraciones tal como se expresaron en el capítulo anterior. Jesús mismo aprendió esas Escrituras y las amaba, y alimentó su alma con sus verdades. Esta era la cosmovisión teocéntrica y monoteísta de los judíos del primer siglo, el sólido fundamento que Jesús y sus primeros seguidores daban por sentado. Su certidumbre fundacional se afirmaba en el hecho de que había un solo Dios, que era el único Dios viviente. Este Dios, conocido solo por 'el Nombre sobre todo nombre'[1] era aceptado entonces por Israel, su pueblo del pacto. Pero el Dios de Israel era también el Dios universal a quien todas las naciones, reyes, e incluso emperadores debían finalmente someterse. Y sin embargo, en las páginas del Nuevo Testamento y ya durante lo que habría sido el lapso de vida de Jesús mismo (si no hubiera sido por su crucifixión), encontramos el nombre de Jesús al lado del 'Nombre', el Nombre del Dios de Israel. Y, no solamente en uno o dos textos marginales o tardíos, sino de un modo sistemático y claramente intencional que parecería haberse originado entre los seguidores de Jesús antes de que se hubiesen escrito los primeros documentos del Nuevo Testamento.

El Nuevo Testamento, como se dice a veces, nunca declara tan claramente que 'Jesús es Dios'. Tal vez podamos estar agradecidos por esto, ya que la palabra *dios* en español, como la palabra *theos* en griego, en realidad es demasiado ambigua para que dicha expresión conlleve algún grado de claridad o especificidad. Muchos griegos o romanos de la antigüedad, como muchos hindúes contemporáneos, no se opondrían a una frase así, siempre que se dejara la palabra *dios* sin definir y en forma *anártrica* (es decir, sin el artículo determinante exclusivo). Lo que resulta sorprendente, y lo que encontramos declarado en el Nuevo Testamento en forma incuestionable, es que la gente que sabía que YHVH, el Santo de Israel, era *el* Dios y que YHVH era trascendentemente único en todas las dimensiones de su identidad en las Escrituras, de su carácter y sus acciones, elaboraron una cuidadosa, persistente y detallada identificación de Jesús de Nazaret con este nombre: YHVH.

---

1 No se sabe exactamente cuándo se dejó de pronunciar audiblemente el nombre divino YHVH al leer. Además de la sustitución de *'ădōnay* (Señor) por el tetragrámaton, la expresión 'el Nombre' también se usaba como circunloquio.

En este capítulo, por lo tanto, examinaremos en primer lugar este asombroso desarrollo que presentaba a Jesús como compartiendo la identidad de YHVH, el Dios de Israel y de las Escrituras de Israel. Segundo, observaremos la forma en que ciertas funciones importantes de YHVH se vinculan a Jesús en el Nuevo Testamento. Tercero, exploraremos la significación misional de esta combinación de identidad y función entre YHVH y Jesús. El Antiguo Testamento presentaba a YHVH como el Dios que quiere ser conocido hasta lo último de la tierra; ¿dónde ubica el Nuevo Testamento a Jesús dentro de esa misión divina? O para ubicarlo en nuestras categorías más formales, ¿cuál es la significación misionológica de un pleno monoteísmo cristocéntrico y bíblico?

Jesús comparte la identidad de YHVH

La oración y la confesión son dos de los indicadores más claros sobre lo que cualquier persona o cualquier comunidad entienden en cuanto al contenido y al objeto su fe. El Nuevo Testamento nos proporciona ejemplos concisos de ambas cosas, retrocediendo hasta los más antiguos ejemplos de adoración de las comunidades cristianas, a la época anterior a las cartas de Pablo o a cuando las tradiciones adquirieron forma escrita en los Evangelios canónicos. Una es la antigua plegaria *¡Maranata!* ('Ven, oh Señor'). La otra es la confesión original *Kyrios Iēsous* ('Jesús es Señor').

Maranata. Al final de su primera carta a Corinto Pablo concluye con una expresión aramea, *maranata*. Dado que la deja sin traducir, tiene que haber sido una expresión familiar incluso para los cristianos de habla griega. Por consiguiente esta frase habrá sido parte significativa y muy aceptada del culto de los seguidores originales de Jesús de habla aramea, mucho antes de los viajes misioneros de Pablo hacia el mundo gentil de Asia Menor y Europa. Por lo tanto, habrá viajado con él y otros misioneros primitivos como parte integral del culto cristiano aun cuando el idioma fuera el griego.

¡Maranata! exclama Pablo, escribiéndolo con su propia mano y esperando que sus lectores le hicieran eco (1 Corintios 16.22).[2] Está claro que el 'Señor' al que se refiere Pablo con el arameo *mar* es Jesús, por cuanto el versículo que sigue inmediatamente habla de 'la gracia del Señor Jesús'. Está igualmente claro que la expresión aramea era usada por las comunidades cristianas primitivas con referencia a Jesús. Pero también es cierto que el arameo *mar (marah, maran)* se usaba entre los judíos de habla aramea como un término para Dios, es decir, para YHVH, Dios de Israel. También podía usarse (y sigue siendo así en la tradición ortodoxa) para seres humanos en posiciones de autoridad (de la misma manera que el griego *kyrios*), pero en muchas ocasiones en los textos arameos del período (incluidos los rollos de Qumrán) el término se usa para Dios.[3] Por lo tanto, al dirigir su apelación a *mar* Jesús, los primeros creyentes de habla aramea dirigían su oración al único a quien se puede legítimamente invocar en oración: al Señor Dios.

La invocación *Maranata* de 1 Corintios 16.22, por lo tanto, representa una antigua fórmula de oración, ahora dirigida al Señor Jesús. Es un pedido para que acuda con poder y gloria. Si estos primeros creyentes solo hubieran considerado que Jesús era *maran*, su rabino, la oración no habría sido dirigida a él. Más bien, demuestra en forma decisiva que los primitivos creyentes arameos … ubicaban a 'Aquel que vendría' en el centro de su culto y su adoración. Pablo adoptó esta frase aramea y la usó, sin explicación, para incluirla en sus comentarios finales a la iglesia de Corinto.[4]

Kyrios Iēsous. El segundo elemento de prueba primitiva en cuanto al contenido de la fe de los primeros cristianos es la afirmación *Kyrios Iēsous*, 'Jesús es Señor'.[5] Si bien Pablo usa el término *kyrios* 275 veces, casi siempre con referencia a Jesús, no fue de ningún modo el primero en hacerlo.

2 Si bien la frase en arameo podría entenderse ya sea como una declaración en forma de confesión ('¡el Señor ha llegado!'), o como una oración ('¡Señor nuestro, ven!'), se acepta ampliamente que esto último es lo más probable. En el contexto inmediato (precedida de una maldición y seguida por una salutación), una oración resulta más apropiada. En su forma traducida al griego en Apocalipsis 22.20, se trata, sin duda, de una oración.
3 Ver David B. Capes: *Old Testament Yahweh Texts in Paul's Christology*, Mohr, Tübingen, 1992, pp. 43–45, y la bibliografía allí citada.
4 *Ibid*, pp. 46–47.
5 Cuando las dos palabras aparecen solas en este orden, *Jesús* es el sujeto y *Señor* es el predicado.

Como con la expresión primitiva *maranatha*, heredó esta designación de quienes fueron seguidores de Jesús antes de él. Más aun, es probable que haya conocido la expresión, y la haya odiado, en los días cuando estaba persiguiendo a los que se atrevían a declarar que el carpintero de Nazaret crucificado era el Mesías (Dios no lo permita, pensaba él) y que era el Señor (peor todavía). El encuentro de Pablo con el Jesús resucitado en el camino a Damasco lo hizo estremecedoramente consciente de que la frase no era una horrible blasfemia sino la simple verdad.[6]

Cuando usa esa frase de dos palabras en sus propios escritos, es ya claramente una fórmula cristológica. No requería ninguna explicación, porque era aceptada universalmente como la confesión corriente y definitoria de la identidad cristiana. Aparece como fórmula en Romanos 10.9, 1 Corintios 12.3 y con una leve ampliación (a Jesucristo) en Filipenses 2.11.

Vimos que la prueba de que el arameo *mar* era usado para Dios es clara y convincente. En el caso de *kyrios*, es aplastante. Esta palabra podía, desde luego, usarse como título honorífico para seres humanos (así como por respeto puede usarse 'señor' en español antepuesto al nombre). Pero el uso más significativo, por lejos, de este término en relación con su aplicación a Jesús en el Nuevo Testamento, es su empleo por los que habían traducido las Escrituras hebreas al griego mucho antes que Cristo. En la colección de esas traducciones que ahora conocemos como la Septuaginta, la palabra *Kyrios* se usa prácticamente como el término técnico corriente para traducir el tetragrámaton, YHVH. Los traductores no intentaron transliterar la forma hebrea sino decir la palabra *'ădōnay* (Señor) cuando aparecía YHVH en el texto. Esta última palabra era traducida *ho kyrios* 'el Señor'. Se usa más de 1.600 veces en la Septuaginta como la versión griega del nombre del Dios de Israel.

En el primer siglo, a todo judío de habla griega le habría resultado familiar este uso. De manera que en caso de leer las Escrituras en griego, le habría sido natural leer *ho kyrios* y pensar en 'el Nombre', YHVH. Resulta notable, entonces, que aun antes de las cartas de Pablo (es decir, dentro de las dos primeras décadas después de la resurrección) ya se

---

6 Ver Seyoon Kim: *The Origin of Paul's Gospel*, Eerdmans, Grand Rapids, 1982, pp. 104–105, quien ve una conexión entre el encuentro en el camino a Damasco y el reconocimiento de Jesús como *kyrios* por parte de Pablo en 1 Corintios 9.1–2; 2 Corintios 4.5. Lucas también, quien indudablemente le debía su relato a las memorias del propio Pablo, destaca este hecho en Hechos 9.5, 17.

aplicaba este término a Jesús. Además, era aplicado no simplemente como término de honor para un ser humano respetado (como sin duda podría haber sido), sino con la carga de la plena significación teológica de su aplicación a YHVH en las Escrituras del Antiguo Testamento. Esto lo sabemos por Filipenses 2.6–11, que muchos entendidos creen que pudo haber sido un himno cristiano prepaulino, citado aquí por Pablo para apoyar el concepto sobre el que estaba escribiendo en ese contexto. Este pasaje no solo celebra la 'suprema exaltación' de Jesús (lenguaje que se refiere a su resurrección y ascensión, en otras partes vinculada como prueba de su señorío [ver Hechos 2.32–36; Romanos 14.9]); no solo dice que Dios le ha dado a Jesús 'el nombre que está sobre todo nombre' (que no puede significar sino un solo nombre: YHVH), sino que además refuerza el argumento, al aplicar a Jesús uno de los textos más monoteístas del Antiguo Testamento acerca de YHVH:

> Que ante el nombre de Jesús
> se doble toda rodilla
> en el cielo y en la tierra
> y debajo de la tierra,
> y toda lengua confiese que
> Jesucristo es el Señor,
> para gloria de Dios Padre. Filipenses 2.10–11

Esta es una cita parcial de Isaías 45.21–23 de palabras que originalmente fueron pronunciadas por YHVH sobre sí mismo. En ese contexto esas palabras tenían la intención de subrayar el carácter único de YHVH y su capacidad exclusiva de salvar.

> Fuera de mí no hay otro Dios;
> Dios justo y Salvador,
> no hay ningún otro fuera de mí.
> Vuelvan a mí y sean salvos,
> todos los confines de la tierra,
> porque yo soy Dios, y no hay ningún otro.
> He jurado por mí mismo,
> con integridad he pronunciado
> una palabra irrevocable:

> Ante mí se doblará toda rodilla,
> y por mí jurará toda lengua.
> Ellos dirán de mí: 'Sólo en el Señor
> están la justicia y el poder'. Isaías 45.21–24

Las magníficas profecías de Isaías 40—55 afirman repetidamente que YHVH es único, tanto como el único Dios viviente en su soberano poder sobre todas las naciones y toda la historia, como en su capacidad para salvar. Por lo tanto es posible que, al seleccionar deliberadamente una porción de la Escritura de un contexto semejante y aplicarlo a Jesús, Pablo (o el compositor del antiguo himno cristiano citado por él en Filipenses 2) estuviera afirmando que Jesús comparte la identidad y la unicidad de YHVH en esos mismo sentidos. Tan segura era esta identificación que no vacilaron en insertar el nombre de Jesús donde había figurado YHVH en el texto sagrado. Al hacer esto:

- daban a Jesús un título de Dios
- aplicaban a Jesús un texto sobre Dios
- daban con anticipación a Jesús el culto debido a Dios[7]

Las consecuencias misionales de este punto inicial acerca de Jesús deberían estar claras. Si la misión del Dios bíblico incluye su deseo de hacerse conocer en su verdadera identidad como YHVH, el Dios viviente de la fe de Israel, entonces, al identificar a Jesús con YHVH, el Nuevo Testamento ve a Jesús como central para esa dimensión autorevelatoria de la misión de Dios. Pero hay mucho más que una identidad formal, como ahora pasamos a explorar.

Jesús cumple las funciones de YHVH

La aplicación a Jesús de un texto veterotestamentario sobre YHVH por parte de Pablo en Filipenses 2.10–11 es el ejemplo más notable, pero no el único, de este tipo. Hay un número considerable de otros lugares donde Pablo, cuando se refiere a Jesús, cita Escrituras del Antiguo

---

7 Debo este triplete a John R. W. Stott, y lo cito de memoria después de haber escuchado y disfrutado más de una vez su conferencia 'Jesus Is Lord: A Call to Radical Discipleship' (Jesús es Señor: Un llamado al discipulado radical).

Testamento en las que aparece YHVH / *ho kyios*.[8] Tampoco es Pablo el único escritor del Nuevo Testamento que lo hace. El autor de Hebreos, por ejemplo, inicia su epístola con una andanada de textos sobre Dios aplicados a Jesús. Muchas de estas Escrituras aplicadas son funcionales, es decir, hablan de cosas que YHVH hace o provee o logra. Mediante tales citas de las Escrituras esas funciones se atribuyen luego a Jesús, o se asocian íntimamente con él. Igual que con las simples expresiones de identidad *(maranatha, Kyrios Iēsous)*, Pablo no originó esta práctica. Tampoco lo hizo la iglesia primitiva: retrocede hasta el propio Jesús. Los Evangelios preservan numerosas formas en que Jesús con palabras, hechos y afirmaciones implícitas se vinculaba a sí mismo con las funciones exclusivas del Dios de Israel.

El material que podríamos considerar bajo este encabezamiento es abundante, así que intentaré organizarlo en torno a ciertas funciones claves de YHVH (similar a la lista presentada al final del capítulo anterior), y en cada caso tomar como ejemplo textos de las Epístolas y de los Evangelios. Observaremos cuatro modos claves en los que se describe la actividad de YHVH en el Antiguo Testamento: como Creador, como Gobernante, como Juez y como Salvador. En cada caso veremos que se describe a Jesús de la misma manera.

El punto que debemos tener en cuenta, en vista de nuestro propósito en este capítulo, es que todas estas funciones pertenecen en forma única y exclusiva a YHVH en nuestra definición del monoteísmo veterotestamentario. Estas son las cosas que definían lo que significaba decir que 'el Señor es (el) Dios y no hay ningún otro'. Estos son los atributos, los logros y las prerrogativas que colocan a YHVH en una clase suya propia, que constituyen su singularidad trascendental. Esto es lo que hace tan sorprendente y profundamente significativo para la identidad y la misión cristiana que el Nuevo Testamento presente al propio Jesús y a sus primeros seguidores exigiendo serenamente que Jesús sea visto desde el mismo marco de referencia y con el mismo conjunto exclusivo de funciones y derechos que YHVH mismo.

Desde un ángulo misionológico, si estas son las prerrogativas y funciones que YHVH ejerce en cumplimiento de su misión, entonces será

---

8 Por ej., Romanos 10.13 (Joel 2.32); 14.11 (= Isaías 45.23-24); 1 Corintios 1.31; 2 Corintios 10.17 (= Jeremías 9.24); 1 Corintios 2.16 (= Isaías 40.13); 2 Timoteo 2.19 (= Números 16.5).

de importancia crítica para cualquier concepto de la misión cristiana entender cómo la misión de Dios en Cristo se ejerce en estos términos.

Creador. Pablo tenía la habilidad de aplicar a asuntos prácticos y terrenales las más impresionantes afirmaciones teológicas. Terrenales, pero no menores. En Corinto la cuestión de si los cristianos podían comer carne que había sido previamente sacrificada a los ídolos ocupa la atención pastoral y teológica de Pablo a lo largo de tres capítulos (1 Corintios 8—10). Dos asuntos están entretejidos: la condición de los ídolos (¿son reales en algún sentido?), y la situación de la carne (¿está contaminada en algún sentido por haber sido sacrificada a un ídolo?). Pablo se ocupa del primero de inmediato al comienzo de su argumento (1 Corintios 8.4–6), y del segundo hacia el final (1 Corintios 10.25–26, aunque también se refiere a este último en 1 Corintios 8.7–8). Significativamente, aplica una fuerte teología creacional a ambas cuestiones.

En 1 Corintios 8.4–6 Pablo lanza contra el problema todo el peso de la *Shema*, la gran confesión monoteísta judía. Sean lo que fueren estos así llamados dioses y señores, sabemos que en realidad hay un solo Dios y un Señor. Pero en lugar de limitarse a citar Deuteronomio 6.4 en su estricta forma en el Antiguo Testamento, Pablo la cita en lo que quizás fuera ya una forma cristológicamente expandida en las comunidades cristianas. Es una notable batería de veintisiete palabras en griego sin verbo principal alguno, que se lee así literalmente:

> Para nosotros, un Dios, el Padre,
> de quien todas las cosas
> y nosotros de él;
> y un Señor, Jesucristo,
> mediante quién todas las cosas
> y nosotros a través de él. 1 Corintios 8.6 (mi traducción).

Como aclara la traducción de la NVI, necesariamente agregando algunos verbos conectivos, esto no solo inserta a Jesús en el 'un Dios, un Señor' de la *Shema,* sino que también relaciona a Jesús con la obra creadora de Dios el Padre.

Para nosotros no hay más que un solo Dios, el Padre, de quien todo procede y para el cual vivimos; y no hay más que un solo Señor, es decir, Jesucristo, por quien todo existe y por medio del cual vivimos. 1 Corintios 8.6

Todas las cosas vinieron de un solo Dios, el Padre, y todas las cosas vinieron a través de un solo Señor, Jesucristo. De modo que si Jesús es Señor de toda la creación, estos otros así llamados dioses e ídolos no tienen ninguna existencia real en el universo. Richard Bauckham destaca muy bien las consecuencias cristológicas para el monoteísmo bíblico de lo que hace Pablo aquí:

La única forma de entender cómo Pablo apoya el monoteísmo consiste en entender que incluye a Jesús en la identidad singular del único Dios que sostiene la Shema'. Pero de cualquier manera esto queda claro por el hecho de que el término 'Señor', que se aplica aquí en el sentido de 'un solo Señor', proviene de la Shema' misma. Pablo no le está agregando al 'un solo Dios' de la Shema' un 'Señor' que la Shema' no menciona. Está identificando a Jesús como el 'Señor', el que la Shema' declara que es uno. En esta reformulación sin precedentes de la Shema', la identidad singular del único Dios consiste en el un solo Dios, el Padre, y el solo Señor, su Mesías (el que es considerado implícitamente el Hijo del Padre).[9]

Pasando al otro extremo de su argumento, ¿qué puede decirse de la carne? ¿Ha de ser evitada por estar contaminada mediante su contacto con la idolatría? Haciendo juego con el punto negativo de que 'un ídolo no es absolutamente nada' en el mundo (1 Corintios 8.4) viene el punto positivo de que, de todos modos, todas las cosas creadas pertenecen al Señor. De modo que Pablo cita otro gran texto creacional, Salmo 24.1, como autoridad para el principio básico de la libertad para comer cualquier cosa (1 Corintios 10.25–26, sujeto, desde luego, a las limitaciones situacionales que siguen): 'Del Señor es la tierra y todo cuanto hay en ella'.

El texto hebreo, naturalmente, hizo esta osada afirmación acerca de YHVH. Pero lo más probable es que aquí Pablo la aplique a Jesús, como

---

9   Richard Bauckham: 'Biblical Theology and the Problems of Monotheism', en *Out of Egypt: Biblical Theology and Biblical Interpretation*, ed. Craig Bartholomew y otros, Paternoster, Carlisle; Zondervan, Grand Rapids, 2004, p. 224. Este pasaje también se considera ampliamente en relación con el monoteísmo del Antiguo Testamento y su expansión cristológica en N. T. Wright: 'Monotheism, Christology and Ethics: 1 Corinthians 8', en *The Climax of the Covenant: Christ and the Law in Pauline Theology*, ed. N. T. Wright, T&T Clark, Edimburgo, 1991, pp. 120–136.

el Señor a quien pertenece toda la tierra. Esto es así en parte debido al modo en que ya ha vinculado a Jesús con Dios en la *Shema* ampliada en 1 Corintios 8.6, en parte porque en el contexto que antecede 'el Señor' es claramente Jesús ('la copa del Señor; .... la mesa del Señor', 1 Corintios 10.20–21) y en parte porque el Salmo 24 ya había adquirido significación mesiánica con su llamado a hacer lugar al 'Rey de la gloria' (vv. 7, 9, 10), una frase a la que Pablo posiblemente hace eco, cuando se refiere a Jesús como el 'Señor de la gloria' en 1 Corintios 2.8.

De manera que toda la tierra le pertenece a Jesús como Señor. Las consecuencias misionológicas, éticas y (aquí) prácticas de esta cosmovisión son asombrosas, tan asombrosas como el sublime panorama de Deuteronomio 10.14, 17, que exploramos en el capítulo 3. Porque si toda la tierra pertenece a Jesús, no hay rincón de la tierra al que podamos acudir con la misión, que no sea ya de él. No hay un centímetro del planeta que pertenezca a algún otro dios, cualesquiera sean las apariencias. Una teología cristocéntrica de la propiedad divina de todo el mundo es una base fundamental para la teología, la práctica y la confianza en la tarea misional.

La cúspide de la cristología creacional de Pablo aparece en Colosenses 1.15–20, un pasaje de insuperable exaltación. Los versículos pertinentes a esta altura dicen:

> Él es la imagen del Dios invisible, el primogénito de toda creación, porque por medio de él fueron creadas todas las cosas en el cielo y en la tierra, visibles e invisibles, sean tronos, poderes, principados o autoridades: todo ha sido creado por medio de él y para él. Él es anterior a todas las cosas, que por medio de él forman un todo coherente. Colosenses 1.15–17

La repetida expresión *ta panta*, 'todas las cosas', y la forma en que se expande para incluir todos los reinos posibles de la realidad lo dejan perfectamente claro: Jesucristo aparece en la misma relación con la creación que todo lo que se dice acerca de YHVH en el Antiguo Testamento. Está detrás y delante de ella. Es el agente de la creación y el beneficiario de su existencia. Le pertenece como propietario por derecho de creación y de herencia. Él es el la Fuente y el Sustentador de todo lo que existe.

En Hebreos 1.2 y Juan 1.3 se hacen esencialmente las mismas afirmaciones.

En los otros Evangelios el poder de Jesús sobre el orden natural impulsó a los sorprendidos discípulos a hacer preguntas acerca de su identidad. '¿Quién es éste ...' dijeron boquiabiertos, que '... manda aun a los vientos y al agua, y le obedecen?' (Lucas 8.25, y paralelos). En realidad solo podía haber una respuesta a esa pregunta, y los Salmos ya la habían dado (ver Salmos 65.7; 89.9; 93.3–4; 104.4, 6–9, y especialmente pertinente para los maravillados discípulos, Salmo 107.23–32). Pero no era solamente en la respuesta tácita a esas preguntas que se hallaba la identidad de Jesús como uno con el Creador. Él dijo: 'El cielo y la tierra pasarán, pero mis palabras jamás pasarán' (Marcos 13.31, y paralelos). Sostener que su palabra tenía un valor y una durabilidad superior a toda la creación era equiparla con la palabra creadora de Dios mismo, en lo que probablemente era un eco deliberado de las grandes afirmaciones creacionales de Isaías 40 (en especial el v. 8).

El Nuevo Testamento, entonces, de manera inequívoca coloca a Jesús al lado de YHVH en la actividad bíblica primaria de Dios: la creación del universo. Las consecuencias son igualmente universales.

> De las formas judías de caracterizar la naturaleza única de Dios, la más inequívoca era mediante la referencia a la creación. En cuanto al papel divino único de crear todas las cosas, para el monoteísmo judío era impensable que algún otro ser aparte de Dios pudiese siquiera colaborar con Dios (Isaías 44.24; 4 Esdras 3.4 ...). Pero a la inclusión sin paralelo de Jesús en la Shema', Pablo agrega la inclusión, igualmente sin paralelo, de Jesús en la actividad creadora de Dios. No puede concebirse un modo más inequívoco de incluir a Jesús en la exclusiva identidad divina, dentro del marco del monoteísmo del Segundo Templo Judaico.[10]

Así, Jesús es asociado con todo lo que las Escrituras del Antiguo Testamento afirman acerca de Dios como Creador. Dado que la creación conforma la plataforma de toda la misión de Dios en la historia, a la vez de ser la beneficiaria escatológica final de toda la intención redentora de Dios, queda claramente señalada la centralidad de Cristo en esa gran misión de Dios dentro de y para la creación.

---

10 Bauckham: 'Biblical Theology and the Problems of Monotheism', p. 224.

Gobernador. Hemos visto que en el Antiguo Testamento la trascendente unicidad de YHVH se expresa, primero por la afirmación de que él solo es el único creador de todo cuanto existe, y segundo, por medio de la afirmación igualmente firme de que solo él es el gobernante soberano de todo lo que acontece. YHVH reina, tanto como la fuente de toda la realidad y como el gobernador de toda la historia. El Salmo 33 lo expresa así, el Señor promueve la existencia del mundo por su palabra (vv. 6–9), gobierna el mundo según sus planes (vv. 10–11), y llama al mundo a rendir cuentas ante sus ojos vigilantes (vv. 13–15). Además, como lo proclama Isaías 40—55, hace todas estas cosas sin ayuda y sin rival. YHVH solo es gobernador de todo. ¿Dónde, entonces, podría Jesús, el carpintero de Nazaret, figurar ante semejante panorama?

La respuesta vino del propio Jesús. Osadamente se aplicó a sí mismo las palabras de un salmo que así se convirtió en el texto cristológico más citado en el Nuevo Testamento, a saber el Salmo 110.

> Así dijo el SEÑOR a mi Señor:
> 'Siéntate a mi derecha
> hasta que ponga a tu enemigos
> por estrado de tus pies'. Salmo 110.1

Los tres Evangelios sinópticos registran el uso que hace Jesús de este texto en dos oportunidades: primero como una pregunta provocativa acerca de la identidad del Mesías (¿cómo podía ser simplemente un hijo de David, si David mismo lo llamó 'Señor' [Marcos 12.35–37, y paralelos]), y segundo, cuando era juzgado, en respuesta a la pregunta del sumo sacerdote, '¿Eres el Cristo ...?' (Marcos 14.61–64, y paralelos). En este último caso, Jesús amplió su pregunta con una doble alusión escrituraria: 'Ustedes verán al Hijo del hombre sentado a la derecha del Todopoderoso, y viniendo en las nubes del cielo.'

El lenguaje del Hijo del hombre viniendo en las nubes del cielo hace eco a la gran visión de Daniel en Daniel 7.13–14 y de este modo asocia a Jesús con el poder y la autoridad universales del Anciano de días. La otra frase, 'sentado a la derecha del Todopoderoso', hace eco al Salmo 110 y de modo igualmente claro asocia a Jesús con la autoridad de YHVH como gobernante. Porque 'la derecha de Dios' constituía un símbolo poderoso en la fe y el culto de Israel como referencia al poder de YHVH en acción. Con su derecha YHVH:

- cumplió la obra de creación (Isaías 48.13),
- derrotó a sus enemigos en su gran acto de redención (Éxodo 15.6, 12),
- salva a lo que buscan refugio en él (Salmo 17.7; 20.7; 60.5; 118.15–16),
- ejercerá el juicio final, como en la parábola de las ovejas y las cabras (Mateo 25.31–46).

Por ello, tomando como guía la propia enseñanza de Jesús, los primeros cristianos se valieron de las imágenes del Salmo 11.1 para describir la 'ubicación' actual del Jesús resucitado y ascendido. Jesús no estaba 'ausente': ya estaba 'sentado a la derecha de Dios'. Vale decir, ya estaba compartiendo el ejercicio del gobierno universal que le correspondía exclusivamente a YHVH. Esta declaración eminente se encuentra en la predicación de Pedro el día de Pentecostés, cuando vincula el Salmo 110 con el hecho históricamente atestiguado de la resurrección de Jesús y luego traza la conclusión cósmica sobre el señorío de Jesús (Hechos 2.32–36).

Para Pablo, la doble imagen del Salmo 110.1 (la derecha de Dios, los enemigos debajo de sus pies) ofrecía el modo más poderoso en el que podía expresar no solamente la autoridad del Cristo resucitado sino la fuente última de esa autoridad, a saber, el hecho de que Jesús compartía la identidad de YHVH mismo, y por lo tanto compartía su gobierno universal. Pablo se vale mucho de estas imágenes; por ejemplo:

- para tranquilizar a los creyentes con la garantía de que ningún otro poder en el universo puede separarnos del amor de Dios (Romanos 8.34–35)
- para ver a todos los enemigos de Dios, incluida la muerte misma, debajo de los pies del Cristo reinante (1 Corintios 15.24–28)
- para invitar a los cristianos a vivir su vida bajo la perspectiva de la posición del Cristo resucitado y ascendido a la derecha de Dios (Colosenses 3.1)

- para una resonante declaración del señorío universal de Cristo (Efesios 1.20–23)

Todas estas afirmaciones, desde luego, subrayan la teología y la práctica de la misión del propio Pablo. Era solo por la convicción de que constituían la soberana verdad acerca de aquel con el cual se había encontrado en el camino a Damasco que Pablo obedeció el mandato de Cristo de ser el apóstol enviado a las naciones.

La identificación de Jesús con YHVH como gobernador del universo alcanza su punto culminante (como tantas otras cosas) en el Apocalipsis. Las cartas de Jesús a las siete iglesias suponen, y a veces expresan, la autoridad cósmica de Jesús. Para hacer esto emplean lenguaje e imágenes que el Antiguo Testamento usaba para Dios, tomados particularmente de la visión del Anciano de días de Daniel y la visión de Ezequiel de la gloria de YHVH. Prescindiendo de esas imágenes, sin embargo, la carta a la iglesia de Laodicea habla directa e inequívocamente de Jesús como 'el soberano de la creación de Dios' (Apocalipsis 3.14), haciendo eco a la expresión complementaria de Apocalipsis 1.5 de que él es 'soberano de los reyes de la tierra'. En términos del monoteísmo del Antiguo Testamento, estas dos definiciones tan osadas (soberano de la creación, soberano de las naciones) solo podrían hacerse acerca de YHVH. Sin embargo, aquí se refieren explícitamente a Jesús. En las visiones posteriores el Cordero que fue inmolado aparece en el centro del trono, junto a Aquel que se sienta sobre él, de tal forma que el culto combinado de adoración del gran coro de toda la creación puede cantar alabanzas a ambos:

'¡Al que está sentado en el trono y al Cordero,
sean la alabanza y la honra, la gloria y el poder,
por los siglos de los siglos!' Apocalipsis 5.13

De allí en más la identificación de Jesús como el Cordero con el Dios soberano en el trono, en diversos aspectos y funciones, recorre el libro como en una cascada (Apocalipsis 7.10, 17; 11.15; 12.10; 15.3–4; 17.14; 21.1, 3, 13).

Así, el Nuevo Testamento une el señorío de Jesucristo con el gobierno soberano del Dios vivo, objeto de la fe de Israel. Esta, precisamente, es la conexión que hace Jesús en la premisa de la Gran Comisión.

La exclamación del salmista, 'El Señor es rey', se iguala y se hace eco en la confesión del creyente, 'Jesús es Señor'.

Juez. Una de las funciones fundamentales de YHVH en el Antiguo Testamento, que constituía una dimensión de su gobierno soberano, era la de juzgar a toda la tierra. Esta convicción se encuentra en labios de Abraham (Génesis 18.25) y tiene ecos en las narraciones, en los salmos y en los profetas, como un dato básico de la fe de Israel. Es una cuestión de regocijo cósmico, porque toda la creación puede ser llamada a:

> ¡[Cantar] delante del Señor, que ya viene!
> ¡Viene ya para juzgar la tierra!
> Y juzgará al mundo con justicia,
> y a los pueblos con fidelidad. Salmo 96.13

Si Jesús, exaltado a la derecha de Dios, comparte su gobierno, esto tiene que incluir, también, el compartir en la administración de la justicia de Dios. Y esto es lo que afirma sin ambigüedad alguna el Nuevo Testamento. Pablo lo ve como un dato de lo que él llamaba 'mi evangelio'. Adopta el lenguaje del 'Día del Señor', que en su amplio uso en el Antiguo Testamento incluía el juicio tanto como la salvación, y lo vincula habitualmente con Cristo. Ahora puede ser llamado 'el día de Cristo', 'el día en que, por medio de Jesucristo, Dios juzgará los secretos de toda persona, como lo declara mi evangelio' (Filipenses 2.16; Romanos 2.16; ver 2 Tesalonicenses 1.5–10). Así como el Antiguo Testamento imagina que todas las naciones son citadas ante YHVH como su juez final, así, dice Pablo, 'es necesario que todos comparezcamos ante el tribunal de Cristo' (2 Corintios 5.10). Con esa expresión no cabe duda que quería decir exactamente lo mismo que '¡Todos tendremos que comparecer ante el tribunal de Dios!' (Romanos 14.10).

El futuro juicio de Dios se anuncia en las Escrituras con el objeto de lograr un cambio de comportamiento en el presente. Pablo se vale de esta dinámica como uno de los fundamentos para su apelación en Roma a los creyentes gentiles y judíos maduros a aceptarse unos a otros.[11] En Romanos 14.9–12 Pablo aconseja a ambos grupos

---

11 Creo que la explicación más probable del lenguaje de Pablo de 'los fuertes' y 'los débiles' en Romanos 14—15, es que se está ocupando de las mutuas diferencias entre los cristianos gentiles y judíos respectivamente.

a abstenerse de juzgarse unos a otros precisamente porque todos por igual enfrentamos el juicio de Dios. Pero se ocupa de este tema combinando la resurrección con un texto del Antiguo Testamento que anticipa la aceptación universal del señorío de YHVH. Es nuevamente Isaías 45.23 (el mismo texto citado en Filipenses 2.10–11), donde vimos que el nombre de YHVH en el texto hebreo original ha sido remplazado por el nombre de Jesús en el himno cristiano. Aquí, Pablo deja la expresión original 'el Señor', pero el contexto (incluida la repetición de 'el Señor' en los vv. 6–8) no deja ninguna duda de que se entiende que Jesús ha de ser el sujeto de la oración, y objeto de adoración y sumisión.

> Para esto mismo murió Cristo, y volvió a vivir, para ser Señor tanto de los que han muerto como de los que aún viven. Tú, entonces, ¿por qué juzgas a tu hermano? O tú, ¿por qué lo menosprecias? ¡Todos tendremos que comparecer ante el tribunal de Dios! Está escrito:
>
> 'Tan cierto como que yo vivo —dice el Señor—,
> ante mí se doblará toda rodilla
>   y toda lengua confesará a Dios'
>
> Así que cada uno de nosotros tendrá que dar cuentas de sí a Dios.
> Romanos 14.9–12

La atribución a Jesús de la autoridad para actuar como juez, hasta aquí prerrogativa exclusiva de YHVH, tampoco es algo inventado por Pablo. Esto también retrocede hasta Jesús mismo. Por cierto que el lenguaje del Hijo del hombre, en aquellos contextos donde reflejaba las imágenes de Daniel 7, tenía insinuaciones de juicio, por cuanto está ligado al trono soberano del Anciano de días. La parábola de Jesús sobre la oveja y las cabras comienza, sugestivamente, con el Hijo del hombre ocupando ese sitial divino del juicio (Mateo 25.32).

La imagen de Jesús que ofrece Juan aventura la afirmación sobre el juicio final en el hecho de que repetidamente Jesús se asigna a sí mismo el nombre divino de 'Yo soy'. La salvación o el juicio dependen del reconocimiento o el rechazo de esa afirmación. 'Les he dicho que morirán en sus pecados, pues si no creen que yo soy el que afirmo ser, en sus pecados morirán' (Juan 8.24). Desde luego el Apocalipsis, de comienzo a fin, representa a Cristo como el Cordero de Dios exaltado al trono del juicio de Dios. Los cánticos de los redimidos proclaman que su posición allí es totalmente digna, deseada por Dios y vindicada por su divino papel en la creación, la redención, y el control de la historia.

El Nuevo Testamento, por lo tanto, reafirma el juicio final del Dios viviente del Antiguo Testamento, pero lo ve ahora incorporado en aquel que Dios ha señalado para esa posición de autoridad final: Jesucristo su Hijo.

El cántico de júbilo del salmista, '¡Viene ya para juzgar la tierra!' (Salmos 96.13; 98.9) es repetido por la promesa de Cristo mismo, '¡Miren que vengo pronto!' (Apocalipsis 22.12).

Salvador. Entre los cánticos de los redimidos en Apocalipsis está esta gran afirmación:

> '¡La salvación viene de nuestro Dios,
> que está sentado en el trono,
> y del Cordero!' Apocalipsis 7.10

Que la salvación pertenecía a Dios era una aserción medular de la fe de Israel en tiempos del Antiguo Testamento. Que ahora también se la podía celebrar como perteneciente a Jesucristo es típico de lo que ya hemos visto: la identificación de Jesús con las grandes funciones que definen al Dios de Israel.

Salvar es una de las actividades y características de YHVH en el Antiguo Testamento. Más todavía, no es ir muy lejos decir que la salvación define la identidad de este Dios. 'Nuestro Dios es un Dios que salva' (Salmo 68.20). Una de las celebraciones más antiguas sobre la salvación, que aparece inmediatamente después del cruce del mar durante el éxodo, dice así: 'El SEÑOR es mi fuerza y mi cántico; / él es mi salvación' (Éxodo 15.2). Entre las metáforas poéticas más antiguas para YHVH en la poesía hebrea primitiva hay una que lo describe como 'la Roca, ... salvador' de Israel (Deuteronomio 32.15). En los Salmos YHVH es, por sobre todo, el Dios que salva, simplemente porque eso es lo que él es y lo que hace. Las 136 veces en que aparece la raíz *yāša'* en los Salmos dan cuenta del 40 % de todas las veces en que se usa esta raíz en el Antiguo Testamento. El Señor es el 'Dios de mi salvación' (Salmo 88.1), 'el cuerno de mi salvación' (Salmo 18.2, BA), 'la roca de nuestra salvación'

(Salmo 95.1), 'mi salvación y mi gloria' (Salmo 62.6–7), 'mi Salvador y mi Dios' (Salmo 42.5–6). Y no solo mío, y ni siquiera solo de los humanos, porque este Dios salva tanto al hombre como a los animales (Salmo 36.6). Robert Hubbard tiene razón: 'Teológicamente, el culto y la instrucción israelita asociaban en forma suprema a Yahvéh con la salvación'.[12] Con razón el profeta que procuraba restaurar la fe de Israel en su gran Dios, durante los peores momentos del exilio les recordaba esta gran herencia de culto al presentar a Dios en estos términos: 'Yo soy el Señor, tu Dios, / el Santo de Israel, tu salvador' (Isaías 43.3).

El nombre Josué (Joshua, Jesúa, Jesús) significa 'Yahvéh es salvación'. Mediante la llegada de Jesús de Nazaret, Dios estaba dando cumplimiento a la prometida nueva era de salvación para Israel y para el mundo, porque a través de Jesús Dios se iba a ocupar del pecado. Como preparación para esta venida, Juan el Bautista predicaba un mensaje de arrepentimiento y perdón de pecados (Mateo 3.6), mientras señalaba a Jesús como el que 'quita el pecado del mundo' (Juan 1.29). Mateo registra la explicación que hace el ángel del nombre de Jesús: 'Él salvará a su pueblo de sus pecados' (Mateo 1.21). Lucas es el que va más lejos al adornar el lenguaje de salvación en torno a la llegada de Jesús. Lucas se vale de términos salvíficos siete veces en sus primeros capítulos (Lucas 1.47, 69, 71, 77; 2.11, 30; 3.6). Hay una resonancia particular cuando el anciano Simeón, sabiendo que no iba a morir antes de haber visto 'al Cristo del Señor', tomó al pequeño Jesús en sus brazos (probablemente habiendo preguntado su nombre a sus padres) y dio gracias a Dios de que ahora 'han visto mis ojos tu salvación', tu Josué (Lucas 2.30).

El término salvación, en su sentido bíblico más pleno, comprende más que el perdón de los pecados, si bien esto yace en la base más profunda del mismo dado que el pecado es la raíz más profunda de todas las otras dimensiones de necesidad y de peligro de los cuales solo Dios puede salvarnos. Pero fue la declaración relativa a perdonar el pecado lo que con más rapidez y claridad planteó la cuestión de la identidad de Jesús en el relato del evangelio. Combinando la curación del paralítico con la declaración de que sus pecados le fueron

---

12 Robert L. Hubbard: Artículo 'yāšaʿ' en: *New International Dictionary of Old Testament Theology and Exegesis*, ed. Willem A. VanGemeren, Zondervan, Grand Rapids, 1997, 2:559.

perdonados, Jesús tuvo que enfrentar la indignada pregunta, '¿Por qué habla este así? ¡Está blasfemando! ¿Quién puede perdonar pecados sino solo Dios?' (Marcos 2.7). Precisamente. ¿Qué pues ha de deducirse acerca de Jesús?

Las acciones hablan más fuerte que las palabras, como lo sabían todos los profetas cuando hacían señales proféticas. De modo que cuando Jesús decidió que debía entrar en Jerusalén montado en un asno (Mateo 21), por cierto que no fue porque necesitaba descansar. Habiendo hecho todo el largo trayecto desde Galilea a pie seguramente podría haber caminado el último kilómetro. Para todo el que tuviera ojos para ver y conociera las Escrituras, esta acción fue una actuación gráfica de la profecía de Zacarías 9.9:

> ¡Alégrate mucho, hija de Sión!
> ¡Grita de alegría, hija de Jerusalén!
> Mira, tu rey viene hacia ti,
> justo, salvador y humilde.
> Viene montado en un asno.

El lenguaje de salvación, expresado en este texto familiar, fue recogido por las multitudes que lo acompañaban. '¡Hosanna!', gritaban, lo cual es un urgente pedido que significa '¡Sálvanos, ahora!'. Y se lo decían al que saludaban como 'el que viene en el nombre del Señor'. '¿Quién es este?' preguntaban los residentes de Jerusalén. 'Este es el profeta Jesús, de Nazaret de Galilea' (Mateo 21.10–11), llegó la respuesta de las multitudes, lo cual era verdad, pero inadecuado. Porque la expectativa plena de la declaración del Antiguo Testamento, que estaba siendo actuada por este profeta en un asno, era que el Señor mismo acudiría a Sión, a su templo. Y en el templo, al día siguiente, Jesús aceptó la alabanza de los niños expresada con las líneas del Salmo 8.2, alabanza que estaba dirigida a Dios y ahora se dirigía a este que había venido en nombre de Dios.

En el resto del Nuevo Testamento el lenguaje de salvación tal como se aplica a Jesús es frecuente y muy conocido, pero no debería dejar de impresionarnos la sorprendente naturaleza del mismo, en vista de las profundas raíces del Antiguo Testamento que reconocían la salvación auténtica exclusivamente en el Dios de Israel. Vale la pena notar que en el Nuevo Testamento la palabra *Salvador* se aplica a Dios ocho veces, a Jesús dieciséis veces y a nadie más, en absoluto. Y sin embargo la palabra griega *sōtēr* era un término bastante común en el mundo clásico. Se aplicaba como título honorífico tanto a reyes humanos como a conquistadores militares, y también a los grandes dioses y héroes de la mitología. Pero no en el cristianismo neotestamentario. 'La salvación viene de nuestro Dios … y del Cordero' (Apocalipsis 7.10). Nadie más merece siquiera ese vocabulario.

Los primeros seguidores judíos de Jesús, como devotos creyentes en las Escrituras, sabían que solo YHVH es Dios y que no hay otra fuente de salvación entre los dioses, ni en la tierra. Esto lo sabían porque su Biblia se lo decía, en particular Deuteronomio e Isaías. En cambio ahora estaban tan convencidos de que Jesús de Nazaret, su contemporáneo, compartía la identidad misma de YHVH su Dios, que podían usar para Jesús el mismo lenguaje salvífico exclusivo. Pedro declara que la salvación se encuentra ahora exclusivamente en Jesús y en ningún otro nombre debajo del cielo (Hechos 4.12). Vemos lo mismo en toda la predicación registrada en ese libro (ver Hechos 2.38; 5.31; 13.38), y fue la resolución aprobada por el primer concilio de la iglesia: 'Más bien, como ellos [los gentiles], creemos [nosotros, los judíos] que somos salvos por la gracia de nuestro Señor Jesús' (Hechos 15.11). Más tarde, otro creyente judío describe a Jesús como el autor o pionero de la salvación (Hebreos 2.10), la fuente de nuestra salvación eterna (Hebreos 5.9), y el mediador de la salvación completa para todos los que acuden a Dios a través de él (Hebreos 7.25). La salvación según el Nuevo Testamento tiene una configuración tan amoldada a Cristo como la salvación según el Antiguo Testamento lo estaba a YHVH.

Pablo recoge el tema cuando reúne frases como 'Dios nuestro Salvador' o 'Cristo Jesús nuestro Salvador' (o ambas frases juntas: 'nuestro gran Dios y Salvador Jesucristo' [Tito 2.13]) siete veces solamente en la breve carta a Tito. En otro texto deja en claro su fundamento escriturario y teológico para esto cuando cita un texto del Antiguo Testamento relativo a la salvación de YHVH y lo aplica expresamente a Jesús.

> Si confiesas con tu boca que Jesús es el Señor, y crees en tu corazón que Dios lo levantó de entre los muertos, serás salvo. … No hay diferencia

entre judíos y gentiles, pues el mismo Señor es Señor de todos y bendice abundantemente a cuantos lo invocan, porque 'todo el que invoque el nombre del Señor será salvo'. Romanos 10.9, 12–13

El texto del Antiguo Testamento es Joel 2.32, que prometía la liberación divina para aquellos de Israel que se volvieran a su Dios antes del gran día de su juicio (citado también por Pedro en Hechos 2.21). Pablo no solo expande el alcance de la apelación a los gentiles además de Israel (tema misionológico al que volveremos más adelante) sino que también ve la promesa como disponible para todo el que invoque el nombre de Jesús como Señor. En vista del contexto inmediatamente precedente con su gran afirmación cristológica 'Jesús es el Señor', resulta incuestionable que aquí su intención es que el 'Señor' en su texto (que era YHVH/ *kyrios*) se entendiera ahora como referido a Jesús. Fue esta convicción fundamental acerca de la identificación salvífica de Jesús con YHVH lo que podía inspirarlo en un momento de evangelización instintiva a exhortar al carcelero de Filipos a '[creer] en el Señor Jesucristo, y serás salvo ...' (Hechos 16.31, RVR95).

Invocar el nombre del Señor es una acción y un tema que también tiene profundas raíces en el Antiguo Testamento. Es el gran legado del culto de Israel, parte del privilegio de conocer a YHVH como Dios. Por contraste, otras naciones podían ser descritas como 'naciones que no te reconocen, ... / reinos que no invocan tu nombre' (Salmo 79.6, mi traducción). De manera que resulta significativo que aquí el uso paulino de la expresión con referencia a Jesús sea solo un ejemplo de un uso que encontramos en varias otras partes del Nuevo Testamento, donde los creyentes 'invocan el nombre' de Jesús, una acción que con seguridad los judíos rechazarían con horror como una blasfemia, si no hubiesen estado convencidos de que al hacerlo estaban, en realidad, invocando el nombre de Dios mismo (Hechos 9.14, 21; 22.16; 1 Corintios 1.2; 2 Timoteo 2.22).

El Nuevo Testamento, entonces, tomando como base los sólidos fundamentos de la fe de Israel en YHVH, su Dios salvador, ve la decisiva obra de la salvación de Dios en la persona y obra de Jesús. Y puesto que la misión de Dios podría sintetizarse en ese solo y amplio concepto que tanto domina el carácter y las intenciones de YHVH en el Antiguo Testamento (la salvación), la identificación de Jesús con YHVH lo coloca en el centro mismo de esa misión salvífica.

La decidida confianza del salmista en YHVH, 'Dios nuestro Salvador' se hace eco y es equiparada con el gozoso anhelo de Pablo de que se produzca 'la gloriosa venida de nuestro gran Dios y Salvador Jesucristo' (Tito 2.13).[13]

Jesús cumple la misión de YHVH

Jesús, entonces, según el testimonio uniforme de muchos hilos en los documentos del Nuevo Testamento, comparte la identidad de YHVH, el Señor Dios de Israel, y cumple las funciones que eran la prerrogativa única y exclusiva de YHVH en el Antiguo Testamento. Estas incluyen en forma especial el papel de Dios como Creador y dueño del universo, Gobernador de la historia, Juez de todas las naciones y Salvador de todos los que se vuelven hacia él. En todas estas dimensiones de la identidad y actividad de Dios, los creyentes del Nuevo Testamento veían el rostro de Jesús, hablaban de él exactamente en los mismos términos, y lo adoraban de manera correspondiente.

Pero, ¿y qué?

¿Qué importancia tendría el que la fe monoteísta del Israel del Antiguo Testamento se expandiera y redefiniera de este modo cristocéntrico? Si, como lo señaló Santiago, el monoteísmo *per se* ('tú crees que hay un solo Dios') no nos lleva más allá de la temblorosa creencia de los demonios (Santiago 2.19), ¿cuánto más allá nos llevará el simplemente agregar a Jesús a nuestro monoteísmo? Supongamos que el Nuevo Testamento hubiera dicho simplemente 'Jesús es Dios'. Me pregunto si Santiago podría haber comentado una proposición como esa por razones meramente intelectuales: '¿Tú crees que hay un solo Dios? ¡Magnífico! También los demonios lo creen, y tiemblan.' Lo que quiero señalar es que si el mono-

---

13 Hay ahora una abundancia de excelentes libros que exploran la naturaleza y la sustancia de las afirmaciones del Nuevo Testamento en relación con la deidad de Jesucristo. Para una selección, ver: Richard Bauckham: *God Crucified: Monotheism and Christology in the New Testament*, Paternoster, Carlisle, 1998; Murray J. Harris: *Jesus as God: The New Testament Use of Theos in Reference to Jesus*, Baker, Grand Rapids, 1992; Larry W. Hurtado: *One God, One Lord: Early Christian Devotion and Ancient Jewish Monotheism*, T&T Clark, Edimburgo, 1998; Larry W. Hurtado: *Lord Jesus Christ: Devotion to Jesus in Earliest Christianity*, Eerdmans, Grand Rapids, 2003; Leander E. Keck: *Who Is Jesus? History in Perfect Tense*, University of South Carolina Press, Columbia, 2000; Ben Witherington III: *The Christolology of Jesus*, Fortress Press, Minneapolis, 1990; N. T. Wright: *Jesus and the Victory of God*, SPCK, Londres, 1996.

teísmo del Antiguo Testamento y la afirmación en el Nuevo Testamento de la deidad de Cristo se dejan como simples confesiones del credo, pueden ser quizás de interés para historiadores de las religiones, pero permanecen tan muertos como la fe sin obras, como diría Santiago.

Aquí es donde hace falta, una vez más, subrayar el sesgo misional de nuestra investigación, que he mencionado en diversos momentos a lo largo de este capítulo. ¿Cuál es la misión de este Dios, de quien el Antiguo Testamento afirma semejante singularidad trascendente? Además, ¿de qué manera se conecta la confesión del Nuevo Testamento, no solo con la identidad y las funciones del Dios de Israel, sino también con su misión?

Dios quiere hacerse conocer a través de Jesús. A fin de contestar estas preguntas, volvemos al tema general del capítulo 3, o sea, la pujante voluntad de YHVH de ser conocido como Dios por todas las naciones hasta los confines de la tierra. Ahora bien, hay, desde luego, muchas otras formas en que podríamos expresar la misión de Dios como se desarrolla a lo largo del Antiguo Testamento, y en el resto de este libro exploraremos algunas de las principales. Pero esta es una que ya hemos considerado. Ya sea mediante la experiencia de la gracia salvífica de Dios, o mediante la exposición al justo juicio de Dios, Israel llegó a saber quién es el Dios vivo y verdadero. Y de la misma manera, en última instancia, también las naciones llegarán a conocer su identidad, sea en arrepentimiento, salvación y adoración, o en desafiante perversidad y destrucción. 'Como las aguas cubren los mares, así también se llenará la tierra del conocimiento de la gloria del SEÑOR' (Habacuc 2.14). Esa es la voluntad y el propósito de Dios. Esa es la misión de Dios.

En el Nuevo Testamento, esta voluntad divina de ser conocido universalmente se centra ahora en Jesús. Será a través de Jesús que Dios se hará conocer a las naciones. Y al conocer a Jesús, conocerán al Dios viviente. En otras palabras, Jesús cumple la misión del Dios de Israel. O para expresarlo a la inversa: el Dios de Israel, cuya misión declarada era hacerse conocer a las naciones mediante Israel, ahora quiere hacerse conocer a las naciones a través del Mesías, aquel que incorpora a Israel en su propia persona y cumple la misión de Israel a las naciones. Así, el hecho de que el Nuevo Testamento detalla tan cuidadosamente todas las formas en que Jesús comparte la identidad y las funciones de YHVH ahora adquiere una significación más clara en esta perspectiva misional. Porque será precisamente al conocer a Jesús como Creador, Gobernante, Juez y Salvador que las naciones conocerán a YHVH. Jesús no es solo el agente mediante el cual se comunica el conocimiento de Dios (como podría serlo cualquier mensajero). Él, en su propia persona, es el contenido mismo de la comunicación. Donde Jesús es predicado, se deja ver la gloria misma de Dios.

> ... esto es, entre los incrédulos, a quienes el dios de este mundo les cegó el entendimiento, para que no les resplandezca la luz del evangelio de la gloria de Cristo, el cual es la imagen de Dios. No nos predicamos a nosotros mismos, sino a Jesucristo como Señor [*Kyrios*], y a nosotros como vuestros siervos por amor de Jesús, porque Dios, que mandó que de las tinieblas resplandeciera la luz, es el que resplandeció en nuestros corazones, para iluminación del conocimiento de la gloria de Dios en la faz de Jesucristo. 2 Corintios 4.4–6, RVR95[14]

El evangelio lleva el conocimiento de Dios a las naciones. Pablo se reconocía como el apóstol para las naciones, al que se le había confiado la tarea de llevar el evangelio del conocimiento del Dios viviente a las naciones que no lo conocían. Está claro que veía esta misión personal como enteramente dependiente de la misión previa de Dios, es decir, de la voluntad de Dios de hacerse conocer. Pablo no eligió él mismo tener una misión a las naciones por cuenta del Dios de Israel: fue el Dios de Israel quien eligió a Pablo para su misión a las naciones. Así es cómo registra Lucas la interpretación del propio Pablo de la comisión que recibió en Damasco:

> Luego [Ananías] dijo: 'El Dios de nuestros antepasados te ha escogido para que conozcas su voluntad, y para que veas al Justo y oigas las palabras de su boca. Tú le serás testigo ante toda persona de lo que has visto y oído'. Hechos 22.14–15

> Te envío a éstos para que les abras los ojos y se conviertan de las tinieblas a la luz, y del poder de Satanás a Dios, a fin de que, por la fe en mí, reciban el perdón de los pecados y la herencia entre los santificados.

---

14 Parecería muy posible que aquí Pablo aluda a la gran visión de la gloria de Dios en Ezequiel 1, y que pudo haber interpretado su propio encuentro con la gloria del Cristo resucitado en esos términos. De ser así, resulta aun más significativo que oscile entre 'la gloria de Cristo' y 'gloria de Dios': otra evidencia de su identificación de Jesús como YHVH.

Hechos 26.17–18

De allí en más, Pablo percibió que el evangelio tenía un poder en sí mismo, que lo transportaba en su alcance y difusión universal. Dios quería ser conocido y nada podía atravesarse en su camino. Pablo no era más que un sirviente en el proceso.

De ésta [la iglesia] llegué a ser servidor según el plan que Dios me encomendó para ustedes: el dar cumplimiento a la palabra de Dios. ....
A éstos [sus santos] Dios se propuso dar a conocer cuál es la gloriosa riqueza de este misterio entre las naciones, que es Cristo en ustedes, la esperanza de gloria. Colosenses 1.25, 27[15]

Tal era el imparable poder de la difusión del evangelio, debido a la voluntad de Dios de hacerse conocer, que Pablo se vale de unas hipérboles geográficas, anticipando su proclamación universal.

Este evangelio está dando fruto y creciendo en todo el mundo.
Colosenses 1.6

Este es el evangelio que ustedes oyeron y que ha sido proclamado en toda la creación debajo del cielo. Colosenses 1.23

Con respecto a esto Bauckham dice lo siguiente:

Estas hipérboles no son meramente 'retóricas' sino que expresan la urgente dinámica del evangelio en marcha hacia su meta universal y el sobrecogedor sentido de Pablo de su vocación personal dentro de esa dinámica.[16]

Más tarde, Pablo reflexionó sobre su llamado a la misión, a la que

---

15 En la breve mención del 'misterio' por parte de Pablo en la sección paralela en Efesios, está claro que el misterio es precisamente que Jesús, como el Mesías crucificado, ha reunido a gentiles y judíos (Efesios 3.2–13). Por lo tanto me parece que la frase *Christos en himin* no se refiere tanto a la morada de Cristo en la experiencia personal ('Cristo en ustedes') como a la realidad de que Cristo está ahora 'entre ustedes', es decir, ustedes los gentiles, en el mismo sentido que la frase anterior *'en tois ethnesin'*, 'entre las naciones'.
16 Richard Bauckham: *The Bible and Mission: Christian Mission in a Postmodern World*, Paternoster, Carlisle, 2003, p. 22. Bauckham señala otros ejemplos de estas hipérboles geográficas y su significación escatológica para la misión (Romanos 1.8; 1 Tesalonicenses 1.8; 2 Corintios 2.14). Por otra parte, Eckhard Schnabel sugiere que estas frases quizás reflejen verdaderas realidades misioneras si se estaban desarrollando empresas misioneras tempranamente en las regiones llamadas popularmente 'los confines de la tierra' cuando Pablo escribió Colosenses; ver *Early Christian Mission*, vol 1, *Jesus and the Twelve*, InterVarsity Press, Downers Grove, Ill., 2004, pp. 436–554, que ofrece una excelente y detallada descripción de las percepciones de la realidad geográfica en la cultura judía y grecorromana del primer siglo, dentro de la cual se desarrolló la misión cristiana primitiva.

consideraba como una tarea sacerdotal de hacer conocer a Dios. Una de las funciones de los sacerdotes en Israel era la de ser mayordomos del conocimiento de Dios (ver Oseas 4.1–6; Malaquías 2.7; 2 Crónicas 15.3). Por analogía Pablo ve su labor de evangelización como un deber para con las naciones, y agrega que en forma especial su ambición era el ejercer su ministerio evangélico 'donde Cristo no sea conocido' (Romanos 15.16–22; notemos su cita del pasaje del Siervo, tomado de Isaías 52.15, sobre el conocimiento del Siervo entre las naciones). Y más tarde vincula todo su ministerio con la voluntad del propio Dios de ser conocido y de mostrar su anhelo de salvar.

> Dios nuestro Salvador, que quiere que toda la gente sea salva y que llegue al conocimiento de la verdad. … Y para este fin fui designado heraldo y apóstol … y maestro de las naciones en fe y en verdad. 1 Timoteo 2.3–4, 7 (mi traducción).

Entre la voluntad de Dios de salvar y el papel de Pablo de llevarlo a cabo, Pablo agrega otro eco de la *Shema*: 'Porque hay un solo Dios y un solo mediador entre Dios y los hombres, Jesucristo hombre, quien dio su vida como rescate por todos' (1 Timoteo 2.5–6). El Dios que Pablo proclama es el único Dios de Israel, el Dios vivo y verdadero, y el medio por el cual este Dios se dará a conocer ahora salvíficamente a todos los hombres y las mujeres es a través de la humanidad y la autoentrega de Jesús el Mesías.

Lo que tenemos aquí, entonces, es monoteísmo bíblico y misión, combinados en la persona de Jesús y la proclamación del apóstol.

Para Juan, la función reveladora universal de la identidad y la misión de Jesús es destacada desde el comienzo mismo, repetida a intervalos por medio del evangelio, y tiene su punto culminante en la gran oración de Jesús en Juan 17. 'Nadie jamás ha visto a Dios', escribe Juan al ir terminando su prólogo, 'pero el Dios único, el que está en el seno del Padre, él lo ha dado a conocer' (Juan 1.18, mi traducción). Dios se hace visible mediante la encarnación de Dios el Hijo. De manera, entonces, que conocer a Jesús es conocer al Padre (Juan 8.19; 10.38; 12.45; 14.6–11), y en conocer a ambos está la vida eterna (Juan 17.3).[17] Pero este conocer a Dios al conocer a Jesús no se ha de limitar a quienes lo

---

17 La misma combinación dinámica del conocimiento de Dios por medio del conocimiento de Jesús recorre 1 Juan también (ver 1 Juan 2.3–6, 23; 4.13–15; 5.20–21).

vieron en la carne. Por el contrario, ese privilegio les fue acordado a ellos con el fin de que lo hicieran conocer al mundo, 'así el mundo reconozca que tú me enviaste' (Juan 17.23). Por lo tanto, en un verdadero estilo sacerdotal, Jesús dispensa el conocimiento de Dios, primero a sus discípulos inmediatos y luego a través de ellos al mundo entero.

> No ruego sólo por éstos. Ruego también por los que han de creer en mí por el mensaje de ellos, ... para que el mundo crea que tú me has enviado. ... Padre justo, aunque el mundo no te conoce, yo sí te conozco, y éstos reconocen que tú me enviaste. Yo les he dado a conocer quién eres, y seguiré haciéndolo, para que el amor con que me has amado esté en ellos, y yo mismo esté en ellos. Juan 17.20–21, 25–26

La misión de Dios de hacerse conocer al mundo domina el pensamiento del Hijo, incluso mientras se dedica a la oración con su Padre. Y la misión de los discípulos, implícita en la oración de Jesús antes de su crucifixión (Juan 17.18), se vuelve explícita en la comisión de Jesús después de su resurrección. 'Como el Padre me envío a mí, así yo los envío a ustedes' (Juan 20.21).

De modo que Juan alcanza su punto culminante con la confesión de fe de Tomás, '¡Señor mío y Dios mío!' (Juan 20.28), en la que este discípulo le dirigió a Jesús palabras que solo se hubiera atrevido a pronunciar en el culto a YHVH. Sobre esa base únicamente puede fundarse la declaración final de Juan sobre el propósito misional de su Evangelio. 'Éstas [cosas] se han escrito para que ustedes crean que Jesús es el Cristo, el Hijo de Dios, y para que al creer en su nombre tengan vida' (Juan 20.31).

Aquí, por lo tanto, tenemos monoteísmo y misión bíblicos de labios del discípulo y de la pluma del evangelista.

El monoteísmo biblíco y la misión

En el curso de los capítulos 3 y 4 hemos repasado vastos trechos de monoteísmo bíblico. Al comienzo resistí la tentación de redefinir el monoteísmo en las categorías del Iluminismo con las que se clasifican las religiones, o de ocuparme de reconstrucciones especulativas del supuesto proceso evolutivo mediante el que se considera que Israel alcanzó esa predefinida conceptualización monoteísta. Elegí, más bien, preguntar qué quiso decir Israel al declarar que 'YHVH es Dios y no hay ningún otro'. En especial exploramos la experiencia dinámica de 'conocer a Dios'. Israel sostenía esto para sí mismo sobre la base de su experiencia histórica, y se anticipó a otros que finalmente alcanzaron dicho conocimiento. Luego observamos el sorprendente vuelco mediante el cual el monoteísmo del Antiguo Testamento centrado en YHVH se convirtió en el monoteísmo centrado en Jesús en el Nuevo Testamento. Esto se logró no solo sin debilitar las marcas esenciales de la fe de Israel, sino más bien confirmándolas y ampliándolas.

Al sintetizar y concluir estos dos capítulos, la pregunta es: ¿de qué manera arroja luz sobre lo que llamamos monoteísmo bíblico una perspectiva hermenéutica misional, que nos permita articular su dinámica interior y su significación última? O, en términos más sencillos, ¿por qué es misional el monoteísmo bíblico? Podemos ofrecer tres reflexiones como respuesta: primero, debido a la voluntad de Dios de hacerse conocer como Dios; segundo, debido a la constante lucha a la que el monoteísmo bíblico se enfrentó siempre y sigue enfrentándose hoy; y tercero, porque el monoteísmo bíblico siempre desemboca en adoración y alabanza, las cuales son actividades profundamente misionales, por lo menos en este mundo.

La misión bíblica es impulsada por la voluntad de Dios de ser conocido como Dios. El tema de 'conocer a Dios' fue elegido expresamente como un hilo para los capítulos 3 y 4 porque no hay nada que parezca más apropiado para esta fuerza impulsora del monoteísmo bíblico. El único Dios viviente quiere ser conocido en toda su creación. El mundo tiene que conocer a su Creador. Las naciones tienen que conocer a su Señor, a su Juez y Salvador. Esta es una de las principales subtramas del relato del éxodo en el libro de Éxodo, y posteriores reminiscencias de ese gran acontecimiento destacaban su principal propósito como el de lograr un gran nombre para YHVH entre las naciones (p.ej., Josué 2.10–11; 2 Samuel 7.23; Salmo 106.8; Isaías 63.12; Jeremías 32.20; Daniel 9.15; Nehemías 9.10). 'El éxodo, por lo tanto, establece un vínculo paradigmático entre la particular identidad de Dios como el Dios de Israel y el propósito divino de la autorevelación universal a las naciones.'[18] Grandes actos posteriores de YHVH se registran con la misma intención: el cruce del Jordán (Josué 4.24), la victoria de David sobre Goliat (1 Samuel 17.46), el pacto de Dios con David (2 Samuel 7.26), la respuesta de Dios a la oración en el templo de Salomón (1 Reyes 8.41–43, 60), la liberación por parte de Dios de Jerusalén frente a los asirios (2 Reyes 19.19; Isaías 37.20), el regreso de Israel del exilio obrado por Dios (Isaías 45.6; Jeremías 33.9; Ezequiel 36.23). Toda la historia de Israel, podríamos decir, tiene como intención hacer de vidriera para el conocimiento de Dios en toda la tierra. Esta es la razón por la cual esta historia tiene que ser contada de generación a generación.

> Se acordarán del SEÑOR y se volverán a él
> todos los confines de la tierra;
> ante él se postrarán
> todas las familias de las naciones,
> [porque] …
> la posteridad le servirá;
> del Señor se hablará a las generaciones futuras.
> A un pueblo que aún no ha nacido
> se le dirá que Dios hizo justicia. Salmo 22.27, 30–31

Richard Bauckham ve esto como una de las principales trayectorias misionales de la revelación bíblica. 'Esta trayectoria es fundamentalmente sobre el conocimiento de quién es Dios, la demostración a las naciones de su deidad por parte de YHVH.' Consciente de posibles objeciones contemporáneas a ese punto de vista sobre Dios, Bauckham continúa:

Podemos tener dificultad con este cuadro de un Dios que desea y consigue fama para sí mismo, algo que nosotros consideraríamos vanidad y ambición egoístas si se tratara de seres humanos. Pero esta es una de esas analogías humanas que en realidad es apropiada solo para Dios. Por el bien de sus criaturas humanas se requiere que él sea conocido por ellos como Dios. En la demostración que Dios hace de su deidad a las naciones no hay vanidad alguna, solo revelación de la verdad.[19]

---

18 Bauckham: *Bible and Mission*, p. 37.
19 Bauckham: *Bible and Mission*, p. 37.

Esto nos lleva a la primera de tres conclusiones misionológicas a partir de aquí.

El bien de la creación depende de que la humanidad conozca a Dios. Primero, para repetir las palabras de Bauckham: 'El bien de las criaturas humanas de Dios requiere que él sea conocido por ellos como Dios.' Podríamos agregar que el bien de toda la creación requiere que Dios sea conocido y alabado como su Creador. La frustración de la creación en su papel y tarea principal, debido al pecado humano, es una de las razones por las cuales toda la creación mira ansiosamente hacia delante, hacia la redención de la humanidad (Romanos 8.19–21). Pero limitándonos a la dimensión humana: resulta crítico enfatizar el hecho de que saber que Dios es Dios es el supremo bien y bendición para los seres humanos hechos a la imagen de Dios. Pablo sostiene en Romanos 1.18–32 que en la raíz de todos los demás tipos de pecado está el rechazo o la supresión de ese conocimiento de Dios. A la inversa, conocer a Dios en espíritu de amor y obediencia es la fuente de todo el bienestar humano (Deuteronomio 4.39–40). La vida misma, en toda su plenitud y eternidad, radica en conocer y amar a Dios (ver Deuteronomio 30.19–20; Juan 17.3). Para esto fuimos creados, y cualquier otra cosa resulta inferior para la gloria de Dios. 'El fin principal del hombre', como lo expresa tan sucinta y bíblicamente la Confesión de Westminster, 'es glorificar a Dios y disfrutarlo a él para siempre', lo cual encierra la suprema tarea y bendición de lo que significa conocer a Dios, y en consecuencia ser plenamente humano. De conformidad, en la medida en que nuestro compromiso misional sea cuestión de hacer conocer a Dios. Es por eso mismo también cuestión de hacer llegar al pueblo la bendición y el bien, por cuanto 'el Señor es bueno'. La misión no es la imposición de una esclavitud religiosa más sobre una humanidad ya sobrecargada. Se trata de compartir el conocimiento liberador del único Dios vivo y verdadero, 'en cuyo conocimiento se halla nuestra vida eterna'.[20]

El bien de la creación viene de que la humanidad conozca al Dios bíblico. Segundo, este bien nos llega solamente por el conocimiento de este Dios, el Dios viviente y personal del monoteísmo bíblico. La misión bíblica

---

20 De la segunda colecta, por la paz, en 'El orden para la oración matutina', *El libro de oración común.*

necesariamente exige el monoteísmo bíblico. Significa hacer conocer la revelación bíblica del Dios vivo en toda la plenitud de su identidad, carácter, funciones y actos salvíficos. Significa compartir, por así decirlo, la biografía del Dios de toda la Biblia. La calidad personal y ética del monoteísmo bíblico es clara y definitiva. Como ya observamos, el mero creer en la singularidad de la deidad (un monoteísmo abstracto) no es un gran logro. Tampoco era esta creencia el límite de lo que Israel habría de aprender, por ejemplo, de las experiencias del éxodo y el Sinaí. La importancia de estos hechos no tenía como fin que Israel supiera la aritmética del cielo, sino que conociera la identidad y el carácter de Aquel que era, de modo exclusivo, 'el Dios': YHVH (Deuteronomio 4.32–40). Él es el Dios que habían de conocer como el Dios de justicia, compasión, santidad, verdad, integridad, amor, fidelidad y poder soberano. Estas cualidades del Dios único constituirían el material de sus narraciones, la sanción de sus leyes, la plataforma de todos los estados de ánimo de su culto de adoración, la preocupación de sus profetas y el fundamento de su sabiduría. Además, éste es el Dios que prometió darse a conocer a las naciones, en el tratado más monoteísta del Antiguo Testamento, como el Siervo cuyo compromiso con la justicia, la compasión, la liberación y el esclarecimiento lo llevarían al sufrimiento y a la muerte vicaria (Isaías 42—53).[21] En cumplimiento de aquello, este es el Dios cuya trascendente unicidad adquirió un cuerpo y habitó entre nosotros en la humanidad de Jesús, lleno de gracia y de verdad. La única clase de monoteísmo que es 'buena' para el pueblo es el conocimiento de este Dios. Es por ello que Dios quiere ser conocido como el Dios que realmente es.

El anhelo de Dios de darse a conocer es el motivo principal de nuestra misión de hacerlo conocer. Tercero, esta gran dinámica bíblica de que Dios quiera hacerse conocer precede y apuntala todos los esfuerzos del pueblo de Dios en su misión de hacerlo conocer. Encontramos aquí la prioridad de la misión de Dios como fuente de la nuestra. En el Antiguo Testamento descubrimos la clara intención de Dios mismo de que el conocimiento de YHVH como el Dios viviente alcance a las naciones, quienes lo esperan con anhelo. En el Nuevo Testamento encontramos revelado el mecanismo de ese proceso: el testimonio apostólico sobre el evangelio

---

21 Sobre este punto ver especialmente Millar C. Lind: 'Monotheism, Power and Justice: A Study in Isaiah 40—55', *Catholic Biblical Quarterly* 46 (1984): 432–46.

del Mesías Jesús y el envío de los discípulos de Jesús a hacer discípulos de todas las naciones. De tal modo Pablo podía describirse como 'maestro de la verdadera fe a las naciones' (1 Timoteo 2.7; 2 Timoteo 1.11, mi traducción). 'La misión a las naciones en el Nuevo Testamento también tiene el propósito del reconocimiento y la adoración del Dios verdadero (1 Tesalonicenses 1.9; Hechos 17.23–29; Apocalipsis 14.7; 15.4), incluso antes de ser dirigida a la salvación que la acompaña.'[22]

De modo que todos nuestros esfuerzos misionales por hacer conocer a Dios tienen que ubicarse dentro del marco previo de la voluntad del propio Dios de ser conocido. Estamos procurando lograr lo que Dios mismo quiere que ocurra. Esto es a la vez humillante y alentador. Es humillante en tanto nos recuerda que todos nuestros esfuerzos serían vanos si Dios no tuviera la decisión de ser conocido. No somos ni los iniciadores de la misión de hacer conocer a Dios a las naciones, como tampoco está en nuestro poder decidir cómo se ha de cumplir la tarea, ni cuándo se la considerará completa. Pero también es alentador, porque sabemos que por detrás de todos nuestros titubeantes esfuerzos y de nuestra comunicación inadecuada se levanta la suprema voluntad del Dios viviente, quien se revela a sí mismo y extiende sus brazos amorosos, increíblemente dispuesto a quitar el velo de los ojos enceguecidos y a revelar su gloria mediante los tesoros del evangelio entregado en las vasijas de barro que son sus testigos (2 Corintios 4.1–7).

El monoteísmo bíblico comprende una constante lucha cristológica. Una de las más fáciles aseveraciones *a priori* del desarrollo de la teoría evolucionista de las religiones humanas es que si bien podría llevar mucho tiempo para que una cultura alcanzara las alturas del monoteísmo, el monoteísmo tuvo un poder de convicción tan manifiesto que la gente jamás se alejaría en la dirección opuesta para regresar a formas politeístas de religión. El monoteísmo constituía una meseta de la que ninguna cultura o persona pensante desearía descender. El supuesto proceso evolucionista de la maduración religiosa no se consideraba reversible.

Pero como sostiene Bauckham, la razón del relato mucho menos prolijo de la historia religiosa de Israel ... es que el monoteísmo bíblico no

---

22 Bauckham: *Bible and Mission*, p. 40.

ofrecía en absoluto un panorama tan claro como para que, una vez observado, jamás pudiera perderse. Más bien, como repetidamente muestra el Antiguo Testamento, era una lucha constante.[23]

Pasando del Antiguo al Nuevo Testamento, podemos ver de inmediato que la misma lucha se da en torno a las afirmaciones hechas por Jesucristo. El monoteísmo cristocéntrico no está más allá del desafío o el disenso que lo que estaba en Israel el monoteísmo centrado en YHVH. Tampoco es más inmediatamente obvio para el mundo que solo Jesús es Señor, Dios y Salvador de lo que era para las naciones alrededor de Israel que YHVH y solo él es el Dios del cielo y de la tierra, Creador del mundo y Juez de todas las naciones. Y no obstante estas son precisamente las verdades de las que Israel estaba llamado a dar testimonio, y las mismas que la misión cristiana declara al mundo.

De manera que una de las razones por las cuales el monoteísmo bíblico es misional radica en esto: se trata de una verdad de la que somos constantemente llamados a dar testimonio. Es una convicción que nos impulsa en forma continua a la tarea apologética de articular y defender lo que entendemos por nuestra confesión de fe en el Dios viviente de la Biblia en ambos testamentos. Como dice el Nuevo Testamento, desde los primeros días de la fe cristiana los creyentes tuvieron que contender con los desafíos del señorío de Cristo desde fuera de la iglesia, y desde dentro de ella, con negaciones o confusiones con respecto a los aspectos de la persona y los logros de Cristo. Hoy, tanto como en otras épocas, sostener que Jesús de Nazaret es en forma exclusiva Dios, Señor y Salvador, es encontrarnos de inmediato envueltos en el conflicto misional por todos lados.

¿Qué significa, sin embargo, decir que Jesucristo es único? Algunos sostendrían que el lenguaje es demasiado impreciso y que está expuesto a confusiones o a distorsiones intencionales. Por supuesto que Jesús es 'único', a lo cual el pluralista religioso podría dar su asentimiento sin vacilar. Toda religión y todo gran líder religioso son en algún sentido únicos. Todos ofrecen intuiciones únicas y oportunidades únicas para lograr 'contactos salvíficos con la Última Realidad Divina' (para valernos de lenguaje pluralista). Pero dicho de este modo, decir que Jesús es único no es

---

23 Para recordarlo una vez más, por 'monoteísmo bíblico' quiero decir la efectiva aseveración en Israel de la trascendente unicidad de YHVH, no la construcción abstracta de las categorías del Iluminismo.

más que decir que es un individuo único de una especie particular, una especie de 'líder religioso' o 'agente de contacto salvífico con lo divino'. Es uno de los modos entre muchos modos posibles de encontrar lo que se quiera significar con 'Dios', y en este sentido sería único, es decir, distintivo. Como ya hemos dicho, el lenguaje del carácter único de Jesús puede constituir el 'caballo de Troya del pluralismo'. Al usarlo, podríamos estar permitiendo muchos supuestos teológicos insospechados y no deseados propios del vocabulario de quienes están contentos con usar la frase, pero en esa forma pluralista relativizada.

En consecuencia, nos parece tanto más importante haber dedicado tiempo en estos dos capítulos a indicar con exactitud lo que queremos decir por monoteísmo bíblico. Y en especial estamos agradecidos por la clarificación de Bauckham sobre lo que queremos decir por unicidad de YHVH. Porque los textos del Antiguo Testamento no querían decir que YHVH fuera un dios único entre muchos dentro de la especie 'dioses'. Más bien, en lo que Bauckham llama 'unicidad trascendente', YHVH aparecía *sui generis,* totalmente en una clase suya propia como *el* Dios, el único Creador del universo, el Señor, Juez y Salvador de las naciones. El Nuevo Testamento hace repetidamente las mismas afirmaciones acerca de Jesús de Nazaret, ubicándolo en el mismo marco trascendente y exclusivamente singular, y con frecuencia citando los mismos textos al hacerlo.

De modo que cuando hablamos misionológicamente de la unicidad de Cristo, no estamos dedicados a algún tipo de comparación horizontal de Jesús con otros grandes fundadores de religiones. No es que los pongamos en fila y al final de ese proceso comparativo lleguemos a la conclusión de que, de alguna manera, Jesús resulta mejor que todos los demás, o (menos competitivamente), que 'Jesús es el que me conviene a mí'. Más bien, estamos entregados a trazar verticalmente las raíces escriturarias de la identidad, la misión y los logros de Jesús, profundamente arraigado en la unicidad de YHVH, el Santo de Israel. El monoteísmo bíblico y cristocéntrico es misional, visto que dice con igual fuerza (porque ambas declaraciones finalmente equivalen a la misma afirmación unívoca) que YHVH es Dios arriba en el cielo y abajo en la tierra, y que no hay otro; y que Jesús es Señor, y que no hay otro nombre debajo del cielo dado a la humanidad por el cual podamos ser salvos.[24]

El monoteísmo bíblico genera alabanza. Corresponde concluir este capítulo en el mismo final al que conduce el propio monoteísmo bíblico, la doxología: el culto y la alabanza a este gran Dios, en y por el nombre de Cristo. En hebreo el título del libro de Salmos es *tĕhillîm*, 'Alabanzas'.

Esto es así aun cuando la categoría más extensa de los Salmos es de lamentos. En el Antiguo Testamento la alabanza no era simplemente acerca de estar contento y agradecido, sino reconocer la realidad del único Dios en la vida toda, incluidos los tiempos duros. De modo que aun en aquellos salmos que tienen un tenor de preocupación, hay un movimiento hacia la alabanza. Y en su conjunto todo el libro de Salmos pasa de aquellos en los que predomina el lamento y la petición en las primeras secciones a un predominio completo de cánticos de alabanza en la sección final. Como lo expresa Patrick Millar en un artículo cálido e instructivo:

> Recorrer el libro de Salmos es ser llevado en forma creciente hacia la alabanza a Dios como la palabra final. ... Esto es así teológicamente, porque en la alabanza más que ningún otro acto humano se ve y se declara a Dios como tal en toda su plenitud y gloria. Esto es así escatológicamente, porque la palabra última y final es la confesión y la alabanza a Dios por parte de toda la creación.[25]

De manera que hay un estrecho vínculo entre la dinámica monoteísta de la fe de Israel, y la gloriosa riqueza del culto de Israel. Dado que los israelitas saben que YHVH es 'el Dios' (el Dios de tan esplendoroso carácter, tan vigorosa acción redentora y tan confiable fidelidad), la única respuesta correcta es la expresión de alabanza. Dado que saben que YHVH es el único Dios, se produce un amplio oleaje de universalidad que llena las expresiones de alabanza en Israel. Esta universalidad, a su vez, inevitablemente supone que todas las naciones, más aun toda la creación, ha de llegar a adorar al Dios viviente de Israel y puede ser convocada a hacerlo. Y ésta, en una palabra, es una perspectiva misional, aun cuando no haya ningún mandato

---

24 He analizado estas dimensiones de la unicidad de Jesús en el contexto del pluralismo religioso más detalladamente en Christopher J. H. Wright: *The Uniqueness of Jesus*, Monarch, Londres y Grand Rapids, 1997.
25 Patrick D. Miller (h.): 'Enthroned on the Praises of Israel': The Praise of God in Old Testament Theology', *Interpretation* 39 (1985): 8.

misionero centrífugo. Miller lo destaca señalando que el culto de Israel combina teología y testimonio, declaración y expectativa de conversión.

> En el Antiguo Testamento la alabanza de Dios es siempre devoción que habla acerca de Dios, es decir teología, y proclamación que procura atraer a otros hacia el círculo de los que adoran a este Dios, lo cual sirve de testimonio para la conversión. … Tal vez menos claro en la mente de muchos lectores del Antiguo Testamento sea el hecho de que la alabanza a Dios es la formulación más importante y extendida de la dimensión universal y promotora de conversión de la teología del Antiguo Testamento. Hasta podría hablarse de una meta misionera, si no se corriera el riesgo de distorsionar el contenido al sugerir un programa de proselitismo para atraer individuos hacia la comunidad visible de Israel. Ese no es el caso. Lo que brota y florece en la proclamación neotestamentaria del evangelio para convertir a todas las personas al discipulado de Jesucristo se anticipa en la proclamación veterotestamentaria de la bondad y la gracia de Dios.[26]

Por último, el poder de esta alabanza declarativa alcanza no solo a las naciones en conjunto en la más amplia extensión horizontal, sino también en la más plena extensión vertical a las generaciones futuras. Además, sin crear o concebir un mecanismo misionero para lograr lo que se está declarando, el alcance de esta visión del culto de Israel es por cierto misional por deducción.

> [En la adoración de Israel] el Señor es alabado y se da testimonio, un testimonio que tiene como fin llamar a toda la humanidad a la alabanza de Dios y de esta manera al reconocimiento y a la adoración del Señor de Israel. Aquí se ve el empuje político y escatológico de la alabanza de Israel en su insistencia en que el señorío de este Dios es universal en su alcance y debería dar lugar a la conversión de todo ser a la adoración al Dios de Israel. Este llamado a las naciones y pueblos para que alaben al Señor no es ninguna cuestión incidental o excepcional. Satura los salmos, donde 'toda la tierra' (33.8; 66.1; 96.1; 100.1), 'la tierra' (97.1), 'las costas más remotas' (97.1), 'todos los pueblos del mundo' (33.8), 'pueblos' (47.3; 66.8; 67.4–6; 148.14; Deuteronomio 32.43) y 'toda carne' (145.21, BA), son llamados vez tras vez a alabar y bendecir al Señor. En Deutero-Isaías el carácter conversionista de

---

26 *Ibid.*, p.9.

estos cánticos de alabanza es explícito (Isaías 45.22–25). [Pero en el Salmo 22.22–31] el poder del testimonio no se detiene allí. Más allá de Israel 'se volverán a él … todas las familias de las naciones' (v. 27). Con todo, ni eso agota el círculo de la alabanza, porque los que han muerto alabarán al Señor (v. 29), como también todas las generaciones por nacer (vv. 30–31).[27]

Casi no necesito agregar que el Nuevo Testamento comparte la misma visión de toda la humanidad y toda la creación alabando a Dios, a través de Jesucristo. Si pensamos en Pablo y Silas cantando himnos en la cárcel de Filipos (Hechos 16.25; ver 1 Pedro 2.9), no sería exagerado decir que la iglesia en Europa nació por el poder conversionista de la alabanza.

En el extraordinario comienzo de su libro *Let the Nations Be Glad* (Que se alegren las naciones), John Piper escribe: 'Las misiones no son la meta última de la iglesia. La adoración lo es. Las misiones existen porque no existe el culto de adoración.'[28]

Esto está muy bien expresado y es fundamentalmente cierto, desde luego. La alabanza será una realidad dominante de la nueva creación, mientras que, como la misión de Dios de redimir a toda su creación estará completa, nuestra misión derivativa dentro de la historia llegará a su fin (¡aunque quién sabe qué misión tendrá Dios para la humanidad redimida en la nueva creación!). De modo que, sí: la misión existe porque no hay adoración, y porque misión significa atraer a los que todavía no alaban al Dios viviente para que lo puedan hacer.

Pero en otro sentido igualmente bíblico podríamos decir que la misión existe porque existe la adoración. La alabanza de la iglesia es lo que la energiza y la dispone para la misión, y también actúa como el constante recordatorio de lo que tanto necesitamos, de que toda nuestra misión fluye como obediente respuesta a, y participación en la misión previa de Dios, así como toda nuestra alabanza es en respuesta a la realidad y acción anterior de Dios. La alabanza es la actitud correcta y primaria y el modo de existencia de lo creado para con su Creador. De modo que así como nuestra misión es parte de nuestra respuesta a nuestro Dios como criaturas, la alabanza debe ser también su principal modo de expresión.

---

27 *Ibid.*, p. 13.
28 John Piper: *Let the Nations Be Glad! The Supremacy of God in Missions*, 2ª ed., Baker Academic, Grand Rapids, 1993, p. 17.

En el capítulo 14 volveremos a la universalidad y al sentido misional de muchos de los salmos. Por ahora es suficiente dar por finalizado nuestro repaso de este y del capítulo anterior, con la observación de que entre muchos modelos para la misión que encontramos en la Biblia (además del excesivamente usado modelo militar) está el concepto de entonar una nueva canción entre las naciones. Misión significa invitar a todos los pueblos de la tierra a oír la música del futuro de Dios y a danzar hoy a su ritmo. Como quiere recordarnos el Salmo 96:

- •Este es un nuevo cántico que combina las antiguas palabras, porque celebra la antigua historia de lo que Dios ha hecho para su pueblo (vv. 1–3).
- •Es un nuevo cántico que desplaza de raíz a los antiguos dioses cuyos adoradores deben ahora presentar toda su adoración ante las cortes del Señor (vv. 4–9).
- •Es un nuevo cántico que transforma el mundo antiguo en el anticipado reino de justicia y regocijo del Señor (vv. 10–13).

El monoteísmo es misional porque genera alabanza y también porque globaliza la alabanza: la alabanza del único Dios viviente, conocido por su gracia, su juicio, y sobre todo por su Mesías.

De modo, entonces, que la naturaleza misionera del monoteísmo cristiano no surge de un endémico imperialismo religioso o de un triunfalismo de estilo militar (por mucho que haya sido infectado con ese virus en diferentes eras), sino de las raíces de nuestra fe en el Israel que conocemos en el Antiguo Testamento, y en su creencia en el Dios, el único Dios vivo y verdadero, cuya misión de amor para con el mundo llevó a la elección de Israel y al envío de la iglesia. Es este Dios, y ningún otro, quien de tal modo determinó bendecir a las naciones que eligió a Abraham. No es sino este Dios quien tanto amó al mundo que mandó a su único Hijo. Solo este Dios estaba en Cristo reconciliando al mundo consigo mismo. Y es este Dios quien ha confiado la misión y el ministerio de reconciliación al pueblo al que Jesús dijo 'serán mis testigos ... hasta los confines de la tierra'. Esa es la naturaleza *misionera* del monoteísmo bíblico.

5 . El Dios vivo se opone a la idolatría

Si el monoteísmo bíblico es necesariamente misional (porque el único Dios viviente quiere hacerse conocer y ser adorado en toda su creación), y si la misión bíblica es monoteísta (porque debemos llamar a todas las personas a unirse a la creación en la alabanza a este único Dios viviente), entonces, ¿qué hacemos con todos los otros dioses que pueblan las páginas de la Biblia y que nos rodean aún hoy de muchas maneras? En este capítulo examinaremos cómo trata la Biblia el fenómeno de seres humanos que ofrecen culto a muchas supuestas deidades aparte del Dios de Israel. ¿Qué son en realidad? Luego en el capítulo 6 consideraremos una respuesta misional a este fenómeno. ¿Qué tendríamos que estar haciendo en relación con esos ídolos y dioses? Desde hace mucho me parece que la categoría bíblica de la *idolatría* corre el riesgo de ser entendida superficialmente y de recibir respuestas simplistas. Sin embargo, aunque se trata de una cuestión negativa, no cabe duda de que es un aspecto fundamental en el tratamiento plenamente bíblico y misional del monoteísmo bíblico. Por lo tanto, una parte vital de la auténtica misión cristiana es entender mejor este monoteísmo.

Paradojas de los dioses

¿Algo o nada? Una estatua es una cosa real. Una imagen tallada o moldeada tiene existencia tridimensional en el mundo real. Pero, ¿qué diremos del dios o los dioses que supuestamente representan? ¿Son reales? ¿Existen? ¿Son algo o son nada? ¿Qué creía Israel acerca de los dioses en relación con su propio Dios, YHVH? Esta última pregunta ha fastidiado la mente de los teólogos del Antiguo Testamento durante muchas décadas. Hemos definido al monoteísmo dentro de las categorías genéricas de la religión humana como la creencia de que solo existe una única entidad divina. A la par de la consiguiente negación de la existencia de cualquier otra deidad iniciamos la búsqueda del proceso y del momento en el cual se pudiera decir que Israel había alcanzado en ese sentido el monoteísmo. Es claro que los israelitas expresaban su compromiso con YHVH en términos exclusivos. ¿Significaba eso, sin embargo, que los israelitas categóricamente negaban la *existencia* de otros dioses a los que tenían prohibido adorar?

La respuesta clásica que se ha dado entre los eruditos del Antiguo Testamento ha sido la evolutiva, es decir la del desarrollo, recientemente sintetizada, reorganizada y reeditada por Robert Gnuse.[1] Con variaciones en cuanto a la fecha precisa de las transiciones, esta perspectiva reconstruye la historia religiosa de Israel como procedente del politeísmo (un hecho que se acepta en Josué 24.14) a través del henoteísmo (la exigencia del culto exclusivo de YHVH *por parte de Israel*, mientras se acepta la existencia de los dioses de otras naciones) hasta llegar al verdadero monoteísmo (la explícita negación de la existencia de cualquier otro dios que no fuese YHVH) como una conclusión final y algo tardía del proceso.

Según algunos eruditos la primera y la segunda etapa abarcan la mayor parte de la historia de Israel en tiempos del Antiguo Testamento. Es decir, originalmente no podía distinguirse a la religión israelita de la religión cananea. Luego, durante siglos, el principal movimiento en el seno de Israel consistió en lograr que el pueblo fuese leal a su pacto nacional con YHVH y que no fuera 'tras otros dioses'. Se suponía que los otros dioses tras los cuales podrían sentirse tentados a ir, existían. Yair Hoffman, por ejemplo, sostiene que hasta en las tradiciones deuteronómicas, la frase característica *'ĕlōhîm 'ăhērîm*, 'otros dioses', no niega sino que más bien supone su existencia como dioses. 'Si bien refleja alguna idea de otredad, la frase no certifica que estos dioses fueran considerados como entidades con una esencia totalmente diferente del Dios de Israel. ... Son *otros* dioses por cuanto no son *nuestros*'.[2] Finalmente, solo en el exilio tardío (al que se asigna el texto de Isaías 40—55) alguien en Israel pudo decir con claridad 'que no ha existido nunca ningún otro dios que YHVH'.[3] Solo en esa etapa final se llegó a concebir que la categoría de deidad era una casa con un solo y exclusivo ocupante: YHVH.

---

1 Robert Karl Gnuse: *No Other Gods: Emergent Monotheism in Israel,* JSOT Supplement Series 241, Sheffield Academic Press, Sheffield, 1997). El estudio de Gnuse, desde luego, es solo uno de un gran número de exploraciones eruditas sobre los orígenes y la historia del monoteísmo en la religión israelita, y su bibliografía es una útil guía para dicha literatura. Como se explica en la introducción de la Parte 2, sin embargo, va más allá de nuestro campo ocuparnos de esa cuestión aquí.

2 Yair Hoffman: 'The Concept of 'Other Gods' in the Deuteronomistic Literature', en *Politics and Theopolitics,* ed. Henning Graf Reventlow, Yair Hoffman, y Benjamin Uffenheimer, JSOT Press, Sheffield, 1994, pp. 70-71.

3 Para una crítica general de ese punto de vista evolucionista de la religión de Israel y la reconstrucción histórica en la que se basa, ver Richard Bauckham: 'Biblical Theology and the Problems of Monotheism', in *Out of Egypt: Biblical Theology and Biblical Interpretation,* ed. Craig Bartholomew y otros, Paternoster, Carlisle; Zondervan, Grand Rapids, 2004, pp. 187-232.

En cuanto a este punto de vista, la respuesta a nuestra pregunta sobre si en la religión de Israel existían o no otros dioses depende del momento en el desarrollo cronológico de Israel en que se haga la pregunta. Suponiendo que hubiésemos podido preguntarle a un israelita: '¿Crees que hay otros dioses además de YHVH?', durante un período largo la respuesta que habríamos recibido (según el consenso de la crítica) hubiera sido: 'Pues claro. Hay muchos dioses. YHVH es uno de ellos, y es un dios muy poderoso, de manera que estamos muy contentos de que sea nuestro dios.' Luego, cuando gracias a los profetas y al partido reformista deuteronómico se introdujeron y realzaron las ideas más excluyentes de un pacto nacional, la respuesta habría sido: 'Sí, otras naciones tienen sus propios dioses, pero YHVH es el único Dios que *Israel* debe adorar, ya que en caso contrario enfrentaremos las consecuencias de su enojo.' Ese parecer chocó durante mucho tiempo con un politeísmo popular y más liberal. Finalmente, sin embargo, con el triunfo del partido yahvista 'oficial' durante el exilio tardío y el período posexílico, la respuesta habría sido un firme: 'No, YHVH solo es "*el* Dios", y otros dioses no tienen existencia real en absoluto. Todos esos llamados dioses son, en realidad, ficticios.'

Pero un punto de vista tan prolijo y lineal, es, casi seguramente, eso: demasiado prolijo. Es en exceso simple plantear la pregunta (o su respuesta) en una forma binaria: ¿Existen otros dioses, o no existen? ¿Son algo o nada? La cuestión es más compleja y depende del predicado de dichas preguntas. Lo que hay que agregar a la pregunta es: ¿Otros dioses tienen existencia del mismo orden que el que tiene YHVH? ¿Son el mismo 'algo' que es él [ese mismo 'algo' divino]? ¿O son lo que él no es ['nada', es decir, nada divino]?

La esencia del monoteísmo israelita radica en lo que afirma acerca de YHVH, no primariamente en lo que niega de otros dioses. Con todo, lo que asevera acerca de YHVH tiene consecuencias inevitables para cualquier cosa que pudiera decirse acerca de otros dioses. Comentando particularmente sobre Deuteronomio, y analizando el argumento de Nathan MacDonald de que dicho libro no niega la existencia de otros dioses (y por consiguiente no es formalmente monoteísta, en términos de las categorías del Iluminismo que MacDonald rechaza con acierto como no pertinentes y a la vez perjudiciales en el estudio del Antiguo Testamento), Richard Bauckham hace sutilmente la siguiente observación:

Lo que Israel puede reconocer acerca de YHVH, a partir de sus actos a favor de Israel, lo que distingue a YHVH de los dioses de las naciones es que él es 'el Dios' o 'el dios de dioses'. Esto quiere decir en primer lugar que tiene poder sin rival en todo el cosmos. La tierra, los cielos y lo más alto de los cielos le pertenecen (10.14). En contraste, los dioses de las naciones son nulidades que no pueden proteger ni liberar a sus propios pueblos. Este es el mensaje del cántico de Moisés (ver especialmente 32.37–39). La necesidad de distinguir entre 'los dioses' a YHVH, quien es supremo por sobre los otros que no solamente son subordinados sino impotentes crea, por una parte, los usos 'el Dios' y 'el dios de dioses', y, por otra parte, el despreciativo 'no son Dios' [o 'no-dios'] (32.17; *lo'ᵊloah*; 32.21: *lo'el*), y sus 'meros soplidos de aire' (32.21: *haḇᵊlehem*). Aunque llamados dioses, los otros dioses no merecen el término, porque no son divinidades *efectivas* que actúan con poder en el mundo. YHVH solo es el Dios con supremo poder … (32.39). … No es suficiente observar que Deuteronomio no niega la *existencia* de otros dioses. También deberíamos reconocer que, una vez que prestamos atención a las consecuencias ontológicas que MacDonald admite que tiene que tener la 'doctrina de Dios' de Deuteronomio, esta teología provoca una división ontológica en medio de la antigua categoría 'dioses' tal que YHVH aparece en una clase exclusivamente suya.[4]

Volvamos entonces a la pregunta, ¿los dioses son algo o nada? Si preguntamos *en relación con* YHVH, la respuesta tiene que ser *nada*. Nada hay, en absoluto, que pueda compararse con YHVH, o que aparezca en la misma categoría que él. YHVH no es uno de una categoría genérica rotulada como 'los dioses'. YHVH es 'el Dios', en lo que Bauckham llama la 'unicidad trascendente'.[5] Con referencia al punto planteado por Yair Hoffman arriba, si bien puede ser verdad que la frase 'otros dioses' no supone por sí misma que 'estas deidades fueran consideradas como con una esencia diferente del Dios de Israel', no obstante lo que se dice acerca de YHVH deja perfectamente claro que *él* es de una esencia por completo diferente de la de *ellos*. 'YHVH, él es el Dios; no hay otro fuera de él' (Deuteronomio 4.35, mi traducción).

Pero si se pregunta *en relación con los que adoran* a los otros dioses (las naciones que los consideran sus propias deidades nacionales o incluso en

---

4 *Ibid.*, p. 196.
5 *Ibid.*, p. 211.

relación con la tentación que enfrentaba Israel de 'ir tras' ellos), entonces la respuesta bien puede ser *algo*. Los dioses de las naciones, con sus nombres, estatuas, mitos y sectas, tienen una existencia innegable en la vida, la cultura y la historia de quienes los tratan como sus dioses. No es una tontería redactar oraciones como 'Marduc era un dios adorado por el pueblo de Babilonia'. Solo una pedantería excesiva argumentaría que dado que Marduc no tenía ninguna existencia divina verdadera no tiene sentido decir que alguien lo adoraba. En el contexto de una oración de este tipo (y en todas las descripciones similares de las religiones humanas) tiene sentido hablar acerca de otros dioses como 'algo': algo que existe en el mundo de la experiencia humana. En otras palabras, no es imposible, en sentido teológico o en el discurso ordinario, contestar a la pregunta '¿Son algo o nada otros dioses?' con la paradójica respuesta: 'Ambas cosas. No son *nada en relación con* YHVH; son *algo en relación con sus adoradores*.'

Esta es precisamente la paradoja que Pablo articula con sumo cuidado en su respuesta al problema en Corinto de la carne sacrificada a ídolos. Pablo concordaba con la convicción de quienes en esta cuestión basaban su libertad sobre la *Shema* judía: Hay un solo Dios y Señor, de modo que 'un ídolo no tiene valor alguno en el mundo' (1 Corintios 8.4, DHH). Sin embargo, a renglón seguido Pablo dice 'pues aunque en el cielo y en la tierra existan estos llamados dioses (y en este sentido hay muchos dioses y muchos señores)' (DHH). Hay *algo* aquí, aunque no sea en ningún sentido equivalente al Dios único, el Padre, y el único Señor, Jesucristo. Qué es realmente ese algo, volveremos a tratarlo más adelante (lo mismo que Pablo). Pero su doble aseveración es bastante clara: dioses e ídolos existen en verdad; pero no tienen la existencia *divina* que solamente posee el único Dios viviente.

Si Pablo, judío del primer siglo, basando toda su cosmovisión teológica en las Escrituras que llamamos el Antiguo Testamento, podía sostener esta perspectiva dual, parecería no haber razón por la que fuera imposible, para quienes compartieron su fe en siglos anteriores, aceptar una paradoja similar. Más aun, es la perspectiva de los extraordinarios y polémicos capítulos de Isaías 40—48, por ejemplo. Desde el punto de vista de YHVH, expresada en la elevada poesía del profeta, los dioses son 'no son nada' y, además, 'menos que nada son sus obras' (Isaías 41.24). Sin embargo, desde el punto de vista de los exiliados sumidos en un aplastante complejo de inferioridad, los dioses de Babilonia podían ser desafiados a entrar al tribunal y verse expuestos como impotentes (Isaías 41.21–24), podían ser motivo de burla como inventos humanos (Isaías 44.9–20), podían ser caricaturizados como inclinándose desde el cielo en un inútil intento de salvar, no a sus fieles, para quienes son una carga inútil, sino a sus propios ídolos (Isaías 46.1–2). Toda esta retórica está dirigida a los dioses porque son 'algo', algo que Israel tiene que ver tal como es y como algo de lo que tiene que ser librado, algo que tiene que ser desprestigiado y desechado, para que no vuelva a interponerse en la restauración de Israel al culto de su Dios Redentor.

Lo que era posible para el profeta con seguridad que no era menos posible para el autor de un libro de tal profundidad y sutileza teológica como Deuteronomio. Encontramos allí la misma dualidad paradójica. Por un lado, otros dioses no son nada cuando el punto de referencia o de comparación es YHVH. No puedo encontrar otra forma de entender las siguientes afirmaciones que la de observar que significan simplemente lo que dicen: que solo YHVH es Dios trascendentalmente, único dueño y gobernante del universo.

> El Señor es Dios arriba en el cielo y abajo en la tierra, y ... no hay otro. Deuteronomio 4.39

> Al Señor tu Dios le pertenecen los cielos y lo más alto de los cielos, la tierra y todo lo que hay en ella. Deuteronomio 10.14

> El Señor tu Dios es Dios de dioses y Señor de señores; él es el gran Dios. Deuteronomio 10.17

> ¡Vean ahora que yo soy único!
> No hay otro Dios fuera de mí.
> Yo doy la muerte y devuelvo la vida,
> causo heridas y doy sanidad.
> Nadie puede librarse de mi poder. Deuteronomio 32.39

En el contexto de tales exclamaciones, la pregunta sobre lo que pueden ser otros dioses recibe su veredicto: 'No son Dios' (Deuteronomio 32.17), 'quien no es Dios' (Deuteronomio 32.21). En una palabra, *nada*, nada en comparación con YHVH.

Por otro lado, el mismo libro, al tomar nota de la tentadora atracción y el seductor poder de la cultura religiosa con la que se encontraría Israel cuando cruzara el Jordán (los dioses e ídolos, los lugares sagrados, los símbolos masculinos y femeninos de la fertilidad, el aparente éxito de toda una civilización basada en servir a estos dioses), sabía que al advertir repetidamente a Israel que debía evitar esa idolatría, lo estaban alertando sobre *algo*, algo real y muy peligroso. Más todavía, dado que otras naciones adoraban a cuerpos celestes, los objetos que adoraban eran algo con existencia real ('todo el ejército del cielo; es decir, el sol, la luna y las estrellas', Deuteronomio 4.19). Israel no debía adorarlos porque los astros forman parte del orden creado, y como tales YHWH los ha asignado a 'todas las naciones que están debajo del cielo', no con la intención de que los adoraran sino para ser disfrutados conforme al fin para el cual fueron creados, o sea, proporcionar luz.[6]

Por lo tanto, sería un ejercicio inútil tratar de descifrar los documentos del Antiguo Testamento y ubicarlos a lo largo de una línea de desarrollo religioso progresivo a partir de la errada suposición de que quienes hablan acerca de 'otros dioses', como si en algún sentido tuvieran existencia, no puedan al mismo tiempo haber creído que únicamente YHWH es Dios. La conclusión lógica de un argumento de esa naturaleza sería que una vez convencidos del monoteísmo jamás volveríamos a hablar de 'otros dioses', para que nadie pensara que se les está dando existencia real como divinos. Pero esa sería una restricción absurda al discurso teológico. ¿Cómo, entonces, podría haber siquiera discutido Pablo la relación entre el Dios viviente y los dioses e ídolos del mundo en el cual se llevaba a cabo la misión? ¿Hemos de decir que porque Pablo se refiere a estas cosas, con el objeto de criticarlas, tiene que haber creído en su existencia en algún sentido comparable con la realidad divina del Dios viviente de Israel revelado en Cristo? Tenemos la propia palabra de Pablo de que para nada quería decir eso. No obstante, los especialistas en el Antiguo Testamento repetidamente sostienen que el solo hecho de hacer referencia a los dioses de las

---

6 Como yo lo veo, es significativo que Deuteronomio 4.19 no diga explícitamente que Dios designó los cuerpos celestes para ser adorados. Sencillamente dio estos dones de la creación a todas las naciones, lo cual incluía a Israel. El hecho de que otras naciones efectivamente los adoraban no debía ser imitado por Israel.

naciones alrededor de ellos implica que los israelitas habrán creído en su existencia real en un mismo nivel que YHVH.

Lo que es cierto en relación con Pablo es también cierto para nosotros como cristianos contemporáneos. Tanto el discurso misionológico como la práctica misional necesariamente tienen que tomar en cuenta la existencia (en algún sentido) de otros dioses y del fenómeno de la idolatría. Estos sin duda son 'algo'. Con todo, debemos ocuparnos de ese discurso sin comprometer nuestro monoteísmo bíblico fundamental de que hay un solo Dios vivo, conocido por nosotros en la plenitud de su revelación trinitaria. Si esto no fuera así, entonces seríamos culpables de un politeísmo implícito cuando cantamos palabras semejantes a las siguientes de un himno misionero:

> Donde otros señores a tu lado
>> dominan sin impedimento,
> donde fuerzas que te desafían
>> te desafían todavía hoy… [7]

Podemos cantar esas palabras, desde luego, con la plena seguridad de lo que declara Pablo (basado, recordemos, en Deuteronomio, y quien aparte de su afirmación cristológica, expresaba una paradoja que Deuteronomio habría entendido y aceptado): que, si bien hay muchos dioses y señores en el mundo, en realidad hay un solo Señor y un Dios, de quien y para quien existen todas las cosas. Si *nosotros* podemos cantar palabras así y encarar el tipo de discurso teológico que las subyace sin por ello colocarnos en alguna etapa inferior de evolución religiosa que no alcanza a ser el verdadero monoteísmo, no veo por qué razón sea necesario colocar a un antiguo israelita en alguna ubicación artificial semejante cuando él o ella también cantaba, profetizaba o legislaba haciendo referencia a 'otros dioses' que dominaban a las naciones o desafiaban a YHVH, el único Dios viviente.

Si los dioses no son Dios y sin embargo existen como 'algo', ¿qué son? Si no existen dentro del reino de la verdadera divinidad (el reino en el cual YHVH es solo y exclusivo titular), entonces tienen que existir dentro del único otro reino de existencia: el orden creado. Y si son entidades creadas, tienen que existir dentro del mundo de la

---

7 Frank Houghton: 'Facing a Task Unfinished', 1930 © Overseas Missionary Fellowship.

creación *física* (que se subdivide en el orden natural creado por Dios y los productos de manufactura humana) o en el mundo *invisible* de los espíritus no humanos también creados por Dios. La Biblia nos ofrece las tres formas de categorizar al 'algo' de la idolatría. Los ídolos y los dioses pueden ser (1) objetos dentro de la creación visible, (2) demonios, o (3) productos de manos humanas.

Ídolos y dioses como objetos dentro de la creación. En la creación física estaba muy claro en Israel que algunas personas consideraban a los cuerpos celestes como dioses y los adoraban, en tanto que otros hacían lo propio con la criaturas en la tierra, ya sea animales no humanos o incluso a otros seres humanos. Desde luego, dado que son creados por Dios, ninguno de estos debería ser en sí mismo objeto de adoración. Es interesante que la advertencia que leemos en Deuteronomio 4.15–21 contra esas deificaciones del orden creado enumera los objetos así adorados (casi seguramente en forma deliberada) en orden directamente opuesto al orden de su creación en Génesis 1: humanos, masculino y femenino; animales terrestres; aves del aire; peces en las aguas; el sol, la luna y las estrellas. El efecto retórico se iguala con la inferencia teológica: cuando la gente adora a la creación en lugar del Creador, todo queda invertido. La idolatría produce desorden en todas nuestras relaciones fundamentales.

El culto a los cuerpos celestes era tan antiguo como extendido, pero era incompatible con la fe de Israel en YHVH como Creador. Así, hasta en boca de Job (a quien no se describe como israelita pero es alabado por el relator y por el propio YHVH como un devoto adorador de Dios), vemos esa actitud rechazada como pecado e infidelidad.

¿He admirado acaso el esplendor del sol
o el avance esplendoroso de la luna,
como para rendirles culto en lo secreto
y enviarles un beso con la mano?
¡También este pecado tendría que ser juzgado,
pues habría yo traicionado al Dios de las alturas! Job 31.26–28

Aun así, está claro que el culto astral infectó por momentos seriamente a Israel. Amós 5.26 ofrece pruebas de ello ya en el siglo ocho a.C.[8]

8 El texto es bastante difícil (ver la nota al pie en la NVI) pero es indudable que se refiere al culto a los dioses

Está incluido en la lista de idolatrías por las que el reino del norte de Israel fue juzgado y destruido (2 Reyes 17.16). Manasés y Judá agregaron el culto a las huestes estelares a todos los otros males acumulados durante su período (2 Reyes 21.3–5). Hasta después de la gran purificación reformatoria de Josías, Ezequiel en su visión en el templo se horrorizó al ver a la gente en los atrios del templo inclinándose ante el sol en el este, con sus partes posteriores (literalmente) elevados hacia el templo del Señor (Ezequiel 8.16). Los dioses estelares eran las deidades más fuertes en las culturas mesopotámicas, de modo que esas acciones probablemente tenían por objeto aplacar a los dioses de su más poderoso enemigo contemporáneo: Babilonia. En Isaías 40.26 la actitud hacia tales deidades astrales fue muy diferente. Invitando a los exiliados (tal vez deslumbrados por el poder aparente de estos dioses de sus conquistadores) a levantar la vista a los cielos, el profeta pregunta sencillamente: ¿Quién creó a todos estos? La pregunta los desenmascara. Las estrellas no son dioses todopoderosos que controlan los destinos de las naciones. Ni siquiera son dioses en absoluto. Son simplemente criaturas del Dios viviente, convocados y controlados por su autoridad.

El culto a la creación animal no humana también es común, y en el contexto del antiguo Israel estaba asociado particularmente con Egipto, donde una variedad de animales y reptiles habían sido deificados. Hay menos indicios de que el culto a los animales haya infectado el culto en Israel, pero nuevamente es Ezequiel quien se horrorizó cuando le mostraron los setenta ancianos de Israel (la frase rememora el papel que dicho grupo había representado en la comunión pactual con YHVH en el Sinaí [Éxodo 24.9–11]), en un cuarto oscuro lleno de humo del templo, adorando a 'reptiles y … otros animales repugnantes' (Ezequiel 8.9–12). Algunos comentaristas sugieren que esta pudo haber sido una acción política encaminada a asegurar la ayuda de las fuerzas egipcias contra Babilonia, suplicando a sus dioses teriomórficos (con forma de animales). De ser así, indicaría la avanzada degradación del culto en el templo durante la monarquía tardía, cuando algunos líderes apelaban a los dioses de Babilonia y otros, en unos cuartos un poco más allá, apelaban a los dioses de Egipto.

---

astrales.

Ídolos y dioses como demonios. Pasando al orden creado no físico, Israel estaba muy compenetrado de las huestes del cielo, los seres espirituales que rodean el asiento del supremo gobierno de Dios, que sirven a los propósitos de Dios y cumplen las órdenes de Dios. Mayormente porque Israel también tenía conciencia (si bien le prestaban menos atención teológica) de la existencia de entidades dentro de esa exaltada compañía que *cuestionaban* a Dios (como hizo 'Satán', el acusador, en Job 1) o que *desafiaban* su veracidad y benevolencia (como hizo la serpiente, sea lo que fuere lo que representa, en Génesis 3) o que *acusaban* a los siervos de Dios (como lo hizo Satán contra Josué, el sumo sacerdote posexílico, en Zacarías 3.1–2). Tales espíritus, sea como fuere que se los considerara, permanecen totalmente sujetos a la autoridad de YHVH, de modo que hasta un 'espíritu mentiroso' puede ser despachado a servir el propósito del juicio contra Acab (1 Reyes 22.19–23).

Solo raras veces los textos del Antiguo Testamento conectan el culto de otros dioses con los demonios, pero el que sean raros los casos no debería llevarnos a pasar por alto el hecho de que la relación existía, porque sabemos que el tema fue retomado y ampliado teológicamente en el Nuevo Testamento. Así, por ejemplo, lo hace Pablo, indudablemente con lo que él consideraba legitimidad escrituraria, y denuncia que el flirteo con los ídolos podía llevar a una participación con los demonios (1 Corintios 10.18–21).

Si bien el Antiguo Testamento no contiene reflexiones teológicas sobre esta evaluación de la idolatría (es decir, como el culto a los demonios), se trataba del desarrollo natural de la comprensión de Israel: los dioses 'mudos' de los paganos tenían efectivamente poderes sobrenaturales. Dado que había un solo Dios, dichos poderes no podían ser atribuidos a un dios; en consecuencia surgió la creencia de que los ídolos representaban espíritus demoníacos.[9]

La conexión parecería haberse efectuado en un período temprano por cuanto el primer texto que habla específicamente de otros dioses como demonios es el Cántico de Moisés en Deuteronomio 32, que muchos entendidos reconocen como poesía israelita muy temprana.[10]

---

9 Gordon D. Fee: *The First Epistle to the Corinthians*, New International Commentary on the New Testament, Eerdmans, Grand Rapids, 1987, p. 472.
10 Levítico 17.7 prohíbe a los israelitas sacrificar animales a los 'machos cabríos' *(śĕ 'îrîm)*. Esto puede referirse a los demonios que se suponía que adoptaban formas de cabras, como 'sátiros', en los lugares desérticos. Aun

Lo provocó a celos con dioses extraños
y lo hizo enojar con ídolos detestables.
Ofreció sacrificios a los demonios, que no son Dios.
Deuteronomio 32.16–17; ver el v. 21[11]

El Salmo 106 tiene un propósito similar al de Deuteronomio 32:
narra la historia de la infidelidad de Israel en contraste con todo lo
que Dios había hecho por ellos como modo de vindicar el juicio que
había caído sobre Israel y del que ahora pedían que se los salvara.
También como en Deuteronomio 32, el enfoque principal recae sobre el pecado de la idolatría. Primero, se menciona la idolatría del
becerro de oro en el monte Sinaí (Salmo 106.19–20, ¡en un contraste
sarcástico entre YHVH como la 'gloria' de Israel y 'la imagen de un
toro que come hierba'!). Segundo, se recuerda la terrible apostasía
en Baal Peor, donde se describe a los dioses como 'ídolos sin vida'
(Salmo 106.28, literal: 'comieron sacrificios de unos muertos/cosas
muertas'). Finalmente, cuando Israel, contra todas las instrucciones
recibidas, siguió las prácticas cúlticas de los cananeos (literal: 'apren-
dieron lo que hacían ellos').

Se mezclaron con los paganos
y adoptaron sus costumbres.
Rindieron culto a sus ídolos,
y se les volvieron una trampa.
Ofrecieron a sus hijos y a sus hijas
como sacrificio a esos demonios.
Derramaron sangre inocente,
la sangre de sus hijos y sus hijas.
Al ofrecerlos en sacrificio a los ídolos de Canaán,

cuando no se los describe como dioses, la prohibición muestra claramente que cualquier sacrificio a tales cosas
(sean lo que fueren) era incompatible según el pacto con la adoración exclusiva a YHVH. Pueden haber sido incluidos en la idolatría de Jeroboán (2 Crónicas 11.15). Además, algunos eruditos piensan que el misterioso 'Azazel',
al que uno de los machos cabríos fue llevado en el día de la expiación ritual (Levítico 16.8, 10, 26), pudo haber
sido un demonio del desierto. Pero esto es discutible por cuanto el significado de la palabra (que solo aparece en
este contexto) es desconocido. Además, no se sugiere ninguna conexión explícita con ningún otro dios (y de todos
modos sería inconcebible como parte del ritual del día más santo de Israel). Ver John E. Hartley: *Leviticus*, Word
Biblical Commentary 4, Word, Dallas, 1992, pp. 236-238, 272-273.
11 'Demonios' en el v. 17 es el heb *šēdîm*. Esta palabra extraña se encontraba solo aquí en Salmo 106.37. Es un
cognado de la palabra acádica *sedu*, que en la antigua religión mesopotámica se refería a espíritus protectores que
se asociaban con los muertos. La asociación con los sacrificios humanos, mencionados en el Salmo 106, también
está comprobada en la religión mesopotámica.

su sangre derramada profanó la tierra.
Salmo 106.35–38

Más adelante volveremos a considerar la estrecha conexión que aquí se menciona entre idolatría como algo demoníaco y el derramamiento de sangre inocente.

Deuteronomio 32 y Salmo 106 son los únicos dos pasajes del Antiguo Testamento que de manera explícita equiparan a los dioses y los ídolos con demonios. Encontramos algunos indicios en otros pasajes: Salmo 96.5, por ejemplo, habla del culto de los pueblos no israelitas y desecha sus dioses como *'ĕlîlîm*. En esta ocasión la Septuaginta tradujo ese término con *daimonia* (demonios), pero en otras partes la palabra *'ĕlîlîm* no significa necesariamente demonios sino más bien algo sin valor, débil, sin poder, inútil, de ningún valor (p. ej., Isaías 2.8, 20; 19.1; 31.7; Habacuc 2.18). También es posible que Isaías 65.11 (que describe prácticas de culto para 'Fortuna' y 'Destino') pudiera considerar que sus devotos les asignaban algún tipo de fuerza espiritual que debía ser aplacada o importunada. También podríamos considerar el uso por Oseas de la frase 'espíritu de prostitución': ¿estaba sugiriendo más que un desorden sicológico, pensando quizás en la operación de un poder más-que-humano en ese *rûah*, 'espíritu', que 'los ha descarriado' porque está 'dentro de ellos', en sus corazones (Oseas 4.12; 5.4, BA)? De forma semejante, Zacarías hace un paralelo entre 'los nombres de los ídolos' y el espíritu de 'impureza que los inspira', con un sugestivo anticipo de la referencia corriente en los Evangelios a 'espíritus inmundos' (Zacarías 13.2). La dimensión demoníaca es cuando menos una posibilidad en textos como estos. Pero, para repetirlo, Deuteronomio 32.16–17 y Salmo 106.19–20 parecerían ser los únicos textos que hacen explícita la conexión.

Con todo, proporcionaron fundamentos bíblicos para la contundente aseveración de Pablo de que 'cuando ellos [los paganos] ofrecen sacrificios, lo hacen para los demonios, no para Dios' (1 Corintios 10.20). Esta convicción es consistente con la evaluación teológica de la idolatría que hace el apóstol en otras partes. En la que probablemente fue su carta más antigua Pablo recuerda cómo los tesalonicenses 'se convirtieron a Dios dejando los ídolos para servir al Dios vivo y verdadero' (1 Tesalonicenses 1.9), con 'la clara inferencia de que su culto anterior lo era a ídolos falsos y muertos'.[12] En el relato de Lucas con la descripción de Pablo ante Agripa, y de su encuentro con el Jesús resucitado, Pablo considera este volverse de los ídolos como equivalente a ser librado del poder de Satanás (Hechos 26.18). En sentido inverso, el libro de Apocalipsis presenta a los finalmente impenitentes y rebeldes como aquellos que, aun después de las primeras manifestaciones del juicio de Dios, se niegan a apartarse de su idolatría: No 'se arrepintieron de sus malas acciones ni dejaron de adorar a los demonios y a los ídolos de oro, plata, bronce, piedra y madera, los cuales no pueden ver ni oír ni caminar' (Apocalipsis 9.20).

Podría agregar que incluso Jesús, cuando fue tentado por Satanás a que se postrara y lo adorara, reconoció la naturaleza idolátrica de esa tentación resistiéndola con un texto tomado de Deuteronomio: 'Adora al Señor tu Dios y sírvele solamente a él', texto seguido inmediatamente por las palabras, 'No sigas a esos dioses de los pueblos que te rodean' (Mateo 4.10; Deuteronomio 6.13–14). Satanás no es más que una de las criaturas de Dios, cualquiera haya sido su origen angélico y su poder espiritual. Así que, dado que Jesús ya ha sido identificado en el relato del Evangelio como el Hijo de Dios (Mateo 3.17), queda al descubierto la absurda insolencia de la propuesta de Satanás: imaginar que Dios mismo podía ser tentado a postrarse ante una de sus criaturas. Dado que Mateo ve a Jesús, el hombre y el Mesías, ocupando la identidad y el lugar de Israel, y siendo probado como ellos en el desierto, se trataba de una cuestión seria saber si él también podía ser atraído a la idolatría de las naciones adorando al Satán que estaba por detrás de los dioses de las naciones. El nexo reversible está claro: adorar a otros dioses es adorar a demonios satánicos; postrarse ante Satanás es tratarlo como un ser divino, que no lo es, y de este modo ser infiel al Dios vivo de Israel.

Ídolos y dioses como obra de manos humanas. Volviendo al Antiguo Testamento, si la descripción de los dioses e ídolos como *demonios* es rara, la descripción que Apocalipsis 9.20 coloca a su lado ('las obras de sus manos', BA) es perspicaz y típica. Más aun, después del hecho de que la idolatría es fundamentalmente rebelión contra el Dios vivo, es quizás la base

---

12 Brian Wintle: 'A Biblical Perspective on Idolatry', en *The Indian Church in Context: Her Emergence, Growth and Mission,* ed. Mark T. B. Laing, CMS/ISPCK, Delhi, 2003, p. 60.

principal de la crítica de la idolatría en el Antiguo Testamento. El ídolo no es ni siquiera una criatura *viva*, sino meramente el *artefacto* hecho por una criatura. ¿Qué derecho puede tener a la pretensión de ser divino?

Debemos tomar en serio esta percepción bíblica y demostrar la fuerza de esta acusación con algunos textos representativos del Antiguo Testamento. La expresión 'obra de manos humanas' (*ma ʿăśēh yĕdê-ʾādām*) se aplica despectivamente a otros dioses una cantidad de veces. Ezequías, por ejemplo, no se sorprende de que los asirios hayan podido derrotar a otras naciones y al mismo tiempo destruir a sus dioses. Esto fue lo que el general asirio Rabsaces había esperado que persuadiera a Ezequías de que a su propio pequeño dios YHVH no le iría mejor. Pero Ezequías sabía más. De modo que oró pidiendo ayuda para que el resto del mundo pudiera saber más también (una interesante perspectiva misional que consideramos en las pp. 126-127). Así comenta Ezequías, en su oración: 'Es verdad, SEÑOR, que los reyes asirios han asolado todas estas naciones y sus tierras. Han arrojado al fuego sus dioses, y los han destruido, *porque no eran dioses* [*o no eran Dios*] sino solo madera y piedra, obra de manos humanas. Ahora, pues, SEÑOR y Dios nuestro, por favor, sálvanos de su mano, para que todos los reinos de la tierra sepan que solo tú, SEÑOR, eres Dios' (2 Reyes 19.17–19, énfasis agregado).[13]

Los salmistas también se unieron al desdén:

> Sus ídolos son de oro y plata,
>> producto de manos humanas.
> Tienen boca, pero no pueden hablar;
>> ojos, pero no pueden ver;
> tienen oídos, pero no pueden oír;
>> nariz, pero no pueden oler;
> tienen manos, pero no pueden palpar;
>> pies, pero no pueden andar;
> ¡ni un solo sonido emite su garganta!
>> Semejantes a ellos son sus hacedores,
> y todos los que confían en ellos. Salmo 115.4–8 (ver Salmo 135.15–18).

Los profetas, como sería de esperar, adoptan la misma retórica

---

13 Lo que quiere señalar aquí el historiador deuteronómico, en boca de Ezequías, hace eco a la misma evaluación sobre los ídolos que se hace en Deuteronomio 4.28.

polémica:

> Con su plata y con su oro
>> se hacen imágenes
> para su propia destrucción. ...
>> Ese becerro no es Dios;
> es obra de un escultor. Oseas 8.4, 6

> Se fabrican, según su ingenio,
>> imágenes de fundición e ídolos de plata
> que no son más que obra de artesanos. Oseas 13.2

> ¿De qué sirve una imagen,
>> si quien la esculpe es un artesano?
> ¿De qué sirve un ídolo fundido,
>> si tan solo enseña mentiras?
> El artesano que hace ídolos que no pueden hablar
>> solo está confiando en su propio artificio.
> ¡Ay del que le dice al madero: 'Despierta',
>> y a las piedra muda; 'Levántate'!
> Aunque están recubiertos de oro y plata,
>> nada pueden enseñarle,
> pues carecen de aliento de vida. Habacuc 2.18–19

Estas denuncias incisivas solo son superadas por los otros dos grandes textos proféticos que destacan los orígenes humanos de los ídolos: Jeremías 10.3–5, 9, 14 e Isaías 40.18–20; 44.9–20. Estos dos textos son demasiado largos para transcribirlos, pero es preciso que sean leídos para sentir la plena fuerza del ataque de Israel a la idolatría de factura humana.

Es en relación con esto que los eruditos contemporáneos acusan con frecuencia al antiguo Israel de ignorancia e ingenuidad. Se sostiene que los israelitas consideraban todo culto pagano como nada más que fetichismo. Los israelitas pensaban erróneamente (se nos dice) que los adoradores paganos consideraban que los ídolos físicos tenían vida y poder en sí mismos. Y como obviamente no los tenían, todo el espectáculo les resultaba risible. No alcanzaban (los israelitas) a observar la distinción entre los ídolos como imágenes por un lado, y los dioses o poderes celestiales que esa imágenes representaban en la mente y la devoción de sus adoradores, por otro lado. Comprometidos ellos mismos con el culto no icónico (es decir, el culto de YHVH sin imágenes), Israel no podía entender ni evaluar la sutileza del culto icónico que veía a su alrededor. La verdadera dinámica espiritual y sicológica del uso de ídolos en el culto no era captada por los israelitas, de manera que sencillamente se burlaban de aquello que no entendían.

Un ejemplo de esta suposición la encontramos en el por lo demás excelente artículo de John Barton. Sostiene que desde la época de Isaías:

> Se desarrolla la tradición de ver a los 'ídolos', no como las distorsionadas representaciones de la verdadera deidad, sino como imágenes de dioses falsos, y luego la de identificar a otros dioses con sus imágenes, como si la imagen fuera lo único que había. Con frecuencia se ha notado que esto es, en un sentido, injusto para con los que usan imágenes en el culto. El iconoclasta ve solo la imagen y piensa que el adorador que la usa se está postrando ante un mero objeto físico. Pero esta es la interpretación del iconoclasta sobre lo que está haciendo el que adora. Para el que la adora, la imagen es una representación de un poder divino, que no es agotado por la imagen sino que ésta de algún modo lo simboliza o lo encapsula. Aun así, esta interpretación 'injusta' de los ídolos se estableció como la principal línea de pensamiento acerca de las imágenes en las páginas del Antiguo Testamento.[14]

Así sigue el argumento, generalmente con la advertencia de que debemos evitar el mismo tipo de condenación por ignorancia sobre aquellos cuyos objetos o formas de culto difieren de los nuestros. Esta manera de neutralizar la condena de la idolatría del Antiguo Testamento resulta particularmente atractiva para los que favorecen el pluralismo religioso.[15] También es una forma de ceder ante nuestro propio sentido de superioridad religiosa (y moral) frente al Antiguo Testamento. Dado que ahora, como resultado de las modernas investigaciones antropológicas sobre la religión humana, entendemos la verdadera dinámica espiritual de aquello que —se nos invita a creer— Israel lamentablemente ridiculizó, no tenemos por qué sentirnos limitados por el estrecho e ignorante

---

14 John Barton: 'The Work of Human Hands' (Ps 115:4): Idolatry in the Old Testament', *Ex Auditu* 15 (1999): 67.
15 Ver, p. ej., la perspectiva pluralista en W. Cantwell Smith: 'Idolatry in Comparative Perspective', en *The Myth of Christian Uniqueness*, ed. John Hick y Paul F. Knitter, Orbis, Maryknoll, N.Y.; SCM Press, Londres, 1987, pp. 53-68.

exclusivismo de estos textos polémicos del Antiguo Testamento.

Sin embargo, me parece que esta teoría ampliamente defendida es un malentendido todavía más injusto para con los israelitas que el que se les atribuye. Porque me parece que está muy claro que el autor de la gran polémica contra los dioses de Babilonia entendía la distinción que existía entre los ídolos físicos mismos y los dioses que representaban. Entendía tan bien la teología pagana sobre este punto que podía utilizarla en forma de tira cómica para criticar a los ídolos, a los dioses y a sus adoradores conjuntamente. Así, en Isaías 46.1–2 representa a los grandes dioses babilónicos en el cielo, Bel y Nebo, y los ubica inclinados hacia la tierra. ¿Por qué? Porque sus ídolos están en peligro de caer de los carros tirados por bueyes en los que han sido cargados. El profeta entiende perfectamente bien que las estatuas no eran, en el pensamiento babilónico, los dioses mismos. Los dioses estaban invisibles en alguna otra parte 'allí arriba'. Sus estatuas estaban visibles 'aquí abajo'. Sin embargo, dondequiera se suponga que estaban esos dioses según la cosmovisión babilónica, y sea lo que fuere lo que se pensaba que eran, lo que el profeta declara es que cuando llega el momento crítico son impotentes para salvar a sus propias estatuas, y menos todavía salvar a quienes les ofrecen culto. Todo lo contrario, los dioses se vuelven una carga para quienes los adoran, los cuales se sienten obligados a tratar de salvar sus estatuas de cualquier forma disponible, aun indigna. Los dioses en el cielo babilónico tienen que abandonar sus estatuas a la ridícula inseguridad por las calles de Babilonia en los tambaleantes carros tirados por bueyes.

La sátira del profeta no está basada en una ingenua ignorancia sino en un penetrante discernimiento. Toda la fuerza de esta tira cómica *presupone y depende de* su comprensión de la distinción babilónica entre las imágenes y los dioses que representaban. Sabía perfectamente bien que los babilonios distinguían entre sus estatuas de ídolos y los dioses que representaban. Lo que quiere demostrar el autor es que el manifiesto fracaso de los así llamados dioses hasta para salvar a sus propios ídolos, resultaba risible.

También hay indicaciones en textos narrativos más antiguos de que los israelitas no eran tan obtusos como el complejo de superioridad pluralista querría hacer creer. Percibían que una estatua o un altar no era en sí mismo lo mismo que el dios que se suponía que representaba. Sin embargo, esto no les impedía burlarse de la impotencia de los supuestos dioses. Joás, el padre de Gedeón, se enfrenta a la multitud hostil después de que su hijo destruyó el altar dedicado a Baal y derribó el poste de Aserá. Sus palabras captan brillantemente la insensatez de un dios que requiere defensa, cuando se suponía que tener un dios era para que *él* o *ella nos* defendieran. Cuando menos un dios tendría que poder defender su propio territorio y su tótem. '¿Acaso van ustedes a defender a Baal? ¿Creen que lo van a salvar? ... Si de veras Baal es un dios, debe poder defenderse de quien destruya su altar' (Jueces 6.31).

La tendencia de Baal a desaparecer 'sin permiso', cuando más lo necesitaban sus devotos, hizo que Elías se expresara más sarcásticamente aún. Acab le había construido un altar y un poste para Aserá. Jezabel tenía cuatrocientos profetas para servir a Baal. Pero dondequiera estuviese en la realidad espiritual, no estaba en el altar de sus demenciales devotos en el monte Carmelo. La burla de Elías es un argumento *ad hominem* dirigido a la suposición de ellos de que *sí era* un dios, después de todo, de manera que si no estaba allí debía estar en 'alguna otra parte'. '¡Griten más fuerte!', les decía. 'Seguro que es un dios, pero tal vez esté meditando, o esté ocupado o de viaje. ¡A lo mejor se ha quedado dormido y hay que despertarlo!' (1 Reyes 18.27).

Otro relato sumamente cómico podría verse con la deliberada intención de contradecir la idea de que los objetos físicos se han de identificar simplemente con los dioses que representan. Los israelitas imaginaban que, llevando el arca del pacto al campo de batalla, podía obligar a YHVH a hacerse presente y apoyarlos. Inicialmente los filisteos pensaban lo mismo y temblaban. Pero los acontecimientos demostraron que ambos bandos estaban equivocados en cuanto a sus suposiciones (1 Samuel 4.1–11). YHVH no debía ser identificado con ningún objeto físico que Israel pudiera manipular, ni siquiera algún objeto propuesto por él y construido siguiendo sus propias especificaciones. Entonces, mientras el arca hace su circuito no solicitado alrededor de las ciudades de los filisteos, esto aprenden a distinguirlo del Dios de Israel al que representa. El arca es el objeto físico presente, pero la mano de YHVH, el Dios de Israel, los castiga

(1 Samuel 5.6–12). Si los propios filisteos pudieron percibir esto acerca del Dios de Israel, ¿cuánto más podían hacerlo el relator y los lectores israelitas, y llegar a la misma conclusión acerca del dios de los filisteos, Dagón, y su ídolo? El hecho de que el ídolo cae al suelo dos veces (perdiendo la cabeza y las manos la segunda vez) claramente significa que el supuesto poder divino de Dagón no podía mantener a su propia estatua en posición vertical delante del símbolo del Dios de Israel (1 Samuel 5.2–4). El contenido cómico y la presuposición teológica son los mismos de los que se vale Isaías 46.1–2 contra los poderosos dioses de Babilonia.

Esto nos retrotrae a nuestra cuestión principal. Los israelitas, plenamente conscientes de lo que se suponía que significaban *los ídolos* para quienes se inclinaban ante ellos, no obstante los reprobaban como 'la obra de manos humanas'. Entonces, ¿qué significaba esto para los *dioses* que los ídolos representaban? La conclusión ineludible tiene que ser que los salmistas y los profetas no hacen distinción alguna entre las imágenes y los dioses que representaban —*no porque no supieran que esa distinción estaba allí en las mentes de los adoradores paganos, sino porque, en última instancia, no había tal distinción en la realidad.*

Los ídolos visibles eran, obviamente, de fabricación humana. Sea lo que fuere lo que se suponía que eran los dioses (según sus propios devotos, o según los israelitas tentados a unirse a ellos), tampoco eran otra cosa que construcciones humanas. Los supuestos dioses que eran representados por los ídolos no tenían realidad *divina* alguna ni poder *divino*, porque esa realidad y ese poder pertenecían solo a YHVH. El hecho de que se pensara que los dioses, en los mitos y en el culto de sus devotos, habitaban otra esfera generalmente invisible para los humanos, no hacía ninguna diferencia a su verdadera naturaleza como producto de la imaginación humana. La sola invisibilidad no constituía prueba de divinidad. De modo que, al declarar que los ídolos, que cualquiera podía ver que habían sido fabricados por el esfuerzo y la habilidad humanos, eran 'la obra de manos humanas', los israelitas hacían mucho más que simplemente afirmar lo obvio. ¡Después de todo, los adoradores paganos habrían estado de acuerdo en esto! Las estatuas idolátricas eran por cierto obra de manos humanas y mentes paganas. No solamente sabía esto todo el mundo, hasta se jactaban de la destreza desplegada y el costo de la producción de esas grandes imágenes (como sigue siendo cierto en países, como la India, donde los ídolos constituyen parte importante de la religión popular). Más bien, los teólogos israelitas *incluían* en esa evaluación todo lo que sus devotos creían que los ídolos representaban, incluidos también los supuestos dioses. Los dioses no eran menos construcciones humanas que sus estatuas.

John Barton ve a Isaías como aquel a quien Israel le debía esta comprensión reveladora acerca de los dioses, los cuales no eran fuentes alternativas de poder *divino* sino simplemente 'productos' humanos.[16]

[Isaías] se aparta de la idea de que otros dioses constituyen fuentes alternativas de poder, independientes de YHVH, y en cambio los presenta como productos de elaboración humana. Mientras que para Oseas está mal buscar alianzas con otras naciones porque esto supone verse enredados con sus dioses, que son amenazadoras fuentes alternativas de poder prohibidas para los israelitas, Isaías considera la confianza en naciones foráneas como confianza en fuentes puramente humanas de poder. 'Los egipcios ... son hombres y no dioses; sus caballos son carne y no espíritu' (Isaías 31.3). Los dioses de otras naciones no son, tampoco, dioses en absoluto, sino funciones humanas: son de fabricación humana y pueden ser descritos como 'obra de sus manos' (2.8). Confiar en un dios extranjero no es confiar en otra fuente [divina] de fortaleza, ni siquiera fortaleza prohibida, sino confiar en algo que han ideado seres humanos y que por lo tanto no es más fuerte que ellos. Así, no se habla de *apostasía* cúltica en Isaías en el sentido de abandonar a Yahvéh por otros dioses que son reales, sino más bien de *estupidez* cúltica, de adorar como fuente divina de fortaleza algo que no tiene más poder que los adoradores mismos.[17]

Según mi parecer Barton tiene toda la razón en esto.[18] Ha percibido algo bastante radical y profundo en la evaluación de la idolatría, y algo que tiene una significación misionológica. Esos dioses que la gente adora, que no es el único Dios vivo, son algo dentro del orden creado, sin ninguna realidad divina objetiva. Cuando no son objetos

---

16 Barton: 'Work of Human Hands', pp. 63-72.
17 *Ibid.*, p. 66.
18 Excepto que yo no entendería la diferencia entre Oseas e Isaías en los mismos términos en que los entiende Barton. Dudo que Oseas haya imaginado que los otros dioses de las naciones con los que Israel se estaba envolviendo políticamente tuviesen realidad divina objetiva alternativa a la de YHVH ni más ni menos que Isaías (particularmente en vista de la forma en que él también los desecha en Oseas 8:4, 6; 13:2; 14:3 por ser productos humanos). De manera que si bien creo que Barton entiende correctamente el significado de Isaías, no estoy convencido de que haya sido un 'descubrimiento' en la medida en que él lo cree.

dentro de la creación física (tales como el sol y las estrellas o seres vivientes), cuando no son demonios o espíritus de algún tipo, entonces deben ser (y se describen comúnmente como) 'obra de manos humanas'. *Los supuestos dioses no son, de hecho, diferentes de los ídolos que los representan; ambos son construcciones humanas.* Al ofrecerles culto nos unimos a ellos en alianza, les atribuimos poder y autoridad, nos sometemos a algo que nosotros mismos hemos creado. En último análisis, la sátira de Isaías 44.9–20 no está desacertada. *En principio* no hay diferencia entre el fetichista doméstico y el sofisticado adorador de íconos de los grandes dioses de Babilonia. Sea que se dirija al pedazo de madera que ha tallado para sí mismo como si realmente fuera un dios (Isaías 44.17) o que invocara a los dioses estatales invisibles representados en las doradas estatuas (Isaías 46.7), el que adora está dedicado a un ejercicio inútil. Uno es tanto el producto de la imaginación humana colectiva como la otra es obra de manos humanas individuales. No hay salvación alguna en ninguno de los dos.

Resulta significativo que la mayoría de las referencias a dioses e ídolos como obras de manos humanas aparecen en contextos en los que se trata principalmente de dioses nacionales o estatales. Porque es en estos casos que el poder de los dioses parecería ser mayor y donde la firme declaración de Israel es tanto más contracultural y polémica. ¡Con seguridad que estos grandes dioses nacionales son divinidades fuertes y poderosas! Por cierto que no, responden los profetas; no tienen más poder que las personas que los fabrican. Y, desde luego, al hacerlos, los gobernantes de las naciones han incorporado en ellos su propio orgullo, su propia ambición y agresividad. Los dioses nacionales constituyen la extrema deificación del orgullo humano; pero, no obstante, siguen siendo construcciones humanas.

Porque, por ejemplo, ¿qué significaba en realidad decir que los grandes dioses de Asiria habían derrotado a los dioses inferiores de las naciones más pequeñas en torno a Judá? Solamente que el rey asirio y sus ejércitos habían saqueado esos países con gran crueldad y avaricia (Isaías 10.12–14). Esa fue, justamente, la identificación hecha por el rey asirio y su portavoz (2 Reyes 18.33–35). Dentro de esa cosmovisión, lo que ocurría en la esfera de los reyes y sus ejércitos reflejaba lo que ocurría en la esfera de los dioses. De modo que no había problema en que un rey afirmara haber derrotado a los dioses. Los reyes y los dioses eran intercambiables, tanto en la gramática como en el terreno. Los profetas israelitas aceptaban esta cosmovisión en un nivel pero la rechazaban por completo en el otro. El campo internacional era, por cierto, la esfera de la acción divina (esa era la parte en la que estaban de acuerdo). Pero lejos de ser un campo lleno de dioses que chocaban entre sí (esa era la parte que rechazaban), había un solo ser divino activo en él: YHVH, el Dios de Israel, de quien Ezequías podía decir, 'Solo tú eres el Dios de todos los reinos de la tierra. Tú has hecho los cielos y la tierra' (2 Reyes 19.15). Los dioses a los que los asirios atribuían su victoria, tanto como los dioses de las naciones que habían saqueado, 'no eran dioses' o 'no eran Dios', es decir, no tenían participación alguna en la soberana realidad divina (que pertenecía exclusivamente a YHVH) sino que eran 'obra de manos humanas' (v. 18).

Habacuc hace la misma afirmación. Habiendo descrito con gráficos detalles la arrogancia, la violencia, la destrucción humana y ecológica de la expansión imperial de Asiria (Habacuc 2.3–17), se burla de la idea de que sus dioses pudieran ofrecer defensa alguna contra el destino que les había de tocar por la mano del Señor. Ese es el contexto de los versículos que siguen y el motivo de su desprecio, que va seguido de la acostumbrada burla sobre la madera y la piedra, adornadas con plata y oro pero desprovistas de vida y aliento:

> ¿De qué sirve una imagen,
>> si quien la esculpe es un artesano?
> ¿De qué sirve un ídolo fundido
>> si tan solo enseña mentiras?
> El artesano que hace ídolos que no pueden hablar
>> solo está confiando en su propio artificio. Habacuc 2.18

Difícilmente podría haber una articulación más clara de lo que creían los profetas de Israel acerca de los grandes dioses estatales de sus enemigos imperiales que este solo enunciado: 'El artesano que hace ídolos que no pueden hablar solo está confiando en su propio artificio' (lit. 'el artesano confía en lo que ha hecho'). No hay poder divino alguno en, ni detrás, ni arriba, ni debajo de los ídolos. No son representaciones de la deidad sino ficciones humanas. En contraste, Habacuc prosigue:

> En cambio, el Señor está en su santo templo;
> ¡guarde toda la tierra silencio en su presencia! Habacuc 2.20

Si esto era así para los propios asirios adoradores de ídolos (que sus dioses eran obra de manos humanas), entonces esa misma acusación terminante podía hacerse contra esos *israelitas* que optaban por adorar a los dioses de Asiria (o de cualquier otra nación) como medio de cimentar una alianza o de lograr algún beneficio (o por lo menos postergar un ataque). Así, cuando Oseas escribe una liturgia de arrepentimiento para el pueblo de Israel (lamentablemente, nunca utilizada), les dice que debían reconocer la impotencia de la máquina militar asiria para salvarlos *precisamente porque* su confianza en ella no era más que confiar en dioses que *sus propias manos* habían hecho. En otras palabras, el poder que los dioses de Asiria parecían ejercer sobre Israel era tanto producto de la imaginación de *Israel* como de la de los asirios. Adorarlos era consentir en la atribución de divinidad a algo que era de fabricación humana. De modo que arrepentirse de confiar en las fuerzas armadas de Asiria (y por ende confiar en los dioses asirios) era arrepentirse de *haberse fabricado dioses por su cuenta*, y no de confiar en una fuente alternativa de poder que se suponía era genuinamente divina (como creo que en forma errónea sugiere Barton). La sinonimia en el ajustado paralelismo entre 'Asiria', 'caballos', 'Dios nuestro' y 'cosas hechas por nuestras manos' hace que esto sea inequívoco.

> Piensa bien lo que le dirás,
> y vuélvete al Señor con este ruego:
> "Perdónanos nuestra perversidad,
> y recíbenos con benevolencia,
> pues queremos ofrecerte
> el fruto de nuestros labios.
> *Asiria* no podrá salvarnos;
> no montaremos *caballos de guerra*.
> Nunca más llamaremos *'dios nuestro'*
> a *cosas hechas por nuestras manos*". Oseas 14.2-3 (énfasis agregado).

Oseas le predicaba al reino del norte de Israel. Hay un toque de ironía cuando les dice que al ir tras los dioses de *Asiria* estaban confiando en dioses de su propia manufactura, por cuanto el rey que fundó Israel había hecho lo mismo con YHVH y por la misma razón, es decir, para reforzar la seguridad de su nuevo y vulnerable estado. 'Jeroboán ... hizo pecar a Israel' (p. ej., 1 Reyes 15.34; 16.19) es parte del epitafio de quien condujo a la tribus del norte a separarse de Judá. Su pecado, repetido por muchos de sus sucesores, fue la idolatría. Pero la descripción de su aparición original en 1 Reyes 12.26–33 pone de manifiesto su motivación y la sutileza del mismo. La intención de Jeroboán era impedir que su pueblo volviera a hacer alianzas políticas con Jerusalén mediante una peregrinación religiosa hacia el templo de YHVH que se encontraba allí. De manera que proveyó imágenes de becerros en sitios de su reino como lugares en los cuales las tribus del norte pudieran ofrecer culto al Dios que los había sacado de Egipto. Queda claro que no quería que nadie pensara que estaba sugiriendo que se adorara a algún otro dios que YHVH; además, el texto insinúa que es posible que Jeroboán estuviera reclamando el manto de Moisés por haber librado a las tribus de la opresión de Salomón y su hijo. El rey reconstruyó todo el aparato religioso de modo que el culto de YHVH estaba claramente bajo su patrocinio.[19] De modo que el relato da a entender sutilmente que si bien el nombre al comienzo de la hoja todavía decía 'YHVH', el índice del contenido era, más bien, obra del propio Jeroboán. A YHVH se le había dado forma de un dios hecho por manos humanas. El Dios vivo estaba siendo reclutado y armado por medio de propaganda estatal para servir a las necesidades de la seguridad nacional, una forma de idolatría que no desapareció con Jeroboán.

Volviendo de los profetas al salmo que más claramente declara el origen humano de los ídolos, el 115, observamos nuevamente que el contexto polémico es el de Israel y las naciones. El conocido versículo inicial de este salmo también adquiere mayor significación a la luz de nuestro análisis hasta aquí. Si los dioses de las naciones constituyen realmente la construcción humana colectiva del orgullo de esa nación, entonces la gloria de un dios es idéntica a la gloria de la nación, y viceversa. Glorificar al dios de la nación generalmen-

---

19 Este estado de cosas se deja ver en la reveladora indignación del sacerdote de Betel ante lo que consideraba las sediciosas profecías de Amós: 'Este es el santuario del rey; es el templo del reino' (Amós 7.13).

te equivalía a alabar el conjunto de su poderío militar. El salmista de Israel niega que esto pudiera ser parte de la motivación para la alabanza de YHVH, el Dios de Israel. Todo lo contrario, dice, con énfasis doble:

La gloria, SEÑOR, no es para nosotros;
no es para nosotros sino para tu nombre,
por causa de tu amor y tu verdad. Salmo 115.1

El dar gloria a YHVH nunca habrá de considerarse meramente como otra forma de dar gloria a su pueblo *Israel*. Por el contrario, YHVH ha de ser alabado por su distintiva identidad y carácter, no simplemente como un símbolo o un código para la propia gratificación del pueblo (confusión tan seductora como extendida entre las naciones modernas que manifiestan que honran a 'Dios' o que le piden que las 'bendiga').

A partir de este comienzo inusual, el salmo continúa con un intercambio imaginario entre las otras naciones e Israel.

¿Por qué tienen que decirnos las naciones:
'¿Dónde está su Dios?'
Nuestro Dios está en los cielos
y puede hacer lo que le parezca.
Pero sus ídolos son oro y plata,
producto de manos humanas. Salmo 115.2–4

'*¿Dónde está su Dios?*' dicen las naciones, ridiculizando a Israel porque carece de imágenes visibles de YHVH: '*En los cielos, ¿dónde están los de ustedes?*' contesta Israel.

Y contestando su propia pregunta implícita ('¿Dónde están los dioses de las naciones?'), el salmista declara, 'están en la tierra como los que los fabrican'. La invisible tarjeta de identificación de YHVH dice 'Único Gobernador del cielo'. La demasiado visible marca de fábrica genérica de los otros dioses dice 'Fabricado en la tierra'. Luego la parte final del salmo combina este contraste entre el cielo y la tierra (aunque los dos han sido hechos por YHVH, si bien como reinos diferentes para su morada humana) con el contraste entre la vida y la muerte. Lo que se entiende es que los criticados dioses e ídolos en la primera parte del salmo no solo *no* son dioses en el cielo: están en la tierra, son entidades sin vida e incapaces de ofrecer bendición en la forma en que solo YHVH puede hacerlo.

> Que reciban bendiciones del SEÑOR,
>> creador del cielo y de la tierra.
> Los cielos le pertenecen al SEÑOR,
>> pero a la humanidad le ha dado la tierra.
> Los muertos no alaban al SEÑOR,
>> ninguno de los que bajan al silencio.
> Somos nosotros los que alabamos al SEÑOR
>> desde ahora y para siempre. Salmo 115.15–18[20]

El contraste entre Yahvéh y los supuestos dioses se realza de este modo mediante el contraste entre el reino más elevado en el que vive Yahvéh y el mundo habitado abajo, como para sugerir que en forma correspondiente los ídolos pertenecen al mundo humano, no al divino. Esto es lo que plantea Isaías una vez más. Segundo, hay un contraste entre los vivos y los muertos. … Me parece significativo que se haga este planteo aquí, al final de un salmo acerca de la superioridad de Yahvéh sobre otros 'dioses'. Porque los ídolos pertenecen esencialmente al mundo de los muertos en el pensamiento del Antiguo Testamento: están tan desprovistos de vida como quienes los adoran, en tanto que Yahvéh 'es el Dios verdadero, el Dios viviente, el Rey eterno' (Jeremías 10.10). Así, este salmo conforma una unidad cuidadosamente estudiada, basada en el contraste entre el Dios de Israel y los 'ídolos' de las naciones y traza otros contrastes significativos: entre el cielo y la tierra, entre los vivos y los muertos, y entre el poder humano y el divino.[21]

El pináculo (o el nadir) de los dioses como obra de manos humanas se da cuando los humanos afirman que ellos son sus propios dioses o son la fuente divina de su propio poder. El Antiguo Testamento describe la humorada acerca del hombre que se realiza a sí mismo y adora a su creador e, incluso, lo somete a la ridiculización, en el proceso de desenmascarar lo absurdo y lo engañoso de semejante arrogancia. Sin

---

20 El versículo 16 dice literalmente, 'a los hijos de adán', lo que ofrece una semejanza relacional con la descripción de los ídolos como 'obra de las manos de adán' en el v. 4.
21 Barton: 'Work of Human Hands', p. 70.

embargo, suele ser vicio de reyes y emperadores.

Ezequiel pone al descubierto la actitud del rey de Tiro de divinizarse a sí mismo, y el inevitable juicio a que esto lo lleva, tanto a él como a su imperio:

En la intimidad de tu arrogancia
    dijiste: 'Yo soy un dios.
Me encuentro en alta mar
    sentado en un trono de dioses.'
    ¡Pero tú no eres un dios,
aunque te creas que lo eres!
    ¡Tú eres un simple mortal! ...
En presencia de tus verdugos,
    ¿te atreverás a decir: ¡Soy un dios!?
¡Pues en manos de tus asesinos
    no serás un dios sino un simple mortal! Ezequiel 28.2, 9

De forma semejante, Ezequiel expresa elocuentemente la arrogancia del faraón de Egipto, quien se imagina a sí mismo como la fuente de su propia prosperidad, afirmando para sí el poder de creación sobre el Nilo que proporciona la riqueza de Egipto.

A ti, Faraón, rey de Egipto,
    gran monstruo que yaces
en el cauce de tus ríos,
    que dices : 'El Nilo es mío,
el Nilo es mi creación',
    ¡te declaro que estoy en tu contra! Ezequiel 29.3

¡Cuán demente arrogancia y cuánto autoengaño alimentan una afirmación tan absurda! Y sin embargo esta actitud tiene su eco en el idolátrico culto a Mamón que caracteriza al capitalismo global contemporáneo. Mucho antes de Ezequiel, a Israel se le había advertido contra semejante arrogancia económica y se le había recomendado tener presente la verdadera fuente de su riqueza en Deuteronomio 8.17–18.

No sorprende que Babilonia sea acusada de similares pretensiones divinas, dado que había pronunciado palabras que únicamente deberían proceder de la boca del Dios vivo.

Ahora escucha esto, voluptuosa;
   tú, que moras confiada y te dices a ti misma:
'Yo soy, y no hay otra fuera de mí.
   Nunca enviudaré ni me quedaré sin hijos.'
De repente, en un solo día,
   ambas cosas te sorprenderán ...
Tu sabiduría y tu conocimiento te engañan
cuando a ti misma te dices: 'Yo soy, y no hay otra fuera de mí'.
Isaías 47.8–10

Nabucodonosor también padeció semejantes pretensiones de divinidad, según parece, pero fue humillado hasta el punto de reconocer que eran demenciales, tras lo cual recuperó la sanidad y la sumisión al Dios viviente (Daniel 4).

Cuando repasamos el material que hemos analizado en esta sección, resulta enormemente desafiante a todo ese mundo de dioses e ídolos, y está claro que la intención era que así fuese. Porque hemos observado esta postura a lo largo del amplio repertorio de literatura veterotestamentaria de muchos períodos históricos diferentes.

Es frecuente que muchos pueblos hagan grandes manifestaciones acerca de sus propias deidades. En cuanto a este principio y esta práctica, Israel no se diferenció de sus vecinos.[22] Pero en cuanto a sostener la trascendente unicidad y universalidad de esa deidad, con exclusión de todas las demás, y defender esa afirmación haciendo referencia a su extraordinario 'celo', un celo sin paralelo, como lo hacía Israel con YHVH, era algo que no se daba en el mismo grado, ni mucho menos, en otras partes. Haciendo referencia al carácter único del primer mandamiento, en comparación con la tolerancia más pluralista de la mayor parte de las religiones del antiguo Cercano Oriente, Werner Schmidt comenta:

No hay ningún buen modelo para [ese mandamiento], y tampoco puede derivarse de las religiones vecinas, sino que se opone a la naturaleza esencial de éstas. La historia busca analogías para todos sus fenómenos, pero hasta donde sepamos, hasta ahora es imposible mostrar que el primer

---

22 Ver, p. ej., el análisis que ofrece Morton Smith, 'The Common Theology of the Ancient Near East', en *Essential Papers on Israel and the Ancient near East*, ed. F. E. Greenspan, New York University Press, N. York, 1991, pp. 49-65. Smith, sin embargo, procede a minimizar cualquier carácter distintivo específico en la fe de Israel.

y el segundo mandamientos fueron adoptados de alguna otra parte. El carácter exclusivo del credo de Israel es único.[23]

Pero, además, declarar vez tras vez como una cuestión teológica de cosmovisión que los dioses de las naciones, al igual que los ídolos que los representan visiblemente, son 'obra de manos humanas' (construcciones humanas sin sustancia divina) es otra cosa, y algo enteramente sin paralelo. Con todo, no parece haber ningún otro modo de dar cuenta de lo extenso de este tema en el Antiguo Testamento. *No es* que Israel entendió mal la naturaleza de la idolatría o de las premisas que adoptaron otros devotos acerca de sus propios dioses. Por el contrario, al comprender muy bien esos supuestos y esas afirmaciones, simplemente se negaron a aceptarlos. La categórica aseveración en Salmo 96.5 es devastadora. 'Todos los dioses de los pueblos son ídolos [*'ĕlîlîm*]' (BA), es decir, los dioses comparten la misma transitoriedad insustancial de los ídolos, porque ellos también son de factura humana.

Decir que los dioses son obra de manos humanas equivale a irritar la *hubris* humana e invitar el furioso repudio. Cuando Pablo dijo esto en Éfeso no podía menos que esperar un disturbio (Hechos 19.23–41). Porque si es cierto que los dioses que exaltamos tan alto son productos relucientes de nuestra propia creatividad, entonces no es de sorprender que los defendamos tan belicosamente. En nuestro celo protector de los dioses que creamos, desplegamos una parodia del verdadero celo que es prerrogativa del único Dios vivo, al que no hemos creado. Invertimos tanto de lo nuestro en nuestros dioses, gastamos tanto en ellos y combinamos tanto nuestra identidad y autoestima con las de ellos, que no podemos permitir que sean desenmascarados, que sean motivo de burla o sean derrumbados. Y sin embargo, ante el Dios viviente tienen que ser derrumbados. Porque ese es el destino de todo esfuerzo humano que no sea para la gloria de Dios o que no sea ofrecido para ser redimido por él.

El orgullo del hombre y la gloria terrena,
    la espada y la corona traicionan su confianza;
lo que con cuidado y trabajo edifica,
    la torre y el templo caen al polvo.
Pero el poder de Dios,

---

23 Werner H. Schmidt: *The Faith of the Old Testament*, Westminster, Filadelfia; Blackwell, Oxford, 1983, p. 70.

hora tras hora,
es mi templo y mi torre.[24]

Al final, a pesar de todas sus arrogantes afirmaciones y mascaradas, los dioses de creación humana no son más que estatuas doradas que tienen que ser sostenidas con clavos para que se mantengan verticales. Aun así su posición es precaria. El dios filisteo Dagón fue aplastado por el Dios vivo, y Goliat, el gigante filisteo, fue vencido por la honda de David, y con el mismo fin didáctico: 'Y todo el mundo sabrá que hay un Dios en Israel' (1 Samuel 17.46).

Los dioses de Babilonia, Bel y Nebo, habrían de desaparecer del escenario de la historia sin mayor dignidad (Isaías 46.1–2). Contra todas esas pretensiones de los hombres y de los productos de los hombres, Isaías afirma lo siguiente:

Un día vendrá el SEÑOR Todopoderoso
    contra todos los orgullosos y arrogantes,
contra todos los altaneros, para humillarlos …
    La altivez del hombre será abatida,
y la arrogancia humana será humillada.
    En aquel día solo el SEÑOR será exaltado,
y los ídolos desaparecerán por completo. Isaías 2.12, 17–18

Y cuando venga el juicio del Señor, incluirá en su alcance universal tanto a los arrogantes gobernadores humanos de la tierra como a los dioses que han ubicado en el cielo.

En aquel día el SEÑOR castigará
    a los poderes celestiales en el cielo
y a los reyes terrenales en la tierra. Isaías 24.21[25]

24 Joachim Neander (1650-1680): 'All My Hope on God Is Founded', adaptado por Robert S. Bridges en 1899. [Aquí traducido al español como 'Toda mi esperanza en Dios está fundada' - N. del T.]
25 La segunda línea dice literalmente, 'la hueste de la altura en la altura'. Si bien esto no describe de manera específica a estos ejércitos celestiales como 'dioses', por cierto que son poderes tales como los que en otras partes se denominan dioses. Ya sea, como en otras partes de Isaías, que se los considere invenciones humanas (los supuestos garantes del gobierno de los reyes), o que sean verdaderos poderes espirituales, huestes angelicales que se vinculan con el gobierno humano de algún modo. En cualquier caso, 'los dioses' se refiere a algo dentro del orden creado, ya sea de manufactura humana o angélica, no de algo que comparta la divinidad única de YHVH, que es quien ejerce el juicio. Motyer sugiere que la expresión 'alude a fuerzas espirituales culpables cuya situación será resuelta conjuntamente en un acuerdo que abarcará la totalidad del campo de la creación divina. La aseveración de Isaías sobre el castigo de todo poder, dondequiera esté ubicado, es tanto más impresionante por la serena afirmación de la total soberanía divina'. J. A. Motyer, *The Prophecy of Isaiah*, InterVarsity Press, Downers Grove, Ill.; InterVarsity Press, Leicester,1993, p. 206.

Basándose en esas raíces escriturarias, Pablo afirma tanto la naturaleza creada de los poderes como las ideologías asociadas que rigen la vida y la mente humanas, y el decisivo juicio de todos estos poderes a los pies de la cruz de Cristo:

> Cuídense de que nadie los cautive con la vana y engañosa filosofía que sigue tradiciones humanas, la que va de acuerdo con los principios de este mundo y no conforme a Cristo. ... Desarmó a los poderes y a las potestades, y por medio de Cristo [alt. 'mediante la cruz'] los humilló en público al exhibirlos en su desfile triunfal. Colosenses 2.8, 15

Crítica y esperanza. ¿Cuáles son, entonces, las paradojas de los dioses en la Biblia? Hemos considerado dos.

La primera es que no son *nada* en términos de la realidad divina que se les atribuye. Hay un solo ocupante legítimo de la categoría de deidad, y es el Señor Dios de la revelación bíblica, Creador y Gobernante del universo. Al lado de él no hay ningún otro con legítimo derecho a la deidad. En ese sentido, como lo expresó Pablo tomándolo como un aspecto del monoteísmo del Antiguo Testamento, que para él era axiomático: un dios no es nada en este mundo, como tampoco lo es un ídolo. Y, sin embargo, los ídolos tienen existencia real en nuestro mundo observable, y los dioses que representan también existen dentro de la historia como parte del discurso, la experiencia y la actividad humanos. Son *algo*, algo cuya existencia se da por sentado en el mandamiento de no adorarlos. Pero como he sostenido, la creencia en que existen dioses en este sentido no es incompatible con el sólido fundamento del monoteísmo bíblico: el Señor nuestro Dios es Dios arriba en el cielo y abajo en la tierra; no hay otro. Los dioses existen como algo, pero no como existe Dios, con identidad y posición divinas, poder y eternidad. Pueden ser ubicados en el cielo por quienes los adoran, pero en realidad están en la tierra, y son tan parte del orden creado como quienes los adoran.

La segunda paradoja es que los dioses pueden representar y ser manifestación del orden demoníaco. El Antiguo Testamento (ocasionalmente) y el Nuevo Testamento (más claramente) reconocen la presencia y el poder de fuerzas espirituales por detrás de los dioses y los ídolos. También es claro que ambos afirman la soberanía del Dios vivo sobre todos esos poderes, y su derrota definitiva por Cristo en la cruz. Pero mucho más frecuentemente, y sin ambigüedad, el Antiguo Testamento describe como obra de manos humanas tanto a los ídolos como a los dioses que se presume que representan. Nosotros somos los fabricantes de nuestros propios dioses, lo cual, desde luego, forma parte de lo absurdo de ofrecerles adoración.

De modo que al preguntar si otros dioses son demonios o construcciones humanas, la respuesta es que pueden ser uno u otro, o los dos. Pero esto nos pone ante la verdad teológica más significativa y el engaño más peligroso. Los seres humanos no necesitaban que el diablo les enseñara la idolatría. Toda vez que elegimos rechazar la autoridad del Dios viviente, terminamos creándonos nuestros propios dioses, ya sea dentro del orden creado o dentro de la imaginería de nuestro corazón. Somos expertos en proceder así y el diablo fomenta nuestra predisposición a hacerlo.

La relativa escasez de textos que vinculan a los dioses e ídolos con los *demonios*, y la abundancia de textos que los describen como construcciones *humanas*, resulta teológicamente significativo. El contraste asegura que mantengamos el equilibrio de la responsabilidad por el pecado de la idolatría donde realmente corresponde: del lado de nosotros, los seres humanos. No se trata de que debamos exculpar al diablo, pero tampoco deberíamos cargarlo con la culpa por lo que es nuestra propia responsabilidad (otra treta que aprendimos ya en el Jardín del Edén). Si los dioses son en primer lugar de fabricación humana, entonces son nuestra propia responsabilidad. Pagamos sus deudas, nos hacemos cargo de sus desastres, sufrimos sus consecuencias. Por cierto que debemos reconocer la extensión y el efecto de la infiltración satánica y la ceguera espiritual provocadas por el maligno. Pero los dioses y los ídolos son fundamentalmente obra nuestra. La acusación de quienes no profesan religión, contra las terribles consecuencias de las religiones humanas, tiene algún sentido: los dioses que fabricamos son tan destructivos como nosotros mismos, porque son obra de nuestras propias manos, y nuestras manos están llenas de sangre.

Pero hay, también, un elemento de esperanza en esta toma de conciencia. Si los dioses son construcciones humanas, entonces no son solamente destructivos sino también *destruibles:* tan destruibles como todo lo demás que hacemos en la tierra. *Los dioses también están sujetos a la declinación y a la muerte.* No son más durables que los hombres o los imperios que los producen. El desprecio del asirio por los dioses muertos de las naciones conquistadas se vuelve sobre él a la luz de la historia. Porque, ¿dónde están ahora los dioses de Asiria, Babilonia, Persia, Grecia o Roma? La historia es el cementerio de los dioses.

En el campo misionológico, estas reflexiones dan testimonio de la apremiante cuestión de la pluralidad contemporánea de las religiones. ¿Cuál debería ser nuestra respuesta bíblicamente fundamentada a los dioses de las naciones en nuestro mundo de hoy? Cuando menos, está claro que no podemos adoptar categorizaciones simplistas, tales como el punto de vista de que toda religión no cristiana es demoníaca o de que sea puramente cultural. El sutil análisis que hace la Biblia de 'otros dioses' vuelve completamente inadecuado este enfoque de opuestos binarios.

La misión y los dioses

¿Por qué la idolatría es una cuestión misional? ¿Por qué la misión ha de 'ocuparse de los dioses', exponerlos y desenmascararlos? ¿Por qué debemos identificar y condenar la idolatría (como hicieron los profetas y los apóstoles,), no solamente cuando se hace presente entre aquellos que todavía no reconocen al Dios vivo, sino también (y con mayor razón) en cuanto introduce su insidiosa ponzoña entre aquellos que *sí* afirman conocer y adorar al Dios de la Biblia y reconocen el nombre de Cristo (teniendo presente, además, que los profetas condenan la idolatría en Israel mucho más que en otras naciones)? ¿Qué es, en cualquier caso, lo que está tan mal con quienes adoran a sus propios dioses, si quieren hacerlo? ¿Y cómo hemos de reconocer la presencia de otros dioses en las culturas humanas? Y aun cuando los hayamos identificado, ¿cómo debemos ocuparnos de ellos en los muchos contextos diferentes (sociales, culturales, evangelísticos y pastorales) en los que estamos llamados a ejercer nuestro ministerio? Estos son algunos de los asuntos a los cuales nos dedicaremos en el resto de este capítulo.

El reconocimiento de la distinción más importante. Sin duda la distinción fundamental en toda la realidad se nos presenta en los primeros versículos de la Biblia. Se trata de la distinción entre el Dios Creador y todo lo demás que existe en cualquier parte. Solo Dios es no creado, autoexistente, no contingente. El ser de Dios no depende de nada exterior a sí mismo. En contraste, toda otra realidad es creación de Dios y por lo tanto depende de él para su existencia y sostén. La creación es dependiente de Dios. No puede existir, y no existiría, sin Dios. Dios existió y podría existir sin ella. Esta dualidad ontológica esencial entre dos órdenes de existencia (el orden creado y el Dios increado) es fundacional para la cosmovisión bíblica.

A partir de esto, hay muchas otras distinciones sobre las que el relato de la creación nos pone en alerta: las distinciones en el día y la noche, entres diferentes entornos en la tierra, entre las especies, entre seres humanos a la imagen de Dios y el resto de los animales, entre hombres y mujeres. Pero es indudable que la distinción primaria y más crucial es aquella entre el Creador y la creación misma. No es de sorprender, por consiguiente, que esta distinción es la que recibe ataques cuando hace su aparición el misterioso poder del mal, en el relato de Génesis 3, tan profundamente simple, pero a la vez tan simple y profundo.

'Llegarán a ser como Dios, conocedores del bien y del mal', promete la serpiente, si solo los humanos estuvieran dispuestos a ignorar los límites marcados por Dios (Génesis 3.5). ¿Qué podría haber más plausible o natural para una criatura hecha a la imagen de Dios que el querer ser como Dios? La clave de la tentación parece encontrarse en la segunda frase, 'conocedores del bien y del mal', que tomo como 'tener autonomía moral'. Es decir, lo que estaba siendo ofrecido por la serpiente y luego requerido por la pareja humana con su acto de desobediencia no era simplemente la capacidad de *reconocer* la diferencia entre el bien y el mal (lo cual es fundacional para cualquier grado de libertad moral genuina o capacidad moral, y recibe la aprobación de la Biblia en otras partes), sino el derecho a *definir uno mismo* el bien y el mal. Es prerrogativa de Dios en la suprema bondad de su propio ser, decidir y definir lo que constituye el bien y por consiguiente, a la inversa, lo que constituye el mal. Sin embargo, los seres humanos, al elegir decidir por nosotros mismos lo que *nosotros* hemos de considerar bueno o malo, usurpamos la prerrogativa de Dios en una actitud de autonomía moral rebelde. Y al mismo tiempo, desde luego, al hacer nuestras propias definiciones en un estado de rebelión y desobediencia, terminamos en las perversiones morales y el caos que saturan la vida de la humanidad caída. Esta interpretación de la frase recibe el apoyo de la forma en que Dios reconoce la naturaleza de lo que ha ocurrido: 'El ser humano ha llegado a ser como uno de nosotros, pues tiene conocimiento del bien y del mal' (Génesis 3.22). Dios acepta que, en efecto, los humanos han traspasado la distinción entre el Creador y la criatura. No es que ahora los humanos se hayan *convertido* en dioses, sino que han elegido *actuar como si lo fueran*, definiendo y decidiendo por su cuenta lo que van a considerar bueno o malo. Ésa es la raíz de toda otra forma de idolatría: deificamos nuestras propias capacidades, y de este modo nos convertimos en dioses a nosotros mismos, como también nuestras elecciones y todo lo que esto supone. Por ello Dios se estremece de horror ante la perspectiva de la inmoralidad humana y la vida eterna en semejante estado caído, e impide el acceso al 'árbol de la vida'. Dios tiene un modo más adecuado de llevar a la humanidad, redimida y limpia, a la vida eterna.

En la base de toda idolatría está el rechazo humano de la bondad de Dios y el carácter definitivo de la autoridad moral de Dios. El fruto de esa rebelión básica se ha de ver en muchas otras formas en las que la idolatría borra la distinción entre Dios y la creación, en perjuicio de ambos.

La idolatría destrona a Dios y entroniza a la creación. La idolatría es el intento de limitar, reducir y controlar a Dios rechazando su autoridad, limitando o manipulando su poder para actuar, teniéndolo a disposición, al servicio de nuestros propios intereses. Al mismo tiempo, paradójicamente, la idolatría exalta cosas dentro del orden creado (sean objetos naturales en los cielos o en la tierra, o espíritus creados, o los productos de nuestras manos o de nuestra imaginación). De este modo se le acredita a la creación el poder que le pertenece solo a Dios; se la sacraliza, se la adora y se la trata como aquello de lo cual se puede derivar el sentido último de todo. Se produce una gran inversión: Dios, quien debería ser adorado, se convierte en un objeto a ser usado; la creación, que es para nuestro uso y bendición, se convierte en objeto de nuestra adoración.

Una vez que se borra esa distinción fundamental, una vez que se ha dado esa inversión, siguen consecuencias personales y sociales devastadoras. La creación, que deriva su propio sentido de Dios, no puede darnos en sí misma el sentido último que anhelamos, por lo cual la idolatría solo puede desilusionarnos (para decirlo en forma sumamente suave). El culto a sí mismo finalmente deriva en narcisismo, nihilismo o en puro egoísmo amoral. Si la naturaleza misma es tratada como divina, entonces todas las demás distinciones comienzan a disolverse. No hay diferencia entre la vida humana y todas las demás formas de vida. No hay diferencia entre el bien y el mal ya que en última instancia todo es igual. De modo que cualquier punto objetivo de referencia para la decisión moral se vuelve imposible.

A la luz de semejante confusión la misión de Dios consiste en última instancia en restaurar toda su creación a lo que se propuso originalmente: la creación de *Dios*, dirigida por una *humanidad* redimida, que ofrece gloria y alabanza a su Creador. Nuestra misión, en participación con esa misión divina, y en anticipación de su cumplimiento definitivo, consiste en trabajar con Dios en la exposición de los ídolos que siguen anulando la distinción, y en liberar a los hombres y las mujeres de las destructivas ilusiones que fomentan.

Cómo discernir a los dioses. Mucho trabajo útil se ha hecho en cuanto a la identificación y el análisis de los dioses que puede decirse que dominan las culturas modernas, especialmente en las sociedades occidentales. Algunos de dichos estudios hacen un uso extenso de herramientas bíblicas y sociológicas, otros menos. Esos análisis tienen una poderosa pertinencia misionológica ya que aplican esta categoría bíblica distintiva (la idolatría) a fenómenos culturales contemporáneos, lo cual nos permite ver debajo de la superficie y reconocer fuerzas idolátricas o demoníacas en operación. Además, algunos se ocupan específicamente de la cuestión misionológica de cómo hemos de delatar y enfrentar a estos ídolos culturales y ocuparnos de ofrecer el mensaje liberador del evangelio bíblico a los que han sido cautivados por ellas. Una pequeña muestra de dichos estudios tendrá que ser suficiente, por cuanto las siguientes obras abarcan un amplio panorama.

Jacques Ellul fue uno de los primeros en relacionar las categorías bíblicas de la idolatría con tendencias culturales en el Occidente contemporáneo, especialmente el secularismo.[26] Analiza los aspectos sagrados y simbólicos de la técnica, el sexo, la nación-estado, la revolución y la mitología de la historia y la ciencia. J. A. Walter aplicó la misma metodología a una serie de fenómenos sociales, muchos de los cuales parecen buenos en sí mismos, pero que fácilmente adquieren un estado idolátrico, tales como: el trabajo, la familia, la vida en los suburbios, el individualismo, la ecología, la raza, y los medios.[27] Bob Goudzwaard extendió el análisis a todo el campo de lo ideológico, centrándose especialmente en las ideologías de la revolución, la nación, la prosperidad material y la seguridad garantizada.[28] La trilogía de Walter Wink es uno de los estudios más extensos de los 'poderes' en el pensamiento bíblico (y en especial en el Nuevo Testamento), pero Wink es criticado por no otorgarle suficiente peso a las aseveraciones bíblicas acerca de los aspectos objetivos demoníacos de su infiltración en las estructuras humanas.[29] Clinton Arnold es más equilibrado en ese sentido.[30] Vinoth Ramachandra lleva el análisis de la modernidad y su consecuencia aun más lejos al observar la violencia de las nuevas idolatrías, el dogmatismo de quienes idolatran la ciencia, y la actual idolatría de 'la razón y la sinrazón'.[31] Peter Moore encara las diversas idolatrías de la cultura occidental desde una perspectiva más apologética, ocupándose de quienes podrían sentirse atraídos por ellas (incluidos el 'nuevaerismo', el relativismo, el narcisismo, y el hedonismo).[32] Craig Bartholomew y Thorsten Moritz editan un volumen en el que una cantidad de eruditos bíblicos examinan el consumismo como una forma de idolatría contemporánea.[33]

Volviendo, sin embargo, a la Biblia misma, encontramos que hay diferentes tipos de dioses. Vale decir, los dioses que adoran los huma-

26 Jacques Ellul: *The New Demons*, Mowbrays, Londres, 1976.
27 J. A. Walter: *A Long Way from Home: A Sociological Exploration of Contemporary Idolatry*, Paternoster, Carlisle, 1979.
28 Bob Goudzwaard: *Idols of Our Time*, InterVarsity Press, Downers Grove, Ill., 1984.
29 Walter Wink: *Naming the Powers: The Language of Power in the New Testament*, Fortress Press, Filadelfia, 1984); *Unmasking the Powers: The Invisible Forces That Determine Human Existence*, Fortress Press, Filadelfia, 1986; *Engaging the Powers: Discernment and Resistance in a World of Domination*, Fortress Press, Minneapolis, 1992.
30 Clinton Arnold: *Powers of Darkness: A Thoughtful, Biblical Look at an Urgent Challenge Facing the Church*, InterVarsity Press, Leicester; InterVarsity Press, Downers Grove, Ill., 1992.
31 Vinoth Ramachandra: *Gods That Fail: Modern Idolatry and Christian Mission*, Paternoster, Carlisle; InterVarsity Press, Downers Grove, Ill., 1996.
32 Peter C. Moore: *Disarming the Secular Gods*, InterVarsity Press, Downers Grove, Ill.; InterVarsity Press, Leicester, 1989.
33 Craig Bartholomew y Thorsten Moritz, ed., *Christ and Consumerism: A Critical Analysis of the Spirit of the Age*, Paternoster, Carlisle, 2000.

nos aparte del Dios vivo, pueden consistir en diferentes cosas, o pueden ejercer influencia sobre los seres humanos de diferentes maneras. Si como seres humanos somos responsables en buena medida por los dioses que creamos, entonces vale la pena analizar la forma en que la Biblia considera ese proceso. ¿Cuáles son las cosas que tendemos a utilizar para manufacturar nuestros dioses?

Cosas que nos tientan. 'Pueden sentirse tentados', advierte Deuteronomio 4.19; rechacen la tentación a adorar a los cuerpos celestiales. El lenguaje sugiere que hay cosas en la creación que inspiran tanta admiración, cosas tan fuera de nuestro alcance, de nuestro control o de nuestra comprensión, que ejercen una tentadora atracción sobre nosotros. Este es, con seguridad, el sabor del pecado que Job afirma haber resistido.

> ¿He admirado acaso el esplendor del sol
>   o el avance esplendoroso de la luna,
> como para rendirles culto en lo secreto
>   y enviarles un beso con la mano?
> ¡También este pecado tendría que ser juzgado,
>   pues habría yo traicionado al Dios de las alturas! Job 31.26–28

El Salmo 96 admite la misma tentación:

> Todos los dioses de las naciones no son nada,
>   pero el SEÑOR ha creado los cielos.
> *El esplendor y la majestad* son sus heraldos;
>   hay *poder y belleza* en su santuario. Salmo 96.5–6 (énfasis agregado).

El paralelismo y el hilo del pensamiento entre estos versículos suponen que los dioses adorados por las naciones son personificaciones de todo lo que nos impresiona: el esplendor y la majestad, el poder y la belleza. Buscamos esa magnificencia y ese poder, y adoramos estas cosas dondequiera inspiren asombro y temblorosa admiración; en los estadios de grandes triunfos deportivos, o en la vida de admirados héroes deportivos; en grandes batallones de soldados, en desfiles de artefactos militares, o en la cubierta de barcos transportadores de aviones; en el tablado de conciertos de rock, o en el brillo de las celebridades de la televisión y el cinematógrafo;[34] en las cúspides de las torres que promueven el poder y la avaricia corporativas en las grandes ciudades. Todas estas cosas pueden ser tentadoras e idolátricas. Pero no es allí, dice nuestro salmo, donde encontraremos una deidad genuina. Si lo que buscamos es verdadero *esplendor, majestad, poder y belleza,* los encontraremos únicamente en la presencia del Dios vivo y Creador. Algunos comentaristas entienden estas cuatro palabras como personificaciones, como si fuesen los grandes acompañantes angélicos en el trono de YHVH, en descarnado contraste con los dioses falsos que reclamaban esa magnificencia pero carecían hasta de verdadera existencia real.

> Entiendo el v. 6 como expresión de las grandes cualidades del reinado de Yahvéh como personificaciones que lo secundan en el templo (véase Salmo 85.14; 89.15). El séquito de Yahvéh no está constituido por un conjunto de dioses menores, que en realidad no son dioses, sino por aquellos 'agentes' suyos que se manifiestan en su obra salvífica y en sus maravillosos actos.[35]

Cosas a las que tememos. También es posible convertir cosas que tememos en dioses, con el fin de aplacarlos o de espantarlos con nuestra adoración. El salmista sostiene que el Señor es 'más temible que todos los dioses' (Salmo 96.4), lo cual sugiere que, a diferencia de YHVH, son objetos a temer ('algo', en el paradójico sentido considerado en pp. 201-210). De modo que en el panteón cananeo la muerte (Mot) es un dios; el mar (Yamm), objeto de asombro y temor, también es un dios. Y en otras religiones del mundo puede observarse el mismo fenómeno: algunos de los rostros más temibles del mal, el enojo, la venganza, la sed de sangre, la crueldad y otros son divinizados. Además, muchas prácticas rituales corrientes, tales como, entre otras, evitar 'el mal de ojos', llevar amuletos protectores, el uso de magia apotropaica, las mantras, son manifestaciones del temor deificado. Dado que hay un gran número de cosas, en este mundo a las que pueden tener miedo los seres humanos pusilánimes, en esto radica seguramente una de las explicaciones de las cosmovisiones politeístas.

Resulta significativo, por lo tanto, que el temor del Señor represen-

---

34 El lenguaje de la idolatría se usa común y despreocupadamente en el contexto de la cultura occidental, cuando los medios derraman adulación sobre las celebridades como 'ídolos' populares y de moda, y también sobre las 'diosas del sexo'.

35 Marvin E. Tate: *Psalms 51-100,* Word Biblical Commentary 20, Word, Dallas, 1990, p. 514.

te un papel central en la cosmovisión bíblica. Se trata de una potente dimensión del monoteísmo radical el que si realmente hay un solo Dios, entonces solo él debería ser objeto de nuestro verdadero temor. Entonces los que viven en el temor del Señor no necesitan temer ninguna otra cosa. Otros objetos de temor pierden su poder divino y su atracción idolátrica. Este es el testimonio del escritor del Salmo 34.

> Busqué al SEÑOR, y él me respondió;
>> me libró de todos mis temores. ...
> El ángel del SEÑOR acampa en torno a los que le temen;
>> a su lado está para librarlos.
> Prueben y vean que el SEÑOR es bueno;
>> dichosos los que en él se refugian.
> Teman al SEÑOR ustedes su santos,
>> pues nada les falta a los que le temen. Salmo 34.4, 7–9

O como lo expresa Nahum Tate, 'Temedle, vosotros los santos, y entonces / nada más tendréis que temer'.[36]

El poder idolátrico del temor es enorme y parece no tener relación directa alguna con la escala de aquello que se teme. Se ha señalado que aun cuando en la sociedad occidental contemporánea vivimos vidas inmensamente más seguras, saludables y libres de riesgos que cualquier generación anterior, sin embargo vivimos consumidos por ansiedades, temores y neurosis. Alimentados con deslumbrantes estimulantes mediáticos, nos desvanecemos ante el último virus pernicioso y parecemos estar dispuestos a gastar enormes sumas en medidas de seguridad que jamás pueden prevenir realmente el terror que luchamos por ahuyentar.

Cosas en las que confiamos. Tendemos, naturalmente, a idolatrar las cosas (o personas o sistemas) en las que confiamos para que nos liberen de las cosas que tememos. La dimensión idolátrica surge cuando depositamos nuestra completa confianza en tales cosas, cuando creemos todas las promesas que se nos hacen o que van implícitas con ellas, y cuando hacemos todos los sacrificios que nos exigen a cambio de lo que aparentemente ofrecen. De modo que, sea que apuntemos a la seguridad financiera para protegernos contra toda amenaza futura,

---

36 Nahum Tate: 'Through All the Changing Scenes of Life', 1696.

o que dediquemos enormes sumas de las riquezas de las naciones a la seguridad militar, o nos volvamos obsesivos con las últimas novedades que prometen inmunidad ante las enfermedades o el desgaste físico de envejecer... todos ellos suelen ser dioses muy costosos. Y dado que gastamos tanto en ellos, es natural que nos sintamos defraudados cuando no cumplen con lo que les pedimos a cambio de lo que hemos invertido. Un país puede gastar billones en sistemas de protección semejantes a las guerras de las galaxias, y luego quedar sicológicamente devastado por unos cuantos hombres que asaltan aviones armados con cuchillos. Nos enojamos y les echamos la culpa a los profesionales de la salud que no nos han garantizado 'el derecho' a una virtual inmortalidad libre de enfermedades. En última instancia, pagamos por poner nuestra confianza en lo que jamás puede proporcionar seguridad. Al parecer, no aprendemos que los falsos dioses nunca dejan de fallar. ¡Sin embargo, esto es lo único en lo cual se puede confiar en cuanto a un dios falso!

Por contraste, después de magníficas reflexiones sobre el soberano poder del Señor y su palabra en cuanto a redención, creación, providencia e historia, Salmo 33 nos aconseja no invertir nuestra esperanza de salvación en ninguna otra cosa.

No se salva el rey por sus muchos soldados,
     ni por su mucha fuerza se libra el valiente.
Vana esperanza de victoria es el caballo;
     a pesar de su mucha fuerza no puede salvar. Salmo 33.16–17

Aquellos cuya bendición es conocer al Señor sabemos que el único lugar seguro donde depositar la confianza es en el Señor mismo, y luego esperar con confianza, gozo y paciencia el resultado de su *imperecedero* amor.

Esperamos confiados en el Señor;
     él es nuestro socorro y nuestro escudo.
En él se regocija nuestro corazón,
     porque confiamos en su santo nombre.
Que tu gran amor, Señor, nos acompañe,
     tal como lo esperamos de ti. Salmo 33.20–22

Cosas que necesitamos. "No se preocupen diciendo: '¿Qué comeremos?' o '¿Qué beberemos?' o '¿Con qué nos vestiremos?' Porque los paganos andan tras todas estas cosas, y el Padre celestial sabe que ustedes las necesitan." (Mateo 6.31–32).

Las palabras de Jesús no solamente reconocen la realidad de las necesidades básicas humanas sino también la forma en que 'los paganos andan tras todas estas cosas'. Desde luego que somos criaturas con las mismas necesidades fundamentales que el resto de los animales. Como otros mamíferos, nosotros los humanos necesitamos alimentos, aire, agua, abrigo, sueño y todas las necesidades generales para la supervivencia y el bienestar. Hay una tendencia natural a deificar las fuentes que se supone satisfacen estas necesidades. Habiendo dado las espaldas al único Creador viviente de todo lo que satisface nuestras necesidades, inventamos deidades subrogantes para llenar el vacío. Atribuimos la variedad de buenos dones de nuestro único Creador a los diversos dioses de la lluvia, el sol, la tierra, el sexo y la fertilidad, los sueños, y demás. Muchos esfuerzos religiosos se dirigen a persuadir a estos dioses que desplieguen su prodigalidad de tal manera que provean a las necesidades humanas básicas, o bien a convencerlos de que no cancelen su apoyo. El comportamiento de los profetas de Baal que fueron objeto de las burlas de Elías, en sus desesperados intentos de persuadir a Baal a demostrar su deidad, probablemente no fuera atípico en tales emergencias.

Esta era parte de la acusación de Oseas contra Israel: que estaban atribuyendo a Baal y a los cultos cananeos todos los procesos naturales y productos que eran dones únicamente de YHVH (Oseas 2.5–8). Pero este rasgo de las idolatrías también ofrece un mayor sesgo polémico a la enfática insistencia en el culto de Israel sobre el reconocimiento de YHVH como la única fuente de todo lo que necesitamos. A ningún otro dios debe pedírsele lo que necesitamos ni agradecerle cuando lo recibimos.

Con tus cuidados fecundas la tierra,
  y la colmas de abundancia.
Los arroyos de Dios se llenan de agua,
  para asegurarle trigo al pueblo.
¡Así preparas el campo! Salmo 65.9

Haces que crezca la hierba para el ganado,
  y las plantas que la gente cultiva
para sacar de la tierra su alimento:
  el vino que alegra el corazón,
el aceite que hace brillar el rostro,
  y el pan que sustenta la vida. Salmo 104.14–15

Deuteronomio 8 expone otra forma sutil de esta idolatría. El no reconocer al Dios vivo como la fuente de todo lo que satisface nuestras necesidades y contribuye a nuestro bienestar puede conducir a la arrogancia de atribuir todo a nuestras propias fuerzas y esfuerzos. Esto también es una forma de idolatría, el culto al yo como la fuente de todo lo que satisface a nuestras necesidades. Sea el granjero israelita (o el moderno capitalista) que se jacta, 'Esta riqueza es fruto de mi poder y de la fuerza de mis manos' (Deuteronomio 8.17), o el faraón egipcio (o la superpotencia económica moderna) que se jacta, 'El Nilo es mío, el Nilo es mi creación' (Ezequiel 29.3), todos debieran admitir la naturaleza idolátrica (y la demente arrogancia) de semejantes pretensiones y reconocer la verdadera fuente de las bendiciones que disfrutan.

Una perspectiva misionológica de la idolatría, entonces, ha de incluir algún análisis de la procedencia de los dioses que nos fabricamos. Mis reflexiones arriba sugieren algunas de las formas en que la Biblia misma reconoce lo que está por detrás de las cosas que idolatramos. Habiéndonos alienado del Dios vivo, nuestro Creador, tenemos una tendencia a adorar todo lo que nos hace temblar maravillados cuando comprobamos nuestra pequeñez e insignificancia en comparación con las grandes magnitudes que nos rodean. Procuramos sosegar y hacer a un lado todo lo que nos haga sentir vulnerables y temerosos. Entonces contrarrestamos nuestros temores depositando una exagerada e idolátrica confianza en cualquier cosa que nos parezca que finalmente nos dará la seguridad que anhelamos tener. Y luchamos para manipular y persuadir a cualquier cosa que nos parezca que nos proporcionará todas nuestras necesidades básicas y nos permita prosperar en el planeta. Es indudable que hay otras fuentes y motivaciones para la endémica idolatría humana, pero estas parecen ser algunas de las principales, observadas en la Biblia y evidentes a cualquier observador de las culturas humanas contempo-

EL DIOS VIVO SE OPONE A LA IDOLATRÍA

ráneas (sean religiosas o seculares). Todas ellas nacen de nuestro rechazo primario del Dios Creador y viviente, ante quien todas esas consideraciones o se evaporan o encuentran su nivel subordinado de legitimidad.

El único antídoto para esas idolatrías, y por ende la tarea de la misión bíblica, consiste en lograr que la gente vuelva a reconocer al único y verdadero Dios vivo en todos estos dominios. Repasando una vez más nuestra lista de fuentes de idolatría, a modo de contraste, el que ha ubicado su gloria por encima de los cielos es el único ante quien deberíamos temblar de asombro en actitud de adoración. Vivir según el pacto en el temor del Señor como creador soberano y bondadoso Redentor es vernos libres del temor a todo lo demás en la creación, material o espiritual. Como la Roca, él ofrece el único lugar totalmente seguro para invertir toda nuestra confianza en todas las circunstancias de la vida y la muerte, para el presente y para el futuro. Y como el Proveedor de todo lo necesario para toda la vida en la tierra, el Dios del pacto con Noé y nuestro Padre celestial, no hay otro a quien tengamos que volvernos, para rogarle, aplacarlo o persuadirlo, por las necesidades que él ya sabe que tenemos.

Desenmascarando a los dioses. Ya hemos reflexionado más de una vez sobre la impotencia de los dioses de manufactura humana. Los dioses falsos fallan. Esa es la única verdad en relación con ellos. Por cuanto la tarea de la misión comprende el desenmascaramiento de los dioses falsos, vale la pena explorar con mayor detalle algunas dimensiones de dicho fracaso. Porque si bien los dioses falsos nunca dejan de fracasar, parecería que los humanos siempre se olvidan que este es justamente el caso. Algunas de las acusaciones que la Biblia plantea contra la idolatría incluyen las siguientes:

Los ídolos privan a Dios de la gloria que le corresponde. Cuando los seres humanos atribuyen a otros dioses los dones, poderes o funciones que le pertenecen al único Dios vivo, se priva a Dios del honor que le corresponde únicamente a su nombre. Toda la creación existe para la gloria del Creador, y al ofrecerle alabanza a Dios únicamente, la creación (incluida la humanidad) experimenta su propia verdadera bendición y bien. Este es el significado del celo de YHVH en el Antiguo Testamento. Se trata la protección de Dios mismo de su propia identidad y trascendente unicidad.

> Yo soy el Señor; ¡ése es mi nombre!
> No entrego a otros mi gloria,
> ni mi alabanza a los ídolos. Isaías 42.8

De conformidad con esto el salmista, habiendo denunciado a todos los dioses de las naciones como 'nada' (v. 5), hace el siguiente llamado universal:

> Tributen al Señor, pueblos todos,
> tributen al Señor la gloria y el poder.
> Tributen al Señor la gloria que merece *su* nombre;
> traigan sus ofrendas y entren en *sus* atrios.
> Póstrense ante el Señor en la majestad de *su* santuario;
> ¡tiemble delante de *él* toda la tierra! Salmo 96.7–9 (énfasis agregado).

Esta no es una invitación a las naciones a hacer lugar a yhvh entre el panteón de sus propios dioses y asignarle alguna medida de respeto. El salmista no está invitando a las naciones a correr un poco a sus dioses en la estantería para hacerle lugar a yhvh entre ellos. No, se trata de un llamado para un radical desplazamiento de todos los otros dioses ante la sola, única, trascendente Deidad de yhvh, de tal manera que todo el honor, toda la gloria, todo el culto de adoración y alabanza sean para él, como por derecho le corresponde. Mientras se adore a otros dioses, al Dios vivo se le niega en esa medida lo que por derecho es suyo: la adoración total de su creación total. Esto es lo que hace que la lucha con la idolatría sea una dimensión primordial de la misión de Dios en la que él exige nuestra colaboración.

Los ídolos distorsionan la imagen de Dios en nosotros. Teniendo en cuenta que la idolatría limita la gloria de Dios, y teniendo en cuenta que los humanos están hechos a la imagen de Dios, se sigue, también, que la idolatría obra en detrimento de la esencia misma de nuestra humanidad. Como nos lo recuerda la Confesión de Westminster, 'El fin principal del hombre es glorificar a Dios y disfrutarlo por siempre'. Negarnos a glorificar a Dios, y todavía peor, cambiar 'la gloria del Dios inmortal por imágenes que eran réplicas del hombre mortal, de las aves, de los cuadrúpedos y de los reptiles' (Romanos 1.23) es frustrar el propósito de nuestra existencia misma. La idolatría equivale a un daño total hacia uno mismo.

Al mismo tiempo es total y terriblemente irónico. Al tratar de ser como Dios (en la tentación y la rebelión originales), hemos terminado siendo menos humanos. El principio que se afirma en varios lugares de la Biblia, de que nos volvemos semejantes al objeto de nuestra adoración (p. ej., Salmo 115.8; Isaías 41.24; 44.9) resulta muy evidente. Si adoramos lo que no es *Dios*, reducimos la imagen de Dios en nosotros mismos. Si adoramos lo que ni siquiera es *humano*, reducimos nuestra humanidad todavía más.

Así, Isaías 44 pone ante nosotros muy descarnadamente la ironía (o la parodia) de que la única criatura que fue hecha a la imagen del Dios vivo adore algo que no es más que una imagen de sí mismo, carente de vida.

> El herrero toma una herramienta,
> y con ella trabaja sobre las brasas;
> con martillo modela un ídolo,
> con la fuerza de su brazo lo forja.
> Siente hambre, y pierde las fuerzas;
> no bebe agua, y desfallece.
> El carpintero mide con un cordel,
> hace un boceto con un estilete,
> lo trabaja con el escoplo y lo traza con el compás.
> *Le da forma humana;*
> le imprime la belleza de un ser humano,
> para que habite en un santuario. Isaías 44.12–13 (énfasis agregado).

No cabe duda de que las palabras en bastardilla constituyen el foco de la sátira del profeta. 'La belleza de un ser humano' habla del privilegio humano de haber sido hecho a la imagen de Dios. Sin embargo, aquí tenemos a un hombre que adora como dios algo que no es más que una imagen de sí mismo, producto de la habilidad y el esfuerzo humanos. La imagen sin vida del hombre viviente languidece dentro de una pequeña choza, mientras que la imagen viviente del Dios viviente anda caminando afuera, sin percatarse de la ironía de sus acciones.

También se nota una ironía similar (si bien tal vez más cortés) en la discusión de Pablo con los intelectuales griegos en Atenas. Pocas culturas han igualado a la antigua Grecia en la exaltación del espíritu humano, del arte, la literatura y la filosofía humanos, hasta en la representación de la forma física humana. Sin embargo, en este proceso habían perdido de vista al Dios en cuya imagen todas estas maravillosas dimensiones de la humanidad tienen su origen. ¿No era absurdo, acaso, les dice Pablo, imaginar que Aquel que es el *origen* de toda esta gloria humana tuviera que recibir alojamiento y ser alimentado por manos humanas?

> El Dios que hizo el mundo y todo lo que hay en él es Señor del cielo y de la tierra. No vive en templos construidos por hombres, ni se deja servir por manos humanas, como si necesitara de algo. Por el contrario, él es quien da a todos la vida, el aliento y todas las cosas. ... Por tanto, siendo descendientes de Dios, no debemos pensar que la divinidad sea como el oro, la plata o la piedra: escultura hecha como resultado del ingenio y de la destreza del ser humano. Hechos 17.24–25, 29

De forma semejante los salmos explotan el contraste entre la obra de las manos de Dios y la obra de las manos humanas. Los seres humanos, como todo el resto de la creación, son obra de las manos de Dios (Salmos 138.8; 139.13–15). Pero nosotros, los únicos entre las criaturas de Dios, hemos sido entronizados 'sobre la obra de [las] manos [de Dios]' (Salmo 8.6–8). Y cuando pensamos en esto a la luz de la contemplación de la vastedad de los cielos, que también son 'obra de [los] dedos [de Dios]' (Salmo 8.3), nos resulta sorprendente. Por eso resulta cómico cuando los humanos, ellos mismos obras de las manos de Dios y designados para gobernar al resto de las obras salidas de las manos de Dios, eligen, en cambio, adorar la obra de *sus propias* manos (Salmo 115.4). Sin lugar a dudas, la idolatría distorsiona, degrada y disminuye nuestra humanidad.

Los ídolos son desalentadores. En un universo politeísta, no podemos esperar que todos los dioses agraden a todo el mundo todo el tiempo. De manera que la desilusión con los dioses es parte de la lotería de la vida. Distribuyamos la suerte entre los dioses, por lo tanto, porque ganaremos en algunos casos, perderemos en otros. El dar por sentado que algunos de los dioses nos van a decepcionar parte del tiempo es algo que está contemplado en una cosmovisión así, y se hace inevitable cuando los conflictos de las naciones se ven como reflejos de los conflictos entre los dioses. Las naciones derrotadas tienen dioses derrotados. Las naciones amenazadas deberían enfrentar la probabilidad de que sus dioses también les fallen. Sería mejor no confiar en ellos demasiado. Es mejor pasarse al lado ganador y así evitar las desilusiones.

Esta es precisamente la suposición que con malicia le parecía tan evidente al comandante asirio, mientras se pavoneaba alrededor de las murallas de la Jerusalén sitiada.

> No le hagan caso a Ezequías, que los quiere seducir cuando dice: 'El SEÑOR nos librará.' ¿Acaso alguno de los dioses de las naciones pudo librar a su país de las manos del rey de Asiria? ¿Dónde están los dioses de Jamat y de Arfad? ¿Dónde están los dioses de Sefarvayin, de Hená y de Ivá? ¿Acaso libraron a Samaria de mis manos? ¿Cuál de todos los dioses de estos países ha podido salvar de mis manos a su país? ¿Cómo entonces podrá el SEÑOR librar de mis manos a Jerusalén? (2 Reyes 18.32b–35)

En otras palabras, razonaba el asirio, YHVH resultaría ser una desilusión tan grande para el pueblo de Judá como lo habían sido los dioses de las otras naciones para ellas. Desde donde se encontraba él, esa parecía ser una jugada sólida y predecible. Ezequías e Isaías, sin embargo, tenían una perspectiva más bien distinta de los asuntos. Por un lado, Ezequías sabía que la razón por la cual los otros dioses habían desilusionado a las naciones que confiaron en ellos era que 'no eran dioses sino solo madera y piedra, obra de manos humanas' (2 Reyes 19.18). Y por otro lado, Isaías sabía que las victorias asirias, lejos de demostrar la superioridad de los dioses asirios, en realidad habían sido planeadas y controladas constantemente por YHVH, y que muy pronto serían revertidas al ser sometidas a los fuegos de su juicio (2 Reyes 19.25–28).

Con razón, entonces, ese mismo profeta ridiculizó a Judá por alejarse de la única fuente de protección que *no* habría de desilusionarlos ante los ejércitos, los caballos y los dioses de los egipcios, que eran notoriamente indignos de confianza y que *indudablemente* los desilusionarían.

Ay de los hijos rebeldes …

que bajan a Egipto sin consultarme,
que se acogen a la protección de Faraón,
    y se refugian bajo la sombra de Egipto.
¡La protección de Faraón será su vergüenza!
    ¡El refugiarse bajo la sombra de Egipto, su humillación! Isaías 30.1–3

Los egipcios … son hombres y no dioses;
    sus caballos son carne y no espíritu. Isaías 31.3 (ver Jeremías 2.36–37).

Dado que los dioses de las naciones eran un fracaso y en consecuencia una desilusión, incluso para las naciones que los adoraban, y dado que solo YHVH era el Dios vivo del que podía confiarse que no fallaría, resultaba doblemente trágico que Israel siquiera pensara en cambiar al uno por los otros. Había algo torpemente antinatural en esto, como lo expresó Jeremías sorprendido y sin poder creerlo.

¿Hay alguna nación que haya cambiado de dioses,
    a pesar de que no son dioses?
¡Pues mi pueblo ha cambiado al que es su gloria,
    por lo que no sirve para nada!
¡Espántense, cielos, ante esto!
    ¡Tiemblen y queden horrorizados! Jeremías 2.11–12

¿Cómo podía alguien abandonar una fuente de vida garantizada a cambio de una fuente de desilusión garantizada? Sin embargo, esto lo que había hecho Israel, al abandonar la fuente de agua pura por una cisterna rota. La expresión 'cisternas rotas que no retienen agua' (Jeremías 2.13) es una poderosa imagen del desengaño, de la futilidad y del esfuerzo desperdiciado.

Luego, el Señor mismo reprocha a Israel por la ingrata e inútil necedad. Basándose en la antigua tradición de Deuteronomio 32.37–38, Jeremías describe la perversidad de Israel al alejarse de YHVH para adorar a dioses despreciables, y luego esperar desvergonzadamente que YHVH los salve cuando los dioses de su propia manufactura fracasaron por completo en librarlos.

A un trozo de madera le dicen:
    'Tú eres mi padre',
y a una piedra le repiten:

'Tú me has dado a luz.'
Me han vuelto la espalda;
  no me quieren dar la cara.
Pero les llega la desgracia y me dicen:
  '¡Levántate y sálvanos!'
¿Dónde están, Judá, los dioses que te fabricaste?
  ¡Tienes tantos dioses como ciudades!
¡Diles que se levanten!
  ¡A ver si te salvan cuando caigas en desgracia! Jeremías 2.27–28[37]

Reyes, ejércitos, caballos, pactos, riquezas, recursos naturales... todas estas cosas *no son* verdaderamente dioses, y son incapaces de aguantar el peso de la confianza que depositamos en ellos. Lo que los convierte en dioses es el hecho de que insistimos en creer las espurias promesas que hacen (o que de alguna manera les atribuimos). Seguimos cumpliendo los enormes sacrificios que exigen de nuestra lealtad. Y contra toda esperanza, seguimos esperando que no nos defrauden. Pero claro, siempre lo hacen. La idolatría es un esfuerzo desperdiciado y produce esperanzas que se estrellan. La adoración de dioses falsos es la fraternidad de la futilidad, el enorme engaño cuyo único destino es la desilusión.

En una oportunidad el editorial en un periódico inglés de circulación nacional finalizó con estas palabras su dolorido análisis de una sociedad en la que dos niños podían asesinar insensiblemente a un bebé que apenas caminaba: 'Todos nuestros dioses han fallado'... No cabe duda de que esas palabras eran una figura de dicción[38] pero, lamentablemente, semejante grito metafórico de desesperación capta con precisión la verdad espiritual. Aquellas cosas que pensábamos que podían librarnos del mal y en las que invertimos grandes cantidades de capital intelectual, financiero y emocional con la esperanza de que nos salvarían, en cambio nos han desalentado espectacularmente. ¿Cúando aprenderemos?

Recordando que la batalla es del Señor. Johannes Verkuyl escribe así:

---

37 En el v. 27 Jeremías despreciativamente invierte el 'género' de la idolatría aquí: el poste de madera era el símbolo de la maternidad femenina, en tanto que la piedra enhiesta era el símbolo fálico masculino.
38 Del editorial 'It Must Be Someone's Fault—It Might Be Our Own', ['Alguien tiene que tener la culpa— Podríamos tenerla nosotros'] *The Independent,* febrero 28, 1993, tras el asesinato de James Bulger, de dos años de edad, por dos niños de diez años.

Todo el Antiguo Testamento (además del Nuevo Testamento) está lleno de descripciones de la forma en que YHVH–Adonai, el Dios del pacto con Israel, hace la guerra contra esas fuerzas que tratan de desbaratar y subvertir los planes divinos para la creación. Lucha contra esos falsos dioses que los seres humanos han fabricado a partir del mundo creado, y que han idolatrado y utilizado para sus propios fines. Pensemos, por ejemplo, en los baales y en Astarot, cuyos adoradores elevaron la naturaleza, la tribu, el estado y la nación a un *status* divino. Dios lucha contra la magia y la astrología que, según Deuteronomio, tuercen la línea entre Dios y su creación. Lucha contra toda forma de injusticia social y arranca todo manto debajo del cual procura ocultarse.[39]

La Biblia presenta la lucha con la idolatría como una batalla entre YHVH, el Dios viviente, y todas esas fuerzas que se le oponen. Verkuyl menciona los dioses de los cultos cananeos, pero de la misma manera podría pensar en la gran batalla con los dioses anónimos de Egipto en el relato del éxodo (ver Éxodo 12.12), que precedieron a la vida de Israel en Canaán, o en la sostenida polémica retórica contra los dioses de Babilonia en el contexto del exilio de Israel, en el libro de Isaías.[40]

Ahora que hemos repasado la deprimente devastación que la idolatría ocasiona en la vida humana, podemos ver este conflicto entre Dios y los dioses con una nueva luz. Podemos ocuparnos de tres puntos con relevancia misional.

El amor misional de Dios repele la idolatría. Por un lado, es cierto que Dios combate contra la idolatría porque empequeñece la gloria que por derecho le pertenece a él en forma exclusiva. El celo de Dios por su propio ser es una dinámica poderosa en toda la Biblia. Pero, por otro lado, la batalla de Dios contra los dioses que son producto de manos humanas (y lo que representan) puede verse como una función de su *benevolente amor hacia nosotros* y hacia toda su creación. El celo divino es de hecho una función esencial del amor divino. Es precisamente porque

---

39 Johannes Verkuyl: *Contemporary Missiology*, Eerdmans, Grand Rapids, 1978, p. 95. Ver también, como un serio tratamiento del conflicto como un elemento esencial de la misión en el pensamiento bíblico, Marc R. Spindler: *La Mission: Combat Pour Le Salut Du Monde*, Delachaux & Niestle, Neuchatel, 1967.

40 Robert B. Chisholm también observa estas tres eras ampliamente significativas en el conflicto entre Yahvéh y los dioses, y luego se concentra en las dos últimas. Ver, "'To Whom Shall You Compare Me?' Yahweh's Polemic Against Baal and the Babylonian Idol-Gods in Prophetic Literature", en *Christianity and the Religions: A Biblical Theology of World Religions*, ed. E. Rommen y H. A. Netland, William Carey Library, Pasadena, 1995, pp. 56-71.

Dios desea nuestro bien que odia el daño que nos infligimos con nuestra idolatría. El conflicto de Dios con los dioses es, en última instancia, para nuestro propio bien como también para la gloria de Dios. Esto destaca todavía más la razón por la cual la idolatría es un pecado tan primario en la Biblia, identificado como tal por el carácter primordial de los dos primeros mandamientos del Decálogo. No es sencillamente que la idolatría se roba la gloria de Dios, sino que también obstaculiza el amor de Dios, ese amor que procura el mayor bien de toda la creación de Dios. La idolatría, por consiguiente, contradice la esencia o el carácter divino de Dios, por cuanto 'Dios es amor'.

Además, es importante notar la fuerte hermenéutica misional en este análisis. No nos acercamos a esta cuestión desde la perspectiva de un intento de reconstrucción de la evolución de la religión de Israel, como tampoco desde la perspectiva de la sicología religiosa de quienes adoran a otros dioses. Nos recordamos constantemente que la fuerza primaria que impulsa el gran relato bíblico es la prioridad de la misión de Dios mismo. La religión de Israel al nivel empírico de la práctica popular parece haber subido y bajado en función del grado de su compromiso con la dinámica monoteísta, y con mucha frecuencia sucumbió al politeísmo del entorno. Pero en general el canon da testimonio de la constante determinación del Dios vivo, en trascendental unicidad y universalidad, de derrotar y de destruir todo aquello que tienta a los seres humanos a apartarse del amor que reciben de Dios y del amor que deberían darle a Dios.

La batalla de Dios con los dioses es una parte esencial de la misión de Dios. La misión de Dios es la bendición de las naciones. Y la bendición de las naciones debe incluir finalmente el librarlas de los dioses que simulan ser protectores y salvadores, cuando en realidad son engañadores que devoran, destruyen y desilusionan. La batalla para lograrlo es una batalla de amor divino.

La batalla y la victoria pertenecen a Dios. Segundo, poniendo nuevamente el énfasis en la misión de Dios, no en la misión humana, preservamos la perspectiva bíblica correcta sobre este asunto. Porque es preciso que seamos claros en cuanto a que en la Biblia *el conflicto con los dioses es un conflicto entablado por Dios para nosotros, no un conflicto que nosotros entablamos para Dios.* Por cierto, el pueblo de Dios está envuelto en una guerra espiritual, de lo cual dan testimonio incontables textos. Sin embargo, con toda seguridad *no es* el caso que Dios esté esperando ansiosamente que llegue el día cuando finalmente ganemos la batalla por él y los cielos puedan aplaudir nuestra gran victoria. Tonterías blasfemas como esta no están lejos de la retórica y la práctica de algunas formas de obra misionera que ponen el énfasis en toda clase de métodos y técnicas de guerra mediante las cuales se nos estimula a identificar y a derrotar a nuestros enemigos espirituales. No, el énfasis mayoritario en la Biblia es que *nosotros* somos los que esperamos con confianza la llegada del día cuando Dios derrotará a todos los enemigos de Dios y de su pueblo, y entonces celebraremos la victoria *de Dios* juntamente con los ángeles, arcángeles y toda la compañía del cielo. Por cierto, en la compañía del cielo ya celebramos la victoria de la cruz y la resurrección de Cristo, la victoria de la Pascua que anticipa la final destrucción de todos los enemigos de Dios.

Dios pelea por nosotros, no nosotros por él. Nosotros somos llamados a ser testigos, a luchar, a resistir, a sufrir. Pero la batalla es del Señor, como lo es la victoria final.

Nuestra batalla se pelea con amor, no con triunfalismo. Tercero, en la medida en que nuestra misión también incluye la dimensión de la guerra espiritual, es preciso que reconozcamos que nuestro objetivo prioritario no es el de 'ganar' sino el de servir. Los ídolos, dioses, demonios y poderes espirituales contra los que declaramos la guerra en el nombre del evangelio de Cristo y su cruz son cosas que oprimen y arruinan la existencia humana. Los dioses falsos destruyen y devoran vidas, salud y recursos; distorsionan y limitan nuestra humanidad; promueven la injusticia, la avaricia, la perversión, la crueldad, la lujuria y la violencia. Es posible que sea la dimensión más satánica de su poder engañador el que, a pesar de todo esto, todavía convencen a la gente de que son protectores benéficos de la identidad, la dignidad y la prosperidad de sus adoradores, y que por lo tanto deben ser defendidos a toda costa. Solo el evangelio puede desenmascarar estas pretensiones. Solo el evangelio expone el cáncer de la idolatría. Solo el evangelio es bueno para la gente.

Nuestra motivación misional, por lo tanto, debe ser cuidadosamente examinada. La guerra espiritual no es cuestión de un triunfalismo saturado de un espíritu de superioridad jactanciosa, en la que nos obsesiona la idea de 'obtener la victoria'. Más bien es asunto de profunda compasión por los que están oprimidos por fuerzas del mal y la idolatría, con los efectos sociales, económicos, políticos, espirituales y personales que las acompañan. Batallamos contra la idolatría porque, como el Dios cuya misión compartimos, sabemos que al hacerlo procuramos los mejores intereses de aquellas personas a las cuales estamos llamados a servir en su nombre. Combatimos la idolatría no solamente para glorificar a Dios, sino también para bendecir a la humanidad. La guerra espiritual, como todas las formas de misión bíblica, ha de ser motivada por el amor verdadero y ejercida con profunda humildad y compasión, tal como es modelada por el propio Jesús.

Enfrentando a la idolatría

El combatir la idolatría puede adoptar muchas formas. La Biblia nos prepara para reconocer que diferentes aproximaciones pueden resultar pertinentes en diferentes situaciones. La sabiduría en la misión nos pide que aprendamos a discernir, y a reconocer que lo que puede ser apropiado en una situación puede no serlo en otra. En el ministerio del apóstol Pablo, por ejemplo, podemos observar la aproximación diferente adoptada cuando, por ejemplo, (1) se ocupa de la idolatría en el contexto de una densa discusión teológica de una epístola y (2) la enfrenta en una presentación evangelizadora ante adoradores de otros dioses, y también (3) cuando encara cuestiones pastorales planteadas en el seno de la iglesia en relación con la idolatría circundante. Y a estos podemos agregar el conflicto profético con la idolatría, que descubre su inutilidad pero haciéndolo en primer lugar para los oídos del pueblo de Dios.

El argumento teológico. Al escribir a cristianos, y referirse a la idolatría como fenómeno, Pablo no ahorra golpes. En su agudo análisis de la rebelión humana contra Dios en Romanos 1.18–32, ubica a la idolatría claramente dentro del reino de aquello que provoca la ira de Dios. Es el resultado de la deliberada supresión de la verdad acerca de Dios que conocemos y que está disponible para todos los seres humanos. Comprende el trastrocamiento del orden de la creación, implica cambiar el culto al Dios vivo por el culto a imágenes de la creación. La idolatría se dice sabia, pero es crasa necedad. Resulta en un catálogo de vicio y perversidad, y corrompe todos los aspectos de la vida humana: sexual, social, familiar y personal. La idolatría aliena, entenebrece, degrada, divide y es mortal. No debemos dejar de lado ningún aspecto de este análisis del todo. El ataque de Pablo a la idolatría es teológico, intelectual, espiritual, ético y social. Es una poderosa pieza de argumentación teológica, preparatoria de su exposición sobre la plenitud del evangelio.

La misión requiere que nos dediquemos a este tipo de discurso cuando sea apropiado, porque no tenemos libertad para diluir los colores del desenmascaramiento que hace Pablo de la idolatría. Ésta es la verdad de la cuestión, la síntesis de tantos otros textos bíblicos sobre el tema. Las buenas noticias del evangelio tienen que verse (como aparece muy pronto en Romanos) contra el fondo de las horrendas malas noticias sobre lo que realmente es la adicción humana a la idolatría. Aquí, repitamos, el contexto es un ajustado argumento teológico, preludio de la plena exposición de Pablo sobre el evangelio como el 'poder de Dios para la salvación de todos los que creen: de los judíos primeramente, pero también de los gentiles' (Romanos 1.16). Estas palabras fueron escritas por Pablo a *cristianos*, como palabras de enseñanza y advertencia.

Actividad evangelizadora. El libro de Hechos nos ofrece tres miradas de Pablo en contacto directo con adoradores paganos de los dioses de la cultura griega:

- Listra (Hechos 14.8–20)
- Atenas (Hechos 17.16–34)
- Éfeso (Hechos 19.23–41)

Las circunstancias eran muy diferentes en cada lugar, pero hay algunos interesantes rasgos comunes.

En *Listra,* la curación de un lisiado llevó a que Bernabé y Pablo fueran aclamados como los dioses griegos Zeus y Hermes en forma humana, y que en consecuencia se preparara un sacrificio en su honor. Pablo reaccionó con una fuerte protesta, argumentando que él era solo un hombre, y continuó con una apelación a que la multitud se volviera de 'estas cosas sin valor' (v. 15) al único Dios vivo, al Creador de cielo y tierra, quien nos da todas las cosas buenas de la vida.

En *Atenas*, las discusiones con algunos filósofos acerca de Jesús y la resurrección motivaron una citación ante las autoridades de la ciudad, en el Areópago, para que sometiera su enseñanza a su consideración. Esta audiencia probablemente no fue una cuestión de amable curiosidad sino una investigación pública. La presentación de nuevos dioses en Atenas (como suponían que estaba tratando de hacer Pablo) no era un problema en lo religioso, sino que tenía que ser controlado por las autoridades civiles, para asegurar que (1) las deidades ofrecidas presentaran algún registro de éxitos a su nombre y (2) que quien las promovía pudiera costear la edificación de un templo, proveer los sacrificios, pagar a los sacerdotes, etcétera.[41] El discurso de Pablo pone a este protocolo cívico patas para arriba. El Dios que él representaba no estaba sujeto a acreditación humana por las autoridades atenienses: más bien aparecía como el que las enjuiciaba. Lejos de necesitar los servicios de asistentes humanos para su vivienda y alimentación, era este Dios el que proporcionaba estas cosas y mucho más para toda la raza humana.

En *Éfeso*, dos años de conferencias públicas sistemáticas (Hechos 19.9–10) acompañadas por notables milagros de sanidad (Hechos 19.11–12) llevaron a la formación de un grupo de creyentes verdaderamente convertidos (Hechos 19.17–20). Tantas eran las personas que se estaban volviendo hacia el Dios vivo mediante la fe en Cristo que el mercado de la industria de ídolos se estaba viniendo abajo en la ciudad (Hechos 19.23–27). No contamos con información directa sobre la enseñanza de Pablo, pero Lucas la sintetiza en boca de Demetrio: Pablo 'sostiene que no son dioses los que se hacen con las manos' (Hechos 19.26).

De esta manera el mensaje monoteísta del evangelio desafiaba a la superstición popular en Listra, al orgullo intelectual y cívico en Atenas, y a los intereses económicos en Éfeso.

La orientación de la táctica de evangelización empleada por Pablo en tales circunstancias (es decir, cuando se enfrentaba directamente

---

41 Para esta lectura de la situación en Hechos 17 ver Bruce Winter: 'On Introducing Gods to Athens: An Alternative Reading of Acts 17:18-20', *Tyndale Bulletin* 47 (1996): 71-90.

con paganos que adoraban ídolos, a diferencia de ofrecer enseñanza teológica a creyentes firmes) es directa e inflexible, aunque más suave y más amable que el lenguaje que utilizó en Romanos 1.

En los dos discursos registrados (en Listra y en Atenas), Pablo destaca a Dios como el único Creador viviente de cielo y tierra (Hechos 13.15; 17.24). En ambos recalca la providencia de Dios al proveer a los seres humanos todas las necesidades de la vida, incluidos la vida misma y su aliento (Hechos 13.17; 17.25). En Listra ofrece esto como prueba de la bondad de Dios, quien proporciona gozo también a los paganos; en Atenas lo ofrece como prueba de que Dios quiere que la gente lo busque, si bien de hecho no está lejos de ninguno de nosotros (apoyando esto con una cita de una poesía pagana [Hechos 17.27–28]). En ambos lugares, acepta que Dios ha sido paciente y tolerante ante la ignorancia pagana en el pasado (Hechos 13.16; 17.30). Pero en ambos también convoca a volverse decididamente del culto a esas 'cosas sin valor' (Hechos 14.15), que son inadecuadas para el ser divino (Hechos 17.29). Esto es consecuente con su propio testimonio con respecto al peso de su predicación en Tesalónica. Recuerda que los paganos allí 'se convirtieron a Dios dejando los ídolos para servir al Dios vivo y verdadero' (1 Tesalonicenses 1.9). En Atenas, pasa a hablar del juicio y a vincularlo con la resurrección de Cristo (Hechos 17.31).

Lo que aprendemos de los labios de los paganos en Éfeso es que Pablo había sostenido enfáticamente que 'no son dioses los que se hacen con las manos' (Hechos 19.26, una perspectiva perfectamente coherente con el Antiguo Testamento). Pero lo que también aprendemos en forma sumamente interesante es que Pablo *no* se había dedicado a difamar a Artemisa/Diana, la diosa patrona de Éfeso. Esto es algo que ni siquiera el propio Pablo se ocupa de aclarar sino que es mencionado por el secretario del concejo municipal de la ciudad en su defensa para aplacar el disturbio fomentado contra Pablo y sus amigos: 'No han cometido ningún sacrilegio ni han blasfemado contra nuestra diosa' (Hechos 19.37). La evangelización de Pablo era inflexiblemente efectiva pero no era ofensiva.

Comparando la argumentación *teológica* de Pablo ante los cristianos en

Romanos 1 con su predicación *evangelística* registrada en Hechos, hay una marcada diferencia de tono, aun cuando no hay, por cierto, ningún choque en cuanto a convicciones fundamentales.

Romanos, una epístola dirigida a cristianos, destaca la ira de Dios. Hechos, que se refiere a discursos pronunciados ante paganos, destaca la bondad, la providencia y la paciencia de Dios.

Sin embargo, ambos insisten en el juicio de Dios:

- Romanos presenta la idolatría fundamentalmente como rebelión y supresión de la verdad. Hechos presenta la idolatría como ignorancia.
- Romanos presenta la maldad que genera la idolatría. Hechos presenta la idolatría como algo 'sin valor'.
- Romanos muestra la perversión característica del pensamiento del idólatra. Hechos indica lo absurdo que es cuando nos detenemos a pensarlo.
- Pablo podía criticar mordazmente a la idolatría como 'una mentira' ante lectores cristianos, pero no maldijo a Artemisa ante sus adoradores paganos.

De modo que hay una diferencia en el tono y la táctica en el enfrentamiento de Pablo con la idolatría, según el contexto. No obstante, deberíamos tener claro que en ambos casos el apóstol edifica lo que tiene que decir sobre sólidos fundamentos bíblicos, porque cada uno de los puntos mencionados arriba, aun cuando tienen énfasis distintos y balanceados, pueden relacionarse con la retórica del Antiguo Testamento contra la idolatría. Es de notar que si bien en ninguna parte Pablo cita textos del Antiguo Testamento en su prédica de evangelización entre los gentiles (como lo hace tan profusamente cuando habla con judíos en las sinagogas), el contenido de su mensaje está afincado con firmeza en la fe monoteísta creacional de Israel, y lo proclama con toda claridad.

Guía pastoral. Los que llegaban a la fe en Cristo desde un trasfondo de politeísmo grecorromano abrazaban la cosmovisión monoteísta bíblica, pero seguían viviendo rodeados de la realidad idolátrica de la cultura en cuyo seno ahora estaban llamados a vivir su identidad cristiana. Esto les planteaba dilemas diariamente. La excelencia de la práctica misionera de Pablo radica en que no se conformaba simplemente con la evangelización y la iniciación de iglesias, sino que le preocupaba formar comunidades de creyentes maduros que pudieran pensar bíblicamente sobre los asuntos éticos que enfrentaban en la cultura religiosa del ambiente. Su tarea misional abarcaba tanto la evangelización como la orientación pastoral y ética para las iglesias, y ambas estaban fundamentadas teológicamente.

Los capítulos 8—10 de 1 Corintios brindan el texto principal sobre esta cuestión. ¿Cómo debían actuar los cristianos en relación con la carne que había sido sacrificada a los ídolos? El nudo de la cuestión no era para los corintios la clarificación *teológica*: al parecer conocían su teología, ya que Pablo lo da por sentado en 1 Corintios 8.4–6. Tampoco era *evangelístico* en primer lugar: los corintios ya habían aceptado la fe en Jesucristo (1 Corintios 1.1–9). Sí se trataba de un asunto *pastoral y ético*, ya que había divisiones en el seno de la iglesia sobre la cuestión, y algunos miembros estaban siendo heridos y se sentían ofendidos mientras que otros estaban actuando con arrogancia e imprudencia.

Ya hemos considerado el pasaje con alguna profundidad en torno a la pregunta de si '¿son algo o nada los dioses y los ídolos?'; no es necesario que repasemos esto nuevamente. Pero vale la pena recordar que el problema tenía dos aspectos, y Pablo proporciona respuestas a cada uno de ellos. Ambos tienen que ver con la cuestión de cómo tratan los cristianos los problemas prácticos de la idolatría en el ambiente.

Por una parte, estaba *el mercado común de carnes*. Los animales eran degollados en rituales de sacrificio a diversos dioses y luego la carne terminaba en la mesa del carnicero en el mercado. ¿Podían los cristianos comprar esa carne sin avalar la idolatría previamente envuelta en su producción?

La respuesta de Pablo es, en términos generales, 'Sí, pueden. Los dioses y los ídolos no tienen ninguna existencia real; la carne es un buen don de Dios el Creador y puede ser disfrutada con gratitud hacia él'. La única excepción a esta libertad de acción es en el caso de que ofenda a alguna otra persona que comparte la mesa, en cuyo caso uno debería abstenerse por respeto a la conciencia más débil de esa otra persona. La regla del amor ocupa lugar preferencial frente a la libertad que ya tenemos. Aparte de esa restricción, el consejo sumamente práctico de Pablo es 'coman de todo lo que se vende en la carnicería, sin preguntar nada por motivos de conciencia' (1 Corintios 10.25).

Por otro lado, estaban las comidas que se ofrecían dentro de los edificios *del templo de los dioses*, y con frecuencia se trataba de funciones cívicas o de acontecimientos sociales organizados por ciudadanos más pudientes. Estas eran oportunidades para conseguir apoyo o ayuda, haciendo tratos ventajosos y acomodándose a las expectativas sociales de la élite corintia. Como estos incluían la participación en los sacrificios en los templos de los dioses (lo cual era diferente de acudir al puesto del carnicero y comprar la carne que era un subproducto del sacrificio), Pablo era de opinión que los cristianos no debían asistir a esos acontecimientos.

El apóstol era consciente de las consecuencias sociales negativas para los cristianos al excluirse de los encuentros en los templos. No solo serían vistos como negligentes u ofensivos ante los dioses de la ciudad, también perderían oportunidades de participar en las redes sociales y muy probablemente pondrían en peligro su relación con los mecenas y empleadores. Pero Pablo era inflexible. Manténgase alejados. En primer lugar, aun cuando se hiciera con pleno conocimiento teológico de su 'vaciedad', la asistencia a esas fiestas en los templos plantea una amenaza mucho mayor para la conciencia del hermano más débil que nos ve hacerlo, y de este modo estaremos pecando contra Cristo que murió por él (1 Corintios 8.10–13). Pero en segundo lugar, aunque los ídolos y los sacrificios son 'nada' en cualquier sentido divino, pueden ser puertas de ingreso de lo demoníaco. Los cristianos no deben mezclar su participación en el cuerpo y la sangre de Cristo con su participación en fiestas de demonios (1 Corintios 10.14–22). Por esa razón el consejo de Pablo sobre *esta* parte de la pregunta es simple: 'huyan de la idolatría', es decir, no permitan ninguna sospecha de que están participando en ella, aun cuando tengan intactas las defensas teológicas internas. Manténganse alejados.

La sutileza y la sensibilidad con las que Pablo construye la aplicación pastoral y ética de su teología (es decir, las consecuencias misionológicas del monoteísmo en el contexto de un poderoso politeísmo cultural) resulta muy ilustrativo.

Por cierto que tiene mucho que ofrecer a los cristianos en muchos contextos religiosos y culturales distintos, atrapados en la presión entre la convicción teológica y las convenciones sociales.

En contextos donde otros dioses se adoran explícitamente, quizás los cristianos deban distinguir entre los subproductos de rituales asociados con esos dioses y la real participación en el culto a los mismos. Algunos cristianos en la India, por ejemplo, se sienten libres de aceptar los *prasad* (los regalos de dulces o frutas de quienes han celebrado un cumpleaños u otros acontecimientos ofreciendo algo a los dioses en sus hogares o lugares de trabajo), pero no están dispuestos a participar en los rituales mismos o en ningún culto de creencias mixtas, como tampoco en nada que explícitamente declare la realidad de otros dioses. Otros cristianos en la India excluirían ambas cosas por temor a desorientar al 'hermano más débil'.

En Occidente, los dioses y los ídolos adoptan formas más sutiles, pero pueden presentarse situaciones parecidas. El juego de azar, por ejemplo, podría fácilmente concebirse como una forma de idolatría del dios Mamón, con la tendencia a la adicción que alimentan casi todas las idolatrías. Por esa razón la mayoría de los cristianos se niega a practicar ese juego o a sacar provecho del mismo, ya sea participando en el juego (p. ej., las loterías del estado) o pidiendo dinero a los organizadores de esas loterías. Algunos juegan y ganan, y luego deciden dar algo de ese dinero a la iglesia o a alguna obra de caridad cristiana. En este caso, hay quienes sostendrían que ese dinero puede aceptarse sin plantear interrogantes de conciencia, dado que toda la riqueza pertenece en primer lugar al Señor; no estamos participando en el pecado del juego al aceptar un regalo así, aun cuando sea producto del juego, como tampoco participaba en la idolatría el corintio que compraba carne en la carnicería, aun cuando hubiese sido elaborada en un ritual idolátrico. El desacuerdo entre cristianos occidentales sobre este punto seguramente se asemeja al que se da entre los cristianos indios por los *prasad*.

No cabe duda de que podríamos considerar muchos otros ejemplos de la aplicación de la orientación pastoral y ética de Pablo. Lo que quiero destacar es que su manejo de la cuestión en un contexto pastoral entre creyentes cristianos nuevos es diferente del que hace en un contexto evangelístico con no creyentes o el de su discurso teológico en un marco didáctico y dirigido a cristianos maduros. Probablemente tengamos algo que aprender de Pablo en la forma en que enfrentamos la idolatría en nuestros múltiples contextos.

Advertencia profética. El enfoque pastoral que hemos estado considerando comprende el ayudar al pueblo de Dios a resolver los dilemas de vivir en una cultura en la que la idolatría es endémica. El enfoque profético, sin embargo, comprende la identificación, el desenmascaramiento y la denuncia de la idolatría misma. Pero es notable que donde esto ocurre en la Biblia, casi siempre está destinado a los oídos del pueblo de Dios. En contextos evangelísticos en el Nuevo Testamento, hay un claro repudio de la cosmovisión politeísta, pero no encontramos una denuncia pública de dioses en particular, ni burlas ofensivas para quienes los adoran. En el Antiguo Testamento, en los pocos casos en los que un israelita se ocupa de las naciones paganas, la condena se dirige a su carácter moral y social perverso, no a su culto a los dioses equivocados (aun cuando ambos están relacionados). Ejemplos de esto serían el catálogo de Amós sobre los pecados de las naciones que rodeaban a Israel (Amós 1.1—2.3; es notable que el profeta solo especifica el culto de los falsos dioses cuando se ocupa de Judá en Amós 2.4). Otro caso es la condena de Nínive por Jonás, que apunta explícitamente a 'su maldad' y a 'sus hechos violentos', no a sus dioses (Jonás 1.2; 3.8). Las burlas de Elías a los profetas de Baal no deben verse como burlas a los ignorantes paganos, porque muchos de ellos eran en realidad apóstatas del *yahvismo*. Su principal ofensa consistió en conducir al pueblo hacia su propia confusión idolátrica.

En cambio, ningún recurso retórico resulta redundante cuando las voces proféticas dirigen su denuncia de la idolatría *hacia el propio pueblo de Dios*. Basta con recordar la penetrante polémica de Isaías 40—48, los argumentos similares de Jeremías 10, o las advertencias de Deuteronomio 4. ¿Cuál es la razón de esta pesada falta de equilibrio? Sin duda la idolatría debía evitarse por temor a incurrir en la celosa ira del Dios viviente. (Pablo tampoco era ajeno a esa discusión [ver 1 Corintios 10.22].) Pero los profetas también denunciaban la inutilidad de la idolatría con el fin *de liberar al pueblo de Dios de un exagerado temor a los dioses de las naciones* que parecían más poderosos.

Esto resulta obvio en Isaías 40—48, y también es la motivación de Jeremías:

> No aprendan ustedes la conducta de las naciones,
>   ni se aterroricen ante las señales del cielo,
> aunque las naciones les tengan miedo. …
>   Sus ídolos no pueden hablar;
> ¡parecen espantapájaros
>   en un campo sembrado de melones!
> Tienen que ser transportados,
>   porque no pueden caminar.
> No les tengan miedo,
>   que ningún mal pueden hacerles,
> pero tampoco ningún bien. Jeremías 10.2, 5

Los profetas también denuncian a los dioses de las naciones porque saben que finalmente Israel se desengañará y se humillará si los sigue.

El advertir al pueblo de Dios en cuanto a la idolatría es para la protección del pueblo. El costo es demasiado alto, como lo descubrió Israel en el exilio, mediante las explicaciones retrospectivas de Ezequiel.

No estaría fuera de lugar incluir Romanos 1.18–32 en este conjunto, por cuanto la demoledora aclaración de Pablo sobre las perversas raíces y el amargo fruto de la idolatría se ubican en la misma tradición profética. Como los profetas de antaño, Pablo convoca a los redimidos a evaluar la idolatría desde el punto de vista de Dios, y a reconocer la asombrosa realidad acerca de aquello de lo cual han sido redimidos.

Por su parte, Éfeso ofrece un interesante estudio de casos. Hechos relata que Pablo predicó el evangelio en Éfeso, y que muchas personas allí se volvieron de la idolatría y la brujería al Dios viviente. En el curso de ese programa de fundación de iglesias, Pablo no se dedicó a la difamación pública de Artemisa (según lo acusaban las autoridades seculares). No obstante, al escribir posteriormente a esos nuevos creyentes en Éfeso que habían elegido alejarse de la adoración a Artemisa para confiar en Cristo, Pablo no titubeó en recordarles de su peligroso estado espiritual *antes* de que alcanzaran la fe en Cristo. Habían vivido apartados de Israel, del Mesías de Israel, de la esperanza de Israel según el pacto, y del Dios de Israel. De hecho, mediante un irónico giro idiomático Pablo dice que estos efesios, con sus muchos dioses, habían estado *atheoi* ('sin Dios'), en razón de que no tenían ningún conocimiento de, o relación con, el Dios vivo y verdadero (Efesios 2.12). Más tarde vuelve a recordarles acerca del tipo de vida del que habían sido rescatados, una vida caracterizada por aquellas cosas que en otra parte Pablo vinculó estrechamente con la idolatría en Romanos 1 (vaciedad, oscuridad, dureza, inclinación por lo sensual [Efesios 4.17–19]). Parte de la intención de Pablo al escribir así era recordar a los creyentes acerca de la oscuridad moral y espiritual de la idolatría, alertarlos sobre el peligro de volverse atrás y alentarlos a vivir como santos redimidos. Al parecer Pablo atacaba la idolatría mucho más ferozmente cuando disciplinaba a quienes habían sido librados de ella que cuando llevaba adelante su ministerio de evangelización pública entre quienes todavía estaban envueltos en ella.

¿En qué sentido puede esta advertencia profética contra la idolatría en ambos Testamentos resultar misionológicamente significativa para el pueblo de Dios? Una vez más la respuesta está en apreciar la misión de Dios en y a través del pueblo de Dios. La meta del Señor en cuanto a bendecir a las naciones exige no solo que las naciones abandonen a sus dioses y trasladen su culto de adoración al único Dios vivo (como aparece, p. ej., en el Salmo 96 y en muchas visiones proféticas). La misión de Dios también requiere que, entretanto, el pueblo de Dios preserve la pureza y la exclusividad del culto al Dios viviente, y se oponga a los sincretismos adulteradores que lo rodean. Un Israel obediente y leal al pacto sería visto por las naciones y el resultado sería la alabanza y la gloria para YHVH, el Dios vivo (Deuteronomio 4.6–8; 28.9–10). Un Israel desobediente e idolátrico acarrearía deshonra para YHVH y arrastraría su nombre por las alcantarillas de la profanidad entre las naciones (Deuteronomio 29.24–28; Ezequiel 36.16–21). En otras palabras, hay más en juego cuando se buscar mantener al pueblo de Dios alejado de los ídolos, algo más que su propia salud espiritual: también está en juego la misión de Dios por amor a las naciones.

Jeremías, con sus acostumbradas imágenes gráficas, captó ambos lados de esta percepción de la misión de Israel en una sola pieza de simbolismo profético actuado (Jeremías 13.1–11). Así como un hermoso artículo de vestir proporciona honor y alabanza para quien lo viste, así Dios había ligado a Israel a sí mismo, 'para que fueran mi pueblo y mi renombre, mi honor y mi gloria'.[42] Este triplete de palabras es igual al que Dios le había prometido a Israel que tendría entre las naciones (Deuteronomio 26.19). Cualquier renombre que el pueblo de Dios pudiera merecer por su lealtad y obediencia a él es en última instancia para el honor y la gloria de Dios mismo. Esa es la dinámica misionológica. Pero la idolatría de Israel (especificada en Jeremías 13.10) tiene el efecto de asemejarlos al paño de tela que ha sido enterrada en terreno húmedo por mucho tiempo y ahora 'estaba podrido y no servía para nada' (vv. 7, 10). Dios no puede 'vestir' al pueblo que está empapado y manchado con los trapos podridos de la idolatría. ¿Cómo puede Dios alejar a las naciones del culto a los falsos dioses si el pueblo que ha elegido para que sea una bendición para las naciones está sometido al flagelo de esos dioses? La severidad lacerante de las advertencias contra la idolatría no tiene como única meta el beneficio del pueblo de Dios sino en última instancia, a través de él, el beneficio de todas las naciones.

Ésa es su relevancia misional.

Conclusión

¿Qué hemos visto en este capítulo en relación con la dimensión misionológica de la denuncia de la Biblia contra la idolatría?

Hemos visto la paradoja de que si bien los dioses y los ídolos son *algo* en el mundo, *no son nada* en comparación con el Dios vivo.

Hemos visto que mientras los dioses e ídolos pueden ser instrumentos o puertas de acceso al mundo de lo demoníaco, el veredicto aplastante de las Escrituras es que son obra de manos humanas, construcciones de nuestra propia imaginación caída y rebelde.

---

42 Esta es una inusual pero ricamente significativa metáfora para la relación en el pacto. En su intimidad y su mutualidad, es como el vínculo entre una persona y su artículo de vestir favorito, que está unido afectivamente a nuestro cuerpo. El pacto es Dios que se viste de su pueblo.

También hemos visto que el primer problema con la idolatría es que desdibuja la distinción entre el Dios Creador y la creación. Esto daña a la creación (incluidos nosotros) y minimiza la gloria del Creador.

Dado que la misión de Dios consiste en restaurar la creación a su propósito original de dar toda la gloria a Dios mismo y, de este modo, permitir que la creación íntegra disfrute de la plenitud de la bendición que él anhela que tenga, Dios lucha contra todas las formas de idolatría y nos llama a unirnos a él en ese conflicto.

Sin embargo, un enfoque misional bíblicamente informado sobre la idolatría procura entender la gran variedad de formas en que los seres humanos se fabrican dioses, la variedad que adoptan esos dioses y la variedad de motivaciones que nos llevan a adorarlos.

Luego tenemos que entender toda la amplia muestra de los efectos perniciosos de la idolatría con el fin de apreciar su seriedad y la razón de la apasionada retórica de la Biblia en relación con ella.

Finalmente, al enfrentar la idolatría, debemos estar en condiciones de discernir en cuanto a las respuestas apropiadas para los diferentes contextos, aprendiendo este enfoque de los apóstoles y de los profetas.

Todas estas tareas han de llevarse a cabo no solo a la luz de la amplia gama de textos bíblicos, tales como los que hemos mencionado en este capítulo y en el anterior, sino también en relación con una variedad de contextos culturales y espirituales específicos y las manifestaciones particulares de la adicción humana a la idolatría. Los profetas y los apóstoles nos ofrecen el claro ejemplo tanto de reclamar la universalidad y la trascendencia para YHVH y para Cristo, como al mismo tiempo ocuparnos con tajante pertinencia de los contextos particulares y locales hacia los que somos enviados. No menos que eso es lo que nos exige nuestra misión.

PARTE 3
El pueblo de la misión

Habiendo completado nuestro estudio de los temas del vértice superior del diagrama (ver p. 34) bajo el encabezamiento de 'El Dios de la misión' y la interpretación dinámica del monoteísmo bíblico y la misión bíblica, avanzamos ahora hacia el siguiente ángulo del triángulo: 'El pueblo de la misión'.

La idea generalizada de la misión cristiana se inclinaría a localizar sus comienzos más o menos simultáneamente con el origen de la iglesia cristiana. ¿No había dicho Jesús que sus discípulos debían esperar hasta recibir poder del Espíritu Santo antes de marchar a predicar el arrepentimiento y el perdón hasta los confines de la tierra? ¿Y no fue también la llegada del Espíritu Santo que inició a la iglesia en Pentecostés? Ambas cosas están unidas como por un broche verbal, a juzgar por la forma en que Lucas termina su Evangelio y comienza su segundo libro, Hechos.

Por cierto que esta conjunción instintiva entre eclesiología y misionología es válida, por supuesto, pero un lector que nos haya acompañado hasta aquí no se sorprenderá al escuchar que este enlace puede rastrearse hasta mucho antes que Pentecostés, hasta el Antiguo Testamento. La iglesia pudo haber nacido aquel día, pero la historia del pueblo de Dios retrocede hasta Abraham. Y como le gustaba señalar a Pablo a todo el que lo escuchaba, cualquier persona o nación que está en Cristo está por eso mismo también en Abraham.

De modo que al reflexionar sobre el pueblo que Dios ha llamado y creado para ser su agente de misión, allí debemos comenzar también nosotros. Indiscutiblemente, el pacto de Dios con Abraham es la tradición bíblica de mayor importancia dentro de la teología bíblica de la misión, a la vez que constituye una hermenéutica misional de la Biblia. Hemos de ver que genera una trayectoria que nos lleva desde Génesis 12 hasta Apocalipsis 22. De modo que bien se merece los dos capítulos que le otorgamos aquí. En primer lugar exploraremos, en el capítulo 6, el significado de la elección de Abraham y de su descendencia como vehículo de bendición a las naciones, y lo que esto representa en esa gran comisión original. Luego, en el capítulo 7 recorreremos la paradójica dualidad de la universalidad del pacto (es para bendición de todas las naciones) y su particularidad (es por medio de una nación). Ambos extremos de la paradoja tienen importantes consecuencias misionales.

A medida que nos desplazamos por el camino del gran relato de la Biblia llegamos al éxodo. Teológicamente nos movemos de la elección a la redención. Misionológicamente pasamos del hombre para todas las naciones (Abraham), al pueblo redimido para ser sacerdote para Dios en medio de todas las naciones (Israel). El éxodo se muestra como el primer modelo de redención de Dios en la historia, y el capítulo 8 explora su rica relevancia multidimencional. Pero hasta un pueblo redimido sigue viviendo en este mundo y es susceptible a los efectos sociales y económicos de la caída humana. La ley de Dios toma esto en cuenta, y el jubileo proporciona un ejemplo de la fiel preocupación de Dios por el bienestar humano, mediante la provisión de mecanismos restauradores. El capítulo 9 examina las relaciones racionales y misionológicas, y lo usa como estudio de un caso concreto para reflexionar sobre la misión integral.

El pueblo de Dios se constituye en una relación de pacto con él. Este es también un tema bíblico abarcador, que proporciona un bosquejo del marco estructurador para el gran relato bíblico. El capítulo 10 analiza el abanico de los grandes pactos que se articulan desde Noé hasta Cristo y se pregunta cómo afectan nuestra comprensión de la misión de Dios. Habiendo sido elegidos, redimidos y llamados a una relación del pacto, el pueblo de Dios tiene una vida por delante: una vida singular, santa y ética para ser vivida ante Dios y a la vista de las naciones. Esto también tiene consecuencias misionales cruciales, porque, como veremos en el capítulo 11, no hay misión bíblica sin ética bíblica.

Este es, entonces, el tema unificador de los seis capítulos de esta parte del libro: el pueblo de Dios, creado y encomendado para la misión de Dios.

6 . El pueblo elegido de Dios:
Elegido para bendecir

Sería excelente que todas las disputas teológicas en la historia cristiana fueran ocasionadas por el éxito de la misión y el rápido crecimiento de la iglesia. Sin lugar a dudas la primera disputa lo fue, y tuvo lugar durante el primer concilio importante de la iglesia (Hechos 15) convocado para considerar un conjunto de problemas causado por el éxito logrado en el esfuerzo de plantar iglesias transculturales. Estas habían sido iniciadas por la iglesia de Antioquía y desarrolladas entre gentiles y personas étnicamente diversas de las provincias romanas que constituían lo que ahora llamamos Turquía. Pablo y Bernabé, a quienes se les había encomendado esta tarea, no eran los primeros en cruzar la barrera entre judíos y gentiles con las buenas nuevas de Cristo Jesús. Felipe (Hechos 8) y Pedro (Hechos 10) ya lo habían hecho. Sin embargo, fueron los primeros en establecer comunidades de creyentes provenientes de trasfondos mezclados, tanto judíos como gentiles; esto es, establecieron comunidades cristianas multiétnicas. Y lo que es más, habían estado enseñando a estos nuevos creyentes que ahora pertenecían al pueblo de Dios, antes conocido como Israel, sin tener que pasar por el proceso de volverse prosélitos judíos.

¿Qué estaba predicando Pablo? ¿Y por qué causaba tanta consternación en algunos y hasta violenta oposición en otros?

El evangelio de Pablo

La predicación de Pablo era en esencia el mensaje que hemos estado explorando en la Parte 2. Por el registro de Lucas acerca de la prédica evangelizadora de Pablo en Hechos, y por las referencias de sus propias cartas acerca del mensaje que llevaba a las iglesias que él había plantado, es evidente que Pablo pensaba que:

- Hay un único Dios supremo que se ha hecho conocer por medio de la creación y por el pueblo de Israel.
- Todos los otros dioses son falsas elaboraciones humanas que no ofrecen nada para las necesidades humanas, ni pueden lograr la salvación del ser humano.

- El único Dios viviente ha mandado a su Hijo, Jesús de Nazaret, en cumplimiento de su promesa a Israel.
- Por medio de la muerte y resurrección de Jesús, Dios ha abierto el camino para que pueblos de todas las naciones encuentren salvación, perdón y vida eterna.
- Por medio de la fe en Jesús, el Salvador y Rey designado por Dios, cualquier pueblo puede ahora pertenecer al pueblo redimido, y estar entre los justos cuando Dios intervenga nuevamente por medio de Jesús en el día del juicio final que se aproxima.
- Esta conversión por medio del arrepentimiento y la fe en Jesús es lo único que se necesita para pertenecer al pueblo del pacto.

Este mensaje de poder que traía esperanza y gozo a diversas comunidades de gentiles, produjo sobresalto e indignación en algunos de los compañeros judíos de Pablo. Argumentaban que en las Escrituras estaba fuera de toda duda y bien claro que el único Dios viviente había elegido a Israel para ser salvo. Solo aquellos que pertenecen a Israel, el pueblo elegido y sujeto al pacto, podrían estar seguros en el día de la ira de Dios. Pertenecer a Israel necesariamente requiere circuncidarse y observar la Torá entregada por Moisés, en particular las leyes que más visiblemente demostraban lo distintivo de ser judíos con relación al resto del mundo: las leyes que reglamentaban las áreas puras e impuras de la vida (especialmente la comida) y el cumplimiento del sábado. Si estos gentiles quieren unirse al campo de los justos y obtener su salvación, deberán convertirse primero en judíos mediante la circuncisión y una estricta observancia de la ley de Moisés. Si quieren los beneficios del pacto deben obedecer las leyes del pacto. Deben seguir el camino establecido para convertirse en prosélitos judíos.

No todos los que se oponían a Pablo de esta manera eran judíos que habían *rechazado* a Jesús como Mesías (como había hecho Pablo antes de su experiencia en el camino a Damasco). También había creyentes provenientes de fuertes trasfondos judíos (algunos fariseos como Pablo) quienes argumentaban que estaba bien tener fe en Jesús, pero eso no quitaba el fundamental criterio bíblico para ser miembros del pacto.

De modo que Lucas registra el enfrentamiento básico que se desarrolló en la iglesia naciente como reacción al éxito de la misión a los gentiles. Por una parte, la iglesia de Antioquía se regocijó cuando Pablo y Bernabé regresaron de su primer viaje misionero 'e informaron de todo lo que Dios había hecho por medio de ellos, y de cómo había abierto la puerta de la fe a los gentiles' (Hechos 14.27). Pero por otra parte, "algunos hombres vinieron de Judea y Antioquía y estaban enseñando a los hermanos, 'A menos que se circunciden de acuerdo a la costumbre que enseñó Moisés no podrán ser salvos.'"[1] Cuando se convocó el concilio en Jerusalén para resolver esta controversia, leemos que: "Entonces intervinieron algunos creyentes que pertenecían a la secta de los fariseos y afirmaron: 'Es necesario circuncidar a los gentiles y exigirles que obedezcan la ley de Moisés'" (ver Hechos 15.1, 5).

El relato de Lucas registra la participación de Pedro, Pablo y Bernabé en el concilio, y finalmente la decisión de Jacobo, basada en las Escrituras. La respuesta teológica de Pablo a la cuestión aparece en términos más vívidos en su carta a la iglesia de Galacia, que había sido claramente perturbada por personas que estaban propagando el mismo mensaje.[2] Este grupo desafiaba la convicción de Pablo de que la fe en el Mesías Jesús era suficiente para ser miembros plenos del pueblo de Dios.

'¿Pero, qué de Moisés?' exclamaban.

'No se preocupen por Moisés, ¿qué de Abraham?'

contestaba Pablo.

Ellos pensaban que su respaldo escriturario cerraba a la perfección. Pablo los venció llevando el alegato más atrás y mostrando la prioridad de las promesas de Dios a Abraham. Tanto para Pablo como para sus opositores la cuestión era la base bíblica. Ambos lados estaban de acuerdo en que cualquier estrategia misional que se adoptara en la iglesia debía ser compatible con la autoridad de las Escrituras (para ellos, lo que ahora llamamos el Antiguo Testamento).[3] Pablo ofreció

---

1 Presumiblemente estas personas eran ellos mismos genuinos 'hermanos', aunque Pablo tenía una opinión más negativa de al menos algunos de ellos (Gálatas 2.4).

2 La relación histórica entre el Concilio de Jerusalén en Hechos 15 y la Carta de Pablo a los Gálatas, es un tema de continua disputa entre eruditos, que puede consultarse en los principales comentarios e introducciones del Nuevo Testamento.

3 Es irónico ver cuánto nos hemos alejado de esta dificultad inicial. Para muchos cristianos en la actualidad el problema es el Antiguo Testamento. Para los primeros cristianos el Antiguo Testamento era la palabra dada por Dios; el problema estaba con la iglesia. Nuestro interrogante es este: ¿Es el Antiguo Testamento realmente cristiano? El interrogante de ellos era si la iglesia realmente era consecuente con el Antiguo Testamento.

una hermenéutica nueva que tenía en cuenta la prioridad de Abraham en sentido cronológico y teológico.

Así que en un pasaje clásico, Pablo combina cuatro cosas:

- la promesa de Dios,
- la fe de Abraham,
- la misión universal de Dios de bendecir a todas las naciones por medio de la simiente de Abraham,
- las consecuencias salvíficas para todo el que tiene fe como Abraham.

Y *esto*, dice Pablo (este dinámico relato del propósito salvífico de Dios para todas las naciones a través de Abraham) es la médula del *evangelio* tal como lo anuncian las Escrituras.

> Así fue con Abraham: 'Le creyó a Dios, y esto se le tomó en cuenta como justicia.' Por lo tanto, sepan que los descendientes de Abraham son aquellos que viven por la fe. En efecto, la Escritura, habiendo previsto que Dios justificaría por la fe a las naciones, anunció de antemano el evangelio a Abraham: 'Por medio de ti serán bendecidas todas las naciones.' Así que los que viven por la fe son bendecidos junto con Abraham, el hombre de fe. Gálatas 3.6–9

De modo que la misión gentil, argumentaba Pablo, lejos de ser una traición a las Escrituras, era más bien el cumplimiento de ellas. La razón de existir de Israel en el propósito de Dios era justamente la reunión de las naciones, el cumplimiento de la promesa de Dios a Abraham. Por cuanto Jesús era el Mesías de Israel y dado que incorporaba en su persona la identidad y la misión de Israel, entonces pertenecer al Mesías mediante la fe era pertenecer a Israel. Y pertenecer a Israel era ser un verdadero hijo de Abraham, cualquiera fuera la etnia de la persona, porque 'si ustedes pertenecen a Cristo [el Mesías], son la descendencia de Abraham y herederos según la promesa' (Gálatas 3.29).

Volveremos más adelante a las consecuencias misionales más amplias de la forma en que Pablo entiende el evangelio, pero por el momento, nos ocuparemos más plenamente de Abraham.

Consideremos a Abraham

Génesis 12.1–3: Un texto clave. La palabra que Pablo describe como el anuncio del 'evangelio … de antemano' ('por medio de ti serán bendecidas todas las familias de la tierra') se oye por primera vez en Génesis 12.3. Es el punto culminante de la promesa de Dios a Abraham. Es, también, un texto clave, no solo en el libro de Génesis, sino en toda la Biblia. Es tan importante que en Génesis figura cinco veces en total, con variantes menores en la fraseología (Génesis 12.3; 18.18; 22.18; 26.4–5; 28.14).[4] Por lo tanto, no se trata simplemente de algo pensado a último momento y agregado al final de la promesa a Abraham, sino de un elemento clave de la misma. *La bendición para las naciones es la última palabra, textualmente y teológicamente, de la promesa de Dios a Abraham.*

Génesis 12.1–3 es un texto clave en el libro de Génesis: lleva la historia hacia adelante desde los primeros once capítulos, que registran el trato de Dios con todas las naciones (a veces llamada 'la historia primitiva'), hasta los relatos patriarcales que conducen al surgimiento de Israel y su reconocimiento como nación. Y es clave en toda la Biblia, porque hace exactamente lo que dice Pablo: anuncia el evangelio 'de antemano'. Es decir, declara las buenas noticias de que, a pesar de todo lo que hemos leído en Génesis 1—11, el propósito final de Dios es bendecir a la humanidad (lo cual, por cierto, constituye muy buenas noticias para cuando llegamos a Génesis 11). Además, el relato de la forma en que se ha dado esa bendición para todas las naciones ocupa el resto de la Biblia, con Cristo como el enfoque central. Más todavía, la visión final del canon, con gente de todas las tribus y naciones y lenguas adorando al Dios vivo (Apocalipsis 7.9–10), es un claro eco de la promesa de Génesis 12.3, que une y completa todo el relato.

La Biblia en un todo podría ser descripta como una extensa respuesta a una pregunta muy sencilla: ¿Qué puede hacer Dios con el pecado y la rebelión de la raza humana? Génesis 12 hasta Apocalipsis 22 es la respuesta de Dios a la pregunta planteada por los som-

---

4 Génesis 35.11 es similar, aunque no usa exactamente el lenguaje sobre la bendición de todas las naciones. Más bien promete que una 'comunidad de naciones' procederá de Jacob.

bríos relatos de Génesis 3—11. O, en términos de la cuestión general de este libro, Génesis 3—11 plantea el problema del cual la Biblia se ocupa desde Génesis 12 hasta Apocalipsis 22.

La historia hasta aquí. Génesis 12 viene después de Génesis 1—11. Esta inocente observación no solo se relaciona con el punto que acabamos de mencionar, acerca de la naturaleza crucial de los primeros versículos de Génesis 12, también nos recuerda sobre la importancia (aquí como en todas partes de la Biblia) de prestar atención al contexto de cualquier texto.

El relato primitivo nos presenta primero la gran obra de Dios: la creación del universo. Luego presenta a los hombres y las mujeres, hechos a la imagen de Dios, a quienes se les encarga el cuidado de la tierra y se les da la posibilidad de disfrutar de la bendición de Dios en relación con esa tarea. La historia se descamina, sin embargo, cuando las criaturas humanas creadas por Dios eligen rebelarse contra el Creador, desconfiando de su bondad, desconociendo su autoridad e ignorando los límites que les había fijado a su libertad en este mundo. El resultado de esta apropiación humana de la autonomía moral es una profunda fractura de todas las relaciones establecidas en la creación. Los seres humanos se ocultan de Dios por temor debido a su culpabilidad. Tanto los hombres como las mujeres ya no pueden mirarse sin vergüenza y sentido de culpa. El suelo recibe la maldición de Dios y la tierra ya no responde al toque humano como debería.

Estos antiguos relatos, entonces, combinan un *crescendo* del pecado humano a la par de repetidas señales de la gracia de Dios. La cabeza de la serpiente será aplastada.

Adán y Eva reciben vestidos. Caín es protegido. Noé y su familia son salvados. La vida prosigue, y la creación es preservada bajo el pacto. Todo ha sido muy entorpecido, pero el proyecto total sigue adelante.

Al final de esta historia [de Génesis 1—11], el mundo de Dios existe en un estado que parcialmente garantiza que los fines de la creación se concretarán. Dios asegura el ritmo del día y el ritmo de las estaciones. El proyecto de llenar la tierra está en marcha. La estructura del matrimonio, las relaciones entre padres e hijos, y la red más amplia de la familia extendida se establecen firmemente. Los esquemas de la vida agrícola, el pastoreo, las artes y oficios, ocupan su lugar. Las naciones han comenzado su existencia.[5]

Con posterioridad al diluvio Dios renueva su promesa en relación con la creación, y los seres humanos reciben nuevamente la invitación a multiplicarse y a llenar la tierra, con la bendición de Dios (Génesis 9.1). Los dos capítulos que siguen (Génesis 10—11) tienen que verse como dos narraciones complementarias de lo que sucedió a continuación. Por un lado, el capítulo 10 se refiere a la diseminación natural de las naciones descendientes de los hijos de Noé por todo el mundo conocido al narrador. Tres veces esto se describe como que 'poblaron' o se 'dispersaron', 'extendieron' (Génesis 9.19; 10.18, 32) en una forma que sugiere que ese dispersarse o extenderse de las naciones fue natural y sin problemas, e incluso el resultado natural de la promesa y el mandato mencionados en Génesis 9.1. ¿Cómo podían llenar la tierra si no se dispersaban sobre su faz?

Por otro lado, el capítulo 11 de Génesis ve la cuestión desde un ángulo diferente.[6]

La dispersión se detiene cuando la gente se asienta en la llanura de Sinar (en la Mesopotamia). La decisión de asentarse y edificar una torre allí parecería combinar la arrogancia (ya que querían hacerse famosos) y la inseguridad (ya que querían evitar el ser dispersados sobre toda la tierra como Dios había propuesto). Digo 'parecería' porque el narrador es menos explícito de lo que podríamos desear al informarnos por qué los edificadores de la ciudad y la torre irritaron tanto a Dios que provocaron su reacción. Los comentaristas difieren acerca del peso que acuerdan a los dos elementos principales de la razón que dan los edificadores para la realización de su proyecto. Calvino ve en el deseo hacerse famosos 'nada menos que el orgulloso desprecio del hombre hacia Dios. … Erigir una ciudadela no era en sí mismo un crimen tan grande. Pero levantar un monumento eterno que perdurase a través de las edades evidenciaba un terco orgullo a la vez que desprecio

---

5 John Goldingay: *Old Testament Theology*, t. 1, *Israel's Gospel*, InterVarsity Press, Downers Grove, Ill., 2003, p. 190.
6 Está claro por Génesis 11.1 que es preciso leer los relatos como teológicamente complementarios, y no como una secuencia cronológica. Tiene que haber sido tan evidente para el autor/editor como lo es para nosotros que las palabras iniciales del cap. 11 ('se hablaba un solo idioma en toda la tierra') parecen extrañas en relación con la referencia en Génesis 10.31 a 'sus clanes y sus idiomas, sus territorios y sus naciones', si los relatos se leen simplemente como una secuencia.

hacia Dios'.[7] Gerhard von Rad, más cauto, comenta así: 'La ciudad surge como signo de un valiente sentido de independencia; la torre es una señal de su voluntad que adquirir fama.'[8] Comentaristas judíos, en cambio, se centran en la segunda frase ('evitaremos ser dispersados'): 'La intención de los edificadores era reunir a la gente en una ubicación centralizada, para así resistir el propósito de Dios de que se multiplicaran, llenaran la tierra, y la sometieran.'[9]

Cualquiera sea el matiz que se adopte, el lector seguramente podrá detectar, con una sensación de angustia, ecos del arrogante intento de Adán y Eva de adueñarse de su propio destino, y de la sensación de inseguridad de la primera persona que edificó una ciudad (Caín) cuando deambulaba inquieto alejándose de la presencia de Dios.[10] Hasta podría haber un eco, aunque en sentido inverso, del relato de los seres angelicales que cruzaron la línea que divide el cielo y la tierra y provocaron la ira de Dios (Génesis 6.1–4). 'Dios insiste en que esta línea sea respetada. Eso no quiere decir que no haya ninguna posibilidad de movimiento entre la tierra y el cielo. Quiere decir que estos movimientos los decide Dios. ... Dios no permite que se lo invada.'[11] La historia de Babel nos presenta a personas que se muestran decididas a alcanzar los cielos aun cuando tuvieran que rechazar la voluntad de Dios para ellos en la tierra.

Aun antes de que Dios interviniera con su acto de dispersión compulsiva, la patética inutilidad de los esfuerzos es motivo de burla en unos cuantos trazos gráficos. La ciudad que edifican es inferior incluso según las normas humanas (barro cocido en lugar de la sólida piedra; brea en lugar de cemento), y aunque sostienen que su torre llega a los cielos, desde la perspectiva del cielo (y de Dios que vive allí) es tan minúscula que ha tenido que bajar para verla.

La meditada reacción de Dios es tanto preventiva (impide que logren el reducto unificado y centralizado al que aspiran) como compulsiva

7 Juan Calvino: *Genesis*, Crossway Classic Commentaries, ed. Alister McGrath y J. I. Packer, Crossway Books, Wheaton, Ill., 2001, p. 103.
8 Gerhard von Rad, *Genesis*, 2ª ed., SCM Press, Londres, 1963, p. 148.
9 Bernard W. Anderson: 'Unity and Diversity in God's Creation: A Study of the Babel Story', *Currents in Theology and Mission* 5 (1978): 74, con citas de varios eruditos judíos.
10 Claus Westermann observa el paralelo con Génesis 3.5, y el eco adicional en la condena de la codiciosa arrogancia del rey de Babilonia en Isaías 14.13–14. Ver su obra *Genesis 12—36*, trad. al inglés por John J. Scullion, Augsburg, Minneapolis; SPCK, Londres, 1985, p. 554.
11 Goldingay: *Old Testament Theology*, 1:190.

(los obliga a dispersarse por la tierra, lo cual era la propuesta original, pero ahora en un estado divisivo y de confusión). La acción de Dios no se describe en forma explícita como punitiva, pero es doblemente irónica. Por una parte, su intento de evitar ser dispersados ha arrojado como resultado una dispersión en peores condiciones que antes.

> Los hombres ya se habían dispersado antes de esto [cap. 10], y eso no puede entenderse como un castigo, teniendo en cuenta que fue una propuesta emitida por la gracia de Dios [cap. 9]. Pero aquellos a quienes el Señor había distribuido con honor hacia diversos lugares, ahora eran dispersados ignominiosamente, desplazándolos aquí y allá. Esta dispersión, por lo tanto, no fue una simple dispersión con el fin de llenar la tierra. Se trataba de una violenta derrota, porque el principal vínculo entre estos hombres y Dios había sido quebrado.[12]

Y es irónico, en segundo lugar, porque habían querido adquirir fama y lo lograron, pero no como la que ellos querían. Serán recordados para siempre, pero no por fama sino por un nombre, Babel, que refiere a un confuso parloteo.

Ahora podemos ver de qué manera los capítulos 10 y 11 de Génesis se complementan, con sus respectivas perspectivas sobre la realidad observable de que los seres humanos viven una gran pluralidad y diversidad.

> Si nos imaginamos estos dos relatos como los dos paneles de un díptico, entonces Génesis 10 destaca la unidad del mundo: tiene un timbre positivo en cuanto que el mandato divino se cumple gradualmente. El panel 2, Génesis 11, tiene un timbre negativo: aquí la unidad de la raza humana se destruye en cuanto que la gente se vuelve incapaz de comunicarse entre sí; su búsqueda de seguridad, unidad y dominio tecnológico se viene abajo en desorden, dispersión y desaprobación divina. La raza humana ha caído del *mabbul* [diluvio, 10.32] a *babel*. Lejos de ser Babilonia la puerta de entrada de los dioses, como la concebían los babilonios, ¡el veredicto de su historia es jerigonza, parloteo, confusión![13]

---

12 Calvino: *Genesis*, p. 106.
13 Howard Peskett y Vinoth Ramachandra: *The Message of Mission*, The Bible Speaks Today, InterVarsity Press, Downers Grove, Ill.; InterVarsity Press, Leicester, 2003, pp. 95–96.

Todos los relatos anteriores en Génesis 3—11 han tenido algún elemento de la gracia de Dios. En cambio, en este relato final de la ciudad y la torre llamada Babel, no aparece ninguna palabra semejante a gracia. Al parecer, la triste historia de la humanidad ha caído en las arenas movedizas de una caótica divisibilidad. En un nivel, toda la infraestructura básica del gran proyecto de creación de Dios está todavía ahí. Los cielos y la tierra siguen sus giros y períodos como les fueron marcados. Se siguen conservando los límites entre el día y la noche, el mar y la tierra firme, la tierra y las grandes profundidades, el reino humano y el divino. La vegetación y los animales proliferan como Dios había establecido. Los seres humanos se multiplican formando familias y naciones, y dispersándose para llenar la tierra.

Pero en otro nivel todo marcha trágicamente a la deriva, apartándose de la bondad original del propósito de Dios. La tierra se halla bajo la sentencia de la maldición de Dios por culpa del pecado humano. Los seres humanos agregan a su catálogo del mal a medida que las generaciones se suceden unas a otras: celos, odio, asesinatos, venganza, violencia, corrupción, borrachera, desorden sexual, arrogancia. Con el permiso de Dios, pero difícilmente con su beneplácito, se mata animales para el consumo. Las mujeres viven el don de la maternidad con sufrimiento y dolor. Los hombres encuentran una medida de satisfacción en el sometimiento de la tierra, pero con sudor y frustración. Ambos disfrutan de la intimidad y de la complementariedad sexual, pero junto a la lujuria y la dominación. Todas las inclinaciones del corazón humano son perdurablemente malas. La tecnología y la cultura avanzan, pero la habilidad que puede fabricar instrumentos para la música y la agricultura también puede preparar armas para muertes violentas. Las naciones experimentan la riqueza de su diversidad étnica, lingüística y geográfica junto con la confusión, la dispersión, las luchas.

Toda la historia primitiva, por consiguiente, parecería estar lanzada a la producción de una aguda disonancia, por lo cual ahora hacemos unas preguntas todavía más urgentes: ¿Está interrumpida finalmente la relación entre Dios y las naciones? ¿Se ha acabado la bondadosa paciencia de Dios? ¿Ha rechazado Dios a las naciones con ira y para siempre? Esas son las opresivas preguntas que ningún lector serio del capítulo once puede evitar; más aún, podemos decir que nuestro narrador se proponía, por medio del plan total de su historia primitiva plantear precisamente esas preguntas y hacerlo con toda su gravedad. Solo entonces está el lector adecuadamente listo para aceptar la extraña novedad que ahora sigue de la incómoda historia acerca de la construcción de la torre: la elección y bendición de Abraham. Nos encontramos, por lo tanto, en el punto donde la historia primitiva y la historia sagrada se unen, y por lo tanto en uno de los lugares más importantes en todo el Antiguo Testamento.[14]

También debemos agregar que *nos encontramos aquí en uno de los lugares más importantes de una lectura misionológica de la Biblia.* He acentuado el hecho de que el concepto bíblico principal de la misión es la misión de Dios. Pero en Génesis 1—11 vemos la gran misión creadora de Dios constantemente frustrada y arruinada de maneras que no solo afectan el bien de la humanidad sino de todo el cosmos. ¿Adónde puede ir de aquí la misión de Dios? ¿Qué puede hacer Dios a continuación?

En cualquier caso, tendrá que ocuparse de cumplir una amplia agenda redentora. Génesis 1—11 plantea un interrogante cósmico al que Dios tiene que proporcionar una respuesta cósmica. Los problemas tan gráficamente dispuestos ante el lector en Génesis 1—11 no se solucionarán simplemente encontrando el modo de hacer llegar al cielo a los seres humanos cuando mueren. La muerte misma tiene que ser destruida si se ha de eliminar la maldición, de modo que quede abierto el camino al árbol de la vida. El amor y el poder de Dios tienen que ocuparse no solo del pecado de los individuos sino también de las luchas y las pugnas de las naciones; no solo de las necesidades de los seres humanos, sino también del sufrimiento de los animales y de la maldición de la tierra. El anhelo de Lamec, el padre de Noé, de recibir el consuelo de Dios para aliviar a la tierra de su maldición (Génesis 5.29) resta cumplirse.

¿Qué puede hacer Dios a continuación? Algo en lo cual solo Dios podía pensar. Entonces ve en la tierra de Babel a una pareja anciana, sin

---

14 Von Rad: *Genesis*, p. 152.

hijos, y decide convertirlos en fuente, en la plataforma de lanzamiento de su misión de redención cósmica.

Casi podemos oír cómo contienen el aliento las huestes celestiales cuando se revela el sorprendente plan. Los ángeles sabían, como ahora lo sabe el lector de Génesis 1—11, la gran escala de devastación que ha ocasionado en la creación de Dios el mal introducido por la serpiente y el endurecimiento humano. ¿Qué clase de respuesta se podrá proporcionar a través de Abram y Saray? Sin embargo ésa es la escala de lo que ahora sigue. El llamado de Abram es el comienzo de la respuesta de Dios al mal del corazón de los hombres, la lucha de las naciones y el clamor por el quebrantamiento de toda su creación.

Génesis 12.1–3: Una mirada más minuciosa

En este texto comienza un nuevo mundo, en última instancia una nueva creación. Pero es un nuevo mundo que irrumpe desde la matriz del antiguo, ese mundo antiguo descripto en Génesis 1—11. Y, sin embargo, esa matriz es estéril. El relato no solo nos conduce a las arenas de la abandonada Babel, sino hasta la línea de Sem, de quien parece depender la esperanza del futuro, y ha llegado casi a un final sin salida debido a la esterilidad de Saray y la muerte de Téraj en Jarán (Génesis 11.30, 32). La historia, como la creación misma antes de la palabra transformadora de Dios, parece destinada a la inutilidad y envuelta en oscuridad (Génesis 1.2). Pero así como en Génesis 1.3, donde leemos 'Y dijo Dios', así también leemos aquí 'El Señor le dijo'. La palabra de Dios que habló en la oscuridad ahora habla a la esterilidad con buenas noticias de una sorprendente inversión, y ofrece a nuestra imaginación escenas de un futuro que está (casi) más allá de la posibilidad de creerlo. Comienza la misión de Dios para la redención del mundo.

Traducción y estructura.

> Y yhvh le dijo a Abram,
> Levántate y ve[te]¹⁵
> de tu tierra, y de tu parentela, y de la casa de padre,

---

15 El verbo inicial tiene un pronombre reflexivo después del imperativo, lo cual sugiere esta acción decisiva: *lek-lĕkā*.

a la tierra que te mostraré.
Y yo te convertiré en una gran nación,
    y te bendeciré;
y haré grande tu nombre.
    Y sé una bendición.
Y yo bendeciré a los que bendigan a ti;
    Mientras que aquel que te menosprecie, yo maldeciré;[16]
Y en ti serán bendecidos todos los grupos de parentesco[17] en la tierra.
    Y Abram se fue tal como yhvh le había dicho. Génesis 12.1–4
(mi traducción).

Al organizar el texto de esta forma queda claro lo que parecería ser la mejor forma de entender su estructura. Encerrado entre el registro narrativo de las palabras de yhvh a Abram y la obediencia de éste, el discurso de Dios se divide en mitades, cada una iniciada por un imperativo ('Ve', y, 'Sé una bendición'). Después de cada imperativo siguen tres cláusulas subordinadas que explican las consecuencias de cumplir los mandatos.

La segunda mitad comienza con 'y sé una bendición'. En el Texto Masorético el verbo es claramente imperativo, si bien algunos entendidos lo enmiendan con otro, imperfecto ('y serás una bendición' [por ejemplo, nvi]). No obstante, es propio del hebreo (como lo es por cierto en otras lenguas) que cuando dos imperativos aparecen juntos el segundo puede, a veces, expresar ya sea el resultado esperado o el propósito propuesto de llevar a cabo lo que expresa el primer imperativo.[18] Así, el hilo del

---

16 La sintaxis de esta cláusula da la sensación de tratarse de una excepción, más bien que de constituir parte de la lista de promesas. Está en singular ('aquel que te menosprecie, o desprecie, o difame'), mientras que la línea anterior está en plural. Y la inversión del objeto y el verbo significa que el verbo no sigue en la lista de imperfectos consecutivos mediante los cuales Dios expresa su combinado propósito divino. 'Claramente la palabra sobre la maldición no está ubicada aquí como parte de la intención divina. ... Dios manda que Abraham salga con el fin de recibir bendición y dar lugar a una corriente de bendición en el mundo. Pero yhvh no manda a Abraham a partir con el fin de ocasionar maldición, aun cuando esto puede ocurrir dadas las circunstancias. ... La maldición de Dios no es el propósito del mandato divino. Es parte de la bendición de Abraham en el sentido de que le promete protección' (Patrick D. Miller (h.): 'Syntax and Theology in Genesis xii 3ª', *Vetus Testamentum* 34 [1984]: 474). De conformidad con esto Miller traduce el versículo 3: 'Y que yo pueda bendecir a los que te bendicen a ti —y dado el caso de que hubiera alguien que te tratara con desprecio yo lo maldeciré. Así que, entonces, todas las familias de la tierra podrán obtener una bendición a través de ti.'
17 La palabra es *mišpāhâ*. A veces se traduce 'familias', pero el uso común de este término resulta demasiado estrecho en este caso. *Mišpāhâ* es una agrupación más amplia de parientes. En la estructura tribal israelita era el clan, el subgrupo dentro de la tribu. A veces puede significar pueblos enteros, considerados como relacionados por parentesco (como en Amós 3.1–2).
18 Por ejemplo, en mandatos dobles como: 'Sal afuera y respira un poco de aire fresco' o 'Ven con nosotros a nuestra casa y quédate a pasar la noche'. El segundo imperativo solo puede llevarse a cabo siempre y cuando se

pensamiento en nuestro pasaje es 'Abraham, ve ... y yo haré lo siguiente ... y *de esa manera* serás una bendición (como resultado).'[19] O, 'Abraham, ve tú ... y yo haré lo siguiente ... *para que* puedas ser una bendición (lo cual es mi intención).' En cualquiera de las dos formas, el mensaje de las dos mitades combinadas del texto es que si Abraham hace lo que se le manda, y si Dios hace lo que dice que hará, el resultado será bendición para todos. Buenas noticias por cierto, como lo observó Pablo.

El versículo 4 comienza en forma igualmente positiva con *Abraham* haciendo de hecho exactamente lo que YHVH le dijo, de modo que seguimos leyendo con la esperanza de ver cómo *Dios* también cumplirá su palabra, y, aunque tendremos que seguir leyendo por mucho tiempo, de qué manera se cumplirá esa misteriosa palabra final sobre la bendición universal, la misión está lanzada. Abraham obedece el mandato de Dios, y de este modo queda liberada la promesa de Dios para la historia de las naciones.

La partida y la bendición. Otro rasgo interesante de Génesis 12.1–3 es la forma equilibrada en que aparecen las tres dimensiones en que se va estrechando la partida de Abraham (el primer imperativo), a diferencia de las tres expresiones en que se van ampliando las perspectivas de cómo y para quiénes habrá de ser una bendición (el segundo imperativo). Por una parte, Abraham tiene que abandonar su tierra (la esfera más amplia de su identidad), su parentela más amplia, y luego su familia extendida inmediata. Por otra parte, tiene que ser de bendición. Al comienzo no se especifica cuál es el objeto de su bendición (excepto que incluirá el hecho de que él mismo será bendecido), luego pasa a quienes lo bendicen a él, y finalmente produce bendición para todos los grupos de parentesco en la tierra.

Siguiendo el mismo tema, al colocar a la par las líneas iniciales y finales de las palabras de Dios a Abraham, leemos (siguiendo a la NIV):

> Deja *tu* tierra, *tus* parientes y la casa de *tu* padre ... por medio de ti serán bendecidas / todas 'las *familias' de la tierra*. Génesis 12.1, 3 (énfasis agregado).

---

cumpla el primero. El segundo es el propósito o resultado del primero. El primero es una condición para disfrutar del segundo. Esta es la relación entre los dos imperativos de las palabras de Dios a Abraham.

19 Volviendo aquí por conveniencia al nombre modificado (Abraham) de Génesis 17.5, por el que es más conocido.

Solo la partida de Abraham libera la bendición para las naciones. A pesar de todo lo que hemos visto en cuanto al mundo caído en la historia primitiva, todavía puede haber bendición para ese mundo. Pero no surgirá desde dentro de ese mismo mundo. Abraham tiene que desprenderse de todo aquello que lo ata a la tierra de Babilonia antes de que pueda ser vehículo de bendición para toda la tierra. Babel, el pináculo del problema que aparece en Génesis 1—11, no puede ser la fuente de la solución. Con este enfoque, hasta los grandes imperios mesopotámicos son relativizados y rechazados. Los más grandes logros humanos son incapaces de resolver los problemas humanos más profundos. La misión de Dios de bendecir a las naciones es un nuevo y radical comienzo. Requiere un quiebre, una desvinculación absoluta con el relato hasta aquí, y no un simple desarrollo evolutivo a partir de él.

Cuando Abraham aparece por primera vez en Génesis 12, es en el contexto de una sociedad ya marcada por la historia de la torre de Babel en el capítulo 11. En efecto, se trata de la tierra de Babel, desde la que fue llamado Abraham. Como lo indica el relato, era una cultura de inmenso orgullo y confianza propia. Cuando menos, la partida que Dios le exigía a Abraham la relativizó. La salvación de la humanidad no había de encontrarse en el estado como tal. El propósito redentor definitivo de Dios se encontraba en otra parte, incorporado en el débil vaso humano del anciano esposo de una mujer estéril. El llamado de Abraham a abandonar su tierra y su pueblo (Génesis 12.1) era 'el primer éxodo a través del cual las civilizaciones imperiales del Cercano Oriente en general reciben su estigma como entornos con menor significado'.[20]

Contrarrestando a Babel. La comparación y el contraste con Babel pueden verse también en otras dos insinuaciones del texto. Primero, los edificadores de la ciudad y de la torre querían '[hacerse] famosos', es decir, lograr renombre y establecer un memorial permanente de su habilidad o una ciudadela para poner de manifiesto su poder. Dios echó por tierra esa ambición. A Abraham, en cambio, Dios le dice, 'haré famoso

20 Christopher J. H. Wright: *Old Testament Ethics for the People of God*, InterVarsity Press, Leicester; InterVarsity Press, Downers Grove, Ill., 2004, p. 222. La cita al final es de E. Voegelin: *Israel and Revelation*, Louisiana State University, Baton Rouge, 1956, p. 140.

tu nombre' (v. 2). No cabe duda de que el eco es deliberado. Lo que los seres humanos intentan lograr en su arrogancia centralizadora está destinado en última instancia a la frustración y al fracaso.

El orgullo humano y la gloria terrena,
la espada y la coronan traicionan su confianza.
Lo que con afán y trabajo edifica
la torre y el templo, se deshace en polvo.[21]

El renombre genuino proviene del don de Dios y se establece en relación con la bendición de Dios sobre aquellos que confían en él y lo obedecen, como lo hizo Abraham.

Segundo, el relato de Babel se vale cinco veces de la expresión 'toda la tierra' (Génesis 11.1, 4, 8, 9 [dos veces], en español 'toda la gente de la tierra' y 'todo el mundo'). Es una narración con una perspectiva verdaderamente global. Y termina en confusión y dispersión global. Las palabras de Dios a Abraham, por contraste, terminan con la promesa de bendición global para todas las naciones de la tierra.[22] La misión de Dios es 'hacer que sus bendiciones fluyan / lejos donde se encuentra la maldición'.[23]

Por lo tanto, se espera que veamos esta nueva iniciativa como la respuesta de Dios al mundo descripto en los capítulos precedentes, especialmente la perspectiva dual en el mundo de las naciones que encontramos en la tabla de las naciones en Génesis 10 y el episodio de Babel en Génesis 11. La misión de Dios será la de preservar y maximizar la bendición que es inherente a la multiplicación y el desarrollo de las naciones, mientras se eliminan la mancha del pecado y la arrogancia humana, representadas por Babel. Abraham será el disparador de ese proceso, un proceso que finalmente incluirá a todas las naciones en los alcances de su bendición.

Mientras que las otras historias de Génesis 3—11 tienen sus elementos de gracia salvífica divina, solo el relato de Babel carece de ellos.

21 Joachim Neander (1650–1680): 'All My Hope on God Is Founded', adaptado por Robert S. Bridges en 1899.
22 La frase es ligeramente diferente, aunque la referencia universal es clara. En Génesis 11 es kōl hā 'āres. En Génesis 12.3 es kōl mišpēḥōt hā 'ădāmâ. Sin embargo, 'eres y 'ădāmâ se usan en forma intercambiable con frecuencia, con esta última con referencia, más particularmente, a la superficie (suelo) de la tierra: el lugar de la habitación humana. Versiones posteriores de la promesa a Abraham se valen de 'eres también. Génesis 18.18, p. ej., habla de kōl gōyê hā 'āres (todas las naciones de la tierra).
23 Isaac Watts, 'Joy to the World' (1719).

Pero este elemento nuevo que hace su ingreso en la escena de Génesis 12 aporta exactamente eso, aunque resulta notable que no aparece *dentro* de la historia de Babel. Tendrá que venir de afuera.

> La misericordiosa gracia de YHVH, que persiste a través de todas las narraciones del prólogo salvo la última, ahora supera la traición final de las naciones en sus esfuerzos por lograr una civilización sin Dios, sus insaciables ansias de renombre y poder, y la final dispersión por toda la faz de la tierra. Abram se convierte en la encarnación de la gracia divina, y se trata de una gracia cualitativamente distinta de los actos de gracia en la época de la historia primitiva. Al surgir la torre de Babel y la dispersión de las naciones, la puertas hacia el futuro parecían cerrarse para siempre, pero ahora YHVH las abre de nuevo y de un modo único, al llamarlas [a las naciones] a acudir a él, mediante la selección del hombre Abram y el pueblo de Israel.[24]

El desarrollo de la promesa. Génesis 12.1–3 es la primera de una serie de afirmaciones promisorias que Dios le hace Abraham y que luego reafirma a Isaac y a Jacob después de la muerte de sus respectivos padres. Es preciso que veamos estos textos adicionales a fin de sentir la fuerza cabal del pacto abrahámico.

En Génesis 15 (donde por primera vez se usa lenguaje pactual [v. 18]), el enfoque está en el regalo de la tierra a los descendientes de Abraham (que primero le fue prometida cuando Abraham llegó a ella [Génesis 12.7]). Pero esto va precedido de una renovación de la promesa de un heredero, no simplemente un hijo adoptado como sugirió Abraham (Génesis 15.2–3), sino un hijo del propio Abraham. De este hijo y heredero saldría una progenie tan numerosa como las estrellas, 'una nación grande' (Génesis 12.2). Es a esta promesa que Abraham responde con esa contraintuitiva fe que YHVH le acredita como justicia (Génesis 15.6).

En Génesis 17 el punto central es el requerimiento de la circuncisión. En vista del compromiso moral que más tarde se entendió que comprendía la circuncisión, es apropiado que el capítulo comience con Dios diciéndole a Abraham: 'Camina a la vista de mi rostro y sé íntegro'

---

24 James Muilenburg: 'Abraham and the Nations: Blessing and World History', *Interpretation* 19 (1965): 393.

(Génesis 17.1, mi traducción). A esto sigue una repetición sintética de las promesas anteriores de Dios: 'Así confirmaré mi pacto contigo, y multiplicaré tu descendencia en gran manera' (Génesis 17.2). La dinámica de la sintaxis es la misma que en Génesis 12.1–3: un doble mandato seguido por la confirmación de la intención divina. El verbo inicial es el mismo, *hālak*: caminar. Pero en Génesis 12.1 aparece en la forma de una orden abrupta a comenzar un viaje de un lugar a otro, mientras que en Génesis 17.1 aparece en una forma más general, 'andar caminando', es decir, vive tu vida diaria caminando. La lógica interna también es similar: los dos mandatos están relacionados por el propósito o el resultado. Será en cuanto Abraham viva su vida con abierta transparencia ante Dios que se caracterizará por su comportamiento intachable y su integridad. La obediencia al primer mandato permite el cumplimiento del segundo. Mientras tanto, en torno a ambos mandatos están las declaraciones y las intenciones pactuales de Dios.[25]

En Génesis 17 el pacto con Abraham recibe el nombre de 'pacto eterno'. Y aquí también se encuentra el lenguaje más familiar del pacto en el Sinaí, dado que Dios promete ser el Dios de los descendientes de Abraham (Génesis 17.7–8). Pero la perspectiva universal de bendición para otras naciones no se pierde. Más bien resulta amplificada por el cambio del nombre de Abram a Abraham, con la repetida explicación de que será 'el padre de una multitud de naciones' (Génesis 17.4–5). Saray, cuyo nombre fue cambiado por Sara, habrá de ser 'madre de naciones', y reyes descenderán de ambos (Génesis 17.16), dejando aclarado que la promesa se cumplirá mediante un hijo de Abraham y Sara. Ismael, como hijo de Abraham y Agar, también será bendecido en los mismos términos que Abraham mismo, excepto que el pacto imperecedero por medio del cual la bendición pasará a todas las naciones habrá de ser canalizado por Isaac (el hijo prometido pero aún no nacido).

Génesis 22, 'la cumbre estética y teológica de toda la historia de Abraham',[26] describe gráficamente la prueba final de la confianza y la

---

25 El enfoque ético se hace más preciso todavía en Génesis 18. En Génesis 18.19 Dios afirma en un promisorio soliloquio programático que toda su intención al elegir a Abraham era 'a fin de que enseñara a los de su casa después de él a seguir el camino de YHVH con probidad y justicia' (traducción del autor). En el cap. 11, volveremos para una reflexión más extendida sobre las dimensiones éticas de la agenda misional de Dios por medio de Abraham.

26 Gordon J. Wenham: *Genesis 16—50,* Word Biblical Commentary 2, Word, Dallas, 1994, p. 99.

obediencia de Abraham en su voluntad de sacrificar al hijo de la promesa a pedido de Dios mismo. Volveremos con más profundidad a este capítulo cuando lleguemos a 'Ética y misión' en el capítulo 11. Lo que interesa para nuestro propósito aquí es la forma en que termina el episodio con una confirmación del pacto de Dios con Abraham y sus descendientes, confirmado específicamente sobre la base de la obediencia de Abraham.

Y dijo,
>Por mí mismo he jurado, oráculo de YHVH,
es *debido al hecho de que hecho esta cosa*
>y no he retenido a tu hijo, tu único,
que con toda seguridad te bendeciré,
>y con toda seguridad multiplicaré su descendencia [simiente],
como las estrellas en los cielos y como las arenas a la orilla del mar,
>y tu descendencia poseerá la puerta de tus enemigos.
Y tu descendencia y todas las naciones del mundo tendrán bendición,
debido al hecho de que me obedeciste. Génesis 22.16–18
(mi traducción, énfasis agregado).

La obediencia al pacto y la misión. Génesis 22.16–18 no solo es el más fuerte de todos los relatos de la promesa de Dios a Abraham, confirmado con la más elevada forma posible de juramento (Dios que jura por su propio ser), sino que además explicita la relación entre las intenciones prometidas por Dios, por un lado, y la fe y la obediencia de Abraham por el otro. Esto estaba implícito desde el momento en que se dio el mandato inicial en Génesis 12.1, pero se ha hecho cada vez más claro mediante el llamado a caminar delante de Dios y a ser intachable (en Génesis 17), además del requisito de la integridad y la justicia en Génesis 18.

A la luz de la sutil pero nítida teología de estos textos, la antigua disputa sobre si el pacto con Abraham era condicional o incondicional parece demasiado simplista en sus prolijas alternativas binarias. La realidad incorpora ambas dimensiones.

Por un lado, la elección inicial de Dios, sus palabras, su mandato y su promesa a Abraham fueron todas cosas *incondicionales* en el sentido de que no dependían de ninguna condición *previa* que Abraham hubiese tenido que cumplir. Nacen de la inesperada e inmerecida gracia de Dios y debido a la inquebrantable determinación de bendecir a esta raza humana de naciones divididas, a pesar de todo lo que ha trastrocado su buena voluntad hasta aquí.

Y, sin embargo, por otro lado hay una *condicionalidad implícita* en la forma misma de las primeras palabras en Génesis 12.1–3. Todo depende del mandato inicial 'Vete [de aquí] a la tierra que te mostraré.' Las declaraciones subsiguientes acerca de Dios bendiciendo a Abraham, magnificando su nombre y multiplicando su progenie dependen todas de que Abraham se levante y proceda a salir. De la misma manera, el segundo mandato 'y [sé] una bendición', con su anticipado alcance universal, depende de la obediencia de Abraham al primer mandato, combinado con que Dios guarde su propia palabra. Si bien la forma del discurso es un doble mandato con promesas conexas, el concepto implícito es '*Si* vas (como ordeno) *entonces* haré estas cosas (como prometo) … y todas las naciones serán bendecidas'. Si no sale, no hay bendición. Dicho crudamente, si Abraham no se hubiera levantado y encaminado hacia Canaán el relato se habría cortado allí mismo, o con un interminable reciclado del destino que le tocó a Babel. La Biblia habría sido un libro muy delgado por cierto.

No obstante, con seguridad que el énfasis en el primer discurso de Dios a Abraham en Génesis 12.1–3 se refiere a la iniciativa y a las sorprendentes promesas no solicitadas pero prodigadas por la gracia de Dios. En Génesis 22 vemos que la fe y la obediencia de Abraham, que se han venido desarrollando (no sin contratiempos) en los capítulos anteriores, son plenamente incorporadas en el pacto a tal punto que incluso pueden ser citadas como una justificación que lo convalida. Las palabras de Dios en Génesis 22.16–18 comienzan y terminan haciendo de la obediencia de Abraham la razón por la cual Dios ahora se obliga irrevocablemente con juramento a cumplir lo que ha prometido.

No debería ser necesario decir que esto de ningún modo significa que Abraham haya *merecido* las promesas de Dios conforme al pacto. No estamos cayendo en algún tipo de caricatura de la justicia por las obras cuando hacemos estas observaciones sobre el texto bíblico. Dios se había dirigido a Abraham sin previo aviso y antes de toda acción de parte del propio Abraham. Pero la respuesta de fe y obediencia de Abraham no solamente mueve a Dios a contarlo como justo sino que también permite que la promesa de Dios se encamine hacia su horizonte universal.

Fue por su obediencia que Abraham reunió las condiciones para ser receptor de la bendición, porque la promesa de bendición ya le había sido dada. Más bien, la promesa existente es reafirmada, si bien sus términos de referencia han sido alterados. Una promesa que antes estuvo afincada únicamente en la voluntad y el propósito de YHVH se transforma de modo que ahora está afincada *tanto* en la voluntad de YHVH *como* en la obediencia de Abraham. No se trata de que la promesa divina se haya vuelto contingente y necesite de la obediencia de Abraham, sino que la obediencia de Abraham ha sido incorporada en la promesa divina. A partir de ese momento Israel debe su existencia no solamente a YHVH sino también a Abraham. Teológicamente esto constituye una profunda comprensión del valor de la obediencia humana: puede ser aceptada por Dios y se convierte en un factor motivacional de sus propósitos para con la humanidad.[27]

Pablo y Santiago captan, entre los dos, ambos polos de la respuesta de Abraham a Dios. Pablo se ocupa de la fe que llevó a Abraham a *creer en las promesas de Dios,* por imposibles que parecieran, y en que eso, por consiguiente, le fue contado por justicia.

Pablo puede aprovechar esto para el mensaje de que la justicia viene por confiar en la promesa de Dios, que es por gracia, y no por alguna obra de la ley, tal como la circuncisión, que aparece más tarde en el relato (Romanos 4; Gálatas 3.6–29). Santiago se ocupa de la fe que llevó a Abraham a *obedecer el mandato de Dios,* demostrando así en la práctica el carácter genuino de su fe (Santiago 2.20–24).[28] Hebreos capta ambas cuando subraya la fe de Abraham a la vez de sustanciarla mediante la obediencia, desde su partida inicial de su tierra natal hasta el clásico relato de la obediencia en Génesis 22 (Hebreos 11.8–19).

---

27 R.W. L. Moberly: 'Christ as the Key to Scripture: Genesis 22 Reconsidered', en *He Swore an Oath: Biblical Themes from Genesis 12-50,* ed. R. S. Hess y otros, Paternoster, Carlisle; Baker, Grand Rapids, 1994, p. 161.
28 John Goldingay señala que el texto hebreo no distingue especialmente entre 'promesa' y 'mandato' en su registro de las palabras que Dios le dirigió a Abraham. Con frecuencia dice simplemente 'y Dios dijo'. De modo que fe y obediencia son en realidad respuestas complementarias a la palabra de Dios. Ninguna puede existir verdaderamente sin la otra. No se puede obedecer la palabra de Dios a menos que se la crea. Pero en realidad no se puede decir que se cree la palabra de Dios a menos que se la obedezca. Goldingay, *Old Testament Theology,* 1:198.

Para nosotros, con con un interés principal por una lectura misionológica de estos textos, lo importante a tener en cuenta es la forma en que la intención de Dios de bendecir a las naciones se combina con el compromiso humano hacia una calidad de obediencia que nos permita ser agentes de esa bendición. El glorioso evangelio del pacto abrahámico es que la misión de Dios es la bendición de todas las naciones. El permanente desafío consiste en que se propuso hacerlo 'por medio de ti y de tus descendientes'. Por lo tanto la fe y la obediencia de Abraham no son simplemente modelos de piedad y ética personales. Son también credenciales esenciales para la efectiva participación en la ilimitada misión encapsulada en las dos palabras hebreas traducidas como 'ser una bendición'. No hay bendición alguna para nosotros mismos ni para otros sin fe y obediencia. Aquellos a quienes Dios llama a participar en su misión redentora para las naciones son los que ejercen una fe salvífica como Abraham *y además* ponen de manifiesto una obediencia como la de Abraham. Así que *las cosas que Dios le dijo a Abraham* se convierten en la agenda definitiva para la misión de Dios mismo (bendecir a las naciones), y *las cosas que Abraham hizo como respuesta* se convierten en el modelo inmediato de nuestra propia misión (la fe y la obediencia).

'Ve[te] ... y serás una bendición'

No puede haber error en cuanto a lo que es el tema central de Génesis 12.1–3. Las palabras *bendecir* y *bendición* brillan como joyas en un tazón ornamental. La raíz hebrea, *brk*, como verbo o sustantivo, aparece cinco veces en estos tres versículos. Dios declara que va a *bendecir* a Abraham, que Abraham habrá de ser una *bendición*, que Dios *bendecirá* a los que *bendigan* Abraham, y que todas las familias en la tierra se considerarán *bendecidas* a través de él.[29] A continuación de los relatos que han golpeado al lector en el transcurso de los primeros nueve capítulos de Génesis, aquí tenemos un coro de lo más sorprendente y emocionante. El Dios cuya bendición bañó a la creación en primer lugar está en campaña para volver a bendecir con repetida intensidad y en sorprendente grado de extensión.

---

29 Consideraremos el significado del verbo final que se discute en pp. 288-290.

¿Pero qué exactamente, nos preguntaremos, significan las palabras? ¿Qué puede entender aquí por *bendición* un lector atento de las Escrituras?

Para contestar esa pregunta es preciso que comencemos correctamente en el entorno inmediato de nuestro texto, es decir, el libro de Génesis. Obviamente, en la fe y la literatura de Israel ese término adquiere una amplia gama de rico contenido. De modo que para bien de nuestra hermenéutica misionológica es preciso que recorramos este inventario de bendición, aunque solo sea brevemente. Más aun, hemos visto que la última línea de nuestro texto ('por medio de ti serán bendecidas todas las familias de la tierra') generó una trayectoria canónica de expectativa que finalmente se hace presente en la teología y la escatología misionales de Pablo en el Nuevo Testamento.

La bendición es creacional y relacional. Las primeras criaturas en ser bendecidas por Dios fueron los peces y las aves. En el majestuoso relato de la creación en Génesis 1, la bendición de Dios se pronuncia tres veces: en el día quinto, bendijo a las criaturas del mar y del aire; en el día sexto, bendijo a los seres humanos; y en el séptimo, bendijo el sábado. Las dos primeras bendiciones van seguidas inmediatamente por la instrucción de multiplicar y llenar los mares y la tierra. El tercero va seguido por las palabras de santificación y descanso que definen el sábado. La bendición, entonces, en este relato fundacional de la creación, está constituida por fructificación, abundancia y plenitud por una parte, y por el disfrute del descanso dentro de la creación en santa y armoniosa relación con el Creador, por la otra. La bendición tiene un buen comienzo.

La próxima vez que oímos acerca de la bendición de Dios, se trata del lanzamiento del nuevo mundo después del diluvio, y el lenguaje es casi igual al del primer relato de la creación (Génesis 9). Dios bendice a Noé y su familia, los instruye para que sean fructíferos, se multipliquen, y llenen la tierra. Al mismo tiempo inicia con ellos una relación que incluye el respeto por la vida (sea sangre animal o humana) y la preservación de la vida. Esa bendición y ese mandato son luego elaborados mediante la expansión de las naciones en Génesis 10.

De modo que cuando llegamos a Génesis 12.1–3, la palabra de bendición ha de incluir por lo menos el concepto de la multiplicación, la expansión, la abundancia y el concepto de llenar la tierra. Pero se nos dice que la esposa de Abraham es estéril y ambos ya ancianos. De manera que la palabra en un contexto así es sorprendente, cuando menos. Está claro que cualquier lector de Génesis sabrá lo que *debería* significar el término bendición, pero los medios por los cuales la bendición podía ser disfrutada por esta anciana pareja están oscuros. Lo de la fructificación en relación con la creación seguramente los ha pasado por alto. La ventana de la bendición que no se había abierto nunca debido a la esterilidad de Sara ahora ha sido clausurada debido a sus años avanzados.

A medida que seguimos leyendo en Génesis, predomina el contenido creacional de la bendición.

De hecho, la raíz *brk*, como verbo o cómo sustantivo, aparece 88 veces en Génesis, lo cual es casi una quinta parte de todas las veces que aparece en la totalidad del Antiguo Testamento.

Cuando Dios bendice a alguien, normalmente incluye el aumento de la familia, el ganado, la riqueza o las tres cosas. La bendición de Dios significa disfrutar en abundancia de los buenos dones de la creación de Dios.

La bendición de Dios se manifiesta en forma más obvia en la prosperidad y el bienestar humano; larga vida, riqueza, paz, buenas cosechas e hijos son los aspectos que figuran más frecuentemente en las listas de bendiciones, tales como Génesis 24.35–36, Levítico 26.4–13, y Deuteronomio 28.3–15. Lo que en la mentalidad moderna y ajena a la fe bíblica se llama 'suerte' o 'éxito', el Antiguo Testamento llama 'bendición', porque insiste en que solo Dios es la fuente de toda buena fortuna. De hecho, la presencia de Dios caminando entre su pueblo es la mayor de sus bendiciones (Levítico 26.11–12). Las bendiciones materiales son en sí mismas expresiones tangibles de la benevolencia divina. La bendición no solo conecta las narraciones patriarcales entre sí (ver Génesis 24.1; 26.3; 35.9; 39.5), también las vincula con la historia primitiva (ver Génesis 1.28; 5.2; 9.1). Las promesas de bendición a los patriarcas son, por lo tanto, una reafirmación de las intenciones originales de Dios para con los seres humanos.[30]

Sin embargo, no hay nada mecánico en esto. El elemento *relacional* se ve tanto vertical como horizontalmente.

---

30 Gordon J. Wenham: *Genesis 1—15*, Word Biblical Commentary 1, Word, Dallas, 1987, p. 275.

Verticalmente, los que son bendecidos saben quién es el que los está bendiciendo y procuran vivir en una relación fiel con su Dios. No sabemos tanto como lo que quisiéramos acerca de la fe y la práctica religiosas personales de las familias ancestrales de Israel (y parte de lo que conocemos es desconcertante). Sin duda incluía culto de adoración sincera, la edificación de altares, la oración, la confianza y (en el caso de Abraham por lo menos) una creciente intimidad personal con Dios.

Incluso extranjeros como Abimelec sabían que era YHVH el que bendecía a sus extraños vecinos (Génesis 26.29). Por cierto, normalmente los patriarcas no dudan de dar testimonio acerca del Dios que los ha bendecido.

> La suya no era una fe muda. Los patriarcas verbalizan ante otros la realidad de Yahvéh que han experimentado en su vida: cuentan de su provisión de riqueza (30.30; 31.5–13; 33.10–11; ver 24.35), su protección y sus normas morales [o guía] (31.42; 50.20; ver 24.40–49, 56); de los hijos que les da (33.5); ... y del compromiso con sus normas morales (39.9).[31]

Esa relación con Dios nunca es fácil. Para Abraham la confirmación final de la bendición bajo juramento llega solo después de las pruebas más severas que puedan imaginarse (Génesis 22). Y el misterioso relato de Jacob luchando con Dios termina con él exigiéndole una bendición después de pelear cuerpo a cuerpo y terminar herido (Génesis 32.26–29). Cuando ya está viejo y ciego, Jacob bendice a los dos hijos de José, reconoce que la bendición que ahora les transfiere es una bendición que ha ofrecido contención a su propia vida, como un pastor que protege a una oveja perdida y vulnerable, y como una bendición que ha marcado la vida de su padre y su abuelo mientras caminaban delante de Dios.

> Que el Dios en cuya presencia
>> caminaron mis padres, Abraham e Isaac,
> el Dios que me ha guiado
>> desde el día en que nací hasta hoy,
> el ángel que me ha rescatado de todo mal,
>> bendiga a estos jóvenes. Génesis 48.15–16

---

31 M. Daniel Carroll R.: 'Blessing the Nations: Toward a Biblical Theology of Mission from Genesis', *Bulletin for Biblical Research* 10 (2000): 29.

Horizontalmente, el elemento relacional de la bendición llega a los que están alrededor. Génesis presenta varias instancias de personas que son bendecidas a través del contacto con quienes Dios ha bendecido. Inconscientemente (por lo general; quizás Jacob sea una excepción), los que heredan la bendición de la familia abrahámica cumplen con la intención de ser una bendición para otros. Labán es enriquecido por la bendición de Dios sobre Jacob (Génesis 30.27–30). Potifar es bendecido por la presencia de José (Génesis 39.5). El faraón es bendecido por Jacob (Génesis 47.7, 10). El único notable caso inverso de esto (al que Hebreos asigna considerable significación teológica) es el momento cuando el propio Abraham es bendecido por Melquisedec (Génesis 14.18–20; ver Hebreos 7).

La combinación más hermosa de las dimensiones creacional y relacional de la bendición se encuentra cuando Jacob bendice a José. Reúne en sí tres dimensiones: primero, la fuente de toda bendición: Dios; segundo, la relación personal y de pertenencia dentro de la cual se disfruta la bendición (él es el 'Dios de tu padre', la 'Roca de Israel', etc.); y tercero, la abundancia creacional que la bendición contempla.

> ¡Gracias al Dios fuerte de Jacob,
>   al Pastor y Roca de Israel!
> ¡Gracias al Dios de tu padre, que te ayuda!
>   ¡Gracias al Todopoderoso, que te bendice!
> ¡Con bendiciones de lo alto!
>   ¡Con bendiciones del abismo!
> ¡Con bendiciones de los pechos y del seno materno!
>   Son mejores las bendiciones de tu padre
> que las de los montes de antaño,
>   que la abundancia de las colinas eternas.
> ¡Que descansen estas bendiciones sobre la cabeza de José …!
> Génesis 49.24–26

La bendición es misional e histórica. 'Ve y sé de bendición.' Las dos palabras que inauguran ambas mitades del mensaje de Dios para Abraham son imperativas. Por consiguiente ambas tienen el carácter de un encargo o de una misión confiada a Abraham.

La primera misión fue geográfica y limitada. Debía abandonar su casa e irse a la tierra que Dios habría de mostrarle. La misión se completa en un período de tiempo relativamente breve en los tres versículos siguientes, aunque naturalmente la misión de tomar posesión de la tierra tal como se les prometió en Génesis 12.7 exigiría muchas generaciones más. Pero la segunda misión no tiene límites: '[sé] una bendición'. Y su campo es ilimitado en el tiempo y en la geografía. Abraham debe abandonar su propia tierra a fin de que la bendición llegue a los pueblos de todas las tierras. Aquí la *bendición* como mandato, como tarea, como papel, es algo que va más allá del sentido de la abundancia creacional que hemos visto hasta ahora en Génesis. 'Sé una bendición' comprende, así, un propósito y una meta que se extienden hacia el futuro. Es, en síntesis, misional.

De hecho, este es el mandato inicial de la misión de Dios de restaurar lo que la humanidad parecía resuelta a arruinar, y de salvar a la humanidad misma de las consecuencias de su propia e insensata maldad. Se trata del tercer gran mandato misional de parte de Dios a los seres humanos. Los dos primeros son *creacionales* y casi idénticos.

En Génesis 1—2 Dios encarga a los seres humanos la gran tarea de gobernar al resto de la creación, guardándola y sirviendo a la tierra en la que los ha colocado (Génesis 1.28; 2.15). Y en Génesis 9, después del diluvio, Dios renovó a Noé y a sus hijos su mandato creacional original. Al ser bendecidos por Dios, y al vivir en un entorno estable, con la garantía del pacto de Dios con todo lo que ofrecía la vida en la tierra, debían proceder a ser fructíferos y a llenarla.

Aquí en Génesis 12.2, no obstante, tenemos el lanzamiento de la misión *redentora* de Dios. La palabra *bendición* la vincula con los relatos de la creación que la preceden. La tarea de la bendición redentora y restaurativa tendrá lugar dentro de y para el orden creado, no en algún otro reino celestial o mitológico más allá de él, o al que podamos escapar. Es la creación lo que se ha quebrantado por el pecado humano, de modo que Dios se propone enmendar en conjunto a la creación y a la humanidad. 'La misión consiste en que Dios dirija la bendición al déficit ocasionado por el fracaso y el orgullo humanos.'[32]

---

32 Christopher Seitz: 'Election and Blessing: Mission and the Old Testament', conferencia dictada en el Divinity School, Cambridge University, en octubre de 2000.

Y dado que fue por manos humanas que el pecado y el mal han invadido la vida en la tierra, sería mediante medios humanos que Dios actuaría para remediarlo. La declaración de *bendición* sobre Abraham y la anticipación de la *inclusión* de todos los pueblos y naciones en la bendición de Abraham responden al lenguaje de *maldición* y *exclusión* en Génesis 3. 'La misión es la reacción de Dios ante la pérdida de la humanidad.'[33] Dios había prometido que esta se haría por medio de la simiente de Eva (es decir, un ser humano) que aplastaría la cabeza de la serpiente y de este modo destruiría sus efectos perniciosos (Génesis 3.15).

Los lectores atentos se habrán estado preguntando quién será este destructor de serpientes.

Por Génesis 12.1–3 en adelante sabemos que será alguien de la simiente de Abraham. Un hijo de Abraham traerá bendición a los hijos de Adán. 'Porque así como por la desobediencia de uno solo muchos fueron constituidos pecadores, también por la obediencia de uno solo muchos serán constituidos justos' (Romanos 5.19).

Naturalmente Pablo estaba pensando en Cristo en todo el argumento en el que aparece esta afirmación. Pero podría haber sido expresado con relativa validez teológica acerca de Abraham, porque hemos visto que la obediencia de Abraham es el elemento clave en la confirmación del pacto de Dios con él para la bendición de todas las naciones (Génesis 22.16–18). Y en efecto, esto se dijo acerca de Abraham en la tradición judía mucho antes de que lo dijera Pablo. Abraham era el 'segundo Adán' de Dios, aquel a través de quién Dios hizo un nuevo comienzo para la humanidad de tal forma que Israel podía ser visto como el centro de una nueva raza humana redimida.[34] Partiendo de este entendimiento de la relación entre Abraham y Adán, Pablo sostiene que *Jesús* es aquel mediante el cual esa promesa se ha hecho una realidad.

Con la misma comprensión dinámica del lugar de Jesús dentro del relato del 'evangelio anunciado de antemano a Abraham', Mateo

---

33 Christopher Seitz: 'Election and Blessing: Mission and the Old Testament', conferencia dictada en el Divinity School, Cambridge University, en octubre de 2000.
34 'La vocación pactual de Israel le hizo considerarse a sí mismo como la verdadera humanidad del creador. Si Abraham y su familia se entienden como el medio del creador para ocuparse del pecado de Adán, y en consecuencia del mal en el mundo, Israel mismo se convierte en la verdadera humanidad adánica.' N. T. Wright: *The New Testament and the People of God*, SPCK, Londres, 1992, p. 262. Wright justifica esto ampliamente en base a fuentes rabínicas y textos del Antiguo Testamento.

comienza su Evangelio declarando a Jesús el Mesías como el hijo de Abraham y lo termina con el mandato misionero que había de abarcar a todas las naciones. De modo que la iglesia también queda bajo la autoridad de la misión abrahámica. Las palabras de Jesús a sus discípulos en Mateo 28.18–20, la llamada Gran Comisión, podrían verse como una mutación cristológica de la comisión abrahámica original: 'Vete... y serás una bendición ... ¡por medio de ti serán bendecidas todas las familias de la tierra!'

Y como la misión de 'ser una bendición' le es dada a un ser humano y a su simiente después de él, necesariamente adquiere una dimensión *histórica*. En y por sí misma no tiene por qué ser algo histórico. Hasta aquí la bendición ha sido en el libro de Génesis un elemento relativamente estático, inherente al orden creado: el disfrute de la fecundidad y la abundancia. Pero al convertir a la bendición en una *promesa* para el futuro ('te bendeciré') y al incluir la bendición en un *mandato* a ser llevado a cabo de allí en más ('Serás una bendición'), nuestro texto lo convierte en una dinámica histórica.[35] Génesis 12.1–3 le inyecta la bendición en la historia. Lanza una misión que alberga esperanza para el futuro.

El desarrollo de la historia bíblica de todas las generaciones todavía por venir indudablemente ofrecerá abundantes pruebas adicionales del carácter *humano caído*. Todas las marcas de las narraciones prototípicas de la historia primitiva volverán a aparecer una y otra vez.

Todavía no hemos visto el fin de la desobediencia de Adán y Eva, de los celos y la violencia de Caín, de la venganza de Lamec, de la corrupción y la violencia de la generación de Noé o la arrogante inseguridad de Babel. Pero lo que ahora sabemos que debemos esperar también, son las huellas de la *bendición divina* en la senda de la historia, la bendición recibida de Dios y la bendición transmitida a otros. Buscaremos la 'gran nación' que Dios promete aquí. Discerniremos la línea divisoria en la reacción de la gente a lo que Dios hará por medio de este pueblo bendecido. Además,

---

35 Este aspecto es enfatizado por Claus Westermann: 'La bendición no es por su naturaleza algo histórico. Le puede ser dada a cualquiera, como en Génesis 27. Con todo, no es preciso que tenga en vista, como se entendía originalmente, algún punto futuro en el tiempo; es decir, no es preciso que sea una promesa. En 12.1–3 J vincula la bendición y la historia, y de este modo vincula la historia de los patriarcas con la historia del pueblo. ... El efecto de la bendición es que Abraham se convierte en un gran pueblo. Esta oración gramatical expresa del modo más claro posible que J está mirando más allá de la historia de los patriarcas Abraham, Isaac y Jacob, hacia el futuro.' Westermann: *Genesis 12—26*, p. 149.

buscaremos las crecientes indicaciones de que la bendición de Dios por medio del pueblo de Abraham finalmente se diseminará por toda la tierra. *En síntesis, estaremos observando la misión de Dios en medio de la historia humana, la llave que inaugura el gran relato de la Biblia, y todo comienza aquí.*

Génesis 12.1–3, entonces, lanza la historia redentora dentro del continuo de la historia humana más amplia, todo lo cual está también, desde luego, incluido en el plan soberano de Dios. Y lanza esa historia como la historia de la misión: la misión que Dios mismo encara en su categórico compromiso con Abraham y su descendencia, y la misión que, en consecuencia, Dios coloca sobre Abraham: 'Serás una bendición.'

Sería perfectamente apropiado, y algo bueno en verdad, si tomáramos *éste* texto como 'la Gran Comisión'. Por cierto que es el fundamento bíblico en el cual se basa el texto de Mateo al que generalmente se le asigna ese papel. Es posible que sepamos mucho más que Abraham en cuanto a 'todo el consejo de Dios', del misterio oculto por siglos pero ahora revelado en el Mesías Jesús a través del evangelio. Pero aun con todo ese mayor conocimiento y la revelación más plena, no sería un estribillo inadecuado con el cual adornar todo el concepto y la práctica misionera de la iglesia. Sería una excelente manera de sintetizar lo que se supone que debe ser la misión: 'Ve … y sé una bendición'.

La bendición está relacionada con el pacto y con la ética. Las bendiciones de la creación continúan y les llegan a todos. Génesis muestra que Dios bendice a muchos otros además de Abraham y sus descendientes. El crecimiento y la diversidad de las naciones reflejan su propósito después del diluvio. De modo que la bendición de Dios no está limitada a la esfera del pacto o de la historia de la redención. El pacto incluye la bendición de Dios, pero la bendición de Dios no está limitada al pacto. Hasta los que no están incluidos dentro de esta esfera específica pueden disfrutar de la bendición del crecimiento numérico junto con todas las naciones.

Así, aunque se gasta mucha tinta en relatar la historia de la forma en que Esaú fue irreversiblemente engañado por Jacob en relación con la bendición de su padre (Génesis 27), esto no impidió que Esaú continuara y llegara a constituir una nación numerosa (los edomitas), o que proporcionara reyes entre sus descendientes antes de que Israel tuviera alguno (Génesis 36, ver v. 31). Claramente la bendición que perdió Esaú y obtuvo Jacob incluía más que solamente el carácter de nación.

La distinción entre la bendición general de Dios y la bendición específica relacionada con el pacto, y que es disfrutada por los descendientes de Abraham y Sara a través de la línea de la promesa, se ve con más claridad en el caso de Ismael. Es notable que tanto Dios como Abraham hablan cálidamente de Ismael (solo Sara responde negativamente ante su percepción de la amenaza que significaba para su hijo Isaac [Génesis 21.8–10]). Como respuesta al ruego de Abraham '¡Concédele a Ismael vivir bajo tu bendición!', Dios le contesta de manera afirmativa: 'Yo lo bendeciré, lo haré fecundo y le daré una descendencia numerosa. … Haré de él una nación muy grande' (Génesis 17.18–20). Estas palabras tienen una inocultable resonancia con la promesa hecha a Abraham mismo. Más adelante se repite esta promesa con respecto a Ismael, e incluso después de su expulsión de la casa de Abraham leemos que 'Dios acompañó al niño, y este fue creciendo' (Génesis 21.13, 20). Aun así, es con *Isaac* (al que se le dio su nombre antes de nacer, en el cap. 17), con quien Dios se propone hacer su *pacto* (Génesis 17.19, 21). Esto indica algo singular acerca de la naturaleza de la bendición que se dará en la relación del pacto. No niega que Dios puede y quiere bendecir en toda clase de formas a otros que están fuera del pacto abrahámico, pero sí indica una forma de bendición que va más allá de la abundancia creacional y la fertilidad natural.[36]

A medida que prosigue la historia del Antiguo Testamento, la naturaleza de la bendición que Israel disfruta en el seno del pacto se vuelve cada vez más específica. Incluye la experiencia de la fidelidad de Dios, en respuesta a Abraham, y su rescate de la esclavitud en

---

36 Sobre este punto, por lo tanto, difiero de John Goldingay, quien encuentra en este pasaje que Ismael, por las bendiciones que le son prometidas y por recibir la circuncisión (la señal del pacto en Génesis 17), está incluido en el pacto abrahámico junto con todos sus descendientes (Goldingay: *Old Testament Theology*, 1:201, 203). Me parece que el texto distingue entre Isaac, que explícitamente hereda la promesa del pacto, e Ismael, quien, aunque fue circuncidado y bendecido, no la recibe. No obstante, como bien indica Goldingay (pp. 224–31), hay áreas de ambigüedad en estas historias en cuanto a 'quién cuenta' como perteneciente a la esfera de la bendición del pacto. ¿Qué pasa con Moab y Amón, descendientes de Lot, o Edom, descendiente de Esaú? En pasajes posteriores del Antiguo Testamento hay una ambigüedad similar en relación con su condición. En cualquier caso, se podría señalar, aun cuando la línea de bendición del pacto pase exclusivamente de Abraham a través de Isaac a Jacob y el pueblo de Israel, se nos ha dicho desde el comienzo que toda la razón de ser de esta cuestión es que otros sean bendecidos, o se bendigan a sí mismos, a través de Abraham. De manera que si bien Ismael puede no estar incluido en la línea de familia en el pacto, por cierto que sus descendientes estarán entre los de 'todas las naciones' que serán bendecidos a través de Abraham.

Egipto por medio del éxodo. Prosigue con el cuidado protector de Dios al pueblo en el desierto, la provisión para sus necesidades y el perdón de sus ofensas.

La revelación del nombre de Dios, la entrega de la ley en el Sinaí y la forma de obtener una comunión continua a través del tabernáculo y el sistema de sacrificios, son todas marcas de la bendición de Dios a través del pacto. La entrega de la tierra es un cumplimiento directo de la promesa a Abraham y se la entiende como la más tangible del cúmulo de bendiciones que fluyen de ella.

En todas estas cosas, Israel es convocado a responder según el paradigma establecido por Abraham: con fe y obediencia. Así, dentro del pacto la bendición incluye el conocimiento de quién es el verdadero y único Dios viviente (mediante la revelación de su nombre, YHVH), y el compromiso de amarlo y obedecerlo de tal manera que se pueda seguir disfrutando de la bendición (Deuteronomio 4.32–40). El libro de Deuteronomio culmina en la poderosa apelación a Israel a 'elegir la vida', es decir, a sostener la bendición en la que se mantuvieron mediante las promesas del pacto, viviendo en una relación de amor, confianza y obediencia con su Dios (Deuteronomio 30).

Esta dimensión ética de la bendición dentro de la relación del pacto protege al elemento creacional a fin de que no degenere en algún tipo de 'evangelio de la prosperidad'.

Si bien es muy cierto que la abundancia material puede ser un signo tangible de la bendición de Dios, el lazo entre ambos no es ni automático ni reversible.

Dios pide fe, obediencia y lealtad ética a las demandas del pacto en los tiempos malos tanto como en los buenos. No toda pérdida material o sufrimiento físico es el resultado de la desobediencia (como lo ilustran el libro de Job y el de Jeremías). Ni se obtiene siempre la riqueza con la bendición de Dios (como Amós y otros profetas dejaron en claro). Las realidades de la injusticia y la opresión, que reducen a algunas personas a la pobreza y hacen muy ricas a otras, socavan cualquier correlación simplista entre la riqueza (o falta de ella) y la bendición de Dios (o ausencia de ella).

En el capítulo 11 volveremos a ocuparnos de la dimensión ética del pacto en cuanto se relaciona con la misión.

La bendición es multinacional y cristológica. La conclusión de las palabras dirigidas por Dios a Abraham en Génesis 12.1–3 es universal. El resultado de la bendición de Dios a Abraham y del mandato que le dio de ser él mismo una bendición alcanzaba a 'todos los grupos de parentesco de la tierra'. Este alcance universal de la promesa abrahámica es el argumento decisivo para reconocer la centralidad misionológica de este texto, que ya es bastante explícito de todos modos en el mandato a 'ser una bendición'. Es hora de analizar la frase final más detenidamente. Porque si bien su alcance universal está claro, no lo está en igual medida la exégesis precisa de su significado.

Variantes de la frase aparecen en los siguientes cinco textos.[37]

1. 'En ti serán bendecidos todos los grupos de parentesco de la tierra [*mišpĕhōt hā ʾădāmâ]*' (Génesis 12.3). Esta es la promesa original hecha a Abraham.

2. 'En él serán bendecidas todas las naciones de la tierra [*gôyê hā'āres]*' (Génesis 18.18). Dios hace memoria de la significación futura de Abraham.

3. 'En tu simiente todas las naciones de la tierra [*gôyê hā ʾāres]* se bendecirán' (Génesis 22.18). A continuación de la obediente voluntad de Abraham de sacrificar a Isaac, la promesa le es repetida a Abraham con fuerte énfasis.

4. 'En tu simiente todas las naciones de la tierra [*gôyê hā ʾāres]* se bendecirán' (Génesis 26.4). Aquí la promesa le es reafirmada a Isaac con idénticas palabras, pero nuevamente con un inmediato énfasis en la obediencia moral de Abraham.

5. 'En ti serán bendecidos todos los grupos de parentesco de la tierra [*mišpĕhōt hā ʾădāmâ]*, y en tu simiente' (Génesis 28.14). Esta vez Dios está reafirmando la promesa a Jacob en Betel.

El verbo clave es, desde luego, *bārak,* 'bendecir'. Ocurre en dos formas verbales en estos versículos, y ha habido mucha discusión sobre

---

37 Son todas traducciones mías (Wright).

el matiz preciso en cuanto a la traducción. En el primero, el segundo y el quinto texto, están en la forma *niphal,* y en el tercero y el cuarto, están en *hithpael.* La forma *niphal* del verbo hebreo puede ser pasiva o reflexiva, o 'media', pero la forma *hithpael* es más naturalmente reflexiva. Las tres formas posibles de leer las palabras, entonces, son la pasiva, la reflexiva o la media. Paso a explicar.

Una versión *pasiva* es simplemente 'seré bendecido', dando por sentado que esto ocurrirá 'por Dios' o 'por mí'. La mayoría de las versiones antiguas la traducían de este modo, y también lo hace el Nuevo Testamento (p. ej., Pablo en Gálatas 3.8). Había formas más simples del verbo hebreo que podían expresar el pasivo (la *pual*), y la *niphal* tiene un matiz adicional que va más allá de la forma meramente pasiva.

Una versión *reflexiva* 'se bendecirán [a sí mismos]' significa que la gente usaría el nombre de Abraham al bendecirse unos a otros. Es decir, ya sea orando para que ellos mismos sean bendecidos como lo fue Abraham o al pedir en oración una bendición para otros ('que Dios te bendiga como a Abraham'). Esto condice con la conocida práctica de invocar los nombres de individuos especialmente bendecidos al orar por uno mismo o por otros (p. ej., Génesis 48.20; Rut 4.11–12). También cuadra mejor el sentido en el Salmo 72.17.

La forma *media* (por lo menos para los tres textos en *niphal*) es apoyada por Gordon Wenham, quien traduce, 'hallarán bendición'. Otra forma de expresar este sentido es 'se considerarán bendecidos'.[38]

Dado que parecería natural suponer que las variantes en los cinco textos son tan pequeñas que todos los verbos principales deberían ser tomados de la misma manera,[39] el debate se ha orientado a determinar si todas deberían tomarse como pasivas (*ser bendecido,* más cercana a la *niphal* natural)[40] o como reflexivas (*bendecirse,* más cercana a la *hithpael* natural).[41]

Sin embargo, en forma creciente se está comprendiendo que en último análisis el sentido reflexivo incluye de todos modos una inferencia

---

38 Wenham: *Genesis 1—15*, pp. 277-278.
39 Aunque Carroll R. sugiere que puede haber razones específicas por las que se usa la forma *hithpael* en los dos casos donde aparece. Carroll R.: 'Blessing the Nations', pp. 23–24.
40 Como en traducciones tempranas de las Escrituras hebreas, la NIV y la NVI; ver también O. T. Allis: 'The Blessing of Abraham', *Princeton Theological Review* 25 (1927): 263-98.
41 Como en muchos eruditos críticos y ver BJ. Un defensor reciente de la lectura pasiva, sin embargo, es Keith N. Grueneberg, *Abraham, Blessing and the Nation: A Philological and Exegetical Study of Genesis 12.3 in Its Narrative Context*, Beihfte zur Zeitschrift für die alttestamentliche Wissenschaft, Walter de Gruyter, N. York, 2003.

pasiva. Esto se debe al resto de las cosas que Dios promete. Si alguien usa el nombre de Abraham como una bendición (es decir, ora pidiendo ser bendecido como lo fue Abraham), se presupone que conoce tan bien al Dios que bendijo a Abraham que este último se convirtió, para ese alguien, en un caso testigo del poder de ese Dios para bendecir. Tales personas reconocen de este modo tanto a Abraham como al Dios de Abraham. Pero Dios acaba de decir que se propone bendecir a los que 'bendicen a Abraham', es decir, a quienes consideran a Abraham como alguien que ha sido bendecido de esta forma. De modo que quienes se bendicen acudiendo a Abraham (si le otorgan a la forma *hithpael* toda su fuerza) terminarán siendo bendecidos por Dios porque él promete hacerlo. El reflexivo supone el pasivo como resultado. Claus Westermann llega a esta conclusión.

> De hecho, la traducción al reflexivo está diciendo no menos que el pasivo. ... Cuando 'las familias de la tierra se bendicen en Abraham', es decir, piden para sí una bendición bajo la invocación del nombre de él ... entonces la presuposición obvia es que reciben la bendición. Cuando uno se bendice a sí mismo con el nombre de Abraham, la bendición es realmente concedida y recibida. Donde el nombre de Abraham es mencionado en una oración para pedir bendición, la bendición de Abraham fluye libremente; no reconoce límites y alcanza a todas las familias de la tierra. No hay así oposición alguna en el contenido entre la traducción pasiva y la reflexiva. ... [El versículo 3] incluye el hecho concreto de ser bendecido. ... La acción de Dios proclamada en la promesa a Abraham no está limitada a él y a su posteridad, sino que alcanza su meta solo cuando incluye a todas las familias de la tierra.[42]

Una consideración misionológica adicional refuerza este punto. Como se ha mencionado arriba, si la intención hubiese sido una simple forma pasiva, el hebreo tiene la forma correspondiente (la *pual*, como en 2 Samuel 7.29 y Salmo 112.2, o el participio pasivo *qal*, como en Isaías 19.24).

Pero las formas *niphal* y *hithpael* han sido usadas deliberadamente, ya que si bien incluyen el sentido pasivo, tienen además el matiz reflexivo, que sugiere una autorreferencia.

---

42 Westermann: *Genesis 12—26*, p. 152.

¿Qué importancia puede tener esto? Yo creo que la tiene, por la siguiente razón. El acto de autobendecirse, o de darse por bendecido, mediante (el nombre de) Abraham indica que la persona conoce el origen de la bendición. Conocer a Abraham como modelo de bendición y procurar ser bendecido como lo fue él ha de incluir, con toda seguridad, el conocer al Dios de Abraham y anhelar la bendición de parte de ese Dios y no de otros dioses.

Es posible que una persona realmente 'sea bendecida' (en el sentido pasivo) sin que necesariamente conozca o reconozca el origen de la bendición. Es lamentable que muchos (incluso dentro del Israel del Antiguo Testamento) atribuyeran a otros dioses las bendiciones que en realidad han recibido del Dios vivo y Creador. Esa experiencia de la bendición general simplemente por vivir en la bendecida creación de Dios (mediante lo que con frecuencia se denomina 'la gracia común') no es en sí misma redentora, por cuanto no incluye el 'conocer a Dios'.[43] Pero una persona no puede invocar la *bendición en el nombre de Abraham* de manera intencional y específica sin reconocer la fuente de la bendición de Abraham, o sea, el Dios de Abraham. Hay, por consiguiente, lo que podríamos llamar una dimensión confesional en la anticipada bendición para las naciones. Serán bendecidas en la medida en que lleguen a reconocer al Dios de Abraham y a 'bendecirse' en y a través de él.

En el capítulo 7 consideraremos en forma más extensa la vital importancia de la calificación de *en ti* o *a través de ti*, que se ocupa de esta particularidad. Pero a esta altura observamos simplemente que la intención de Dios, en este punto culminante de su promesa a Abraham, no es tan solo que las naciones sean bendecidas (puramente pasivo) de algún modo no especificado, cualquiera sea su relación con Abraham. O que sean bendecidas por alguna vía independiente, sin relación alguna con lo que Dios acaba de declarar que hará para Abraham y a través de él para otros. Por cierto que no.

La fuerza combinada de la crucial palabra 'en ti', junto con la forma *autocomprometida* del verbo, muestra que la intención de Dios es que las naciones compartan con plena conciencia de la bendición de Abra-

---

43 Pablo corrigió las falsas perspectivas de los ciudadanos de Listra sobre esto, cuando les indicó la verdadera fuente de las bendiciones cotidianas que disfrutaban (Hechos 14.15–18). Su exposición fue una respuesta de emergencia, súbitamente interrumpida, pero podemos presumir que con más tiempo y circunstancias menos volátiles, habría continuado de la historia de la creación, al resto de la historia bíblica que culminó con la resurrección de Jesús.

ham mediante una expresa apropiación para sí mismos. No se trata de un poco de bendición rociada al azar. Es un acto deliberado que ha de activar la promesa de Dios de bendición para ellos. Por cierto que las naciones serán bendecidas como lo fue Abraham, pero solo porque se habrán vuelto hacia la única fuente de bendición, el Dios de Abraham, y se habrán identificado con el relato del pueblo de Abraham. Conocerán al Dios de Abraham.

Me referí a esto como una perspectiva misionológica porque la verdad es que se relaciona con el énfasis principal que exploramos en el capítulo 4, a saber, la voluntad del Dios bíblico de ser conocido por quien él es. La creación ha de conocer a su Creador. Las naciones tienen que conocer a su Juez y Salvador. Y éste es el Dios que, como nos lo dice Hebreos, 'no se avergonzó de ser llamado *su* Dios', es decir el Dios de Abraham, Isaac y Jacob (Hebreos 11.16). La historia de Abraham mira tanto hacia atrás, al gran relato de la creación, como hacia delante, hacia un relato todavía más grande, el relato de la redención.

El vocabulario de la bendición es el cordón umbilical entre ambas tradiciones. Es la bendición de Dios que vincula la creación y la redención, porque la redención es la restauración de la bendición original inherente a la creación.

De manera que el cumplimiento de la promesa de Dios a Abraham se da no simplemente en la medida en que son bendecidas las naciones en algún sentido general, sino solo en la medida en llegan a conocer de modo concreto todo el gran relato bíblico, del que Abraham es la clave principal. Esto tiene una profunda importancia para la misión. Una de las razones de la desastrosa falta de profundidad, aparte de la vulnerabilidad de mucho de lo que pasa por crecimiento de la iglesia alrededor del mundo es que la gente acude a cierto tipo de fe instrumental en un Dios a quien ve como un ser poderoso, con alguna relación con Jesús, pero un Jesús por completo desconectado de sus raíces escriturarias. Las personas no han sido desafiadas en el nivel de su cosmovisión más profunda para que puedan conocer a Dios *en y a través de la historia iniciada por Abraham*. Pablo no dejó vulnerables a sus conversos en este nivel sino que, por el contrario, les enseñó con claridad y en Gálatas reiteró que su fe en *Cristo* los había insertado en la fe y el linaje de *Abraham*.

El Dios vivo al que se habían vuelto de sus ídolos muertos había anunciado el evangelio por adelantado por medio de Abraham, y podían darse por bendecidos en Abraham, mediante su simiente, el Mesías Jesús.

Y siguiendo a Pablo, nosotros, que leemos este texto como creyentes cristianos, sabemos que su cumplimiento está arraigado en ese mismo Jesús. Su proyección multinacional es posible solo a través de Cristo. De modo que a los representantes de las naciones ampliamente dispersos, los creyentes gentiles en las iglesias alrededor del Mediterráneo, Pablo podía decirles lo que dijo a los gálatas: 'Todos ustedes son hijos de Dios mediante la fe en Cristo Jesús. ... Y si ustedes pertenecen a Cristo, son la descendencia de Abraham y herederos según la promesa' (Gálatas 3.26, 29).

Calvino usó esta hermenéutica cristológica como una forma interesante de decidir el problema exegético de la traducción correcta del verbo principal en Génesis 12.3, porque estaba plenamente consciente de las diferentes opciones gramaticales. Finalmente sostuvo que, dado que sabemos que es en y a través de Cristo que las naciones están siendo bendecidas, y dado que Cristo estaba en 'los lomos' de Abraham, podemos entender la promesa de Dios a Abraham en el sentido más pleno que sugiere el pasivo 'serán bendecidas'. Comentando esa frase final de Génesis 12.3, Calvino escribe:

> Si alguien elige entender este pasaje en sentido restringido, como un modo proverbial de hablar (quienes quieran bendecir a sus hijos o sus amigos llevarán el nombre de Abram), que disfrute su opinión; porque la frase hebrea acepta la interpretación de que Abram será llamado ejemplo insigne de felicidad.
>
> Pero yo amplío el significado aun más porque supongo que se promete en este lugar lo mismo que Dios repite más tarde claramente (ver Génesis 22.18). Y la autoridad de Pablo me trae a este punto también [Gálatas 3.17]. .... Debemos entender que la bendición le fue prometida a Abram en Cristo, cuando estaba ingresando en la tierra de Canaán. Por consiguiente, Dios (a mi juicio) declara que todas las naciones sean bendecidas en su siervo Abram porque Cristo estaba incluido en su cuerpo.

De este modo, no solo anuncia que Abram sería un *ejemplo,* sino *ocasión* de bendición. .... [Pablo] llega a la conclusión de que el pacto de salvación que Dios hizo con Abram no es ni estable ni firme excepto en Cristo. Por lo tanto interpreto así el presente punto como que dice que Dios promete a su siervo Abram esa bendición que después llegará a toda la gente.[44]

Conclusión

¿Cómo, entonces, hemos de contestar la pregunta planteada al comienzo de esta sección (¿Cuál es el significado de 'bendición'?)? Es obvio que Génesis 12.1–3 (como por cierto también Génesis como libro) está saturado de preocupación por el tema de la bendición. ¿Pero qué significan las ricas y resonantes frases y hacia dónde llevan (porque el horizonte del texto está sin duda muy distante)?

Hemos visto que la bendición está en un comienzo relacionada fuertemente con la creación y con todos los buenos dones que Dios anhela que el pueblo disfrute en su mundo: abundancia, fructificación y fertilidad, larga vida, paz, y descanso. Al mismo tiempo, estas cosas son para ser disfrutadas dentro del contexto de sanas relaciones con Dios y con otros. Pero esas relaciones han sido radicalmente fracturadas por los hechos que se describen en Génesis 3—11. ¿Cómo, entonces, podrían disfrutarse esas bendiciones aparte de la intervención redentora de Dios?

Luego observamos que la combinación de mandato y promesa en el texto le dan una fuerte dinámica misional, en tanto que su orientación hacia el futuro lo convierte en un discurso programático para la historia. En una creación arruinada por el pecado y la maldición, la historia será un relato lleno de anhelos de esperanza en cuanto a la forma en que Dios cumplirá para Abraham lo que le ha prometido (Génesis 18.18). Si esa es la misión de Dios, sin embargo, rápidamente observamos que también exige la fe y la obediencia de Abraham, y el subsiguiente compromiso de su pueblo hacia las exigencias éticas del pacto. De modo que el pacto abrahámico es una agenda moral para el pueblo de Dios a la vez que una declaración misionera hecha por Dios.

---

44 Calvino: *Genesis,* pp. 112–113.

Por último, nos quedamos asombrados ante la fuerza universal (repetida cinco veces) de la promesa abrahámica, de que en última instancia gente de todas las naciones encontrará bendición a través de Abraham. Y confesamos, con Pablo, que es parte de la esencia del evangelio bíblico, primeramente anunciado a Abraham, que Dios hizo disponible esa bendición a todas las naciones por medio del Mesías, Jesús de Nazaret, la simiente de Abraham. Solo en Cristo, por medio del evangelio de su muerte y resurrección, se mantiene la esperanza de bendición para todas las naciones.

7 . El pueblo particular de Dios:
Elegido para todos

Nuestro estudio inicial de la elección de Abraham, en el capítulo 6, estaba centrado principalmente en la bendición: el que fue elegido para ser bendecido y para ser de bendición. Pasamos ahora a desarrollar más plenamente las consecuencias de ambas partes de esas conclusiones finales en relación con el pacto abrahámico, inmortalizado por Pablo como 'el evangelio de antemano', de que 'a través de ti todas las naciones serán bendecidas'.

La tensión entre la universalidad de la meta (*todas las naciones*) y la particularidad del medio (*a través de ti*) está presente desde el comienzo mismo del viaje de Israel a través de las páginas del Antiguo Testamento. Es una tensión que resulta fundamental para nuestra teología bíblica de la misión, de modo que es preciso que ahora exploremos ambos polos de la misma en mayor detalle. Es, también, una tensión que ha generado muchos intentos insatisfactorios de resolverla en una u otra de las direcciones, intentando obtener de ella una especie de universalismo que pierde contacto con la particularidad de la obra redentora de Dios a través de Israel y de Cristo, o acusando a Israel de un exclusivismo chauvinista que descuidaba la preocupación más amplia de Dios por otras naciones. Solo podemos enfrentar tales distorsiones volviendo al texto bíblico en toda su amplitud y profundidad, y esa es la razón que está por debajo de la naturaleza de este capítulo, como un viaje bíblico de amplio alcance. Al lanzarnos a dicho viaje, recordamos que nuestro propósito invariable es comprender cuán acabadamente la misión de Dios está entretejida en todo el tapiz de la Escritura. Esa misión de Dios tiene, incuestionablemente, un horizonte universal y un método histórico particular. Ambos son cruciales para dar acceso a la grandiosa narración de la Biblia.

La universalidad — Ecos de Abraham en el Antiguo Testamento

Una vez que pasamos de los relatos sobre los ancestros de Israel en Génesis a las narraciones de su historia nacional a partir del éxodo, el narrador centra la atención del lector en las relaciones particulares de Dios con la nación de Israel. Aquellos elementos de la promesa abrahámica que eran más importantes dentro de la historia del Israel del Antiguo

Testamento adquieren prominencia: el crecimiento de la 'gran nación' a pesar de amenazas y oposición, el establecimiento de una relación de bendición mediante un pacto entre YHVH e Israel, la adquisición de la Tierra Prometida. En todas estas cosas (posteridad, pacto y tierra), la fe de Israel (particularmente como está expresada en Deuteronomio) volvía la mirada hacia Abraham y alababa a Dios por su fidelidad en mantener estas dimensiones de su promesa hacia sus padres.

Pero, ¿qué pasa con 'todas las naciones de la tierra'? Fuera de Génesis, con su quíntuple referencia a la misión de Dios de bendecir a todas las naciones mediante Abraham y su simiente, son mucho menos frecuentes las menciones a esta cláusula final de la promesa. Pero no está totalmente perdida, y ahora es preciso que veamos aquellos lugares en el resto del Antiguo Testamento que directa o indirectamente se refieren a este aspecto universal de las intenciones de Dios para el mundo más allá de los límites de Israel mismo. Buscaremos textos en los que cualquiera de las frases tales como 'todas las naciones' o 'toda la tierra' se usan en conexión con los propósitos salvíficos de Dios, o donde el tema de la bendición aparezca con una perspectiva superior a la de solo Israel. Más adelante, en el capítulo 14, exploraremos más ampliamente y en mayor profundidad el tema de 'las naciones' en general en el Antiguo Testamento. Aquí nuestro enfoque no es hacia todos los textos que se refieren de algún modo a YHVH y las naciones sino a aquellos que articulan algún elemento de universalidad, ya sea directamente o haciendo eco implícitamente a la promesa de Abraham. Después de haber seguido la trayectoria de la universalidad abrahámica a través del Antiguo Testamento, observaremos su impacto cuando aterriza en el Nuevo Testamento entre aquellos que vieron en Jesucristo la clave final de su cumplimiento.

El Pentateuco. Éxodo 9.13–16. "Así dice el SEÑOR y Dios de los hebreos: 'Deja ir a mi pueblo para que me rinda culto. Porque esta vez voy a enviar el grueso de mis plagas contra ti, y contra tus funcionarios y tu pueblo, para que sepas que no hay en toda la tierra nadie como yo. Si en este momento desplegara yo mi poder, y a ti y a tu pueblo los azotara con una plaga, desaparecerían de la tierra. Pero te he dejado con vida precisamente para mostrarte mi poder, y para que mi nombre sea proclamado por toda la tierra."'

Esta declaración ante el faraón entra dentro de las narraciones sobre las plagas. Como vimos en el capítulo 3 (p. 101), un subtema principal de esa narración es que el faraón tiene que saber quién es Dios. Finalmente sabrá que YHVH (a quien se negaba a reconocer) es Dios, tanto en Egipto como en cualquier otra parte de la tierra. Pero aquí se contempla un conocimiento que va más allá que el del faraón solamente. No solo debe el faraón comprender que no hay Dios como YHVH 'en toda la tierra' sino también toda la tierra tiene que oír acerca del poder y el nombre de YHVH. El que se tratara de una experiencia de la bendición de YHVH o de su juicio, habría de depender de si seguían el ejemplo del faraón o aprendían lo suficiente de él como para elegir mejor camino. El faraón se convierte así en una ilustración clásica de la línea protectora del pacto abrahámico: 'aquel que te menosprecie, yo maldeciré' (Génesis 12.3, mi traducción).

La importancia misionológica de este texto es observada (aunque no con esta terminología) por Terence Fretheim en su perceptivo comentario:

> Aquí aparece la meta final de lo creado por Dios. En tres textos relacionados con 'saber' (8.22; 9.14, 30) se enfatiza la relación de Dios con toda la tierra. Yahvéh no es ningún dios local, que busca ser mejor que otra deidad local. Para Dios la cuestión es *en última instancia* que el nombre de Dios sea finalmente declarado (*sapar*) ante toda la tierra. Este verso se usa en otras partes para la proclamación de las buenas noticias de Dios (p. ej., Salmo 78.3–4; Isaías 43.21). Esta no es ninguna comprensión superficial de la relación de los no israelitas con Yahvéh. Decir que Dios es Dios de toda la tierra significa que todo su pueblo es el pueblo de Dios; deberían saber el nombre de este Dios. Por ello los propósitos de Dios en estos hechos no están orientados simplemente a la redención de Israel. *Los propósitos de Dios abarcan el mundo.* Dios actúa de este modo público a fin de que las buenas noticias de Dios sean proclamadas a todos sin excepción (ver Romanos 9.17).[1]

---

1 Terence E. Fretheim: *Exodus,* Interpretation, John Knox Press, Louisville, 1991, p. 125.

Éxodo 19.5–6. 'Si ahora ustedes me son del todo obedientes, y cumplen mi pacto, serán mi propiedad exclusiva entre todas las naciones. [Porque (o ciertamente)] toda la tierra me pertenece, ustedes serán para mí un reino de sacerdotes y una nación santa'.[2]

Este es un texto misionológico clave al que volveremos más de una vez a medida que avancemos en este libro. Es una pieza fundamental en el libro de Éxodo como lo es Génesis 12.1–3 en el libro de Génesis. Es la bisagra entre los capítulos 1—18, que describen la bondadosa iniciativa de Dios en cuanto a la redención (el éxodo), y los capítulos 20—40, que describen la concertación del pacto, la entrega de la ley, y la construcción del tabernáculo. Como Génesis 12.1–3, este texto tiene, también, una combinación de mandato (cómo debe comportarse Israel) y promesa (lo que será Israel entre todas las demás naciones).

La perspectiva universal, para lo cual la incorporamos aquí, es explícita en la doble frase *todas las naciones* y *toda la tierra*. Si bien la acción tiene lugar en el monte Sinaí entre yhvh e Israel únicamente, Dios no ha olvidado su misión más amplia de bendecir al resto de las naciones de la tierra mediante este pueblo particular al que ha redimido. Más todavía, dado que el éxodo mismo había sido explícitamente motivado por la fidelidad de Dios a sus promesas a Abraham (Éxodo 2.24; 6.6–8), todo el peso de ese gran tema en Génesis tiene su eco aquí. La universalidad del propósito último de Dios para toda la tierra no se pierde de vista. De hecho, este versículo coloca al resto del Pentateuco bajo esta luz, así como Génesis 12.1–3 hizo lo propio para el resto de Génesis.

Toda la experiencia del Sinaí (incluida la entrega de la ley, la concertación del pacto, la construcción del tabernáculo e, incluso, la renovación del pacto con la generación siguiente en las llanuras de Moab) tiene como prefacio este texto en Deuteronomio.

La significación de este gran acontecimiento pactual para el futuro de Israel, los privilegios y las obligaciones, están contenidos en el discurso introductorio de yhvh, en Éxodo 19.3–6. En estas pocas

---

2 He modificado el texto de la nvi al comienzo de la segunda oración. Esta es una versión mucho más natural de la conjunción hebrea *kî*, mejor que 'aunque' (nvi). La cuestión no es 'a pesar de' sino más bien 'debido al' hecho de que toda la tierra le pertenece a Dios, Israel tendrá una función sacerdotal y santa, y está llamado a ejercer el papel positivo de mediador entre Dios y las naciones.

palabras encontramos un resumen del propósito del pacto, presentado por boca del propio YHVH. Aquí tenemos la meta indicada para el futuro de Israel.[3]

Y la perspectiva de esa 'meta indicada' es explícitamente universal. Una vez más, la significación misionológica es notada por Fretheim: 'Las frases se relacionan con una misión que engloba los propósitos de Dios para todo el mundo. *Israel es comisionado para ser el pueblo de Dios en favor de la tierra que le pertenece a Dios.*'[4]

Números 23.8–10.

> ¿Pero cómo podré echar maldiciones
> sobre quien Dios no ha maldecido?
> ¿Cómo podré desearle el mal
> a quien el SEÑOR no se lo desea?
> Desde la cima de las peñas lo veo;
> desde las colinas lo contemplo:
> es un pueblo que vive apartado,
> que no se cuenta entre las naciones.
> ¿Quién puede calcular la descendencia de Jacob,
> tan numerosa como el polvo,
> o contar siquiera la cuarta parte de Israel?
> ¡Sea mi muerte como la del justo!
> ¡Sea mi fin semejante al suyo!

El oráculo de Balaam no declara exactamente la universalidad del punto culminante del pacto abrahámico, pero es por cierto un eco de dicho texto. Su negación a maldecir a Israel pudo haberse debido a una restricción divina, pero también había en ello un elemento de autoconservación. Vemos además una referencia al carácter distintivo del papel de Israel entre las naciones, así como una referencia a su expectativa de experimentar un crecimiento numérico tal como el 'polvo de la tierra', con claras resonancias de parte de la promesa

3 Jo Bailey Wells, *God's Holy People: A Theme in Biblical Theology*, JSOT Supplement Series 305, Sheffield Academic Press, Sheffield, 2000, p. 35.
4 Fretheim: *Exodus*, p. 212. De igual manera, John Durham reconoce las consecuencias universales del papel asignado aquí a Israel: 'Israel como 'reino de sacerdotes' es Israel comprometido con la extensión del ministerio de la Presencia de Yahvéh a través de todo el mundo.' John I. Durham: *Exodus*, Word Biblical Commentary 3, Word, Waco, Tex., 1987, p. 263.

de Dios a Abraham (Génesis 13.16). Por último, es probable que en el caso de Balaam haya un eco de la última línea de Génesis 12.3 al desear ser como Israel. 'En este deseo puede estar invocando sobre sí mismo la clase de bendición que encontramos en Génesis 12.3, que a través de Abraham y sus hijos, todas las naciones de la tierra se bendigan a sí mismas.'[5]

> YHVH había prometido que la familia de Abraham sería tan numerosa como el polvo de la tierra (Génesis 13.16; 28.14); Balaam da testimonio de que esto ha ocurrido (Números 23.10). YHVH había prometido que la gente oraría pidiendo la bendición de Abraham (Génesis 12.3); Balaam lo hace (Números 23.10).[6]

El oráculo de Balaam que sigue después es todavía más enfático en afirmar la bendición de Dios sobre Israel, algo que ningún acto de hechicería podía contrariar (Números 23.18–24), y su tercer oráculo parece citar las palabras originales de Dios a Abraham (Números 24.9).

Trágicamente, lo que Balac no logró hacer en tres capítulos (Números 22—24), contratando a Balaam para que hiciera caer la maldición de Dios sobre Israel, los israelitas lo lograron en uno (Números 25) por su propia entrega a las tentaciones de la inmoralidad y la idolatría. Números 31.16 sugiere que Balaam tuvo su parte en esto, a pesar de sus oráculos inspirados por el Espíritu, de tal manera que la esperanza de que su muerte pudiera ser entre los justos y bendecidos como Israel, estaba condenada al fracaso debido a sus acciones (Números 31.8).

Deuteronomio 28.9–10. 'El SEÑOR te establecerá como su pueblo santo, conforme a su juramento, si cumples sus mandamientos y andas en sus caminos. Todas las naciones de la tierra te respetarán al reconocerte como el pueblo del SEÑOR.'

El resto de las naciones no figura mucho en Deuteronomio, aunque cuando lo hacen, resulta de considerable interés misionológico. Por ejemplo,

5 Timothy Ashley: *The Book of Numbers*, New International Commentary on the Old Testament, Eerdmans, Grand Rapids, 1993, p. 472 (y de modo semejante la mayoría de los comentaristas).
6 John Goldingay: *Old Testament Theology*, t. 1, *Israel's Gospel*, InterVarsity Press, Downers Grove, Ill., 2003, p. 471. Además Goldingay señala la dimensión universal del episodio por la forma en que vuelve al tema creacional de la bendición, después de las narraciones inmediatamente anteriores sobre la redención. 'La reaparición del tema también anuncia que la historia tiene que volver a hacer la transición a partir de lo que se expresa sobre la liberación hasta lo que se expresa sobre la bendición. La historia de Israel (la historia del mundo) no es en última instancia acerca de la liberación sino acerca de la bendición' (*Ibid.*).

una de las primeras motivaciones para obedecer la ley es que Israel se convertiría en un vivo ejemplo para las naciones de la proximidad de Dios, como también de estructuras sabias y justas (Deuteronomio 4.6–8). Este texto aparece dentro del gran capítulo de de bendiciones y maldiciones por el que fue sancionado el pacto. Las bendiciones enumeradas en Deuteronomio 28.1–14, como en otras partes del libro, siguen el esquema de bendiciones ya vistas en Génesis. Sin embargo, junto a esas marcas de bendición, este texto apunta a un efecto más amplio. Habrá un reconocimiento universal del nombre de YHVH. Esto solo puede acontecer bajo la premisa de la obediencia de Israel al pacto, viviendo como el 'pueblo santo' de Dios (lo cual es un eco de Éxodo 19.5–6). 'El pensamiento pertenece al tema deuteronómico de Israel como testigo ante las naciones en razón de la bendición de Yahvéh y su compromiso de guardar sus mandamientos (ver 4.6–8; 26.19).'[7]

Los libros históricos. La historia deuteronómica sigue el *ethos* general del libro de Deuteronomio al ocuparse principalmente por la historia de Israel mismo y los vínculos de Dios con ellos dentro de los términos de sus promesas y amenazas conformes al pacto. Sin embargo, la significación más amplia de Israel dentro de los propósitos de Dios para el resto del mundo brilla de tanto en tanto, ya sea en comentarios editoriales o en boca de personas clave en momentos críticos de la historia.[8] La mayoría de los pasajes relacionados hablan de que toda la tierra *llega a conocer a YHVH* antes que de referirse explícitamente a que *son bendecidos.* Esto va parejo con la forma en que a Israel mismo se le habían concedido sus grandes experiencias históricas de YHVH en acción: 'Para que sepas que el SEÑOR es Dios, y que no hay otro fuera de él' (Deuteronomio 4.35). Todas las naciones en la tierra llegarán a conocer lo que conoce Israel. Pero dado que la promesa abrahámica presupone conocer al Dios de Abraham, y dado que el conocer a YHVH como Dios es incuestionablemente una de las más grandes bendiciones de que disfruta Israel, hay una afinidad teológica entre estos textos

---

7 J. G. McConville: *Deuteronomy,* Apollos Old Testament Commentary, Apollos, Leicester; InterVarsity Press, Downers Grove, Ill., 2002, pp. 404–405.

8 Jonathan Rowe presenta un fascinante estudio del lenguaje de la universalidad y su vinculación común con la condenación de la idolatría en la Historia Deuteronómica, y ofrece una perspectiva misionológica sobre el material pertinente. Jonathan Y. Rowe: 'Holy to the Lord: Universality in the Deuteronomic History and Its Relationship to the Authors' Theology of History', M.A. diss., *All Nations Christian College,* 1997.

sobre 'conocer' y la promesa abrahámica de 'bendición', aun cuando no sea tan explícita como en otras partes.

Josué 4.23–24. 'El Señor, Dios de ustedes, hizo lo mismo que había hecho con el Mar Rojo cuando lo mantuvo seco hasta que todos nosotros cruzamos. Esto sucedió para que todas las naciones de la tierra supieran que el Señor es poderoso, y para que ustedes aprendieran a temerle para siempre.'

Aquí Josué pone al cruce del Jordán en el mismo nivel paradigmático que el cruce del Mar de las Cañas de la época del éxodo. No solo logró que se diera un gran paso hacia adelante en la historia salvífica de Israel; también llegaría, por esa razón, a formar parte de la educación de las naciones, gracias a lo cual ellos también alcanzarían algún conocimiento del poder de YHVH.

1 Samuel 17.46. 'Hoy mismo el Señor te entregará en mis manos … y todo el mundo sabrá que hay un Dios en Israel.'

David pone la inminente derrota de Goliat en el mismo marco de referencia universal.

¿Una hipérbole juvenil? Tal vez, pero es indudable que el narrador quería que se lo tomara como un sobrio comentario teológico.

> El propósito de la victoria de David no es simplemente salvar a Israel o derrotar a los filisteos. El propósito es la glorificación de Yahvéh en los ojos del mundo. … Este es un discurso extraordinario por parte de David, con sustancia teológica rigurosa y elocuente. David es el que da testimonio del mandato de Yahvéh. Al hacerlo insta a Israel a alejarse de su imitación de las naciones y llama a las naciones a abandonar su necia provocación a Yahvéh. En un sentido muy general este es un 'discurso misionero', que exhorta a Israel y a las naciones a expresar fe nuevamente en Yahvéh.[9]

Vale la pena notar que en su visión escatológica, un profeta posterior imaginó que 'un remanente' del pueblo de Goliat, los filisteos, serían absorbidos a tal punto por el futuro pueblo de Dios que hasta llegarían a ser líderes en la ciudad y en el estado que David procedió a establecer (Zacarías 9.7).

---

9 Walter Brueggemann: *First and Second Samuel*, Interpretation, John Knox Press, Louisville, 1990, p. 132.

2 Samuel 7.25–26, 29. "Y ahora, Señor y Dios, reafirma para siempre la promesa que le has hecho a tu siervo y a su dinastía. Cumple tu palabra para que tu nombre sea siempre exaltado, y para que todos digan: '¡El Señor Todopoderoso es Dios de Israel!'... Dígnate entonces bendecir a la familia de tu siervo, de modo que bajo tu protección exista para siempre, pues tú mismo, Señor omnipotente, lo has prometido. Si tú bendices a la dinastía de tu siervo, quedará bendita para siempre."

La respuesta de David a la promesa que le hizo Dios con respecto a establecer su 'casa' parecería aprovechar el lenguaje abrahámico. Hay otros paralelos entre David y Abraham en el relato bíblico (p. ej., la segura posesión de la tierra prometida a Abraham, la promesa de un gran nombre [2 Samuel 7.9], la promesa de un hijo). Aquí David refleja la promesa de Dios de darle un gran nombre en la oración de que el nombre de Dios sea ampliamente honrado, y usa el doble lenguaje de la bendición.

1 Reyes 8.41–43, 60–61. 'Trata de igual manera al extranjero que no pertenece a tu pueblo Israel, pero que atraído por tu fama ha venido de lejanas tierras. (En efecto, los pueblos oirán hablar de tu gran nombre y de tus despliegues de fuerza y poder.) Cuando ese extranjero venga y ore en este templo, óyelo tú desde el cielo, donde habitas, y concédele cualquier petición que te haga. Así todos los pueblos de la tierra conocerán tu nombre y, al igual que tu pueblo Israel, tendrán temor de ti' ....

'Así todos los pueblos de la tierra sabrán que el Señor es Dios, y que no hay otro. Y ahora [Israel], dedíquense por completo al Señor nuestro Dios; vivan según sus decretos y cumplan sus mandamientos, como ya lo hacen.'

Este es el más notable de todos los pasajes con visión universal en los libros históricos, 'posiblemente el pasaje universalista más maravilloso del Antiguo Testamento'.[10] Es tanto más notable dado que aparece en el contexto de lo que podría considerarse como el centro más particular de la fe de Israel: el templo. Sin embargo, en su dedicación del templo, la oración de Salomón contempla la bendición de los extranjeros y la difusión de la fama de yhvh.

---

10 Simon J. DeVries: *1 Kings*, Word Biblical Commentary 12, Word, Waco, Tex., 1985, p. 126.

Los *supuestos* que menciona Salomón al insistir en su pedido son reveladores. Se *da por sentado* que el pueblo se enterará de la reputación YHVH. Se *da por sentado* que gente de lugares lejanos se sentirá atraída a acudir a ofrecer culto al Dios de Israel por sí misma. Se *da por sentado* que el Dios de Israel puede y quiere oír las oraciones de los extranjeros. Todas estas suposiciones son importantes fundamentos teológicos en cualquier síntesis de la significación misionológica de la fe y la historia del Israel del Antiguo Testamento. Y es una lectura misionológica de un texto como este lo que pone de relieve la significación teológica de sus supuestos.

El *contenido* de este pedido no es menos sorprendente. Si bien los adoradores israelitas se regocijaban por la forma maravillosa en que su Dios contestaba sus oraciones (o protestaban con vigor cuando en apariencia no lo hacía), e incluso lo reconocían como una señal de su propio carácter distintivo entre las naciones (Deuteronomio 4.7), en ningún otro momento había prometido Dios en tantas palabras que le concedería a Israel *cualquier petición que te haga* en oración (de allí la novedad de la promesa que Jesús hizo a sus discípulos a este efecto). No obstante, aquí Salomón pide exactamente eso para el 'extranjero que no pertenece a tu pueblo Israel'. Salomón le pide a Dios que haga para los extranjeros lo que Dios ni siquiera había garantizado que haría para Israel. Y la consideración con la que Salomón procura persuadir a Dios que lo haga es igualmente impresionante: para que el conocimiento y el temor del Señor se expanda a *todos los pueblos de la tierra*. Aunque no se menciona a Abraham, podemos imaginar que expresaría su aprobación con un movimiento de la cabeza.

En el segundo texto (1 Reyes 8.60–61), Salomón se dirige al pueblo, no a Dios. Pero su preocupación es la misma. Esta vez, sin embargo, notamos la fuerte relación entre misión y ética: la misión de Dios de ser conocido por todos los pueblos y la condición ética de que Israel viva en obediencia a Dios, tal como lo hizo Abraham. La conexión dinámica aquí es la misma que en Génesis 18.18–19; 22.16–18; 26.4–5.

2 Reyes 19.19. 'Ahora, pues, SEÑOR y Dios nuestro, por favor, sálvanos de su mano, para que todos los reinos de la tierra sepan que solo tú, SEÑOR, eres Dios.'

Esta es la oración de Ezequías, procurando motivar a Dios a que librara a Israel de los asirios recordándole que dará por resultado el reconocimiento universal de la deidad única de YHVH. En esencia, es igual a la confianza del joven David enfrentando a Goliat, si bien en mayor escala.

Los Salmos. En el culto de Israel encontramos las más ricas expresiones de su fe y su teología, sus esperanzas, temores, y visiones del futuro. Hay muchos salmos que se refieren a las naciones de un modo u otro, y veremos algunos más sistemáticamente en el capítulo 14. Aquí nuestra atención se centra en aquellos que incluyen frases que expresan la universalidad de la expectativa de Israel, frases que de manera deliberada o inconsciente hacen eco al lenguaje de la promesa de Dios a Abraham.

Salmo 22.27–28.

Se acordarán del SEÑOR y se volverán a él
    todos los confines de la tierra;
ante él se postrarán
    todas las familias de las naciones,
porque del SEÑOR es el reino;
    él gobierna sobre las naciones.

Esta proclamación universal se destaca en un salmo en el que la primera mitad expresa el sufrimiento más intenso del que adora. Pero de esa experiencia, acude a alabar a Dios por la liberación que espera (vv. 22–24). Luego, como ocurre con tanta frecuencia en los salmos, las preocupaciones individuales del que adora afloran en forma súbita sobre un horizonte mucho más amplio. Desde lo profundo del sufrimiento personal se traslada a una amplitud de fe que abarca polos opuestos: los pobres (v. 26) y los ricos (v. 29), los que ya han muerto (v. 29) y los que aún no han nacido (vv. 30–31). La obra salvífica de Dios abarcará, por consiguiente, a todas las clases de la sociedad y a todas las generaciones en la historia. En medio de todo esto surge el eco de la universalidad abrahámica en el versículo 27, empleando los dos términos que encontramos en los textos de Génesis: 'todas las familias *[mišpeḥōt]* de las naciones *[gôyim]*.'

Cuando tenemos presente que Jesús murió con las líneas primera y última de este salmo en sus labios (desde el 'Dios mío, Dios mío, ¿por qué me has desamparado?' hasta el 'Todo se ha cumplido' = '[Dios] lo ha hecho'), podemos ver la relación cristológica entre las dos mitades del salmo. De otra manera son tan diferentes en tono que a muchos comentaristas les ha resultado difícil aceptar que el salmo sea una unidad y han intentando aplicarle un poco de cirugía crítica. Pero Jesús encontró en la primera mitad del salmo palabras y metáforas que describen con tono vívido sus propios sufrimientos en esos momentos, y en la segunda mitad encontró la seguridad de que su muerte no sería en vano. Porque, como lo aclara el resto del Nuevo Testamento, sería mediante la muerte y la resurrección que Dios abriría el camino para que el culto universal de todas las naciones se hiciera realidad. Por esta razón, una lectura cristológica del salmo lo relaciona tanto hacia atrás con la promesa abrahámica que contiene, como hacia delante a la universalidad misional que anticipa.

Salmo 47.9–10.

Los nobles de los pueblos se reúnen
    con el pueblo del Dios de Abraham,
pues de Dios son los imperios de la tierra.
    ¡Él es grandemente enaltecido!

Este salmo comienza en una nota universal, invitando a 'toda la tierra' *(kōl hā'ammîm)* a aplaudir como alabanza a YHVH (Salmo 47.2). Es posible que el contexto original del salmo haya sido ocasión de una celebración después de alguna victoria militar, en la que representantes de las naciones conquistadas están obligados a participar en el culto de adoración a YHVH, el Dios victorioso. Esto podría otorgarle un significado histórico directo al versículo 9: los líderes de las naciones conquistadas en alguna ocasión no especificada han sido reunidos con los israelitas victoriosos para hacer homenaje al Dios de Israel.[11] Con todo, su inclusión en el salterio le otorga una significación superior a una ocasión hipotéticamente limitada y le asigna una perspectiva escatológica.

La segunda línea del versículo 9 es notable, si podemos aceptar el Texto Masorético tal como está. Dice simplemente 'Los líderes de las

---

11 Esto es lo que sugiere Peter C. Craigie: *Psalms 1—50,* Word Biblical Commentary 19, Word, Waco, Tex., 1983, pp. 348–350.

naciones se reúnen, el pueblo del Dios de Abraham'. Esto supone una identificación de los líderes de las naciones con Israel. Dado que YHVH es Rey sobre toda la tierra, de modo que todos los reyes de la tierra en última instancia le pertenecen, el salmista puede dar un salto enorme, vislumbrar a las naciones haciéndose uno con el pueblo del Dios de Abraham. De modo que se reúnen juntamente como ese pueblo para adorar a ese Dios. Enmiendas críticas han sugerido insertar 'con' delante de 'el pueblo',[12] debilitando ligeramente el efecto y preservando la distinción: 'los líderes de los pueblos se reúnen *con* el pueblo del Dios de Abraham'. Pero aun cuando esta fuera la lectura correcta, todavía resulta ser una afirmación sorprendente acerca de la fe de Israel el que finalmente el reino de Dios sobre toda la tierra será ocasión para un aplauso de alabanza entre todas las naciones. 'Israel no se regocija por su posición única sino que, más bien, porque su Dios se ha convertido en rey sobre toda la tierra y porque los representantes de los pueblos se reúnen como pueblo del Israel de Dios. El mundo se hace uno en la unidad del Dios de Israel.'[13]

Salmo 67.1–2.

Dios nos tenga compasión y nos bendiga;
    Dios haga resplandecer su rostro sobre nosotros, *Selah*
para que se conozcan en la tierra sus caminos,
    y entre todas las naciones su salvación.

Algún adorador israelita, habiendo oído muchas veces la bendición abrahámica de labios de los sacerdotes (Números 6.22–27), decidió convertirla en una oración. Las dos primeras líneas vuelven inequívocamente a Números 6.25. Pero no se conformó con dejarla una oración para él mismo o para Israel. Derrama la bendición de adentro hacia fuera y la dirige hacia las naciones, pidiendo en oración que las bendiciones del conocimiento y la salvación de Dios, hasta aquí disfrutadas en forma única por Israel, sean derramadas sobre 'todas las naciones' y 'todos los pueblos'

---

12 Es decir, insertando '*im* delante de '*am*, y suponiendo que pudo haber desaparecido por haplografía. La LXX entendió la palabra como si incluyera '*im*, de todos modos, y tradujo la frase 'con el Dios de Abraham'.
13 James Muilenburg: 'Abraham and the Nations: Blessing and World History', *Interpretation* 19 (1965): 393.

a fin de que ellos también puedan alabar a Dios con gozo. En este salmo se combinan varios aspectos claves:

- experiencia de la bendición a fin de que otros sean bendecidos,
- el justo gobierno de Dios y la disposición de las naciones a someterse a su guía,
- bendición espiritual y cosecha material de la tierra,
- lo particular (Dios nos bendecirá) y lo universal (todos los confines de la tierra le temerán).

Todos estos aspectos señalan una fuerte corriente abrahámica oculta en la teología del salmista.[14]

Salmo 72.17.

Que su nombre perdure para siempre;
   que su fama permanezca como el sol.
Que en su nombre las naciones se bendigan unas a otras;
   que todas ellas lo proclamen dichoso.

La alusión al pacto abrahámico es inequívoca. Mencioné en relación con 2 Samuel 7 que hay conexiones temáticas entre Abraham y David. Aquí se extienden al rey en la línea de David, objeto de esta oración. La oración combina las bendiciones *creacionales* referidas a la fecundidad y la abundancia con las bendiciones *pactuales* y la justicia (cosas que hemos visto incluidas en la tradición abrahámica). En consecuencia, la figura real no es solamente objeto de la sumisión universal ('Que ante él se inclinen todos los reyes; ¡que le sirvan todas las naciones!' [Salmo 72.11]), sino también objeto de oraciones en busca de bendición ('Que se ore por él sin cesar; que todos los días se le bendiga' [Salmo 72.15]). La oración de que 'su nombre perdure para siempre' es un eco de la promesa de Dios con respecto al nombre de Abraham. Y la bendición universal y mutua en el versículo 17 ('bendiga' y 'lo proclamen dichoso') también es de índole abrahámica. El versículo final del

---

14 'Este salmo parece ocuparse de dos temas principales: la bendición y la proclamación del conocimiento de Yahvéh, el dador de vida, a los pueblos de la tierra.' Marvin E. Tate: *Psalms 51—100*, Word Biblical Commentary 20, Word, Dallas, 1990, p. 158. Aunque Tate no observa el sonido por debajo de este dúo melódico.

salmo celebra la definitiva universalidad de la misión de Dios dentro de la creación para '¡que toda la tierra se llene de su gloria!' (Salmo 72.19).

Colocando este salmo a lado de 2 Samuel 7, podemos ver que el propósito del pacto de Dios con David y su casa se encuadra dentro del marco más amplio del propósito del pacto de Dios con Abraham. La misión de Dios es que todas las naciones de la tierra se vean bendecidas a través de Abraham y su simiente, Israel. A un nivel histórico la monarquía dentro de Israel se ha de acomodar dentro de esa misión más amplia del propio Israel, de la misma manera en que lo hizo el pacto mosaico (como veremos en el capítulo 11). Pero en un sentido más escatológico será el reinado de Dios mismo el que dará lugar a la plena restauración de todo lo que Dios quiere para la humanidad dentro de la creación. Y de ese reinado, el rey davídico en Sión se convierte en el modelo y el prototipo mesiánico. La bendición universal de las naciones (como le fue prometido a Abraham) se dará mediante el reinado universal de Dios y su ungido (como le fue prometido a David [ver Salmo 2]), a quien el Nuevo Testamento identifica como Jesús de Nazaret.

Las palabras de apertura del Nuevo Testamento adquieren aun más significación, entonces, cuando nos embarcamos allí en la historia de 'la génesis de Jesús, el Mesías, el hijo de David, el hijo de Abraham' (Mateo 1.1, mi traducción). Aquí, en todas las formas posibles, se nos presenta a una persona y a una historia de significación *universal*, la historia de uno que hereda y encarna tanto la promesa abrahámica como la davídica. Así, entonces, él es también aquel que, al final del Evangelio de Mateo, entrega la tarea misional a los herederos espirituales de Abraham, los discípulos del Mesías.

Salmo 86.9

Todas las naciones que has creado
    vendrán, Señor, y ante ti se postrarán
y glorificarán tu nombre.

Aunque lo que se quiere señalar aquí es similar a los textos arriba, el contexto en el cual se encuentra contrasta considerablemente con el salmo anterior. Mientras que Salmo 72 es una deliberada y extensa pieza de

teologización que aclama a la monarquía davídica, el Salmo 86 (como el
Salmo 22) es un grito de lucha personal en tiempos de oposición y peligro.
En un intento por motivar a Dios a escucharlo y contestarle, el salmista
apela al conocimiento de Dios que tiene de las tradiciones del éxodo (vv. 6
y 15 aluden a Éxodo 34.6, en tanto que el v. 8 es un eco de Éxodo 15.11)
y aquí también a la tradición de 'todas las naciones' de Génesis. No se usa
exactamente el lenguaje de la bendición, pero en Israel se entendía claramente que la adoración era una *respuesta* a la bendición de Dios (no un
medio para manipularla para beneficio propio). De modo que lo que se
da por sentado en nuestro texto es que las naciones llegarán a adorar y a
glorificar a YHVH *porque ya habrán experimentado su bendición salvífica.*

Luego, el subtexto del que surge la lógica implícita en la apelación
del salmista es que si todas las naciones van a tener algo por lo cual
alabar a Dios, no debería ser demasiado difícil para Dios resolver los
problemas personales del salmista y darle un motivo más inmediato de
alabanza (Salmo 86.12). Los salmistas no se oponían a un poco de escatología realizada. El desafío para Dios era 'si esto es lo que finalmente
te propones para toda la tierra, un adelanto en relación con esta crisis
particular no vendría mal. Ahora mismo estaría bien.'

En consecuencia la promesa abrahámica pasa de ser un majestuoso
panorama de la misión definitiva de Dios, a constituirse en una muy potente máquina de gran ayuda personal del poder salvífico inmediato de
Dios. La combinación de la apelación al éxodo (mirando hacia atrás) y
la promesa a Abraham (mirando hacia adelante) proporcionó una poderosa apelación de ayuda en el presente. 'Dios, si hiciste eso en el pasado,
y lo vas a hacer en el futuro, entonces, ¿por qué no repetir el pasado y
anticipar el futuro aquí y ahora en el presente?'

Salmo 145.8–12

El SEÑOR es clemente y compasivo,
    lento para la ira y grande en amor.
El SEÑOR es bueno con todos;
    él se compadece de toda su creación.
Que te alaben, SEÑOR, todas tus obras;
    que te bendigan tus fieles.

Que hablen de la gloria de tu reino;
  que proclamen tus proezas,
para que todo el mundo conozca tus proezas
  y la gloria y el esplendor de tu reino.

La universalidad anima este maravilloso salmo. La palabra *todo/todos* en hebreo *(kōl)*, aparece diecisiete veces como una campana que repica, comenzando con 'todos los días' en el versículo 2, hasta 'todo el mundo' en el versículo 21. Vale la pena leer el salmo para contar cada aparición y maravillarnos ante la increíble variedad de todas estas afirmaciones. Una vez más encontramos un salmista israelita que se vale del gran lenguaje tradicional de la fe de Israel, y luego lo universaliza.[15] El lugar donde está más claro es en la transición del versículo 8 al versículo 9. El versículo 8 cita virtualmente la descripción que de sí mismo hace YHVH en el Monte Sinaí (Éxodo 34.6). En ese contexto fue Israel el que acababa de experimentar la verdad de estas palabras (y quiem más las necesitaba), y fue a Israel (por medio de Moisés) que fueron dichas. Pero el versículo 9 lo universaliza de inmediato: 'El SEÑOR es bueno *con todos*; él se compadece *de toda* su creación'. Luego esto se repite con variantes en los versículos 13 y 17, donde se tocan muchos otros aspectos de la gran declaración en los versículos circundantes, como se aplican a humanos necesitados y animales hambrientos.

El drama de Éxodo (con el Dios salvador, fiel, generoso, que proporciona amor) se está representando en el anfiteatro de Génesis (toda la amplitud del orden creado, desde toda la humanidad hasta 'toda cosa creada'). La única excepción en esta letanía a la universalidad del amor de Dios son los perversos que, en su maldad, eligen rechazarlo. Su destino es la destrucción (Salmo 145.20b). La aceptación de la mitad del versículo de esta triste verdad se equipara con el reconocimiento dentro de la promesa abrahámica que, aun contra el fondo de una quíntuple repetición del deseo de Dios de bendecir, todavía habría alguien, 'a los que te maldigan' (Génesis 12.3), a quien Dios maldeciría. La maldición y la final destrucción de los enemigos del pueblo de Dios, de los que eligen mantenerse en su perversión frente a la profusa efusión de su amor, es

---

15 La misma dinámica de un enfoque universal ocurre en el Salmo 33. Notemos la transición entre los vv. 4–5a y el v. 5b, y entre el v. 12 y los vv. 13–14.

una dimensión triste pero necesaria de la protección que el propio Dios brinda al amor que anhela acercar bendición a todos. Es lo que implica una parte del pacto abrahámico.

Los profetas. Isaías 19.23–25. "En aquel día habrá una carretera desde Egipto hasta Asiria. Los asirios irán a Egipto y los egipcios a Asiria, y unos y otros adorarán juntos. En aquel día Israel será, junto con Egipto y Asiria, una bendición en medio de la tierra. El Señor Todopoderoso los bendecirá, diciendo: 'Bendito sea Egipto mi pueblo, y Asiria obra de mis manos, e Israel mi heredad'."

Creo que este es uno de los pronunciamientos más asombrosos de cualquier profeta, y por cierto uno de los textos más significativos del Antiguo Testamento en cuanto a la misionología. Una detallada exégesis del capítulo puede esperar hasta el capítulo 14. Pero para nuestro propósito inmediato, tomamos nota de las alusiones abrahámicas. La identidad de Israel se fusionará con la de Egipto y Asiria, tal que la promesa abrahámica no solamente se cumple *en* ellos sino *mediante* ellos.

Las dos referencias verbales al texto de Génesis 12.1–3 son (1) el uso del *piel* de *brk* en el versículo 25 ('El Señor Todopoderoso los bendecirá' haciendo juego con 'te bendeciré' en Génesis 12.2b), y (2) la frase 'será … una bendición' (*hyh* con *berākâ* [v. 24]). En Génesis 12.2d esta combinación tiene la forma de un imperativo con intención ('sé una bendición' o 'para que seas una bendición'). En Isaías 19.24 es una afirmación profética acerca de Israel, Egipto y Asiria combinados (en conjunto serán una bendición 'en todas las familias de la tierra').

De modo que estas naciones extranjeras acuden no solamente para *experimentar* la bendición sino para *ser* una bendición 'en toda las familias de la tierra'. En otras palabras, aquí están en función ambos movimientos dinámicos en la palabra de Dios a Abraham. Los receptores de la bendición abrahámica se convierten en agentes de ella. El principio de que los que son bendecidos serán el medio para la bendición de otros no está limitado a Israel solamente, como si Israel había de ser para siempre el transmisor exclusivo de una bendición que solo pudiera ser recibida pasivamente de sus manos por los demás. Desde luego que no, la promesa abrahámica es un gen que se multiplica por sí solo. Quienes lo reciben son inmediatamente transformados en aquellos cuyo privilegio y misión consiste en pasarlo a otros.

La identidad de Israel ya está siendo redefinida y extendida en la dirección que el Nuevo Testamento se encargará de darle claridad decisiva en Cristo. Ya está prefigurada aquí la naturaleza multinacional de esa comunidad de personas, mediante las que Dios se propone bendecir a todas las naciones de la tierra. También lo está la naturaleza automultiplicadora del mandato de Cristo a sus discípulos de ir a reproducir su propio discipulado entre las naciones, 'enseñándoles a obedecer todo lo que les he mandado a ustedes'. O, como también se podría decir, 'bendíganlos como el Señor los ha bendecido a ustedes'. Por otra parte, la promesa abrahámica puede sostener su derecho a ser, no solo 'el evangelio de antemano', sino más todavía, la Gran Comisión por adelantado.

Una vez más encontramos que una lectura misionológica de un texto como este nos lleva primeramente hacia atrás a la promesa abrahámica y la inherente universalidad que le aportó a los genes de Israel, luego hacia adelante al cumplimiento mesiánico en Jesucristo, y una vez más avanzando a sus consecuencias misionales a fin de que quienes son discípulos de todas las naciones se hagan agentes de bendición a todas las naciones, 'una bendición en la tierra'.

Isaías 25.6–8

Sobre este monte, el Señor Todopoderoso
    preparará para todos los pueblos
un banquete de manjares especiales,
    un banquete de vinos añejos,
de manjares especiales y de selectos vinos añejos.
    . Sobre este monte rasgará
el velo que cubre a todos los pueblos,
    el manto que envuelve a todas las naciones.
Devorará a la muerte para siempre;
    el Señor omnipotente enjugará las lágrimas de todo rostro,
y quitará de toda la tierra el oprobio de su pueblo.

Aunque la conexión con la promesa abrahámica es bastante más débil aquí que en el texto anterior, ya que consiste únicamente en las frases de alcance universal 'todos los pueblos' y 'toda la tierra', tiene, por otra parte, una dimensión que la conecta con la tradición de Génesis: la promesa de la destrucción definitiva de la muerte. Génesis 3—11 presenta a la muerte como el resultado principal del pecado, aun cuando haya un misterio acerca del vínculo preciso entre la advertencia de Dios y la forma en que entró en la experiencia humana. Las expresiones dobles ('maldición y muerte' y 'bendición y vida') son frecuentes (p. ej., el uso acentuado de ellas en Deuteronomio 11; 30). El anhelo de que Dios anule la maldición para que la vida humana sea aliviada del sudor y el trajín en una tierra maldita que termina finalmente en la muerte, como se ve por la esperanza (tristemente inútil) de Lamec cuando le puso el nombre Noé a su hijo, después de la larga lista de muertes en Génesis 5. De manera que con seguridad que el lector de Génesis 12.1–3 sabría que si la bendición de Dios consiste finalmente en retirar la maldición de Dios, en consecuencia tiene que resolver el problema de la muerte. Estas palabras en Isaías, por lo tanto, nos aseguran de que esto es lo que finalmente ocurrirá. Y aun cuando la línea final convierte esto en una promesa para 'su pueblo' (el fin de su desgracia en todo el mundo), el cuerpo de la visión se aplica a la humanidad en su conjunto en el doble uso de 'todos los pueblos' y 'todas las naciones' en el v. 7.

Aunque pudo no haber tenido este texto en mente, es evidente que Pablo relaciona la promesa de Dios a través de Abraham con el triunfo de la vida de resurrección sobre el reinado de la muerte en el mundo, un triunfo que (como insistía tan resueltamente su evangelio) está a disposición de los pueblos de todas las naciones (ver Romanos 4.16–17; 5.12–21).

Isaías 45.22–24

Vuelvan a mí y sean salvos,
   todos los confines de la tierra,
porque yo soy Dios, y no hay ningún otro.
   He jurado por mí mismo,
con integridad he pronunciado una palabra irrevocable.

Ante mí se doblará toda rodilla,
y por mí jurará toda lengua.
Ellos dirán de mí: 'Solo en el Señor
están la justicia y el poder'.

Este texto clásico que expresa la apelación de Dios a las naciones
aparece en medio de esos palpitantes capítulos de Isaías en los que las
mismas naciones y sus dioses son derrotados ante 'el tribunal' y en el
campo del control e interpretación de la historia (Isaías 40—48). Pero
el propósito último de Dios no es la destrucción de las naciones sino
su salvación. Sin embargo, esto solo puede ocurrir cuando se vuelvan
a él, porque él, YHVH, es el único Dios salvífico, en virtud del simple
hecho de que él es el único Dios. Basta con eso.

La invitación, entonces, ocupa su lugar al lado de la gran expectativa
abrahámica de la bendición de las naciones, pero la conexión es algo
más fuerte que eso. 'He jurado por mí mismo' (v. 23) es una repetición
verbal precisa de las palabras que dieron comienzo al anuncio final y más
definitivo de Dios en cuanto a su pacto con Abraham, en Génesis 22.16.
Ese gran juramento de Dios por sí mismo se hace oír nuevamente aquí,
de un modo que explica cómo puede ser que 'todas las naciones de la
tierra serán bendecidas'. Se cumplirá solo en la medida que el pueblo se
vuelva en sumisión a YHVH, reconociéndolo como la única deidad y la
exclusiva fuente de justicia (concepto probablemente equivalente aquí
a salvación) y fortaleza. Casi no hace falta agregar que fue esta misma
universalidad y singularidad la que Pablo le atribuye sin dudar a Jesús en
Filipenses 2.10–11 (ver p. 144).

Isaías 48.18–19

Si hubieras prestado atención a mis mandamientos,
    tu paz habría sido como un río;
tu justicia, como las olas del mar.
    Como la arena serían tus descendientes;
como los granos de arena, tus hijos;
    su nombre nunca habría sido eliminado
ni borrado de mi presencia.

El eco de Abraham es inconfundible aquí en la mención de los innumerables granos de arena, la prometida expansión de su progenie. También es notable que la bendición que Israel podría haber estado disfrutando a esta altura no fuera simplemente un crecimiento numérico sino las bendiciones de la paz y la justicia cualitativas y relacionales. En el contexto inmediato el anhelo probablemente se refiera al crecimiento de Israel en el plano nacional. El temor de los exiliados de que pudiesen disminuir y terminar muriendo seguiría siendo infundado. Pero, en el contexto más amplio, la razón por la cual Dios no permitiría que Israel pereciera sino que, por el contrario, los reanimaría y volvería a fructificar (ver Isaías 44.1–5) es que Dios se proponía que fueran el medio de una multiplicación más amplia, el crecimiento multinacional del pueblo de Dios entre todas las naciones. La promesa abrahámica de una 'gran nación' y de 'todas las naciones' está a flor de piel.

El tono de este pasaje es de añoranza divina. Dios se permite la misma emoción humana de 'si tan solo … entonces imaginen lo que podría ser'. Lamentablemente la realidad desmentía el sueño. O más bien, el sueño no era todavía realidad, debido a la continuada rebelión y desobediencia de Israel. Así es como comienza el capítulo (48.1–4). Esto pone de manifiesto una vez más la dimensión moral del pacto abrahámico. Así como la promesa de Dios pasó a incluir la fe y la obediencia de Abraham, así también, para Israel, su cumplimiento requería la misma respuesta al pacto de parte de ellos. Pero esta no se daba.

De modo que el vínculo entre ética y misión aparece aquí en una clave inusual... el 'si tan solo' divino. El efecto es el de mostrar cuán cerca se encuentra ese vínculo al corazón de Dios. Él anhela una prole innumerable para Abraham (crecimiento misional), pero también anhela que la descendencia de Abraham camine éticamente en la forma modelada por Abraham (obediencia misional). Podríamos reflexionar sobre la frustración divina ante una iglesia a la que a veces le faltan ambas cosas, o ante una iglesia que aun en su entusiasmo misional por el crecimiento numérico ignora la demanda de Dios por el crecimiento en compromiso ético para con la probidad y la justicia.

Isaías 60.12. 'La nación o el reino que no te sirva, perecerá; / quedarán arruinados por completo.'

Este versículo aparece en el contexto más amplio de las promesas de Dios a Sión en Isaías 60—62. El profeta contempla a las naciones del mundo acercándose a Israel (personificado por Sión) y trayendo sus riquezas como tributo. Al mismo tiempo, Israel es presentado como sacerdote para las naciones, recibe los dones en nombre de YHVH, por así decirlo, y dispensa la bendición de Dios a cambio. Este es el papel que Éxodo 19.5–6 había asignado primeramente para Israel entre las naciones.

Aquí, sin embargo, en el centro del poema concéntrico de Isaías 60, es posible que un elemento del pacto abrahámico haga un impacto. Dios había declarado que bendeciría a quien bendijera a Abraham y a su simiente, pero que maldeciría a cualquiera que despreciara a Abraham. Aquellas naciones que bendicen a Sión y al Dios de Sión se verán bendecidas por él. Por contraste, aquellas que se niegan a hacerlo sufrirán la maldición de Dios con ruina y muerte. Al parecer el profeta pone a Sión en la posición abrahámica. Sión, naturalmente, incluso en estos textos, se ha convertido en algo más que la ciudad física de Jerusalén. Se ha convertido en un término para un pueblo más amplio de Dios y, por cierto, para la presencia y salvación del propio Dios. Así que de nuevo encontramos que opera el principio abrahámico de la discriminación: los que voluntariamente se rinden ante todo lo que Dios ha hecho en y para Sión obtendrán bendición. Los que se resisten y rechazan, se excluyen a sí mismos de la esfera de bendición y quedan sin otra alternativa que la destrucción.

El versículo 12, por lo tanto,

> actúa como eje nuclear de que la nación que no sirve a Sión perecerá. ...
> Así, el poema se centra en el tema abrahámico de que los que bendicen serán bendecidos y los que lo maldicen serán maldecidos (Génesis 12.3; 27.29). La llegada de la gloriosa Sión es la consumación de los propósitos mundiales de Dios. ... Este versículo es el eje de todo el poema. En realidad Sión es la clave del destino internacional, la estructura final del sistema abrahámico.[16]

---

16 J. A. Motyer: *The Prophecy of Isaiah*, InterVarsity Press, Leicester; InterVarsity Press, Downers Grove, Ill., 1993, pp. 493, 496. Eliya Mohol estudió la naturaleza abrahámica del tema de Sión en todo Isaías 56—66 y también confirma la naturaleza central de este versículo por la forma en que se describen los destinos posibles de las naciones en estos textos. Eliya Mohol: *The Covenantal Rationale for Membership in the Zion Community Envisaged in Isaiah 56—66*, Tesis de doctorado, *All Nations Christian College*, 1998.

Jeremías 4.1–2

Israel, si piensas volver,
    vuélvete a mí —afirma el Señor—.
Si quitas de mi vista tus ídolos abominables
    y no te alejas de mí,
si con fidelidad, justicia y rectitud
    juras: 'Por la vida del Señor',
entonces 'en él serán benditas las naciones,
    y en él se gloriarán'.

Jeremías fue designado 'profeta para las naciones' (Jeremías 1.5), y tiene muchas cosas que decir con respecto a ellas, incluida la absoluta imparcialidad de Dios al ocuparse de ellas, ya sea en juicio o en misericordia (Jeremías 12.14–17; 18.7–10), lo cual veremos en el capítulo 14. Aquí liga el destino de las *naciones* directamente a la respuesta de *Israel* a Dios. La apelación a que Israel se arrepienta con sinceridad es lo suficientemente familiar por los capítulos circundantes sobre el ministerio temprano de Jeremías, cuando parecería que estaba convencido de que podían ser inducidos a hacerlo. El énfasis en la naturaleza espiritual y ética del arrepentimiento también es familiar: debe comprender un radical rechazo de cualquier otro dios e ídolo, y ha de combinar un genuino culto a YHVH con integridad social y justicia. Hasta aquí, podríamos decir, hemos oído antes en toda la ley y los profetas.

Anteriormente, sin embargo, podríamos haber esperado que las frases condicionales de los versículos 1–2a fueran seguidas por la seguridad de que Dios retiraría su amenaza de juicio contra Israel. Si *Israel* verdaderamente se arrepintiera, entonces Dios no tendría que *castigarlos*. En lo que Jeremías dice, sin embargo, parecería que casi lo hace a un lado con impaciencia como algo evidente por sí mismo ('Sí, desde luego, si *Israel* se arrepiente, *Israel* será bendecido') y se adelanta hacia una perspectiva mucho más amplia. Si Israel vuelve a ocupar su propio lugar de lealtad y obediencia al pacto, entonces Dios podrá seguir adelante con la tarea de bendecir a las *naciones*, que es aquello para lo cual Israel fue llamado en primer lugar. 'Está claro que el verdadero arrepentimiento por parte de Israel tendría incalculables consecuencias no solo para Israel sino también para la humanidad en general.'[17]

El eco abrahámico en las dos líneas finales es muy claro, pero la lógica de la oración completa es notable.[18] La misión de Dios a las naciones está siendo impedida debido al continuado fracaso espiritual y ético de Israel. Que Israel vuelva a *su* misión (ser el pueblo de YHVH, ofreciéndole adoración en forma exclusiva y viviendo según sus demandas morales), así Dios puede volver a *su* misión: la de bendecir a las naciones.

Esta interesante perspectiva arroja nueva luz sobre la escala y la profundidad plenas del problema de Dios con Israel. La rebelde Israel no era simplemente una afrenta para Dios; era también un impedimento para las naciones. Ezequiel hará la misma observación en forma más aguda con respecto a Israel en el exilio. No sorprende, entonces (y para ambos profetas), que la restauración de Israel a la obediencia al pacto y por ello a las bendiciones del pacto (paz, fertilidad, abundancia) harán, también, un impacto correspondiente sobre las naciones (ver Jeremías 33.6–9; Ezequiel 36.16–36).

El cambio de Israel, tema dominante de toda la liturgia, significará que las naciones se bendecirán a sí mismas (*hithpa'el*) en Yahvéh. Esa será la mayor recompensa del pueblo; no podrían pedir más. El retorno de Israel a su verdadero ser está ligado a las confesiones y alabanzas de las naciones.[19]

Zacarías 8.13. 'Judá e Israel, ¡no teman, sino cobren ánimo! Ustedes han sido entre las naciones objeto de maldición, pero yo los salvaré, y serán una bendición.'

La NVI interpreta aquí un equilibrio literal entre las frases 'ustedes han sido entre las naciones objeto de maldición … pero … serán una bendición'. El exilio había arrojado como resultado que Israel fuera considerado (y por cierto que así lo describieron sus profetas) un pueblo maldecido por su Dios. Por ello se convirtieron en sujetos (no tanto en

17 J. A. Thompson: *The Book of Jeremiah*, New International Commentary on the Old Testament, Eerdmans, Grand Rapids, 1980, p. 213.
18 'La consecuencia del arrepentimiento y la reorientación de la vida es la aplicación de la promesa de Dios a Abraham. … De este modo el restablecimiento del pacto beneficiará no solo a Judá sino a las otras naciones que derivan nueva vida de dicho pacto.' Walter Brueggemann: *To Pluck up, to Tear Down: A Commentary on the Book of Jeremiah 1—25*, International Theological Commentary, Eerdmans, Grand Rapids; Handsel, Edinburgh, 1988, pp. 46–47.
19 Muilenburg: 'Abraham and the Nations', p. 396.

objetos) de la maldición de las naciones, es decir, una declaración que se haría a fin de pronunciar una maldición ('Que seas maldito como Israel'). El reverso de esto es que de tal manera Dios los salvará y restaurará, y los bendecirá con tanta abundancia (Zacarías 8.12) que serán reconocidos como un pueblo bendecido y por consiguiente sujetos de bendición ('Que seas bendecido como Israel').[20]

Parece muy probable que la dualidad abrahámica de la bendición y la maldición está en operación en este dicho, dado que está orientada hacia las naciones y su destino. En el contexto circundante Zacarías tiene varias palabras útiles para la final reunión y salvación de las naciones (p. ej., Zacarías 2.10–11; 8.20–22; 14.9, 16).

Lo que hemos encontrado en este repaso de textos del Antiguo Testamento, es que la orientación hacia la universalidad es más bien un rasgo de la fe, el culto y las expectativas de Israel que lo que tal vez hayamos pensado. Abraham puede no figurar grandemente en el resto de los principales textos del Antiguo Testamento, pero igual que Abel, 'a pesar de estar muerto, habla todavía' (Hebreos 11.4). El legado de las palabras de Dios a él siguen vivas, no solo en las certidumbres de la cosmovisión originaria de Israel (su propia elección, el don de la tierra, el vínculo entre ellos y YHVH mediante el pacto) sino también en esa sugestiva última línea: 'a través de ti todas las naciones encontrarán bendición'. De alguna manera, en algún momento, habría efectos universales a partir de estas realidades tan particulares. Porque YHVH, el Dios de Israel, es también el Dios de toda la creación, a quien pertenecen toda la tierra y todas las naciones. Nada menos que esto podría definir de manera adecuada el alcance de la misión de bendición de Dios. Ningún marco menor puede tampoco contener adecuadamente una teología bíblica de la misión.

Tendremos mucho más que considerar cuando volvamos al tema de las naciones en el capítulo 14. A esta altura debemos seguir adelante para

---

20 Gordon Wenham usa este texto como apoyo para sostener que la expresión en Génesis 12.2, 'serás una bendición', significa que Israel será sujeto de una bendición. La *bendición* se toma como una simple palabra, como en la expresión, 'decir la bendición antes de la comida'. Esto supondría que la frase significa más o menos lo mismo que en el modo reflexivo de 'en ti las naciones se bendecirán a sí mismas', es decir, 'Que seas como Israel' sería lo que significa 'ser una bendición'. Sin embargo, esto me parece debilitar innecesariamente la intención del imperativo en el texto de Génesis. Al coincidir en que este es el sentido más probable de 'serás una bendición' en Zacarías 8.13, no parece andar tan bien en Isaías 19.24, donde se dice que Israel, Egipto y Asiria serán 'una bendición en medio de la tierra'. Ver *Genesis 1-15*, Word Biblical Commentary 1, Word, Waco, Tex., 1987, p. 276.

ver cómo encara el Nuevo Testamento este tema de la universalidad del propósito salvífico de Dios mediante Abraham y su simiente. En este momento no examinamos todo lo que tiene para decir el Nuevo Testamento acerca de los judíos y los gentiles en general: nos ocuparemos de eso en el capítulo 15. Nuestro interés aquí es con los textos donde hay un uso directo o indirecto de la tradición abrahámica en la dirección de la universalidad de la misión de Dios.

La universalidad — Ecos de Abraham en el Nuevo Testamento

Los Evangelios sinópticos y Hechos. Mateo. Ya nos hemos referido a la forma en que Mateo presenta a Jesús como 'hijo de David, hijo de Abraham' (Mateo 1.1).[21] Combinando de esta forma los recordatorios relativos al pacto abrahámico y al davídico, Mateo pone de relieve la significación universal de aquel que cumpliría, como hijo de Abraham, lo que estaba prometido para la simiente de Abraham (bendición para todas las naciones), y como hijo de David, ejercería el profetizado reinado mesiánico sobre toda la tierra. Invirtiendo el orden histórico, 'Mateo 1.1 pasa de Jesús a Abraham, y 1.2–16 pasa de Abraham a Jesús, con el resultado de que el nombre Abraham aparece yuxtapuesto sobre sí mismo (vv. 1–2). Este eje literario sobre Abraham concentra la atención sobre él'.[22] Luego el versículo 17 resume la genealogía para dejar más clara todavía la cuestión. Jesús es la meta de la historia que pasa por Abraham y David e incluye las promesas de Dios para ambos.

Mateo 8.11 es el principal de varios lugares en su Evangelio donde Mateo indica la significación más amplia de la obra de Jesús para las

---

21 No he incluido el Evangelio de Juan en este análisis porque, si bien su universalidad es perfectamente evidente por el prominente uso de 'el mundo' como el objeto del amor de Dios, como el alcance de la acción redentora de Cristo y como el destino del envío de Cristo por Dios y del envío de los discípulos por Cristo, no parecería estar vinculado de manera explícita a la promesa abrahámica (si bien esta era tan fundamental para la teología del autor del cuarto Evangelio como para cualquier judío de su época). La palabra *naciones* (plural) no aparece en Juan (aunque Juan 11.52 habla, en efecto, de la reunión de otros más allá de Israel). Y el único capítulo donde ocurre Abraham (Juan 8) se centra en Abraham como contraste con la actitud y el comportamiento de los opositores de Jesús y como forma de apoyar las afirmaciones divinas de Jesús. De modo que la significación misionológica del capítulo radica en su cristología más que en la referencia a la universalidad de la promesa de Dios a Abraham.
22 Robert L. Brawley: 'Reverberations of Abrahamic Covenant Traditions in the Ethics of Matthew', en *Realia Dei*, ed. Prescott H. Williams y Theodore Hiebert, Scholars Press, Atlanta, 1999, p. 32.

naciones. Asombrado por la fe del centurión gentil romano, una calidad de fe de la que no había encontrado igual en Israel (ver el mismo lenguaje en Marcos 6.6), Jesús declara, 'Les digo que muchos vendrán del oriente y del occidente, y participarán en el banquete con Abraham, Isaac y Jacob en el reino de los cielos'. Aquí Jesús da varios pasos muy significativos.

Primero, se anticipa a Pablo al hacer de la *fe* (que en el relato significa fe en Jesús). Más bien que de la *etnicidad* (descendencia física de Abraham). El criterio definitorio para la condición de miembro en el reino de Dios.

Segundo, restablece el tema del gran banquete mesiánico a su verdadera amplitud universal. La idea de un banquete escatológico retrocede hasta Isaías 25.6, que está siendo preparado por Dios 'para todos los pueblos'. Pero para la época de Jesús la tradición apocalíptica judía había limitado la lista de invitados a los israelitas y había designado a los patriarcas como los anfitriones. Jesús acepta esto último pero dice que si Abraham, Isaac y Jacob son los anfitriones, entonces los invitados serán tan diversos como la promesa original de Dios a ellos, es decir, todas las naciones.

Tercero, mas bien desconcertantemente se vale de textos que en un primer momento hablaban de Dios reuniendo a los israelitas del exilio, 'de oriente y de occidente' (Salmo 107.3; Isaías 43.5–6; 49.12), y da a entender que se cumplirán cuando los gentiles como este centurión lleguen al banquete, mientras que algunos de los huéspedes originales se auto excluyeron debido a su falta de respuesta positiva hacia él.

Cuarto, de forma implícita anula las leyes alimentarias que habían simbolizado la diferencia entre Israel y las naciones. Esas leyes significaban que los judíos no habrían de sentarse a la mesa con los gentiles. Pero aquí Jesús representa a los gentiles sentados con los patriarcas en persona, y nadie da señales de extrañeza. Otra vez, indirectamente, Jesús anticipa la orientación universal y derribadora de barreras del evangelio del reino, basado en la fe, lo que Pedro llegó a comprender por su encuentro con Cornelio y lo que Pablo se pasó la vida explicando y defendiendo.

Por último, Mateo cierra su Evangelio haciendo perfectamente explícito lo que el comienzo de su Evangelio había sugerido: la universalidad de Jesucristo y la extensión mundial de la demanda de discípulos. El lenguaje de la Gran Comisión proviene más de Deuteronomio que de Génesis, pero es aquí en las palabras del Jesús resucitado que se nos ofrece el medio por el cual la comisión abrahámica original puede cumplirse, 've[te] ...y sé una bendición ... y todas las naciones de la tierra serán bendecidas a través de ti' (Génesis 12.1–3).

Lucas–Hechos. Es posible que Lucas, porque sabía que por ser gentil era él mismo receptor de la bendición de Abraham a través de Cristo, mostrara una simpatía especial para con Abraham.

Inicia su Evangelio con una serie de cánticos saturados de alusiones al Antiguo Testamento. Los cánticos de María y de Zacarías agradecen a Dios por la renovación de su misericordia para con su pueblo Israel, y ven esto como su fidelidad a la promesa a Abraham (Lucas 1.55, 73). En tanto que el enfoque de esos cánticos está orientado principalmente hacia la salvación y la restauración de *Israel*, Lucas pasa rápidamente a una comprensión universal de la significación salvífica para *las naciones* de lo que está ocurriendo en el nacimiento de Jesús. Simeón toma al pequeño Jesús en sus brazos y ve en él exactamente lo que su nombre significaba: 'el Señor es salvación.' Pero reconoce que esta es una salvación preparada para 'todos los pueblos', y de esta manera Simeón sintetiza en forma hermosa la doble significación de Cristo, para Israel y para las naciones (Lucas 2.29–32) como anticipo de lo que hace de manera idéntica el Cristo resucitado al final del Evangelio (Lucas 24.46–47). Luego, Lucas ofrece su propia interpretación teológica de la misión preparatoria de Juan el Bautista al citar las palabras familiares de Isaías 40.3–5, y termina con la expectativa universal: 'todo mortal verá la salvación de Dios' (Lucas 3.4–6).

A continuación de esto, Lucas presenta a Satanás intentando subvertir la misión universal de Jesús transfiriéndolo engañosamente a su propio dominio. Se le ofrecen a Jesús 'todos los reinos del mundo', 'todo su esplendor' y 'la autoridad' a cambio de que adore a Satanás (Lucas 4.5–7). 'La tentación del diablo de entregar a Jesús todos los reinos del mundo aparece como el cumplimiento de la promesa de Dios de entregar todo el mundo a Abraham y a sus descendientes.'[23] Pero como sabemos, este reino universal ya le estaba prometido al Hijo mesiánico

---

23 Robert L. Brawley: 'For Blessing All Families of the Earth: Covenant Traditions in Luke–Acts', *Currents in Theology and Mission* 22 (1995): 21.

(p. ej., Salmo 2.8–9), y en otro sentido de todos modos ya le pertenecía. La tentación parece ser que Jesús hiciera suyo lo que era suyo por derecho y que disfrutara todo ese poder internacional, toda esa riqueza, esa gloria *para sí mismo*, cuando lo que importaba en la promesa abrahámica era que fuese para la *bendición de otros*. Así, Lucas no solo muestra a Jesús resistiendo decididamente y en espíritu de exclusiva lealtad deuteronómica a Dios, sino que también nos ofrece la verdadera significación de la universalidad abrahámica en Hechos 3.25–26.

> En Lucas las tentaciones del diablo figuran como pruebas relacionadas con saber si Dios bendecirá a Jesús en su propio beneficio o no. Es decir, la cristología del diablo … comprende una expectativa de que Dios habrá de actuar en beneficio del interés particular de Jesús. Pero la promesa de Dios a Abraham es bendecir a todas las familias de la tierra —no a Jesús por su propio interés, aun como hijo amado, sino a todas las familias de la tierra.[24]

En cuatro de sus relatos Lucas hace una conexión explícita con Abraham. Todos ellos ilustran el poder sanador, transformador o restaurador de Dios y parecen estar destinados a afirmar que esto es parte de lo que se entiende por recibir la bendición de Abraham. Todos ellos se relacionan con personajes que de algún modo estaban excluidos de la vida normal en la comunidad de Israel por posesión demoníaca, pobreza, desprecio social o enfermedad. Estos cuatro relatos son:

- Lucas 13.10–16. La curación de una mujer lisiada en sábado. Jesús la describe como esclavizada por Satanás y, no obstante, 'hija de Abraham' y por consiguiente candidata apropiada para su curación en sábado.
- Lucas 16.19–31. El relato del pobre mendigo Lázaro, que al morir es llevado a estar al lado de Abraham, donde sus sufrimientos se han acabado. En este relato Jesús emplea a Abraham como personaje, cuyas decisivas palabras señalan lo significativo de la Ley y los Profetas como dados por Dios y como instrucciones claras sobre cómo deben las personas practicar la justicia y la misericordia. Aquí Abraham da testimonio de lo que él mismo

---

24 *Ibid.*, p. 22.

(según Génesis) había observado en su propio andar obediente con Dios. La ironía de este relato es que el rico pudiera ser considerado por sus contemporáneos como disfrutando manifiestamente de las bendiciones de Abraham. Pero no era así. No camina como lo hizo Abraham, ni se mantiene 'en el camino del Señor' ni pone 'en práctica lo que es justo y recto' (Génesis 18.19). De modo que su destino es ver a Abraham pero solo muy lejos, del otro lado de un abismo infranqueable.

- Lucas 19.1–10. El relato de Zaqueo, el cobrador de impuestos cuya profesión (y su abuso extorsivo de ella) lo haría mal visto en cualquier multitud que siguiera a Jesús. Pero en su encuentro con Jesús, se arrepiente personalmente, hecho demostrado tanto por su adhesión a las normas de la ley y una acción todavía más grande de generosidad. Como respuesta Jesús lo declara 'hijo de Abraham' (v. 9). A diferencia del rico de la parábola, este hombre real ahora se encamina hacia la probidad e ingresa en el lugar de la bendición abrahámica.

- Hechos 3.1–25. La curación del paralítico en el templo, por Pedro y Juan, en el nombre de Jesús. En su mensaje a continuación de esta curación, Pedro no solo relaciona lo que la gente acaba de testimoniar con la historia de Jesús sino con Abraham. Hace esto al comienzo de sus palabras ('El Dios de Abraham, de Isaac y de Jacob, el Dios de nuestros antepasados, ha glorificado a su siervo Jesús' [v. 13]), y luego nuevamente al final ('ustedes ... son herederos de los profetas y del pacto que Dios estableció con nuestros antepasados al decirle a Abraham: 'Todos los pueblos del mundo serán bendecidos por medio de tu descendencia.' Cuando Dios resucitó a su siervo, lo envió primero a ustedes para darles la bendición de que cada uno se convierta de sus maldades [Hechos 3.25–26]).

'La curación del paralítico es un caso concreto de la bendición de Dios sobre todas las familias de la tierra. ... [Es] una bendición que está

potencialmente disponible al auditorio de Pedro.'[25] Sí, estos espectadores israelitas, eran nacionalmente hijos y herederos de Abraham. Sin
embargo, la única forma en que pudiesen ingresar en la bendición de
Abraham es la misma forma que vale para todos, incluidos los gentiles:
el arrepentimiento y la fe en el nombre de Jesús. Así que, en su todavía
más larga defensa al día siguiente, Pedro llega a la conclusión de que es
tanto universal como inflexible, 'en ningún otro hay salvación, porque
no hay bajo el cielo otro nombre dado a los hombres mediante el cual
podamos ser salvos' (Hechos 4.12).

Finalmente, Lucas termina su Evangelio en la misma nota universal
en la que lo hizo Mateo, pero con una referencia todavía más explícita a
las Escrituras del Antiguo Testamento.

> Entonces les abrió el entendimiento para que comprendieran las Es-
> crituras. —Esto es lo que está escrito —les explicó—: que el Cristo
> padecerá y resucitará al tercer día, y en su nombre se predicarán el arre-
> pentimiento y el perdón de pecados a todas las naciones, comenzando
> por Jerusalén. Lucas 24.45–47

Este texto proporciona el espacio hermenéutico para la forma en que
los discípulos de Jesús deben leer las Escrituras del Antiguo Testamento,
es decir, tanto en sentido mesiánico como misionológico. Pero a la luz de
todo lo que hemos repasado del gran tema de la universalidad tomado
de la tradición abrahámica, y a la luz del interés manifiesto del propio
Lucas en Abraham, sin duda podemos sentir el pulso de esa promesa
en estas grandes expresiones. Porque, ¿de qué otro modo podría llegar a
todas las naciones el mensaje de arrepentimiento y perdón en el nombre
del Cristo crucificado y resucitado?

Pablo. Comenzamos el capítulo 6 observando el desafío que la comprensión que tenía Pablo de la disponibilidad universal del evangelio les
planteaba a sus connacionales judíos. Hemos repasado en este capítulo
algunas de las Escrituras en las que indudablemente había meditado
profundamente Pablo al ir elaborando su teología y su práctica misioneras. Veamos ahora algunos ejemplos de los lugares donde Pablo articula la universalidad de la misión de Dios en términos que recuerdan a

---

25 *Ibid.*, pp. 25–26.

Abraham, en forma explícita, o simplemente como parte de su 'mundo del pensamiento narrativo, que estaba tan totalmente fundado en la historia de Dios y de Israel en el Antiguo Testamento.'[26]

Romanos 1.5. 'Por medio de él [Jesucristo nuestro Señor], y en honor a su nombre, recibimos el don apostólico para persuadir a todas las naciones que obedezcan a la fe.'

Repetida al final de la carta a Roma (Romanos 16.26), esta es una de las declaraciones definitorias de su misión apostólica. Habiendo ya sostenido (como también lo hace en el cap. 16) que su evangelio estaba prometido a través de las Escrituras, no sorprende que los ecos abrahámicos sean fuertes. Primero, la frase 'todas las naciones' (*panta ta ethnē*) que Pablo usa al citar Génesis 12.3 en Gálatas 3.8. Segundo, 'que obedezcan a la fe' es exactamente lo que Abraham demostraba en respuesta al mandato y la promesa de Dios. La fe y la obediencia son las dos palabras más definitivas en cuanto al caminar de Abraham con Dios.

Así que Pablo ve a Abraham no solamente (como era el caso de todos los judíos) como el modelo de lo que tendría que haber sido la respuesta pactual de *Israel* a Dios, sino también como el modelo para *todas las naciones* que habrían de ser bendecidas por medio de él. Podemos sintetizar este doble mensaje de este modo: las buenas noticias de Jesús son el medio por el cual las naciones serán bendecidas a través del apostolado misionero de Pablo; la fe y la obediencia de las naciones será el medio por el cual ingresarán en esa bendición, o incluso, en términos abrahámicos, 'se bendecirán'.

Romanos 3.29—4.25. Abraham es la figura central del argumento de Pablo en esta sección de su carta. Lo que quiere Pablo es demostrar que judíos y gentiles están en igualdad de condiciones ante Dios en cuanto a su acceso a la justicia salvífica de Dios (así como están en igualdad de condiciones como pecadores en los capítulos 1–2). Las dimensiones de la universalidad en este pasaje nacen ambas del hecho de que hay un solo Dios, de modo que tiene que ser Dios de los gentiles a la vez que de los judíos (Romanos 3.29–30), como también por la designación de Abraham como 'padre de muchas naciones'. Se convierte así en 'padre

---

26 La frase 'mundo del pensamiento narrativo' pertenece al título del excelente libro de Ben Witherington, que apoya plenamente el tipo de narración misionológica de ambos Testamentos que procuro desarrollar en esta obra, *Paul's Narrative Thought World: The Tapestry of Tragedy and Triumph*, Westminster/John Knox, Louisville, 1994.

de todos los que creen' como lo había hecho él antes de su circuncisión (Romanos 4.11), y 'padre de todos nosotros' (Romanos 4.16, RVR95).

Romanos 10.12–13. "No hay diferencia entre judíos y gentiles, pues el mismo Señor es Señor de todos, y bendice abundantemente a cuantos lo invocan, porque 'todo el que invoque el nombre del Señor será salvo."[27]

Si hay un solo Dios, como Pablo ha afirmado conforme a su convicción monoteísta judía, entonces no hay más que un Señor también. La palabra *Señor* aquí, desde luego, cumple una función doble, ya que por una parte refleja claramente al SEÑOR, es decir, al YHVH del pacto del Israel del Antiguo Testamento. Además, el texto citado de Joel indudablemente significaba YHVH. Pero unos cuantos versículos antes Pablo ha dicho, 'si confiesas con tu boca que 'Jesús es el Señor' ...' (Romanos 10.9), atribuyendo aquí a Jesús el mismo señorío universal que el que ejerce YHVH. Y en virtud de eso, Jesús dispensa lo que Dios le ha prometido a Abraham (ricas bendiciones para todos), y Jesús salva a todos los que invocan su nombre. El universal 'todos' a quienes ahora se aplica la promesa abrahámica adquiere su validez a partir del universal señorío de Cristo.

Gálatas 3.26–29. 'Todos ustedes son hijos de Dios mediante la fe en Cristo Jesús, porque todos los que han sido bautizados en Cristo se han revestido de Cristo. Ya no hay judío ni griego, esclavo ni libre, hombre ni mujer, sino que todos ustedes son uno solo en Cristo Jesús. Y si ustedes pertenecen a Cristo, son la descendencia de Abraham y herederos según la promesa.'

Está claro, en base a todo el conjunto de escritos de Pablo, que él predicaba y enseñaba un mensaje con alcance universal: un Dios universal, un Salvador universal, una culminación universal de la historia para toda la creación. Con todo, resulta igualmente claro que esta orientación nunca se convirtió en una universalidad abstracta o filosófica. Estuvo siempre arraigada en la historia de Israel y especialmente en la promesa de Abraham. De modo que en el caso de Gálatas, es interesante ver que Pablo corrige una forma errónea de interpretar el evangelio universal que ha venido predicando.

---

27 He postergado mis reflexiones sobre los capítulos principales, Romanos 9—11 (sobre las naciones en el Nuevo Testamento) hasta el capítulo 15.

Pablo les había dicho que la fe en Jesucristo solo, era el criterio universal para la aceptación en el pueblo del único Dios viviente. Sus opositores habían desorientado a los gálatas haciéndoles pensar que eso no era suficiente. También era preciso que pertenecieran al pueblo del pacto de Abraham, y la única forma de lograr esto era mediante la circuncisión y guardando la ley de Moisés. La respuesta de Pablo fue, enfáticamente, *no negar* que era preciso que pertenecieran a Abraham, sino *asegurarles* ¡que ya lo eran! La universalidad de la promesa abrahámica ya es de ellos si están en Cristo. Y por esa razón todas las antiguas barreras y signos distintivos de raza, posición social o género ya no eran válidos ni pertinentes. Esta es la verdadera universalidad bíblica; es decir, está fundada en el gran relato que cuenta la Biblia desde Abraham hasta Cristo.[28]

> Hay claras indicaciones de que si bien el evangelio [de Pablo] podía expresarse en términos universales [Cristo un Salvador universal que murió y resucitó para todos], este mensaje universal era proclamado y recibido dentro de un marco explícitamente centrado en Israel. Los indicios sugieren, más aun, que Pablo llevó a sus conversos a creer que al recibir su mensaje estaban siendo incorporados en la comunidad a la que estaban dirigidas las Escrituras, es decir, a 'Israel'.[29]

Apocalipsis. La única forma de terminar un repaso bíblico como este es con el último libro de la Biblia. Apocalipsis 4—7 es una visión única y global—una visión asombrosa y deslumbrante—en la que Juan 've' todo el universo desde la perspectiva del trono de Dios en el centro. El significado de la historia del mundo está simbolizado por un rollo en la diestra de Dios, que nadie es digno de abrir, excepto Cristo, representado como un Cordero que fue inmolado. En otras palabras, la cruz de Cristo es la clave para el desarrollo de los propósitos de la historia; o, en términos de nuestra argumentación, para el desarrollo de la misión de Dios. ¿Por qué es que Cristo es digno de gobernar la historia? Porque fue inmolado. ¿Y qué diferencia ha hecho esto? El

---

28 Ver N. T. Wright: 'Gospel and Theology in Galatians', en *Gospel in Paul*, ed. L. Ann Jervis y Peter Richardson, Sheffield Academic, Sheffield, 1994.
29 Terence L. Donaldson, "'The Gospel That I Proclaim Among the Gentiles' (Gal. 2.2): Universalistic or Israel-Centred?" en: *Gospel in Paul*, ed. L. Ann Jervis y Peter Richardson, Sheffield Academic Press, Sheffield, 1994, p. 190.

cántico de los seres vivientes y los veinticuatro ancianos se lo aclara a Juan, y también a nosotros.

'Digno eres de recibir el rollo escrito
    y de romper sus sellos,
porque fuiste sacrificado,
    y con tu sangre compraste para Dios
gente de toda raza, lengua, pueblo y nación.
    De ellos hiciste un reino;
los hiciste sacerdotes al servicio de nuestro Dios,
    y reinarán sobre la tierra.' Apocalipsis 5.9–10

Este cántico ofrece tres razones de por qué *la cruz es la clave de la historia*:

- Primero, es *redentora*. Gente que estaba perdida, derrotada, o esclavizada al pecado ha sido 'comprada' para Dios. La humanidad no va a escurrirse por el caño de desagüe de la historia para caer en el abismo.
- Segundo, es *universal*. Los que han sido redimidos de este modo procederán de 'toda raza, lengua, pueblo y nación'.
- Tercero, es *victoriosa*. ¡El Cordero venció! Él y su pueblo redimido reinarán en la tierra.

Los ecos de la Escritura del Antiguo Testamento son claros. La universalidad de la promesa es captada en la lista de raza, lengua, pueblo y nación. Y el llamado específico a Israel en Éxodo 19.5–6, a ser el reino de sacerdotes de Dios en medio de todas las naciones de toda la tierra, ahora ha sido internacionalizado y proyectado hacia un futuro eterno de servicio a Dios (como sacerdotes) y a reinar en la tierra (como reyes). El lugar justo de la humanidad redimida es que es restaurada a su posición y papel originales dentro de la creación: bajo Dios y sobre la creación, sirviendo y gobernando. Esta es la maravillosa combinación de sacerdocio y realeza que la humanidad redimida ejercerá en la creación redimida.

El punto culminante de esta visión, con el sexto sello, reúne a la multitud de los 144.000, representativos de las doce tribus históricas de

Israel, con el panorama que sigue en forma inmediata: la innumerable hueste multinacional de los redimidos, el cumplimiento final de lo que Dios prometió a Abraham:

> Después de esto miré, y apareció una multitud tomada de todas las naciones, tribus, pueblos y lenguas; era tan grande que nadie podía contarla. Estaban de pie delante de trono y del Cordero, vestidos de túnicas blancas y con ramas de palma en la mano. Gritaban a gran voz: '¡La salvación viene de nuestro Dios, que está sentado en el trono, y del Cordero!' Apocalipsis 7.9–10

Si, cuando Dios primero llamó a Abraham y los designó a él y a su esposa estéril, en su avanzada edad, para dar origen a toda su misión de rescatar a la creación y a la humanidad de las calamidades de Génesis 3—11, nos imaginamos el gran suspenso entre las asombradas huestes celestiales, luego, en la visión de Juan no quedamos librados a nuestra propia imaginación. Porque prosigue a informarnos que:

> Todos los ángeles estaban de pie alrededor del trono, de los ancianos y de los cuatro seres vivientes. Se postraron rostro en tierra delante del trono, y adoraron a Dios diciendo:
>
> '¡Amén!
> La alabanza, la gloria,
> la sabiduría, la acción de gracias,
> la honra, el poder y la fortaleza
> son de nuestro Dios por los siglos de los siglos.
> ¡Amén!' Apocalipsis 7.11–12

Y Dios, en medio de las resonantes alabanzas, se volverá a Abraham y dirá, 'Ahí tienes. Cumplí mi promesa. Misión cumplida.'

Todas las naciones en toda la Escritura. Sin lugar a dudas, entonces, hubo un propósito universal en la elección de Abraham por Dios, y por consiguiente también una dimensión universal para la existencia misma de Israel. Como pueblo, Israel estaba llamado a existir debido a la misión de Dios de bendecir a las naciones y a restaurar su creación.

Así, el sentido de elección al que los textos del Antiguo Testamento dan testimonio se une a un universalismo potencialmente capaz de abarcar todo lo humano. El Dios de la elección histórica de Israel es también el Dios de las bendiciones cósmicas. El pueblo de Israel, que se sabe elegido por Dios, también se ve ubicado en medio de las naciones y de un mundo que están sometidos al gobierno de ese mismo Dios. ... La elección no desliga a Israel de las naciones. Coloca a ese pueblo en relación con ellas.[30]

La simple amplitud de los textos repasados muestra que no se trataba de algo pensado a último momento o ni siquiera de una toma de conciencia histórica en desarrollo. Es un error, me parece, hablar de una dimensión universal en el Antiguo Testamento como una toma de conciencia tardía que surgió después de los siglos de un nacionalismo más estrecho.[31] Por el contrario, se encuentra en textos de diferentes eras históricas y en diversos géneros canónicos.

Esta perspectiva universal tampoco es una imposición neotestamentaria sobre el Antiguo Testamento que proporciona una justificación *ex post facto* para la innovadora empresa misionera de de la iglesia primitiva. Se trata exactamente de lo opuesto. Fue el descubrimiento de la poderosa orientación del enfoque universal de sus propias Escrituras, a la luz de Jesús el Mesías y bajo el efecto de su propia enseñanza lo que impulsó a los primeros seguidores (y a generaciones desde entonces) en esa dirección. Fue la universalidad del enfoque en el Antiguo Testamento lo que impulsó el concepto y la práctica de la misión en el Nuevo Testamento.

La Biblia en su conjunto presenta al Dios universal con una misión universal:

- anunciada a Abraham,
- llevada a cabo anticipadamente por Cristo,
- y a ser completada en la nueva creación.

Cualquiera sea la misión a la que Dios nos llame tiene que ser una participación en esto.

---

30 Lucien Legrand: *Unity and Plurality: Mission in the Bible,* Orbis, Maryknoll, N.Y., 1990, p. 14.
31 Un punto de vista evolucionista de este tipo es común en la erudición crítica, pero a veces aparece en otros contextos, dentro de otro marco de suposiciones, como, p. ej., David Filbeck: *Yes, God of the Gentiles Too: The Missionary Message of the Old Testament*, Billy Graham Center, Wheaton, Ill., 1994, p. 75.

La particularidad: 'A través de ti y de tu simiente'

Ahora debemos ocuparnos del otro lado de la declaración de bendición por parte de Dios. Hemos explorado sus consecuencias universales y hemos trazado su trayectoria a lo largo del resto de la Biblia. Pero no le dijo a Abraham, después de prometer bendecirlo a él y a sus descendientes, 'Ah, y de paso, simplemente para alentarte, voy a bendecir a las otras naciones también.' De ninguna manera, el texto expresa el plan de Dios para las naciones con considerable cuidado y precisión. No lo expresa en forma de una repetición independiente del verbo activo 'Bendeciré [a las naciones]' en el mismo sentido absoluto en el que Dios le dice a Abraham mismo 'y te bendeciré a ti'. Tampoco se vale de un simple verbo pasivo desconectado: 'las naciones [también] serán bendecidas'. Más bien, coloca las formas más sutiles, auto-envolventes del verbo (*niphal* y *hithpael*) a la par del crucial pronombre personal—*bekā*, 'a través de ti', con la frase agregada, en algunos de los textos, 'y a través de tu simiente'. Las naciones no serán bendecidas si no se comprometen de alguna forma en el proceso (las formas del verbo). Y no serán bendecidas sin referencia a lo que Dios ahora promete y prepara para Abraham (el pronombre que lo acompaña).

Así, cualquier cosa que Dios hubiese ideado hacer para las naciones, la *universalidad* estaba de algún modo relacionada con Abraham y sus descendientes. Y cualquiera fuese lo que Dios hubiese planeado hacer para Abraham, en *particular*, estaba de todos modos ligado con su meta última para todas las naciones. Este es el intrigante equilibrio y la tensión de la 'conclusión final' entre la universalidad y la particularidad de lo que Dios le dijo a Abraham.

'A través de ti': El particular modo de obrar de la bendición de Dios. ¿Cuál es el significado de la preposición hebrea *be* en 'a través de ti'? En su uso normal se la traduce más frecuentemente por 'en' o 'a través de' ¿Qué significa aquí en relación con Abraham?

No puede significar que Abraham será el *agente* de la bendición (es decir, el que hace la bendición) porque eso solo lo hace Dios, la fuente de toda bendición. Por supuesto que es posible que una persona bendiga a otros (invocando la bendición *de Dios* sobre ellos) y en ese sentido que los demás 'sean bendecidos por él' (como, p. ej., faraón fue bendecido por Jacob, o Abraham por Melquisedec), pero no es concebible que nuestro texto contemplara a Abraham en persona bendiciendo a todos los pueblos sobre la tierra, ni siquiera en ese sentido secundario. De modo que la traducción 'todos los pueblos de la tierra serán bendecidos *por* ti' no sería aquí correcta.

Tampoco es *comparativa*, 'como Abraham', como si Dios prometiera que otros pueblos serán bendecidos de la misma forma que Abraham, aunque no necesariamente en relación con él. Tampoco es solo *asociativa*, 'juntamente con Abraham'. Esto se aproxima más, pero de todos modos no es exactamente lo que sugiere la palabra. El hebreo tiene preposiciones que significan 'como' *(ke)* y 'con' *('im)*, pero ninguna de las dos se usa aquí.

El matiz más probable es que sea *instrumental*: 'a través de ti'. La bendición de todos los pueblos de la tierra se dará *a través de* Abraham y su descendencia. No serán ni el *agente por medio de los cuales*, ni la *fuente de la cual* llegará la bendición; en cambio serán el *medio a través del cual* Dios (la verdadera fuente y agente) habrá de extender su bendición a la totalidad universal de los destinatarios de su promesa.

La preposición también podría tener el sentido de 'en ti'. En este caso, la promesa podría tener el sentido más metafórico de que, en última instancia, todos los pueblos llegaran a experimentar la bendición mediante la *incorporación* en Abraham y su simiente. Por cierto que esto concuerda con la forma en que algunos de los textos posteriores que hemos considerado miraban hacia el futuro y veían que finalmente las naciones eran incluidas dentro de Israel como el pueblo bendecido de Dios. Esta es una importante verdad teológica y escatológica en ambos Testamentos. No obstante, a mí me parece más directo, por lo menos en la exégesis inicial del texto como se encuentra en Génesis, entenderlo en un sentido más bien instrumental. Dios elige no solamente hacer que Abraham y su descendencia sean el *objeto* de su bendición sino también hacer que sean el *instrumento* de bendición para el mundo. Esta persona en particular, su familia y la nación que son bendecidos por Dios, serán el medio para que otros lleguen a disfrutar de la misma bendición.

Otro elemento para esta interpretación lo encontramos en la discriminación que Dios declara que ejercerá en relación con la forma en que los pueblos respondan a Abraham y su descendencia (Génesis 12.3). Los pueblos (plural) serán bendecidos por su elección de bendecir a Abraham. Es decir, habrá esperanza positiva para quienes reconozcan al Dios de Abraham y bendigan con gratitud a Dios por lo que ha hecho a través de él y su descendencia, incluyendo por supuesto, a través de Aquel a quien Pablo ve individualmente como *la* Simiente de Abraham, Jesús el Cristo. Inversamente, la forma para que alguien (singular) permanezca fuera de la esfera de la bendición de Dios y dentro del reino de la maldición que Dios ya ha pronunciado contra la tierra y sus habitantes consiste en negar lo que Dios ha hecho en la historia que va de Abraham a Cristo, considerándolo todo como desdén y desprecio. De cualquier manera, Abraham (y todo lo que él representa en el relato bíblico de la salvación) se convierte en el criterio para la bendición o la maldición, el eje sobre el que gira el destino de los individuos y los pueblos.

Esta doble cláusula en Génesis 12.3a deja en claro que la referencia concluyente de 'todas las familias/naciones' (3b) no supone que *todo ser humano individual* será finalmente bendecido a través de Abraham. No es esa clase de universalismo el que expresa este texto. Más bien nos alienta con la esperanza segura de que la misión salvífica de Dios se dirige a todo el mundo, a todos los pueblos, a todos los grupos étnicos. La bendición de Dios incluirá a todas las clases y condiciones de pueblos de todas partes del mundo, como se contempla en Apocalipsis 7.9.

Así que encontramos en estas seis expresiones hebreas tan significativas de Génesis 12.3b *una meta universal final* (todos los pueblos de la tierra encontrarán bendición) que se llevará a cabo a través de *un medio histórico particular* ('a través de ti', y posteriormente, 'y tu simiente'). Cada uno de estos dos polos es inseparable el uno del otro, y ambos deben mantenerse unidos como algo esencial para una teología bíblica de la misión.

El carácter único de la elección de Israel. Arriba hemos analizado la *trayectoria de la universalidad* que sobrevuela el canon bíblico en un gran arco parabólico lanzado por la promesa de Dios a Abraham, que finalmente llega, en el libro de Apocalipsis, a la humanidad redimida en una creación redimida. También puede discernirse una *trayectoria* *de particularidad* menos prominente, aunque parte desde la misma plataforma de lanzamiento. Israel, el pueblo de Abraham, era consciente de un papel y una posición únicos entre las naciones, dado por Dios mediante su acto de elegir y llamar a Abraham. Había ciertas cosas que se cumplían en ellos y no en otros pueblos. Dios hizo ciertas cosas en relación con ellos que no hizo con otros pueblos. Se les exigía mucho a ellos que no se les exigía a otros pueblos de la misma manera. Su privilegio era grande. Pero más grande todavía era su responsabilidad.

El número de textos que podemos reunir siguiendo esta trayectoria es inferior a la trayectoria sobre la universalidad. Esto no es porque la conciencia de Israel en cuanto a su posición única como elegidos fuera menor que su conciencia del propósito último de Dios para las naciones. Por el contrario, el equilibro en cuanto al grado de conciencia se daba sin duda en sentido contrario. Israel no era diferente del resto de la raza humana en cuanto a sentirse inclinado a pensar más en sí mismo que en otros, incluso conociendo los propósitos de Dios. La conciencia que Israel tenía de sí mismo como especialmente elegido para sí por el Dios yhvh formaba parte de lo esencial de la cosmovisión y la identidad nacional de Israel. Reunir textos que expresaran nada más que esa convicción generaría una carpeta muy grande por cierto, en la que algunos libros enteros, como Deuteronomio, tendrían que ser incluidos.[32]

Lo que a mí me interesa aquí, sin embargo, no es simplemente el sentido de la elección única de Israel, *sino aquellos textos donde esta concepción distintiva de sí mismo se relaciona de algún modo (directamente o por inferencia en el contexto) al propósito universal de Dios para las naciones o la soberanía universal de Dios sobre la creación.* Vale decir, me interesa ver la dimensión misional de la elección particular de Israel, correspondiente a la dimensión misional de la promesa de Dios de alcance mundial hecha a Abraham.

---

32 Peter Machinist reúne una lista de '433 pasajes distintivos en la Biblia hebrea' y clasifica su variedad temática. Vincula este aspecto de la propia identidad de Israel más a las necesidades sociológicas de sus orígenes históricos en la marginalidad como una arribo 'reciente' a la escena internacional a la significación teológica de dichas creencias. Hay lugar para ambas perspectivas sobre el material. Peter Machinist, 'The Question of Distinctiveness in Ancient Israel', en *Essential Papers on Israel and the Ancient Near East*, ed. F. E. Greenspan, New York University Press, N. York, 1991, pp. 420–442.

Éxodo 19.5–6.

Ahora pues, si ustedes realmente obedecen mi voz y guardan mi pacto,
serán para mí una posesión personal especial
entre todos los pueblos;
porque por cierto que me pertenece toda la tierra
pero ustedes, ustedes serán para mí un reino sacerdotal y una nación santa
(mi traducción).[33]

Ya hemos visto este texto en la sección sobre la universalidad (ver pp. 298-300). El trasfondo escénico del texto es el gobierno universal de YHVH sobre 'todas las naciones' y 'toda la tierra', pero la acción en el primer plano es la intención particular de YHVH para con Israel. Es esto último lo que atrae nuestra atención aquí (y volveremos a este texto cuando consideremos las dimensiones éticas de la misión bíblica en el cap. 11). 'Éxodo 19.3–6 es un discurso crucial para presentar los capítulos centrales del Pentateuco; ofrece el Pentateuco desde una perspectiva nueva, a saber *la identidad única del pueblo de Dios.*[34]

Al desplegar el texto como he mostrado puede verse el equilibrio entre la universalidad y la particularidad que estoy tratando de determinar en este capítulo. Después de la cláusula condicional inicial (la primera línea), hay una estructura quiástica de cuatro frases, en la que las dos líneas centrales presentan la posesión universal del mundo y sus naciones por Dios, en tanto que las otras dos líneas expresan su papel particular para Israel. Esta estructura también aclara que la frase doble 'reino sacerdotal y nación santa' se encuentra en aposición con respecto a la 'posesión personal'. En otras palabras, la última línea define más plenamente lo que se entiende que sugiere la sola palabra metafórica *segullâ.*

Segullâ, traducida por la NVI como 'propiedad exclusiva' es una palabra que proviene de contextos reales. Se usaba (en hebreo y en acádico) para describir el tesoro personal del monarca y su familia (ver 1 Crónicas 29.3; Eclesiastés 2.8). Todo el país y el pueblo podían considerarse como la propiedad extendida de un rey. Pero también

---

33 Ver: Wells: *God's Holy People,* p. 44.
34 *Ibid.,* pp. 33–34, énfasis agregado.

tenía su tesoro personal, en el que se deleitaba en forma especial. Esta es la metáfora que Dios emplea para describir la identidad de Israel. YHVH es el Dios a quien pertenece y quien gobierna toda la tierra y todas las naciones (una afirmación notable de por sí). Pero YHVH ha elegido colocar a Israel en una relación personal especial con respecto a su realeza mundial. Lo que esa posición comprende se explica luego en el versículo 6. Tiene [Israel] un papel que se equipara con su *status*. Su *status* es ser una posesión especial y exclusiva. Su *papel* es ser el de una comunidad sacerdotal y santa en medio de las naciones.

Puesto que un rey elige su tesoro personal por sí mismo, este texto expresa con claridad el concepto de la elección de Israel por YHVH para una relación especial consigo mismo dentro de la comunidad mundial de naciones. Este es el caso aun cuando el vocabulario de 'elección' no esté presente aquí.

Si bien el término hebreo específico para elección, *bāhar,* no aparece en este pasaje (ni en ninguna otra parte, usado por Dios para la elección de su pueblo, con anterioridad al libro de Deuteronomio), algunos textos subsiguientes que hacen referencia a estas palabras en el Sinaí sí incluyen el término (ver, p. ej., Deuteronomio 7.6; 14.2). Aquí en Éxodo encontramos el concepto, si no el término: Israel como 'posesión de Dios' es analizado desde una perspectiva universal y la noción de pacto se hace explícita (Éxodo 19.5). Así, la idea de elección se da por supuesta.[35]

Pero esta elección divina se presupone dentro de un marco que enfáticamente impide que se vuelva estrecha o exclusiva. Así como el llamado de Abraham es explícitamente para el beneficio de las naciones, así la elección de Israel para una relación especial con Dios se hace de igual manera con el resto del mundo en vista.

De hecho, el énfasis en la palabra *segullâ* debe recaer en la naturaleza exclusiva y personal de la relación y no en el concepto de la 'posesión' en sí misma. No se trata de que *Israel* solo pertenezca a Dios y otras naciones *no,* o que Israel fuese más 'posesión' de Dios que otras. Porque el texto expresa la posesión del mundo por parte de Dios (y por deducción

---

35 *Ibid.,* p. 27.

sus naciones)[36] en los mismos términos que se usan para la anticipada posesión de Israel por parte de Dios.[37] Todas las naciones pertenecen a Dios, pero Israel ha de pertenecer a Dios de un modo único que requerirá, por una parte, obediencia según el pacto, y, por otra parte, estar ejercitado mediante una identidad y un papel sacerdotal y santo en el mundo. Lo que esto último ha de significar no se define más a esta altura, pero algunos de los textos más abajo amplían la idea. Lo importante a notar por el momento, es el equilibrio entre los elevados títulos dados a *Israel* y el sustrato de lo que Dios afirma sobre *toda la tierra*. 'Lo que se la ofrece al lector no es una descripción de Israel aisladamente, sino en relación con la totalidad de la tierra de Dios.'[38] O en otras palabras, aquí *la particularidad de Israel consiste en servir a la universalidad del interés de Dios en el mundo. La elección de Israel sirve a la misión de Dios.* Captar este punto tiene vital importancia.

La trayectoria de este texto (Éxodo 19.3–6) dentro de la Escritura resulta intrigante. Hay varios ecos muy claros dentro de Deuteronomio, que luego generan, a su vez, otros ecos adicionales en Jeremías.

Deuteronomio 7.6. 'Porque para el SEÑOR tu Dios tú eres un pueblo santo; él te eligió para que fueras su posesión exclusiva entre todos los pueblos de la tierra.'

Todo Deuteronomio 7 se ocupa del carácter distintivo de Israel a diferencia de los cananeos, con el fin de impedir que se encaminaran hacia abajo por la senda de la idolatría cananea, su corrupción religiosa y sus prácticas sociales.[39] La cuestión de la separación de Israel no era por *exclusivismo étnico* (había toda clase de maneras en las que los extranjeros podían ser incorporados en la comunidad cúltica de Israel) sino *protección religiosa*. El mismo principio gobierna otro uso del texto de Éxodo 19 en Deuteronomio 14.2, al comienzo de un capítulo que se ocupa de las disposiciones sobre los alimentos limpios y los no limpios.

---

36 Ver la misma afirmación hecha en una estructura gramatical muy semejante en Salmo 24.1. Si toda la tierra le pertenece a YHVH, entonces también le pertenece todos los que moran en ella (es decir, todas las naciones).
37 Lit. 'a mí *[li]* ustedes serán una *segullā* entre todos los pueblos; porque a mí *[li]* es toda la tierra.'
38 Wells: *God's Holy People*, p. 49.
39 Sobre la cuestión de la destrucción de los cananeos y sus lugares de culto en Deuteronomio 7, y de qué modo se puede ubicar eso en una comprensión misionológica del llamado de Israel para ser una bendición para las naciones, ver, de Christoher J. H. Wright: *Deuteronomy*, New International Biblical Commentary, Hendrikson, Peabody, Mass.; Paternoster, Carlisle, 1996, pp. 108–120.

Esa distinción tenía por objeto simbolizar el carácter distintivo de Israel con respecto a las demás naciones. Así como YHVH había elegido de entre las naciones una nación que viviría separada (santa para Dios mismo, para sus propios fines) así también, entre los animales, Israel debía hacer una distinción que reflejara esa distinción más fundamental y servir de recordatorio constante de ella en la vida diaria.

Dos referencias adicionales, empero, vinculan de manera implícita más significativamente el lenguaje de la elección de Éxodo 19 (especialmente la *segullâ y* 'un pueblo santo') con la expresión de más largo alcance entre las naciones.

Deuteronomio 26.18–19; 28.9–10.

Por su parte, hoy mismo el Señor ha declarado que tú eres su pueblo, su posesión preciosa, tal como lo prometió. Obedece, pues, todos sus mandamientos. El Señor ha declarado que te pondrá por encima de todas las naciones que ha formado, para que seas alabado y recibas fama y honra. Serás una nación consagrada al Señor tu Dios. Deuteronomio 26.18–19

El Señor te establecerá como su pueblo santo, conforme a su juramento, si cumples sus mandamientos y andas en sus caminos. Todas las naciones de la tierra te respetarán al reconocerte como el pueblo del Señor. Deuteronomio 28.9–10

Es probable que la sección final de Deuteronomio 26 sea una de las más concisas y equilibradas declaraciones de la relación entre YHVH e Israel según el pacto en el Antiguo Testamento. Registra dos afirmaciones parejas: Israel por una parte (declarando quién es su Dios, y cuál es la voluntad de ellos), y YHVH por otra parte (declarando que Israel le pertenece de modo exclusivo y único, y haciendo eco de Éxodo 19.6).

Dios, entonces, declara el propósito de la elección de Israel en relación con el resto de las naciones. Es para que haya *alabanza, fama y honra*'. ¿A quién le pertenecen? A primera vista, en Deuteronomio 26.19, son para Israel. Pero el texto muy ligado a este en Deuteronomio 28.9–10 muestra que las naciones no solo tendrán en alta estima a Israel sino que lo harán porque reconocen al Dios a quien pertenece Israel:

'Todas la naciones de la tierra te respetarán al reconocerte como el pueblo del Señor.' De modo que la reputación de Israel y la de yhvh están íntimamente ligadas. Esa es la ineludible naturaleza del pacto. Esto es lo que está en juego con la obediencia de Israel al pacto, o con la falta de ella.

Tal es también la necesaria inferencia de la elección. Si yhvh elige vincular a Israel a sí mismo, elige, en consecuencia, vincularse él a Israel. Lo que las naciones piensen sobre Israel se convertirá en lo que piensen de yhvh —una muy riesgosa estrategia de misión. El así llamado 'escándalo de la particularidad' era un escándalo para el Todopoderoso antes de que llegara a ser un problema para nosotros. Y sin embargo era un riesgo, un escándalo y un papelón mayúsculo que Dios estaba dispuesto a soportar por amor a su misión definitiva para toda la humanidad. Con ese propósito más amplio en vista, 'Dios no se avergonzó de ser llamado su Dios' (es decir, el Dios de los patriarcas, y por inferencia, de sus descendientes [Hebreos 11.16]).

Jeremías se vale del lenguaje de Deuteronomio vinculado con la elección para destacar tanto el propósito ideal de Dios al elegir tener a ese pueblo identificado consigo mismo, como para señalar el fracaso contemporáneo de Israel de vivir en ese momento a la altura de su llamado.

Jeremías 13.11; 33.8–9.

Porque como el cinturón se adhiere a la cintura del hombre, así hice adherirse a mí a toda la casa de Israel y a toda la casa de Judá —declara el Señor— a fin de que fueran para mí por pueblo, por renombre, por alabanza y por gloria, pero no escucharon. Jeremías 13.11, BA

Los limpiaré de toda la maldad que cometieron contra mí, y perdonaré todas las iniquidades con que pecaron contra mí y con las que se rebelaron contra mí. Y la ciudad será para mí un nombre de gozo, de alabanza y de gloria ante todas las naciones de la tierra, que oirán de todo el bien que yo le hago, y temerán y temblarán a causa de todo el bien y de toda la paz que yo le doy.' Jeremías 33.8–9, BA

Estos dos versículos usan el mismo triplete de palabras 'renombre' (o fama; heb. *šēm*, 'nombre'), '*alabanza*' y '*gloria*' como en Deuteronomio 26.19 (Jeremías 33.9 agrega *gozo* a la lista). Pero está claro que en ambos casos el beneficiario es Dios mismo. Cualquiera sea el nivel de renombre, alabanza y honor que pueda corresponderle a Israel entre las naciones en realidad le corresponden a YHVH, el Dios que los eligió como su pueblo del pacto. Las imágenes de la parábola actuada de Jeremías en el capítulo 13 expresan esto muy bien. Un artículo de vestir, brillante y nuevo (probablemente una faja, no un simple cinto) sería la elección, comprada y luego vestida con orgullo como algo hermoso en sí mismo. Pero la idea de usarla era para darle placer y alabanza al que la vestía. Así es cómo Dios consideraba a Israel. Quería 'vestirlos'. Aquí la elección se expresa bajo la figura de la elección de un artículo de vestir para llevar puesto. Puede ser 'un honor' para la corbata que sea elegida en lugar de otras, pero no es esa la idea. La intención es destacar al que la viste. De la misma manera, es indudable que se trataba de un increíble privilegio y honor para Israel el ser elegido como socio del pacto con YHVH, pero esto en sí mismo no era la razón por la cual YHVH hizo la elección. Dios tenía una agenda más amplia, a saber, la exaltación de su propio nombre entre las naciones mediante lo que finalmente lograría al estar 'vestido de' Israel.

Y es ese propósito más amplio de Dios lo que su pueblo, Israel, estaba frustrando con su desobediencia. Se había vuelto tan corrupto como una faja nueva que ha pasado muchos meses en terreno sucio, para volver a la parábola actuada por Jeremías. Sencillamente, Dios ya no podía lucirlo más. Lejos de darle alabanza y honor, le producía vergüenza y desprecio.[40] Por esa razón, si el propósito de Dios para las naciones es proseguir, primero tendrá que resolver la situación de Israel. De allí las promesas en Jeremías 33 y el contexto en torno a ellas. La restauración de los elegidos no es para su beneficio únicamente sino a fin de que la misión de Dios, para la cual habían sido elegidos en primer lugar, pueda llevarse acabo entre las naciones. Es por esta razón que, en términos canónicos más amplios, tenía que darse la restauración de Israel antes de que se pudiera reunir a las

---

40 Esto es lo que quiere expresar Ezequiel en el capítulo 36 cuando dice que profanaban el santo nombre de YHVH entre las naciones, es decir, arruinaban su reputación.

naciones, una secuencia que Pablo entendió profundamente en su propia teología de la misión.

Podemos ver, entonces, que Éxodo 19.4–6 ha ejercido una influencia muy fuerte en el pensamiento posterior acerca del papel y las responsabilidades de Israel. Podemos hacer una observación adicional acerca de la significación misional de este hecho antes de pasar a unos textos finales sobre la particularidad de la elección de Israel. Es imposible observar estas conexiones con Éxodo 19.4–6 sin traer a la memoria la frase adicional en el texto, que Israel habría de constituir el 'sacerdocio' de Dios en medio de las naciones, término que supone un papel representativo y mediador. Israel habría de llevar el conocimiento de Yahvéh a las naciones (así como el sacerdote enseñaba la ley de Yahvéh a su pueblo) y finalmente habría de acercar a las naciones a la comunión con Yahvéh a través del pacto (así como los sacerdotes lograban que los pecadores encontraran perdón y restablecieran la comunión mediante los sacrificios). La existencia misma de Israel en la tierra se justificaba por amor a las naciones, y así había sido desde la promesa de Dios a Abraham. Este es un tema al que es preciso que volvamos.

Deuteronomio 4.32–35; 10.14–15.

Pregúntales ahora a los tiempos pasados que te precedieron, desde el día que Dios creó al ser humano en la tierra, e investiga de un extremo a otro del cielo. ¿Ha sucedido algo así de grandioso, o se ha sabido alguna vez de algo semejante? ¿Qué pueblo ha oído a Dios hablarle en medio del fuego, como lo has oído tú, y ha vivido para contarlo? ¿Qué dios ha intentado entrar en una nación y tomarla para sí mediante pruebas, señales, milagros, guerras, actos portentosos y gran despliegue de fuerza y de poder, como lo hizo por ti el Señor tu Dios en Egipto, ante tus propios ojos? A ti se ha mostrado todo esto para que sepas que el Señor es Dios, y que no hay otro fuera de él. Deuteronomio 4.32–35

Al Señor tu Dios le pertenecen los cielos y lo más alto de los cielos, la tierra y todo lo que hay en ella. Sin embargo, él se encariñó con tus antepasados y los amó; y a ti, que eres su descendencia, te eligió de entre todos los pueblos, como lo vemos hoy. Deuteronomio 10.14–15

Estos dos textos expresan el carácter único de Israel en términos muy claros colocándolo dentro de la universalidad del poder de YHVH en la creación y en el dominio de la historia. En el primer texto (Deuteronomio 4), Moisés desafía a Israel a repasar toda la historia humana y a revisar todo el espacio geográfico. Las preguntas retóricas, desde luego, suponen una respuesta negativa: 'No.' Son de hecho afirmaciones enfáticas de que la experiencia de Israel con respecto a Dios ha sido única: única en el doble sentido de que no tenía precedente (Dios no había hecho nada parecido antes) y sin paralelo (Dios no lo había hecho en ninguna otra parte). Este texto pasa a especificar los dos hechos de la historia de Israel en ese momento: la revelación de Dios en la experiencia del Sinaí, y la experiencia de la redención de Dios durante el éxodo. Ambas experiencias, dice Moisés, son exclusivas de Israel.

El segundo texto (Deuteronomio 10) especifica el fundamento anterior del carácter único de Israel: la elección de los patriarcas. Y ubica ese acontecimiento dentro del más amplio campo de la posesión cósmica de Dios y del gobierno de toda la creación. Así como Éxodo 19.5–6 habla de que Israel pertenece a YHVH como un tesoro personal único y a renglón seguido dice que *todo el mundo de las naciones* pertenece a Dios, también aquí Deuteronomio habla de la elección por Dios de los patriarcas y a renglón seguido dice que *todo el universo de los cielos y la tierra* pertenecen a Dios. Sea lo que fuere lo que pensemos en cuanto a la elección de Israel, no se lo puede considerar como un caso de favoritismo estrecho y exclusivo que no tenía en cuenta un contexto más amplio. A la luz de estos textos, solo puede considerarse este tema teniendo en cuenta dicho contexto más amplio.

De modo que la particularidad de la elección de Israel se ubica en un marco universal, mirando hacia atrás. Pero, ¿hay algún indicio de que sirva a algún propósito más amplio, mirando hacia adelante, relacionado con la misión de Dios de bendecir a las naciones? Esa clase de conexión está presente en Deuteronomio 4, mediante la agenda y las exigencias éticas que tocan a Israel como resultado de su elección. Y dado que el mismo desafío ético está presente en Deuteronomio 10, podemos sentir que está implícita allí también la pertinencia más amplia. En Deuteronomio 4 las preguntas retóricas en los versículos 32–34 sobre *el carácter único de la experiencia de*

Israel tocante a la acción de YHVH a favor de ellos se equilibra más arriba en el capítulo mediante otra breve serie de preguntas retóricas en relación con *el carácter único de la posesión por Israel de la ley de* YHVH. Pero significativamente esto aparece a plena vista de *las naciones* como espectadoras de la forma en que Israel responde a la ley de Dios.

> Obedézcanlos y pónganlos en práctica [las leyes de Dios]; así demostrarán su sabiduría e inteligencia ante las naciones. Ellas oirán todos estos preceptos, y dirán: 'En verdad, éste es un pueblo sabio e inteligente; ¡ésta es una gran nación!' ¿Qué otra nación hay tan grande como la nuestra? ¿Qué nación tiene dioses tan cerca de ella como lo está de nosotros el Señor nuestro Dios cada vez que lo invocamos? ¿Y qué nación hay tan grande que tenga normas y preceptos tan justos como toda esta ley que hoy les expongo? Deuteronomio 4.6–8

Uno de los rasgos más característicos de Deuteronomio es su retórica motivacional. Ofrece múltiples razones que indican por qué Israel debe obedecer la ley de Dios y enmarcar su vida comunitaria según sus normas. Aquí, en una posición enfática en la sección inicial del libro, se ofrece una motivación fundamental para la obediencia de Israel, a saber, las naciones que observan. Israel ha sido llamado a constituir una posesión especial de Dios en medio de todos los pueblos. Este llamado incluye la exigencia de una santidad ética. Cumpliendo esta demanda, Israel se convierte en una especie de modelo para las naciones, o, para adoptar el lenguaje de Isaías, una 'luz para las naciones' (Isaías 51.4). Así, cuando encontramos que el mismo lenguaje ético fuerte atraviesa la retórica de Deuteronomio 10.12–19, es probable que su significación más amplia esté apenas por debajo de la superficie.[41]

Un indicio adicional para la significación misional más amplia sobre la experiencia única de Israel en cuanto al Dios que nace de la particularidad de su elección se encuentra en la razón explícita que de ella se ofrece en Deuteronomio 4.35: 'A ti se te ha mostrado todo esto para que sepas que el Señor es Dios, y que no hay otro fuera de él.'

Las grandes acciones de Dios en la historia de Israel no eran simplemente un escenario teatral cósmico. Formaban parte de una educación. Debido

---

41 Prestaré mayor atención a la significación misionológica de la ética del Antiguo Testamento en el capítulo 11.

a lo que experimentó, Israel ahora *conocía* la identidad del Dios viviente. En un mundo lleno de naciones que todavía no conocían a YHVH como Dios, Israel se encontraba ahora en la privilegiada posición de ser la nación que sí lo conocía. Pero con ese privilegio venía una enorme responsabilidad. Israel era el administrador del conocimiento de Dios. Pero la voluntad de Dios de ser conocido por todos los pueblos constituye una de las fuerzas impulsoras de la misión bíblica. Mediante lo que hizo para Israel, en cuanto a revelación y redención, Dios había iniciado esa misión mediante el recurso de crear un pueblo en la tierra que disfrutaba del inestimable privilegio de conocerlo. Esto era algo ante lo cual los salmistas se maravillaban agradecidos (Salmo 33.12; 147.19–20). Pero no era algo que Dios hubiera pensado mantener restringido a Israel. *Israel conocía a Dios con el fin de que por medio de ellos todas las naciones llegaran a conocer a Dios.* Una vez más, por lo tanto, encontramos que en los textos que afirman la elección y el carácter único de Israel late un pulso fuertemente misional.

Conclusión: Elección y misión bíblicas. Habiendo trazado la trayectoria bíblica de los textos claves que hablan de la particularidad única de Israel, en especial de su elección por YHVH, es preciso que juntemos los hilos. El concepto de la elección divina siempre ha sido, naturalmente, una de las doctrinas bíblicas más controvertidas. Nos estremecemos ante la larga y a veces violenta historia de controversias dentro de la iglesia entre defensores del calvinismo agustiniano y del arminianismo. O sentimos la fuerza de la acusación de que de algún modo Dios entorpeció sus planes salvíficos mediante el favoritismo selectivo demostrado hacia los judíos. Con respecto a lo primero, es preciso decir que buena parte del debate sobre el sentido de la elección, la predestinación, la reprobación y conceptos asociados se ha llevado a cabo en un nivel de abstracción sistemática y de lógica binaria que parece ignorar la forma en que el Antiguo Testamento habla de la elección de Israel por Dios. Entre la elección de Jesús en las Escrituras hebreas y la elección en las formulaciones de los sistemas teológicos a veces parece haberse abierto un gran abismo. Pocos y angostos son los puentes del uno al otro.

Sobre lo segundo, la acusación de que la elección es intrínsecamente parcial, injusta e incompatible con el pretendido amor de Dios por todo el mundo, hay varias consideraciones que es preciso traer a la memoria.

Del abanico de textos que ya hemos considerado, pueden hacerse las siguientes afirmaciones en torno a la elección en el Antiguo Testamento.

La elección de Israel aparece en el contexto de la universalidad de Dios. Lejos de ser una doctrina de estrecho exclusivismo nacional, ella afirma lo opuesto. YHVH, el Dios que eligió a Israel, es el Dios que posee y gobierna todo el universo, y cualquiera sea el propósito que tenga para con Israel, está ligado a esa soberanía y providencia universales.

La elección de Israel no supone el rechazo de otras naciones. Por el contrario, desde el comienzo mismo se presenta como para el beneficio de ellas. Dios no llamó a Abraham de entre las naciones para operar su rechazo sino para iniciar el proceso de su redención.

La elección de Israel no está garantizada por ningún rasgo especial del propio Israel. Cuando el pueblo de Israel fue tentado a pensar que era elegido por Dios sobre la base de su superioridad numérica o moral frente a otras naciones, Deuteronomio rápidamente neutralizó esas arrogantes ilusiones.

La elección de Israel se asienta únicamente en el inexplicable amor de Dios. No había otro motivo salvo el amor del propio Dios, y las promesas que les hizo a los antepasados de Israel (incluida, naturalmente, su promesa en relación con las naciones). Podríamos parafrasear Juan 3.16, de un modo que Juan indudablemente aceptaría, 'Tanto amó Dios *al mundo* que eligió a Abraham y llamó a Israel'.

La elección de Israel es instrumental, no un fin en sí mismo. Dios no eligió a Israel para que ellos solos fuesen salvos, como si el propósito de la elección terminara con ellos. Más bien fueron elegidos como el medio por el cual la salvación pudiese ser extendida a otros por toda la tierra.[42]

La elección de Israel es parte de la lógica del compromiso de Dios con la historia. La salvación que describe la Biblia está entretejida en la trama de la historia. Dios se ocupa de las realidades de la vida humana, vivida en la tierra, en las naciones y las culturas. Su decisión de elegir una nación en la historia como medio por el cual pudiese

---

42 Craig Broyles se ocupa de este tema en relación con el Salmo 67. 'El Salmo 67 nos muestra que la elección no significa que Dios tiene sus favoritos sino simplemente que ha elegido un canal de bendición para todos. La elección tiene que ver, no con la meta de Dios, de que su bendición sea restringida a algunos y negada a otros en el mundo. Tiene que ver con el medio para extender esa bendición a todos.' Craig C. Broyles: *Psalms*, New International Biblical Commentary, Hendrikson, Peabody, Mass.; Paternoster, Carlisle, 1999, p. 280.

proporcionar bendición a todas las naciones dentro de la historia no es ni favoritismo ni injusticia.

La elección de Israel es fundamentalmente misional, y no simplemente soteriológica. Si permitimos que nuestra doctrina de la elección se vuelva un cálculo secreto que determine quién se salva y quién no, hemos perdido contacto con su intención bíblica original. El llamado y la elección de Abraham por Dios no tenían como propósito que él se salvara y se convirtiera en el padre espiritual de los que finalmente estarán entre los redimidos en una nueva creación (los elegidos, en otro sentido). Fue, más bien, y explícitamente, que él y su pueblo fueran instrumentos a través de quienes Dios pudiese reunir esa multitud multinacional que ningún hombre ni mujer pudiera contar. La elección es, desde luego, a la luz de toda la Biblia, una elección para la salvación. Pero es, en primer término, una elección para la misión.

8 . El modelo divino de redención:
El éxodo

¿Cuán grande es nuestro evangelio? Si nuestro evangelio consiste en buenas noticias sobre la redención de Dios, entonces la pregunta pasa a ser: ¿Cuánto abarca nuestra comprensión de la redención? Es claro que la misión tiene que ver con la obra redentora de Dios y nuestra participación en la tarea de hacerla conocer y lograr que la gente la experimente. Si, como estoy procurando argumentar en este libro, la misión es, fundamentalmente, de Dios antes de ser nuestra, ¿qué concepto tiene Dios de la redención? La esfera de acción de nuestra misión debe reflejar la esfera de acción de la misión de Dios, la que a su vez debe ser igual a la escala de la obra redentora de Dios. ¿Hacia dónde nos volvemos en la Biblia para entender lo que es la redención? A esta altura resultará bastante evidente que, en mi opinión, no conviene acudir en primer término al Nuevo Testamento. Si le hubiéramos preguntado a un israelita devoto en el período del Antiguo Testamento: '¿Estás redimido?', la respuesta hubiera sido un rotundo sí. Y si hubiéramos preguntado, '¿Cómo lo sabes?', nos habría sentado en algún lugar mientras nos relataba una larga y emocionante historia: la historia del éxodo.

Sin duda fue el éxodo lo que proporcionó el concepto fundamental con respecto a la idea de Dios sobre la redención, no solamente en el Antiguo Testamento sino también en el Nuevo, donde se usa el concepto como una de las claves para entender el significado de la cruz de Cristo.

'El pueblo que has rescatado [redimido]'

> Por tu gran amor guías
>   al pueblo que has rescatado [que redimiste, RVR95];
> por tu fuerza los llevas
>   a tu santa morada. Éxodo 15.13

Moisés y los israelitas están celebrando la gran liberación del ejército del faraón en el cruce del Mar Rojo. Entre las ricas imágenes poéticas empleadas para describir el acontecimiento y su significación histórica y cósmica encontramos esta metáfora de la *redención*. Al sacar a Israel de Egipto, YHVH los ha *redimido*. Un poco más adelante en el mismo cántico, el mismo pensamiento se expresa con una palabra diferente: '... el pueblo que adquiriste para ti' (Éxodo 15.16). Por lo tanto el pueblo celebra en este cántico el cumplimiento de lo que Dios había prometido hacer por ellos (a pesar de su gran escepticismo inicial) cuando todavía estaban en Egipto. La gran declaración de su intención por parte de Dios, que le fue dada a Moisés cuando necesitaba tanto aliento, se destaca por el mismo tema: la redención.

> Así que ve y diles a los israelitas: 'Yo soy el Señor, y voy a quitarles de encima la opresión de los egipcios. Voy a librarlos de su esclavitud; voy a liberarlos con gran despliegue de poder y con grandes actos de justicia.'
> Éxodo 6.6.

Con la única excepción de la bendición de Jacob en Génesis 48.16,[1] estas dos referencias (Éxodo 6.6; 15.13) son la primeras ocasiones en que la Biblia usa el lenguaje de la redención. El verbo hebreo en ambos casos es *gā'al*. Cuando una persona es el sujeto de este verbo (sea Dios o un ser humano), se lo describe como un *gō'ēl*: un redentor. El hecho histórico del éxodo de Egipto por los israelitas se interpreta, así, mediante el uso de una metáfora tomada de la vida social y económica de Israel, que es preciso que entendamos. Nuestro vocablo 'redimir', con sus raíces latinas, sugiere una transacción financiera en la que uno 'vuelve a comprar' algo que había enajenado, o en la que una parte paga un precio a otro con el fin de obtener la libertad de un tercero. Por cierto que en Israel un *gō'ēl* a veces tenía que hacer un desembolso financiero por el objeto de sus esfuerzos y, efectivamente, el verbo en Éxodo 15.16 *(qānâ)* puede incluir una adquisición por compra. Pero el *gō'ēl* tenía un papel social de dimensiones mucho más amplias en el Israel de la antigüedad, asociado particularmente con las exigencias del parentesco.

Un *gō'ēl* era cualquier miembro dentro un grupo familiar más amplio que tenía la responsabilidad de actuar para proteger los intereses de la familia o algún otro miembro que tuviese alguna necesidad en particular. Este término podría traducirse 'protector del parentesco' o 'defensor de la familia'. Tres situaciones ilustran el alcance de este rol.

---

1 Jacob habla de 'el ángel, el que me redimió de todo daño' (traducción del autor), es decir, el que se puso de mi parte y me defendió de todos mis enemigos y las duras circunstancias.

- *Vengar sangre derramada.* Si alguien era asesinado, un miembro de la familia de la víctima asumía la responsabilidad de perseguir al culpable, fuere varón o mujer, y presentarlo ante la justicia. Este papel cuasi-oficial se denomina el *gōʾēl* en Números 35.12 (donde la NVI traduce el 'vengador' y RVR95 traduce 'el vengador de la sangre' en Números 35.19).
- *Redimir tierra o esclavos.* Si un pariente se endeudaba y se veía forzado a vender parte de su tierra con la esperanza de mantenerse a flote económicamente, cualquier pariente en mejor situación económica tenía la responsabilidad de hacer valer su derecho prioritario o redimir la tierra con el fin de mantenerla dentro de la familia extendida. Si el pariente se encontraba en tal situación de desamparo económico que no tuviese otro remedio que ofrecerse él o a su familia en calidad de obrero bajo fianza por sus deudas, era deber de un pariente más rico actuar como *gōʾēl* para rescatarlos de la servidumbre en condiciones de esclavitud (estas disposiciones aparecen entretejidas hasta Levítico 25).
- *Proporcionando un heredero.* Si un hombre moría sin dejar un hijo que heredara su nombre y sus bienes, un pariente tenía el deber moral (si no legal) de tomar a la viuda del fallecido y proveer, en lo posible, un heredero para el muerto. La ley sobre esta práctica en Deuteronomio 25.5–10 no se vale de la raíz *gāʾal,* pero la ilustración más probable de esta práctica en el relato de Rut y Booz la usa repetidamente (Rut 4).

El *gōʾēl,* por lo tanto, era un pariente cercano que actuaba como protector, defensor, vengador o rescatador para otros miembros de la familia, especialmente en situaciones de amenaza, pérdida, pobreza, o injusticia. Tales acciones siempre exigían esfuerzos, con frecuencia producían costos, y a veces demandaban una medida de sacrificio personal. Deuteronomio 25.7–10 reconoce que algunos hombres podían sentirse renuentes a cumplir dichos deberes en relación con la esposa de un pariente fallecido, aun cuando esto implicara sufrir vergüenza pública, mientras que en Rut 4 se alaba decididamente a Booz por su voluntad de cumplir.

De manera que al mostrar a YHVH como el que promete ser el *gā'al* de su pueblo (Éxodo 6), y como el que puede ser alabado por haberlo hecho (Éxodo 15), Israel usa una rica y poderosa metáfora. Tres elementos constituyen la médula de este tema:

- relaciones de familia
- una intervención poderosa
- la restauración efectiva

Como el *gō'ēl* de Israel, YHVH afirma tener un vínculo entre sí mismo e Israel que es tan íntimo y comprometido como cualquier vínculo humano entre miembros de parentesco, y con dicho vínculo acepta la obligación que surge de aceptar a Israel en el seno de su propia familia. Como *gō'ēl*, YHVH habrá de empeñarse en toda la medida necesaria por el bien de ellos, para protegerlos y rescatarlos. El lenguaje de YHVH con sus 'actos portentosos y gran despliegue de poder' capta con elocuencia la idea del *gō'ēl* en acción. Y como *gō'ēl* restablecerá a Israel a la situación justa y apropiada a su condición, libre de las cadenas de la esclavitud y la opresión.

Nos hemos centrado aquí en la sola palabra *gō'ēl* como la más usada para expresar el éxodo como un acto de redención, pero está lejos de ser el único verbo en el rico vocabulario de Israel relacionado con el éxodo. Walter Brueggemann enumera seis verbos dinámicos que ocurren con frecuencia en las celebraciones narrativas y poéticas de dicho éxodo.[2]

La amplia redención de Dios

Aquí tenemos, entonces, el informe fundacional en el que el Dios de la Biblia se presenta como Redentor. ¿Qué nos dice? Cuando Dios decidió actuar en el mundo y en la historia humana de tal manera que pudiera aparecer como un *gō'ēl* en acción, ¿qué hizo? Si hemos de desarrollar una comprensión bíblica de la redención (algo que resulta esencial para

---

2 Ellos son *yāṣā'* (en *Hiphil*, 'sacar'), *nāṣal* ('liberar' o 'rescatar'), *gā'al* ('redimir'), *yāṣa'* ('salvar'), *pādâ* ('redimir, comprar'), *'ālâ* (en *Hiphil*, 'hacer subir, elevar'). 'Lo que es importante … es que Yahvéh es el sujeto de todos estos verbos. Este conjunto de verbos resulta ser un modo agudo y elemental en que se caracteriza Yahvéh en el testimonio de Israel. … De esta manera la gramática de Éxodo satura la imaginación de Israel.' Walter Brueggemann: *Theology of the Old Testament: Testimony, Dispute, Advocacy*, Fortress Press, Minneapolis, 1997, pp. 174–178.

desarrollar una comprensión bíblica de la misión), es preciso que comencemos aquí y exploremos todo lo que tengan que decirnos estos relatos acerca de la situación a partir de la cual Dios redimió a Israel, las razones por las que lo hizo, y la nueva realidad a la que accedieron.

Política. En Egipto los israelitas eran un pueblo inmigrante, una minoría étnica. Llegaron como refugiados, llevados por el hambre, y allí fueron recibidos y obtuvieron el asilo que buscaban.[3] Pero con un cambio de dinastía había llegado también un cambio de política hacia ellos, y Éxodo 1.8–10 muestra cuán vulnerables eran a una metodología del terror, a una política astuta y a una discriminación injusta. No tenían ninguna libertad política ni voz en el estado egipcio, aun cuando habían crecido en número. De hecho su crecimiento numérico se cita como una de las principales razones de la hostilidad egipcia. Es una historia con resonancias modernas.

En el relato del éxodo y su período posterior más prolongado, Dios actuó para liberar a los israelitas de la injusticia política de su situación, y con el andar del tiempo para establecerlos como nación con plenos derechos. La supervivencia provisional por medio de la hospitalidad egipcia era una cosa. Una servidumbre permanente bajo la opresión egipcia era otra. La primera sirvió para cumplir el propósito de Dios para con la simiente de Abraham, pero solo temporalmente. Lo segundo lo frustraba y en consecuencia resultaba intolerable.

Económica. Los israelitas estaban siendo explotados como mano de obra bajo condiciones de esclavitud (Éxodo 1.11–14). No eran propietarios de la tierra donde vivían (aunque tengamos presente que tampoco lo eran los egipcios, irónicamente debido a las acciones de José generaciones antes; pero es otra historia). En lugar de poder usar esa tierra para su propio beneficio (para lo cual les había sido cedida originalmente), su trabajo pasaba a beneficiar a la nación hospedadora para su propio provecho económico. La mano de obra israelita estaba siendo explotada para proyectos agrícolas egipcios y para tareas de construcción. Una minoría étnica cumplía las tareas sucias y pesadas para beneficio del rey de Egipto. Las resonancias modernas continúan.

Entre las promesas explícitas hechas por Dios a los israelitas con

---

3 Hecho que no fue olvidado. Aun cuando la memoria predominante de Egipto en el Antiguo Testamento es de opresión, una de las leyes por lo menos lo saltea y recuerda el hecho de que Egipto había socorrido a la familia de Jacob como forasteros necesitados (Deuteronomio 23.7–8).

anterioridad al éxodo una era que les daría tierra propia (Éxodo 6.8). La dimensión económica de su liberación estaba incluida en ella, tanto en su realidad histórica como en el uso metafórico de la institución del *gō'ēl* para describirla. Porque, como hemos visto, era particularmente en circunstancias de amenaza y pérdida económicas que se esperaba que actuara el *gō'ēl,* con el fin de restablecer la viabilidad económica de los necesitados. El rescate de los israelitas de su servidumbre en condiciones de esclavitud era lo central de la redención por medio del éxodo.

Social. El resto de Éxodo 1 prosigue a describir la escalada de la violencia estatal contra los israelitas por parte de un gobierno que a su brutalidad agregaba su estupidez. Al fracasar en su intento de subvertir el orden en la comunidad desde dentro, dado el respeto de las parteras por la vida humana, a lo que se agregaba la valiente combinación de ingenio y desobediencia, el faraón se embarcó en un plan genocida propiciado por el estado, incitando a 'todo su pueblo' a entablar una campaña asesina contra los varones israelitas recién nacidos. De modo que el pueblo sufría una intolerable violación de los derechos humanos fundamentales y una agresiva intervención en su vida de familia. Las familias israelitas se veían obligadas a vivir en constante temor: nueve meses de temor para cada madre encinta que esperaba noticias, que en otro momento debían proporcionar gran alegría ('¡es varón!'), pero que ahora significaban terror y angustia (Éxodo 2.1–2).

En el relato que se ofrece después, las plagas golpean con creciente violencia contra un régimen que se ha precipitado hasta semejante grado de corrupción. La decisiva muerte de los primogénitos de los egipcios es un reflejo de la masacre sufrida por los de Israel (Éxodo 4.23). La Pascua recuerda a Israel para siempre la naturaleza social y familiar de la redención obrada por Dios y la gran liberación de semejante maldad demencial. Y cuando Israel estuvo establecido como un nuevo tipo de sociedad en la relación del pacto con YHVH, la santidad de la vida humana y la preservación de la justicia social se encontraron entre los elementos fundamentales de su estructura social y legal.

Espiritual. Mientras el narrador destaca las dimensiones políticas, económicas y sociales de la difícil situación de Israel en Éxodo 1—2, una vez que YHVH aparece como personaje en el drama, advertimos la presencia de una dimensión adicional. La esclavitud israelita al faraón es un tremendo impedimento para el culto de adoración y el servicio al Dios viviente, YHVH.

Una forma en que el relato señala esta circunstancia es mediante un simple juego de palabras utilizando un verbo y un sustantivo con la misma raíz hebrea: *'ābad* significa servir, es decir, trabajar para otro; *'ăbōdâ* significa servicio o esclavitud. Por eso los israelitas clamaban a Dios desde su 'condición de esclavos' (Éxodo 2.23). Pero las mismas palabras se pueden usar para el culto, el servicio a Dios. Y desde luego, el destino de Israel era servir y adorar a YHVH. ¿Cómo podían hacerlo, mientras estuvieran encadenados como esclavos al faraón? Esto se destaca más agudamente en Éxodo 4.22–23, donde a Moisés se le dice que le diga al faraón de parte de YHVH, 'Israel es mi primogénito. Ya te he dicho que dejes ir a mi hijo para que me rinda culto *['ābad].*' Las versiones en español varían entre 'para que me rinda culto' (p. ej., NVI) y 'para que me sirva' (p. ej., RVR95). La verdad es que YHVH pedía las dos cosas, y el faraón estaba impidiendo ambas.

El carácter espiritual del conflicto aparece de otros dos modos. Uno es el reiterado pedido de Moisés al faraón de que se le permita a Israel hacer un viaje al desierto para rendir culto a su Dios YHVH y ofrecerle sacrificios, pedido que fue negado repetidas veces, luego concedido a regañadientes con condiciones, luego retirado, concedido nuevamente, solo para ser lamentado, y por último llegó una persecución inútil cuando el faraón envió a su ejército y éste terminó en una tumba líquida. Cualquiera sea nuestra opinión sobre la verdad de los pedidos y las acciones de Moisés y Aarón (¿y acaso se le debe decir la verdad a un genocida?), el énfasis del relato a medida que aumenta el suspenso es que YHVH no solo está decidido a liberar esclavos sino a recuperar adoradores. La apuesta es elevada en el reino espiritual, no solo en el campo de la historia política.

La segunda indicación de la naturaleza espiritual de la esclavitud y la redención de Israel, es la presentación del conflicto como una lucha de poder entre el verdadero poder divino de YHVH y el usurpado poder divino que reclaman el faraón y 'todos los dioses de Egipto' (Éxodo 12.12). La secuencia de plagas no fue simplemente una serie de fenómenos naturales, aunque desde luego el orden natural fue afectado en niveles catastróficos. Todos estos fenómenos estaban dirigidos a aspectos de lo que los egipcios consideraban como poder divino: especialmente el primero (el ataque al Nilo) y el penúltimo (oscuridad, que bloqueó el sol). El río Nilo y el sol se encontraban entre las principales deidades de Egipto. YHVH demuestra su devastadora soberanía sobre ambos.[4]

El éxodo demuestra quién es Dios: YHVH se yergue solo e incomparable. Como resultado de su decisiva victoria sobre todos los que se le oponían y resistían su voluntad, Israel ha de saber que YHVH es Dios y que no hay otro fuera de él (Deuteronomio 4.35, 39), y ha de celebrar que '¡el SEÑOR reina por siempre y para siempre!' (Éxodo 15.18). El recordatorio permanente del éxodo no es una estatua de mármol hundida en las arenas del Sinaí para conmemorar la victoria de Israel contra Egipto. Por cierto que no; es el cántico de Moisés que celebra la victoria de YHVH sobre las fuerzas de opresión e injusticia humanas y divinas y que proclaman su reinado universal hacia un futuro sin límites. El Señor está entronizado, pero no sobre pilares de piedras sino sobre las alabanzas de Israel (Salmo 22.3).

La dimensión espiritual del éxodo, por lo tanto, está en que Dios deja en claro que su propósito en todo el proceso es que conduzca al *conocimiento*, al *servicio* y al *culto* del Dios vivo. Lo que se entiende es que estos tres aspectos resultaban difíciles si no imposibles mientras estuvieran en las cadenas de esclavitud al faraón.

El primer relato en la Biblia acerca de Dios en acción como Redentor es amplio y profundo, además de dinámico. Tal como Dios había dicho que sería. Las palabras a Moisés antes de los acontecimientos abarcan todo el espectro. Notemos cómo la acumulación de frases en Éxodo 6.6–8 habla de la intención de Dios de rescatar a Israel de su esclavitud política y económica (que incluía el abuso social y la injusticia), para asignarles una tierra propia en la cual vivir, y establecer con ellos una relación mediante el pacto con el Dios a quien realmente llegarían a conocer como YHVH. Y estas palabras no constituyen sino una nueva confirmación de lo que Dios le había dicho inicialmente a Moisés en el monte Sinaí en Éxodo 3.7–10.

---

4 Ver M. Louise Holert, 'Extrinsic Evil Powers in the Old Testament', Tesis de maestría, Fuller Theological Seminary, 1985, pp. 55–72.

Yo soy el SEÑOR, y voy a quitarles de encima la opresión de los egipcios. Voy a librarlos de su esclavitud; voy a liberarlos con gran despliegue de poder y con grandes actos de justicia. Haré de ustedes mi pueblo; y yo seré su Dios. Así sabrán que yo soy el SEÑOR su Dios, que los libró de la opresión de los egipcios. Y los llevaré a la tierra que bajo juramento prometí darles a Abraham, Isaac y Jacob. Yo, el SEÑOR, les daré a ustedes posesión en ella. Éxodo 6.6–8.[5]

En el éxodo Dios respondió a *todas* las dimensiones de las necesidades de Israel. El sorprendente acto de redención que llevó a cabo Dios no se limitó a rescatar a Israel de su opresión política, económica y social, y luego abandonarlos a sus propios recursos para adorar a quien quisieran. Tampoco se limitó a ofrecerles consuelo espiritual mediante esperanzas de un futuro brillante más allá del cielo, mientras dejaba su condición histórica sin cambio alguno. Desde luego que no; el éxodo efectuó un cambio real en la situación histórica real y al mismo tiempo los estimuló a ingresar en una nueva y real relación con el Dios viviente. Esta fue la respuesta completa de Dios a la completa necesidad de Israel. El relato nos recuerda repetidamente que se trataba de la acción de *Dios*. Moisés y Aarón representan un papel instrumental, pero al pueblo se le pide que se quede quieto y se mantenga a la expectativa. De modo que aquí tenemos el caso inicial y definitivo para el estudio del Dios Redentor actuando en la historia por propia decisión, logrando objetivos totales, y agregando su propia identidad y personalidad al relato, como una definición permanente del significado de su nombre, YHVH.

La redención motivada por Dios

¿Qué fue lo que motivó a Dios a actuar de esta manera? El relato no deja dudas acerca de dos de los factores principales que dieron impulso a la iniciativa redentora de Dios: su preocupación por el sufrimiento de Israel, y su consideración por el pacto que había concertado con sus antepasados.

---

5 Elmer Martens identifica cuatro compromisos claves en este pasaje y sostiene que son como hilos centrales que están entrelazados en todo el cordón de la teología veterotestamentaria (y, por cierto, bíblica): la redención, el pacto, el conocimiento de Dios, y la tierra. Se vale de este cuarteto de temas como marco para su presentación de la fe de Israel. Elmer A. Martens: *God's Design: A Focus on Old Testament Theology*, 2ª ed., Baker, Grand Rapids; Apollos, Leicester, 1994.

Lo que Dios sabía sobre los oprimidos. Éxodo 1 ha presentado la escena de la opresión de Israel bajo un faraón 'que no había conocido a José', es decir, el faraón no tenía ningún sentido de responsabilidad para con la familia de José y sus descendientes. En consecuencia, nos sorprende leer sobre el terrible sufrimiento de los israelitas. En Éxodo 2 leemos que ese rey en particular murió. El cambio de autoridades no significó cambio alguno en la política del estado hacia la opresión genocida, sin embargo, y por primera vez leemos que 'seguían lamentando su condición de esclavos y clamaban pidiendo ayuda' (Éxodo 2.23).[6] No se nos dice exactamente ante quién clamaban. Puede ser que clamaran ante el nuevo rey pidiendo alivio, pero si fue así resultó en vano. Pero quienquiera fuese aquel ante quien suplicaban (de ser alguien en particular), sabemos quién *escuchó* su clamor: el mismo Dios que escuchó el clamor de Sodoma y Gomorra en Génesis 18.20–21 (donde nuevamente no se nos dice que el clamor estaba dirigido a YHVH, sino simplemente que fue YHVH quien lo oyó).[7]

Dios no solo *oye*, Dios también *ve*. Y por oír y ver, Dios *conoce* el sufrimiento del pueblo. Estas tres palabras se repiten: primero las usa el narrador en Éxodo 2.24–25, y luego Dios las afirma en cuanto a sí mismo en Éxodo 3.7. 'De veras [ciertamente] he *visto* la aflicción de mi pueblo en Egipto. He *escuchado* su clamor debido a los capataces de los esclavos, y *conozco* sus sufrimientos' (mi traducción). La NIV traduce *conocer*, como 'preocupado por'—lo cual probablemente sea un intento de fortalecer el significado, aunque en realidad lo debilita. No se trata simplemente de una *preocupación* emocional lo que mueve a Dios sino un profundo conocimiento, o mejor, un reconocimiento, de las intolerables circunstancias que soportan los israelitas.

> Ver significa que ahora Dios soporta la carga del conocimiento. Esto, también, tiene que ser más que meramente cognoscitivo. El conocimiento, la admisión o el reconocimiento es un tema clave en la historia de la liberación de Israel, porque, formando parte integral de esta historia está

---

6 Hay fuertes ecos de este relato en la narración sobre la división del reino después de la muerte de Salomón. Un rey nuevo significaba una oportunidad de alivio del yugo de la opresión, y el pueblo clamaba en ese sentido. La dura respuesta de Roboán llevó a la división del reino. Los ecos textuales en 1 Reyes 13 parecen indicar a Roboán en el papel de faraón y a Jeroboán en el papel de Moisés (aunque la comparación es de poca duración lamentablemente).

7 Se usa la misma en ambos textos: *sĕ'āqâ* —el término técnico para el grito de protesta o de dolor en una situación de injusticia, crueldad o violencia.

el futuro reconocimiento de YHVH por parte de Israel y Egipto. Pero el trasfondo de esto lo constituyen otros dos actos de reconocimiento. El primero es la falta de reconocimiento de José por el rey (Éxodo 1.8). El segundo es el reconocimiento de Israel y su situación por YHVH, y específicamente del sufrimiento de Israel. Dios no es un ser tan trascendente que haya de ser exaltado por encima del compromiso con su pueblo. … Dios se ocupa de su sufrimiento. En la medida en que conocer es más que una cuestión intelectual, se trata más directamente de una cuestión de la voluntad que de los sentimientos. Reconocer la realidad de la aflicción de Israel es el comienzo de la acción tendiente a cambiar las cosas.[8]

La memoria de Dios en relación con el pacto. La memoria de Dios con respecto al pacto se menciona dos veces: por el narrador, y luego repetidamente por boca de YHVH, quien se identifica como el Dios de Abraham, Isaac y Jacob. 'Dios se acordó del *[zākar]* pacto.' La palabra *zākar* no significa un recuerdo repentino después de un período amnesia. Denota una preocupada consideración por algo que se ha traído a la memoria en forma deliberada con el fin de actuar en consecuencia. De modo que aquí, Éxodo se conecta con Génesis cuando Dios trae a la memoria su conexión con los antepasados del pueblo cuyo clamor oye, cuya aflicción ve y cuya esclavitud conoce.

En relatos posteriores Moisés se ocupará de refrescar la memoria de YHVH en relación con este tema y de apelar al mismo compromiso pactual al interceder por Israel debido a su pecado (Éxodo 32—34). Aquí no se nos dice exactamente que Israel apeló a Dios por el compromiso de pacto con sus antepasados. Pero Dios siente la fuerza de una apelación no hablada. Él había 'jurado por sí mismo' ante el padre de esta nación. Ese juramento, ritualmente promulgado en Génesis 15 y confirmado con gran intensidad al final de Génesis 22, genera la autocompulsión divina. Dios, podríamos decir, se supedita a sí mismo y pone su propia identidad e integridad en línea con la acción que sigue.

Y a fin de que el lector esté constantemente consciente de que esta nueva historia, que va a mostrar a Dios en un rol nuevo (como *gōʾēl*, redentor), es de hecho la nueva fase de la historia que se desarrolló en Génesis, la

---

8 John Goldingay: *Old Testament Theology*, t. 1, *Israel's Gospel*, InterVarsity Press, Downers Grove, Ill., 2003, p. 302.

misma historia que había sido lanzada por la 'gran comisión' de Dios hacia Abraham, y las palabras de la promesa que la acompañaban. Si hubiera consecuencias misionales en relación con esa gran tradición abrahámica, entonces podemos estar seguros de que habrá consecuencias misionales para ésta también.

Porque se trata del mismo Dios, y él sigue interesado en esa misma misión.

El modelo divino de redención. La narración del éxodo, por lo tanto, deja en claro que dos cosas en combinación motivaron la acción divina en la redención: la vista y el clamor de la miseria humana bajo la opresión, y el pensamiento de la promesa y el propósito del propio Dios. Hay una especie de efecto de tira y afloje que motiva la acción de Dios. Por un lado, Dios está siendo requerido por el clamor humano a investigar y rectificar la injusticia en la tierra. Por otro lado, se siente impulsado por su propia intención declarada de bendecir a las naciones y a cumplir su pacto con Abraham. Ambos aspectos siguen siendo temas prominentes por la forma en que el Antiguo Testamento usa después el relato del éxodo como modelo para entender el carácter y la acción de Dios.[9]

En la historia posterior de Israel, desde luego, la injusticia de la que Dios tuvo que ocuparse y ejercer juicio era con mayor frecuencia injusticia *en el seno* de Israel que la opresión ocasionada por enemigos externos. De modo que con frecuencia se usa el éxodo con un enfoque negativo a fin de criticar la propia indiferencia de Israel de la injusticia dentro de sus propias fronteras y contra su propio pueblo. A pesar del ejemplo de la acción de YHVH a favor de ellos (esa manifestación del poder redentor que celebraban cada Pascua) Israel pudo permitir que la misma clase de explotación, opresión, esclavitud y violencia egipcias se descargara contra sus propios connacionales pobres. Los profetas los hacían avergonzar por tales escándalos (p. ej., Jeremías 2.6; 7.22–26; Oseas 11.1; 12.9; Amós 2.10; 3.1; Miqueas 6.4).

---

9 El éxodo satura el resto del Antiguo Testamento a muchos niveles. Richard Patterson y Michael Travers, en su análisis de este tema, aclaran las muchas alusiones al éxodo según su uso: como testimonio histórico contra Israel; como fuente de instrucción, advertencia y admonición; como testimonio de alabanza y oración; como fuente de esperanza. Ver 'Contours of the Exodus Motif in Jesus' Earthly Ministry', *Westminster Theological Journal* 66 (2004): 25–47.

Sin embargo, cuando Israel volvía a experimentar la opresión por enemigos externos, o incluso cuando individuos israelitas experimentaban el dolor de la persecución, de las acusaciones injustas, o de la violencia que amenazaba su vida, apelaban al Dios del éxodo para que hiciera nuevamente lo que había hecho antes: que actuara como *gō'ēl*. En el culto, los salmistas apelaban a la liberación del éxodo como la base para nuevas liberaciones, individuales o nacionales (p. ej., Salmo 44; 77; 80). Los profetas usaban el éxodo como patrón para hablar de las futuras liberaciones de Dios a favor de su pueblo, en los mismos términos abarcadores como el original. Es decir, sería una liberación que habría de englobar un reino de justicia sin opresión, las bendiciones de la productividad económica sin explotación, verse libres de la violencia y el temor, y expresar una perfecta obediencia a YHVH basada en un perdón total. Por cierto que el nuevo éxodo prometido remplazaría al antiguo como ocasión para recordarlo maravillados (p. ej., Isaías 40; 43.14–21; Jeremías 23.7–8).

Todo este amplio uso de la tradición y el vocabulario del éxodo se basan en la convicción de que Dios (entendiendo a Dios como lo conoce Israel a través de su nombre revelado, YHVH) está característica y perpetuamente motivado por los mismos impulsos que dieron inicio al éxodo. Más aun, según el texto, Dios mismo insiste que ha de ser conocido de esta manera. Lo que está a punto de hacer (en la gran redención de Israel de la opresión) estará para siempre vinculado con la revelación de su nombre divino personal, YHVH, y también definirá para siempre el sabor de ese nombre. YHVH es el Dios del éxodo. YHVH es el Dios que ve, oye y entiende (conoce) acerca del sufrimiento de los oprimidos. YHVH es el Dios que odia lo que ve y actúa en forma decisiva para derribar al opresor y liberar al oprimido para que ambos lleguen a *conocerlo* a él, ya sea en el ardor de su juicio o en la feliz adoración y el servicio. YHVH es el Dios fiel, que trae a la memoria las cosas que ha prometido, los propósitos que ha declarado, la misión en la que está comprometido. YHVH es el Dios que se niega a quedarse quieto observando cómo estas grandes metas se evaporan por la obstinada terquedad de tiranos genocidas. Todas estas afirmaciones acerca de Dios, hechas en la época del éxodo, se repiten en otras partes en contextos de una mirada universal. De modo que si bien el éxodo ocupa su lugar como un hecho único e irrepetible en la historia del Israel del Antiguo Testamento, también ocupa un lugar como un modelo paradigmático y altamente repetible para el modo en que Dios desea actuar en el mundo, y en el que por fin actuará para beneficio de toda la creación. El éxodo es la lente principal a través de la cual vemos la misión bíblica de Dios.

El éxodo y la misión

¿Qué podemos tomar de nuestro estudio del relato del éxodo y su posterior uso en el resto de la Biblia para nuestra teología y práctica de la misión? Hemos visto que el éxodo debe tomarse como un todo en todas sus dimensiones. En este gran acontecimiento, tal como se nos presenta a través del relato bíblico, Dios redimió a Israel. La Biblia nos lo dice. No tenemos libertad para extraer alguna parte del todo y definir la redención en forma más estrecha ni siquiera exclusivamente en esos términos. Éxodo 15.13 celebra la totalidad del hecho bajo la metáfora de YHVH como Redentor.

El éxodo, por supuesto, no fue el *único* acto redentor de Dios, ni siquiera (en una perspectiva bíblica completa) el más grande. Pero es el *primero* que se describe como tal en la Biblia, y el resto de la Biblia lo adopta como paradigmático. Es decir, el éxodo sirve de modelo para nosotros a fin de entender lo que Dios quiere decir por redención, aun cuando, desde luego, no era todavía todo lo que planeaba hacer con su propósito redentor para la humanidad y la creación.

Por lo tanto, si la redención se define en sentido bíblico por el éxodo en primera instancia, y si el propósito redentor de Dios ocupa el centro de su misión, ¿qué nos dice esto en cuanto a la misión, tal como se nos pide que participemos en ella? Con toda seguridad que la conclusión inevitable es que *una redención modelada por el éxodo exige, también, una misión modelada por el éxodo.* Y eso quiere decir que nuestro compromiso con la misión tiene que evidenciar la misma amplia y total preocupación por las necesidades humanas que Dios evidenció en lo que hizo para Israel. Y también debería significar que nuestra motivación y objetivo total en la misión sea consecuente con la motivación y el propósito de Dios como se declara en el relato del éxodo. He sostenido desde el principio de este libro que *nuestra* misión debe derivarse de la misión de *Dios*. Y la misión de Dios se expresa con excepcional claridad y repetido énfasis a lo largo de todo el relato del éxodo. Toda esta historia es estructurada e impulsada por la agenda de Dios.

Hay dos opciones interpretativas que no llegan a una hermenéutica misional holística del éxodo. Una de ellas se concentra en la significación espiritual de la narración, y deja a un lado las dimensiones políticas, económicas y sociales. La otra se concentra tanto en sus dimensiones políticas, económicas y sociales que pierde de vista la dimensión espiritual. Mi crítica en lo que sigue no tiene por objeto optar por una de las dos sosteniendo que una está bien y la otra mal. Porque en verdad ambos tienen fuerte apoyo bíblico dados los aspectos positivos que sostienen. Mi punto de vista es, más bien, que en cualquiera de los dos enfoques, si su reduccionismo se lleva demasiado lejos, termina llegando a una posición misionológica desequilibrada, y que no se muestra plenamente bíblica. Ambos enfoques pueden ser acusados de separar lo que Dios ha unido, cuando lo que tenemos que hacer es mantener unida la integridad total del impacto del relato.

Una interpretación espiritualizada. Este enfoque presta mucha atención a la manera en que el Nuevo Testamento usa el éxodo como un modelo para explicar la significación de la muerte de Cristo por el creyente. Quienes adoptan este enfoque están plenamente acertados y justificados al hacerlo, porque éste es, sin duda, parte del rico catálogo de modelos del Nuevo Testamento para explicar la cruz. Más todavía, mucho antes de la cruz, todos los escritores de los Evangelios usan el éxodo para describir la vida, la enseñanza y el ministerio de Jesús.[10]

El problema está en que, habiendo afirmado esta interpretación espiritual y cristocéntrica del éxodo en el Nuevo Testamento, luego la predicación popular sobre el éxodo tiende a desechar o a ignorar la

---

10 El uso del tema del éxodo (y del nuevo éxodo) en el Nuevo Testamento ha sido bien documentado por muchos entendidos, p. ej., F. F. Bruce: *This Is That: The New Testament Development of Some Old Testament Themes*, Paternoster, Exeter; Eerdmans, Grand Rapids, 1968; Rikki Watts: *Isaiah's New Exodus in Mark*, Baker, Grand Rapids, 1997; David Pao: *Acts and the Isaianic New Exodus*, Baker, Grand Rapids, 2000; Richard D. Patterson y Michael Travers: 'Contours of the Exodus Motif in Jesus' Earthly Ministry', *Westminster Theological Journal* 66 (2004): 25–47. Esta última obra es una excelente síntesis compacta de todo el material bíblico pertinente y un útil estudio de la erudición existente sobre el tema.

realidad histórica de lo que fue el acontecimiento original para Israel, a saber, la liberación a partir de una situación de real y concreta injusticia, opresión y violencia.

El proceso mental se desarrolla aproximadamente de la siguiente manera (lo recuerdo muy bien, porque fue la manera en que me enseñaron en la escuela dominical, con esa atención especial que daban a los fundamentos y sus conexiones bíblicas, algo por lo que estoy muy agradecido):

- En el éxodo, Dios liberó a los israelitas de la esclavitud en Egipto.
- Y mediante la cruz de Cristo, Dios nos liberó a nosotros de la esclavitud al pecado.

De este modo se sostiene que la maravillosa verdad espiritual de la segunda línea es 'el verdadero significado' del relato en el Antiguo Testamento. Todo el éxodo tenía que ver con la liberación. Pero sabemos lo que 'verdadera' liberación significa, y es espiritual. Sabemos de qué es lo que realmente tenemos que ser liberados: de nuestra esclavitud al pecado. También sabemos cuál es el único lugar donde puede encontrarse verdadera liberación: en la cruz. *Esto*, entonces (la cruz), es *aquello* (el éxodo). En un marco tipológico de interpretación, el éxodo aparece como tipo de la cruz. El éxodo fue una prefiguración de la obra redentora de Dios, mucho más grande.

Las consecuencias para la misión van a continuación. Si el éxodo tiene algo que contribuir a la misión, tiene que ver con el imperativo a evangelizar. Porque solo a través de la evangelización podemos contribuir a liberar a la gente de su esclavitud al pecado, lo cual es su problema más profundo, problema que es básicamente espiritual. Esto puede vincularse con la maravillosa narración del llamado misionero de Moisés; porque así como Dios mandó a Moisés con las buenas noticias de que Dios iba a salvar a los israelitas de la esclavitud al faraón, así Dios nos manda con las buenas noticias de cómo puede la gente ser salva del pecado.

Ni por un momento niego la hermosa verdad contenida en esta línea de interpretación. Gustosamente sostengo la relación tipológica entre los hechos fundamentales del Antiguo Testamento tales como el éxodo y su cumplimiento en Cristo en el Nuevo Testamento. No cabe duda alguna

EL MODELO DIVINO DE REDENCIÓN

de que el Nuevo Testamento conecta la cruz con el éxodo y los hechos que lo precedieron (especialmente la Pascua). También sostengo (y mostraré que el Antiguo Testamento mismo también lo hace) que la necesidad más profunda de los seres humanos es el pecado que mora en ellos, de tal manera que todas las demás formas de liberación resultan finalmente inadecuadas si esa necesidad fundamental no es encarada en forma decisiva. Y desde luego que estoy de acuerdo, de todo corazón, que la cruz de Cristo es la única y final solución al problema del pecado en sus raíces más profundas, y que es nuestra responsabilidad evangélica dar a conocer las buenas nuevas a la gente. Todas estas cosas sostengo gustosamente.

La dificultad que tengo con esta posición y su consecuencia misionológica no está en lo que *afirma* (porque reconozco sus válidos fundamentos bíblicos) sino en lo que *omite*. No estoy sugiriendo que *no* es bíblica, sino que no es *suficientemente* bíblica. Pueden darse varias razones para afirmar esto.

¿El pecado de quién? Primero, el paralelo entre el éxodo y la cruz, por lo menos en su expresión popular, no se ajusta exactamente. El ser librado de la esclavitud a nuestro propio pecado no es paralelo exacto a la liberación experimentada por los israelitas. Porque el éxodo no fue liberación *del pecado propio*. Por cierto el Antiguo Testamento entiende lo que significa ser liberado de los resultados de la ira de Dios sobre el pecado propio. De esto se trata el regreso del exilio. Nada más claro que Israel pasó al exilio en Babilonia debido al enojo de Dios por su persistente maldad a lo largo de muchas generaciones. De la misma manera los profetas interpretan el regreso del exilio no solo como liberación de Babilonia sino como la anulación del pecado que los llevó allí. Pero no se insinúa en absoluto que el sufrimiento de Israel en *Egipto* fuera un juicio de Dios por su pecado. El éxodo, entonces, fue sin duda liberación de la esclavitud del pecado, no del pecado del Israel mismo, sino *del pecado de quienes los oprimían*.

El éxodo fue una decisiva victoria para YHVH contra los poderes *externos* de injusticia, violencia y muerte. En el éxodo Dios sacó a su pueblo desde dentro y debajo del poder opresor al que estaban encadenados.

Esto en absoluto significa que los israelitas no fueran pecadores ellos mismos, tan necesitados de la misericordia y la gracia de Dios como el

367

resto de la raza humana. El relato posterior sobre su comportamiento en el desierto lo demuestra sin sombra de duda, así como también demuestra la infinita paciencia y la gracia perdonadora de Dios hacia su proceder pecaminoso y rebelde. El sistema de sacrificios estaba ideado precisamente para hacer frente a la realidad del pecado por parte del pueblo de Dios y para proveer un medio para su expiación. Lo que importa aquí es que la expiación y el perdón por los propios pecados no es de lo que trata la redención del éxodo. Se trata más bien de una liberación de un mal externo y del sufrimiento y la injusticia ocasionados, por medio de una tremenda derrota del poder del mal y una irrevocable anulación de su poder sobre Israel, en todas las dimensiones: políticas, económicas, sociales y espirituales.[11]

Cuando comprendemos esto, parecería más apropiado ligar al éxodo con la cruz no tanto en términos de liberación de la esclavitud a nuestro propio pecado (lo cual es por supuesto parte gloriosa de su realidad) sino en términos de liberación de la esclavitud a todo lo que se opone a Dios oprime la vida y el bienestar humano. La cruz, como el éxodo, fue la victoria de Dios sobre sus enemigos, y por medio de la cruz Dios nos ha rescatado de la esclavitud a ellos. Hay bastante apoyo en el Nuevo Testamento para esta lectura de la cruz como victoria cósmica, y de nuestra salvación como rescate de la esclavitud. Es probable que Pablo haga una alusión al éxodo cuando da gracias a Dios el Padre, que 'nos libró del dominio de la oscuridad y nos trasladó al reino de su amado Hijo, en quien tenemos redención, el perdón de pecados' (Colosenses 1.13–14). Más adelante habla del triunfo de Cristo en la cruz sobre todos los poderes y las potestades (Colosenses 2.15). Hebreos se regocija en el hecho de que la muerte de Cristo es el medio por el cual ha podido 'librar a todos los que por temor a la muerte estaban sometidos a esclavitud durante toda la vida' (Hebreos 2.15).

¿Cuál realidad? Segundo, quienes están por una aplicación espiritualizada del éxodo, que pasan por encima de las dimensiones *socioeconómicas* y políticas del acontecimiento histórico original, usan mal el método tipológico de relacionar el Antiguo Testamento con el Nuevo. Tratan al Antiguo Testamento simplemente como 'sombra' (preanuncio) del

11 Christopher J. H. Wright: *Knowing Jesus Through the Old Testament*, Marshall Pickering, Londres; InterVarsity Press, Downers Grove, Ill.,1992, p. 32.

Nuevo, de tal manera que la historia del Antiguo Testamento pierde toda significación intrínseca por sí mismo. Mediante un mal uso de la comparación basada en las 'sombras' en Hebreos (Hebreos 8.5), se le da un giro parecido al del dualismo platónico, de tal modo que el reino material e histórico se considera inferior y pasajero, en tanto que solo el espiritual e intemporal se considera 'verdaderamente real'. De modo que los elementos históricos del relato del éxodo, que ocupan un lugar tan prominente dentro del texto bíblico, se descartan como hojarasca material una vez que la médula espiritual ha sido extraída. Así, ahora que sabemos lo que el relato 'realmente' significa (que podemos ser aligerados de la esclavitud al pecado por medio de Cristo), podemos relegar el resto de su contenido a la zona dispensable del color local.

Pero esta no es la forma en que la Biblia misma se ocupa de la continuidad orgánica entre el Antiguo y el Nuevo Testamento. No cabe duda de que, desde luego, hay aspectos de la *práctica religiosa* del Antiguo Testamento que acertadamente pasamos por alto debido a su cumplimiento en Cristo. Pero esa no es la manera en que se debe tratar *todo el relato de la acción de Dios* en la época de Antiguo Testamento. No se lo descarta y remplaza por Cristo. Antes bien se incluye y eleva a su cumplimiento en él. En el Nuevo Testamento llegamos a la culminación de todo lo que Dios ha logrado con la redención.

Esto no significa un crudo contraste por el que decimos que 'anteriormente la redención de Dios comprendía la liberación política y la justicia social; pero ahora sabemos que en realidad significa perdón espiritual'. Más bien vemos la totalidad de la redención de Dios de un modo que ahora *incluye* todo lo que Dios ha hecho: desde el éxodo hasta la cruz. No es que el Nuevo Testamento *intercambie* un mensaje social por uno espiritual, sino que *extiende* la enseñanza del Antiguo Testamento hasta la más profunda comprensión de, y la más radical y final respuesta a, la dimensión espiritual de nuestro dilema humano, que ya está presente allí en embrión en el relato del éxodo.

O para cambiar la metáfora una vez más, el gran relato histórico de la redención de Dios en el Antiguo Testamento no es como un cohete reforzador que, una vez que la cápsula espacial ha sido lanzada, se desconecta y pasa al olvido como elemento descartable. Más bien, para adaptar la metáfora de Pablo, el relato bíblico es como un árbol. Ahora disfrutamos de las ramas que se extienden y del abundante fruto en su cumplimiento neotestamentario. Pero el Antiguo Testamento es como los anillos interiores del tronco: están ahí todavía, como prueba de una larga historia pasada, pero apoyando todavía la estructura en la que han crecido las ramas y el fruto. Se trata de una relación de continuidad orgánica, no de una ruptura que lleva al abandono y a la falta de continuidad.

¿Qué clase de Dios? Tercero, me parece a mí que una interpretación espiritualizada y simplista del éxodo presupone un cambio notable en el carácter y las preocupaciones de Dios. Claro que los profetas no tienen, desde luego, temor de hablar de que Dios cambia sus planes en respuesta a la reacción de Israel (o de cualquier nación) hacia él. Hay progresión y desarrollo también en la gran narración bíblica. Pero esto es mucho más radical que aquello.

Este modo espiritualizar la interpretación de la Biblia, y las consecuencias misionológicas que van con él, requieren que nos imaginemos que por generación tras generación, siglo tras siglo, el Dios de la Biblia estaba apasionadamente preocupado sobre cuestiones sociales: arrogancia y abuso políticos, explotación económica, corrupción judicial, el sufrimiento de los pobres y oprimidos, los males de la brutalidad y el derramamiento de sangre. Tan apasionado, por cierto, que la leyes que promulgó y los profetas que mandó dan más espacio a estos asuntos que a cualquier otra cuestión excepto la idolatría, en tanto que los salmistas claman en son de protesta al Dios de quien saben que se preocupa profundamente por tales cosas.

Sin embargo, en alguna parte, entre Malaquías y Mateo, todo eso cambió. Esas cuestiones ya no reclaman la atención de Dios ni incitan su odio. O si le afectan, ya no es problema nuestro. La causa profunda de todas esas cosas es el pecado espiritual, y esto es lo único que ahora le interesa a Dios, y eso es lo único que resolvió la cruz. Una sutil forma de marcionismo subyace a este enfoque. El llamado Dios del Nuevo Testamento es casi irreconocible como el Señor Dios, el Santo de Israel. Este supuesto Dios ha descartado todas las apasionadas prioridades de la ley de Moisés y ha desechado todas las cargas relacionadas con la justicia que había impuesto a sus profetas a un gran costo para ellos. Las consecuencias para la misión también son dramáticas. Porque si los apremiantes problemas de la sociedad humana ya no interesan a Dios, no tienen lugar en la misión cristiana, o cuando más, tienen un lugar secundario. La misión de Dios consiste en llevar almas al cielo, sin ocuparse de la sociedad en la tierra. Nuestra misión debe seguir el mismo curso. Puede haber un elemento de caricatura en la forma en que he bosquejado esta perspectiva, pero no deja de ser representativa de una cierta marca de retórica misional popular.

Quedará claro que encuentro poco respaldo en la Biblia y me parece francamente increíble semejante perspectiva de Dios y de la misión, si se toma *toda la Biblia* como la confiable revelación de la identidad, el carácter y la misión del Dios vivo. Pero repito, *no* rechazo ni minimizo las terriblemente graves realidades espirituales del pecado y el mal que denuncia el Nuevo Testamento, o las glorias de la dimensión espiritual de la obra redentora de Dios en la cruz y en la resurrección de Jesús de Nazaret. Niego, sí, que estas verdades del Nuevo Testamento *anulen* todo lo que el Antiguo Testamento ya ha revelado acerca del compromiso integral de Dios para con toda dimensión de la vida humana, acerca de su implacable oposición a todo lo que oprime, arruina y limita el bienestar humano, y acerca de su misión fundamental de bendecir a las naciones y redimir a toda su creación. Si derivamos nuestro propio mandato misional de esta fuente profunda evitamos el tipo de reduccionismo espiritualizado que puede leer el relato del éxodo, discernir una dimensión vital de su verdad y no obstante pasar por alto el mensaje que clama desde sus páginas con tanta fuerza como clamaron los israelitas durante su esclavitud.

Una interpretación politizada. Al otro extremo del espectro hermenéutico están los que son atraídos a la narración del éxodo precisamente *debido* a su decidida afirmación de la apasionada preocupación de YHVH por la justicia, y su ejecución de esa justicia en el caso de un estado bribón que primero explotaba a los débiles y luego se volvió en contra de ellos con asesina ferocidad. Ven esto como el significado primario del relato del éxodo: YHVH es el Dios que odia la opresión y actúa de forma decidida contra ella. Las dimensiones políticas, económicas y sociales de la situación de Israel, y las paralelas dimensiones de la liberación de Dios, se exploran así totalmente y se incorporan en una teología, una ética y una misionología de comprometido apoyo a los débiles y los marginados del mundo.

Los protagonistas mejor conocidos de una hermenéutica de este tipo en la era moderna han sido los diferentes signos de la teología de la liberación que surgieron en América Latina y luego se esparcieron por otras partes del mundo.[12] En algunos de estos casos (aunque por cierto no todos), la posición adoptada es la de que Dios está obrando en forma redentora dondequiera haya una lucha contra la injusticia y la opresión. El Dios bíblico se declara, por medio de la historia del éxodo, de parte de todos los que son oprimidos, de modo que cualquier acción para eliminar la opresión y proporcionar libertad y justicia es, por su misma naturaleza, redentora, salvífica —sea o no que alguien acuda con fe a Jesucristo como Señor y Salvador, se planten o no iglesias como consecuencia. De modo que tenemos aquí lo opuesto al primer error, que consistía en destacar la interpretación espiritual del éxodo en el Nuevo Testamento, pasar por alto sus dimensiones relacionadas con lo social; en este caso es el de destacar la dimensión de la justicia social del éxodo y a la vez pasar por alto tanto su inherente propósito espiritual, como también su conexión explícita en el Nuevo Testamento con la obra salvífica de Cristo. Una interpretación exclusivamente política del éxodo es tan bíblicamente deficiente, sin embargo, como una interpretación exclusivamente espiritual. Como dije, mi objeción no es con el tema fundamental que elaboran dichas interpretaciones (a saber, que el Dios de la Biblia está comprometido con la justicia social y también tendríamos que estarlo nosotros) sino más bien cuando toda la tradición del éxodo se reduce a esa sola dimensión o cuando se la separa de sus consecuencias espirituales y de evangelización. Por lo demás, varios puntos requieren aclaración.

Una objeción injusta. Una objeción importante que se ha hecho del uso del éxodo por parte de las teologías de la liberación es que dan un paso hermenéutico ilegítimo cuando pasan del hecho de que es indudable que Dios

---

12 Digo, 'en la era moderna', en reconocimiento del hecho de que a través de los siglos, en muchas generaciones anteriores, tanto judíos como cristianos han encontrado en el éxodo dinámicas poderosas para las luchas políticas, sociales y económicas contra las fuerzas de opresión. Ver, p, ej., Michael Walzer: *Exodus and Revolution,* Basic Books, N. York, 1985. Ver también (pero con una perspectiva más subversiva que la lectura liberacionista de éxodo) J. David Pleins: *The Social Visions of the Hebrew Bible: A Theological Introduction,* Westminster John Knox, Louisville, 2001, cap. 4.

rescató a Israel de la opresión política y económica al supuesto de que esto es lo que Dios quiere o se propone hacer para todos los otros pueblos en circunstancias similares. Este paso, se objeta, pasa por alto el carácter único de Israel en el plan de Dios y el hecho de que el relato mismo deja en claro que el éxodo estuvo motivado por la fidelidad de Dios para con Abraham. No podemos decir que todas las naciones se encuentran ante Dios como fue el caso de Israel en su relación con YHVH, determinada por el pacto, y tampoco podemos decir que Dios está motivado por la promesa que le hizo a Abraham en relación con ninguna otra nación sino Israel. De modo que no estamos libres para extrapolar lo que Dios hizo por Israel como caso único debido a su fidelidad para con Abraham a lo que anhela hacer, o lo que nosotros deberíamos esforzarnos por hacer, por los oprimidos en cualquier parte del mundo.

Este fue el argumento adoptado por John Stott cuando rechazó la forma en que algunos teólogos de la liberación politizaron todo el concepto de la salvación de un modo que él consideró como una seria confusión de categorías. Escribiendo contra los que en el Concilio Mundial de Iglesias querían convertir al éxodo en 'el tipo de liberación que Dios propone para todos los oprimidos', Stott no niega que 'la opresión en todas sus formas es odiosa para Dios', pero señala:

> ... la relación especial que Dios había establecido entre sí mismo y su pueblo Israel [p. ej., Amós 3.2]. ... Fue esta misma relación la que estaba por detrás del éxodo. Dios rescató a su pueblo de Egipto en cumplimiento de su pacto con Abraham, Isaac y Jacob y como anticipo de su renovación en el Monte Sinaí (Éxodo 2.24; 19.4–6). No hizo ningún pacto con los sirios o los filisteos; su actividad providencial en la vida nacional de esos pueblos tampoco los convertía en un pueblo del pacto.[13]

Hay mucha fuerza en esta objeción, y desde luego que es correcto señalar el carácter único de Israel y el énfasis en la promesa de Dios a Abraham. Yo también he destacado estas cosas repetidamente. Pero esto no es toda la verdad. Porque si bien estoy de acuerdo con lo que señala John Stott, creo que no se extiende lo suficiente en el reconocimiento de la naturaleza paradigmática del éxodo, sobre la base de la significación

---

13 John R. W. Stott: *Christian Mission in the Modern World*, Falcon, Londres, 1975, p. 96.

paradigmática del propio Israel para el resto de la humanidad. Consideremos dos puntos adicionales.

Por una parte, debemos recordar que la promesa de Dios a Abraham nunca fue destinada al beneficio exclusivo de Israel. Siempre tuvo, en última instancia, esa dinámica de enfoque universal. De modo que siempre hay algo paradigmático en torno a lo que Dios hace en y para Israel. Ciertamente, hay una unicidad y una particularidad en torno a la historia redentora de Israel, pero se trataba de una unicidad y una particularidad que *definía y demostraba el carácter de Dios*, el Dios que no era el Dios de Israel únicamente sino de *toda la tierra y de todas las naciones*.

De modo que mientras aceptamos el hecho histórico de que Dios no liberó a todos los oprimidos en todos los imperios del antiguo Cercano Oriente, no podemos deducir que permanecía ignorante o despreocupado con respecto a ellos o que su odio no llegaba hasta los perpetradores de injusticias en otras partes. Más bien, reconocemos nuevamente la importancia de una perspectiva misionológica en esta parte de la historia bíblica.

> En virtud de ser los receptores de la promesa dada a Abraham, Israel funciona como modelo de la forma en que YHVH opera en el mundo en su totalidad, para liberar, para responder, para bendecir y para proteger del peligro. Hay algo distintivo en cuanto al compromiso de YHVH con Israel, pero dicho carácter distintivo no radica en el hecho de que Israel sea el único pueblo con el cual está comprometido YHVH. En última instancia YHVH no se preocupa más por la libertad y la bendición de Israel que de otros pueblos. ... El compromiso distintivo de YHVH para con Israel radica en lo que estaba decidido a lograr por medio de su pueblo. Es a través de este pueblo que Dios ha querido bendecir al mundo.[14]

Y por otro lado, el Antiguo Testamento mismo alcanza conclusiones universales en base al éxodo acerca del carácter de Dios y su respuesta a todos los que claman bajo opresión. El Salmo 33, por ejemplo, pasa de celebrar el carácter de Dios manifestado en el éxodo (recto, genuino, fiel, amante de la justicia y la probidad [vv. 4–5a]) a la afirmación universal de

---

14 Goldingay: *Old Testament Theology*, 1:294–95.

que 'llena está la tierra de su amor' (v. 5b) y de que toda la vida humana en el planeta está bajo su mirada (vv. 13–15). El Salmo 145, en forma semejante, pasa de celebrar los portentosos actos de Dios en la historia de Israel a la afirmación de que él 'se compadece de toda su creación', y especialmente de que oye el clamor de todos los que lo buscan, lo cual equivale a una repetición de las escenas del éxodo. Y lo más impresionante de todo: hasta el propio Egipto entra en los planes para la bendición de la redención, cuando clama al Señor en la notable inversión de las plagas mencionadas en Isaías 19.

De manera que creo que es legítimo llegar a la misma conclusión a la que parecen haber llegado los adoradores israelitas, o sea que el gran amor y la acción redentora que Dios había demostrado en el campo social de la historia de Israel, si bien eran únicos dentro del marco de su relación basada en el pacto, no eran excepcionales y exclusivos. Más bien eran, en el sentido que corresponde, *típicos*. Simplemente, así es cómo funcionan las cosas con YHVH Dios. Esa medida de preocupación y acción tiene carácter definitorio de su personalidad.

> El SEÑOR tu Dios es Dios de dioses y Señor de señores; él es el gran Dios, poderoso y terrible, que no actúa con parcialidad ni acepta sobornos. Él defiende la causa del huérfano y de la viuda, y muestra su amor por el extranjero, proveyéndole ropa y alimentos. Así mismo debes tú mostrar amor por los extranjeros, porque también tú fuiste extranjero en Egipto. Deuteronomio 10.17–19

Este texto clave vincula entre sí la sola soberanía del solo Dios (YHVH) con su esencial integridad, justicia y compasión moral, y luego pasa sin solución de continuidad a las consecuencias éticas y misionales para los que han experimentado el amor que este Dios manifestó durante el éxodo: han de ir y hacer lo propio.

No llega muy lejos. Así que mi objeción a la interpretación politizada del éxodo no es que esté hermenéuticamente mal usar el éxodo como prueba de la apasionada preocupación de Dios por la justicia, por los derechos humanos y la dignidad en la sociedad más amplia o en la esfera internacional (como tampoco sea malo usar el éxodo como una pintura de la victoria de la cruz). El problema no está en lo que dice sino en el punto en el cual se detiene. Una interpretación que limita la pertinencia del éxodo a la esfera política, social y económica, o que prioriza esos aspectos a expensas o incluso con la exclusión de la cuestión espiritual de si la gente llega o no a conocer al Dios vivo, como también a ofrecerle culto y servirle de conformidad con el compromiso y la obediencia según el pacto, no está interpretando el texto en su conjunto y por consiguiente está distorsionando seriamente.

La meta del éxodo en el relato bíblico *no* se limitaba a la liberación política. De hecho, la palabra 'liberación' (con su sentido moderno de lograr libertad o independencia) ni siquiera es la mejor para describir todo lo que contiene el relato. En diversos textos de Éxodo Dios o Moisés hablan de la intención de YHVH de 'sacar', 'rescatar', 'redimir' o 'salvar' a Israel de los egipcios (p. ej., Éxodo 6.6; 14.13, 30). No hablan simplemente de encontrar libertad en el sentido moderno de independencia o autodeterminación. Más bien, el propósito del éxodo era arrancar a Israel de la esclavitud *('ăbōdâ)* al faraón de modo que pudiera ingresar al servicio/culto *('ăbōdâ)* de YHVH. El problema de Israel no era solo que eran esclavos y que tenían que ser libres. Era que estaban *esclavizados al amo incorrecto y que era necesario que fueran recuperados y reintegrados a su propio Señor.*

> El éxodo no traslada a Israel de la servidumbre a la libertad de la independencia, sino del servicio a un señor al servicio de otro. ... La libertad en las Escrituras es la libertad de servir a YHVH. Esta dinámica sugiere otra dirección en la que podríamos tener que reestructurar los énfasis de la teología de la liberación.[15]

De modo que trabajar a favor de una reforma política, del remplazo de un régimen tiránico por libertades democráticas, de la programación de mejoras económicas y desarrollo comunitario, de campañas para la redistribución de recursos, de justicia social, de la limitación de la violencia o el genocidio alentado por el estado y otros, son todas cosas positivas en sí mismas. Y los cristianos que se dedican a ellas pueden, con toda seguridad, motivar sus esfuerzos haciendo referencia al carácter y la voluntad de Dios tal como están reveladas en forma

---

15 *Ibid.*, p. 323.

prominente en la Escritura. Pero *limitarnos* a una agenda así, sin a la vez conducir a la gente a conocer a Dios mediante el arrepentimiento y la fe en Cristo, a ofrecerle culto y servirle con amor, fidelidad y obediencia inspirados en el pacto (en otras palabras sin efectiva evangelización y discipulado) sencillamente no puede considerarse una adecuada expresión de redención según el éxodo y por cierto que no sería misión holística inspirada en el éxodo.

El pecado y el exilio. Más todavía, centrarnos de manera exclusiva en el éxodo como fundamento bíblico para una teología y misión de compromiso sociopolítico resulta unilateral en el sentido de que ignora el resto de la historia bíblica de Israel. El pueblo que disfrutó del gran beneficio de la intervención redentora de YHVH, que fue liberado de la discriminación política, la explotación económica y la violencia social, pasó a permitir que todas estas cosas envenenaran su propia vida como sociedad en los siglos que siguieron. Y la ira del juicio de Dios se desencadenó sobre el rebelde Israel tan severamente como lo había hecho con los egipcios, y en mayor medida todavía. De manera que la historia que comenzó con el éxodo terminó en el exilio. Y esta es una historia que demostraba, como lo percibieron los profetas y los salmistas, que el problema más profundo de Israel es el mismo que aflige al resto de la humanidad: su propia rebelión pecaminosa, su dureza de corazón, su ceguera en cuanto a los actos de Dios, su falta de oído para la palabra de Dios, su falta de voluntad congénita para hacer lo único que se le pedía, es decir, temer al Señor, andar en sus caminos, amarlo, servirle y obedecerle (Deuteronomio 10.12).

Y así, de la muerte y la desesperación del exilio, llega la voz que le dice a Israel que si bien, una vez más, Dios intervendrá por cierto en su historia nacional con otro éxodo (esta vez de Babilonia), su verdadera necesidad no es solo ser *restaurados a Jerusalén* sino ser *restaurados a Dios.* Lo que necesitaba Israel no era tan solo la terminación de su exilio, sino también el perdón de su pecado. Ambas cosas están contenidas en el vocabulario de salvación de los profetas (p. ej., Isaías 43.25; Jeremías 31.34; Ezequiel 36.24–32). Ciro, como agente de Dios, podía ocuparse de lo primero, pero solo el Siervo sufriente del Señor lograría lo segundo.[16] De modo que la dimensión espiritual de la necesidad de Israel (como también la de la humanidad), y la dimensión espiritual de la meta redentora última de Dios, ambas tienen su reconocimiento dentro del Antiguo Testamento. El Nuevo Testamento no *agregó* por su parte una dimensión espiritual a una comprensión materialista de la redención. Relata la historia de la forma en que Dios logró esa dimensión más profunda en la decisiva obra de Cristo. Tampoco se trata del *remplazo* del Antiguo por el Nuevo, sino de un reconocimiento de hacia dónde debe llevar la comprensión del Antiguo Testamento si la plenitud del propósito redentor de Dios había de llevarse a cabo.[17]

Una interpretación integral. Mi argumento, entonces, es que si hemos de considerar al éxodo como el prototipo de la redención de Dios, como hace la Biblia en ambos Testamentos, debemos aplicar la totalidad de su mensaje y significado a nuestra práctica de la misión. Reducir nuestro mandato misional a cualquiera de los polos del modelo total resultaría no solo en una distorsión hermenéutica, sino peor aún, prácticamente en un daño, además de una deficiencia, en el fruto de nuestras labores misionales. Walter Brueggemann nos advierte, correctamente a mi parecer, contra semejante reduccionismo en cualquier dirección:

> No cabe duda de que el testimonio del Antiguo Testamento se refiere a circunstancias socioeconómicas y políticas reales, de las que se afirma que Yahvéh libera a Israel. Tampoco hay duda de que la retórica del Nuevo Testamento permite una 'espiritualización' del lenguaje de Éxodo, de tal forma que la liberación del evangelio se entiende mejor como liberación del pecado, en contraste con la esclavitud socioeconómica y política concreta. Aquí no es necesario reiterar los argumentos con respecto a las genuinas formas materiales de rescate que ofrece el Nuevo Testamento. Es importante reconocer, sin embargo, que ya en el Antiguo Testamento, los testigos de Yahvéh entendían que

---

16 'Uno no quiere hacer una distinción falsa entre lo material y lo espiritual, pero en algún sentido el hombre de guerra puede efectuar la primera clase de restauración, pero solo el siervo sufriente la segunda. Un militar victorioso puede reintegrar a los judíos a Jerusalén; pero su historia ha sacado a la luz la profundidad del problema de su pecado, y hará falta un siervo sufriente para reintegrarlos a Dios.' John Goldingay: 'The Man of War and the Suffering Servant: The Old Testament and the Theology of Liberation', *Tyndale Bulletin* 27 (1976): 104.

17 'El curso del Nuevo Testamento sigue la línea sugerida por Éxodo y desarrollada por Isaías 40—55. En particular, los temas del éxodo, la redención, y la liberación se vuelven predominantemente espirituales; la redención del pecado es la idea central, porque la debilidad y melancolía del hombre es su problema más profundo, sin la cual sus problemas políticos, sociales y económicos no pueden ser resueltos.' *Ibid.*, p. 105.

'los poderes de la muerte', que en forma activa se oponen a la intención de Yahvéh, autorizaban y aprobaban la esclavitud real, concreta y material. De modo que no debemos negar, a mi juicio, que la liberación sea material más bien que espiritual *[en el Antiguo Testamento]* o que la salvación sea espiritual más bien que material *[en el Nuevo Testamento]*. Antes bien, cualquier lado de dicho dualismo distorsiona la verdadera esclavitud humana e interpreta erróneamente el texto de Israel. ...La cuestión de la Biblia, en ambos Testamentos, no es un 'esto o aquello', sino 'ambos a la vez'. No corresponde ser reduccionista y apuntar el materialismo. A la inversa, está mal negar la dimensión material de la esclavitud y la libertad en una teología espiritualizante menos riesgosa, por la que bastante interpretación cristiana se ha dejado tentar.[18]

La acción social sin evangelización. Pensar que la acción social es lo único que corresponde a la misión, y no guiar a la gente hacia el conocimiento, la adoración y el servicio de Dios en Cristo, equivale a condenar a quienes pudiéramos, de algún modo, 'sacar de la esclavitud', a repetir la historia de Israel. Porque los israelitas experimentaron los efectos políticos, sociales y económicos de la redención de Dios, pero muchos de ellos no llegaron a cumplir los requisitos espirituales del Dios que los redimió. Se negaron a reconocerlo como el único Dios. Repetidamente se extraviaron y les ofrecieron culto a otros dioses. Eligieron servir a otras naciones en alianzas que resultaron calamitosas en sentido espiritual y político. Conocieron a Dios como Redentor: el Antiguo Testamento afirma esto una y otra vez. Pero no querían someterse a Dios como Rey y andar en sus caminos. De modo que en más de un sentido, perecieron.

Las dimensiones sociales, políticas y económicas de la obra redentora de Dios fueron reales y vitales, y se mantienen todavía como imprescindibles prioridades para Dios. De ello dieron testimonio todos los profetas. Pero no constituían la totalidad de lo que Dios consideraba una relación según el pacto con su pueblo. Sin la fe del pacto, el culto y la obediencia según el pacto, Israel se encontraba tan sometido a la severidad de la ira de Dios como cualquier otra nación.

---

18 Brueggemann: *Theology of the Old Testament*, p. 180.

Pablo y el escritor de Hebreos reflexionan sobre este terrible peligro cuando señalan que la generación que experimentó las maravillas de la liberación de la esclavitud en Egipto por parte de Dios a pesar de ello no ingresó en la plenitud de la salvación, debido a la desobediencia y la incredulidad (1 Corintios 10.1–5; Hebreos 3.16–19).

Un cambio del escenario político, económico o geográfico, un cambio de gobierno, un cambio de la condición social, todos ellos pueden ser beneficiosos en sí mismos, pero no serán de beneficio eterno a menos que también se cumplan las metas espirituales del éxodo. De manera que cambiar la condición social o económica de la gente sin guiarlos a una fe salvífica y a la obediencia a Dios en Cristo no conduce más allá del desierto o del exilio, ambos lugares de muerte.

La evangelización sin acción social. Pero por otro lado, pensar que la evangelización espiritual es todo lo que hay en la misión, es dejar vulnerable a la gente en otros sentidos que también tienen su espejo en Israel. La 'evangelización espiritual' significa que se presenta el evangelio solo como medio para lograr el perdón de los propios pecados y a la vez asegurar un futuro con Dios en el cielo, ya sea sin el desafío moral de caminar con integridad personal en el mundo de la sociedad social, económica y política que nos rodea, o el desafío misional de ocuparnos activamente en cuestiones de justicia y compasión hacia otros. El resultado es una especie de piedad privatizada, o amenamente compartida con creyentes que piensan igual, pero que tiene poco que ver con algo que sea proféticamente pertinente para la sociedad en general. Así es posible ser cristiano encaminado hacia el cielo, y hasta convertir en virtud el criterio de prestar poca atención a las necesidades físicas, materiales, familiares, ambientales e internacionales, además de las crisis que abundan en todas partes. Estos últimos aspectos pueden con demasiada facilidad ser relegados como tan poco prioritarios que dejan de ser reconocidos en absoluto por el radar de la misión.

Israel también fue víctima de esta tentación. Los profetas veían un pueblo cuyo apetito por el culto de adoración era insaciable, pero cuya vida diaria era una negación de todas las normas morales del Dios al que decían adorar. Había abundante fervor carismático (Amós 5.21–24), abundante teología de la expiación en los múltiples sacrificios (Isaías

1.10–12), abundante seguridad de la salvación en el recitado de estribillos pegadizos pero engañosos con respecto al templo (Jeremías 7.4–11), abundantes observancias religiosas en grandes festivales y convenciones (Isaías 1.13–15). Pero ante sus narices y bajo sus pies, los pobres eran descuidados en el mejor de los casos, y pisoteados en el peor. La religión espiritual prosperaba en medio de la podredumbre social. Y Dios lo odiaba. Dios ansiaba la llegada de alguien que detuviera toda esa pantomima (Malaquías 1.10), y finalmente la eliminó por completo.

La misión que defiende la elevada posición espiritual consistente en predicar exclusivamente un evangelio de perdón y salvación personales, sin el radical desafío de las plenas demandas bíblicas de la justicia y la compasión divinas, sin un hambre y una sed por la justicia, bien pueden exponer a quienes responden a sus verdades parciales al mismo peligroso veredicto. En su epístola, Santiago parece decir algo semejante a quienes en sus propios días habían logrado insertar una cuña no bíblica entre la fe y las obras, entre lo espiritual y lo material. Si la fe sin obras está muerta, la misión sin la compasión y la justicia sociales es deficiente desde la perspectiva bíblica.

9 . El modelo divino de restauración:

El jubileo

El capítulo 8, sobre la redención y la misión, estaba dedicado a pensar en torno al éxodo. Y con toda razón, dado que es una narración fundacional de dominante influencia en el resto de la Biblia. Aporta una primera forma y contenido a lo que la Biblia quiere decir con la redención, y por consiguiente lo que nuestra misión tiene que tener en cuenta. Habiendo dicho esto, el éxodo fue, sin embargo, un acontecimiento histórico único. Y lo que a Dios le interesaba era que los principios esenciales se hicieran sentir en la vida de Israel. Tenía que haber un constante compromiso con la justicia económica y social, y un debido reconocimiento de Dios a través de la lealtad y el culto a Dios de conformidad con el pacto. Para este fin, se dieron las estructuras, las instituciones, y la legislación que encontramos en la ley de Israel.

Dios es realista. Una cosa era rescatar al pueblo de la explotación y darles una tierra. Sería otra cosa asegurar que no se explotaran unos a otros. Una cosa era presentarles el ideal de que si vivían obedeciendo sus leyes no habría pobres entre ellos. La realidad iba a ser que no obedecerían plenamente y que en consecuencia siempre había pobres entre ellos (Deuteronomio 15.4, 11). ¿Qué se podría hacer, entonces, para impedir que la pobreza se hiciera permanente? ¿Cómo podía quebrarse la implacable espiral descendente del infortunio, las deudas y la esclavitud? Estos eran los interrogantes que la legislación económica de Israel procuraba resolver.

Hay, en efecto, un abanico de ese tipo de legislación, que constituye una propuesta y respuesta sistemática sobre los factores que llevan al empobrecimiento. Esta legislación incluye el deber de auxiliar a los pobres. Pero a la par de ese deber iban varias limitaciones fundamentales al poder de quienes lo hacen: la prohibición de los intereses que explotaban al necesitado o al pobre, la prohibición de establecer exigencias exageradas o garantías que atentaran contra la vida, la liberación sabática de deudas y esclavos, las provisiones para la redención de tierras hipotecadas y de miembros de la familia que pasaron a trabajar bajo fianza para saldar deudas.[1]

---

1 He explorado el sistema económico de Israel en bastante profundidad en mi obra *Old Testament Ethics for the People of God*, InterVarsity Press, Leicester; InterVarsity Press, Downers Grove, Ill., 2004, caps. 3, 5.

Pero una institución en particular atrae nuestra atención, por cuanto incorpora muchos de estos temas. Lo hace tomando como base algunas afirmaciones teológicas muy claras que están muy próximas a la teología de la misión que estoy procurando presentar en estas páginas. Esa institución es el jubileo, descrito en Levítico 25. Si el éxodo era la idea de Dios en cuanto a la *redención*, el jubileo era la idea de Dios en cuanto a la *restauración*. Ambas son igualmente holísticas. Es decir, el jubileo también se ocupa de toda la gama de necesidades sociales y económicas de la persona, pero no puede ser entendido y no podía ser practicado sin prestar atención a los principios teológicos y espirituales inherentes. Nos embarcamos, por lo tanto, en una lectura misionológica de esta antigua institución israelita, pasando de sus detalles económicos ordinarios a sus consecuencias éticas, evangelísticas y escatológicas.

El jubileo en contexto

El jubileo *(yôbēl)* se daba al final del ciclo de siete años sabáticos. Levítico 25.8–10 lo especifica como el quincuagésimo año, aunque algunos entendidos creen que pudo haber sido el año cuadragésimo noveno, es decir, el séptimo año sabático. Y algunos entienden que no era un año completo, sino un solo día como un acontecimiento dentro del quincuagésimo año, o bien un mes intercalado después del año cuarenta y nueve, con el mismo efecto calendario que nuestro sistema de año bisiesto. Ese año se debía proclamar la libertad de los israelitas que habían sido esclavizados por deudas y una restauración de tierras a familias que se habían visto obligadas a venderlas debido a necesidades económicas en algún momento de los cincuenta años transcurridos. Las instrucciones relativas al jubileo y su conexión con los procedimientos para la redención de tierras y esclavos se encuentran todas en Levítico 25. Pero también hay referencias en Levítico 26—27. Es una institución que ha provocado mucha curiosidad en tiempos antiguos y modernos, y en años recientes ha adquirido importancia en los escritos que se ocupan de la ética social cristiana de corte radical. Nuestro propósito aquí es ver qué puede contribuir a un mejor entendimiento bíblico de la misión holística.

El jubileo era, en esencia, una institución económica. Se ocupaba, principalmente, de dos asuntos: la familia y la tierra. Estaba arraigada, por consiguiente, en la estructura *social* de la familia extendida israelita, y el sistema *económico* de la tenencia de la tierra en la que estaba basada. No obstante, ambos tenían, también, dimensiones *teológicas* en la fe de Israel. De modo que es preciso que consideremos brevemente el jubileo desde cada uno de estos tres ángulos.

El ángulo social: el sistema israelita de parentesco. Israel tenía un esquema de parentesco en tres estratos, que comprendían la tribu, el clan, y la casa. La modesta respuesta de Gedeón a sus visitante angélicos nos muestra tres cosas: 'Mira mi clan, es el más débil de la tribu de Manasés, y yo soy el más insignificante de la casa de mi padre' (Jueces 6.15, mi traducción). Las dos unidades más pequeñas (la casa y el clan) tenían mayor importancia social y económica que la tribu, en términos de beneficios y responsabilidades en relación con los israelitas individuales. La casa del padre era una familia extendida que podía incluir tres o cuatro generaciones que vivían juntas, además con los sirvientes y los empleados a sueldo. Este era un lugar de autoridad, incluso para adultos casados como Gedeón (Jueces 6.27; 8.20). Era también el lugar de seguridad y protección (Jueces 6.30–35). Las casas de los padres también representaban un papel de importancia en las funciones judiciales y aun militares, y era el lugar donde el israelita individual encontraba su identidad, educación y formación religiosa.[2] *El jubileo tenía como objetivo principal la protección económica de la casa del padre, o sea la familia.*

El ángulo económico: el sistema israelita de tenencia de la tierra. El sistema de tenencia de la tierra israelita se basaba en estas tres unidades de parentesco. Como aclara Josué 15—22, el territorio se asignaba a las tribus, luego 'según sus clanes', y luego en el seno del clan cada casa tenía su porción o 'heredad'. Este sistema tenía dos rasgos que contrastan con la anterior estructura económica cananea.

Distribución equitativa. En la Canaán preisraelita la tierra era de propiedad de los reyes y sus nobles, y el grueso de la población vivía en

---

2 Para mayor información sobre el sistema del parentesco israelita, ver Christopher J. H. Wright: *God's People in God's Land: Family, Land and Property in the Old Testament*, Eerdmans, Grand Rapids, 1990, cap. 2; y Christopher J. H. Wright: 'Family', *Anchor Bible Dictionary*, ed. David Noel Freedman, Doubleday, N. York, 1992, 2:761–69.

forma de granjeros arrendatarios que pagaban impuestos. En Israel la división de la tierra era para los clanes y las casas dentro de la tribu, con la condición general de que cada uno recibiera tierra según su tamaño y su necesidad. Las listas tribales de Números 26 (observar en particular los vv. 52–56) la detallada división territorial de la tierra que se registra en Josué 13—21 constituyen prueba documental de que la intención original del sistema territorial israelita era que la tierra fuese *distribuida en todo el sistema de parentesco lo más ampliamente posible.*

Inalienabilidad. Con el fin de proteger este sistema de distribución en el nivel del parentesco, la tierra de la familia se declaraba inalienable. Es decir, no debía ser comprada o vendida como un activo comercial, sino que debía permanecer en lo posible dentro de la familia extendida, o por lo menos dentro del círculo de familias del clan. Este era el principio por detrás de la negativa de Nabot a venderle su patrimonio a Acab (1 Reyes 21), y esto aparece en forma muy explícita en las disposiciones económicas de Levítico 25.

El ángulo teológico: la tierra de Dios, el pueblo de Dios. 'La tierra no se venderá a perpetuidad, porque la tierra es mía y ustedes no son aquí más que forasteros y huéspedes' (Levítico 25.23). Esta declaración, en el centro del capítulo que contiene el jubileo, proporciona la bisagra entre el sistema social y el económico descritos arriba y su base teológica. Hace dos afirmaciones fundamentales en relación con la tierra en la cual vivía Israel y acerca de los propios israelitas. Estas son cruciales para entender la razón de ser del jubileo.

La tierra de Dios. Uno de los pilares centrales de la fe de Israel era que la tierra en la que habitaban era tierra de YHVH. Lo había sido aun antes de que Israel la ocupara (Éxodo 15.13, 17). Este tema de la propiedad divina de la tierra se encuentra con frecuencia en los profetas y los salmos. Con mucha mayor frecuencia se habla de 'la tierra de YHVH' que de 'la tierra de Israel'. Al mismo tiempo, si bien pertenecía a YHVH, la tierra le había sido prometida y luego dada a Israel en el curso de la historia de la redención. Era posesión de ellos, su herencia, como la describe repetidamente Deuteronomio.

De modo que la tierra estaba en posesión de Israel, pero seguía siendo propiedad de Dios. Esta tradición dual de la tierra (*propiedad divina* y *regalo divino*) estaba asociada de algún modo con todos los hilos principales de la teología de Israel. La promesa de tierra formaba parte esencial de la tradición de la *elección* patriarcal. La tierra era la meta de la tradición *redentora* del éxodo. El mantenimiento de la relación del *pacto* y la seguridad de la vida en la tierra iban juntos. El *juicio* divino significaba en última instancia la expulsión de la tierra, hasta la *relación restaurada,* simbolizada por el regreso a la tierra. La tierra, por lo tanto, funcionaba como punto de referencia en la relación entre Dios e Israel (notemos, p. ej., su posición de eje en Levítico 26.40–45). La tierra era un testimonio monumental y tangible, tanto del control de YHVH sobre la historia dentro de la cual se había establecido la relación, como de las exigencias morales que dicha relación envolvía para Israel.

Para el israelita, vivir con su familia en su porción de la tierra de YHVH constituía una prueba de su pertenencia al pueblo de Dios y lo central de su respuesta práctica a la gracia de Dios. Nada de lo que concernía a la tierra estaba libre de dimensiones teológicas y éticas, como cada cosecha le recordaba (Deuteronomio 26).

El pueblo de Dios. Los israelitas eran 'extranjeros y peregrinos' (NBLH), 'forasteros y huéspedes' (NVI) del Señor (Levítico 25.23). Estos términos, *(gērîm wĕtôšābîm),* en textos del Antiguo Testamento por lo general describen a una clase de personas que residían entre los israelitas en Canaán, pero no eran étnicamente israelitas. Quizás eran descendientes de los cananeos desposeídos, o inmigrantes. No tenían ninguna participación en la tenencia de la tierra, pero sobrevivían como asalariados residenciales (obreros, artesanos, etc.) para los israelitas que poseían tierra. Siempre que una casa israelita fuera económicamente viable, sus empleados extranjeros residentes disfrutaban de protección y seguridad. Pero de otro modo su situación podía ser azarosa. De allí que estos extranjeros residentes se mencionen con frecuencia en la ley de Israel como objeto de especial preocupación para la justicia, debido a su vulnerabilidad.

Lo que quiere decir Levítico 25.23 es que los israelitas debían considerar su propia posición ante Dios como análoga a la de estos residentes que dependían de ellos. Así como los israelitas tenían huéspedes residentes que vivían con ellos en la tierra que ellos (los israelitas) poseían, así los israelitas eran huéspedes residentes que vivían en la tierra que en realidad pertenecía a YHVH. Por lo tanto los israelitas no tenían título definitivo de propiedad de la tierra: esta pertenecía a Dios. YHVH era el terrateniente supremo. Israel era su arrendatario colectivo. Con todo, los israelitas podían disfrutar de beneficios seguros con respecto a la tierra bajo la protección de YHVH, y en dependencia de él. De manera que los términos no son (como podría pensarse) una negación de *derechos* sino más bien la afirmación de una protegida *relación* de dependencia.

El efecto práctico de este modelo para la relación de Israel con Dios se ve en Levítico 25.35, 40, 53. Si todos los israelitas compartían esta misma posición delante de Dios, entonces el hermano empobrecido o adeudado ha de ser considerado y tratado de la misma manera en que Dios considera y trata a Israel, es decir, con compasión, justicia y generosidad. De modo que la teología sobre la tierra de Israel y la teología sobre la condición de Israel delante de Dios se combinan para incidir en esta área sumamente práctica de la economía social.

Las disposiciones prácticas del jubileo. En Levítico 25 las disposiciones están interconectadas con otras disposiciones para la práctica de la redención de la tierra y los esclavos. El mecanismo económico de la redención es una pieza vital para el trasfondo y la comprensión del significado pleno de la redención por parte de Dios. De modo que resulta doblemente interesante ver cómo el jubileo debía funcionar al lado de la redención en el sistema de Israel. Levítico 25 es un capítulo complejo y no puedo hacer aquí una exégesis completa.[3] Se inicia con la ley del año sabático en relación con la tierra (vv. 1–7). Se trata de una expansión del año del barbecho [o descanso de la tierra] de Éxodo 23.10–11, que en Deuteronomio 15.1–2 se amplía más, a un año en el que las deudas (o, más probablemente, las prendas entregadas por préstamos) debían ser liberadas.

Luego el jubileo aparece en Levítico 25.8–12 como el quincuagésimo año a continuación del séptimo año sabático. El versículo 10 presenta el par de conceptos que resultan fundamentales para toda la institución del jubileo, a saber, la *libertad* y el *regreso*. Libertad o liberación de la carga de las deudas y de la esclavitud que pudo haber ocasionado; el regreso

---

3 Para una exégesis detallada ver, Christopher J. H. Wright: 'Jubilee, Year Of', *Anchor Bible Dictionary*, ed. D. N. Freedman, Doubleday, N. York, 1992, 3:1025–30; y Wright: *Old Testament Ethics*, cap. 6.

tanto a la propiedad ancestral en caso de que haya sido hipotecada a un acreedor, como a la familia, que pudo haber quedado dividida por deudas que ocasionaban servidumbre. Fueron estos dos componentes del jubileo (libertad y restauración, reintegro y regreso) los que ingresaron al uso metafórico y escatológico del jubileo en el pensamiento profético y más tarde en el Nuevo Testamento.

Los detalles prácticos de la redención y el jubileo se especifican desde Levítico 25.25 hasta el final del capítulo. En estos versículos se presentan tres etapas descendentes de pobreza, cada una de las cuales requiere una respuesta. Las etapas están indicadas mediante la frase introductoria 'Si tu hermano empobrece' (Levítico 25.25, 35, 39, 47, RVR95). La secuencia se interrumpe por secciones entre paréntesis que se ocupan de casas en ciudades y propiedades levíticas (Levítico 25.29–34) y de esclavos no israelitas (Levítico 25.44–46), de los que no es necesario que nos ocupemos, ya que el marco legal en su conjunto está claro.

Etapa 1(Levítico 25. 25–28). Inicialmente, cuando se producen tiempos difíciles (por cualquier razón; no se especifica ninguno) el israelita propietario de tierras vende, u ofrece vender, parte de su tierra. A fin de mantenerla dentro de la familia, en consonancia con el principio de la inalienabilidad, era deber del pariente más próximo (el *gōʼēl*) hacer uso del derecho de prioridad (en caso de que todavía estuviera en venta) o redimirla (en caso de haber sido venida). Segundo, el propio vendedor podía retener el derecho a redimirla para sí, en caso de que posteriormente recuperara lo necesario para ello. *Tercero, y en cualquier caso, la propiedad, fuese vendida o redimida por un pariente, vuelve a la familia original en el año del jubileo.*

Etapa 2 (Levítico 25.35–38). Si la situación del hermano más pobre empeorase y siguiera sin poder hacerse solvente, ni siquiera después de varias de esas ventas, entonces la obligación del pariente consiste en mantenerlo como un obrero dependiente, mediante préstamos libre de intereses.

Etapa 3a (Levítico 25.39–43). En el caso de un total colapso económico, tal que al pariente más pobre no le quedara más tierra para vender o para ofrecer en garantía para obtener préstamos, él y toda su familia se ofrecen en venta (es decir, al servicio, en calidad de esclavos del pariente más acaudalado). A este último, sin embargo, se le manda en términos fuertes que no trate al deudor israelita como un esclavo sino más bien como un empleado residente. *Este no deseable estado de cosas ha de continuar solo hasta el próximo jubileo, es decir, no más de una generación.* Entonces el deudor o sus hijos (el deudor original pudo haber fallecido pero la generación siguiente debía beneficiarse con el jubileo [vv. 41, 54]) debían recuperar su patrimonio original de tierras a fin de iniciar un nuevo período.

Etapa 3b (Levítico 25.47–55). Si un hombre del clan pasaba a este estado de esclavitud por deudas *fuera* de su clan, entonces la obligación recaía sobre todo ese clan para evitar esta pérdida de toda una familia ejerciendo su deber de redimirla. Todo el clan tenía el deber de preservar las familias que lo constituían y su tierra heredada. También tenía la obligación de ver que un acreedor no israelita se comportara como tenía que hacerlo un israelita para con un deudor israelita, *y que en última instancia se cumplieran las disposiciones del jubileo.*

De este análisis, se puede ver que había dos diferencias principales entre las disposiciones para la redención y el jubileo: primero, *la oportunidad.* La redención (de tierras o de personas) era un deber que podía ejercerse en cualquier momento, localmente, según las circunstancias, mientras que el jubileo debía llevarse a cabo dos veces por siglo como un acontecimiento nacional. Segundo, había diferencia en *el propósito.* El objetivo principal de la redención era la preservación de la tierra y las personas del *clan* en el sentido más amplio, en tanto que el principal beneficiario del jubileo era la *casa* más limitada, o la 'casa del padre'. Por consiguiente el jubileo funcionaba como una necesaria abrogación de la práctica de la redención. El funcionamiento regular de la redención a través de un período de tiempo podía dar como resultado que todo el territorio de un clan pasara a manos de unas cuantas familias más ricas, con el resto de las familias en el clan en una especie de servidumbre por deudas, viviendo como arrendatarios dependientes de los más ricos, es decir, precisamente el tipo de sistema de tenencia de la tierra que Israel había eliminado. Por lo tanto el jubileo era un mecanismo que servía para evitarlo. *El propósito primario del jubileo era preservar la estructura socioeconómica de la tenencia de la tierra por conjuntos múltiples de casas, y una comparativa igualdad y viabilidad independiente de las más pequeñas unidades de familias con su correspondiente tierra. En otras palabras, el jubileo tenía como intención la supervivencia y el bienestar de las familias en Israel.*

Surge el inevitable interrogante, desde luego, sobre si alguna vez ocurrió esto. El hecho es que no hay ninguna narración histórica que se refiera al cumplimiento del jubileo. Pero claro, tampoco hay registros históricos de la celebración del día de expiación. El silencio en los relatos no prueba casi nada. Más decisiva es la pregunta sobre si el jubileo era una ley primitiva que cayó en desuso o una pieza tardía de idealismo utópico de la época del exilio. Muchas escuelas críticas sostienen esto último, pero otros, en especial aquellos que tienen más conocimiento detallado del antiguo Cercano Oriente, señalan que esas amnistías periódicas por deudas y restauración de tierras se conocieron en la Mesopotamia siglos antes del establecimiento de Israel, si bien no se ha encontrado nada semejante a un ciclo correspondiente a cada cincuenta años.[4]

Mi punto de vista es que tiene sentido considerar el jubileo como una ley muy antigua que se dejó de aplicar durante la historia de Israel ya asentado en su tierra. Esta negligencia ocurrió no tanto debido a que el jubileo fuera económicamente imposible, sino que se volvió inoperante dada la escala de la desintegración social. El jubileo presupone una situación en la que el hombre con deudas grandes, todavía mantiene técnicamente el título de la tierra de su familia y puede volver a restablecer la plena vigencia de su posesión. Pero a partir de los días de Salomón el sistema habrá perdido sentido para un creciente número de familias, a medida que caían víctimas de las deudas, la esclavitud, la intromisión de los reyes y sus confiscaciones, y la indigencia absoluta. Muchos fueron desarraigados y privados de sus tierras ancestrales por completo. Después de una cuantas generaciones no quedaba nada para ser restituido en algún sentido práctico (ver Isaías 5.8; Miqueas 2.2, 9). Esto explicaría por qué jamás se apela al jubileo por parte de ninguno de los profetas como una propuesta económica (si bien sus ideales se evidencian con propósito metafórico).

---

4 Para bibliografía sobre obras anteriores, ver, Wright, *God's People in God's Land*, pp. 119–27, y Wright, 'Jubilee, Year Of'. Obras más recientes incluyen a Jeffrey A. Fager: *Land Tenure and the Biblical Jubilee*, JSOT Supplements 155, JSOT Press, Sheffield, 1993; Hans Ucko, ed.: *The Jubilee Challenge: Utopia or Possibility: Jewish and Christian Insights*, WCC, Ginebra, Publications, 1997, y Moshe Weinfeld: *Social Justice in Ancient Israel and in the Ancient Near East*, Fortress Press, Minneapolis, 1995. Un buen panorama reciente y equilibrado de todas estas cuestiones lo ofrece P. A. Barker: 'Sabbath, Sabbatical Year, Jubilee', *Dictionary of the Old Testament: Pentateuch*, ed. David W. Baker y Desmond T. Alexander, InterVarsity Press, Downers Grove, Ill.; InterVarsity Press, Leicester, 2003, pp. 695–706.

El jubileo, la ética y la misión

En otra parte he argumentado a favor de un enfoque paradigmático del manejo de las leyes del Antiguo Testamento con el fin de discernir, como cristianos, sus consecuencias éticas en el mundo contemporáneo.[5] Esto quiere decir identificar el cuerpo coherente de principios en los que se basan (y encarnan o sirven como instancias) las leyes o las instituciones del Antiguo Testamento. Para esto es útil, una vez más, movernos alrededor de nuestros tres ángulos a fin de considerar la forma en que el paradigma de Israel, en el caso particular de la institución del jubileo, interpela a la ética y a la misión cristiana.

El ángulo económico: El acceso a los recursos. El jubileo existía para proteger un método de tenencia de la tierra que estaba basado en una distribución equitativa y muy amplia de la tierra, y para impedir la acumulación de la propiedad en manos de unos pocos ricos. Se trata de una repercusión del principio creacional más amplio de que toda la tierra le fue dada por Dios a toda la humanidad, la que actúa como co-guardiana de sus recursos. Hay un paralelo entre, por un lado, la afirmación de Levítico 25.23, en relación con *Israel,* de que 'la tierra es mía', y, por otro, la afirmación del Salmo 24.1, con respecto a *toda la humanidad,* de que 'del Señor es la tierra y todo cuanto hay en ella, / el mundo y cuantos lo habitan'. Los principios morales del jubileo se proyectan universalmente, por lo tanto, sobre la base de un Dios que es consecuente. Lo que Dios le exigía a Israel en la tierra de Dios refleja lo que en principio desea para la humanidad en la tierra de Dios: a saber, básicamente una distribución equitativa de los recursos del planeta, especialmente la tierra, y un freno a la tendencia a la acumulación con sus inevitables efectos de opresión y alienación.

Por lo tanto el jubileo se presenta como una crítica no solo a la masiva acumulación privada de la tierra y la riqueza relacionada a ella, sino también a formas de colectivismo o nacionalización a gran escala que destruyen cualquier sentido significativo de propiedad personal o familiar. Todavía tiene algo que señalarle a los enfoques cristianos modernos sobre economía. El jubileo no suponía, desde luego, una *redistribución* de la tierra, como algunos escritos populares erróneamente presuponen. No se trataba de una

5 Wright: *Old Testament Ethics,* cap. 9.

redistribución sino de una restauración. No se trataba de una distribución gratuita de pan o acciones de caridad, sino de un restablecimiento a las unidades familiares de *la oportunidad y los recursos para proveer a sus propias necesidades* nuevamente. En su aplicación moderna, esto exige pensar de manera creativa en cuanto a los tipos de oportunidad y recursos que permitirían que la gente pudiera hacerlo, y a la vez disfrutara de la dignidad y la participación social que se requiere para lograr su propia sustentabilidad.[6] El jubileo, por lo tanto, trata de restituirle a la gente la capacidad para participar en la vida económica de la comunidad para su propio beneficio y el de la sociedad. En esto hay tanto pertinencia ética como misional.

El ángulo social: La viabilidad familiar. El jubileo incluía la preocupación práctica por la familia como unidad. En el caso de Israel, esto significaba la familia extendida, la 'casa del padre', que era un grupo considerable de familias nucleares relacionadas entre sí y descendientes por línea paterna de un progenitor vivo, incluidas la tercera o la cuarta generación. Esta era la unidad más pequeña en la estructura del parentesco en Israel, y era el foco de la identidad, la posición o *status*, la responsabilidad y seguridad del israelita individual. Era esta unidad social, la familia extendida, la que el jubileo debía proteger y restaurar de forma periódica en caso necesario.

Es de notar que la ley del jubileo perseguía este objetivo, no solo por medios *morales*, es decir, apelando a una mayor cohesión de la familia, o advirtiendo a padres e hijos que debían ejercer mayor disciplina y obediencia respectivamente. Más bien, el enfoque del jubileo era práctico y fundamentalmente *socioeconómico*. Establecía mecanismos estructurales específicos para regular los efectos económicos de la deuda. La moralidad de la familia no tenía sentido si las familias se veían divididas y desposeídas por fuerzas económicas que las dejaban impotentes (ver Nehemías 5.1–5). El jubileo procuraba restaurar la dignidad y la participación social de las familias manteniendo o restableciendo su viabilidad económica.[7]

---

6 Se encontrarán aplicaciones interesantes y creativas del jubileo y de otros aspectos de la economía veterotestamentaria en John Mason: 'Biblical Teaching and Assisting the Poor', *Transformation* 4, no. 2 (1987): 1–14, y Stephen Charles Mott: 'The Contribution of the Bible to Economic Thought', *Transformation* 4, nº 3–4 (1987): 25–34.

7 Un intento sistemático de aplicar los esquemas del Antiguo Testamento pertinentes en relación con la familia extendida en la sociedad occidental contemporánea es el que proponen Michael Schluter y Roy Clements: *Reactivating the Extended Family: From Biblical Norms to Public Policy in Britain*, Jubilee Centre, Cambridge, 1986. Ver además Michael Schluter y John Ashcroft, eds.: *Jubilee Manifesto: A Framework, Agenda & Strategy for Christian Social Reform*, InterVarsity Press, Leicester, 2005, cap. 9.

El tema de la deuda es una causa mayor de la desintegración y la degeneración social, y tiende a alentar muchos otros males sociales, incluidos el crimen, la pobreza, la suciedad y la violencia. El endeudamiento es un hecho, y el Antiguo Testamento lo reconoce. Pero el jubileo constituía un intento de limitar las implacables e interminables consecuencias sociales que de otro modo surgían, mediante el recurso de limitar su posible duración. El colapso económico de una familia en una generación no debía condenar a todas las futuras generaciones a la esclavitud de un perpetuo endeudamiento. Por cierto que esos principios y objetivos no dejan de ser pertinentes para la legislación sobre bienestar social o incluso para cualquier legislación con incidencia sobre aspectos socioeconómicos.

Y por cierto que, llevado a un nivel más amplio todavía, el jubileo le dice mucho a la cuestión global de la deuda internacional. No fue por nada que se llevó a cabo la campaña mundial llamada Jubileo 2000 con el propósito de que llegara el fin de las intolerables e interminables deudas de los países empobrecidos. Y muchos cristianos sintieron el imperativo moral de apoyar la campaña, no solo por compasión a los pobres sino debido a un sentido de justicia bíblicamente arraigado y por lo que Dios requiere de nosotros.

Otro uso paradigmático interesante y creativo, y a mi juicio convincente de la institución del jubileo es el que sugiere Geiko Muller-Fahrenholz en un capítulo titulado 'El jubileo: Techos temporales para el crecimiento del dinero'.[8] Este autor comenta sobre la poderosa teología del tiempo que podemos leer en los ciclos sabáticos de Israel, y su contraste con la comercialización del tiempo en las economías modernas basadas en el concepto de la relación entre la deuda y los intereses. El tiempo es una cualidad que le pertenece a Dios porque ningún ser creado puede fabricarlo.

> Disfrutamos del tiempo, somos llevados por el devenir del tiempo, todo tiene su tiempo, de modo que la sola idea de explotar el paso del tiempo para exigir interés sobre el dinero prestado parecía ridículo. Ya no es así, porque la sacralidad del tiempo ha desaparecido, aun antes de que se desvaneciera de las memorias de nuestras sociedades modernas el carácter sagrado de la

---

8 Geiko Muller-Fahrenholz: 'The Jubilee: Time Ceilings for the Growth of Money', en *Jubilee Challenge*, pp. 104–11. Hay otras interpretaciones creativas del jubileo en el mismo libro.

tierra. En cambio las economías de mercado capitalistas han adquirido importancia global; se las venera como si tuvieran cualidades de omnipotencia que rayan en la idolatría. De modo que surge la pregunta: ¿Tiene sentido atribuirle al dinero cualidades que ninguna cosa creada jamás puede tener, a saber, crecimiento eterno? Todo árbol debe morir, toda casa algún día debe derrumbarse, todo ser humano debe perecer. ¿Por qué no han de tener también su tiempo los bienes materiales, tales como el capital (y su contraparte, las deudas)? El capital no reconoce barreras naturales para su crecimiento. No existe jubileo que le ponga fin a su poder acumulativo. Y por ello no hay jubileo alguno que les ponga fin a las deudas y a la esclavitud. El dinero que se alimenta de dinero, sin ninguna obligación productiva o social, representa un vasto diluvio que amenaza incluso a grandes economías nacionales y hunde a los países pequeños. ... Pero en el centro de esta desregulación está el indiscutido concepto de la vida eterna del dinero.[9]

El ángulo teológico: Una teología para la evangelización. El jubileo estaba basado en varias afirmaciones centrales de la fe de Israel, y la importancia de los mismos no debe ser pasada por alto cuando se considera su pertinencia para la ética y la misión cristianas. Como observamos en el caso del éxodo, sería muy erróneo limitar el desafío del jubileo al campo socioeconómico e ignorar su motivación interna y teológica. Desde un punto de vista misionológico holístico, cada uno de ellos es tan importante como el otro, porque ambos son plenamente bíblicos y ambos reflejan plenamente el carácter y la voluntad de Dios. Los siguientes puntos se destacan en Levítico 25:

- Como el resto de las disposiciones sabáticas, el jubileo proclamaba la *soberanía de Dios* sobre el tiempo y la naturaleza, y la obediencia al mismo requeriría sumisión a esa soberanía. Es decir, había que guardar el jubileo como un acto de obediencia a Dios. Esta dimensión del concepto, orientada hacia Dios, es la razón por la que ese año se consideraba santo, 'un sábado ... consagrado a YHVH', y la razón por la que debía observarse era por 'temor a YHVH'.

- Más todavía, tener en cuenta la dimensión del año de reposo del jubileo también requería fe en la *providencia de Dios*

---

9 *Ibid.*, p. 109.

como quien podía mandar bendición en el orden natural y de este modo proveer para las necesidades básicas (Levítico 25.18–22).

- Constituyen la motivación adicional para esta ley las repetidas apelaciones al conocimiento de *la acción histórica de la redención por parte de Dios,* el éxodo y todo lo que el mismo significaba para Israel. El jubileo era una manera de elaborar las consecuencias dentro de la comunidad del hecho de que todos los israelitas eran simplemente los anteriores esclavos del faraón, ahora esclavos redimidos por YHVH (Levítico 25.38, 42–43, 55).
- A esta dimensión histórica se agregaba la *experiencia del perdón* en el culto y 'presente' en el hecho de que el jubileo debía proclamarse en el día de la expiación (Levítico 25.9). Saberse perdonado *personalmente* por Dios debía convertirse de inmediato en la remisión práctica de la deuda y la esclavitud de *otros.* Algunas de las parábolas de Jesús vienen a la mente.
- Y la esperanza futura del jubileo literal. Se unía a una *esperanza escatológica* de la restauración final de la humanidad y de la naturaleza a su propósito original. Un fuerte pulso teológico late en este capítulo de Levítico.

Aplicar el modelo del jubileo requiere, entonces, que el pueblo reconozca la *soberanía* de Dios, confíe en la *providencia* de Dios, conozca la historia de la *acción redentora* de Dios, experimente en forma personal el sacrificio de la *expiación* provista por Dios, practique la *justicia* de Dios y ponga su esperanza en la *promesa* de Dios para el futuro. Ahora bien, si alentamos a la gente a cumplir estos pasos, ¿de qué nos estamos ocupando? No cabe duda de que constituyen los aspectos fundamentales de la evangelización.

Desde luego que no estoy sugiriendo que el jubileo fuera de carácter evangelizador en ningún sentido contemporáneo. Lo que sí quiero decir es que la teología fundamental por detrás del jubileo también está por detrás de nuestra práctica de la evangelización. Los supuestos son los mismos. El sostén teológico de la legislación socioeconómica del jubileo es idéntico al que sirve de apoyo a la proclamación del reino de Dios. No es de sorprender que el jubileo se convirtiera en un cuadro de la era de la salvación que anuncia el Nuevo Testamento. Es una institución que modela, en un pequeño rincón de la antigua economía israelita, el contorno esencial de la misión más amplia de Dios para la restauración de la humanidad y la creación.

Cuando se la considera apropiadamente a la luz del resto del testimonio bíblico, *la integridad del modelo del jubileo abarca la integridad de la misión evangélica de la iglesia, su ética personal y social y su esperanza futura.*

El jubileo, la esperanza futura y Jesús

La orientación futura del jubileo sirve adicionalmente como puente para ver en qué forma influyó sobre Jesús, y nos ayuda a contestar preguntas sobre si nuestra insistencia en una comprensión holística de la misión se sostiene en el Nuevo Testamento.

Mirando hacia el futuro. Incluso en un nivel puramente económico en el antiguo Israel, la intención era que el jubileo tuviese incorporada una dimensión futura. Se esperaba que el anticipo del jubileo afectara todos los valores económicos del momento (incluido el precio provisional de la tierra). También imponía un límite temporal a las relaciones sociales injustas: no habrían de durar para siempre. El jubileo proporcionaba esperanzas de cambio. Se lo proclamaba con el estallido de la trompeta (la *yôbēl*, de la que se deriva su nombre), instrumento asociado con los actos decisivos de Dios (ver Isaías 27.13; 1 Corintios 15.52). Sin embargo, a medida que fue pasando el tiempo, e incluso cuando el jubileo probablemente dejó de cumplirse en la práctica, su simbolismo se mantuvo firme.

El jubileo tenía dos funciones principales: *liberación/libertad,* y *regreso/restauración* (Levítico 25.10). Ambas funciones se transferían con facilidad de la provisión estrictamente económica del jubileo a su uso con una aplicación metafórica más amplia. Es decir, estos términos económicos se convirtieron en términos de esperanza y anhelos para el futuro, y de este modo ingresaron en la escatología profética.

Hay ecos alusivos al jubileo particularmente en los capítulos finales de Isaías. La misión del Siervo de YHVH tiene fuertes elementos del plan restaurador de Dios para su pueblo, dirigido en especial a los débiles y a los oprimidos (Isaías 42.1–7). Isaías 58 es un ataque a la observancia religiosa sin justicia social y exige la liberación de los oprimidos (Isaías 58.6), centrada en las obligaciones para con la propia parentela (Isaías 58.7). Y con máxima claridad, Isaías 61 se vale de imágenes del jubileo para representar al ungido como el heraldo de YHVH para 'evangelizar' a los pobres, a proclamar libertad a los cautivos (utilizando la palabra *děrôr,* que es explícitamente un término del jubileo para la liberación), y a anunciar el año del favor de YHVH (casi con seguridad una alusión al año de jubileo). La esperanza de *redención* y *retorno* para el pueblo de Dios se combinan en la visión futura de Isaías 35 y se ubican a la par de la igualmente dramática esperanza de una transformación de la naturaleza.

Así, dentro del propio Antiguo Testamento, el jubileo ya había atraído imágenes escatológicas a la par de su aplicación ética en ese presente. Es decir, el jubileo podía usarse para describir la intervención final de *Dios* para la redención y la restauración mesiánicas, pero todavía podía seguir funcionando para justificar el desafío ético para una justicia *humana* hacia los oprimidos en el presente.

Cuando vemos la forma en que la visión y la esperanza del jubileo inspiró pasajes proféticos tales como Isaías 35 e Isaías 61, con su hermosa integración de los reinos personales, sociales, físicos, económicos, políticos, internacionales y espirituales, nuestro propio uso misional y ético del jubileo debe preservar un equilibrio y una integración semejantes, impidiendo que separemos lo que Dios finalmente ha de unir.

Mirando a Jesús. ¿Cómo, entonces, fue adoptada la institución del jubileo por Jesús y aplicada en el Nuevo Testamento para la era del cumplimiento que él inauguró? ¿Cómo, en otras palabras, se relacionó el jubileo con el sentido más amplio de la *promesa* de Antiguo Testamento al que dio cumplimiento Jesús? Jesús anunció la inminente llegada del reinado escatológico de Dios. Sostuvo que las esperanzas de restauración y de reversión mesiánica de su pueblo se estaban cumpliendo en su propio ministerio. Para explicar lo que quería decir, se valió de imágenes e ideas del jubileo (entre otras, desde luego).

El 'Manifiesto de Nazaret' (Lucas 4.16–30) es la declaración programática más clara de esto. Es lo más cerca que llega Jesús a una declaración de una misión personal, y cita de Isaías 61, texto que estaba fuertemente influido por conceptos del jubileo. La mayoría de los comentaristas observa este trasfondo del jubileo en el texto profético y en el uso que le da Jesús. Por cierto que al leer esta porción de las Escrituras y afirmar que es él quien la encarna, Jesús incorpora una dimensión holística en la misión que se propone para sí mismo.

> Lucas no nos va a permitir que interpretemos este lenguaje del jubileo como meras metáforas floridas o alegorías espirituales. … Jesús cumplió el jubileo que proclamó. Su radical misión era la misma misión de Dios que encontramos en la proclamación del jubileo en el Antiguo Testamento. Se la presenta en el Evangelio de Lucas como holística en cuatro aspectos:
>
> 1. Se la proclama y se la lleva a la práctica.
> 2. Es tanto espiritual como física.
> 3. Es tanto para Israel como para las naciones.
> 4. Es tanto presente como escatológica.[10]

Robert Sloan y Sharon Ringe sugieren otros ejemplos de la influencia del jubileo en el pensamiento de Jesús. Sloan observó que el uso que hace Jesús de la palabra 'liberar', *aphesis,* contiene tanto el sentido de perdón *espiritual* del pecado, como la literal remisión *económica* de las deudas reales. Así, el trasfondo del jubileo original en cuanto a liberación económica ha sido preservado en el desafío de Jesús con respecto a la respuesta ética al reino de Dios. Si vamos a repetir la oración el Señor, 'libéranos de nuestras deudas', debemos estar dispuestos a liberar a otros de las suyas. No es cuestión de decidir entre un significado espiritual y otro material, porque ambos pueden ser incluidos como apropiados.[11]

Ringe rastrea la forma en que se entrelazan las principales imágenes del jubileo en diversas partes de las narraciones del evangelio y la enseñanza de Jesús. Hay ecos del jubileo en las bienaventuranzas (Mateo 5.2–12), en la respuesta de Jesús a Juan el Bautista (Mateo 11.2–6), en la parábola del banquete (Lucas 14.12–24) y en diversos episodios sobre el perdón, y

---

10 Paul Hertig: 'The Jubilee Mission of Jesus in the Gospel of Luke: Reversals of Fortunes', *Missiology* 26 (1998): 176–177.
11 Robert B. Sloan (h.): *The Favorable Year of the Lord: A Study of Jubilary Theology in the Gospel of Luke,* Schola, Austin, Tex., 1977.

en especial en la enseñanza sobre las deudas (Mateo 18.21–35).[12]

Las pruebas son amplias y se asemejan al patrón ya observado en el Antiguo Testamento. Al nivel de las alusiones bastante explícitas y la influencia implícita, el jubileo sirve como *símbolo de esperanza* futura y también como una *demanda ética en el presente.*

Mirando al Espíritu. El libro de Hechos muestra que la iglesia primitiva tenía una combinación semejante de expectativa futura y respuesta ética presente. El concepto de restauración escatológica del jubileo se encuentra en la idea, por otra parte única, de una 'restauración completa'. La inusual palabra para esto, *apokatastasis,* aparece en Hechos 1.6 y en Hechos 3.21, donde se refiere a la restauración final de Israel y de todas las cosas por Dios. Parecería que Pedro ha tomado lo central de la esperanza del jubileo (la restauración) y lo ha aplicado no solo a la restauración de la tierra a los granjeros, sino a la restauración de toda la creación mediante el Mesías venidero (2 Pedro 3.10–13).

Sin embargo, es significativo que la iglesia primitiva respondió a esta esperanza futura no solo sentándose y esperando que ocurriera. Más bien, pusieron en práctica algunos de los ideales del jubileo al nivel de la ayuda económica mutua. Es casi seguro que Lucas espera que entendamos que al hacerlo estaban cumpliendo las esperanzas sabáticas de Deuteronomio 15. Hechos 4.34, con su simple afirmación de que 'no había ningún necesitado en la comunidad', está citando Deuteronomio 15.4 de la traducción griega de la Septuaginta, 'no habrá ninguna persona necesitada entre ustedes'. La nueva comunidad en Cristo, que ahora vive en la era escatológica del Espíritu, está convirtiendo la esperanza futura en una realidad presente en términos económicos. O para expresarlo de otra manera, por su práctica interna la iglesia estaba levantando un mural sobre la realidad del futuro. La nueva era de la vida en el Mesías y en el Espíritu se describe en términos que hacen eco al jubileo y a las instituciones sabáticas relacionadas con ella.[13] Y el efecto fue una comunidad en misión marcada por una combinación

---

12 Sharon H. Ringe: *Jesus, Liberation, and the Biblical Jubilee: Images for Ethics and Christology,* Fortress Press, Filadelfia, 1985. Para un análisis conciso de diversas interpretaciones de la forma en que Lucas usa Isaías 61 aquí, ver también Robert Willoughby: 'The Concept of Jubilee and Luke 4.18–30', en *Mission and Meaning: Essays Presented to Peter Cotterell,* ed. Anthony Billington, Tony Lane, y Max Turner, Paternoster, Carlisle, 1995, pp. 41–55.
13 Además de mi propia obra, ya mencionada, un estudio completo y útil de la forma en que Jesús y el resto del Nuevo Testamento se relacionan con las ricas tradiciones escriturarias sobre la tierra es el de David E. Holwerda: *Jesus and Israel: One Covenant or Two?,* Eerdmans, Grand Rapids; Apollos, Leicester, 1995, pp. 85–112.

integral de proclamación verbal (la predicación evangelizadora por parte de los apóstoles) y una atracción visible (la igualdad social y económica de los creyentes). No es de sorprender que la iglesia haya crecido en números, fuerza, madurez y misión.

El Nuevo Testamento y la misión holística

A esta altura suele plantearse una cuestión. En las ocasiones en que he presentado un fundamento bíblico para una comprensión holística de la misión cristiana, señalando la clase de material que hemos analizado en este y en el capítulo anterior (el éxodo y el alcance de la redención bíblica; el jubileo y sus dimensiones sociales, económicas y espirituales), se plantea la siguiente pregunta, 'Pero, ¿cómo se encuadra esto con el Nuevo Testamento? Jesús no dirigió un éxodo de los judíos bajo la opresión romana. De hecho no se comprometió con la política en absoluto. Pablo no hizo campañas para la liberación de los esclavos. ¿Acaso no se ha de entender la misión en el Nuevo Testamento, en primer lugar, si no exclusivamente, como la tarea de la evangelización?'

Puede darse una respuesta a esta objeción en tres niveles: hermenéutico, histórico y teológico.

La misión holística a partir de la aplicación de toda la Biblia. Por supuesto que es cierto que debemos leer el Antiguo Testamento a la luz del Nuevo (y también a la inversa). Y es cierto que el Nuevo Testamento, con su gran afirmación del cumplimiento en Jesucristo, de todo lo que Dios prometió por medio de la historia de Israel, debe regir la forma en que leemos el Antiguo. Jesús resume todo el mensaje y el significado del Antiguo Testamento como aquello que apunta a él, el Mesías, y a la misión de sus discípulos hacia el mundo (Lucas 24.44–49). Y esa misión, a la luz de su muerte y resurrección, era la tarea de predicar el arrepentimiento y el perdón en el nombre de Cristo a todas las naciones. Todo esto se acepta perfectamente y constituye la médula misma de lo que estoy planteando en este libro.

Sin embargo, es una hermenéutica distorsionada y es falso sostener que cualquier cosa que nos diga el Nuevo Testamento acerca de la misión de los seguidores de Cristo *anula* lo que ya sabemos acerca de la misión del pueblo de Dios por el Antiguo Testamento.

Es cierto que el Nuevo Testamento enfatiza lo nuevo que ahora tenemos que proclamar a las naciones. Solo a partir del Nuevo Testamento podemos proclamar las buenas noticias de que:

- Dios ha enviado a su Hijo al mundo.
- Dios ha cumplido la promesa que le hizo a Israel.
- Jesús ha muerto y ha resucitado y ahora reina como Señor y Rey.
- En el nombre de Jesucristo podemos conocer el perdón de pecados mediante el arrepentimiento y la fe en su sangre derramada en la cruz.
- Cristo volverá con gloria.
- El reino de Dios será establecido plenamente en la nueva creación.

Todas estas grandes afirmaciones, y mucho más, constituyen el contenido de las buenas noticias que solo pueden hacerse conocer desde el Nuevo Testamento, por el acontecimiento histórico de los Evangelios y el testimonio de los apóstoles. Y desde luego que es nuestro mandato, deber y gozo proclamar estas cosas al mundo en la tarea de evangelización que se nos ha confiado.

En cambio, ¿dónde encontramos justificación alguna para imaginar que ocupándonos de lo que el Nuevo Testamento nos manda hacer, somos liberados de hacer lo que manda el Antiguo Testamento? ¿Por qué hemos de imaginar que realizar la tarea de la evangelización en obediencia al Nuevo Testamento excluye el hacer justicia en obediencia al Antiguo? ¿Por qué hemos permitido que lo que llamamos la *Gran Comisión* desdibuje el desafío paralelo (apoyado por el propio Jesús) del *Gran Mandamiento*?

Es cierto que tenemos que tener en cuenta la radical novedad de la era de la historia de la salvación inaugurada en el Nuevo Testamento. No somos israelitas del Antiguo Testamento que vivimos sujetos a un pacto teocrático y a la ley de aquel momento. Así que, por ejemplo, cuando tomamos un tema tal como el de la tierra de Israel no es necesario que reconozcamos la hermenéutica tipológico-profética por la que el Nuevo Testamento ve el cumplimiento de todo lo que significaba para Israel como cumplido ahora para los cristianos por ser de Cristo. La tierra de Palestina como territorio y propiedad ya no es teológica ni escatológicamente significativa para el Nuevo Testamento. No obstante, como he sostenido en otra parte,[14] la fuerza paradigmática de la legislación *socioeconómica* que regía la vida de Israel en su tierra todavía es pertinente en sentido ético y misional para los cristianos, tanto en la iglesia como en la sociedad. El hecho de que ya no vivamos en la sociedad de la antigua Israel no significa que no tengamos nada que aprender (o que obedecer) de la legislación social de Israel. La autoridad divina y la invariable pertinencia ética que Pablo sostiene para 'toda la Escritura' seguramente se aplica a la ley tanto como a cualquier otra parte de la Biblia (2 Timoteo 3.16–17).

Ahora bien, hay algunas cosas que se ordenan en el Antiguo Testamento que ya no obedecemos, desde luego, tales como el sistema de sacrificios y las disposiciones sobre lo que es limpio y lo que no lo es. Pero la razón de este cambio se expresa claramente en el Nuevo Testamento. Jesús ha cumplido todo lo que el sistema de sacrificios representaba, y en él tenemos el sacrificio perfecto por el pecado, además de ser nuestro perfecto sumo sacerdote (como lo explica Hebreos en detalle). Y la diferencia entre animales y alimentos limpios o no limpios era simbólico de la diferencia nacional entre el Israel en tiempos del Antiguo Testamento y las naciones, una señal de su santidad. El Nuevo Testamento nos informa que esta antigua distinción ha sido abolida en Cristo, en quien 'ya no hay judío ni griego' (Gálatas 3.28). De modo que ya no necesitamos observar las leyes alimentarias del Antiguo Testamento; pero esto no es porque no tengamos que obedecer al Antiguo Testamento como tal, sino porque reconocemos el carácter transitorio de esas disposiciones como señales de un destino al que ya hemos arribado en Cristo. La razón de ser de nuestra no observancia de estas cuestiones es explícita: siempre fueron transitorias en relación con las circunstancias de Israel antes de la venida de Cristo.

Pero no hay insinuación alguna de que el ubicuo mensaje del

---

14 Ver mi *Old Testament Ethics for the People of God.*

Antiguo Testamento sobre la justicia social y económica, sobre la integridad personal y política, sobre la compasión práctica para con los necesitados, sea en algún sentido transitorio o descartable. Por el contrario, tan centrales son estos asuntos para las exigencias reveladas por Dios para su pueblo (en la Ley, los Profetas, los Salmos, los escritos de Sabiduría y que se ilustran en muchas de las narraciones) que las disposiciones más rituales se relativizan en comparación con ellas, incluso dentro del Antiguo Testamento.

> ¡Ya se te ha declarado lo que es bueno!
> Ya se te ha dicho lo que de ti espera el Señor:
> Practicar la justicia, amar la misericordia,
>> y humillarte ante tu Dios. Miqueas 6.8

No solo se contrastan las exigencias centrales con los requerimientos más rituales, que Miqueas contempla como realizables por él, sino que se las menciona en los términos más universales posible. Esta no es una disposición transitoria hasta que Dios le indique a su pueblo alguna otra prioridad que la remplace. Sencillamente, esto es 'lo que es bueno'. No solo para Israel, sino para 'ti', quien quiera seas. Esto es lo que Dios exige, y punto. El mismo requerimiento fundamental para el pueblo de Dios, con el mismo sentido de lo no negociable, de urgencia no transitoria, puede rastrearse a través de textos tales como Isaías 1.11–17; 58.5–9; Jeremías 7.3–11; Amós 5.11–15, 21–24; Oseas 6.6; Zacarías 7.4–12.

Y ocupando un lugar en la misma tradición profética, Jesús les dice a los fariseos que si bien la atención que prestaban a los detalles de la ley era admirable, estaban descuidando los aspectos centrales y más importantes: la justicia, la misericordia y la fidelidad (Mateo 23.23–24). Jesús respaldaba las prioridades morales del Antiguo Testamento y en consecuencia las prioridades misionales del pueblo de Dios basadas en las Escrituras. La práctica de estas cosas son cuestiones vitales para Dios. No hacerlas era suficiente para que Dios mandara al rico de la parábola de Jesús al infierno, porque había vivido en flagrante olvido de la Ley y los Profetas, descuidando las obligaciones del pacto, y en oposición al Dios cuyo nombre estaba irónicamente vinculado con el mendigo al que había descuidado

(Lázaro significa, 'Dios es ayudador').

¿Cómo pensar, entonces, que la proclamación del evangelio pudiera ser la única misión esencial de la iglesia? Me parece imposible justificar ese reduccionismo si tomamos la Biblia seriamente como nuestra autoridad para la misión y como aquello que define su contenido y alcance. La misión pertenece a Dios, el Dios bíblico. El mensaje de la misión se debe tomar de la revelación bíblica de Dios en su totalidad. De modo que no podemos relegar el poderoso mensaje de acontecimientos tales como el éxodo o instituciones como el jubileo a una era ya pasada. Constituyen una parte integral de la definición bíblica de la idea de Dios en cuanto a la redención, y de las exigencias de Dios a su pueblo redimido. No le hacemos ningún servicio al Nuevo Testamento, ni al nuevo y urgente mandato de la misión que nos encomienda, a la luz de Cristo, cuando ignoramos al Antiguo Testamento y a los fundamentos para la misión allí establecidos, y que Jesús enfáticamente apoyaba. Toda la misión cristiana se apoya en toda la Biblia cristiana.

Jesús y la iglesia primitiva ofrecieron un desafío político radical. Es preciso que nos ocupemos de una segunda respuesta, debido a una opinión equivocada implícita en la pregunta: '¿Cómo se encuadra este material del Antiguo Testamento con el Nuevo Testamento?'

'Jesús no se mezclaba con la política' es una afirmación común, con el supuesto de que, por consiguiente, nosotros tampoco deberíamos hacerlo. De manera que cualesquiera sean las dimensiones políticas que hayamos discernido, por ejemplo en el éxodo, son todas muy interesantes, pero ya no tienen nada que ver con la misión encargada por Cristo. Nuestra preocupación y nuestra tarea, como la de Jesús, deben ser de carácter espiritual y eterno, no terrenal y temporal. Así se desarrolla el argumento que he oído tantas veces como resultado de enseñar un entendimiento bíblico holístico de la misión. ¿Pero acaso es cierto que Jesús no se ocupó de la política?

Depende de lo que queramos decir por *política*.

1) La falsa dicotomía sagrado–secular. Tenemos que ubicarnos más allá de la típica dicotomía moderna entre política y religión, la división secular *versus* sagrado. La presuposición de que Jesús (o cualquier otra figura religiosa de su día) actuaba en una esfera sagrada/espiritual/religiosa muy diferente del mundo del poder y la acción políticos no habría tenido sentido para nadie en esa época. La vida toda se vivía ante Dios, y Dios estaba tan envuelto en los asuntos de estado como en los asuntos del corazón. De hecho, más todavía, las realidades políticas 'terrenales' estaban inevitablemente ligadas a las realidades espirituales del reino celestial. Se tocaban entre sí y eran como el anverso y el reverso de la misma pieza de tela. La actividad política (fuese judía o romana) estaba llena de sentido y significado religioso a todo nivel. Y la participación religiosa tenía consecuencias políticas (a veces de vida o muerte). El Dios o los dioses que se adoraban no habitaban algún dominio espiritual sellado al vacío.

Si uno era judío, se suponía que el Dios al que se adoraba era el Rey de toda la tierra. Por lo tanto las realidades políticas del mundo que parecían contradecir esta convicción fundamental eran motivo de intensa angustia y ansiedad. Así que si le hubiéramos comentado a cualquiera de los contemporáneos de Jesús, que acababa de oírlo predicar y enseñar acerca del reino de Dios, que 'Jesús no se preocupa por la política' probablemente nos habría mirado sin entender. La pregunta en sí misma presupone una radical separación entre un supuesto mundo de realidad espiritual y un mundo empírico de realidad política. Esa dicotomía es el resultado del Iluminismo y no forma parte de la cosmovisión de la Biblia (como tampoco, agregaría yo, debería formar parte de la cosmovisión de la misión bíblica).

2) La no violencia no significa ser apolítico. Segundo, quizás se alega que Jesús no se comprometió con la política en el sentido de que no dirigió una revolución política contra las injusticias de dominio romano, y por consiguiente, significa que no tuvo una agenda política. Pero una actitud política radical no es lo mismo que una política violenta. En algunas situaciones, la propuesta de la no violencia puede ser la agenda política más radical. De modo que decir (acertadamente) que Jesús no era violento ni revolucionario políticamente (en el sentido contemporáneo) no es en absoluto lo mismo que decir que sus afirmaciones, su enseñanza y sus acciones fuesen 'apolíticas'.

Para entender en qué medida Jesús fue radicalmente político, basta con preguntarnos por qué fue crucificado. Él era visto como una amenaza de tal magnitud para los poderes políticos que gobernaban su tierra (tanto para los romanos como para la jerarquía judía) que no vieron otro modo de resolver el riesgo que significaba que eliminando ese desafío mediante una ejecución política. La acusación contra Jesús era manifiestamente política. Fue acusado de declarar que destruiría el templo (amenazando de este modo la concentración monopólica del poder judío), y de proclamar que era el rey de los judíos (amenazando de esta forma el poder romano).

No tiene sentido argumentar que los líderes romanos y judíos entendieron mal a Jesús. No cabe imaginar que Jesús entendía todo en sentido solamente espiritual, como si estuviera hablando sobre un reino religioso que no tenía ninguna relación con (ni constituía una amenaza para) el 'mundo real' de la política terrenal. 'Eso fue todo lo que quiso decir', podríamos pensar, 'pero cometieron el tremendo error de interpretarlo demasiado literalmente. No tendrían que haberse sentido amenazados de ningún modo porque el mensaje de Jesús era exclusivamente acerca de Dios y la fe personal, acerca del buen comportamiento, amar a todos y terminar subiendo al cielo'.

Esto sencillamente no es cierto. Si hubiera sido cierto, la crucifixión habría sido un misterio no resuelto. Es muy posible que las autoridades romanas y judías hayan entendido mal a Jesús de muchas maneras, pero eran operadores políticos astutos y reconocían una amenaza cuando la veían. Lo que sostenía Jesús subvierte toda autoridad humana y la llama a juicio ante el superior tribunal de justicia de Dios. Si Dios realmente es Rey, entonces el César no lo es (del modo en que los romanos creían que lo era). Y si Jesús es el Rey mesiánico de Israel, entonces el viejo orden de cosas en la jerarquía judía, simbolizado por todo el sistema del templo, llega a su fin.[15]

3) *'Venga tu reino ... en la tierra'*. Tercero, es preciso que superemos el modo puramente espiritual en que pensamos acerca del reino de Dios. En el pensamiento popular la frase es un sinónimo del cielo: un lugar del otro mundo al que algún día esperamos llegar, o algo enteramente íntimo y espiritual relacionado con nuestra piedad personal.[16] Claro que tiene

---

15 Una útil síntesis de las consecuencias sociales y políticas de las enseñanzas y las afirmaciones de Jesús es la de Stephen Mott: *Jesus and Social Ethics*, Grove Booklets on Ethics, Grove Books, Nottingham, 1984, publicada primeramente como Stephen Mott: 'The Use of the New Testament in Social Ethics', *Transformation* 1, nº 2–3 (1984). Ver también Paul Hertig: 'The Subversive Kingship of Jesus and Christian Social Witness', *Missiology* 32 (2004): 475–490.

16 La preferencia de Mateo por 'reino de los cielos' en lugar de 'reino de Dios' no supone una distinción, desde

una dimensión futura, y por supuesto que ordena el comportamiento personal, pero el reino de Dios en la predicación de Jesús y dentro del marco de su comprensión y expectativa era mucho más que cualquiera de los dos. Jesús no inventó la expresión *reino de Dios*. Es cierto que la llenó de significado nuevo en relación consigo mismo, pero sus oyentes ya sabían por sus Escrituras lo del reino de YHVH. Cantaban casi todos los sábados en la sinagoga acerca de ese reino, con palabras de los salmos (tales como Salmos 96—98; 145) que lo celebraban. Lo anhelaban conforme a las palabras de los profetas que mediante la fe y el culto de adoración ponían ante su imaginación cuadros de lo que será cuando Dios venga a reinar. Esos cuadros no eran simples elaboraciones de una piedad personalizada o sobre un reino más allá de la muerte.

El reino de YHVH, cuando finalmente llegara, significaría justicia para los oprimidos y destrucción de los malos. Proporcionaría verdadera paz para las naciones y la abolición de la guerra, de los medios para la guerra, y de la preparación para la guerra. Daría fin a la pobreza, a las carencias y a la falta de lo necesario, y habría de proveer viabilidad económica para todos (con la metáfora de que 'podrá comer de su vid y de su higuera'). Significaría una vida que satisface plenamente, habría seguridad para los niños, y plenitud para los ancianos, sin peligro de enemigos, y todo esto dentro de una creación renovada, libre de daños y amenazas. Significaría la inversión de los valores morales que dominan el orden mundial actual, porque en el reino de Dios las prioridades invertidas de las bienaventuranzas funcionan y el Magnificat no es un mero sueño.

Fue una parte de las Escrituras lo que Jesús usó para sintetizar el significado del futuro reino de Dios y su propio gobierno dentro del mismo, en su famoso Manifiesto de Nazaret en Lucas 4.14–30, cuando leyó de Isaías 61, con su eco combinado del éxodo y del jubileo.

'El Espíritu del Señor está sobre mí,
    por cuanto me ha ungido
para anunciar buenas nuevas a los pobres.
    Me ha enviado a proclamar libertad a los cautivos

---

luego. Es casi seguro que su uso tiene que ver con la reticencia de los judíos a mencionar el nombre de Dios, por lo que habitualmente se lo sustituía por 'cielo'. El término no indica algún lugar en otra parte, sino el dinámico reino de Dios aquí y ahora, que no obstante está por venir.

y dar vista a los ciegos,
a poner en libertad a los oprimidos,
a pregonar el año del favor del Señor'. Lucas 4.18–19

Ahora bien, si, como enseñaba Jesús, este reino de Dios ya estaba actuando en la historia por medio de su propia venida, entonces, aun cuando su establecimiento en forma total estaba todavía en el futuro, quienes eligen pertenecer al mismo deben vivir conforme a sus normas aquí y ahora. De modo que los seguidores de Jesús buscarán 'primeramente el reino de Dios y su justicia' (Mateo 6.33). Sin duda esta es una extraordinaria declaración misional, en consonancia total con el énfasis de este libro. Porque esta priorización de la vida hace a nuestra misión dependiente de la de Dios. Suyo es el reino y suya es la justicia. Nuestra misión consiste en buscar ambas cosas en todo lo que hacemos en nuestra propia vida y trabajo.

4) Quebrantando las barreras de la sociedad. La práctica de Jesús y de la nueva comunidad que estableció tenía más significación política que la que con frecuencia nos parece. En realidad Jesús era más revolucionario de lo que pensamos. Nos damos cuenta, naturalmente, de que algo de lo que Jesús hacía era bastante sorprendente para sus contemporáneos. Pero esto no era simplemente una cuestión de sorpresa *social*, como si el comportamiento de Jesús fuese nada más que un tanto molesto para las buenas costumbres convencionales. Muchos de los líderes notables han tenido un comportamiento irritante. No se trata de algo que merezca la crucifixión.

Además, tenemos que recordar que Jesús era considerado como una *amenaza*, y nada menos que una amenaza política. Esto era así porque muchas de sus acciones quebraban las barreras y destruían los tabúes o atravesaban el protocolo social establecido, de tal modo que subvertía la forma en que estaba organizada y estratificada la sociedad. Y en todas las sociedades, el poder político depende de la aceptación convencional de 'cómo son las cosas y cómo deben serlo siempre'. En la sociedad judía del primer siglo estaban incluidos una serie de supuestos sobre muchos asuntos, tales como:

- quién era limpio y quién no lo era (lo cual tenía penetrantes ramificaciones sociales)

LA MISIÓN DE DIOS

- a quién se podía tocar y a quién se hacía grandes esfuerzos para evitar
- quién formaba parte de 'los justos' y quién no
- lo que se podía y lo que no se podía hacer en el sábado
- con quién se podía comer y con quién nunca se debía hacerlo
- quién podía ofrecer perdón y en qué contexto, y quién tenía por lo tanto el poder de definir la exclusión o inclusión sociales que lo acompañaban

Jesús abolió algunos de estos supuestos, ignoró otros y deliberadamente desafió a unos cuantos más. Invirtió por completo la distinción entre lo limpio y lo no limpio. Eligió sanar en sábado y redefinir la significación de ese día en torno a sí mismo. Se acercó a los excluidos por los tabúes de la sociedad: las mujeres, los niños, los enfermos, los impuros, incluso los muertos. Ofreció perdón a la gente en base a su propia autoridad, omitiendo la ruta normal de ese beneficio, a saber, el culto oficial de sacrificios en el templo. Comió con cobradores de impuestos, prostitutas y 'pecadores' (según la definición oficial). Más todavía, ofrecía relatos que le asignaban un final muy diferente a la historia 'oficial' de Israel, y condenaba a los que ocupaban el poder en la sociedad; y estos últimos sabían que se estaba refiriendo a ellos. Cuando estaba siendo juzgado ante la más alta autoridad política y religiosa en la sociedad judía, tranquilamente se atribuyó a sí mismo la identidad del Hijo de Hombre proclamado por el profeta Daniel, cuya autoridad habría de derrotar finalmente a los poderes opresivos y persecutorios (Daniel 7). Con razón el sumo sacerdote se rasgó las vestiduras y exclamó blasfemias. Las declaraciones y enseñanzas de Jesús no solo hacían reventar los viejos odres de vino; eran capaces de reventar algunas venas políticas.[17]

5) El precio político de seguir a Jesús. La comunidad formada por Jesús, que por cierto no había sido lanzada como otro partido político (junto a los fariseos, los saduceos, los esenios y los zelotes), era una comunidad cuya lealtad a Cristo tenía inevitables consecuencias sociales y políticas. Jesús advirtió a sus seguidores que su discipulado posiblemente provo-

---

17 Ver Colin J. D. Greene: *Christology in Cultural Perspective: Marking out the Horizons*, Eerdmans, Grand Rapids; Paternoster, Carlisle, 2003, en especial el cap. 7, 'Christology and Human Liberation.'

caría conflictos sociales con sus propias familias y vecinos (como su obediencia al Padre había significado para él). Y probablemente provocaría problemas con las autoridades gubernamentales, que los perseguirían, los acusarían, los arrestarían, los juzgarían, y los condenarían. Ese sería el precio de reconocer a Jesús de Nazaret como Cristo y Señor.

Pocas semanas después de la crucifixión de Jesús sucedió esto justamente, cuando Pedro y Juan fueron acusados ante el Sanedrín. Y así el Nuevo Testamento agrega su primer caso de desobediencia política a la noble lista en el Antiguo Testamento encabezada por Sifrá y Fuvá, las parteras hebreas que desobedecieron al faraón por temor a Dios.

Y en el mundo romano más amplio la historia sería la misma. Confesar a Jesús como el Mesías (Rey) y Señor era, de hecho, negar que el César fuese Señor. Pero esa última declaración era el credo definitorio y la argamasa política del imperio romano. A Roma no le molestaba qué dioses se elegía adorar, siempre que la persona estuviera dispuesta a rendir la primacía de la lealtad a los dioses de Roma, y especialmente al emperador. Esto se cumplía quemando incienso ante el busto del emperador en un lugar público y afirmando 'Kyrios Kaisar', 'César es Señor'. Pero los cristianos declaraban que había otro Rey, llamado Jesús, por encima del cual no hay ningún otro rey, por cuanto él es Rey del universo. De modo que confesar que 'Kyrios Iēsous', 'Jesús es Señor' era hacer una declaración tanto política como religiosa, por cuanto relativizaba todas las formas de autoridad humana en la tierra bajo la soberanía de Dios en Cristo. Un gran número de cristianos murieron pagando el precio político de negarse a confesar el señorío del César con los mismos labios que confesaban el señorío exclusivo de Cristo.

Pero la primitiva comunidad cristiana no se distinguía únicamente por una afirmación que subvertía la pretensión política del imperio. Era, al mismo tiempo, una comunidad profética, porque en el seno del antiguo orden del mundo procuraban vivir las verdades y los valores del nuevo orden: el del reino de Dios que se hacía presente. Esta nueva comunidad, conscientemente moldeada por el derramamiento escatológico del Espíritu de Dios, eligió expresar su unidad espiritual con tanta igualdad económica como pudiese lograr, para que nadie tuviese que ser pobre entre ellos. Tenían la enseñanza de los apóstoles, quienes insistían en que el deber de los cristianos no era solamente dar testimonio y evangelizar, sino 'hacer el bien' (como Pablo anima siete veces a hacer en su breve carta a Tito) y a ser modelos de amor práctico en un mundo lleno de odio. Debían ser buenos ciudadanos y pagar sus impuestos, pero también tener presente que el mandato de Dios a las autoridades estatales (que son 'siervos de Dios') consistía en practicar la justicia, castigar la maldad y recompensar la buena conducta (Romanos 13.1–7). Aceptaban que las autoridades políticas estaban allí por designación de Dios, pero no olvidaban las palabras de los profetas, quienes declaraban que los gobiernos que pervertían la justicia en última instancia estaban sometidos al juicio de Dios (ver Jeremías 22.1–5). Y Santiago, en un estilo verdaderamente profético, les recordaba no solamente que la fe sin la acción práctica del amor y la justicia está muerta, sino también que seguía siendo parte del deber apostólico de la iglesia (como lo había sido de los profetas en la antigüedad) denunciar en términos muy claros las prácticas opresivas de los empleadores inescrupulosos que alimentan su lujo obsceno con las lágrimas de aquellos a quienes explotan (Santiago 2.14–17; 5.1–6). Con su ilimitada energía volcada a la evangelización, los cristianos primitivos no dejaban de tener presente la importancia de su fe para el mundo político, social y económico que los rodeaba. El alegato contrario, tan común, de que no procuraron abolir la esclavitud, es una base inadecuada en la cual apoyar el punto de vista de que el cristianismo primitivo no expresó ningún interés político ni social.

La centralidad de la cruz

Cualquier teología de la misión que afirme ser bíblica ha de tener en su centro aquello que constituye el centro mismo de la fe bíblica: la cruz de Cristo. De modo que si hemos de establecer que una comprensión verdaderamente bíblica de la misión es holística, que integra todas las dimensiones que hemos analizado hasta aquí, entonces es preciso que preguntemos en qué forma todo eso adquiere coherencia en torno a la cruz.

Una teología de la cruz centrada en la misión. Vengo sosteniendo a lo largo de este libro que la Biblia nos presenta la misión de Dios de redimir y renovar toda su creación. Tenemos más camino que recorrer en ese viaje en los capítulos que tenemos por delante. Sin embargo, en el contexto de esta consideración del significado de la redención y su relación con la misión, es necesario que a esta altura hagamos mención de un punto clave.

La misión de Dios tiene muchas dimensiones al ir rastreando el tema de su propósito salvífico a través de los diferentes hilos de la Escritura. Pero cada una de las dimensiones de esa misión de Dios llevaba inexorablemente a la cruz de Cristo. *La cruz fue el inevitable costo de la misión de Dios.*

Pensemos por un momento en algunos de los grandes contornos del propósito redentor de Dios. Los siguientes elementos (por lo menos) probablemente habrían sido incluidos por Pablo en lo que él denominó 'todo el propósito de Dios' (Hechos 20.27). Los enumero en la forma más breve posible. Cada uno de estos puntos merece un discurso teológico (y han generado muchos).

El propósito o la misión de Dios eran:

- *Ocuparse de la culpa del pecado humano,* que debía ser castigada para que la justicia de Dios fuese vindicada. Y en la cruz Dios cumplió este requisito. Dios cargó sobre sí esa culpa y el castigo correspondiente con amorosa y voluntaria sustitución por medio de la persona de su propio Hijo. Porque 'el Señor hizo recaer sobre él / la iniquidad de todos nosotros' (Isaías 53.6), y Cristo 'llevó al madero nuestros pecados' (1 Pedro 2.24). La cruz es el lugar del perdón personal, la remisión y la justificación para pecadores culpables.
- *Derrotar a los poderes del mal* y a todas las fuerzas (angelicales, espirituales, 'visibles o invisibles') que oprimen, aplastan, invaden, arruinan y destruyen la vida humana, ya sea directamente o por medio de agentes humanos. En la cruz Dios cumplió todo esto, 'despojó a los principados y a las autoridades … triunfando sobre ellos en la cruz.' (Colosenses 2.15, RVR95). La cruz es el lugar de la derrota de todos los males cósmicos y es allí donde se sella su des-

trucción final.

- *Destruir a la muerte,* el gran invasor y enemigo de la vida humana en el mundo de Dios. Y en la cruz Dios así lo hizo, cuando '[anuló] mediante la muerte [de Cristo], al que tiene el dominio de la muerte —es decir, al diablo' (Hebreos 2.14). La cruz, paradójicamente el símbolo de muerte más terrible del mundo antiguo, es fuente de vida.

- *Eliminar la barrera de la enemistad y la alienación entre judíos y gentiles,* y finalmente, por inferencia, toda forma de enemistad y alienación. Y en la cruz Dios así lo hizo, 'porque Cristo es nuestra paz: de los dos pueblos ha hecho uno solo, derribando … el muro de enemistad que nos separaba. . . . Esto lo hizo para crear en sí mismo de los dos pueblos una nueva humanidad al hacer la paz, para reconciliar con Dios a ambos en un solo cuerpo mediante la cruz, por la que dio muerte a la enemistad' (Efesios 2.14–16). La cruz es el lugar de la reconciliación, con Dios y de unos con otros.

- *Sanar y reconciliar a toda su creación,* la misión cósmica de Dios. Y en la cruz Dios hizo esto finalmente posible. Porque es la voluntad final de Dios 'por medio de [Cristo], reconciliar consigo todas las cosas, tanto las que están en la tierra como las que están en el cielo, haciendo la paz mediante la sangre que derramó en la cruz' (Colosenses 1.20; aquí 'todas las cosas' claramente debe significar todo el cosmos creado, por cuanto eso es lo que según Pablo ha sido creado por Cristo y para Cristo (Colosenses 1.15–16), y ahora ha sido reconciliado por Cristo (Colosenses 1.20). La cruz es la garantía de una creación futura ya restaurada.

De modo, entonces, que todas estas gigantescas dimensiones de la misión redentora de Dios nos son presentadas en la Biblia. La misión de Dios era que:

- El pecado fuera castigado y los pecadores fueran perdonados.
- El mal fuera derrotado y la humanidad liberada.

- La muerte fuera destruida y la vida y la inmortalidad fuesen sacadas a la luz.
- Los enemigos fueran reconciliados entre sí y con Dios.
- La creación misma fuera restaurada y reconciliada con su Creador.

Todas estas cosas juntas constituyen la misión de Dios. Y todas ellas condujeron a la cruz de Cristo. *La cruz fue el costo inevitable de la misión total de Dios*, como Jesús mismo lo reconoció, durante su agonía en Getsemaní: 'No se cumpla mi voluntad, sino la tuya.'

Un entendimiento bíblico pleno de la obra expiatoria de Cristo en la cruz va mucho más allá (si bien incluye) la cuestión de la culpa personal y el perdón individual. El que Jesús muriera en mi lugar, llevando la culpa de mi pecado como sustituto voluntario, es la más gloriosa verdad liberadora, a la que nos aferramos con gozoso y agradecido culto de adoración y lágrimas de asombro. El anhelo de que otros conozcan esta verdad y sean salvos y perdonados llevando sus pecados hasta el Salvador crucificado con arrepentimiento y fe es la motivación que más impulsa hacia la evangelización. Y todo esto se ha de sostener con total compromiso y convicción personal.

Pero hay más en la teología bíblica de la cruz que la salvación individual, y hay más en la misión bíblica que la evangelización. El evangelio es buenas noticias para toda la creación (a la que, de conformidad con el final más largo de Marcos, hay que predicarle [Marcos 16.15; ver Efesios 3.10]). Señalar estas dimensiones más amplias de la misión redentora de Dios (y por consiguiente de nuestra participación comprometida en la misión de Dios) *no* es desnaturalizar el evangelio de la salvación personal (como a veces se dice). Más bien, ubicamos esas preciosas buenas noticias personales para el individuo con actitud firme y afirmativa en su pleno contexto bíblico de *todo* lo que Dios ha logrado y finalmente completará mediante la cruz de Cristo.

Una teología de la misión centrada en la cruz. De modo que la cruz fue el inevitable costo de la misión de *Dios*. Pero es igualmente cierto y bíblico decir que *la cruz es el inevitable centro de nuestra misión*. Toda misión cristiana nace de la cruz, como su fuente, su poder, y como aquello que define su alcance.

Es vital que veamos a la cruz como central e integral para todos los aspectos de la misión bíblica holística, es decir, para todo lo que hagamos en el nombre de Jesús crucificado y resucitado. Es un error, en mi opinión, pensar que mientras nuestra evangelización debe centrarse en la cruz (como desde luego tiene que serlo), nuestra actividad en lo social y otras formas de acción misionera práctica tienen algún otro fundamento o justificativo teológico.

¿Por qué es igualmente importante la cruz en todo el campo de la misión? Porque en toda forma de misión cristiana en el nombre de Cristo enfrentamos a los poderes del mal y del reino de Satanás, con todos sus efectos negativos en la vida humana y en la creación más amplia. Si hemos de proclamar y demostrar la realidad del reino de Dios en Cristo (es decir, si hemos de proclamar que Jesús es rey, en un mundo que todavía prefiere exclamar 'no tenemos más rey que el emperador romano' y sus muchos sucesores, incluido mamón) entonces nos veremos en conflicto directo con el usurpado reino del maligno, y toda su legión de manifestaciones. La mortífera realidad de esta batalla contra los poderes del mal es el unánime testimonio de los que luchan por la justicia, por las necesidades de los pobres y los oprimidos, los enfermos y los ignorantes, e incluso aquellos que procuran cuidar y proteger la creación de Dios de los explotadores y los contaminadores, así como lo es la experiencia de los que (con frecuencia las mismas personas) luchan mediante la evangelización para atraer a las gente a la fe en Cristo como Salvador y Señor e iniciar iglesias. En todas esas ocupaciones enfrentamos la realidad del pecado y de Satanás. En todas esas ocupaciones desafiamos al mundo de las tinieblas con la luz y las buenas noticias de Jesucristo y el reino de Dios por medio de él.

¿Con qué autoridad podemos hacer esto? ¿Con qué poder nos sentimos competentes para oponernos a los poderes del mal? ¿Sobre qué base nos atrevemos a desafiar las cadenas de Satanás, con palabras y hechos, en la vida espiritual, moral, física y social de las personas? Solo con la cruz...

- Solo en la cruz hay perdón, justificación y limpieza para pecadores culpables.
- Solo en la cruz se encuentra la derrota de los poderes del mal.
- Solo en la cruz hay liberación del temor a la muerte y su total destrucción final.

- Solo en la cruz pueden reconciliarse hasta los más acérrimos enemigos.
- Solo en la cruz seremos finalmente testigos de la sanidad de toda la creación.

El hecho es que el pecado y el mal constituyen malas noticias en todas las áreas de la vida en este planeta. La obra redentora de Dios a través de la cruz de Cristo constituye buenas noticias para todas las áreas de la vida en la tierra que han sido manchadas por el pecado, lo cual equivale a todas las áreas de la vida. Dicho crudamente, necesitamos un evangelio holístico porque el mundo es un holístico desquicio. Y por la increíble gracia de Dios tenemos un evangelio que es lo suficientemente grande para redimir todo lo que el pecado y el mal han estropeado. Y todas las dimensiones de esas buenas noticias constituyen buenas noticias única y completamente en razón de la sangre de Cristo en la cruz.

En última instancia todo lo que habrá allí en esa nueva creación redimida estará allí debido a la cruz. Inversamente, también, todo lo que no habrá allí (el sufrimiento, las lágrimas, el pecado, Satanás, la enfermedad, la opresión, la corrupción, la descomposición y la muerte) será porque habrá sido derrotado y destruido por la cruz. Ese es el largo, el ancho, la altura y la profundidad de la idea que tiene Dios en cuanto a la redención. Esas son las excelentísimas buenas noticias. Esa es la fuente de toda nuestra misión.

De manera que mi apasionada convicción es que la misión holística debe tener una teología holística de la cruz. Esto incluye la convicción de que la cruz tiene que ser tan central a nuestra preocupación social como lo es a nuestra tarea de evangelización. No hay otro poder, ningún otro recurso, ningún otro nombre por medio del cual podamos ofrecer todo el evangelio a la persona en su totalidad y al mundo entero, que Jesucristo crucificado y resucitado.

La práctica y las prioridades

En los últimos dos capítulos hemos venido considerando el caso bíblico a favor del entendimiento holístico de la misión. Inevitablemente, sin embargo, surge una cantidad de interrogantes de tipo más práctico, que tienen que ser admitidos como corolario.

¿La primacía o la ultimidad? Aun cuando estemos de acuerdo en que la misión bíblica es intrínsecamente holística y que los cristianos deberían comprometerse con la amplia gama de imperativos bíblicos (procurando imponer justicia, trabajando para los pobres y los necesitados, predicando el evangelio de Cristo, enseñando, sanando, alimentando, educando, y así por el estilo), ¿acaso sigue siendo cierto que la evangelización ocupa el primer lugar en todo esto? Es posible que la evangelización no represente todo lo que debemos hacer en cuanto a misión, ¿pero no es, acaso, lo más importante? ¿No debería tener prioridad con respecto a todo lo demás?

Hay una fuerte corriente evangélica de pensamiento misionológico que sostiene esto, y no se la ha de discutir ligeramente, y menos hacerla a un lado.[18] Los defensores de la primacía de la evangelización no niegan la naturaleza holística de la misión bíblica y el amplio alcance de todo lo que con justicia tendríamos que estar haciendo mientras nos ocupamos de la misión por amor a Cristo. Ven la relación entre la evangelización y la acción social como parte totalmente integral e inseparable, como los dos filos de un par de tijeras o las dos alas de un ave o un avión. No se puede cumplir uno sin lo otro, aun cuando no son idénticos entre sí, como tampoco puede uno sustituir al otro. Pero de todos modos, incluso en una relación con esa clase de integración, la evangelización aparece como lo primario, en razón de que la acción social *cristiana* (como parte de la misión) requiere la existencia de *cristianos* socialmente activos, y esto presupone la evangelización mediante la cual ellos mismos llegaron a la fe en Cristo.

---

18 El Pacto de Lausana de 1974 y la extraordinariamente productiva década posterior de conferencias que siguieron y de declaraciones sobre la relación entre la evangelización y la acción social proporciona el canal central de dicho pensamiento. Se lo puede seguir en el útil compendio de todos los documentos de Lausana hasta 1989: John Stott, ed.: *Making Christ Known: Historic MissionDocuments from the Lausanne Movement 1974–1989*, Paternoster, Carlisle, 1996. El pensamiento en todo este material es ampliamente holístico. Otro análisis de la recuperación de esta comprensión de la misión puede consultarse en Samuel Escobar: *Cómo comprender la misión*, Certeza Unida, 2008, cap. 9; y David J. Bosch: *Transforming Mission: ParadigmShifts in Theology of Mission*, Orbis, Maryknoll, N. York, 1991, pp. 400–408.

Así, la evangelización tiene una especie de primacía cronológica tanto como teológica.

Hay una fuerte lógica aquí, y una posición así es infinitamente preferible ya sea frente a una afirmación extrema de la evangelización como la única propietaria legítima de la patente para la misión cristiana (con exclusión de toda otra defensa del derecho de usar siquiera el término *misión*), como frente a una extrema politización liberal y pluralista del significado de la misión, tal que la evangelización resulta ser casi lo único que *no* se permite hacer.

Con todo, hay algunas consecuencias desafortunadas con este punto de vista, cuando se filtra y llega al pensamiento y la práctica de algunos individuos, agencias e iglesias. Consideremos lo que sigue como unos cuantos interrogantes cautelosos antes que severas críticas, dado que esta es una posición por la que siento una medida considerable de simpatía.

Primero, el lenguaje de la 'prioridad' supone que todo lo demás es, cuando más, 'secundario'. Por los clichés del mundo de los deportes, sabemos que 'terminar segundo es igual que nada' (por lo menos era la forma en que mi vieja práctica del remo se hablaba acerca de la carrera anual entre Oxford y Cambridge). Y por cierto que hay iglesias y agencias misioneras que han adoptado la frase *misión secundaria* para describir a todos los que no están directamente ocupados en la evangelización y la formación de iglesias. Tengo amigos que sirven como médicos misioneros en el África que reciben una carta de la iglesia que los apoya informándoles que han sido clasificados como 'misioneros secundarios'. El subtexto fácilmente detectable de esta clase de lenguaje (que a veces se verbaliza exactamente así) es que no son misioneros *verdaderos* en absoluto. En otras palabras, el lenguaje de la prioridad y la primacía tiende a comunicar un sentido de singularidad y de exclusión. La evangelización es la *única* misión verdadera. Una vez más estamos ensalzando el mandato del Nuevo Testamento a la evangelización a tal punto que pensamos que estamos absueltos de cumplir toda otra dimensión de la misión de Dios que el resto de la Biblia requiere del pueblo de Dios. Sin embargo, una cosa es decir (acertadamente) que *debemos* dedicarnos a la evangelización. Otra cosa es decir (erróneamente, como he tratado de sostener) que la evangelización es lo *único* que significa estar dedicado a la misión.

La palabra *prioridad* sugiere algo que tiene que ser el punto inicial. Una prioridad es aquello que es lo más importante o urgente. Es aquello que hay que hacer antes que nada. No obstante, un modo diferente de pensar en la misión sería imaginar un círculo con todas las necesidades y oportunidades de las que Dios nos pide (o nos manda) que nos ocupemos en el mundo. Esto se logra mejor cuando pensamos en un contexto específico local, desde luego, que cuando se intenta hacerlo globalmente. Se puede armar un esquema en forma de tela de araña, donde la presentación de problemas se atribuye a causas más profundas, y estas a su vez se relacionan con otros problemas y factores subyacentes. Finalmente, se discierne una compleja telaraña de factores interconectados, que constituye toda la gama de quebrantamientos y necesidades, de pecado y de maldad, de sufrimiento y de pérdidas que puede encontrarse en cualquier situación humana, personal o social. La lista de factores contribuyentes sin duda incluirá los que son de carácter espiritual, moral, físico, de familia, políticos, ambientales, educacionales, económicos, étnicos, culturales, religiosos y muchos más.

Se plantea, entonces, el interrogante: ¿Qué es lo que constituye las buenas noticias del evangelio bíblico en este círculo interrelacionado de necesidades y causas subyacentes presentadas? ¿Cuál es la misión de Dios en relación con toda esta interrelación? ¿Cómo acciona el poder de la cruz sobre cada uno de los males que operan aquí? Esto debería proporcionar una respuesta amplia, tan amplia como la escala del problema, porque el evangelio acciona sobre cada cosa que el pecado ha tocado, o sea sobre todo.

En una excelente reflexión sobre lo que constituye misión holística (basada en toda una vida de misión transcultural personal en diferentes ministerios y ubicaciones), Jean-Paul Heldt sugiere que tenemos que ver cualquier problema humano en las cuatro dimensiones básicas de nuestra existencia humana: *física, mental, espiritual y social.*[19] Al hacerlo, descubrimos diferentes causas subyacentes de los problemas que se presentan, y luego, por supuesto, tenemos que aplicar el poder del evangelio

---

19 Yo he enseñado esta misma cuádruple dimensión de la vida humana por muchos años, tanto al exponer Génesis como al enseñar los fundamentos bíblicos para la misión. El lector encontrará reflexiones adicionales en el capítulo 13.

a todas esas causas y sus efectos. Heldt ilustra su planteo (y es también el mío) a partir del problema prevaleciente y recurrente de la ceguera nocturna en los niños, biológicamente resultado de la falta de la vitamina A. Pero de allí pasa a clasificar la gama de factores que intervienen.

> La ceguera nocturna tiene causas que se entrelazan. Esta ceguera es, indudablemente, un síntoma de una deficiencia en cuanto a la vitamina A (causa biológica). Pero esa deficiencia es principalmente el resultado de la desnutrición, lo cual ocurre en el contexto de la pobreza (por factores tales como la desigual distribución de la tierra, leyes laborales injustas y falta de equidad en las estructuras salariales). Finalmente, en la base de la injusticia social hay codicia y egoísmo, que son valores morales y espirituales. Por ello no es realista pretender curar y prevenir la ceguera nocturna con gotas de vitamina A, a menos que también nos ocupemos de enfrentar los problemas de la desnutrición, la pobreza, la injusticia social, y, en última instancia, el egoísmo y la avaricia.[20]

Un proceso de análisis y discernimiento así nos dará una idea del alcance de una respuesta misional holística para la situación que estamos considerando. De modo que la pregunta obligada es, ¿dónde comenzamos? El lenguaje de la 'prioridad de la evangelización' da a entender que el único lugar donde corresponde comenzar tiene que ser siempre con la proclamación del evangelio. *Prioridad* significa que es lo más importante, lo más urgente, lo que hay que hacer primero, y que todo lo demás tiene que pasar a segundo, tercero o cuarto lugar. Pero la dificultad con esto es que (1) no siempre es posible o deseable en la situación concreta, y (2) tampoco refleja la práctica real de Jesús.

En realidad, casi cualquier punto de *partida* puede ser el apropiado, posiblemente según lo que sea la necesidad más apremiante o más obvia. Podemos *iniciar* el círculo de la respuesta misional en cualquier punto del círculo de la necesidad humana. *Pero en última instancia* no debemos conformarnos hasta que hayamos incluido en nuestra respuesta misional la integridad de la respuesta misional de *Dios* ante la difícil situación humana, y desde luego que dicha respuesta incluye las buenas noticias de

---

20 Jean-Paul Heldt: "Revisiting the 'Whole Gospel': Toward a Biblical Model of Holistic Mission in the 21st Century", *Missiology* 32 (2004): 157.

Cristo, la cruz y la resurrección, el perdón de pecados, el don de la vida eterna que está a disposición de hombres y mujeres a través de nuestro testimonio del evangelio y la esperanza de la nueva creación de Dios. Es por eso que prefiero hablar de ultimidad, como horizonte extremo de la vida humana, más que de primacía. Es posible que la misión no siempre *comience* con la evangelización. Pero la misión que en última instancia no *incluya* la declaración de la Palabra y el nombre de Cristo, el llamado al arrepentimiento, y la fe y la obediencia no ha completado su tarea. Es una misión defectuosa, no es misión holística.

Nuestro estudio del éxodo en el capítulo 8 ilustra esto. Dios se hizo presente en el círculo de la necesidad de Israel al nivel de su explotación económica y de su aflicción por el genocidio a manos de los egipcios. Habiendo *redimido* a los israelitas por medio del éxodo (y es así como se usa primero ese lenguaje), Dios procedió a proveer a sus necesidades *físicas* en el desierto. Luego inició la relación con ellos a través del *pacto* después de revelar su nombre, su carácter y su ley. Todo esto, les dijo, era con el fin de que realmente lo *conocieran* como el Dios vivo y lo *adoraran* solo a él. A continuación proporcionó el lugar para su propia morada, donde pudieran *encontrarse* con él, y finalmente, el sistema de *sacrificios* mediante los cuales pudieran mantener esa relación y resolver la cuestión del pecado y la falta de limpieza mediante la *expiación* proporcionada por Dios. Toda clase de elementos forman parte de esta experiencia total y la narración que la describe. Pero *finalmente* la meta era que el pueblo de Dios conociera a Dios y lo amara con inquebrantable lealtad, adoración y obediencia. Es este un modelo fecundo para la misión.

La evangelización y el compromiso social: ¿El huevo o la gallina? Otra forma en que a veces se encara la cuestión es esta: con seguridad que la mejor manera de lograr un cambio social y todos los buenos objetivos que tenemos para la sociedad sobre la base de lo que sabemos que Dios quiere (justicia, integridad, compasión, cuidado de la creación, etc.) es mediante una vigorosa evangelización. Cuantos más cristianos haya, tanto mejor será para la sociedad. De manera que si queremos cambiar la sociedad, dediquémonos a la evangelización. Luego aquellos que se hacen cristianos se ocuparán de la parte que corresponde a la acción social. Con frecuencia he oído esto como un argumento para priorizar la evangelización por encima de la acción social, y suena muy plausible, pero tiene algunas fallas serias. Una vez más, quiero destacar que lo que sigue de ningún modo tiene por objeto negar que la evangelización sea absolutamente vital, sino más bien negar que pueda cargar con el peso de la obediencia al resto de los mandatos de la Biblia en relación con nuestras responsabilidades sociales en el mundo.

Primero (y creo que le debo este punto a John Stott), hay una lógica defectuosa en la afirmación que dice que 'si se es cristiano, no se debe dedicar tiempo a la acción social, y en su lugar se debe dedicar tiempo a la evangelización porque la mejor manera de cambiar la sociedad es multiplicando el número de cristianos'. Esta lógica es defectuosa porque (1) todos esos nuevos cristianos, siguiendo la misma recomendación, dedicarán tiempo solo a la evangelización, de modo que ¿quién se va a dedicar al aspecto social de la misión? y (2) tendríamos que dedicarnos a la acción social ya que nosotros mismos somos producto de la evangelización de alguna otra persona. Así que siguiendo esa lógica, tendríamos que ser nosotros los que nos dediquemos a la actividad social que tan fácilmente transferimos a los que son fruto de nuestros esfuerzos evangelísticos. En otras palabras, el argumento se convierte en un retroceso infinito en el que el verdadero compromiso social como parte de la misión cristiana en el mundo se posterga de una generación de conversos a otra, y cada una con la sensación de un justificativo espurio al transferir la responsabilidad.

Segundo, este punto de vista pasa por alto la importancia del ejemplo. Todos tendemos a imitar a los que ejercen mayor influencia sobre nosotros. Si alguien llega a la fe a través del esfuerzo de un cristiano o una iglesia que solo apoya el mandato de la evangelización pero tiene una actitud negativa o no comprometida con lo social, cultural, económico o político, entonces lo más probable es que ese nuevo convertido absorba, conscientemente o de otro modo, la misma actitud dicotómica. Enseñamos como fuimos enseñados. Reflejamos el tipo de misión que nos llevó a acercarnos a la fe. La evangelización que ofrece una segura estrategia personal para escapar del mundo, antes que un compromiso misional con el mundo, probablemente produzca, a largo plazo, cristianos e iglesias que tienen poca influencia en la cultura que los rodea y poco incentivo para saber cómo o porqué tendrían que tenerla de todos modos. La evangelización que multiplica cristianos que solo están interesados en más evangelización, pero que no luchan con el desafío de ser sal y luz en el mundo laboral que los rodea, podrá aumentar las estadísticas de crecimiento de la iglesia. Pero no debemos suponer que es un modo adecuado, y menos aún el mejor modo, de cumplir el resto de nuestras obligaciones bíblicas en la sociedad.

Tercero, y trágicamente, este punto de vista no recibe el apoyo de la historia de la misión cristiana. Sin duda hay lo que podríamos llamar mejoramiento como consecuencia de la conversión. Es decir, el hecho de que cuando la gente de trasfondos muy pobres y desposeídos se hace cristiana, tiende a abandonar algunos hábitos perniciosos (p. ej., despilfarrar su dinero en el juego, el alcohol, etc.) y adquiere algunos hábitos positivos (tales como un nuevo sentido de valía personal y de la dignidad del trabajo, de la preocupación por otros, de la responsabilidad de proveer para la familia, la honestidad, etc.). El efecto puede contribuir a un mejoramiento social, y desde luego que puede ser de beneficio para la comunidad si suficientes personas son afectadas de este modo.

Sin embargo, hay otros casos en los que una rápida conversión de comunidades enteras hacia un evangelio pietista que canta las canciones del Sión venidero pero no exige ninguna preocupación radical por las consecuencias sociales, políticas, étnica y culturales de la totalidad de la fe bíblica aquí y ahora, ha llevado a una masiva y bochornosa disonancia entre las estadísticas y la realidad. Algunos de los estados en el noreste de la India, tales como Nagalandia, se erigen como destacados ejemplos del éxito de la evangelización de la última parte del siglo diecinueve y la primera del siglo veinte, cuando se convirtieron tribus enteras. Según las estadísticas del estado alrededor del 90 por ciento de la población es cristiana. Con todo, actualmente se ha vuelto en uno de los estados más corruptos de la Unión India y está azotada por problemas de juego y drogas entre la generación más joven. Los estudiantes del Union Biblical Seminary, donde enseñé en la década de 1980, me decían esto como prueba del hecho de que la evangelización exitosa por sí sola no siempre arroja como resultado una transformación social duradera. Otros pueden señalar con desesperación y triste desconcierto la trágica ironía de

Ruanda, una de las naciones más cristianizadas de la tierra y lugar donde se inició el avivamiento cristiano del África Oriental. Y sin embargo, cualquiera haya sido la forma de piedad cristiana que surgió como fruto de la evangelización, no pudo oponerse a la marea de odio y violencia intertribal que envolvió a la región en 1994. La sangre del tribalismo, se dijo, resultó ser más espesa que el agua del bautismo. Además, la exitosa evangelización, que produjo una floreciente espiritualidad de tipo renovado y una población mayoritariamente cristiana, no arrojó como resultado una sociedad en la que los valores bíblicos de Dios de la igualdad, la justicia, el amor y la no violencia hubieran echado raíces y florecido en forma consecuente.

Escribo como hijo de Irlanda del Norte. Este lugar es, seguramente, uno de los pequeños sectores más 'evangelizados' del globo. A medida que me fui criando, casi cualquier persona con la que me encontraba podría haberme explicado el evangelio y 'cómo ser salvo'. La evangelización en las esquinas de las calles era un rasgo común de la escena urbana. Yo mismo tomé parte en ella en algunas oportunidades. Sin embargo, en mi cultura evangélica y protestante, el celo por la evangelización era tan fuerte como la sospecha hacia cualquier forma de preocupación o conciencia social cristiana sobre temas de justicia. Ese era el dominio de los liberales y los ecuménicos, y una traición al evangelio 'puro'. El resultado fue que la política del protestantismo quedó, de hecho, incluida en el evangelio, de tal modo que todo el prejuicio político, el patriotismo partidista y el odio tribal fue santificado en lugar de ser proféticamente desafiado (excepto por unos cuantos valientes que con frecuencia pagaron un alto precio). En consecuencia, un número proporcionalmente elevado de evangelizadores y evangelizados (en comparación con cualquier otra parte del Reino Unido) no produjo, por cierto, una sociedad transformada por los valores del reino de Dios. Por el contrario, era (lamentablemente todavía es) posible oír a la vez el lenguaje del celo evangelizador y todo el lenguaje del odio, la intolerancia y la violencia de parte de los mismos labios. Como diría Santiago, 'esto no debe ser así' (Santiago 3.10). Pero lo es. Y es una razón por la cual me permito disentir con la noción de que la evangelización por sí sola dará como resultado un cambio social, a menos que a los cristianos se les enseñen las demandas radicales del discipulado del Príncipe de Paz, busquen primeramente el reino de Dios y su justicia, y entiendan el carácter integral de lo que la Biblia muestra con tanto énfasis que es la misión de Dios para su pueblo.

La misión holística requiere de toda la iglesia. Una última pregunta que con frecuencia se plantea en el contexto de enseñar sobre la misión holística nace de las inevitables limitaciones personales. 'Nos está diciendo que la misión cristiana comprende todas estas dimensiones de la preocupación de Dios por las necesidades humanas totales', dirá alguien. 'Pero yo tengo limitaciones, mi tiempo es limitado, mis habilidades son limitadas y mis oportunidades son limitadas. ¿Acaso no tendría que limitarme a lo que parecería ser lo más importante (la evangelización) y no gastarme con una gama tan amplia de objetivos por otra parte deseables? ¡No puedo hacer todo!'

Claro que no se puede hacer todo. El mismo pensamiento indudablemente tuvo Dios, y esa es la razón por la que colocó a la iglesia. Esta es otra razón de por qué nuestra eclesiología debe estar arraigada en la misionología. La misión de Dios en el mundo es sumamente vasta. De modo que ha llamado y comisionado a un pueblo, originalmente los descendientes de Abraham, ahora una comunidad en Cristo multinacional y global. Y es a través de la *totalidad* de ese pueblo que Dios está llevando a cabo sus propósitos misionales, en toda su diversidad.

Desde luego que ningún individuo puede hacer todo. Hay diferentes llamados, diferentes dones, diferentes formas de ministerio (tengamos presente que los magistrados y otros funcionarios del estado son llamados 'ministros de Dios' en Romanos 13, tanto como los apóstoles y los que organizaban la ayuda alimentaria). Cada individuo tiene que buscar personalmente la guía de Dios con respecto al nicho particular en el cual desempeñar la esfera de la misión de Dios al que ha sido llamado por él. Por cierto que algunos son llamados a ser evangelistas. Desde luego que todos son llamados a ser testigos, cualquier sea el contexto de su trabajo. En Hechos los apóstoles reconocían que su prioridad personal tenía que ser el ministerio de la Palabra y la oración. Pero no veían eso como la única prioridad para la iglesia en general. El ocuparse de las necesidades de los pobres era otra prioridad esencial de la comunidad, y su atractivo en la evangelización. De modo que nombraron personas que tendrían como *su* prioridad la administración práctica de la distribución de los alimentos para los necesitados. Eso no limitaba su ministerio a tales tareas (como lo demuestra el encuentro en el que Felipe evangelizó al etíope), pero sí muestra que la tarea total de la iglesia requiere que diferentes personas tengan diferentes dones y prioridades.

La cuestión es, ¿la *iglesia como un todo* refleja la redención de Dios en su integridad? ¿Tiene conciencia la iglesia (pensando aquí en la iglesia local como el organismo colocado de manera eficaz y estratégica) para cumplir la misión de Dios en cualquier comunidad dada) de todo lo que la misión de Dios la llama a participar? ¿Está la iglesia, mediante el combinado compromiso de *todos* sus miembros, aplicando el poder redentor de la cruz de Cristo a *todos* los efectos del pecado y el mal en la vida, la sociedad y el medio ambiente que nos rodea?

El persistente lema del movimiento de Lausana expresa: 'Toda la iglesia llevando todo el evangelio, a todo el mundo.' La misión holística no puede ser la responsabilidad de ningún individuo aislado. Pero es indudable que lo es de la iglesia en su conjunto.

En conclusión, no puedo hacer nada mejor que apoyar la excelente conclusión del artículo de Jean-Paul Heldt:

> Ya no hay necesidad de calificar a la misión como 'holística', ni distinguir entre 'misión' y 'misión holística'. La misión es, por definición, 'holística', y por lo tanto 'misión holística' es, de hecho, misión. La proclamación sola, aparte de toda preocupación social, puede percibirse como una distorsión, una versión truncada del verdadero evangelio, una parodia y una caricatura de las buenas noticias, a la que le falta pertinencia para los problemas reales de la gente real en el mundo real. En el otro extremo del espectro, un enfoque exclusivo en la transformación y la defensa puede no resultar sino en un activismo social y humanitario, vacío de toda dimensión espiritual. Ninguno de los dos enfoques es bíblico; niegan la naturaleza integral humana de los seres humanos creados a la imagen de Dios. Por cuanto somos creados 'completos', y por cuanto la caída afecta nuestra humanidad total en todas las dimensiones, la redención, la restauración, y la misión solo pueden, por definición ser 'holísticas'.[21]

---

21 *Ibid.*, p. 166.

10 . La extensión del pacto misional de Dios

Todo el pacto histórico entre Yahvéh e Israel tuvo desde el comienzo una dimensión universal. Las naciones son verdaderos testigos. Las acciones salvíficas de Yahvéh, los castigos y la restauración que le impuso a Israel eran al mismo tiempo una predicación dirigida a las naciones.[1]

Con estas audaces palabras Walter Vogels abre ante nosotros una aproximación misionológica a los diversos pactos que se registran en la Biblia. Con el concepto de pacto llegamos a una nueva plataforma en la cosmovisión o la identidad en la que Israel se reconocía a sí mismo. Hasta aquí hemos considerado las dimensiones misionológicas de su *elección*: su convicción de que constituían un pueblo especialmente elegidos por Dios, mas para un fin que se extendía mucho más allá de ellos mismos (en los capítulos 6 y 7). Luego reflexionamos sobre la narración del éxodo como el acontecimiento principal mediante el cual Israel comprendió el significado de la *redención* y pudieron hablar de sí mismos como redimidos por Dios (capítulo 8). En ambos casos rastreamos los temas principales con sus dimensiones misionológicas a través del Nuevo Testamento, donde se desarrollan y se relanzan como parte de la fuerza que impulsa la misión cristiana.

Aquí llegamos al próximo hito en el viaje de Israel con Dios después del éxodo: la confirmación del *pacto* de Dios con ellos en el Sinaí. Israel consideraba que tenía una relación única y exclusiva con YHVH, una relación que se asemejaba a los pactos concertados entre las naciones y los imperios en el mundo internacional más amplio. El pacto en el Sinaí es una nueva articulación del seminal pacto original que Dios hizo con Abraham, a la luz de la nueva realidad histórica generada por el éxodo. Por cierto que los descendientes de Abraham se han convertido ahora en una gran nación. ¿Qué significará para ellos vivir dentro del marco del pacto abrahámico como comunidad nacional? Ese marco se expandiría y consolidaría mucho para servir como constitución para la vida de la nación. El pacto del Sinaí proveyó eso.

A medida que se desarrollaba la vida de la nación, el arribo de la monarquía condujo a un nuevo desarrollo en la relación del pacto, por cuanto Dios inició un pacto particular con David y los que lo sucedieron

---

1 Walter Vogels: *God's Universal Covenant: A Biblical Study*, 2ª ed., University of Ottawa Press, Ottawa, 1986, pp. 67–68.

en el trono. El fracaso de tantos de los reyes de Israel y Judá, sin embargo, puso en duda la viabilidad de todo el proyecto de Dios en y a través de Israel. Una nueva visión del futuro comienza a emerger a medida que varios de los profetas se proyectan hacia delante, hacia una nueva era en la relación del pacto en la que las antiguas imperfecciones serían erradicadas. Entonces las intenciones de Dios para con Israel y su misión mediante ellos, habrían de cumplirse. Esta esperanza nos traslada directamente a Jesús, en quien, según Jesús mismo y sus primeros intérpretes, ese nuevo pacto fue inaugurado.

Si algo hemos aprendido de un siglo de teología del Antiguo Testamento es la certeza de que es inútil aislar algún tema o categoría en particular como el único centro organizador de toda esa disciplina. La teología del Antiguo Testamento no es como una rueda con un único eje teológico en el centro con los rayos a su alrededor. Más bien, es como un cable, con varios hilos firmemente entrelazados que se desplazan juntos. Así que, si bien sería aventurado sugerir en estos tiempos que el pacto constituye *el centro mismo* de la fe del Antiguo Testamento, podemos aceptar que el tema del pacto puede considerarse como uno de los hilos centrales. El pacto es uno de varios de los componentes principales de la comprensión teológica esencial de Israel en cuanto a sí mismo. Y la secuencia de pactos en el relato canónico nos ofrece un modo fructífero de presentar la gran narración que constituye el cable.

Este gran relato incorporaba la coherente cosmovisión de Israel, una cosmovisión que incluía su propio sentido de elección, identidad y papel en medio de las naciones. El relato bíblico puede organizarse y relatarse de muchas maneras (como lo demostró Jesús con su parábola de los arrendatarios en la viña). Pero el punto clave es que *es*, efectivamente, un relato en el que podemos mirar hacia atrás a sus comienzos en Génesis y hacia delante a su anticipado clímax en la nueva creación. La secuencia de pactos es una manera de trasladarnos a través de este relato histórico y también ofrece una clave importante sobre su significación y final resultado.[2] Ubiquemos, entonces, esa secuencia con nuestra hermenéutica misionológica en mente.

---

2 En un libro anterior he repasado la secuencia de pactos como una manera de entender a Jesús a la luz de la historia y la promesa del Antiguo Testamento. Ver Christopher J. H. Wright: *Knowing Jesus through the Old Testament*, 2ª ed., Oxford, Monarch, 2005.

La pregunta que nos hacemos en este capítulo en el contexto de nuestro argumento a lo largo del libro es, por lo tanto, ¿cómo podemos leer misionológicamente la tradición del pacto en los textos bíblicos? Es decir, ¿de qué maneras revelan la misión de Dios las diversas formulaciones de pacto, y la derivada misión del pueblo de Dios en el mundo?

Noé

El relato del pacto que hizo Dios con Noé en Génesis 8.15—9.17 es la primera referencia explícita a la concertación de un pacto en el texto bíblico. Aun cuando algunos sistemas teológicos hablan de un pacto adámico, la relación entre Dios y Adán no se describe de ese modo en el texto de Génesis.[3] Así que nuestro estudio del pacto comienza con Noé. El pacto de Dios con Noé establece por lo menos dos puntos fundacionales que resultan pertinentes para el resto del concepto bíblico de la misión.

El compromiso de Dios con toda la vida en la tierra. En el contexto del juicio radical de Dios contra la naturaleza total del pecado humano (repetidamente mencionado como 'violencia y corrupción'), Dios todavía sigue comprometido con el orden creado en sí mismo y con la conservación de la vida en el planeta. Aun cuando vivimos en una tierra *maldita*, a la vez vivimos en una tierra que está *bajo el pacto*. Hay aquí una clara universalidad en torno al compromiso que Dios mismo se ha impuesto: su promesa no solamente abarca a la humanidad sino también a 'todos los seres vivientes de la tierra' (Génesis 9.10). Este pacto con Noé proporciona la plataforma para la incesante misión de Dios en el resto de la historia humana y natural, y por ello también, desde luego, la plataforma para nuestra propia misión en colaboración con la de él. Sea como fuere lo que Dios hace, o sea como fuere lo que Dios nos llama a hacer, hay una estabilidad básica en el contexto de toda nuestra historia.

---

3 Con todo, Vogels sostiene con firmeza que se ve un esquema pactual en la relación entre Dios y la creación (incluida la humanidad) antes de la caída, aun cuando el término mismo no se usa en Génesis 1—2, en *God's Universal Covenant,* cap. 1. Se vale de otros textos bíblicos como alusiones para una explicación de este tipo. Dichos textos incluyen Amós 1.9; Oseas 2.20; 6.7; Isaías 24.5; 54.9—17; Jeremías 33.20—25; Ezequiel 34.25; Zacarías 11.10; *Eclesiástico* 17.12; 44.18.

Desde luego que esto no significa que Dios nunca volvería a usar su creación natural como agente de su juicio a la vez que de su bendición (de lo cual el resto del Antiguo Testamento da amplio testimonio). Pero por cierto, le pone límites a tales acciones *dentro de la historia.* Aparte del juicio final de Dios que dará fin a la historia de la humanidad caída como la conocemos y la experimentamos actualmente en este planeta pecaminoso, la maldición nunca más se expresará en un acto de total destrucción como el diluvio. Esta es la tierra de Dios, y Dios está comprometido mediante pacto con su supervivencia, tal como la revelación posterior nos mostrará que Dios está también comprometido por el pacto con su final redención. Incluso el juicio final no significa el fin de *la tierra como creación de Dios,* sino el fin de la condición pecaminosa que ha sometido a toda la creación a su actual frustración. Nuestra misión, por lo tanto, se desarrolla dentro del marco de la promesa universal de Dios para el orden creado. Este es un marco que le da seguridad y espacio: seguridad porque operamos dentro de los parámetros del compromiso de Dios con nuestro planeta, y espacio porque no hay nada, ni lugar alguno en la tierra, que esté fuera del alcance del pacto de Dios con Noé. La promesa del arco iris abarca todo horizonte que jamás pueda verse.

La dimensión ecológica de la misión. El lenguaje con el cual Dios se dirige a Noé al finalizar el diluvio hace eco claramente de Génesis 1. En un sentido que equivale a un nuevo comienzo para toda la creación. De modo que Noé y su familia son bendecidos e instados a llenar la tierra y (si bien no con la misma frase) a ejercer dominio sobre ella. Se renueva el mandato de la creación. La tarea humana se mantiene igual: ejercer autoridad sobre el resto de la creación, pero hacerlo con cuidado y respeto por la vida, simbolizado por la prohibición de comer sangre animal (Génesis 9.4). De modo que hay una misión humana incluida en nuestros orígenes en la creación de Dios y en los propósitos de Dios para la creación. Cuidar la creación es de hecho la primera declaración positiva que se hace acerca de la especie humana; es nuestra misión fundamental en el planeta. El pacto con Noé efectivamente renueva esta misión, dentro del contexto del propio compromiso de Dios con la creación. Volveremos a ocuparnos con más amplitud de la dimensión ecológica de la misión bíblica en el capítulo 12.

Abraham

Hemos examinado el pacto abrahámico y sus consecuencias misionológicas en profundidad en los capítulos 6 y 7. Sin embargo, para que este capítulo no quede incompleto, quizá sea útil sintetizar nuestras conclusiones principales aquí también.

Desde una perspectiva misionológica, el pacto con Abraham es el más significativo de todos los pactos bíblicos. Fue el origen de la elección de Israel por parte de Dios como el medio que emplearía para bendecir a las naciones, y sirve de sostén para la teología de Pablo y la práctica de la misión a los gentiles en el Nuevo Testamento. Dentro del contexto del Antiguo Testamento es teológicamente correcto entender el pacto en el Sinaí y el concertado con David no como pactos enteramente distintos, sino como desarrollos a partir del pacto con Abraham, pero en circunstancias nuevas. Richard Bauckham, reflexionando sobre los aspectos misionológicos de estos tres pactos, los ve a todos como pasando, característicamente, *del uno a los muchos*, lo que también ve como la dinámica de la categoría bíblica clave de la elección.

Dios selecciona primero a Abraham, luego a Israel, luego a David. Los tres movimientos que comienzan con estas tres elecciones por parte de Dios tienen cada uno su propio tema distintivo, un aspecto del propósito de Dios para el mundo. Podríamos llamarlas las trayectorias temáticas de la narración. La trayectoria que va de Abraham a todas las familias de la tierra es la trayectoria de la bendición. La trayectoria que va de Israel a todas las naciones es la trayectoria de la revelación de Dios mismo al mundo. La trayectoria que va de la entronización de David en Sión por parte de Dios hasta los confines de la tierra es la trayectoria del gobierno, del reinado futuro de Dios en toda la creación. Por supuesto, estos tres movimientos y temas están íntimamente interrelacionados.[4]

El texto canónico: Génesis 1—11. El Antiguo Testamento comienza en el escenario de la historia universal. A continuación de relatos sobre la

---

4 Richard Bauckham: *The Bible and Mission: Christian Mission in a Postmodern World*, Paternoster, Carlisle, 2003, p. 27.

creación leemos la historia de las relaciones con la humanidad caída y el problema del desafío del mundo de las naciones (Génesis 1—11). Después de los relatos de la caída, de Caín y Abel, del diluvio, y de la torre de Babel, ¿podía haber algún futuro para las naciones en relación con Dios?

¿O tendría que ser el juicio la palabra definitiva de Dios? Es contra el trasfondo de la pecaminosidad universal y el juicio divino que se nos habla de la decisión de Dios de 'bendecir'. La bendición, por supuesto, había sido una palabra clave en los primeros capítulos de Génesis. Ahora se convierte en la respuesta de Dios a un mundo quebrantado.

La universalidad de la meta final: 'Todas las familias/naciones de la tierra serán bendecidas.' El pacto con Abraham es la respuesta de Dios a los problemas planteados por Génesis 1—11. El declarado compromiso de Dios es que se propone acercar bendición a las naciones: 'Todas las familias de la tierra serán bendecidas a través de ti' (Génesis 12.3, mi traducción). Repetida seis veces solamente en Génesis, esta afirmación clave es el fundamento de la misión bíblica, en la medida en que presenta la misión de Dios. El Dios Creador tiene un propósito, una meta, y es nada menos que bendecir a las naciones de la humanidad. Tan fundamental es esta agenda divina que Pablo define el texto de Génesis diciendo que Dios 'anunció de antemano el evangelio' (Gálatas 3.8). Y la visión final de toda la Biblia significa el cumplimiento de la promesa abrahámica, cuando una multitud de todas las naciones, tribus, lenguas y pueblos se reúne entre los redimidos en la nueva creación (Apocalipsis 7.9).

Tanto el evangelio como la misión comienzan en Génesis, y ambos están ubicados en la intención redentora del Creador de bendecir a las naciones como lo máximo del pacto de Dios con Abraham. La misión de Dios se ocupa del problema de la humanidad fracturada. Y la misión de Dios es universal en su meta y alcance finales.

La particularidad de los medios: 'A través de ti y de tus descendientes ...' Los mismos textos de Génesis que afirman la universalidad de la misión de Dios de bendecir a las naciones, también, y con igual firmeza, afirman la particularidad de la elección de Dios de Abraham y sus descendientes como vehículo de dicha misión.[5] La bendición de las naciones se dará

---

5 Sobre las cuestiones exegéticas en torno al significado de 'a través de ti' y la forma del verbo (sobre si es pasivo o reflexivo), ver toda la discusión en las pp. 335-337 del capítulo 7.

'a través de ti y de tu simiente'. La elección de Israel es, con toda seguridad, uno de los más fundamentales pilares de la cosmovisión bíblica y del sentido histórico de identidad de Israel.[6]

Resulta vital insistir en que, si bien la creencia en su elección corría el riesgo de ser distorsionada y convertida en una estrecha doctrina de superioridad nacional, esa orientación fue resistida en la literatura del propio pueblo de Israel (p. ej., Deuteronomio 7.7–11). La afirmación es que YHVH, el Dios que había elegido a Israel, era también el Creador, Dueño y Señor de todo el mundo (Deuteronomio 10.14–22; ver Éxodo 19.4–6). Es decir, YHVH no era solo el Dios de Israel: era Dios para todos (como insistió Pablo tan enfáticamente en Romanos 4). YHVH había elegido a Israel en relación con su propósito para el mundo, no solo para Israel. La elección de Israel, por consiguiente, no era equivalente a un rechazo a las naciones, sino explícitamente en última instancia para su beneficio. La elección es misional en su propósito. Si se me permite repetir la paráfrasis de Juan 3.16 que ya sugerimos, 'Tanto amó Dios al mundo que eligió a Israel'.[7]

Sinaí

El pacto con Abraham fue reconfirmado y adquirió mayor sustancia en el pacto nacional con Israel, mediado a través de Moisés en el Monte Sinaí. El volumen de material textual pertinente sería sobrecogedor a esta altura, de manera que para nuestro propósito más limitado nos conformaremos con tres textos que tienen que ver con la dimensión misionológica más amplia del pacto del Sinaí.

El primero corresponde al prólogo narrativo del pacto del Sinaí en Éxodo y habla del papel misional de Israel como *sacerdocio* de Dios. El segundo proviene de la culminación de las leyes del pacto en Levítico y subraya la esencial *presencia* de Dios como una característica misional del pueblo de Dios. El tercero proviene de los capítulos finales de la Torá en Deuteronomio y nos orienta hacia adelante, al *pronóstico* para la historia de Israel que finalmente establece el fundamento para la teolo-

---

6 La importancia de este eje central de la cosmovisión de Israel para toda la misión del Dios bíblico mediante su pueblo y para el resto del mundo, resulta clara en las obras de N. T. Wright, especialmente *The New Testament and the People of God*, SPCK, Londres, 1992, y *Jesus and the Victory of God*, SPCK, Londres, 1996.
7 Una estimulante reflexión misionológica sobre las dimensiones de la particularidad y la universalidad del pacto abrahámico y sobre la naturaleza de Dios mismo se encontrará en toda la obra de Bauckham, *Bible and Mission*.

gía y la práctica misionales en el Nuevo Testamento.

La misión de Dios y el sacerdocio de Dios: Éxodo 19.4–6

Ustedes mismos han visto lo que le he hecho a Egipto,
    y a ustedes los llevé en alas de águilas y los atraje hacia mí.
Ahora pues, si realmente oyen mi voz y guardan mi pacto,
    Serán para mí [*lî*] una posesión personal especial
entre todos los pueblos;
    porque a mí [*lî*] me pertenece toda la tierra.
Pero ustedes, ustedes serán para mi [*lî*] un reino sacerdotal
    y una nación santa (Éxodo 19.4–6, mi traducción).

Éxodo 19.4–6 es una declaración programática clave de parte de Dios, que aparece, como una bisagra en el libro de Éxodo, entre el relato del éxodo (Éxodo 1—18) y la entrega de la ley y el pacto (Éxodo 20—24). Define la identidad de Israel y el papel de Dios para con ellos. Más todavía, ubica la identidad y el papel de Israel en el contexto histórico de la acción pasada de Dios a favor de Israel, y el contexto universal de la propiedad de toda la tierra por parte de Dios. Funciona como un preámbulo narrativo y teológico de la promulgación del pacto del Sinaí en el resto de Éxodo y Levítico, de modo que tenemos ver todos los detalles específicos de ese pacto desde la perspectiva de estas palabras de orientación. Es una orientación crucial para todo lo que sigue y que a la vez ubica todo el contexto.

Ya hemos considerado un rasgo este texto en el capítulo 7 (ver pp. 338-341). Allí observamos tanto la *universalidad* de su referencia a toda la tierra y a todas las naciones, junto a la *particularidad* de su descripción de Israel como la especial posesión *(sĕgullâ)* personal de YHVH. En ambos sentidos tiene una notable afinidad con el pacto abrahámico. Volveremos una vez más al mismo texto en el capítulo 11, donde consideramos la consecuencias *éticas* del llamado de Israel a ser una nación *santa*. Aquí nuestro interés está en la primera parte de la doble identidad que Dios le otorga a Israel: la de ser un 'reino *sacerdotal*'.[8]

Para entender lo que significaba para Israel en su conjunto que se lo

---

8 Este parece ser el orden de palabras más correcto en español al traducir la frase hebrea 'reino de sacerdotes'. Israel ha de ser, no tanto un *sacerdocio real* (sea lo que fuere su significado) sino un reino (en el sentido relativamente neutro) conformado por sacerdotes.

llamara el sacerdocio de Dios en relación con las naciones, tenemos que entender lo que eran los sacerdotes de Israel para el resto del pueblo. Los sacerdotes ocupaban un lugar entre Dios y el resto del pueblo. En esa posición intermedia, los sacerdotes tenían una tarea doble:

- *La enseñanza de la ley* (Levítico 10.11; Deuteronomio 33.10; Jeremías 18.18; Malaquías 2.6–7; Oseas 4.1–9). A través de los sacerdotes Dios sería conocido por el pueblo. Esta era una de las principales responsabilidades de los sacerdotes del Antiguo Testamento, cuyo descuido conducía a la decadencia moral y social, y al enojo profético que se refleja en las palabras de Oseas y Malaquías en las citas mencionadas arriba.
- *El manejo de los sacrificios* (Levítico 1—7). Mediante los sacerdotes y su tarea en relación con la expiación, el pueblo podía acercarse a Dios. Los sacerdotes llevaban a cabo en el altar las acciones con la sangre y declaraban la expiación para el que adoraba.

El sacerdocio era una tarea de mediación o de representación en dos direcciones, entre Dios y el resto de los israelitas: acercar el conocimiento de Dios al pueblo, y ofrecer los sacrificios del pueblo a Dios. Además de estas dos tareas, eran los sacerdotes quienes tenían el importante privilegio y la gran responsabilidad de *bendecir al pueblo* en el nombre de YHVH (Números 6.22–27).

Por lo tanto, es sumamente significativo que Dios confiriese a Israel como pueblo el papel de ofrecer el sacerdocio en medio de las naciones. Como pueblo de YHVH tendrían la histórica tarea de acercar el conocimiento de Dios a las naciones, y de acercar a las naciones el medio de expiación de Dios. La tarea abrahámica de ser el medio de bendición para las naciones también significaba que debían cumplir ese papel de sacerdotes en medio de las naciones. Así como era el papel de los sacerdotes bendecir a los israelitas, así también habría de ser el papel de Israel en su conjunto servir, finalmente, de bendición para las naciones.

Este doble movimiento en el papel sacerdotal (de Dios hacia el pueblo y del pueblo hacia Dios) se refleja en visiones proféticas relativas a las naciones, las cuales incluían dinámicas tanto centrífugas como centrípetas. Habría un salir a partir de Dios y un volver a Dios. Por una parte, la ley o la justicia o la luz de YHVH saldrían hacia las naciones desde Israel o desde Sión. Por otra parte, se podría contemplar a las naciones acercándose a YHVH, a Israel o a Jerusalén / Sión. (Exploraremos estos temas en el cap. 14).

El sacerdocio del pueblo de Dios es, por lo tanto, una función misional que aparece como una continuidad con la elección abrahámica, y afecta a las naciones. Así como los sacerdotes de Israel fueron llamados y elegidos para ser siervos de su pueblo, así también Israel en conjunto es llamado y elegido para ser el siervo de Dios para todos los pueblos.

John Goldingay relaciona este texto con Génesis 12.1–3.

> El hecho de que Éxodo 19.3–8 sea una especie de reordenamiento de Génesis 12.1–3 nos recuerda que esta designación se vincula con el señorío de YHVH sobre todo el mundo y acciona a favor de la inclusión del mundo más bien que de su exclusión. La prolongación del sacerdocio real para que incluya a otros pueblos (Apocalipsis 1.6) está en consonancia con la visión abrahámica.[9]

Se podría agregar la todavía más amplia extensión universal de la frase en Apocalipsis 5.9–10. Extrañamente, sin embargo, Goldingay dice que 'describir a Israel como un sacerdocio no le acuerda un papel sacerdotal a favor del mundo, entre Dios y el mundo'.[10] Pero siempre que entendamos correctamente este papel, en la forma en que lo ha sugerido, me parece que esto es precisamente lo que se le atribuyó a Israel.

Alex Motyer también es reticente en cuanto a ver en este texto un papel de intermediación para Israel entre las naciones.

> Muchos interpretan el sacerdocio de Israel como una referencia a ellos como nación mediadora, que acerca el conocimiento de Dios al mundo. … Por cierto que esto no es lo que se entiende fundamentalmente sobre el sacerdocio en el Antiguo Testamento. … La verdad, sustancialmente, … en cuanto al 'sacerdocio de todos los creyentes' tanto en el Antiguo como en el Nuevo Testamento, … es que consiste en el acceso a la santa presencia.[11]

---

9 John Goldingay: *Old Testament Theology*, t. 1, *Israel's Gospel*, InterVarsity Press, Downers Grove, Ill., 2003, p. 374.
10 *Ibid.*
11 Alex Motyer: *The Message of Exodus*, The Bible Speaks Today, InterVarsity Press, Leicester; InterVarsity Press, Downers Grove, Ill., 2005, p. 199.

Sin embargo, Motyer pasa por alto la dimensión representativa de dicho acceso a la presencia de Dios, que era (en el caso de los sacerdotes israelitas) en nombre del resto del mundo (p. ej., al orar). "Israel como 'reino de sacerdotes' es Israel entregado a extender en todo el mundo el ministerio de la presencia de Yahvéh."[12] Más adelante Motyer llega a reconocer que la condición sacerdotal de Israel y su acceso a Dios constituyen 'el testimonio público de santidad por el que se muestran al mundo en todo su carácter distintivo.'[13] Este carácter distintivo y público, sin embargo, es lo que entiendo como parte de la identidad y el papel misional de Israel.

Walter Vogels observa:

> El sacerdote era un intermediario y, por lo tanto, tenía una misión entre Dios y los hombres. Si aplicamos este concepto a Israel como pueblo, se sugiere que Israel también es intermediario entre Dios y las naciones. ...
>
> [Israel] es apartado —diferente de todas las otras naciones— para ser consagrado a Yahvéh, para estar a su servicio, una posición que finalmente significa servicio hacia las naciones. El privilegio de Israel es el privilegio de servir. Israel fue separado de entre las naciones para estar al servicio de las naciones. La elección y el pacto son, así, no un fin en sí mismos, sino un medio para lograr algo diferente. Este texto (Éxodo 19.3–8) confirma lo que hemos visto antes en las promesas a Abraham. Él se convertiría en un pueblo del cual algún día todas las naciones recibirían las bendiciones de la salvación.
>
> Israel es mediador. Tiene que acercar a la humanidad a Dios, orar a Dios por la humanidad, e interceder por la humanidad, como lo hizo Abraham. Su servicio a Dios es en nombre de otros. Pero Israel también tiene que acercar a Dios a los hombres, acercándoles la revelación de Dios, su luz y las buenas noticias de salvación.[14]

Esto, entonces, transmite algo de la significación misional más amplia de la identidad del pueblo de YHVH como pueblo sacerdotal en medio de las naciones. Deberíamos recordar, no obstante, que esta

---

12 Terence E. Fretheim: *Exodus*, Interpretation, John Knox Press, Louisville, 1991, p. 263.
13 Motyer: *Message of Exodus*, p. 200.
14 Vogels: *God's Universal Covenant*, pp. 48–49.

identidad y este papel dependían de la condición que estaba por detrás de ellos: 'Si ahora ustedes me son del todo obedientes, y cumplen mi pacto...' (Éxodo 19.5). Cumplir el pacto era, por lo tanto, una condición para su redención. Dios no dijo, 'Si me obedecen y cumplen mi pacto, los salvaré y serán mi pueblo'. Ya lo había hecho y ya eran su pueblo. La obediencia al pacto no era una condición para la *salvación* sino una condición para su *misión*. Solo mediante la obediencia al pacto y la santidad comunitaria podían ellos hacer suya o cumplir la identidad y el papel que así se les ofrecía. La misión del sacerdocio entre las naciones está vinculada al pacto, y como el pacto mismo, su cumplimiento y su disfrute son inseparables de la obediencia ética. Es por eso que va seguida inmediatamente por 'nación santa': las consecuencias éticas de las cuales nos ocuparemos en el capítulo 11.

En el Nuevo Testamento, Pedro ve la naturaleza sacerdotal de la iglesia como la de '[proclamar] las obras maravillosas' de nuestro éxodo y vivir de tal manera entre las naciones que ellas lleguen a glorificar a Dios (1 Pedro 2.9–12). Esta es una auténtica combinación misional y ética nuevamente aplicada a Éxodo 19.4–6. Es significativo, también, que en el único texto del Nuevo Testamento que habla del ministerio de cualquier cristiano individual en términos sacerdotales, Pablo describe su misión *evangelizadora* como su 'deber sacerdotal'. A continuación se refiere a la misma doble dirección de movimiento: acercar el evangelio a las naciones y acercar a las naciones a Dios (Romanos 15.16). En efecto, la dimensión ética de la tarea envuelve toda la carta, ya que dos veces menciona como la obra de su vida lograr 'la obediencia a la fe entre las naciones' (Romanos 1.5; 16.26, mi traducción).

La misión de Dios y la presencia de Dios: Levítico 26.11–13. 'Estableceré mi morada en medio de ustedes, y no los aborreceré. Caminaré entre ustedes. Yo seré su Dios, y ustedes serán mi pueblo' (Levítico 26.11–12).

La presencia de Dios en medio de su pueblo era uno de los rasgos más esenciales y más preciosos del pacto. El contexto pascual de esta promesa aquí en Levítico 26 es muy claro. Está condicionado a la obediencia de Israel: 'Si se conducen según mis estatutos, y obedecen fielmente mis mandamientos' (Levítico 26.3). Pero también está afincado en la histórica gracia redentora de Dios (Levítico 26.13). Este doble fundamento es en esencia el mismo que vimos en Éxodo 19.4–6. Así que la presencia de Dios, morando y caminando entre su pueblo, es, por una parte, la meta de la acción redentora de Dios mismo y, por otra, fruto de la respuesta de obediencia de su pueblo. Es la presencia de Dios de conformidad con el *pacto*.

El Edén restaurado —para todos. Sin embargo, inmediatamente traemos a la memoria el propósito para el cual existía este pacto en primer lugar. Formaba parte de la misión de Dios a largo plazo que consistía en bendición para todas las naciones y para toda la creación. Más aun, el lenguaje de Levítico 26 hasta aquí está repleto de ecos del cuadro de la creación bajo la bendición de Dios en Génesis (especialmente la fertilidad y el crecimiento) o del retroceso de la maldición (con paz y ausencia de peligro). Hasta la frase 'caminaré entre ustedes' se vale de una forma verbal muy rara, *hālak* (el *hithpael*), que también se usa en Génesis 3.8 para describir la costumbre de Dios de pasear con Adán y Eva por el jardín al refrescar el día. La presencia del pacto de Dios será un retorno a la intimidad del Edén. Finalmente, la presencia de Dios entre su pueblo apunta a la bendición de su presencia en toda la tierra. Y por ello lo que sería cierto para Israel con la bendición del pacto (el disfrute de la presencia de Dios) en última instancia lo sería para todos los que quieran participar de la misma bendición mediante el desarrollo del pacto de Dios con Abraham.

> En el acto de cumplir el pacto, YHVH hará lo propio con la creación misma: 'Yo los haré fecundos. Los multiplicaré.'. . . Así, la promesa [de Levítico 26.9–13] reúne entre sí creación, éxodo, pacto y presencia. En el pacto, YHVH completa sus propósitos para con la propia creación mediante la experiencia de la bendición de la presencia misma de Dios.[15]

Otra conexión aquí es la que se da entre la *creación* (y especialmente el Jardín de Edén) como el templo original de Dios (donde los seres humanos gobernaban y servían en su capacidad de reyes y sacerdotes) y el *tabernáculo* (y más adelante el templo), que era un microcosmos de dicho templo cósmico. La presencia de Dios en el tabernáculo y

---

15 Goldingay: *Old Testament Theology*, 1:371.

en el templo de Israel miraba hacia atrás a su presencia en el Edén, y hacia delante a su presencia definitiva entre todas las naciones en una creación renovada (Apocalipsis 21—22).[16]

La presencia de Dios como lo distintivo de Israel. Mientras tanto, sin embargo, sería la presencia pactual de Dios en Israel lo que los señalaría como distintos del resto de las naciones. Este sería el propósito del tabernáculo. Una vez que Dios hubo dado instrucciones para cada parte del mismo, el propósito de todo el tabernáculo se dio a conocer de esta manera, remarcando una vez más su significancia dentro del pacto. El propósito de la redención era que Dios morara entre su pueblo.

> Consagraré la Tienda de reunión y el altar, y consagraré también a Aarón y a sus hijos para que me sirvan como sacerdotes. Habitaré entre los israelitas, y seré su Dios. Así sabrán que yo soy el SEÑOR su Dios, que los sacó de Egipto para habitar entre ellos. Yo soy el SEÑOR su Dios. Éxodo 29.44-46.

Sin embargo, aun antes de que fuese construido el tabernáculo, la presencia de Dios entre su pueblo corre peligro debido a su flagrante apostasía. El relato de Éxodo 32—34 registra el pecado de Israel y Aarón juntos, mientras Moisés estaba en el monte Sinaí, lo cual amenazó con hacer que se descargara la ira destructiva de Dios en lugar de su presencia según el pacto. En un momento, durante el lento arreglo que Moisés finalmente logró como intercesor ante Dios, éste acepta que no destruirá a los israelitas, pero se niega a continuar más con ellos en persona. En cambio se ofrece a mandar un ángel en su lugar. Él mismo ya no estará con ellos (Éxodo 33.1-5).

Pero eso no basta para Moisés. Moisés sabe que sin la presencia de Dios, el pacto es lo mismo que nada. 'O vas con todos nosotros', replicó Moisés, 'o mejor no nos hagas salir de aquí. Si no vienes con nosotros, ¿cómo vamos a saber, tu pueblo y yo, que contamos con tu favor?' (Éxodo 33.15-16).

Pero Moisés sabe más que eso. Sabe que sin la presencia del Señor Dios, Israel en nada sería diferente del resto de las naciones. Y *solo siendo Israel diferente de las naciones tenía sentido que Israel existiese, o*

---

16 Sobre este tema y sobre sus ricas consecuencias misionológicas ver G. K. Beale: *The Temple and the Church's Mission: A Biblical Theology of the Dwelling Place of God*, Apollos, Leicester; InterVarsity Press, Downers Grove, Ill., 2004.

que hubiera esperanza para las naciones mismas. '¿*En qué* [si no en la presencia de Dios] seríamos diferentes de los demás pueblos de la tierra?' (Éxodo 33.16, énfasis agregado).

La pregunta es retórica, y exitosamente logra su cometido en la negociación. Pero la verdad es que en realidad había *mucho más* en cuanto a lo que debía distinguir a Israel de las naciones, como bien lo sabía Moisés.[17] La santidad ética, por ejemplo, y la pureza ritual, para no mencionar más que dos. Por cierto que la falta de uno u otro, o de ambos, haría que la presencia continua de Dios entre su pueblo se viera severamente afectada (como Ezequiel lo vio con nitidez). Así que veamos ambos aspectos.

La presencia de Dios exige santidad ética. Las demandas éticas que el pacto del Sinaí imponía a Israel son bien conocidas, ya que abarcan largas secciones de Éxodo y Deuteronomio. Pero el propósito para el cual Israel fue llamado a vivir en los caminos de YHVH (el camino de la justicia, la verdad, la integridad, la compasión, y todo lo demás) no era solo para su propio bien, ni simplemente para satisfacer a Dios. Una parte importante de la motivación que subyace a la ética del Antiguo Testamento es el desafío a que Israel sea visiblemente diferente de las naciones a su alrededor. El carácter distintivo *religioso* debía incluir el carácter distintivo *ético*. Estos dos aspectos estaban incluidos en el rico concepto de la santidad. Y sería este carácter distintivo *ético* de Israel lo que indicaría la presencia del Dios ético, YHVH, en su medio. Esto, también, es una dimensión del significado de la conocida ecuación, 'Santos seréis, porque santo soy yo, Jehová, vuestro Dios' (Levítico 19.2, RVR95).

Es por eso que Moisés puede instar a Israel a vivir de conformidad con la ley de Dios, motivado por las naciones que los observan. Las naciones verán la diferencia, y habrá preguntas, preguntas que buscan saber el por qué de la proximidad de Dios en medio de su pueblo.

Obedézcanlos [a estos preceptos] y pónganlos en práctica; así demostrarán su sabiduría e inteligencia ante las naciones. Ellas oirán todos

---

17 Peter Machinist analiza la extensión y los alcances del tema de la conciencia que de sí mismo tenía Israel en cuanto a su carácter distintivo, en comparación con las naciones, en 'The Question of Distinctiveness in Ancient Israel', en: *Essential Papers on Israel and the Ancient Near East,* ed. F. E. Greenspan, Nueva York University Press, N. York, 1991, pp. 420–442.

estos preceptos, y dirán: 'En verdad, éste es un pueblo sabio e inteligente; ¡ésta es una gran nación!' ¿Qué otra nación hay tan grande como la nuestra? ¿Qué nación tiene dioses tan cerca de ella como lo está de nosotros el SEÑOR nuestro Dios cada vez que lo invocamos? ¿Y qué nación hay tan grande que tenga normas y preceptos tan justos, como toda esta ley que hoy les expongo? Deuteronomio 4.6–8

Esta motivación a favor del pacto, ubicada estratégicamente, permite una conexión poderosa y misionológicamente importante entre la presencia de Dios, la obediencia ética de su pueblo, y la observación de las naciones. La pertinencia misional de la ética del Antiguo Testamento será explorada con más detalle en el capítulo 11, con atención especial a este texto clave.

La presencia de Dios exige pureza ritual. La pureza ritual es el tema de buena parte de Levítico. ¿Cómo se conecta con la promesa de la presencia de Dios, que mora entre su pueblo, la promesa que se expresa tan poderosamente al final del libro? ¿Y cómo es posible entenderla en relación con una hermenéutica misional? La clave radica en la concepción que Israel tiene de la vida.

En la cosmovisión ritual de Israel, todo en la vida podía dividirse en dos amplias categorías: lo *santo* y lo *profano* (o común). Dios era santo, así como todo lo que estuviera específicamente asociado con él. Todo lo demás era común u ordinario (el significado correcto o neutro de *profano*). Pero el campo de lo común podía dividirse en dos, entre aquello que era *limpio* (el estado normal de personas y cosas) y aquello que era *impuro* (debido a la contaminación o, a veces, al pecado). Solamente aquello que era limpio podía entrar a la presencia de Dios. Y Dios solo podía morar en la presencia de lo que era limpio.

De modo, entonces, que la totalidad de la vida podía encontrarse en un estado de oscilación en una de dos direcciones. El efecto del pecado y de la contaminación era volver lo santo, profano, y lo limpio, impuro. Pero la sangre de los sacrificios y otros rituales podían revertir ese proceso. La sangre de los sacrificios (junto con otros rituales) podía volver limpio lo impuro (y de esta manera hacerlo aceptable para Dios). Y la sangre de los sacrificios se podía usar para santificar o consagrar lo limpio y hacerlo santo. Lo único que *nunca* debía suceder era que los extremos opuestos del espectro entraran en contacto: lo impuro con lo santo.[18] Dios, en definitiva el Santo de Israel, no puede cohabitar con lo impuro.

¿Cuál es, entonces, a la luz de esta cosmovisión, el propósito del sistema de sacrificios y de las leyes sobre la pureza en Levítico? Tenían por objeto mantener a Israel en la condición debida para que YHVH, el santo Dios, viviera entre ellos. Debían ocuparse de aquellas cosas que, si se dejaban al descubierto o sin haber sido sometidas al proceso de la expiación, descalificaban a Israel como habitación para la divinidad.

Pero esto produce una lógica que nos devuelve a la misión de Dios. En síntesis:

- La santidad y la pureza eran las precondiciones para la *presencia de Dios.*
- Y la presencia de Dios era la marca del carácter distintivo de *Israel, a diferencia de las naciones.*
- El carácter distintivo de Israel a diferencia de las naciones era un componente esencial de *la misión de Dios* para ellos en el mundo.

De modo que podemos ver que incluso algo tan esotéricamente israelita como su sistema levítico, ritual y de sacrificio, refleja la orientación misional de Israel como el pueblo santo y sacerdotal de Dios, que incorpora la presencia de Dios en medio de las naciones.

En el Nuevo Testamento, desde luego, sabemos que los sacrificios levíticos fueron retomados y cumplidos en el sacrificio final de Cristo en la cruz. Y sabemos que esas leyes de los alimentos limpios e impuros, que simbolizaban el carácter distintivo de Israel entre las naciones, han sido abolidos porque aquello que simbolizaban ya no corresponden en Cristo, porque ahora judío y gentil son uno. No obstante, la exigencia de pureza moral y espiritual todavía se aplica obligadamente en el con-

---

18 Para una explicación completa de esta cosmovisión y cómo se encuentra en ella todo el sistema levítico, ver G. J. Wenham: *The Book of Leviticus,* New International Commentary on the Old Testament, Eerdmans, Grand Rapids, 1979, pp. 15–29.

texto de la nueva lealtad del pacto con Cristo. Pablo cita nuestro texto de Levítico 26 en 2 Corintios 6.16, con el propósito de aconsejar a los cristianos a no comprometer su exclusivo culto a Cristo acudiendo a templos de otros dioses, y a mantener su carácter distintivo moral ante los incrédulos. Solo así serán una morada digna para su santo Dios. La exhortación del nuevo pacto con el trasfondo del antiguo es muy fuerte. De modo que si bien ha desaparecido el símbolo de la separación de Israel de las naciones (las leyes alimentarias sobre lo limpio y lo impuro), no ha desaparecido la necesidad de mantener lo distintivo del pueblo de Dios en lo espiritual y moral. Sigue siendo parte esencial de nuestra identidad y responsabilidad misionales.

La presencia de Dios perdida, restablecida y extendida a las naciones. Volviendo al pacto antiguo: la trayectoria a partir de nuestro pasaje en Levítico 26 nos lleva a Ezequiel, quien se hace eco del mismo varias veces.

Para Ezequiel el peor momento de su vida, tal vez aparte de la muerte de su esposa, fue su visión de la gloria de Dios en el momento en que se retiraba del templo (Ezequiel 8—10). 'La gloria' es el término favorito de Ezequiel para la tangible presencia de YHVH que llenaba el templo. Pero este se había convertido en un lugar de tanto pecado e idolatría que el Señor ya no soportaba vivir allí. En su visión Dios le mostró a Ezequiel 'las grandes abominaciones que cometen los israelitas en este lugar, y que me hacen alejarme de mi santuario' (Ezequiel 8.6). Dios se fue. ¿Volvería alguna vez? Ese era el suspenso que solo se resolvió con la explícita promesa de Dios de que, sí, volvería. La presencia de Dios finalmente se restablecería.

Toda la sección, Ezequiel 34—37, es, entonces, una coherente visión de un pueblo de Dios restaurado que vive bajo la protección del pacto, con lealtad al pacto, con obediencia al pacto, en unidad conforme al pacto y, por sobre todo, con la morada de Dios nuevamente en el centro conforme al pacto, siguiendo el lenguaje de Levítico 26. Y lo más significativo para nuestra discusión aquí, es que *la restauración de la presencia de Dios en un Israel purificado tendrá su efecto sobre las naciones.*

> Haré con ellos un pacto de paz. Será un pacto eterno. Haré que se multipliquen, y para siempre colocaré mi santuario en medio de ellos. Habitaré entre ellos, y yo seré su Dios y ellos serán mi pueblo. Y cuando

mi santuario esté para siempre en medio de ellos, las naciones sabrán que yo, el Señor, he hecho de Israel un pueblo santo. Ezequiel 37.26–28

Es discutible el que Ezequiel haya alimentado la esperanza de que las naciones realmente fueran *salvas* mediante este modo de conocimiento de Dios. Pero no cabe duda alguna de que Ezequiel tenía un marco de referencia global para lo que creía que Dios haría en medio de su pueblo. La expresión 'sabrán' se oye repetidamente a través de estos capítulos. Cualquiera sea el resultado de dicho conocimiento, *las naciones llegarán a conocer a Dios* cuando una vez más Dios habite entre su pueblo. Y ése, después de todo, es el propósito último de la sección final del libro de Ezequiel: la visión del templo y la ciudad reedificados. Porque su peso radica en el nombre que las dos palabras finales de Ezequiel le asignan: 'yhvh *šāmmâ*, ¡El Señor está allí!', frase equivalente a la más familiar de Isaías: '*immānû ēl*, ¡Dios con nosotros!' La presencia de Dios restituida a su ciudad y su pueblo (que se convierten en términos idénticos para la expectativa bíblica).

Aun cuando no se pueda encontrar en Ezequiel un mensaje de esperanza para las naciones en forma inequívoca, otros profetas lo proclaman triunfalmente. Una exposición completa de este tema deberá esperar hasta el capítulo 14. Sin embargo, debemos tener en cuenta dos textos, en los que aquello que atrae a las naciones a fin de acudir y unirse a quienes disfrutan de esa bendición es la presencia de Dios entre su pueblo (la esencia de la relación en el pacto).

Isaías 60 muestra a las naciones que acuden a Israel como en peregrinaje. Por analogía con las peregrinaciones de los israelitas a Jerusalén, donde sus sacerdotes recibían las ofrendas del pueblo presentadas a Dios en el templo, así el profeta imagina poéticamente a las naciones trayendo sus ofrendas a yhvh, con Israel funcionando como sacerdotes para las naciones (el papel que se les asignó en Éxodo 19.6 y en Isaías 61.6). Los israelitas acudían a Jerusalén y al templo porque allí estaba el Señor. De igual manera aquí, las naciones acudirán a Israel por la misma razón. Acudirán al centro de adoración del pueblo de Dios porque es allí donde ven la presencia de Dios. Aun cuando la retórica profética puede representar esto con el lenguaje de la derrota y la sumisión, la meta primaria no es la de glorificar a Israel sino la de adorar al Dios de Israel y vivir en su presencia.[19] Acudirán como quienes son atraídos de la oscuridad a la luz (Isaías 60.1–3), pero esa luz será más brillante que la del sol, porque será el propio Señor, presente en medio de su pueblo (Isaías 60.19–20, una comparación que inspiró una visión similar en Apocalipsis 21.22–24).

Zacarías 8 también promete que Dios regresará una vez más a Sión para morar con su pueblo (Zacarías 8.3). Así la relación del pacto será restaurada (Zacarías 8.7–8). La maldición será cambiada por bendición. En el versículo 13 aparecen ecos de la promesa abrahámica. Pero el capítulo concluye con el cuadro de las naciones alentándose unas a otras con urgencia a buscar al Señor donde pueda ser hallado: en medio del pueblo donde mora. Esto puede ser centrípeto, pero por cierto que también es misional. La gente clamará para unirse a los que conocen al Dios viviente. El hecho de que Dios more en medio de su pueblo debería obrar como la mayor fuerza de atracción en la tierra.

> Así dice el Señor Todopoderoso: "Todavía vendrán pueblos y habitantes de muchas ciudades, que irán de una ciudad a otra diciendo a los que allí vivan: '¡Vayamos al Señor para buscar su bendición! ¡Busquemos al Señor Todopoderoso! ¡Yo también voy a buscarlo!' Y muchos pueblos y potentes naciones vendrán a Jerusalén en busca del Señor Todopoderoso y de su bendición."
>
> Así dice el Señor Todopoderoso: 'En aquellos días habrá mucha gente, de todo idioma y de toda nación, que tomará a un judío por el borde de su capa y le dirá: ¡Déjanos acompañarte! ¡Hemos sabido que Dios está con ustedes!' Zacarías 8.20–23

La misión como manera de edificar el templo de Dios: la morada multinacional de Dios conforme al pacto. La misión, por lo tanto, puede compararse a la edificación de la morada de Dios y la invitación a las naciones a regresar al hogar. Y esto no está lejos de la forma en que la presenta el propio Pablo. Efesios 2.11–22 está repleto de imágenes relacionadas con

---

19 'La meta a perseguir no es la extensión del reino de Israel, sino la extensión de la alabanza a Dios.' Craig C. Broyles: *Psalms*, New International Biblical Commentary, Hendrikson, Peabody, Mass.; Paternoster, Carlisle, 1999, p. 280, donde comenta la visión universal del salmo 67.

el pacto, como se lo recuerda Pablo a sus lectores gentiles en las iglesias de Éfeso en cuanto a la transformación que se ha operado en la posición de ellos ante Dios. En efecto, han llegado desde el frío de afuera, han vuelto desde lejos al hogar.

El punto culminante de esa sección de Efesios, sin embargo, justifica a la perfección nuestro punto de vista. ¿A qué han accedido los gentiles, las naciones que estaban excluidas, al acudir a Cristo? Nada menos que a constituir *parte del templo de Dios*. Es posible que como gentiles hayan sido excluidos físicamente de las partes internas del templo en Jerusalén, pero espiritualmente ahora constituyen la morada de Dios en Cristo por medio del Espíritu. El privilegio del pacto ha sido universalizado por medio de Jesús (ver Efesios 3.6). Tal es el misterio de la misión del evangelio ('Cristo en ustedes'), es decir, el Mesías morando entre los gentiles, la esperanza de gloria, la realidad de la presencia de Dios en medio de ustedes (Colosenses 1.27).[20] Porque, como ya ha expresado Pablo, la plenitud de la persona y la presencia de Dios mora en Cristo (Colosenses 1.19; 2.9). De modo que si Cristo ahora mora entre los gentiles, entonces la presencia de Dios (el gran privilegio de Israel) ha sido extendida a las naciones por medio de la obra misionera de Pablo y en cumplimiento de las promesas del Antiguo Testamento.

Y finalmente, desde luego, el templo de Dios abarcará no solo a su pueblo redimido de toda tribu, nación, pueblo y lengua, sino a todo el cosmos, dentro del cual lo serviremos como reyes y sacerdotes. Vale decir, la humanidad redimida por medio de Cristo y modelada en la perfecta humanidad de Cristo será restablecida a la relación originalmente propuesta en la creación. El templo, también, a partir del simbolismo del Edén, a través de su particularidad terrenal en el Antiguo Testamento y su transformación cristocéntrica en el Nuevo, hasta su final universalidad en Apocalipsis, funciona como tema misional en la Escritura.[21]

---

20 En mi opinión, la frase *Christos en himin* debería traducirse como 'Cristo entre ustedes' más que simplemente 'en ustedes'. Lo que Pablo indica no es simplemente la presencia del Cristo que mora en el corazón de los creyentes, sino (especialmente en vista del pasaje paralelo de la Carta a los Efesios, donde Pablo explica lo que quería decir con 'el misterio' [Efesios 3.2–6], la presencia del Mesías entre los gentiles mediante la predicación del evangelio y su aceptación por parte de ellos.

21 Ver especialmente Beale: *Temple and Church's Mission*.

La misión de Dios y el pronóstico de Dios: Deuteronomio 27—32. Comenzamos con el gran prólogo al pacto del Sinaí en Éxodo 19. Los versículos 19.7-8 expresan que el pueblo de Israel declaró su firme intención de hacer todo lo que el Señor ordenara. Repiten su compromiso en Éxodo 24.7.

Pero para cuando llegamos al final de Deuteronomio, ya en varias ocasiones memorables han demostrado su incapacidad para cumplir esta promesa (ver especialmente Éxodo 32—34; Números 14; y los recuerdos de Moisés de estas y otras rebeliones en Deuteronomio 9). Es una historia trágica en la que la diferencia entre la entusiasta aceptación del pacto por parte del pueblo y su total fracaso en guardarlo se había hecho dolorosamente patente.

Fracaso y maldición. Falta lo peor, porque en esos capítulos finales de Deuteronomio, el Pentateuco termina con la triste predicción de que esto no sería el fin de la obstinada resistencia por parte del pueblo a la orientación de Dios. Su prolongado futuro sería tan atormentado por la terquedad como su breve pasado.

En pocas palabras, lo que Deuteronomio anticipaba sobre la historia futura de Israel era que, si bien Israel había sido llamado y se le había ofrecido toda suerte de incentivos para que viviera con lealtad al Señor del pacto, de hecho no llegaría a hacerlo. El libro de Deuteronomio, a pesar de todo su magnífico contenido, comienza y termina en fracaso: se inicia mirando hacia atrás al fracaso de la generación del éxodo en cuanto a tomar posesión de la tierra que Dios les había mostrado, y termina con el anticipado fracaso de la futura generación. La naturaleza endémicamente tozuda de Israel conduciría a la rebelión y la desobediencia.

En consecuencia caerían sobre ellos las maldiciones que formaban parte integral del pacto (Levítico 26; Deuteronomio 28), incluida la terrible amenaza de ser esparcidos entre las naciones. Aun así, lleno de admiración y de maravillosa retórica (ver en especial Deuteronomio 30), Moisés apunta más allá del juicio y ofrece la segura y cierta esperanza de restauración y nueva vida, en caso de que el pueblo volviera y buscara a Dios nuevamente. Esta es la escena que vemos a través de la gran sección concluyente del libro, los capítulos 27—32: fracaso, maldición, dispersión, regreso, restauración.

Israel y las naciones entretejidos en la historia. Por cuanto Deuteronomio es un registro de la renovación del pacto justo antes del ingreso a la Tierra Prometida, ubica esta expectativa futura en un marco fuertemente pactual. Y dado que el pacto con Israel se hizo con plena conciencia de que toda la tierra y todas las naciones pertenecen a Dios, no debería sorprendernos comprobar que las naciones están entretejidas en esta futura proyección de modos altamente significativos: modos que se retoman en lo que el Nuevo Testamento entiende como la misión de Dios para el mundo.

Primero, las naciones son *testigos* del fracaso de Israel y el juicio de Dios, lo cual las sorprenderá. Piden una explicación, y la reciben (Deuteronomio 28.37; 29.22–28). Segundo, las naciones son, también, los *agentes* humanos mediante los cuales Dios ejecuta su juicio en cumplimiento de las maldiciones del pacto (Deuteronomio 28.49–52; 32.21–26). A esta altura las naciones son enemigas de Israel pero también agentes de Dios. Tercero, en la sorprendente inversión y paradoja de Deuteronomio 32, Dios *reivindica* a su pueblo en medio de las naciones, de tal modo que al fin las naciones son convocadas a *alabar* a YHVH y a regocijarse *con* su pueblo (Deuteronomio 32.27–43). No se explica de qué manera se dará esta misteriosa inversión. Los diversos escenarios se ubican uno al lado de otro.

- Las naciones serán enemigos a quienes Dios usará para juzgar a Israel.
- Sin embargo, finalmente, Dios también defenderá a Israel contra estos mismos enemigos.
- Y Dios conducirá a todos: Israel y las naciones en conjunto, a la alabanza y la adoración del Señor Dios.

Así, la historia que traerá el juicio y la restauración de *Israel* también incluirá el juicio y la bendición de las *naciones*. Cada secuencia estará entrelazada con las otras. Y la secuencia total será la operación del pacto en la historia.

La restauración de Israel y la reunión de las naciones. En el capítulo 14 veremos con más detalle la forma en que los profetas manejaron esta escatología del pacto en relación con las naciones. Pero por el momento es necesario que reconozcamos el alcance que tiene la influencia de esta teología deuteronómica y pactual de historia anticipada sobre la forma en que entiende el Nuevo Testamento la misión de la iglesia.

Está claro que *Jesús* vinculó su propia misión con la esperanza de la restauración de Israel, y que los escritores de los Evangelios adoptaron la misma interpretación en cuanto a la significación de su ministerio. N. T. Wright, por ejemplo, sugiere que Mateo armó su Evangelio no solo en función de los cinco libros de la Torá (un punto de vista común entre eruditos), sino específicamente en función de la secuencia de pensamiento que encontramos en la gran sección final de Deuteronomio 27—34. Al hacerlo, Mateo destaca la significación de la historia de Jesús 'como la continuación y la culminación de la historia de Israel, con el implícito entendimiento de que esta historia es la clave para la historia de todo el mundo.'[22] Aun cuando Jesús limitó su propio ministerio al objetivo primario de la restauración de Israel, dejó con sus acciones y sus palabras muchas insinuaciones sobre la esperada reunión de las naciones, y se refirió a esta reunión como la misión explícita de sus discípulos después de su resurrección.

Con todo, fue el apóstol Pablo el que más se valió de Deuteronomio para su reflexión teológica y misionológica. No solo vio en el continuo sufrimiento de Israel una especie de alargamiento de la maldición del exilio (un punto de vista compartido por muchos judíos del primer siglo), sino que también vio en la muerte y la resurrección del Mesías Jesús la culminación del juicio y la restauración de Israel, respectivamente. Ligando esto con su comprensión central de la significación de Israel *para las naciones* (como en el pacto abrahámico), Pablo reconocía que *el cumplimiento del propósito para Israel nunca podría ser completo sin la reunión, a la vez, de las naciones.* La negativa de muchos de los judíos contemporáneos de Pablo a responder al mensaje de Jesús como Mesías había puesto en marcha la difusión de las buenas noticias a los gentiles (p. ej., Hechos 13.44–48; Romanos 11). Pero, en el pensamiento de Pablo, esto nunca significó un rechazo definitivo o un remplazo de los judíos.

---

22 N. T. Wright: *New Testament and the People of God*, pp. 387–390.

Más bien, con el fin de mostrar la forma en que relaciona esta reunión de los gentiles con el propósito final de Dios para Israel, Pablo adopta un juego de palabras retórico, tomado de Deuteronomio 32.21, y lo convierte en una teología de la historia y la misión.

Ellos [los israelitas] me provocaron a celos mediante un 'no dios'
y me enojaron con sus ídolos inútiles.
Así que yo los provocaré a celos mediante un 'no pueblo' (mi traducción).

Pablo sostiene que mediante sus esfuerzos misionales la reunión de los gentiles (el 'no pueblo') despertará el celo entre los judíos, de modo que finalmente 'todo Israel', el pueblo extendido hasta incluir a creyentes judíos y gentiles, compartirán la salvación (Romanos 10.19— 11.26). Pablo había reflexionado profundamente sobre Deuteronomio y en particular sobre el Cántico de Moisés en Deuteronomio 32 (que ha sido descrito como 'Romanos en pocas palabras'). Cita la doxología final, que invita a las naciones a alabar a Dios con su pueblo (Deuteronomio 32.43), en su exposición sobre la naturaleza multinacional del evangelio, y lo que este supone en cuanto a la necesidad de una aceptación mutua y de una sensibilidad transcultural entre cristianos judíos y gentiles (Romanos 15.7–10).[23]

El pacto del Sinaí, por lo tanto, que ofrece la estructura para buena parte de la ley y los profetas, tiene amplia significación misionológica. Cuando procuramos leer estos tremendos bloques de textos de la Torá con la lente de una hermenéutica misional, tenemos que tener en cuenta:

- La condición y el papel de Israel como sacerdocio pactual de Dios en medio de las naciones.
- El privilegio central de la presencia de Dios en medio de su pueblo, lo cual constituía su carácter distintivo y su testimonio ante las naciones.
- El anticipado fracaso de Israel, que en la misteriosa providen-

---

23 Para ver toda la influencia de Deuteronomio sobre la misionología de Pablo, J. M. Scott: 'Restoration of Israel', en: *Dictionary of Paul and His Letters*, ed. G. F. Hawthorne y R. B. Martin, InterVarsity Press, Downers Grove, Ill.; InterVarsity Press, Leicester, 1993, pp. 796–805.

cia de Dios arrojaría como resultado la apertura de la puerta de la gracia y la salvación para las naciones.

Estas dimensiones internacionales y misionales del pacto de Israel en el Sinaí finalmente influyeron sobre, y dieron forma a, la misión de Jesús y de Pablo en teología y en práctica, y siguen teniendo relevancia para la iglesia como el nuevo pueblo del pacto de Dios en Cristo.

David

La historia de Israel siguió rodando hasta el momento en que la nación exigió tener rey. Después del fracaso de Saúl, se estableció una monarquía bajo David. No era lo que Dios había iniciado ni pedido. Pero a él no lo hacen trastabillar las decisiones humanas, de modo que toma esta iniciativa humana dentro de Israel, con todas sus ambigüedades, y la convierte en vehículo para sus propios fines.

Un rey en los propósitos de Dios. Dado que David debía ser rey del pueblo del pacto, Dios inició un pacto particular con él y sus sucesores. No se trata de un pacto nuevo sin relación con el pacto sinaítico, sino de una elaboración particular del mismo en el contexto de la monarquía. Después de todo, ¿quién era el verdadero rey? El pacto sinaítico había dado lugar a la convicción de que el verdadero rey de Israel era YHVH mismo. Esta había sido la triunfante declaración formulada como estandarte del éxodo: ¡El Señor reina por siempre y para siempre! (Éxodo 15.18). Y durante siglos la convicción de que YHVH era el verdadero Rey de Israel había sido suficiente para resistir cualquier idea de un rey humano entre las tribus de Israel asentadas en la tierra de Canaán. Gedeón rechazó la realeza cuando se la ofrecieron (Jueces 8.22-23), y Abimélec, que se apoderó de ella, llegó a un fin nada envidiable (Jueces 9). El reinado de Saúl no había terminado mucho mejor.

De manera que cuando David fue ungido como 'un hombre según mi corazón'[24] esto seguramente quiere decir que el reinado de David no se ha de ver de ningún modo como remplazando o usurpando el reinado

---

24 Esta frase no significa (como puede parecer) un favorito especial de Dios. Más bien, dado que el corazón es el asiento de la voluntad y las intenciones en hebreo, significa que David será quien lleve a cabo los propósitos de Dios.

de YHVH, sino más bien como una incorporación del mismo. David como rey humano de Israel llevará a cabo el propósito de YHVH, su gran Rey conforme al pacto. Así, el enfoque principal del pacto con la casa de David (como se registra en 2 Samuel 7) está en el papel de David y sus sucesores, de conectar a tierra ese gobierno de YHVH en Israel mediante estas nuevas disposiciones reales. El rey habría de gobernar al pueblo, pero, en última instancia, solamente como representante del gobierno de YHVH: de un modo más estable, si bien nada diferente, en principio, del liderazgo de los jueces en una era anterior, quienes también habían hecho real la autoridad de Dios en medio del pueblo.[25]

El pacto davídico, entonces, tiene su foco primero en Israel. Tiene también, no obstante, el concepto de que, así como Israel tenía una significación más que local en la misión de Dios, su rey también la tenía. Los aspectos de alcance universal en el pacto davídico, que son relevantes para una lectura misional del mismo, pueden verse de dos maneras: por un lado el lenguaje de alabanza que vincula al reinado davídico con el reinado de YHVH sobre todas las naciones, y por el otro, la edificación del templo como el centro de la adoración, en un primer momento de Israel, pero finalmente de todas las naciones. A estos dos temas misionológicamente fecundos, el reinado y el templo, pasamos ahora.

Un rey para todas las naciones. Solo cuando vinculamos el reinado de David y sus sucesores con el reinado de Dios podemos encontrarle sentido a los textos que contemplan el reinado de David sobre las naciones o incluso sobre la tierra. Algunos de los salmos davídicos/siónicos también tienen esta nota de universalidad.

El Salmo 2.7–9, por ejemplo, celebra el reinado universal del hijo de David, al que se nombra como el Hijo de Dios. Es posible que el lenguaje haya sido originalmente hiperbólico y relacionado con la coronación, es decir, una afirmación exagerada sobre el gobierno mundial del rey davídico en Jerusalén. Pero las sugerencias teológicas y mesiánicas contemplan la extensión del pequeño reino del David histórico en última instancia como el reinado universal del 'más grande Hijo del gran David', y este

---

25 John Goldingay encuentra un vínculo entre la cálida afirmación inicial de David como un hombre que gobernó 'con justicia y rectitud' (2 Samuel 8.15) y llevó a toda su casa y a la nación en esa dirección, y la intención de Dios de que este fuera el propósito mismo de la elección de Abraham: por amor a la bendición no solo de Israel sino de todas las naciones (Génesis 18.19). Goldingay: *Old Testament Theology*, 1:555.

salmo ya se leía en clave mesiánica mucho antes del tiempo de Jesús.

El Salmo 72.8–11, 17 declara una expectativa similar del reinado universal del hijo de David. Hay un eco muy claro del pacto abrahámico en el versículo 17: 'Benditas serán en él todas las naciones; / lo llamarán bienaventurado' (RVR95). La mayor relación entre el pacto davídico y el abrahámico se da aquí. En efecto, se afirma que un rey en la línea de David será el medio por el cual la promesa de Dios de bendecir a las naciones tendrá cumplimiento. Los que figuran aquí para ser bendecidos por medio de Abraham figuran para ser bendecidos por medio del rey davídico.

Esta fuerte conexión bien pudo haber influido en el vínculo que establece Mateo entre estos dos grandes antepasados en su genealogía de Jesús en Mateo 1.1. Jesús es el hijo de David, hijo de Abraham. El Mesías que concluye el Evangelio de Mateo enviando a sus discípulos a la misión que había de universalizar el pacto del *Sinaí*, es el que inicia el Evangelio (y el Nuevo Testamento) englobando la bendición universal del pacto *abrahámico* y el reinado universal del pacto *davídico*.

Isaías 11 se une a Isaías 9.1–7 al prometer grandes cosas para el pueblo de Dios bajo el reinado de un Hijo por nacer de la casa de David. Lo que de inmediato llama la atención en este capítulo, sin embargo, es el hecho de que la dotación del Espíritu de YHVH a este futuro 'retoño del tronco de Isaí' es decir, un descendiente de David, lo capacitará para un papel que se extenderá no solo a todas las naciones de la tierra sino incluso a toda la creación. En el primer cántico del capítulo, su gobierno de justicia abarcará a toda la tierra (v. 4). Y en el comentario que sigue, su estandarte atraerá a pueblos y naciones (vv. 10, 12). No sorprende que en el cántico de alabanza que concluye toda esta sección del libro de Isaías, las buenas noticias de tal importancia universal se hayan de proclamar a las naciones y a todo el mundo (Isaías 12.4–5). La atmósfera misional que va a resonar tan fuerte más adelante en el libro ya se anticipa aquí a continuación de las profecías sobre los beneficios mundiales de un futuro cumplimiento del pacto davídico.

En Isaías 55.3–5 el Señor declara:

Haré con ustedes un pacto eterno,
   conforme a mi constante amor por David.
Lo he puesto como testigo para los pueblos,
   como su jefe supremo.
Sin duda convocarás a naciones que no conocías,
   y naciones que no te conocían correrán hacia ti.

Al aparecer en la culminación de una sección dedicada a alentar a los exiliados, estas palabras vinculan al futuro pueblo de Dios no solamente a la esperanza con respecto regreso del exilio (incluyendo también el regreso a Dios), sino también con respecto al restablecimiento del pacto con David. La destrucción de Jerusalén y la cautividad del rey davídico parecían haber dado fin a ese pacto, como lamenta el Salmo 89. Aquí Dios no solo lo recuerda, sino que lo extiende de dos maneras. Por un lado, la promesa a David de ahora en adelante será un pacto con todo el pueblo, 'con ustedes' (o sea plural). Y por otro lado, el futuro gobierno del nuevo David no se limitará a los israelitas étnicos, sino que se extenderá a pueblos y naciones (plural). Esto se conecta, por cierto, con la orientación de alcance universal de estas profecías, que incluían la gran visión de que finalmente 'toda carne', es decir, *toda la humanidad* verá la gloria del Señor (Isaías 40.5).

   Una casa de oración para todas las naciones. A la par del pacto con la casa de David, los mismos relatos registran la construcción del templo hecho por Salomón, el hijo de David, como 'casa para el Señor'. Y con este desarrollo viene también el fuerte énfasis en Jerusalén como Sión, la ciudad de Dios. Todo este nexo de David–templo–Sión con sus tradiciones teológicas se da en un nivel altamente centralizado y particular. Después de todo, *éste* es el lugar y el santuario, donde YHVH ha de ser buscado porque es aquí donde ha dispuesto que more su nombre. Con todo, en otros sentidos la tradición del templo tiene una notable apertura hacia el resto de las naciones y una incipiente universalidad que aparece en una cantidad de textos.

   1 Reyes 8.41–43. En su oración en la dedicación del templo, Salomón invita a YHVH a escuchar no solo las oraciones de los israelitas, sino también de los extranjeros (ver las pp. 305-306). Se trata del cumplimiento implícito en la promesa a Abraham de que los extranjeros serán atraídos a venir e invocar al Dios de Israel en busca de bendición. La motivación que se le ofrece a Dios para que conteste esas oraciones de quienes no pertenecen al pacto es expresamente misional, es decir, que 'así, todos los pueblos de la tierra conocerán tu nombre y, al igual que tu pueblo Israel, tendrán temor de ti' (v. 43). El templo, entonces, que estaba tan centralmente relacionado con el pacto davídico en la creciente fe de Israel, desde este momento en adelante puede ser el entorno para el cumplimiento del pacto abrahámico. Debería ser el lugar de bendición para los representantes de las naciones.

Isaías 56.1–7. Estas notables palabras representan una inversión de la situación en la que los extranjeros (en diferentes grados y por diferentes razones [Deuteronomio 23.1–8]) habían sido excluidos del lugar más santo de Israel.

No solamente los acercará Dios mismo a su 'monte santo' (la ciudad de Jerusalén), no solo, dice, los 'llenaré de alegría en mi casa de oración' (el templo), sino que su total inclusión se demostrará por la aceptación de sus sacrificios 'sobre mi altar'. Esta universalización de la eficacia del templo para incluir a extranjeros es de inmediato confirmada por el anuncio de que 'mi casa será llamada / casa de oración para todos los pueblos' (v. 7).

Este es el texto que Jesús sabía que se cumpliría en el templo de su propia persona y de aquellos que se unían a él, y el que citó proféticamente al anunciar la destrucción del templo existente en su tiempo (Marcos 11.17). Fue también la promesa que el eunuco etíope hizo suya (conscientemente o no), cuando se gozó con el cumplimiento de Isaías 56.7; y esto no ocurrió cuando visitó el templo de Jerusalén, sino cuando Felipe le presentó a Jesús en el desierto (Hechos 8.39).

El gran David y su más grande Hijo. *Lucas 1—2.* Mateo retoma la descendencia davídica de Jesús el Mesías y lo conecta con Abraham. Pero es Lucas quien convierte este rasgo en una sinfonía de referencias y alusiones davídicas en los dos primeros capítulos de su Evangelio. Como corresponde, las referencias a David comienzan con la promesa de Dios destinada de manera específica a Israel. Pero a poco andar el horizonte se amplía hasta incluir a las naciones.

María nos es presentada como la novia de José, 'descendiente de David' (Lucas 1.27). Las palabras que le dirige Gabriel especifican que el niño que dará a luz será el Rey mesiánico esperado por Israel: 'Dios el Señor le dará el trono de su padre David, y reinará sobre el pueblo de Jacob para siempre. Su reinado no tendrá fin' (Lucas 1.32–33). El cántico de Zacarías celebra el que por fin Dios cumple su promesa tanto a Abraham como a David, ofrece salvación y liberación nuevamente a su pueblo (Lucas 1.69–73). El coro de ángeles identifica a Belén como 'la ciudad de David' (Lucas 2.11, como si los pastores locales no lo supieran) y les dice que las buenas noticias que traen son para 'todo el pueblo' (Lucas 2.10). *Salvación*, *gloria* y *paz*, notas claves en la melodía celestial de los ángeles, eran todos rasgos de la prometida nueva era del reinado del nuevo David. Por último, Simeón, si bien no menciona a David, reconoce la verdad que abarca a todo el orbe acerca del infante que tiene en brazos. No solo es el 'Cristo del Señor' (Lucas 2.26), sino que es (como lo declaraba su nombre) la salvación del Señor, preparada para todos los pueblos, gentiles e israelitas por igual (Lucas 2.30–32). De modo que para Lucas la significación universal y misional de Jesús el Mesías, y su ascendencia abrahámica y davídica, pertenecen a la misma gramática del cumplimiento de la promesa de la divinidad.

Hechos 15.12–18. En su segundo tomo, Lucas continúa de dos maneras con el tema del cumplimiento davídico. Primero, en la predicación de los primeros tiempos, tanto Pedro como Pablo usan la descendencia davídica de Jesús al lado de su resurrección cuando argumentan que él es el Mesías prometido (Hechos 2.25–36; 13.22–37). Segundo, en el Concilio de Jerusalén en Hechos 15, convocado para encarar teológica y pragmáticamente el ingreso de gentiles en la iglesia como consecuencia de la exitosa misión de Pablo y otros, Santiago elige un texto de Amós que profetiza no solo que la naciones llegarán a portar el nombre del Señor, sino que la 'choza caída' de David será levantada (Amós 9.11–12). Las consecuencias de esta elección del texto son importantes. Preserva el orden que corresponde a la visión escatológica del Antiguo Testamento (que estudiaremos más detalladamente en el capítulo 14).

Las promesas del pacto a Israel deben cumplirse. Israel debe ser redimido, el reino davídico restablecido, el templo davídico reedificado. Solo entonces podrían las naciones ser reunidas. Santiago lleva la lógica hacia atrás, a partir de los hechos en el terreno. Las naciones están siendo reunidas, y es, manifiestamente, obra de Dios mismo. La única conclusión a la que se podía llegar, por lo tanto, era que en la resurrección del Mesías, la prometida restauración del reino de David y la reedificación del templo también habían tenido lugar. Pero dado que el Mesías davídico sería rey para todas las naciones, y el templo davídico sería una casa de oración para todas las naciones, la restauración de estas cosas tiene que adelantarse a su propósito señalado: la reunión de las naciones como súbditos de su reino y piedras de su templo. La resurrección de Jesús no es solo el cumplimiento de las palabras de David en los salmos, es también la restauración del reino y el templo de David, ya no para el Israel étnico solamente, sino para todas las naciones.[26]

Romanos 1.1–5. Romanos es la exposición más sostenida de Pablo sobre su propia teología misional. Ofrece la base escrituraria mediante la cual el evangelio declara que las naciones pueden ser incluidas en la obra salvífica de Dios juntamente con Israel, mientras sostiene que Dios todavía se ha mantenido fiel a su promesa para con Israel. De hecho, la inclusión de las naciones forma parte de lo que efectivamente constituye el cumplimiento de la promesa de Dios a Israel.

En sus palabras de introducción, Pablo elige incluir la descendencia humana de Jesús a partir de David entre las consideraciones que hace sobre el cumplimiento de las Escrituras del Antiguo Testamento.

El evangelio de Dios, que por medio de sus profetas ya había prometido en las sagradas Escrituras. Este evangelio habla de su Hijo, que

---

26 Para una exposición excelente y completa sobre la forma en que Lucas identifica claramente en Hechos la resurrección de Jesús con el templo escatológico, en el discurso de Pedro el día de Pentecostés, en el discurso de Esteban y en el discurso de Santiago en el Concilio de Jerusalén, ver Beale: *Temple and Church's Mission*, cap. 6. Jacobo cita Amós 9.11, pero es probable que sus palabras también constituyan un eco de Oseas 3.5 y Jeremías 12.15–16, con la visión de 'los gentiles que pasan a formar parte del verdadero Israel al ser edificados como el verdadero templo. La interpretación de Hechos 15.14–18 está en consonancia con varias profecías del Antiguo Testamento que declaran que los gentiles entrarán en la presencia de la divinidad en el templo de la era mesiánica (Salmo 96.7–8; Isaías 2.2–3; 25; 56.6–7; Jeremías 3.17; Miqueas 4.1–2; Zacarías 14.16)'. (*Ibid.*, p. 239).

según la naturaleza humana era descendiente de David, pero que según el Espíritu de santidad fue designado con poder Hijo de Dios por la resurrección. Él es Jesucristo nuestro Señor. Romanos 1.1–4

'El evangelio … que por medio de los profetas ya había prometido', procede a explicar Pablo, es universal en su alcance, por cuanto fue anunciado primeramente a Abraham e incluía a todas las naciones. El que Jesús sea hijo de David a la vez que Hijo de Dios debe, por lo tanto, incluirse con los elementos de esa universalidad. Porque según el versículo 5 es explícitamente en nombre de este Jesús, hijo de David e Hijo de Dios, que Pablo tiene su encargo misionero de lograr que las naciones 'obedezcan a la fe'.

Apocalipsis 5.1–10. Una última referencia al pacto davídico en relación con Jesús aparece en la gran visión de Juan de la realidad celestial que está por detrás o por encima del orden mundial actual en el que los cristianos tienen que vivir su vida. ¿Quién tiene la llave para el rollo, el significado de la historia humana en los propósitos de Dios? Es un libro cerrado, a menos que sea desplegado por alguien competente y con autoridad. "Uno de los ancianos me dijo: '¡Deja de llorar, que ya el León de la tribu de Judá, *la Raíz de David*, ha vencido! Él sí puede abrir el rollo y sus siete sellos'" (Apocalipsis 5.5, énfasis agregado). Esta figura es luego presentada como el Cordero que fue inmolado. De manera que el Jesús crucificado es digno de abrir el rollo, porque la cruz de Jesús es la llave a todo el plan de Dios en la historia. 'Porque con tu sangre compraste gente para Dios *de toda tribu y lengua y pueblo y nación*' (Apocalipsis 5.9, mi traducción).

La Raíz de David ha cumplido la promesa a Abraham. La misión de Dios se ha completado.

El nuevo pacto

La historia de Israel siguió andando. La historia de fracaso y rebelión que había sido anticipada en Deuteronomio se hizo realidad. El pueblo en general no vivió de conformidad con las normas del pacto del Sinaí. Sucesivos reyes tanto de Israel como de Judá tampoco vivieron de conformidad con las normas del Sinaí ni con los ideales de Sión. La relación del pacto se tensó hasta el punto del quebrantamiento. Algunas voces proféticas declararon que, en efecto, se había quebrado, y que solo un acto de la sorprendente gracia de Dios podía salvarla.

Pero eso era precisamente lo que caracterizaba a YHVH, Dios de Israel: actos de gracia más allá de lo concebible y por cierto más allá de lo merecido. De modo que se fue desarrollando un creciente anhelo de que Dios actuara de algún modo nuevo, que organizara un nuevo comienzo, que inaugurara una renovación del pacto de tal manera que no fuera presa de los fracasos de un pueblo desobediente. Una sola vez se describe esto en los términos precisos de 'un nuevo pacto' (por Jeremías), pero la idea de que un nuevo futuro por parte de Dios incluiría rasgos de los pactos originales, renovados y establecidos en forma permanente, se encuentra en el curso de una serie de textos.

Todos los pactos que hemos analizado tenían dimensiones y expectativas que iban más allá de los límites de Israel solamente, reconociendo que YHVH, como el Dios del pacto con Israel era también el Dios soberano de toda la tierra y todas las naciones. No sorprende, entonces, que la idea de un nuevo pacto contendría, igualmente, esas esperanzas misionales más amplias. Tampoco sorprende que los documentos que hemos recibido de los cristianos primitivos llegaran a conocerse colectivamente como el Nuevo Pacto (o Testamento). Porque leían las Escrituras existentes a la luz de su convicción de que Jesús era el Mesías y que a través de él se había inaugurado el prometido nuevo pacto, juntamente con la misión a las naciones como su ineludible corolario.

Esperanzas proféticas. Jeremías. El único texto que explícitamente usa la frase 'un nuevo pacto', Jeremías 31.31–37, no ofrece ninguna indicación precisa sobre su universalidad, es decir, de que comprenderá o incluirá a otras naciones dentro de su esfera de acción.[27] Este pasaje aparece en una sección de Jeremías conocida como el Libro de Consolación (capítulos 30—33), en el que el profeta se dedica a ofrecer consuelo al pueblo de Israel mediante el mensaje de la restauración después del exilio. Esto no debería tomarse, sin embargo, como que a Jeremías no le interesaba o no tenía conciencia de ninguna promesa por parte de

---

27 Ofrezco un análisis clasificado más completo de todos los pasajes sobre el nuevo pacto en los profetas en Wright: *Knowing Jesus through the Old Testament.*

Dios en relación con las naciones en general. Después de todo, Jeremías había sido llamado a ser 'profeta para las naciones' (Jeremías 1.5), papel que al parecer lo había afligido muy seriamente. Por lo menos dos textos más tienen en vista a las naciones, con un ofrecimiento más amplio de la bendición o salvación de Dios.

En un notable oráculo más breve (Jeremías 12.14–17) las naciones en torno a Israel reciben exactamente la misma esperanza de restauración y establecimiento, y en las mismas condiciones (el arrepentimiento y el culto verdadero) en las que en otra parte se ofrecían a Israel.

En cuanto al propio Israel, si se arrepintiera verdaderamente, no solo se suspendería el juicio de Dios sobre Israel sino que derramaría su bendición. Y en una sugestiva alusión a Génesis 12.3, eso significará la bendición abrahámica para el resto de las naciones (Jeremías 4.1–2).

Ezequiel. En los capítulos 34—37 Ezequiel contempla la futura restauración y el establecimiento del propio Israel en términos que tienen ecos de los pactos con Noé, con David y en el Sinaí (p. ej., Ezequiel 34.23–31). Todo el sabor de la visión de Ezequiel sobre el futuro es fuertemente pactual.

Pero, ¿abrigaba Ezequiel esperanzas en cuanto a la salvación de *las naciones*? No lo expresa de manera explícita, pero su silencio no debería usarse para demostrar demasiado. La pasión de Ezequiel era que toda la tierra debía llegar a conocer la verdadera identidad de Dios como YHVH. Un análisis del uso por Ezequiel de la frase 'entonces ustedes [o ellos] sabrán que yo soy YHVH', indica alguna diferenciación entre Israel y las naciones.

- Israel llegaría a conocer a YHVH tanto a través del juicio como de la futura restauración.
- Las naciones llegarían a conocer a YHVH al ser testigos de los actos de Dios a favor de Israel, y a través de la experiencia de su propio juzgamiento.

Ezequiel no alcanza a decir que las naciones llegarán a conocer a YHVH *a través de su propia salvación futura*. Podría decirse que esto, cuando menos, se insinúa como una posibilidad, ya que 'conocer a

YHVH' es un rasgo del pacto entre Dios e Israel, y que está fuertemente conectado con sus actos de redención a favor de ellos. Por analogía, si las naciones llegarán a conocer a YHVH, podría incluir la experiencia de la salvación al igual que Israel. Aun así, hay que aceptar que Ezequiel no lo dice explícitamente.

Sin embargo, se ha señalado que, encontrándose a comienzos del exilio, la preocupación principal de Ezequiel era *el que realmente pudiera haber algún futuro para Israel*. A menos que Israel pudiese llegar al arrepentimiento y al conocimiento salvífico de Dios, no había esperanza para el propio Israel, y menos aún para el resto del mundo. Cualquier grado de esperanza para las *naciones* dependía enteramente de que *Israel* fuera enderezado. De modo que esa es la candente preocupación de Ezequiel en la primera embestida torturante del juicio de Dios en el exilio. Nada importaba más que el hecho de que Israel se arrepintiera, se volviera hacia Dios y llegara a conocerlo nuevamente... y eso solo ocurriría mediante el fuego del juicio.[28]

Isaías. El libro de Isaías usa el lenguaje del pacto para expresar la esperanza futura de un modo que explícitamente incluye a las naciones. En Isaías 42.6 y en 49.6, la misión del siervo de YHVH consiste, entre otras cosas, en ser un 'pacto para el pueblo' —frase misteriosa y una especie de *enigma* exegético, pero con seguridad que se ha de entender mediante su paralelismo con 'luz para los gentiles [las naciones]' (ver Isaías 49.6, que además lo explica en función de que la salvación de YHVH llega 'hasta los confines de la tierra').

El lenguaje de la justicia y la *torah* en Isaías 42 rememora al pacto del Sinaí, pero es al pacto davídico al que se hace referencia en Isaías 55.3–5, y donde se actualiza su tendencia de abarcar al universo entero. Incluso hasta se acude al pacto con Noé para contar con la certidumbre de la promesa de Dios de bendición futura para su pueblo, en Isaías 54.7–10.

De modo que encontramos que, en su desarrollo en el Antiguo Testamento, el anticipado nuevo pacto retoma temas de todos los pactos anteriores (Noé, Abraham, Sinaí y David), y en varios lugares los amplía para

---

28 He considerado más ampliamente estas dimensiones del mensaje de Ezequiel en relación con las naciones en *The Message of Ezekiel*, The Bible Speaks Today, InterVarsity Press, Leicester; InterVarsity Press, Downers Grove, Ill., 2001, pp. 35–38, y debo lo que aquí se propone a David A. Williams: "'Then They Will Know That I Am the Lord': The Missiological Significance of Ezekiel's Concern for the Nations as Evident in the Use of the Recognition Formula" (tesis de maestría, *All Nations Christian College*, 1998).

incluir a las naciones dentro del alcance final de la misión salvífica de Dios en el pacto. Este desarrollo escatológico y de carácter universal de la trayectoria del pacto a través de la historia del Antiguo Testamento es lo que lleva en forma directa al lenguaje misionalmente cargado de su cumplimiento en el Nuevo.

El 'sí' del pacto en Cristo. "Todas las promesas que ha hecho Dios son 'sí' en Cristo", dijo Pablo, en un contexto en el que su propio papel como siervo del nuevo pacto está muy presente en su mente (2 Corintios 1.20; ver el cap. 3).

> Jesucristo, el Hijo de Dios hecho hombre, la Palabra de Dios hecha carne como el resto de la familia humana, ha sido enviado como el '¡Sí!' para todas las promesas hechas por Dios. En Jesús de Nazaret Dios ha concedido al descendiente de Abraham en quien todas las naciones han de ser bendecidas, el profeta semejante a Moisés que sobrepasa a Moisés en cuanto a traer 'gracia y verdad' al mundo, el hijo de David cuyo gobierno justo jamás terminará, el Siervo Sufriente que se ha constituido en pacto para reunir en sí mismo a los esparcidos pueblos del mundo.[29]

Siendo esto así, podría sorprendernos descubrir que el Nuevo Testamento es más bien escaso en cuanto a vocabulario relacionado con el concepto de pacto. Cierto es que ni Jesús ni Pablo mencionan la palabra con gran frecuencia (aunque de modos sumamente significativos cuando lo hacen). Pero esto se debe a que dan por sentado la historia del pacto como la base fundamental para todo su pensamiento.

Es preciso recalcar nuevamente la historia subyacente que une todas las articulaciones del pacto entre sí. De manera necesaria, hemos tenido que abrirnos camino mediante una selección de textos en cada caso. Pero reunirlos entre sí es la gran narrativa de la misión de Dios, ya desde Abraham, de proporcionar bendición a las naciones por medio de su pueblo al que ha llamado a ser su especial posesión. Esta no es una historia cualquiera, es *la* historia, que proporciona a los israelitas su cosmovisión fundamental, y a los cristianos también la suya. Porque este es el Dios que adoramos en Jesús. Este es el pueblo al que pertenecemos

---

29 Christopher J. Baker: *Covenant and Liberation: Giving New Heart to God's Endangered Family*, Peter Lang, N. York, 1991, pp. 323–324.

mediante la fe en Jesús. Y esta es la historia de la que Jesús es la culminación y a la que él en conclusión dará su gran final. Y el pacto recorre esta historia como el nervio central.

De manera que para Jesús y los escritores del Nuevo Testamento, el pacto era tan crucial para el modo en que pensaban acerca del propósito de Dios para Israel, como la certidumbre de que el Dios de Israel era el único Dios vivo y verdadero, y que Israel era el pueblo elegido de Dios. Así entonces, sea que se lo mencione explícitamente o no, encontramos realidades del pacto en todos los grandes temas relacionados con su cumplimiento. Y lo encontramos de manera especial en la inclusión de las naciones entre los miembros del pacto, lo cual era el propósito subyacente de la obra misionera de la iglesia.

El uso más memorable (literalmente) de la expresión 'nuevo pacto' es su uso definitivo por Cristo en ocasión de su última comida pascual con los discípulos justo antes de su crucifixión. En ese momento tan cargado de emoción que celebraba el éxodo y el subsiguiente establecimiento del pacto con Israel en el Sinaí, Jesús toma la cuarta copa de la comida y declara que 'esta copa es el nuevo pacto en mi sangre, que es derramada por [muchos]'. Las palabras esenciales, con variantes menores, se encuentran en nuestro registro más antiguo, 1 Corintios 11.25, y en cada uno de los Evangelios sinópticos (Mateo 26.28; Marcos 14.24; Lucas 22.20). Generalmente se entiende que la frase 'por muchos' conecta la acción en la mente de Jesús con Isaías 53.11 y el sufrimiento vicario del siervo de Dios a favor de todos los que quieran beneficiarse con su muerte.

La misión y la extensión del pacto a las naciones. Pablo ve el relato del evangelio como el cumplimiento del texto pascual anticipado en los capítulos finales de Deuteronomio. A Pablo le interesaba particularmente insistir en que los gentiles que acudían a Cristo alcanzaban una posición de total inclusión dentro del pacto.

Para expresarlo en sentido contrario, el pacto entre Dios e Israel se extendía de tal manera que Israel mismo se redefine ahora a fin de incluir a los gentiles en Cristo. Ya hemos visto el modo en que convoca a los gálatas a reconocer que si están *en Cristo*, entonces están *en Abraham* y son herederos de esa promesa según el pacto. De hecho, es *solamente* cuando los gentiles como ellos *son* incluidos que la promesa abrahámica se cumple plenamente. La promesa de Dios a Abraham permanece incumplida a menos que las naciones sean bendecidas de manera conjunta con Abraham e Israel.

La suprema exposición sobre la inclusión de los gentiles en el pacto es Efesios 2.11–22. En un clásico contraste, Pablo describe la situación de las naciones fuera de Israel con anterioridad al evangelio; se trata de total y sombría exclusión del pacto: 'separados de Cristo, excluidos de la ciudadanía de Israel y ajenos a los pactos de la promesa, sin esperanza y sin Dios en el mundo' (v. 12). Luego, siguiendo su explicación de la obra reconciliadora de Cristo en la cruz, Pablo vuelve a presentar imágenes del pacto, a partir del versículo 19. Luego, siguiendo su explicación de la obra reconciliadora de Cristo en la cruz, Pablo agrega nuevamente las imágenes del pacto, a partir del versículo 19. Estos que antes eran externos al pacto ya no son extraños y forasteros (términos técnicos en la ley del Antiguo Testamento), sino miembros plenos del *pueblo* de Dios y de la *familia* de Dios. No solamente tienen acceso a la presencia de Dios, constituyen en verdad el *templo*, la *morada misma* de Dios. Todas estas son imágenes pactuales de la mayor importancia. Son ahora realidad para estos gentiles que han sido incluidos mediante la misión de Pablo.

La Gran Comisión como el mandato del nuevo pacto. La misión extiende los límites del pacto para incluir miembros dondequiera el evangelio sea predicado eficazmente. Es Mateo, desde luego, quien nos ofrece, como culminación de su Evangelio, lo que se ha hecho conocer como la Gran Comisión. Lo que no siempre se advierte es cuán pactual y además deuteronómico en forma y contenido es el registro de Mateo a esta altura.

> Toda la autoridad en el cielo y en la tierra me ha sido dada. Por lo tanto, cuando vayan, discipulen a todas las naciones, bautizándolas en el nombre del Padre y del Hijo y del Espíritu Santo, y enseñándoles que observen todo cuanto les he mandado yo. Y miren, yo estoy con ustedes siempre, hasta el fin de la era. Mateo 28.18–20 (mi traducción).

Entre los elementos fundamentales de la estructura del pacto del Antiguo Testamento tenemos:

- La presentación que Dios hace de sí mismo como el gran Rey con toda la autoridad (con frecuencia abreviado a 'Yo soy YHVH').
- Las exigencias imperativas en la relación del pacto, es decir, las instrucciones dadas por el Señor del pacto.
- Las promesas de bendición.

Podemos ver la forma en que estos tres elementos del pacto están contenidos en las declaraciones de Jesús:

Primero. Se identifica a sí mismo como el que ahora posee toda la autoridad divina: él es el Señor del pacto.

Segundo. Da a los discípulos (quienes ahora, apropiadamente son también adoradores [v. 17]) un mandato sistemático para su obediencia según el pacto.

Tercero. Concluye con la promesa de su propia presencia permanente entre ellos, algo explícitamente prometido como la bendición del pacto por excelencia.[30]

La Gran Comisión es nada menos que la proclamación universalizada del pacto. Incluso podría ser considerada como la promulgación del nuevo pacto por el Jesús *resucitado*, de la misma manera que sus palabras en la Última Cena constituyeron la institución del nuevo pacto en relación con su *muerte*.

Hasta el lenguaje de la Gran Comisión es prácticamente deuteronómico. Al pueblo de Israel se le dijo que cobrara aliento porque 'el Señor es Dios arriba en el cielo y abajo en la tierra, y que no hay otro' (Deuteronomio 4.39). Esa fue la razón suprema para la lealtad pascual exclusiva que Israel debía rendirle solo a YHVH. El Jesús resucitado asume tranquilamente esa posición de *identidad y autoridad cósmicas*. Lo que había sido afirmado sobre YHVH ahora lo reclama *Jesús* para sí.

Y el énfasis en la *obediencia*, implícito en el mandato a hacer discí-

---

30 Ver Vogels: *God's Universal Covenant*, pp. 134–135.

pulos, algo que es bastante deuterónomico en sí mismo, aparece claro como el cristal en la frase 'observen todo cuanto les he mandado' —el constante refrán del libro de Deuteronomio.

Y hasta la *promesa* de Cristo de estar con sus discípulos es un eco de la promesa hecha a Josué tanto por Moisés como por Dios mismo de que estaría con él para siempre (Deuteronomio 31.8, 23; ver Josué 1.5). La presencia del Dios del pacto entre su pueblo en el Antiguo Testamento se convierte en la prometida presencia de Jesús entre sus discípulos mientras llevan a cabo la misión que les ha encomendado. 'La protección ofrecida por Yahvéh a su pueblo o a sus mensajeros en el pasado ahora la promete Jesús, el salvador universal, al nuevo pueblo de este pacto universal.'[31]

La misión, por lo tanto, como se articula en la Gran Comisión, es el reflejo del nuevo pacto. La misión es un imperativo inevitable fundado en el *señorío pactual* de Cristo nuestro Rey. Su tarea consiste en formar comunidades que se multiplican a sí mismas, caracterizadas por la *obediencia pactual* a Cristo entre las naciones. Y cuenta con el apoyo de la *promesa pactual* de la perdurable presencia de Cristo entre sus seguidores.

La misión cumplida como la culminación del pacto. Pero no podemos dejar de ocuparnos de la visión suprema de toda la Escritura, el libro de Apocalipsis. El Apocalipsis es un libro gloriosamente pactual, que nos muestra la presencia de Dios entre su pueblo como la coronación de la misión redentora cósmica de Dios. Apocalipsis 21—22, en efecto, combina imágenes de todos los pactos que contienen las Escrituras. Allí aparece Noé en la visión de una nueva creación, un nuevo cielo y una nueva tierra después del juicio. Allí aparece Abraham en la reunión y bendición de todas las naciones procedentes de toda lengua y todo idioma.

Moisés está allí en la afirmación del pacto de que 'serán su pueblo; Dios mismo estará con ellos y será su Dios', y 'la morada de Dios será con los hombres y él vivirá con ellos'. David está allí en la Ciudad Santa, la nueva Jerusalén, y en la identidad de Jesús como el León de Judá y la

---

31 *Ibid.*, p. 139.

Raíz de David. Y allí está el Nuevo Pacto en el hecho de que todo esto será logrado por la sangre del Cordero que fue inmolado.

Este es el punto omega del largo trayecto de historia pactual a través de la Biblia. Los pactos proclaman la misión de Dios como su promesa comprometida con las naciones y con la totalidad de la creación. El libro de Apocalipsis es la declaración pactual de la 'Misión cumplida'.

Es posible que nunca sepamos con seguridad qué textos de las Escrituras les explicó Jesús a los dos discípulos en el camino a Emaús, o qué pasajes pudo haber tenido presente cuando dijo al resto de los discípulos esa misma tarde que 'esto es lo que está escrito' (Lucas 24.45–48). Pero podemos estar bastante seguros de que, habiendo identificado en forma explícita su propia muerte con el nuevo pacto (Lucas 22.20), los pactos que hemos analizado arriba por lo menos habrían formado parte de la senda que siguió a través de las Escrituras. Así, los pactos forman parte esencial de esa lectura cristiana de las Escrituras del Antiguo Testamento, ya que, como lo expresó Jesús, han de ser tanto *mesiánicas* (porque conducen finalmente a Cristo) como *misionológicas* (porque llevan a que se predique el arrepentimiento y el perdón en el nombre de Cristo a todas las naciones). La misión de Dios es tan integral a la secuencia de los pactos, como lo son los pactos al gran relato que se extiende a lo largo de toda la Biblia.

11 . La vida del pueblo misionero de Dios

Hemos recorrido un largo camino con Israel en los últimos cinco capítulos. Hemos seguido la historia del Dios de Israel en sus actos de elección, redención y pacto con su pueblo, analizando la manera en que cada uno de ellos es una dimensión de la gran misión del Dios de la Biblia para bendecir a todas las naciones. En cada caso también hemos explorado cómo estos temas centrales de la cosmovisión se retoman en el Nuevo Testamento y constituyen el patrón que permite entender la identidad y la misión de la iglesia como pueblo del mismo Dios.

En diversos puntos a lo largo del camino, hemos visto insinuarse la necesidad de una *respuesta ética* de parte de Israel. La misión de Dios es bendecir a todas las naciones por medio del pueblo que él ha elegido, redimido y unido a sí mismo en un pacto de relación mutua. Pero ese propósito divino requiere de la respuesta humana. Los tres pilares de la fe y la identidad de Israel (su elección, redención y pacto) están vinculados con la misión de Dios. El desafío ético del pueblo de Dios es, primero, reconocer la misión de Dios que provee el pulso de su existencia y luego, responder en formas que lo expresen y faciliten, en lugar de negarlo y entorpecerlo. En este capítulo uniremos entre sí estos diversos indicadores éticos que hemos observado hasta aquí, consolidándolos en torno a ciertos textos clave que enfocan nítidamente cada uno de los tres temas principales. Tres textos en particular, reconocidos por su condición programática en su propio contexto, dirigirán nuestra atención a la luz más amplia que arrojan sobre la ética y la misión: Génesis 18, Éxodo 19 y Deuteronomio 4.

La opinión común de que la Biblia es un código moral para los cristianos no refleja, por supuesto, toda la realidad de lo que la Biblia es y hace. La Escritura es esencialmente el relato de Dios, la tierra y la humanidad, es la historia de todo lo que salió mal, lo que Dios ha hecho para restablecerlo, y lo que reserva el futuro bajo su plan soberano. No obstante, en esa gran narrativa, la enseñanza moral tiene un papel fundamental. El relato bíblico es el relato de la misión de Dios. La exigencia bíblica es la de una respuesta apropiada de parte de los seres humanos. La misión de Dios requiere e incluye la respuesta humana. Y nuestra misión sin duda incluye la dimensión ética de esa respuesta.

El pueblo de Dios en ambos Testamentos está llamado a ser luz para las naciones. Pero no puede haber luz para las naciones si la luz misma no resplandece en las vidas transformadas de un pueblo santo. Por lo tanto, lo que pretendemos mostrar en este capítulo es que la enseñanza ética de la Biblia puede (en realidad debe) ser leída desde un ángulo misional, es decir, con la hermenéutica misionológica que es la intención de todo este libro. Lo que sin duda observaremos, confío, es que no puede haber misión bíblica sin ética bíblica.

Ética misionera y elección — Génesis 18

En el capítulo 6 analizamos en profundidad la elección que Dios hizo de Abraham, y su promesa definitiva de bendecir a las naciones. Hemos visto cómo el propósito principal de la elección radica en la combinación de promesa y mandamiento 'serás una bendición' (o 'sé una bendición'). Con esas palabras Dios inicia la historia de la bendición redentora en el mundo. Pero también vimos de qué modo el Génesis enfatiza la respuesta de Abraham en fe y obediencia. La propia obediencia de Abraham (destacada como el motivo por el que Dios cumplirá su promesa de bendición de todas las naciones [Génesis 22.16–18]) sería el modelo para la instrucción permanente de sus descendientes de generación en generación. Ellos también debían andar en el camino del Señor en justicia y rectitud para que Dios pudiera cumplir el propósito misionero de la elección de Abraham. 'El pacto abrahámico es una agenda moral para el pueblo de Dios a la vez que una afirmación misionera hecha por Dios' (ver pp. 293–294).

El pasaje que mejor articula esta conexión es Génesis 18.18–19, y es a esto que ahora nos abocamos.

> Por cierto que Abraham se convertirá en una nación grande y poderosa, y en él serán bendecidas todas las naciones de la tierra. Porque yo lo he conocido (elegido) *para que* instruya a sus hijos y a su casa después de él, a fin de que se mantengan en el camino del YHVH y pongan en práctica lo que es justo y recto, *para el propósito que* YHVH cumplirá para Abraham según lo que le ha prometido. Génesis 18.18–19 (mi traducción).

Este breve monólogo divino aparece en medio de la narrativa del juicio de Dios sobre Sodoma y Gomorra que abarca Génesis 18—19. De manera que este recordatorio de la promesa universal de bendición de Dios en realidad está inmerso en la historia de un momento particularmente notorio del juicio histórico de Dios. Antes que nada debemos prestar atención al contexto circundante, ya que, como el relato de la torre de Babel, aparece en duro contraste con las palabras de Dios a Abraham y también nos muestra el motivo por el que esas palabras de redención fueron tan necesarias.

Sodoma: un modelo de nuestro mundo. Sodoma representa el camino del mundo caído. En las Escrituras se presenta como un proverbial prototipo de la perversidad humana y del juicio de Dios que finalmente cae sobre los malvados. Lo demostraremos con el análisis de algunos pasajes que hacen referencia a Sodoma.

Comenzando con este capítulo, escuchamos el 'clamor' (*zĕ'āqâ*) que sube a Dios desde Sodoma.

> Entonces el Señor le dijo a Abraham: 'El clamor contra Sodoma y Gomorra resulta ya insoportable, y su pecado es gravísimo. Por eso bajaré, a ver si realmente sus acciones son tan malas como el clamor contra ellas me lo indica; y si no, he de saberlo.' Génesis 18.20–21

zĕ'āqâ, o *sĕ'āqâ,* es un término técnico para el grito de dolor o el pedido de auxilio de quienes están siendo oprimidos o violados.[1] Vimos en el capítulo 8 que es la palabra que usaban los israelitas que clamaban bajo la esclavitud de Egipto (p. 362).

Los salmistas la usan cuando apelan a Dios para que escuche su clamor por el trato injusto que reciben (por ejemplo Salmo 34.17). Resulta especialmente gráfico porque se trata del grito pidiendo auxilio de una mujer que está siendo violada (Deuteronomio 22.24,27). Tan temprano como Génesis 13.13 se nos dice que: 'Los habitantes de Sodoma eran

---

1 Para una discusión completa y detallada de esta palabra, incluyendo su uso en los Salmos y los libros de los profetas, ver Richard Nelson Boyce: *The Cry to God in the Old Testament* (Scholars Press, Atlanta, 1988). Boyce dedica el capítulo 3 al uso de este término en el escenario legal del 'pedido de auxilio' de los necesitados a las autoridades. Con seguridad agudiza nuestra comprensión de Génesis 18.20 si lo que Jehová escuchó de Sodoma no fue sencillamente un 'clamor' sino específicamente un 'pedido de auxilio' dirigido a él como máximo 'Juez de toda la tierra'. En este caso, la intervención de Dios para destruir las ciudades se vería como una acción para romper con el poder que ejercían sobre los pobres y los oprimidos del área circundante —un acto de justicia bíblica.

malvados y cometían muy graves pecados contra el SEÑOR.' Aquí ese pecado se identifica con opresión, porque eso es lo que la palabra 'clamor' sugiere inmediatamente. Algunas personas de Sodoma o de sus alrededores estaban sufriendo hasta el punto de tener que clamar contra la opresión y la crueldad.

En Génesis 19 leímos sobre la hostil, pervertida y violenta inmoralidad sexual que caracterizaba a los hombres: a 'todo el pueblo sin excepción, tanto jóvenes como ancianos' (Génesis 19.4).

En Deuteronomio 29.23 se compara la suerte futura de Israel bajo la ira y el juicio de Dios por su idolatría con la de Sodoma y Gomorra, lo que sugiere que parte del pecado de las ciudades gemelas era su desenfrenada idolatría, junto con sus pecados sociales (ver Lamentaciones 4.6).

Isaías describe la Jerusalén de su tiempo con las tonalidades de Sodoma y Gomorra, cuando la condena por su derramamiento de sangre, corrupción e injusticia (Isaías 1.9–23). Y más adelante describe el futuro juicio de Dios contra Babilonia (otra ciudad prototípica) por su orgullo como una repetición de la destrucción de Sodoma y Gomorra por parte de Dios (Isaías 13.19–20).

Ezequiel compara con más mordacidad todavía a Judá con relación a Sodoma, describiendo el pecado de Sodoma como soberbia, opulencia, e indiferencia hacia el necesitado. Sus habitantes eran arrogantes, sobrealimentados e indiferentes: una enumeración de acusaciones notablemente actual (Ezequiel 18.48–50).

De manera que, por el testimonio amplio del Antiguo Testamento, está claro que Sodoma se usaba como paradigma, como perfil de sociedad humana en su peor estado, y del inevitable y justificado juicio de Dios sobre esa perversidad. Era un lugar plagado de opresión, crueldad, violencia, sexualidad pervertida, idolatría, orgullo, gula y falta de compasión o cuidado por los necesitados.

Philip Esler sugiere que este catálogo de los vicios y maldades que caracterizaba Sodoma modeló la mentalidad judía en relación con el pecado y el juicio, y, como tal, se refleja en la descripción de Pablo de la maldad humana en Romanos 1.18–32. Aunque Pablo no menciona a Sodoma, su propia lista del pecado humano refleja todos los elementos del pecado de Sodoma que nombran las Escrituras. Es significativo que Pablo comience su enumeración afirmando que 'la ira de Dios viene revelándose desde el cielo contra' toda esa conducta, y finaliza con la declaración de que 'quienes practican tales cosas merecen la muerte'. En efecto, era del cielo de donde descendió la muerte en forma de fuego y azufre sobre Sodoma y Gomorra (Génesis 19.24).[2] Vale la pena recordar que cuando Pablo hablaba de su misión de apóstol a las naciones, era a las naciones que Pablo veía tipificadas en Sodoma. Producir 'obediencia de fe' en un mundo cuya humanidad podía ser descripta seriamente en esos términos, no podía ser menos que el poder milagroso de la gracia de Dios operando por medio del evangelio. Y todavía lo es.

Abraham: un modelo de la misión de Dios. Sodoma entonces se presenta como modelo del mundo bajo juicio. Pero también era parte del mundo que constituía el contexto del llamado y la residencia de Abraham. En tanto que Sodoma estaba en la tierra a la que Abraham había sido convocado, era, en un sentido, el contexto de su misión. Hay cierta ironía en la narrativa bíblica que registra a Abraham siendo llamado a salir de Babel, no para ir a una suerte de paraíso celestial sino a la tierra de Sodoma. Sea lo que sea la historia de la redención, no es una historia de escapismo.

De modo que es en este contexto de la perversidad de Sodoma de la investigación que Dios lleva adelante con sus dos ángeles y de la probabilidad del juicio de Dios sobre las ciudades de la llanura, donde ocurren las conversaciones de Génesis 18. El monólogo de Dios en el versículo 18 es una recapitulación de la promesa original del pacto. Esta es la meta misionera que arroja luz sobre la promesa de Dios renovada a Abraham y Sara de un hijo, en la primera mitad del capítulo (Génesis 18.10, 14). Dios, camino a cumplir su juicio sobre una sociedad malvada particular, se detiene a recordarse a sí mismo de su propósito final de bendecir a todas las naciones. Es casi como si Dios no pudiera hacer lo uno (el juicio) sin ubicarlo en el contexto de lo otro (la redención). La necesidad inmediata particular es la investigación y el juicio. La meta final y universal es (y siempre fue) la bendición.

Así las cosas, Dios se detiene a almorzar con Abraham y Sara. No necesitaba hacerlo, no más de lo que necesitaba, hablando estrictamente,

---

2 Philip E. Esler: 'The Sodom Tradition in Romans 1.18–32', *Biblical Theology Bulletin* 34 (2004): 4–16.

'bajar' a averiguar lo que estaba pasando en Sodoma (aunque el lenguaje que usa es idéntico al de su inspección de la torre de Babel). El motivo fue que Dios vio, en esta pareja mayor que acampaba en las montañas sobre las ciudades de la llanura, la clave para su propósito misionero integral para la historia y la humanidad. El relato es un recordatorio para nosotros (de la misma manera en que está presentada como un recordatorio de Dios para sí mismo [vv. 17–19]) de la centralidad de Abraham en la teología bíblica de la misión de Dios.

Es también significativa la forma en que responde Abraham a la confianza que Dios puso en él: se aboca a la intercesión (Génesis 18.22–33). Este diálogo se describe a veces como un caso de regateo propio del Medio Oriente, ya que la dinámica y el lenguaje son propios de un mercado. Se supone que Dios es el juez severo del que Abraham finalmente consigue, mediante un proceso de reducción de la oferta, una mayor indulgencia. También se lo ha tomado como el inicio de la enseñanza que recibió Abraham (v. 19) de YHVH, quien lo instruye en este caso a juzgar la tierra con más criterio (por ejemplo, a no destruir al justo con el malvado).[3] No obstante, Nathan Macdonald ha demostrado que una interpretación del tipo 'regateo' no se adecua en absoluto a la conversación.[4] En realidad, si de alguna manera está presente la figura del mercado, está subvertida. Porque Abraham descubre que YHVH es mucho más complaciente de lo que se figuraba.

Si uno imagina la intención metafórica en el intento de Abraham de 'comprar' la salvación de la ciudad al menor 'precio' posible en términos del número de justos que pudiera haber en ella, entonces el 'regateo' va en dirección opuesta a la que esperaríamos. Es Abraham el que hace la 'oferta' inicial de que toda la ciudad debía ser salvada si se encontraban en ella cincuenta personas justas. Tal vez para su sorpresa, eso se acepta sin objeción. Tampoco hay contrapropuesta. Si esto fuera efectivamente un encuentro de regateo, esperaríamos una respuesta divina algo similar a 'No, no podría salvar la ciudad solo por cincuenta, tendría que haber por lo menos cien'. Habría

---

3 Walter Brueggemann: *Genesis*, Interpretation, John Knox Press, Atlanta, 1982, p. 168.
4 Nathan Macdonald: 'Listening to Abraham—Listening to YHVH: Divine Justice and Mercy in Genesis 18.16–33', *Catholic Biblical Quarterly* 66 (2004): 25–43.

luego sucesivos acercamientos, que llevarían a cierta cifra intermedia. Por el contrario, cada vacilante *reducción* propuesta por Abraham es recibida con decidida aceptación por Dios, hasta que el proceso termina misteriosamente en diez. Abraham está aprendiendo incluso mientras intercede. El Dios con el que está tratando, el Dios que le dado su confianza para este preciso propósito, está preparado para ser mucho más misericordioso de lo que Abraham esperaba al principio. Y seguramente este Dios no dejará de distinguir entre justos y malvados en su juicio. Al final, el relato nos dice que ni siquiera se pudo encontrar diez justos en Sodoma. Como comenta Goldingay: 'Ay de la ciudad que carece hasta de diez inocentes, como Sodoma: Todo el pueblo sin excepción, tanto jóvenes como ancianos, estaba allí presente (Génesis 19.4)'[5]. Entonces cae el juicio.

Sin embargo la intercesión de Abraham no fracasa del todo. Los términos en los que Dios hubiera salvado a toda la ciudad no se cumplen. Pero sí le fue otorgado el *primer* pedido, de que Dios no debía 'exterminar al justo junto con el malvado' (Génesis 18.23). Lot y sus hijas fueron salvados del cataclismo. Y, podemos suponer, los que clamaron contra Sodoma y Gomorra (posiblemente los pueblos vecinos que estaban siendo oprimidos por ellos) fueron librados por la destrucción de las ciudades malvadas. Abraham asume aquí un papel que luego será profundizado por Moisés (Éxodo 32—34; Números 14; Deuteronomio 9) y llevado a la cumbre por Cristo: el papel de intercesor profético y sacerdotal. Además, es otro ejemplo del papel de Abraham como instrumento de bendición para las naciones, incluso si en este caso las ciudades en cuestión habían pecado más allá de la posibilidad de ser bendecidas o indultadas. Por sorprendente que parezca, Sodoma y Gomorra tenían a Abraham orando por ellas y suplicando que fueran libradas del juicio de Dios... una reacción muy diferente a la expresada por Jonás, o (cabe agregar) por muchos cristianos cuando observan la maldad del mundo que los rodea. 'Si escuchamos a YHVH, descubrimos que el intercambio de Abraham con él nos enseña el tipo de respuesta que se espera del elegido de YHVH para que la bendición

---

5 Goldingay: *Old Testament Theology*, vol. 1 (*Israel's Gospel*), InterVarsity Press, Downers Grove, Ill., 2003, p. 228.

divina sea transmitida a las naciones (12.1–3)'.[6] Es decir, aprendemos la importancia misionera de la oración de intercesión.

'El camino del SEÑOR': Un modelo para el pueblo de Dios. Volviendo al versículo clave central, Génesis 18.19, vemos que su agenda ética está vinculada por un lado con la elección de Abraham y por el otro con la misión de Dios. Tenemos que examinar primero el contenido ético específico de la frase 'el camino del SEÑOR' y 'pongan en práctica lo que es justo y recto'. Luego prestaremos atención a la evidente lógica misionera de la estructura y la teología del pasaje.

El contenido ético. Abraham fue elegido para ser un maestro, específicamente un maestro del camino del SEÑOR y un maestro de la justicia y la rectitud. Esta pedagogía ética comenzará con sus hijos y luego pasará a su familia, lo cual supone la transmisión de la enseñanza a través de las generaciones. Abraham está anticipando el papel de Moisés como maestro, tal como hemos visto que anticipa su papel de profeta intercesor. Dos frases resumen el contenido del *curriculum vitae* de la familia abrahámica.

1) 'El camino del SEÑOR'. La expresión 'guardar el camino del SEÑOR' o 'andar en el camino del SEÑOR' era una metáfora favorita del Antiguo Testamento para describir un aspecto particular de la ética de Israel. Implica un contraste: es decir, andar en el camino de YHVH, como diferente de los caminos de otros dioses o de otras naciones o del propio camino o del de los pecadores. Aquí, el contraste es entre el camino de YHVH y el de *Sodoma* que sigue inmediatamente. Como metáfora, 'andar en el camino del SEÑOR' parece tener dos posibles figuras mentales.

Una es la de seguir a alguien por un sendero mirando sus pisadas y siguiéndolas cuidadosamente. En ese sentido, la metáfora sugiere la imitación de Dios: observamos la manera en que Dios actúa y tratamos de seguir su ejemplo. 'Quiero ver sus pisadas y poner allí la mía' dice el himno que habla de seguir a Jesús.[7]

Esa imagen implica que Israel estaba destinado a hacer un viaje en el que Dios abriría el camino como guía y ejemplo del pueblo. También sugiere que los requerimientos morales de Dios eran los que él mismo había mostrado

---

6 *Ibid.*, p. 43.
7 John F. Bode, 'O Jesus, I Have Promised', (Jesús, yo he prometido), 1868.

de manera ejemplar en el trato con su pueblo. Imitando la actividad divina el pueblo se convertiría en un ejemplo visible a las naciones de la naturaleza y el carácter del Dios al que adoraban (Deuteronomio 4.5–8).[8]

La otra imagen es la de partir por un sendero siguiendo las instrucciones que alguien nos ha dado, tal vez el bosquejo de un mapa (si es que eso no es demasiado anacrónico para el antiguo Israel), o un conjunto de instrucciones que aseguren que uno se mantenga en el camino correcto en lugar de vagar por sendas erradas que podrían terminar en callejones sin salida o lugares peligrosos. Según Cyril Rodd, esta segunda figura se adapta mucho mejor al uso de la metáfora en el Antiguo Testamento, ya que la expresión 'andar en el camino (o caminos) del Señor' está más relacionada con obedecer las órdenes de Dios que con imitar a Dios. El camino del Señor, según Rodd, es sencillamente otra expresión para la ley o los mandamientos de Dios, su conjunto de instrucciones para el viaje de la vida. Rodd está en lo cierto en su análisis del uso predominante de la metáfora, pero creo que descarta con demasiada rigidez el concepto de imitar al Señor.[9] Los mandamientos de Dios no son reglas arbitrarias ni autónomas; con frecuencia están relacionadas con el carácter, con los valores o con los deseos de Dios. De manera que obedecer sus mandamientos es reflejar a Dios en la vida humana. La obediencia a la ley de Dios y el reflejo de su carácter no son categorías mutuamente excluyentes: la una es expresión de la otra.

Uno de los ejemplos más claros de esta dinámica en acción es Deuteronomio 10.12–19. Comienza con un floreo retórico, más bien parecido a Miqueas 6.8, resumiendo toda la ley en un único acorde de cinco notas: temer, andar, amar. Servir y obedecer.

Y ahora, Israel, ¿qué te pide el Señor tu Dios? Simplemente que le temas *y andes en todos sus caminos*, que lo ames y le sirvas con todo tu

---

8 Eryl W. Davies: 'Walking in God's Ways: The Concept of Imitatio Dei in the Old Testament' en *True Wisdom*, ed. Edward Ball, Sheffield Academic Press, Sheffield, 1999, p. 103. Es interesante que Davies plantea aquí el mismo aspecto del significado misional de Israel que nos preocupa dilucidar. La cualidad ética de la vida de Israel era parte de su 'testimonio' a las naciones, por ser un reflejo de YHVH en medio de las naciones. Comparar también Christopher J. H. Wright: *Deuteronomy*, New International Biblical Commentary, Hendrikson, Peabody, Mass.; Paternoster, Carlisle, 1996, pp. 11–14, donde se discute este aspecto ético de la misión de Israel, y la sección 'Ética misionera y pacto' en este libro (ver pp. 501-515).

9 Cyril Rodd provee un análisis muy útil del uso de la metáfora 'andar con, detrás o ante' YHVH u otros dioses en *Glimpses of a Strange Land: Studies in Old Testament Ethics*, T&T Clark, Edinburgo, 2001, pp. 330–333.

corazón y con toda tu alma, y que cumplas los mandamientos y los preceptos que hoy te manda cumplir, para que te vaya bien. Deuteronomio 10.12–13 (énfasis agregado).

Y ¿cuáles son los caminos de YHVH en los que debe andar Israel? La respuesta viene primero en términos amplios. El suyo era el camino del amor condescendiente al elegir a Abraham y sus descendientes para ser el vehículo especial de su bendición.

Al SEÑOR tu Dios le pertenecen los cielos y lo más alto de los cielos, la tierra y todo lo que hay en ella. Sin embargo, él se encariñó con tus antepasados y los amó; y a ti, que eres su descendencia, te eligió de entre todos los pueblos, como lo vemos hoy. Deuteronomio 10.14–15

Eso a su vez requería una respuesta de amor y humildad: 'Despójate de lo pagano que hay en tu corazón y ya no seas terco' (Deuteronomio 10.16). Pero, ¿qué, específicamente, era 'el camino' de YHVH? Finalmente el pasaje entra en detalles.

[Él] no actúa con parcialidad ni acepta sobornos. Él defiende la causa del huérfano y de la viuda, y muestra su amor por el extranjero, proveyéndole ropa y alimentos. *Así mismo debes tú mostrar amor por los extranjeros*, porque también tú fuiste extranjero en Egipto. Deuteronomio 10.17–19 (énfasis agregado).

Andar en el camino del Señor, entonces, significa (entre otras cosas) hacer por otros lo que Dios quisiera hacer por ellos, o de manera más particular, hacer por otros lo que (en el caso de Israel) Dios ya hizo con uno (en su experiencia de liberación de la condición de extranjeros en Egipto y provisión de alimentos y ropa en el desierto).

Volviendo entonces a nuestro pasaje principal, Génesis 18.19, el que lee por primera vez este relato verá la frase 'el camino de YHVH' como un duro contraste frente al camino de las ciudades, cuya maldad está despertando el clamor que Dios se propone investigar. El lector más experimentado y familiarizado con el resto de las Escrituras del Antiguo Testamento oirá la frase como un resumen del rico panorama de la ética del Antiguo Testamento modelada por el carácter y las acciones de YHVH.

2) Poner en práctica lo que es justo y recto. *Rectitud* y *justicia* también entran en las cinco palabras clave del vocabulario ético del Antiguo Testamento. Cada una de ellas en forma individual, en diversas formas verbales, adjetivas y sustantivas, aparecen cientos de veces. La primera bajo la raíz *sdq*, que se encuentra en dos formas sustantivas comunes, *sedeq* y *sĕdāqâ*. Generalmente se traducen como 'rectitud', pero esa palabra con un matiz religioso no transmite toda la gama de significados que tenía el término hebreo. El significado fundamental probablemente sea 'recto': algo que es plenamente y en forma definitiva lo que debe ser. Entonces puede ser una norma, algo con lo que se miden otras cosas, un patrón. Se lo usa literalmente respecto de objetos reales cuando deben hacer lo que se supone deben hacer: por ejemplo, pesas y medidas precisas son 'medidas *sedeq*' (Levítico 19.36; Deuteronomio 25.15). Caminos seguros para ovejas son 'senderos *sedeq*' (Salmo 23.3). Significa correcto, aquello que es como debe ser, aquello que cumple con la norma. Cuando se aplica a las conductas y relaciones humanas, significa conformidad con lo que es correcto o esperado: no en algún sentido genérico abstracto o absoluto, sino de acuerdo a las exigencias particulares de la relación o a la naturaleza específica de la situación. *Sedeq/sĕdāqâ* son efectivamente palabras altamente relacionales. A tal punto que Hemchand Gossai incluye toda una sección sobre la 'relación' como definición del término.

> Si un individuo es *saddîq* [recto] significa que por necesidad es y vive de una manera que le permite responder de manera correcta a los valores de la relación; [lo cual puede incluir las relaciones de cónyuge, padre, juez, empleado, amigo, etc.]. ... En esencia, entonces, *sdq* no es simplemente una norma objetiva que está presente en la sociedad, y la que debe ser cumplida, sino más bien un concepto que deriva su significado de la relación en la que se presenta. De manera que estamos en condiciones de decir que un juicio correcto, un gobierno correcto, una actividad correcta de adoración y misericordia, son todos pactados y rectos, a pesar de su diversidad.[10]

---

10 Hemchand Gossai: *Justice, Righteousness and the Social Critique of the Eighth–Century Prophets*, American University Studies, Series 7, Theology and Religion, Peter Lang, N. York, 1993, 141:55–56.

La segunda es la raíz *špt,* que tiene que ver con la actividad judicial en todos los niveles. De ella derivan un verbo y un sustantivo comunes. El verbo *šāpat* se refiere a la acción legal en un amplio espectro. Puede tener el significado de actuar como legislador, actuar como juez arbitrando entre partes en una disputa o pronunciando dictamen de inocencia o culpabilidad, ejecutar el juicio de cumplimiento de las consecuencias legales de ese veredicto. En el sentido más amplio significa 'poner las cosas correctamente', intervenir en una situación que está mal, opresiva o fuera de control y corregirla.

El sustantivo derivado *mišpāt* puede describir todo el proceso de litigio (un caso) o su resultado final (el veredicto y ejecución). Puede significar una ordenanza legal, una jurisprudencia basada en precedentes anteriores. Éxodo 21—23, conocido como el Código de Pacto, o Libro del Pacto, se llama en hebreo sencillamente *mišpātîm.* También se puede usar en un sentido más personal como el derecho legal propio, la causa o el caso que uno presenta como demandante ante los superiores. La expresión frecuente el *'mišpāt* del huérfano y de la viuda' significa su caso de justicia contra quienes lo explotan. Es de este último sentido en particular de donde el *mišpāt* adquiere su sentido amplio de 'justicia' con un carácter bastante activo, mientras que *sedeq/sĕdāqâ* tiene un matiz más estático.[11] En los términos más amplios (y reconociendo que hay mucha superposición, además de la posibilidad de intercambiar las palabras), *mišpāt* es lo que hace falta hacer en determinada situación si las personas y las circunstancias necesitan ser restauradas a *sedeq/sĕdāqâ*. *Mišpāt* es un conjunto cualitativo de acciones, algo que se hace.[12] *Sedeq/sĕdāqâ* es un estado de cosas cualitativo, algo que se procura lograr.

Aquí en Génesis 18.19 se ponen a la par, como con frecuencia ocurre, para formar una frase integral. Cuando aparecen juntas formando un dístico (ya sea 'justicia y rectitud' o 'rectitud y justicia', constituyen lo que técnicamente se conoce como una 'endíadis'(es decir, una sola idea

---

11 Sobre *mišpāt,* ver: *Ibid.*, cap. 3.

12 'Tal como se usa con frecuencia en textos bíblicos, la justicia es un llamado a la acción más que un principio de evaluación. Justicia como llamado a una respuesta significa tomar sobre sí la causa de los que son débiles para su defensa [ver Isaías 58.6; Job 29.16; Jeremías 21.12]'. Stephen Charles Mott: *A Christian Perspective on Political Thought*, Oxford University Press, Oxford, 1993, p. 79.

compleja expresada mediante el uso de dos palabras).[13] Posiblemente la expresión más aproximada en español a la doble frase sería 'justicia social'. Pero incluso esa frase es demasiado abstracta para la naturaleza dinámica de este par de palabras hebreas. Porque, como señala John Goldingay, las palabras hebreas son sustantivos concretos, a diferencia de los sustantivos abstractos que se usan para traducirlos. Es decir, justicia y rectitud son cosas reales que se hacen, no conceptos sobre los que se reflexiona.[14]

Abraham, entonces, debía poner en movimiento un proceso de instrucción ética en el camino del Señor y en hacer justicia. Pero ¿cómo aprendería Abraham las cosas que debía enseñar? El relato que sigue inmediatamente es la primera lección.

Nuestra tendencia es poner el foco al final del relato, en el terrible juicio de las ciudades pecadoras. Pero en realidad el primer punto al que YHVH atrae la atención de Abraham es su preocupación por el sufrimiento de los oprimidos de la región a manos de esas ciudades. Analizando cuidadosamente la conversación, Génesis 18.17–19 es un monólogo, es decir, Dios se habla a sí mismo. En el versículo 20 Dios vuelve a hablar a Abraham, y la primer palabra que dice es *zĕ'āqâ*, 'pedido de auxilio'. El disparador para la investigación de Dios y su consecuente acción es no solo el atroz pecado de Sodoma sino también las protestas y el clamor de sus víctimas. Esta es una anticipación exacta de lo que motiva a Dios en las primeras páginas de Éxodo. En realidad este incidente de Génesis es altamente programático por la manera en que define el carácter, las acciones y los requerimientos de Dios. El camino del Señor, que Abraham está a punto de presenciar y luego enseñar, es hacer lo que es recto y lo que es justo hacia los oprimidos y contra el opresor. En esto Abraham es el precursor de Moisés, que aprendió la misma lección sobre el camino del Señor, la convirtió en intercesión (de nuevo igual que Abraham), y la enseñó a Israel (Éxodo 33.13, 19. 34.6–7), que luego la convirtió en adoración.

---

13 Otros ejemplos de endíadis en español serían 'la ley y el orden', 'salud y enfermedad', 'comida y alojamiento'. Cada palabra de una endíadis tiene su propio significado diferente, pero cuando van juntas en una frase de uso común, expresan una sola idea o conjunto de circunstancias.

14 John Goldingay: 'Justice and Salvation for Israel and Canaan' en *Redding the Hebrew Bible for a New Millennium: Form, Concept, and Theological Perspective*, ed. Wonil Kim y otros., Trinity Press International, Harrisburg, Penn., 2000, pp. 169–87.

El Señor hace *justicia*
  y defiende a todos los oprimidos.
Dio a conocer *sus caminos* a Moisés;
  reveló sus obras al pueblo de Israel. Salmo 103.6–7 (énfasis agregado).

La lógica misionera. Volviendo una vez más a nuestro pasaje clave, debemos prestar atención también a su estructura gramatical y a la lógica que con ella se expresa. Es una afirmación compacta, en la que la síntesis y la teología están estrechamente entramadas con un poderoso impacto ético y misionero.

Génesis 18.19 se reparte en tres cláusulas, unidas por tres expresiones de propósito. Se inicia con la afirmación de Dios de la elección de Abraham. 'Yo lo he conocido' (RVR09). Luego Dios indica el propósito ético de su elección: 'para que instruya a sus hijos y a su familia, a fin de que se mantengan en el camino del Señor y pongan así en práctica lo que es justo y recto'.[15] Esto a su vez es seguido de otra cláusula de propósito referida a la misión de Dios de bendecir a las naciones (algo que ya mencionó en el versículo 18): 'Para que haga venir Jehová sobre Abraham lo que ha hablado acerca de él' (RVR09).

Este solo versículo reúne la elección, la ética y la misión en una única secuencia sintáctica y teológica ubicada en la voluntad, la acción y el deseo de Dios. Es fundamentalmente una declaración misional que explica la elección e incorpora la ética.

Lo que es más llamativo en relación con el tema de esta sección es la manera en que la ética se presenta como el término medio entre elección y misión, como el propósito de la primera y la base para la segunda. Es decir, la elección de Abraham por parte de Dios tiene por objeto producir una comunidad comprometida con el reflejo ético del carácter de Dios. Y la misión de Dios de bendecir a las naciones se basa en una comunidad así que en realidad existe. Esta es una extensión del vínculo entre la elección de Abraham para bendición de otros y la obediencia *personal* de Abraham a Dios. Tanto Génesis 22.18 como Génesis 26.4–5 hacen esa relación, conectando la intención de Dios de bendecir a las naciones con la obediencia comprobada de Abraham, lo que el último

---

15 La expresión de propósito es enfática ya que las cláusulas no están simplemente unidas (como podrían fácilmente estar en hebreo) por la ubicua conjunción *wě*, sino por la conjunción intencional *lěma'an*.

pasaje articula en categorías éticas. La obediencia de Abraham habrá de ser el modelo para sus descendientes, para que la misión de Abraham pueda cumplirse. Ahora esa obediencia personal debe ser extendida mediante su enseñanza a toda la comunidad.

Uno puede enfocar la lógica misionera de Génesis 18.19 desde cualquiera de los extremos del pasaje. De cualquier manera la ética está en el medio:

- Desde el final:

  ¿Cuál es la misión final de Dios?

  Bendecir las naciones como prometió a Abraham (la misión).

  ¿Cómo se logrará eso?

  Mediante la existencia en el mundo de una comunidad a la que se le enseñará a vivir según el camino del Señor en justicia y rectitud (la ética).

  Pero, ¿cómo surgirá esa comunidad?

  Porque Dios escogió a Abraham como padre fundador (la elección)

- Desde el comienzo:

  ¿Quién es Abraham?

  Aquel a quien Dios ha escogido y llegado a conocer por medio de una relación personal (la elección).

  ¿Por qué eligió Dios a Abraham?

  Para formar un pueblo comprometido con el camino del Señor y su justicia y rectitud, en medio de un mundo que sigue el camino de Sodoma (la ética).

  ¿Con qué propósito debía el pueblo de Abraham vivir según ese elevado patrón ético?

  Para que Dios pudiera cumplir su objetivo de traer bendición a todas las naciones (la misión).

Este elocuente pasaje entonces, introduce otra dimensión en el vínculo entre misionología y eclesiología. Ya hemos visto en los capítulos 6 y 7 la importancia de reconocer el motivo misional de la existencia misma de la iglesia como pueblo de Dios. No podemos hablar bíblicamente sobre la doctrina de la elección sin insistir en que jamás fue un fin en sí mismo sino un medio para la meta mayor de reunir a las naciones. La elección debe ser considerada misionológica y no simplemente soteriológica.

Ahora vemos con mayor claridad que este vínculo eclesiológico también es uno ético. La comunidad que Dios procura formar por el bien de su misión debe ser una comunidad modelada según su propio carácter ético, con especial atención a la justicia y la rectitud en un mundo lleno de opresión e injusticia. Solo una comunidad así puede ser de bendición a las naciones.

Según Génesis 18.19, *la calidad ética de la vida del pueblo de Dios es el vínculo fundamental entre su llamado y su misión*. La intención de Dios de bendecir las naciones es inseparable de la demanda ética sobre el pueblo que ha creado para ser agente de esa bendición.

No hay misión bíblica sin ética bíblica.

Ética misionera y redención — Éxodo 19

Pasamos de un texto programático importante (Génesis 18) a otro, Éxodo 19.4–6.

> Ustedes son testigos de lo que hice con Egipto,
> y de que los he traído hacia mí
> como sobre alas de águila.
> Si ahora ustedes me son del todo obedientes,
> y cumplen mi pacto,
> serán mi *[li]* propiedad exclusiva
> entre todas las naciones.
> Aunque toda la tierra me *[li]* pertenece,
> ustedes serán para mí *[li]* un reino de sacerdotes
> y una nación santa. Éxodo 19.4–6

Ya hemos tenido ocasión de probar el rico contenido de este pasaje dos veces. En el capítulo 7 (pp. 300-301) lo analizamos en relación con la universalidad y particularidad intrínsecas al pacto abrahámico y al llamado de Israel. Luego en el capítulo 10 (pp. 442-446) exploramos el tema del sacerdocio de Israel entre las naciones, con su dinámica bidireccional de llevar el conocimiento y la ley de Dios a las naciones y de traer las naciones a Dios para su inclusión y la bendición del pacto.

Ahora tenemos que recoger la otra frase de la identidad dada por Dios a Israel: 'una nación santa'. La santidad es inherente al sacerdocio. Si Israel habría de ser un pueblo de sacerdotes de YHVH en medio de las naciones, debía ser santo. Y la santidad estaba lejos de ser algo ritual. Implicaba una agenda ética integral. No obstante, antes que nada, será útil recordar algunos puntos esenciales en el contexto del pasaje en su conjunto. Porque aquí el contexto es fundamental para tener una adecuada perspectiva sobre la totalidad de la ética y la misión bíblica. Son cosas que ya hemos observado, pero son lo suficientemente centrales como para merecer un breve resumen aquí.

La iniciativa redentora de Dios. 'Ustedes son testigos de lo que hice' (Éxodo 19.4). Este recordatorio señala los dieciocho capítulos anteriores del libro, la gran narrativa de la liberación del pueblo de Israel de la esclavitud en Egipto por parte de Dios. Era un asunto de realidad histórica y memoria reciente. Hacía solo tres meses habían estado sufriendo una opresión genocida. Ahora eran libres. 'Y yo lo hice,' dice Dios, 'y … los he traído hacia mí'. Antes de decir nada sobre lo que Israel debe hacer, Dios señala lo que él ya ha hecho.

La iniciativa de la gracia redentora de Dios es la realidad previa sobre la que se asentará todo lo que sigue, incluso la Ley, el establecimiento del pacto, la construcción del tabernáculo y el avance hacia la Tierra Prometida. La vida que ahora viven, la viven por la gracia de Dios. La vida que se les pedirá que vivan debe fluir desde el mismo punto de partida. Claro que hay un imperativo ético en estos versículos: el de obedecer la voz de Dios y guardar el pacto. Pero se expresa como una condición, *no para obtener la redención de Dios* (porque eso ya ha ocurrido) *sino para cumplir la misión que su identidad les impone.* Tanto la identidad como la obediencia surgen de la gracia.

La ética bíblica, entonces, debe verse como una respuesta a la redención bíblica. Cualquier otro fundamento lleva al orgullo, al legalismo o a la desesperación. Y ya que hemos visto el estrecho vínculo entre la agenda ética de Israel y la inversión misional de Dios en su existencia, debemos ubicar la misión bíblica sobre la misma base. Cualquiera sea el llamado misionero que tengamos, surge de la gracia de Dios en nuestra vida y de la gracia de sus planes para el futuro, para nosotros y para todo el mundo. La misión como una dimensión de nuestra obediencia también fluye de la gracia: la gracia de la redención cumplida y la gracia de los propósitos futuros de Dios.

La propiedad universal de Dios. 'Entre todas las naciones. Aunque toda la tierra me pertenece' (Éxodo 19.5). Con estas frases como núcleo, nuestro pasaje evita cualquier exclusividad estrecha en la relación de Dios con Israel o en cuanto a sus intenciones para ellos. Por el contrario, afirma la universalidad de la propiedad de Dios sobre toda la tierra y su interés en todas las naciones. Pero a continuación afirma la particularidad de la identidad única de Israel como preciada posesión personal de YHVH, como su reino sacerdotal y nación santa. El efecto de esta doble afirmación es que Israel habrá de vivir en un escenario muy abierto. No habrá nada enclaustrado ni encerrado en la existencia o la historia de Israel. Para bien o para mal (como lo demostrarán la narrativa y los profetas), Israel era visible a las naciones, y en esa posición podía dar crédito o ser escándalo para YHVH su Dios. Aquí sin embargo, en el inicio de ese viaje histórico en medio de las naciones, el deseo de Dios es que vivieran de manera coherente con su condición de preciada posesión, en conducta sacerdotal y santa.

Vemos entonces a partir de este texto, que la ética bíblica no puede ser un asunto de conducta esotérica placentera de una camarilla cerrada que solo responde a sí misma. La vida del pueblo de Dios está siempre volcada hacia fuera, hacia las naciones que observan, como los sacerdotes que siempre están volcados hacia su pueblo tanto como hacia Dios. Modelar la vida de su propio pueblo singular es parte de la misión de Dios al mundo que le pertenece universalmente. Una vez más observamos la conexión entre la ética y la misión. El llamado de Israel a la santidad no fue decidido *contra las naciones* y toda la tierra, sino en el *contexto de vivir entre las naciones para Dios*.

La identidad y la responsabilidad de Israel. 'Ustedes serán para mí un reino de sacerdotes y una nación santa' (Éxodo. 19.6). Exploramos el sentido del papel de Israel como sacerdote de Dios en el capítulo 10 (ver pp.442-446). Allí vimos que este concepto de sacerdocio nacional tiene una dimensión esencialmente misionera, porque pone a Israel en un papel doble en relación con Dios y las naciones, y le da la función sacerdotal de ser agente de bendición. Dios le concede a Israel como pueblo el papel de ser sacerdote en medio de las naciones. Ya señalé que:

> Como pueblo de YHVH tendrían la histórica tarea de acercar el conocimiento de Dios a las naciones, y de acercar a las naciones el medio de expiación de Dios. La tarea abrahámica de ser el medio de bendición para las naciones también significaba que debían cumplir ese papel de sacerdotes en medio de las naciones. Así como era el papel de los sacerdotes bendecir a los israelitas, así también habría de ser el papel de Israel en su conjunto servir, finalmente, de bendición para las naciones. (pp. 443-444).

No obstante, este papel sacerdotal requería *santidad* de parte de Israel, así como requería la santidad de sus sacerdotes en medio de pueblo común de Israel. Si la santidad es condición del sacerdocio, y si el sacerdocio es una dimensión de la misión, entonces está claro que necesitamos entender con mayor profundidad lo que la Biblia entiende por santidad. Lamentablemente, es una de aquellas palabras (como también el sacerdocio) que tienen una sumatoria de connotaciones en la mentalidad religiosa popular, muchas de las cuales carecen de la más mínima vinculación con su significado bíblico.

Ser santo no significaba que los israelitas debían ser una nación especialmente religiosa. Una parte fundamental del significado de la palabra es 'diferente o distintivo'. Algo o alguien es santo cuando se ha separado para un propósito diferente y se mantiene separado para ese propósito. Para Israel, significaba ser diferente por reflejar al muy diferente Dios que YHVH revelaba ser, comparado con otros dioses. Israel debía ser tan diferente de otras naciones como YHVH era diferente de otros dioses.[16]

Hay dos aspectos de la santidad de Israel, y ambos extienden su relevancia a la iglesia como pueblo santo de Dios.

---

16 Comparar la investigación exhaustiva de Peter Machinist sobre este tema: 'The Question of Distinctiveness in Ancient Israel', en *Essential Papers on Israel and the Ancient Near East*, ed. F. E. Greenspan, New York University Press, N. York, 1991, pp. 420–442.

Santidad, indicativo e imperativo. Por un lado, la santidad era algo dado, un hecho de su existencia. Es decir, Dios había apartado a Israel para sí mismo: era su iniciativa y su elección. 'Yo soy el Señor, que lo santifica' (Levítico 21.15), es decir que lo hace santo, separado, distinto de las otras naciones. Tal como la experiencia de redención, la santidad es un don previo de la gracia de Dios. De los sacerdotes de Israel se dijo una y otra vez que Dios los había apartado como santos (Levítico 21.8, 15, 23). Lo mismo se dice del pueblo en conjunto, en relación con las naciones. 'Sean ustedes santos, porque yo, el Señor, soy santo, y *los he distinguido entre las demás naciones, para que sean míos*' (Levítico 20.26; ver 22.31–33, énfasis agregado).

Por el otro lado, *la santidad era una tarea.* Es decir, Israel debía cumplir en la vida diaria las implicaciones prácticas de su condición de pueblo santo de Dios. 'Sean lo que son' era el mensaje. La siguiente instrucción exhaustiva señala el significado central de esto como la diferenciación de otras naciones.

> No imitarán ustedes las costumbres de Egipto, donde antes habitaban, ni tampoco las de Canaán, adonde los llevo. No se conducirán según sus estatutos, sino que pondrán en práctica mis preceptos y observarán atentamente mis leyes. Yo soy el Señor su Dios. Levítico 18.3–4

Santidad, simbólica y ética. Ese cometido práctico de santidad tenía dos dimensiones. Una dimensión simbólica, en la que Israel daba expresión a su diferenciación de las naciones por medio de un complejo sistema de regulaciones de lo puro y lo impuro en relación con los animales, las comidas, y otras eventualidades diarias. Es importante reconocer esto (la diferenciación respecto de otras naciones) como la base subyacente a la diferenciación puro–impuro. Hay una diversidad de maneras que podrían explicar desde una perspectiva antropológica, las categorías específicas y lo que ellas incluían. Pero la explicación teológica que se da en el texto para el sistema como un todo, es que representaba la diferenciación entre Israel y las naciones.

> Yo soy el Señor su Dios que los he distinguido entre las demás naciones. Por consiguiente, también ustedes deben diferenciar entre los animales puros e impuros, y entre las aves puras y las impuras ... Sean

ustedes santos, porque yo, el Señor, soy santo y los he distinguido entre las demás naciones para que sean míos.[17] Levítico 20.24–26

La santidad práctica también tenía una dimensión *ética*, porque ser santos significaba vivir vidas con integridad, justicia y compasión en todas las áreas, incluyendo la vida personal, familiar, social, económica y nacional.

El pasaje individual más exhaustivo que articula la dimensión ética de la santidad en Israel es Levítico 19. Es el mejor comentario que tenemos sobre Éxodo 19.6.

Santidad en toda la vida: Levítico 19. 'Sean santos, porque yo el Señor su Dios soy santo' (Levítico 19.2). El sobrescrito de todo el capítulo expresa la exigencia fundamental de YHVH. Se lo podría traducir de manera más coloquial: 'Deben ser un pueblo diferente, porque YHVH es un Dios diferente'. De hecho, como vimos en el capítulo 3 (pp. 107-110), YHVH es absolutamente único y diferente como Dios. YHVH no es simplemente uno de los dioses de las naciones, y ni siquiera se parece a ellos. La santidad, entre otras cosas, implica esa total otredad de YHVH como el Santo de Israel: el Dios absolutamente diferente. Entonces, que Israel fuera santo significaba que debía ser una comunidad distintiva entre las naciones, como lo expresaba Levítico 18.3–4 en forma resumida. O para ser más precisos, Israel debía ser como YHVH en lugar de ser como las otras naciones. Debía hacer lo que hace YHVH, no lo que hacen las otras naciones. La santidad para Israel es un reflejo práctico, realista de la trascendente santidad de YHVH mismo.

¿Qué significaba entonces, para Israel, esta santidad reflectante? ¿Qué significaría para ellos, en sus circunstancias históricas y culturales, ser santos de una manera que reflejara la santidad de YHVH? ¿Qué contenido esperaríamos bajo el austero resumen de Levítico 19.2: 'Sean santos'?

Si nos sentimos inclinados a pensar en la santidad como un asunto de piedad privada (en términos cristianos) o como un asunto de rituales religiosos a cumplir (en términos del Antiguo Testamento), entonces deberíamos esperar un listado de exhortaciones devocionales para pro-

17 El lenguaje de la diferenciación está un poco disipado por el uso de diferentes frases en la NVI: pero el verbo en las tres instancias es el mismo, y muestra con claridad la conexión entre las distinciones simbólicas entre lo puro y lo impuro y la diferenciación teológica fundamental entre Israel y las otras naciones. Ésta es la razón por la que, cuando la distinción entre judíos y creyentes quedó abolida para quienes están en Cristo, también quedaron abolidas las regulaciones en lo referente a comidas puras e impuras, que habían sido un símbolo de la otra distinción.

fundizar nuestra santidad personal o un manual de disposiciones rituales obsoletas para nuestro aliviado abandono. En realidad, no contienen nada de lo primero y solo algo de lo último. Gran parte de Levítico 19 nos muestra que la santidad que refleja el tipo de santidad de Dios es de un carácter práctico, social, muy realista. Una sencilla presentación de su contenido destaca esta nota dominante.

La santidad en Levítico 19 supone:

- el respeto a la familia y a la comunidad (vv. 3, 32)
- la lealtad exclusiva a YHVH como Dios; el ejercicio adecuado de los sacrificios (vv. 4, 5–8)
- la observancia de las normas en las relaciones sociales (vv. 11–12)
- justicia económica en los derechos de los trabajadores (v. 13)
- compasión social para con los discapacitados (v. 14)
- integridad judicial en el sistema legal (v. 12, 15)
- actitudes y conductas solidarias; amar al prójimo como a uno mismo (vv. 16–18)
- la preservación de las señales simbólicas de la diferenciación religiosa (v. 19)
- integridad sexual (vv. 20–22, 29)
- el rechazo de las prácticas vinculadas con religiones idólatras u ocultistas (vv. 26–31)
- el rechazo al maltrato de las minorías étnicas, y procurar la igualdad racial ante la ley y el ejercicio del amor práctico por los extranjeros como por uno mismo (vv. 33–34)
- honestidad comercial en todas las transacciones (vv. 35–36)

Y en todo el párrafo se mantiene la frase 'Yo soy el SEÑOR', como para decir 'La calidad de *su* vida debe reflejar *mi* carácter. Eso es lo que requiero de *ustedes* porque es lo que me refleja a *mí*. Esto es lo que yo mismo haría'.

De todas esas maneras (es decir, en todas estas formas prácticas y realistas de ética social) debía responder Israel por su redención, reflejando a su Redentor. Al hacerlo, no solamente pondrían en evidencia su diferenciación de las naciones sino también harían visible la diferencia de YHVH respecto de los dioses de las naciones. Y eso, como nos lo recordamos con tanta frecuencia, era la razón misma de su existencia, su misión. Si el pueblo de Israel había de ser el sacerdocio de Dios en medio de las naciones, entonces tenían que diferenciarse de ellas.

Por el pacto de Dios con Abraham sabemos que el agente principal de la misión de Dios es el pueblo de Dios.

De Éxodo 19 y Levítico 19, sabemos que el requerimiento principal del pueblo de Dios, si ha de cumplir su misión, es que debe *ser* lo que *es*: el pueblo santo del Dios santo.

En resumen, la *identidad* de Israel (ser un reino sacerdotal) declara una *misión* y la *misión* de Israel exige una ética (ser una misión santa).

Ética misionera y pacto — Deuteronomio 4

El tercer gran pilar de la fe de Israel (su relación de pacto con Dios como nación), fue establecido en la siguiente fase de su historia. El relato se inicia con la *elección de Abraham* y el pacto que Dios hizo con él y sus descendientes. Luego pasa a la gran narrativa de la *redención por medio del éxodo* de los israelitas de Egipto. Y hace una pausa temporalmente en el Monte Sinaí, donde Dios renueva su *pacto* y lo establece con toda la nación. Esto se hace con vistas al paso siguiente de la historia, que es el establecimiento de Israel en la tierra de Canaán.

Hemos visto cómo cada una de estas etapas forma parte de la misión permanente de Dios, que en la perspectiva de largo plazo es traer bendición a todas las naciones de la tierra. Y ahora también hemos visto, en este capítulo, de qué manera la respuesta ética a su elección y redención está entrelazada con la identidad y el papel misionero. En el caso del pacto establecido en el Sinaí, la respuesta ética es todavía más visible. Difícilmente se nos escaparía. Está encarnada en la gran colección de leyes y consejos para la vida de Israel en la tierra e inserta en las narrativas del Sinaí en la Torá.

Por supuesto, el contenido ético de la ley del Antiguo Testamento es un inmenso edificio cuyo análisis requiere otro libro.[18] Debemos entonces enfocar nuestra atención en un lugar, y el libro de Deuteronomio, como documento del pacto por excelencia, parece el más apropiado. No obstante,

---

18 Afortunadamente existe un libro así (junto con muchos otros en el mismo campo, por supuesto): Christopher J. H. Wright: *Old Testament Ethics for the People of God*, InterVarsity Press, Leicester; InterVarsity Press, Downers Grove, Ill., 2004.

la percepción común que se tiene de Deuteronomio es que se trata de un documento exclusivamente nacionalista, centrado en la relación de Israel con YHVH e indiferente de los propósitos amplios de Dios para las naciones. A mi entender este es un error lamentable. Ya hemos analizado varios pasajes en Deuteronomio y en la historia deuteronómica que expresan la universalidad de YHVH y del significado de Israel (ver pp. 303-306).

A esta altura, sin embargo, será de utilidad enfocar un capítulo (Deuteronomio 4) que hace algunas afirmaciones programáticas notables. Además, es un capítulo en el que *las naciones* aparecen no menos de cinco veces en modos muy diferentes. Nos será de ayuda echar una mirada general a la corriente de pensamiento del capítulo, seguida de una lectura más atenta a los cuatro grandes énfasis que contiene.

Deuteronomio 4.1–40: Un análisis general. Al igual que varios capítulos de esta parte del libro, esta sección tiene una estructura quiástica o concéntrica. Esto significa que encontramos puntos de coincidencia en el comienzo y el final del texto, y luego sucesivos puntos de coincidencia en cada extremo, dispuestos en orden inverso alrededor de una idea central.

Esta sección no es tan ordenada como algunos capítulos de Deuteronomio, pero el siguiente bosquejo nos da una idea de la forma en que estos cuarenta versículos están construidos cuidadosamente alrededor de varios pensamientos clave.

A. Vivan en obediencia a los mandamientos de Dios para que tengan larga vida en la tierra (vv. 1–2).

B. (Lección práctica): seguir a otros dioses lleva a la destrucción; la lealtad a YHVH es el resguardo de la seguridad (vv. 3–4).

C. ¿Hay otro pueblo como Israel, la 'gran nación'? (vv. 5–8).

D. El fuego y la voz de Dios (vv. 9–14).

E. Advertencia y amenaza contra la idolatría (vv. 15–28: ver v. 3).

E'. Promesa de misericordia ante el arrepentimiento y la lealtad (vv. 29–31; ver v. 4).

D'. El fuego y la voz de Dios. (vv. 33, 36).

C'. ¿Hay otro Dios como YHVH? Las 'grandes naciones' serán expulsadas (vv. 32–38).

B'. Solo YHVH es Dios, tomen en serio la enseñanza (v. 39).

A'. Vivan según los mandamientos de Dios para que tengan larga vida en la tierra (v. 40).

Abriéndonos paso en esa trama, entonces, vemos que comienza y termina con la exhortación a vivir en obediencia a la ley de Dios en la tierra que él está a punto de darles, a fin de que vivan allí largamente (vv. 1–2, 40). Una cita preliminar sobre la gran apostasía de Baal Peor (vv. 3–4: ver Números 25) provee una lección práctica gráfica en el doble mensaje del resto del capítulo: quienes rechazan a YHVH como el único Señor del pacto con Israel y siguen a otros dioses serán destruidos, pero los que le sean fieles serán preservados. El primer punto se amplía en los versículos 15–28, el segundo en los versículos 29–31, y el mensaje se repite justo antes del final en el versículo 39.

Los versículos 5–8 establecen la obediencia a la ley de Dios en la tierra en el contexto de las naciones. Las naciones observarán y harán comentarios sobre la 'grandeza' de Israel (una paradoja, ya que en realidad eran un pueblo muy pequeño, como señala con mayor veracidad pero menos tacto Deuteronomio 7.7). Reflejando ese punto, pero de manera negativa, las naciones y la tierra vuelven a estar enfocadas en el versículo 38, en esta oportunidad son las naciones las 'grandes', pero solo para hacer resaltar el hecho de que Dios las expulsaría. Otro elemento quiástico aquí es que las preguntas retóricas de esta sección (vv. 7–8), que expresan la *singularidad de Israel entre las naciones*, se corresponden con las preguntas retóricas de los versículos 32 y 34, que expresan la *singularidad de* YHVH *entre los dioses*.

Los versículos 9–14 amplían la referencia a la ley y los mandamientos de Dios recordando a Israel de los hechos sorprendentes que los han acompañado, y los que no deben olvidar jamás, especialmente el fuego y la voz de las palabras de Dios (ver Éxodo 19). Esta referencia al Sinaí se retoma en los versículos 33 y 36, recordando una vez más el fuego y la voz de Dios.

Por lo tanto, la *sección central* está entonces en los versículos 15–31, que se dividen en dos modos principales: la *advertencia* contra la idolatría con amenaza de destrucción (vv. 15–28) y la *promesa* de restauración si hay sincero arrepentimiento y fidelidad a YHVH, el Señor del pacto (vv. 29–31).

Estos dos climas enfocan con agudeza la doble descripción contrastante de YHVH. Por un lado, un pueblo idólatra y desobediente deberá confrontar al Señor Dios que es 'fuego consumidor y Dios celoso' (v. 24). Por el otro, un pueblo arrepentido y obediente correrá a los brazos del mismo Dios, aquel que también es 'compasivo, que no te abandonará ni te destruirá, ni se olvidará del pacto que mediante juramento hizo con tus antepasados' (v. 31). Aunque los versículos 24 y 31 puedan parecer contradictorios cuando se los lee juntos, la paradoja es que ambos versículos expresan la coherencia de YHVH. Las contradicciones están en su pueblo. Dios es absolutamente coherente cuando responde a los rebeldes con ira y a los arrepentidos con misericordia.

Todo el capítulo, entonces, es un microcosmos de Deuteronomio en su totalidad. Es un llamado urgente a la lealtad al pacto por medio de la adoración exclusiva a YHVH, basado en la historia única de su actividad redentora y reveladora a lo largo del Éxodo y en el Sinaí, y cumplido en la obediencia ética práctica a sus leyes en la tierra prometida, con vistas al efecto que eso tendrá en las naciones.

En medio de esta articulación expuesta rigurosamente sobre el sentido del pacto entre Israel y YHVH, *las naciones* aparecen cinco veces:

- Las naciones observarán la sabiduría y el entendimiento de Israel, siempre que Israel mantenga la presencia de Dios y la práctica de la justicia (vv. 6–8).
- A las naciones se les han asignado los cuerpos celestiales (para cualquier propósito), pero Israel no debe participar de la adoración de esas cosas creadas, deberá adorar solo a YHVH quien los liberó de la esclavitud para ese propósito (vv. 19–20).[19]
- Las naciones serán el lugar hacia donde será dispersado Israel bajo el juicio si abandona a YHVH por otros dioses (v. 27). Hay cierta ironía en el lenguaje aquí: En el versículo 38 Dios promete expulsar las naciones ante Israel. Pero Israel enfrenta la

---

19 Vale la pena observar que Deuteronomio 4.19 no dice que Dios hubiera dado los cuerpos celestes a las naciones para que fueran adorados. Esa es una inferencia (posiblemente incorrecta) de las palabras que siguen inmediatamente y en las que se advierte a Israel de no adorarlos. El pasaje (que admitimos difícil) no puede significar otra cosa sino que Dios creó los cuerpos celestiales para beneficio de toda la raza humana (según el relato de Génesis 1), y si las demás naciones los convierten en objetos de adoración, no es algo que Israel deba imitar.

amenaza (si se vuelven apóstatas) de que Dios los expulse a ellos ante las naciones.

• Las naciones jamás habían experimentado lo que Israel acaba de experimentar como fundamento de su singular conocimiento del pacto de YHVH, es decir, su revelación en Sinaí y su redención de Egipto (vv. 32–34).

• Las naciones serán expulsadas ante Israel en la entrega de la tierra de Canaán, como le fuera prometido a Abraham (v. 38).

¿Cómo podemos combinar todo este material en relación con nuestra investigación principal? ¿En qué forma está relacionado con la misión de Dios y su acción entre las naciones el pacto entre YHVH e Israel y la respuesta ética que le es intrínseca? Se pueden señalar cuatro puntos principales sobre la base de Deuteronomio 4.[20]

La visibilidad de la sociedad de Israel (Deuteronomio 4.6–8). "Obedézcanlos y pónganlos en práctica [los mandamientos]; así demostrarán su sabiduría e inteligencia ante las naciones. Ellas oirán todos estos preceptos y dirán: 'En verdad, éste es un pueblo sabio e inteligente, ¡esta es una gran nación!' ¿Qué otra gran nación tiene dioses tan cerca de ella como lo está de nosotros el Señor nuestro Dios cada vez que lo invocamos? ¿Y que tenga normas y preceptos tan justos, como toda esta ley que hoy les expongo?" (Deuteronomio 4.6–8, mi traducción).

La obediencia a la ley no era solo para el beneficio de Israel. Una característica del Antiguo Testamento es que Israel vivía en un escenario muy público. Todo lo que ocurría en la historia de Israel estaba abierto a los comentarios y las reacciones de las naciones en general. Aparte de ser inevitable, dado el fluido escenario internacional del antiguo Cercano Oriente, esa visibilidad de Israel era parte de su identidad teológica y su papel como sacerdote de YHVH entre las naciones. Podía ser positiva, como en este caso, en que las naciones están impresionadas ante la sabiduría de las leyes de Israel (ver Deuteronomio 28.10) o negativa, como cuando las naciones se sorprenden de la severidad del juicio a Israel cuando abandona los caminos de Dios (Deuteronomio 28.37; 29.22–28). De cualquier manera, con o sin fidelidad, el pueblo de Dios es un libro abierto al mundo, y el mundo hace preguntas y saca conclusiones.

Las naciones observarán y prestarán atención al fenómeno de Israel como sociedad, con todas las dimensiones sociales, económicas, legales, políticas y religiosas de la Torá. Y ese sistema social llevará a las naciones a la conclusión de que Israel como pueblo se califica como 'gran nación' y puede ser elogiada como 'sabia e inteligente'.[21]

Pero Moisés sigue adelante con dos preguntas retóricas para agudizar el punto mediante el énfasis en el fundamento de la grandeza nacional de Israel como ya la hemos definido. Primero (v. 7) se basa en *la intimidad de* YHVH con su pueblo. Segundo, (v. 8), se basa en *la justicia de la Torá*. Israel tendría una intimidad con Dios y una calidad de justicia social que ninguna otra nación podría igualar. Estos serían los elementos subyacentes a la reputación externa. Hasta donde podían ver las naciones, lo diferente de Israel era sencillamente un asunto de sabiduría y entendimiento. La realidad interior era la presencia de Dios y la justicia de la Torá.

La fuerza de las preguntas retóricas es una *invitación a comparar*, con la confiada expectativa de que nada invalidará las afirmaciones hechas. La aseveración sobre la singularidad social de Israel se hacía en un escenario repleto, con muchos otros postulantes dispuestos a ganarse la admiración por sus sistemas legales. Israel conocía las antiguas y aclamadas tradiciones legales de la Mesopotamia; de hecho, las tradiciones legales de Israel entrecruzan en muchos puntos con ellas. No obstante, se presenta esta afirmación sobre la ley del Antiguo Testamento posiblemente con deliberada intención polémica, ya que el código legal de Hammurabi, por ejemplo, también pretendía tener una calidad divina en su justicia social.[22]

---

21 Como lo indica mi propia traducción de Deuteronomio 4.6–8 (pp. 505), la afirmación del pasaje no es que no hay otra nación mayor que Israel, como parece indicar la traducción de la NVI ('¿Qué otra nación hay tan grande como la nuestra?'). El texto más bien da a entender que Israel es una gran nación, pero luego define esa grandeza en términos sorprendentes: no en poderío militar o tamaño geográfico o poblacional, sino en la intimidad con el Dios viviente y en la justicia social de su constitución y sus leyes.

22 Sobre las afirmaciones de otros antiguos códigos legales del antiguo Cercano Oriente, ver, por ejemplo, Moshe Weinfeld: *Social Justice in Ancient Israel and in the Ancient Near East*, Magnes Press, Jerusalén; Fortress Press, Minneapolis, 1995.

La ley del Antiguo Testamento invita de manera explícita, incluso da la bienvenida, a la inspección pública y a la comparación. Pero el resultado esperado de esa comparación es que la ley de Israel será hallada superior en sabiduría y justicia. Esta es una declaración monumental. Concede a las naciones y a los lectores del texto, incluidos nosotros, la libertad de analizar la ley del Antiguo Testamento en comparación con otros sistemas sociales, antiguos y modernos, y evaluar su pretensión. Y en efecto, la humanidad y la justicia del sistema social y legal general de Israel ha recibido el comentario favorable de muchos eruditos que han hecho los estudios comparativos más meticulosos de las legislaciones antiguas, y su relevancia social aún hoy puede ser explorada con provecho.

Desde nuestra perspectiva misionológica, estos pasajes articulan una motivación para la obediencia de la ley que se pasa por alto fácilmente, aunque tiene mucha significación. El punto es que si *Israel* vivía como Dios esperaba, entonces *las naciones* lo percibirían. Pero en cualquier caso Israel existía para ser el vehículo de la bendición de Dios a las naciones. Estaba en su 'código genético' desde las entrañas mismas de Abraham. Aquí encontramos que por lo menos un aspecto de esa bendición a las naciones sería la provisión de un modelo tal de justicia social que las naciones observarían y harían preguntas. En consecuencia, el desafío misionero es que la calidad ética de la vida del pueblo de Dios (su obediencia a la ley, en este contexto) es un factor vital para atraer a las naciones al Dios vivo, incluso aunque al comienzo sea por pura curiosidad.

En definitiva, la motivación de pueblo de Dios para vivir según la ley de Dios es para bendición de las naciones. Después de todo, ¿qué *verán* en realidad las naciones? La proximidad de Dios es por definición *invisible*. ¿Qué, entonces, es lo *visible*? Solo la evidencia práctica del tipo de sociedad construida sobre la justicia de la ley de Dios.[23] Hay un lazo vital entre las declaraciones religiosas invisibles del pueblo de Dios (que Dios está próximo a ellos cuando oran) y su ética social práctica visible. El mundo se interesará en lo primero solo cuando pueda ver lo segundo. O, inversamente, el mundo no verá razón para prestar atención a nuestras

---

23 Para seguir reflexionando sobre los aspectos fuertemente éticos del pacto y su relevancia en los asuntos contemporáneos, que la teología de la liberación ha asumido con fuerza, ver Christopher J. Baker: *Covenant and Liberation: Giving New Heart to God's Endangered Family*, Peter Lang, N. York, 1991, especialmente cap. 13.

aseveraciones sobre un Dios invisible, por mucho que nos jactemos de su supuesta proximidad con nosotros por medio de la oración, si no ve diferencia alguna entre la vida de quienes hacen esas afirmaciones y quienes no las hacen.

La exclusividad de la adoración de Israel (Deuteronomio 4.9–31). Una responsabilidad tan elevada (la de ser modelo de Dios ante las naciones) ha de tomarse muy en serio.

Hay dos cosas que podrían amenazarla:

- Si la ley de Dios sencillamente se olvidara (de aquí la necesidad urgente de enseñarla [vv. 9–10]).
- Si Dios mismo fuera olvidado por el señuelo de seguir a otros dioses (de aquí las severas advertencias de la sección central del capítulo).

Entonces la *obediencia* del pacto (vv. 9–14) y la *fidelidad* al pacto (vv. 15–24), se establecen aquí en el contexto del *testimonio* del pacto (vv. 6–8). Para tener la esperanza de ser un testimonio ante las naciones de la proximidad de Dios y de la justicia de sus leyes, Israel debía adorar solo a YHVH y obedecer sus leyes. La desobediencia a la ley negaría la intención de ser una sociedad justa. Seguir a otros dioses alejaría a YHVH. Por lo tanto, la idea de esta sección (vv. 9–11) se capta bien en la frase reiterada tres veces: '¡Pero tengan cuidado! Presten atención ...' (vv. 9, 15, 23, la frase es la misma en hebreo aunque en la NVI se expresa de manera diferente). La exigencia fundamental del pacto era la fidelidad exclusiva a YHVH. De la misma manera, la forma esencial en que se rompería el pacto era por la adoración de otro dios o dioses. Si eso ocurría, Israel perdería su diferenciación básica y realmente sería dispersada entre las naciones de las que se suponía había sido apartada y ante las cuales debía ser modelo (vv. 25–28).

Por lo tanto, las advertencias negativas de la parte central de este capítulo (vv. 9–31), debían considerarse a la luz del (y por el bien del) potencial misionero positivo de los versículos 6–8. Esto es lo que está en juego. La exclusividad de la adoración de Israel a YHVH es integral a la visibilidad de la sociedad de Israel ante las naciones. La esperanza de los versículos 6–8 jamás se cumpliría si el pueblo descuidaba la exigencia fundamental del pacto de adorar y servir solo al SEÑOR. O para expresarlo a la inversa, *la idolatría es la primera y gran amenaza contra la misión de Israel* (y contra la nuestra).

El punto es apoyado por el reiterado énfasis sobre el hecho de que YHVH ha sido oído, pero no visto en Sinaí (vv. 12, 15, 36). Algunos ven aquí un contraste entre el Dios invisible de Israel y las estatuas de los dioses de otras naciones que eran materiales, visibles. Pero eso no es lo que este pasaje destaca. En estos versículos el contraste no es entre lo visible y lo invisible sino *entre lo visible y lo audible.* Los ídolos tienen efectivamente 'forma', pero no hablan. YHVH carece de 'forma', pero habla con decisión. Los ídolos son visibles, pero mudos. YHVH es invisible pero elocuente. YHVH se dirige a su pueblo inequívocamente con palabras de promesa y de exigencia, de dones y de reclamos. Esto introduce una diferencia fundamentalmente moral en el contraste entre la fe sin íconos de Israel y el politeísmo visual e icónico de sus vecinos. El asunto no es solo cuestión de dioses diferentes que tengan ídolos de aspecto diferente por los que se los pueda identificar. Lo que diferencia y separa a YHVH no es que *se vea* diferente de los otros *dioses* sino que demanda *un pueblo* que se verá diferente de otras *naciones.* Debían manifestar un estilo de vida diferente, un orden social diferente y una dinámica de adoración diferente. Y al hacerlo, serían testigos del Dios vivo, cuya forma no conocen ni podrán ver, pero cuyas palabras han oído claramente.

Hay otras dos cosas que se pueden decir sobre los versículos 16–20. Por un lado, la lista de posibles 'formas' que pueden tomar los ídolos (la frase es idéntica a las palabras del segundo mandamiento [ver Deuteronomio 5.8]) está dada en un orden que invierte el de la narrativa de la creación: seres humanos, animales de la tierra, aves, peces, cuerpos celestiales. El punto, que probablemente esta táctica literaria estaba destinada a sugerir, es que la idolatría pervierte y pone cabeza abajo todo el orden creado. Cuando se saca a Dios, el Creador vivo, del lugar único y exclusivo que le corresponde en la adoración, todo el resto de la creación se vuelve caótico.

Por otra parte, el texto reconoce el doble señuelo que tendrían ciertos objetos de la creación para Israel: su imponente majestuosidad parece llamar a la adoración, y a eso es a lo que sucumben las otras naciones. Si Israel los adoraba fracasarían una vez más en preservar su diferenciación del resto de la nación y también subvertirían el propósito por el que Dios los había redimido. El énfasis al comienzo y al final del versículo 20 es sobre esa diferenciación, una diferenciación que la idolatría compromete de manera radical.

La misión de Dios por medio de Israel es nada menos que la redención de las naciones y la restauración de la creación. Esa misión no se podría cumplir si Israel se permitía caer en prácticas que no eran otra cosa que imitación de las naciones e inversión de la creación.

La singularidad de la experiencia de Israel (Deuteronomio 4.32–35). 'Pregunta ahora acerca de los tiempos pasados que se sucedieron antes de ti, desde el día en que Dios creó a la humanidad en la tierra; pregunta desde un extremo a otro de los cielos. ¿Ha sucedido algo así de grandioso alguna vez, o se ha sabido de algo semejante? ¿Ha oído pueblo alguno a Dios hablarle en medio del fuego, como lo has oído tú, y ha vivido? ¿Ha intentado Dios tomar para sí alguna nación a partir de otra nación mediante pruebas, señales, milagros, guerras, actos portentosos y gran despliegue de fuerza y de poder, como lo hizo por ti YHVH tu Dios en Egipto, ante tus propios ojos? A ti se te ha mostrado todo esto para que sepas que YHVH, él es el Dios; no hay otro fuera de él' (Deuteronomio 4. 32–35, mi traducción).[24]

Estos versículos son la culminación no solamente de Deuteronomio 4 sino también de todo el primer discurso de Moisés en el libro. Están adecuadamente exaltados en contenido y estilo. Toda esta sección refleja los versículos 5–8 pero eleva enormemente el tema. El recurso estilístico

---

24 En los versículos 33–34 ('¿Qué pueblo ha oído a Dios hablarle…? ¿Qué dios ha intentado …?') mezcla dos formas exegéticas posibles de leer estos versículos, cuando probablemente hubiera sido mejor optar por una u otra forma en ambos versículos. En hebreo, *'elōhîm*, sin artículo definido, puede significar Dios (es decir, dando por sentado que se trata de YHVH) o un dios o dioses. En general el contexto no deja lugar a dudas a cuál se refiere en cada caso. Si tomamos primero la segunda opción de la pregunta sobre la NVI (v. 34), entonces las preguntas de Moisés contrastan a YHVH con otros dioses: '¿Qué pueblo ha oído a un dios [es decir su propio dios] hablarle en medio del fuego [es decir, de la misma manera en que YHVH te habló a ti]? ¿Qué dios ha intentado …?' Así tomado, el énfasis recae en la singularidad de YHVH mismo. Ningún otro supuesto dios ha hecho alguna de esas cosas. Pero esto habría dejado abierta la posibilidad sobre si YHVH habría o no hecho las mismas cosas para otros pueblos. Ningún otro dios lo había hecho, pero YHVH podría haberlo hecho.
No obstante, mi punto de vista (que se refleja en mi traducción del pasaje) supone el sentido más fuerte de *'elōhîm* en ambas preguntas. No solamente, como lo expresa la NVI, '¿Qué pueblo ha oído a Dios [YHVH] hablarle?' (la respuesta esperada es 'ninguno', porque Dios no ha hablado a otro pueblo de esa manera); sino también '¿Ha intentado Dios [es decir YHVH] entrar en otra nación y tomarla para sí …?' (la respuesta esperada es no, porque ningún otro pueblo ha experimentado un éxodo como el que se describe aquí de Israel). Tomado así, el énfasis recae en la singularidad de la experiencia de Israel acerca de la obra de Dios; pero la primera afirmación, sobre la singularidad de YHVH, también se preserva. Solo YHVH se había dado a conocer de esas maneras y solo Israel las había experimentado. Esto parece adaptarse mejor a la idea de los vv. 35–40. Era precisamente porque Israel había experimentado lo que ninguna otra nación, que se le confía el conocimiento verdadero del único Dios vivo, y que se lo llama a vivir a la luz de ese dinámico monoteísmo.

de las preguntas retóricas, que en los versículos 6–8 expresan que *Israel* no puede ser comparado, se usa nuevamente aquí para expresar que YHVH es incomparable. Y para un propósito ético y misionológico que se combina de manera similar.

El punto culminante de este discurso es, entonces, la aclamación monoteísta (vv. 35–39) expresada en lenguaje cósmico, demostrada por la experiencia histórica y con la exigencia de una respuesta ética.

En el versículo 32 se percibe un proyecto de investigación a escala cósmica, abarcando la totalidad de la historia humana hasta ese momento y el espacio completo del universo. Tal es la confianza de Moisés, que las preguntas que está a punto de plantear no tienen respuesta. Moisés hace referencia tanto a la teofanía del Sinaí como al éxodo de liberación, pero en la pregunta inicial se las ve juntas como un único 'algo así de grandioso'. Y su declaración es que nunca sucedió algo así.[25]

Lo que Dios había hecho en el éxodo y en el Sinaí era algo sin precedentes (Dios jamás había hecho algo semejante en otro tiempo), e incomparable (Dios nunca había hecho algo así en ningún lugar para ninguna otra nación).

Había una singularidad en la experiencia de Israel que se asevera de manera poderosa en este pasaje. YHVH le hablaba de una manera que ningún otro pueblo había experimentado (ver Salmo 147.19–20), y lo había redimido de una manera que ningún otro pueblo había conocido (ver Amós 3.1–2). El pueblo de Israel, entonces, ha tenido una experiencia única de *revelación* y *redención* por medio de la cual había llegado a conocer al Dios único, YHVH.

¿Y entonces qué?

El versículo 35 (repetido y amplificado en el versículo 39) declara enfáticamente el propósito de toda esta cosa 'grandiosa'. Todo lo que Israel había experimentado en forma exclusiva era para que aprendiera algo fundamental: la *identidad* del Dios vivo. YHVH, y solo YHVH, es Dios, y no hay otro en ningún lugar del universo.[26] Es importante tomar

---

25 Una vez más, la NVI distorsiona levemente la simplicidad del hebreo con su fraseología 'algo así de grandioso'. La frase dice literalmente '¿Ha ocurrido [algo] como este gran hecho/suceso/cosa [*dābar*] o se ha oído de [algo] así?' El punto no es realmente que nada mayor ha ocurrido sino que no ha ocurrido nada como eso. El énfasis recae en la singularidad de los hechos que fueron notoriamente 'algo así de grandioso'.

26 Ver p. 103 para una discusión más amplia del sentido del monoteísmo en el Antiguo Testamento.

así de seriamente los versículos 32–34, y no desestimarlos como una mera hipérbole por su forma retórica, especialmente en vista de lo que depende de ellos en el versículo 35, es decir, la afirmación unívoca de la singularidad de YHVH como Dios. Esa es carga teológica que transporta el móvil retórico. El pueblo de Israel puede confiar en su conocimiento de Dios por la experiencia única de la revelación y el poder redentor de Dios que le fuera otorgado. *A ti* (el pronombre es enfático) se *te* ha mostrado todo esto para que [*tú*] sepas. En un mundo de naciones que no conocen a YHVH como Dios, Israel es ahora la única nación a la que se le ha confiado ese conocimiento esencial. Conoce a Dios como ninguna otra nación porque ha experimentado a Dios como ninguna otra. La pregunta es, ¿qué hará Israel con ese conocimiento, y cómo responderá al privilegio y la responsabilidad de tenerlo?

Antes de responder, nos detendremos para hacer una acotación en relación con un importante tema misionológico contemporáneo. El énfasis en la singularidad de Israel y de YHVH apela a la cuestión contemporánea de *la singularidad de Cristo en un contexto de pluralismo religioso*.

En este último debate, con mucha frecuencia se sostiene la singularidad de Cristo sin hacer referencia a la clara conciencia de Jesús de sus raíces profundas en las Escrituras hebreas. Se presenta a Jesús como si fuera el fundador de una nueva religión, algo que con toda seguridad no fue su propósito. Jesús vino, según sus propias declaraciones y el testimonio unido del Nuevo Testamento, no para fundar una nueva religión sino para completar la obra salvadora de YHVH, el Dios de Israel, por el bien de Israel y de todo el mundo —una obra que Dios venía llevando a cabo durante siglos.

Teológicamente, lo mismo que históricamente, hay una línea continua entre el éxodo y el Sinaí y nuestro texto sobre la encarnación y los hechos de la Pascua. Lo que YHVH (y ningún otro dios) había iniciado en cuanto a la redención en la historia de Israel (y de ningún otro pueblo), lo completó para todo el mundo en Jesús de Nazaret (y ninguna otra persona). La singularidad de Jesús como el Mesías de Israel, y en consecuencia como Salvador de todo el mundo, se funda en la singularidad de Israel mismo y de YHVH como Dios, porque según el Nuevo Testamento Jesús personificó a uno y encarnó al otro. Y la batalla central del cristianismo primitivo, de la que da testimonio el Nuevo Testamento, fue reconocer y expresar esta verdad final en los parámetros de un compromiso sin retaceos con la dinámica del monoteísmo de la fe del propio Israel, como se afirma aquí.

La urgencia misionológica del debate entre credos religiosos debe estar fundada en una comprensión plenamente bíblica de la singularidad de la obra salvadora de Dios en la historia, lo que significa comenzar con la afirmación de éste y otros pasajes similares del Antiguo Testamento acerca del uno y único Dios vivo, y no de un Jesús separado de sus raíces escriturarias e históricas. Por esa misma razón, los cristianos no tienen libertad para abandonar las Escrituras hebreas del Antiguo Testamento ni para considerar las Escrituras de otras religiones o culturas como equivalentes y anticipos adecuados para Cristo. Porque la idea de este texto es clara: son éstos hechos (y no otros) los que dan testimonio de este Dios (y no otro). Y la idea de nuestro Nuevo Testamento es igualmente clara: es éste Dios (y no otro) el que se hizo carne para reconciliar al mundo consigo en este hombre, Jesús de Nazaret (y no otro).

La responsabilidad misional de la obediencia de Israel. Volviendo a nuestro texto, debo concluir observando que la idea final de su retórica en el versículo 40 es, una vez más, totalmente ética. Porque a menos que Israel siguiera viviendo en el futuro de acuerdo a la ley de Dios, ¿qué valor tendría su increíble experiencia histórica y religiosa en el pasado? Su historia no garantizaría por sí sola su continua supervivencia en la tierra, si no estaba acompañada por una obediencia voluntaria. Además, ¿cómo llegarían las naciones a conocer la singularidad de YHVH como Dios vivo, y su obra salvadora en la historia, a menos que fueran atraídas por la diferenciación ética del pueblo de Dios (vv. 6–8)? Si el pueblo de Dios abandona su diferenciación por olvido, idolatría o desobediencia, entonces no solamente pone en peligro su propio bienestar (v. 40), sino que además frustra el propósito más amplio del Dios que los trajo a la existencia por su elección de amor y los sacó de la esclavitud por su poder redentor.

Por lo tanto, Deuteronomio 4 retorna (al final, v. 40) al punto de inicio (vv. 1–2), invitando a Israel a la obediencia. Pero ahora estamos en condiciones de ver dos cosas con mayor profundidad:

1. La motivación para la obediencia de Israel (las grandes cosas que YHVH ha hecho en el pasado).

2. La meta de la obediencia de Israel (el bienestar de Israel en la tierra en el futuro, como nación de piedad y justicia social, y por medio de eso como testigo ante las naciones).

La lógica del pacto y la misión que emerge del capítulo traza una gran curva que ahora podemos resumir como sigue:

- Israel es convocada a vivir en obediencia incondicional a la ley del pacto con Dios cuando toma posesión de la tierra (vv. 1–2).
- El no hacerlo lleva a la misma suerte que corren quienes fueron seducidos por la idolatría y la inmoralidad de los moabitas en Baal Peor (vv. 3–4).
- La fidelidad y la obediencia al pacto serán un testimonio ante las naciones cuyo interés y preguntas girarán en torno al Dios que adoran y las leyes justas por las que se rigen (vv. 5–8)
- Por el contrario, este testimonio sería completamente invalidado si Israel seguía a otros dioses, de manera que se le advierte enérgicamente contra eso recordándole su asombroso pasado y previniéndole del espantoso futuro si ignora la palabra (vv. 9–31).
- Sobre todo, se le recuerda que es el único pueblo entre todas las naciones que ha tenido la experiencia exclusiva de la revelación y la redención de Dios, sobre la base de lo cual han llegado a conocer a YHVH como Dios en toda su trascendente singularidad (vv. 32–38).
- Israel debe entonces demostrar su reconocimiento de todas estas cosas mediante la obediencia fiel (vv. 39–40).
- Allí radica su seguridad futura como pueblo, y de ello también depende su misión como pueblo elegido de Dios para el bien de su misión (v. 40).

Un fuerte eco de la idea de este pasaje se encuentra en el registro de la oración de Salomón en la dedicación del templo en 1 Reyes 8. La esperanza misionera expresada en la oración, en que Dios respondería incluso a las oraciones de los extranjeros y que 'todos los pueblos de la tierra conocerán tu nombre y, al igual que tu pueblo Israel, tendrán temor de ti' (1 Reyes 8.43), se convierte en un desafío misionero para el pueblo, que debe estar tan comprometido con la ley de Dios como Dios está comprometido con una meta tan universal. El historiador de Deuteronomio confirma con nitidez la lógica ética y misionera de su texto fundacional.

> Que día y noche el Señor tenga presente todo lo que le he suplicado, para que defienda la causa de este siervo suyo y la de su pueblo Israel, según la necesidad de cada día. Así todos los pueblos de la tierra sabrán que el Señor es Dios, y que no hay otro. Y ahora, dedíquense por completo al Señor nuestro Dios; vivan según sus decretos y cumplan sus mandamientos, como ya lo hacen. 1 Reyes 8.59–61

La ética misionera e iglesia

'Ustedes' dijo Pedro, escribiendo a grupos dispersos de creyentes cristianos, casi con seguridad comunidades mixtas de judíos y gentiles, 'son linaje escogido, real sacerdocio, nación santa, pueblo que pertenece a Dios' (1 Pedro 2.9). Con un solo trazo de su pluma, Pedro vincula sus lectores cristianos con toda la herencia del Israel del Antiguo Testamento. En realidad, los identifica como un solo pueblo, continuo con aquellos que oyeron las palabras que cita, al pie del Monte Sinaí (Éxodo 19.4–6), herederos del mismo propósito de Dios por medio del Mesías Jesús. Al hacerlo, Pedro es coherente con el testimonio y el pensamiento del resto del Nuevo Testamento: aquellos que están en Cristo están en Abraham, son llamados con el mismo propósito, redimidos por el mismo Dios, están comprometidos con la misma respuesta de obediencia ética.

Está fuera de nuestro alcance aquí, por supuesto, hacer una presentación a escala completa de la ética del Nuevo Testamento. Mi propósito es mucho más limitado. Quiero mostrar, por un lado, que como en el Antiguo Testamento, la exigencia ética de quienes constituyen el pueblo de Dios es una cuestión de respuesta adecuada a su elección, redención y pacto. Es decir, los cristianos también son aquellos que, según el Nuevo

Testamento, han sido llamados por Dios, redimidos por Dios y traídos a una relación recíproca con Dios. En todos estos sentidos, claro está, la ética cristiana se debe ver (nuevamente como en el Antiguo Testamento) como respuesta a la gracia de Dios, recibida y anticipada. Y por el otro lado, mi propósito es llamar la atención a la forma en que por lo menos algunos pasajes significativos del Nuevo Testamento conectan esta responsabilidad ética con la misión más amplia de Dios. En otras palabras, me parece igualmente valiosa una hermenéutica misionológica en relación con la ética del Nuevo Testamento como con la del Antiguo.

Elección y ética. El conocido patrón de varias de las cartas de Pablo consiste en ubicar su enseñanza sobre el llamado de Dios a su pueblo en la sección de apertura, seguido de la respuesta ética que cabría esperar. Incluso en 1 Tesalonicenses, (probablemente su primera carta), este orden teológico se hace evidente sin estar claramente estructurado: 'Hermanos amados de Dios, sabemos que él los ha escogido', dice en 1 Tesalonicenses 1.4, y sitúa la evidencia de esto en la calidad de su vida según le han informado. Luego sigue, en 1 Tesalonicenses 4, los anima a continuar 'progresando en el modo de vivir que agrada a Dios' (v. 1), como un asunto de 'la voluntad de Dios' (v. 3) y de su llamado a la santidad (v. 7).

Sin embargo, esa manera transformada de vivir como respuesta a nuestra elección, no simplemente agrada a Dios, también es algo que los de afuera observan. Como Israel entre las naciones, los cristianos tesalonicenses deben recordar su propia visibilidad ante la comunidad más amplia.

> [Los animamos] a procurar vivir en paz con todos, a ocuparse de sus propias responsabilidades y a trabajar con sus propias manos. Así les he mandado, para que por su modo de vivir se ganen el respeto de los que no son creyentes, y no tengan que depender de nadie. 1 Tesalonicenses 4.11–12

En Colosenses y Efesios la estructura y la lógica son todavía más claras. La elección y el llamado de Dios a su pueblo se establecen al comienzo mismo y se desarrollan en detalle, aunque su propósito ético también se declara muy pronto.

> Dios nos escogió en él antes de la creación del mundo, para que seamos santos y sin mancha delante de él. Efesios 1.4

Por eso, desde el día en que lo supimos no hemos dejado de orar por ustedes. Pedimos que Dios les haga conocer plenamente su voluntad con toda sabiduría y comprensión espiritual, para que vivan de manera digna del Señor, agradándole en todo. Esto implica dar fruto en toda buena obra. Colosenses 1.9–10

Les ruego que vivan de una manera digna del llamamiento que han recibido. Efesios 4.1

No obstante, ambas epístolas ubican todo esto en el contexto más amplio de propósito total de Dios para toda la creación, que es reunirla en armonía reconciliada con Dios por medio de la cruz de Cristo (Efesios 1.10; Colosenses 1.19–20). La conducta ética de los creyentes es, por lo tanto, vista como parte integral de esa misión universal de Dios de sanidad en toda la creación. También es vista como lo que da autenticidad a la predicación evangelizadora de los apóstoles, otra forma en que la ética está ligada a la misión (Efesios 6.19–20; Colosenses 4.2–6).

Redención y ética. Pablo: honrar el evangelio. La breve carta de Pablo a Tito es notable porque en sus cuarenta y seis versículos habla ocho veces de 'lo que es bueno': amar lo que es bueno, enseñar lo que es bueno, o (con mayor frecuencia) hacer lo que es bueno. El sabor ético (en contraste con la presunta corrupción moral de Creta) es muy fuerte. Pero se lo ubica en el contexto igualmente fuerte del lenguaje de la redención y la salvación. Porque la frase 'Dios nuestro Salvador' o 'Jesús nuestro Salvador' aparece casi con la misma frecuencia.

La culminación de esta combinación de la redención de Dios con la respuesta ética humana viene con las instrucciones de Pablo a los esclavos. Y llamativamente, la motivación misional es que por su conducta como esclavos cristianos pueden honrar el mensaje de la salvación de Dios (Tito 2.9–14). Sin duda lo que Pablo dice aquí a los esclavos se aplica en principio a todos los miembros de la iglesia. O bien honramos el mensaje del evangelio o lo avergonzamos. Nuestra ética (o la falta de ella) sostiene (o socava) nuestra misión.

Pedro: vidas visiblemente buenas. El pasaje del Nuevo Testamento más próximo al que estudiamos en detalle arriba, en relación a la ética como respuesta a la redención, es decir, Éxodo 19.3–6, es, por supuesto,

1 Pedro 2.9–12. Pedro aplica a los creyentes cristianos, términos tomados de este pasaje en Éxodo, lo mismo que otros de Isaías 43.20–21 y Oseas 2.23. De hecho, combina nuestras tres palabras clave (*elección, redención* y *pacto*) hablando de los cristianos como los 'escogidos' (ver 1 Pedro 1.1–2), como 'llamados de las tinieblas a la luz'(una alusión al éxodo por supuesto, pero comparar también 1 Pedro 1.18–19) y como 'pueblo que pertenece a Dios'. Pero habiendo hecho alusión a la identidad sacerdotal y al llamamiento santo de sus lectores, Pedro sigue extrayendo exactamente las mismas implicancias éticas y misionales que observamos en relación con esos términos en su contexto del Antiguo Testamento. 'Lleven vidas tan ejemplares entre las naciones que, aunque los acusen de hacer el mal, ellas observen las buenas obras de ustedes y glorifiquen a Dios en el día de la salvación' (1 Pedro 2.12, mi traducción).[27]

La corriente de lógica desde los versículos 9–10 pasando por los versículos 11–12 (un hilo que lamentablemente a veces se rompe por la división de párrafos), fluye entonces como sigue:

- Si esto es lo que son (su *identidad*, por medio de la elección, la redención y el pacto),
- entonces así es como deben vivir (su *ética*)
- y éste es el resultado que habrá entre las naciones (su *misión*).

El mensaje es claro. Los cristianos deben ser tan visibles a las naciones por la calidad de su vida moral como había sido la intención de que lo fuera Israel (que falló). Y el propósito de esa visibilidad ética es que finalmente traigan a las naciones a glorificar a Dios.[28] La misma dinámica de ética y misión es tan clara aquí como en Deuteronomio 4.5–8.

---

27 Es una pena que en lugar de 'naciones' muchas traducciones dicen 'paganos' o 'incrédulos', mientras que Pedro usa 'naciones' (*en tois ethnesin*), la misma palabra griega que normalmente traduce el hebreo *haggôyim*: 'las naciones gentiles'. Esto constituye una notable transformación del par de opuestos: Israel y los gentiles. La diferencia ya no se define como los judíos étnicos y los no judíos étnicos. Más bien se la define en relación con la fe en Cristo. Lo mismo que al afirmar que los creyentes en Jesús (judíos y gentiles) son ahora los herederos de la identidad de Israel, Pedro ha transformado el sentido de *gentil* de 'no judíos' a 'no cristianos'.

28 ¿Cuándo 'glorificarán a Dios' las naciones? Estrictamente hablando, parecería que recién será en el momento del juicio final 'el día de la visitación', y por ende sin esperanza de salvación. No obstante, la frase 'glorificar a Dios' generalmente se refiere a la adoración de los que forman parte del pueblo de Dios (ver 1 Pedro 4.16), 'y el uso del término aquí evidentemente señala el arrepentimiento y la conversión religiosa en o antes del día final (ver Apocalipsis 11.13; 14.7; 16.9)'. Mark Boyley: '1 Peter —A Mission Document?', en *Reformed Theological Review 63* (2004):84.

En el mismo pasaje Pedro relaciona este testimonio moral no verbal ante las naciones con la proclamación verbal explícita de las 'obras maravillosas', 'las alabanzas' o 'la excelencia' (*aretas*) de Dios a las que los cristianos están llamados (v. 9).

Quizás en esta frase haya un eco de Isaías 42.12, donde las naciones que han sido afectadas por la misión del Siervo de YHVH son invitadas a hacer precisamente eso:

Den gloria al SEÑOR y proclamen su alabanza [*aretas*, LXX] en las costas lejanas.

Así, las naciones están siendo ahora convocadas a unirse a lo que fuera el propósito original de Israel (Isaías 43.21). Pedro ve a las comunidades dispersas de cristianos semejantes a los exiliados de Israel de antaño, combinando la adoración y el testimonio de Israel y las naciones en su proclamación de las maravillas dignas de alabanza de Dios.

La misión de la iglesia, según Pedro, incluye tanto la proclamación verbal como la vida ética, y el impacto de su ceñido argumento es que *ambas* son absolutamente esenciales. De hecho, en un caso específico, argumenta que la vida verdaderamente buena puede ser efectiva en la evangelización incluso aunque el testimonio verbal sea obstaculizado o desaconsejable. Las esposas de maridos no creyentes pueden ser testigos no verbales por la calidad de su vida, a fin de que 'si algunos de ellos no creen en la palabra, puedan ser ganados más por el comportamiento de ustedes que por sus palabras, al observar su conducta íntegra y respetuosa' (1 Pedro 3.1–2). Está claro que Pedro *no prohíbe* a las esposas usar la palabra cuando surja la oportunidad, tanto como *no dice* que los esposos podrían finalmente llegar a ser salvos sin creer en la Palabra. Lo que hace es reforzar el mensaje de 1 Pedro 2.11–12, expresando que hay un gran poder misional y evangelizador en las vidas modeladas por el patrón de santidad y bondad bíblica.

Una idea fuerte en esta epístola es que la vida santa y la conducta buena promueven la fe cristiana. En lugar de retirarse a la defensiva, los cristianos deben participar en las instituciones creadas de su sociedad, y precisamente allí ofrecer un intrépido testimonio de buenas obras. Lo hacen imitando la respuesta de su Señor ante el sufrimiento, y con el propósito de silenciar a sus opresores e incluso 'ganarlos' para la fe en Cristo.[29]

Pacto y ética. *Primera Pedro.* Es prácticamente seguro que la fraseología de Pedro en 1 Pedro 2.12 es un eco deliberado de la enseñanza que una vez oyera de Jesús. 'Ustedes', dijo Jesús a su tosca banda de discípulos indudablemente desconcertados, '*son la luz del mundo* ... hagan brillar su luz delante de todos, para que ellos puedan ver las buenas obras de ustedes y alaben al Padre que está en el cielo' (Mateo 5.14, 16).

La imagen elegida por Jesús es indudablemente un eco de la tarea dada por YHVH a Israel de ser 'luz para las naciones'. Y en el contexto del Sermón del Monte, el propósito de Jesús es describir la calidad de la vida, el carácter, y la conducta de quienes constituyen el nuevo pueblo del pacto de Dios que se está formando en torno suyo como el Rey Siervo mesiánico. Así como Israel debería haber hecho brillar su luz para atraer a las naciones (ya sea la luz ética de Isaías 58.6–10, o la luz de la presencia de Dios en medio de ellos [Isaías 60.1–3]), también los discípulos de Jesús debían permitir que la luz de las buenas obras brillara de tal forma que la gente viniera a glorificar al Dios vivo. El propósito misional de la enseñanza ética de Jesús es claro, y obviamente Pedro lo toma en serio.

Mateo. El famoso final del Evangelio de Mateo, la Gran Comisión (Mateo 28.18–20) tiene también el sabor del pacto, ya que repite Deuteronomio con la misma fuerza (ver pp. 473-475). Jesús asume la posición del Señor Dios, cuya autoridad en el cielo y en la tierra ahora le ha sido dada. Sobre esa base, comisiona a sus propios discípulos a ir y a multiplicarse creando comunidades de obediencia entre las naciones. Deben enseñar, y las naciones tienen que aprender, lo que significa 'obedecer todo lo que les he mandado' —una pieza pura de Deuteronomio. Por lo tanto la misión es discipulado multiplicado, aprendida por medio de la obediencia ética y transmitida mediante la enseñanza.[30]

---

29 Boyley: '1 Peter', p. 86.
30 Para un análisis más a fondo en Mateo sobre el motivo del pacto, ver Robert L. Brawley: 'Reverberations of Abrahamic Covenant Traditions in the Ethics of Matthew', en *Realia Dei*, ed. Prescott H. Williams y Theodore Hiebert, Scholars Press, Atlanta, 1999, pp. 26–46.

Juan. Finalmente, debemos observar de qué manera el Evangelio de Juan ubica la obediencia de los discípulos a los mandamientos de Jesús en el contexto del deseo misional explícito del autor: que sus lectores, dondequiera que estén, lleguen a la fe salvadora en Cristo (Juan 20.30–31). Nuevamente, haciéndose eco del lenguaje de Deuteronomio, el amor consiste en la obediencia a los mandamientos de Cristo, tal como el pueblo del Antiguo Testamento debía amar a YHVH y demostrarlo obedeciendo sus mandamientos. Las implicancias y la motivación misionales de esta conexión son captadas por Jesús en forma sucinta en sus siguientes palabras: 'De este modo todos sabrán que son mis discípulos, si se aman los unos a los otros' (Juan 13.35). La misma dinámica misional actúa en la gran oración de Jesús por sus discípulos y su testimonio en el mundo en Juan 17.

El lenguaje del pacto es el lenguaje de un pueblo en relación recíproca con Dios, iniciada por la gracia de Dios y cuya respuesta es la obediencia humana.

Hemos visto en el Antiguo Testamento que esto está vinculado con la identidad y la misión de Israel dentro de la misión universal de Dios para todas las naciones. Aquí en el Nuevo Testamento, la naturaleza misionera del pueblo del nuevo pacto de Dios se ve en estos tres pasajes de Pedro, Mateo y Juan. El nuevo pueblo de Dios en Cristo también es un pueblo para el bien de todo el mundo, y esto debe reflejarse en su vida.

Resumiendo, como pueblo del pacto de Dios, los cristianos deben ser:

- un pueblo que es luz para el mundo por su vida buena (1 Pedro)
- un pueblo que aprende la obediencia y la enseña a las naciones (Mateo)
- un pueblo cuyos integrantes se aman unos a otros para mostrar a quién pertenecen (Juan)

Sería difícil encontrar una articulación más precisa de la integración entre la ética cristiana y la misión cristiana.

PARTE 4

El campo de la misión

Finalmente damos la vuelta a la última esquina del triángulo que usé en la introducción (p. 34) para describir la estructura del libro. En la segunda parte hemos reflexionado sobre 'El Dios de la Misión' (monoteísmo y misión en la Biblia). Luego pasamos los seis capítulos de la tercera parte en compañía del 'El pueblo de la Misión' (Israel como pueblo elegido de Dios, redimido y llamado a una relación de pacto y singularidad ética para el propósito de su misión a las naciones, y la extensión de esa identidad y ese papel a todos los que están en Cristo). Pero el Señor Dios de Israel es también el Dios de toda la tierra y de todas las naciones, de manera que ahora debemos agrandar el escenario en el que tiene lugar la gran narrativa bíblica. Porque la misión de Dios es tan universal como el amor de Dios, y como nos lo recuerda el Salmo 145.13:

Fiel es el Señor a su palabra
   y bondadoso en todas sus obras.

Será de provecho que iniciemos nuestra reflexión con el apóstol Pablo, ese gran intérprete misional del Antiguo Testamento.

Comparemos el sermón de Pablo en la sinagoga judía en Antioquía en Hechos 13.16–41 con su sermón frente al areópago en Atenas en Hechos 17.22–31. Ambos discursos tienen un propósito final común: presentar a Jesús a sus oyentes. Pero los marcos conceptuales son muy diferentes. En el primero, frente a una audiencia judía, Pablo habla del '*Dios* de este pueblo de *Israel*' y describe cómo Dios derrotó a los cananeos y 'dio a su pueblo la *tierra* de ellos en herencia' (Hechos 13.17, 19, énfasis agregado). En el segundo, frente a una audiencia gentil, Pablo habla del 'Dios que hizo el mundo y todo lo que hay en él' y describe cómo ese Dios 'hizo *todas las naciones* para que habitaran toda la tierra' (Hechos 17.24, 26, énfasis agregado).

Si aceptan un poco más de geometría, podríamos imaginar estos dos marcos en la forma de dos triángulos interconectados. Por un lado, el triángulo de Dios, Israel y su tierra.

Figura II. 1. Marco conceptual del sermón de Pablo en Antioquía

Este es el marco conceptual del sermón de Pablo en Antioquía, y por supuesto, representa la visión que tiene de sí mismo el Israel del Antiguo Testamento. Su Dios, YHVH, había elegido y llamado a Israel como pueblo a una relación de pacto con él, y lo había redimido de la esclavitud en Egipto, dándole la tierra de Canaán. Así debía vivir en obediencia al pacto con él y así estar bajo su bendición. Este es el marco que subyace los capítulos de la Parte 3 de este libro. En la medida que Israel, en el Antiguo Testamento, se veía como un pueblo con una identidad y una misión, éste fue el contexto de tal visión. La singularidad de su elección, su redención, su pacto y su ética estaban arraigados en este triángulo de relaciones interconectadas. La misión de Israel era vivir como pueblo de Dios en la tierra de Dios y para gloria de Dios. Y el Dios en cuestión era YHVH.

Pero, como he venido enfatizando todo el tiempo, el triángulo de relaciones no existía para sí mismo. Era parte de un conjunto más amplio de relaciones que enmarcaban la misión de Dios para todas las naciones y toda la tierra. Es este triángulo externo (Dios, la humanidad y la tierra, ver figura II.2) lo que Pablo tiene en mente cuando habla a la audiencia gentil en Atenas, un grupo de personas para quienes el triángulo interior del trato de Dios con Israel en su tierra todavía no podía tener sentido. Por lo tanto Pablo les presenta lo que es una doctrina de las Escrituras (es decir, del Antiguo Testamento) sobre la creación, pero sin citar directamente pasajes del Antiguo Testamento.[1]

---

1 Desarrollé este diagrama como marco para entender la cosmovisión ética del Israel del Antiguo Testamento en: Christopher J. H. Wright: *Old Testament Ethics for the People of God*, InterVarsity Press, Leicester; InterVarsity Press, Downers Grove, Ill., 2004.

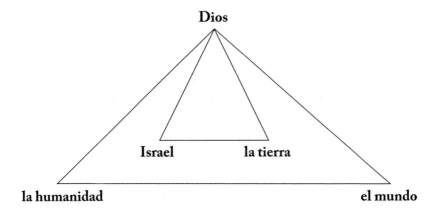

Figura II. 2. Marco conceptual del sermón de Pablo en Atenas

Sin embargo, ese triángulo exterior, aunque sigue siendo el escenario de todo el trato de Dios con la humanidad en la historia, ha sido torcido y fracturado como resultado de la rebelión humana y el pecado. Las tres relaciones primarias se han visto afectadas: los seres humanos ya no aman y obedecen a Dios como deberían hacerlo, y viven bajo su ira; la humanidad está en conflicto con la tierra, y la tierra está bajo la maldición de Dios y la frustración de no glorificar a Dios como debería hasta que la humanidad sea redimida. Esa es la sombría realidad de nuestra condición de humanidad caída que expone Pablo en Romanos. Vivimos como humanidad caída en una tierra maldecida.

Sin embargo, el triángulo exterior también es el escenario o arena de la misión de Dios. Todo lo que Dios hizo en, por y a través de *Israel* (el triángulo interior) tenía como meta final la bendición de todas las naciones de la *humanidad* y la redención final de toda la *creación* (el triángulo exterior).

Si tuviéramos que agregar en nuestro marco el cumplimiento en el Nuevo Testamento de la visión del Antiguo Testamento, veríamos otro triángulo, que incluye a la nueva comunidad del pueblo de Dios (los judíos y gentiles creyentes en Cristo) y a la nueva creación (el nuevo cielo y la nueva tierra en los que Dios morará para siempre con su humanidad redimida).

Debemos, pues, prestar atención a este triángulo más amplio, el escenario de la creación sobre el que la misión de Dios traza su huella por la historia. Ese es el foco de nuestra reflexión en la Parte 4.

Analizaremos primero la tierra como el ámbito y más todavía el objeto de la actividad misionera de Dios, y en consecuencia también legítimamente el objeto de la misión a la que hemos sido llamados (capítulo 12). Segundo (en el capítulo 13), analizaremos la *humanidad* para ver cómo algunas de las grandes afirmaciones de fe bíblica sobre lo que significa ser humano afectan nuestra visión de la misión. Esto debe incluir la dignidad de ser hechos a imagen de Dios lo mismo que la depravación de nuestra pecaminosa rebelión y la invasión del mal. En el mismo capítulo también consideraremos la parte del Antiguo Testamento más estrechamente vinculada con una cosmovisión de la creación y una perspectiva internacional, aunque con frecuencia lamentablemente descuidada en la teología misional: la literatura sapiencial. Reflexionaremos sobre su importancia en la tarea de relacionar la misión con los diversos contextos culturales. Finalmente, encararemos el mundo de las naciones y exploraremos (capítulo 14) la asombrosa visión que cultivó Israel en relación al plan de Dios para las naciones de la humanidad que, probablemente más que ningún otro asunto en el Antiguo Testamento, sustentó e inspiró la expansión misionera de la iglesia del Nuevo Testamento (capítulo 15).

12 . La misión y la tierra de Dios

Al Señor tu Dios le pertenecen los cielos y lo más alto de los cielos, la tierra y todo lo que hay en ella. Deuteronomio 10.14

Esta audaz afirmación de que yhvh, el Dios de Israel, es dueño de todo el universo, se repite en la conocida afirmación del Salmo 24.1 'A yhvh pertenece la tierra y toda su plenitud' (mi traducción) y en la menos conocida afirmación que hace Dios mismo a Job en el contexto del gran recitado de todas sus obras de la creación: '¡Mío es todo cuanto hay bajo los cielos!'(Job 41.11).[1]

La tierra es del Señor

La tierra, entonces, pertenece a Dios porque Dios la creó. Esto nos recuerda, como mínimo, que si la tierra es de Dios, no es nuestra. No somos dueños de este planeta, incluso si nuestra conducta tiende a reflejar que lo creemos así. Dios es el propietario de la tierra y nosotros somos los inquilinos. Dios nos ha dado la tierra en *tenencia* como residentes (Salmo 115.16), pero no tenemos el título de propiedad definitiva. De manera que, lo mismo que en cualquier relación de propietario e inquilino, Dios nos hace responsables ante él por la forma que tratamos la propiedad. Se pueden mencionar varias dimensiones de esta fuerte afirmación de la creación sobre la propiedad divina de la tierra por sus significativas aplicaciones éticas y misionales.

La bondad de la creación. En vista de su repetición, uno de los puntos más enfáticos del Génesis 1—2 es que la creación es buena.[2] Seis veces en la narrativa Dios declara que su obra es 'buena'. Como un maestro cocinero que sirve un banquete de comidas ante sus admirados invitados, Dios se complace con cada nueva delicadeza que trae del taller creativo, hasta que, después del *plato fuerte*, en un séptimo y último veredicto sobre el resultado final, Dios declara que toda la obra es 'muy buena'. La maravillosa cena ha sido el triunfo de la habilidad y

---

1 Partes de esta sección del capítulo son resumen del informe más completo de la ética ecológica del Antiguo Testamento en Christopher J. H. Wright: *Old Testament Ethics for the People of God*, Intervarsity Press, Leicester; InterVarsity Press, Downers Grove, Ill., 2004.
2 Ron Elsdon hace del tema de la bondad de la creación el hilo conductor de su investigación del material bíblico en ambos testamentos sobre este tema en su libro *Green House Theology: Biblical Perspectives on Caring for Creation*, Monarch, Tunbridge Wells, 1992.

el arte del chef.[3] Podemos mencionar dos cosas (entre muchas) como consecuencias de esa simple y rotunda afirmación.

Una buena creación solo puede ser obra de un Dios bueno. Esto define el relato hebreo de la creación en contraste con otros relatos del antiguo Cercano Oriente donde los poderes y los dioses del mundo natural se describen con diversos grados de malevolencia, y donde ciertos aspectos del orden natural se explican como resultado de ella. En el Antiguo Testamento el orden natural es fundamentalmente, y en su origen, bueno, como la obra del único Dios bueno, YHVH. Parte del significado de la bondad de la creación en la Biblia es que da testimonio del Dios que lo hizo, reflejando algo de su buen carácter (p. ej., Salmo 19; 29; 50.6; 65; 104; 148; Job 12.7–9; Hechos 14.17; 17.27; Romanos 1.20). Siendo así, podemos sugerir una analogía con el pasaje 'El que oprime al pobre ofende a su Creador' (Proverbios 14.31; ver Proverbios 17.5 —porque el pobre también es un ser humano hecho a imagen de su Creador), en las líneas de 'El que destruye o degrada la tierra arruina el reflejo de su Hacedor' (porque la tierra es parte de la creación que lleva la marca de la bondad de Dios mismo). La manera en que tratamos la tierra refleja nuestra actitud hacia su Creador y la seriedad (o la falta de seriedad) con la que tomamos lo que se nos ha indicado sobre ella.

La creación es intrínsecamente buena. La bondad de la creación pertenece a la esencia misma de la creación. No depende de nuestra presencia humana en ella ni de nuestra capacidad para percibirla. En las narrativas de la creación, la afirmación 'es buena' no vino de Adán ni de Eva sino de Dios mismo. De modo que la bondad de la creación (lo que incluye su belleza) es teológica y cronológicamente anterior a la observación humana. Es algo que *Dios* vio y afirmó antes de que la humanidad estuviera presente para verla. De manera que la bondad de la creación no es una simple respuesta reflexiva de la humanidad frente al paisaje agradable de un día de sol. Tampoco es una bondad instrumental en el sentido de que la creación es buena sencillamente porque existe para nuestro provecho. Más bien, esta afirmación de la bondad de la creación es el sello de la aprobación *divina*

---

3 Le debo la metáfora culinaria a Huw Spanner: 'Tyrants, Stewards —or Just Kings?' en: *Animals on the Agenda: Questions About Animals for Theology and Ethics*, ed. Andrew Linzey y Dorothy Yamamoto, SCM Press, Londres, 1998, p. 218.

sobre todo el universo. La declaración de que 'es buena' se hace de cada etapa de la creación: desde la creación inicial de la luz (Génesis 1.4) hasta el surgimiento de los continentes a partir de los océanos (Génesis 1.10), el crecimiento de la vegetación (Génesis 1.13), el funcionamiento del sol y la luna para marcar los días y las estaciones (Génesis 1.18), la aparición de los peces y las aves (Génesis 1.21) y de los animales terrestres (Génesis 1.25). Todos estos órdenes creados estuvieron presentes con su bondad divinamente confirmada antes de que la humanidad entrara en escena.

La tierra tiene entonces un valor *intrínseco*, es decir, es valiosa para Dios, la fuente de todo valor. Dios valora la tierra porque la hizo y le pertenece. No basta con decir que la tierra es *valiosa para nosotros*. Por el contrario, nuestro propio valor como seres humanos comienza con el hecho de que *nosotros mismos somos parte* de toda la creación que Dios ya ha valorado y declarado buena. Más adelante diremos algo más sobre la vida humana, pero el punto de partida es que tomamos nuestro valor de la creación de la que formamos parte, y no viceversa. La tierra no deriva su valor de nosotros sino de su Creador. Por eso, debemos ser cuidadosos y ubicar la dimensión ecológica de la misión no en su valor como proveedora de nuestras necesidades, sino en su capacidad de glorificar a Dios.

La Biblia evita cuidadosamente la arrogante suposición humana de que la tierra existe para nuestro uso y disfrute. Por el contrario, el Salmo 104 celebra no solo lo que la tierra provee para la humanidad sino todo lo que Dios ha provisto en ella para las demás criaturas que también deben su existencia, supervivencia y disfrute de la vida al dadivoso Espíritu de Dios. Walter Harrelson, en una hermosa meditación sobre este salmo, observa cómo la celebración del poeta se aleja de la provisión de la tierra para las necesidades humanas (en los versículos 14–15).

> Dios plantó los cedros y otros árboles y los riega abundantemente. Las aves hacen sus nidos en ellos. Se destacan las cigüeñas, Dios hizo los cipreses para que anidaran las cigüeñas; e hizo las cigüeñas para que anidaran en los cipreses. Hizo montañas altas e inaccesibles para que las cabras del monte trepen y retocen en ellas, e hizo las cabras para que hicieran precisamente eso. Creó la vasta extensión de tierra cubierta de roca al este del Jordán para que vivan los tejones, y creó los tejos para que vivan en las rocas. Las cigüeñas, las cabras del monte y los tejones no sirven

a la humanidad. Hacen lo que es apropiado para ellos, y Dios proveyó un lugar que cumple su función cuando ministra a las necesidades de esas criaturas especiales. No conozco otro pasaje más directo en la Biblia donde se hable del significado independiente de las cosas y los animales de los que no depende la vida del hombre. El antropocentrismo creativo y poderoso de la religión bíblica está bellamente matizado aquí: Dios tiene interés en los tejones, en las cabras del monte y en las cigüeñas por sí mismos. Tiene interés en los árboles y las montañas y los peñascos que sencillamente sirven a propósitos que no son los humanos.

Por eso, agrega Harrelson, el salmo celebra el valor de la obra humana en la creación pero también afirma el valor de todo lo que hacen otras criaturas, por mandato de Dios. En los versículos 21–26 este autor observa:

El trabajo del hombre es significativo, pero también lo es el trabajo del león. Los barcos que navegan en alta mar hacen un trabajo valioso, pero también lo hace el leviatán que va detrás de ellos retozando y resoplando.[4]

La santidad (pero no la divinidad) de la creación. La Biblia hace una clara diferenciación entre Dios el Creador y todas las cosas creadas (ver nuestro análisis de este tema en pp. 189-190). Nada en la creación es divino en sí mismo. Esto descarta el politeísmo que predominaba en el entorno religioso y cultural de Israel. Las diversas fuerzas de la naturaleza se consideraban seres divinos (o que estaban bajo el control de los diversos seres divinos), y la función de muchos rituales religiosos era aplacar a esos dioses y diosas de la naturaleza o persuadirlos a realizar acciones beneficiosas para la agricultura.

En la fe de Israel, en cambio, las grandes realidades del orden natural, ya sea fuerzas, fenómenos u objetos, no tenían ninguna existencia *divina* inherente. El poder que tenían, que era indudablemente grande, era totalmente obra de YHVH y estaba bajo su mandato. En consecuencia, por un lado, los cultos a la fertilidad de Canaán eran rechazados porque Israel había aprendido que YHVH proveía para ellos con la abundancia de la naturaleza (p. ej., Oseas 2.8–12). Por el otro, las inmensamente poderosas e influyentes deidades astrales de Babilonia fueron desenmascaradas como simples objetos creados sujetos a la

4 Walter Harrelson: 'On God's Care for the Earth: Psalm 104', *Currents in Theology and Mission 2* (1975): 20–21.

autoridad de YHVH (Isaías 40.26). En ambos casos (la fertilidad y la astrología) la creencia de Israel acerca de la creación los llevó a un duro conflicto cultural y político con las cosmovisiones que los rodeaban.

Por ello, la Biblia hebrea, aunque con seguridad enseña respeto y cuidado por la creación no humana, resiste y revierte la tendencia humana a divinizar o personalizar el orden natural, o a otorgarle cualquier poder independiente de la persona de su Creador.

Es importante distinguir entre *personalizar* y *personificar* la naturaleza. El Antiguo Testamento con frecuencia personifica la naturaleza como un recurso retórico, una figura literaria para reforzar un efecto. La personificación es un recurso literario en el que se habla de la naturaleza *como si fuera una persona*. Por ejemplo, los cielos y la tierra son llamados a ser testigos de lo que Dios dice a su pueblo (Deuteronomio 30.19; 32.1; Isaías 1.2; Salmo 50.1–6), declaran su gloria (Salmo 19), se alegran de su juicio (Salmo 96.11–13; 98.7–9). De manera muy vívida la tierra misma 'vomitó' a sus habitantes anteriores por su maldad e hizo lo mismo con los israelitas cuando siguieron su ejemplo (Levítico 18.25–28). Son todas vívidas figuras del habla.

Pero el punto de esta personificación retórica o literaria de la naturaleza es para destacar el carácter personal de Dios que la creó y que está activo en y a través de ella, o para expresar la naturaleza personal y moral de la relación de los seres humanos con Dios. Ese uso literario no atribuye verdadera condición de persona o capacidades personales a la naturaleza o las fuerzas de la naturaleza, por sí mismas. En cambio, personalizar la naturaleza de esa manera (es decir, atribuirle una condición personal real a la naturaleza misma) tiene como consecuencia despersonalizar a Dios y desmoralizar la relación entre la humanidad y Dios. Conferir a la creación la condición personal y el honor que corresponde solamente a Dios (o por derivación a los humanos que llevan su imagen) es una forma de idolatría tan antigua como la caída misma (ver Romanos 1.21–25), aunque ahora en los movimientos de la Nueva Era se le haya puesto un nuevo ropaje característico del siglo veintiuno.

Este impulso contracultural en el Antiguo Testamento tiene fuertes implicancias misionales, porque el evangelio todavía hoy enfrenta (como ocurrió en tiempos del Nuevo Testamento) tradiciones religiosas que divinizan la naturaleza, ya sea en algunas formas de religión primitiva, en el hinduismo popular o en los contenidos que la Nueva Era tomó prestado de ambos.

En ocasiones este aspecto de la fe de Israel ha sido llamado 'desacralización de la naturaleza', pero esa no es la mejor expresión. Sugerir que Israel 'desacralizaba la naturaleza' implica aseverar que no tenían un sentido de la sacralidad del orden creado y que consideraban la tierra simplemente como un objeto para el provecho humano. A su vez esto sirvió como una garantía bíblica para una actitud cientificista, tecnológica e instrumental de la creación no humana en su totalidad. Las raíces de este error se remontan a comienzos y hasta mediados del siglo veinte, cuando muchos estudiosos destacaban la naturaleza histórica de la fe de Israel. Esto incluía la afirmación de que Israel 'desmitologizaba' los mitos de la creación difundidos en el antiguo Cercano Oriente. Israel, se argumentaba, privilegiaba la historia sobre la naturaleza; YHVH era el Dios de la *historia* en contraste con los dioses circundantes que eran dioses de la *naturaleza*. Sin embargo, ahora está bien establecido que otras antiguas civilizaciones del Cercano Oriente creían que sus dioses eran hasta cierto punto activos en la historia humana, y no todos sus dioses se pueden describir adecuadamente como meras fuerzas naturales divinizadas. A la inversa, YHVH es si ninguna duda el Dios del orden creado, lo mismo que el Dios de la historia de Israel.

Un lamentable efecto secundario de esta afirmación común entre los estudiosos del Antiguo Testamento era la idea popular de que la Biblia 'desacralizaba' la naturaleza. Esta perspectiva dejaba el orden natural abierto a la exploración y la explotación humanas, libre de temores o tabúes religiosos. En esa perspectiva, el único propósito del orden natural es satisfacer las necesidades humanas. No importa qué le hagamos, no hay porqué temer que estamos ofendiendo a alguna fuerza divina inherente. La naturaleza está bajo nuestro dominio. Esa perspectiva secularizada de la naturaleza no es en absoluto a lo que nos referimos aquí por desacralizar la naturaleza.[5]

Hay una diferencia fundamental en tratar a la naturaleza como *sagrada* y tratarla como *divina* (lo mismo que hay una diferencia categórica

---

5 Para una discusión más útil de los efectos de esta particular distorsión de la teología del Antiguo Testamento ver Ronald A. Simkins: *Creator and Creation: Nature in the Worldview of Ancient Israel*, Hendrickson, Peabody, Mass., 1994, pp. 82–88.

entre hablar de la santidad de la vida humana y considerar divino a cualquier ser humano). La sacralidad o santidad de la creación habla de su vínculo esencial con Dios, no de ser divina en y por sí misma.

El Antiguo Testamento continuamente considera a la creación *en relación con Dios*. El orden creado obedece a Dios, se somete a sus mandatos, revela la gloria de Dios, se beneficia del sostén y la provisión de Dios y sirve a sus propósitos, incluyendo (pero no limitado a) el de proveer para los seres humanos y el de funcionar como vehículo del juicio de Dios sobre ellos. De modo que hay una sacralidad en el orden no humano creado que estamos llamados a honrar, como se refleja en las leyes, en la adoración y en la profecía de Israel. En cambio, adorar a la naturaleza en cualquiera de sus manifestaciones es confundir lo creado con el Creador. Y esa es una forma de idolatría contra la que Israel recibió repetidas advertencias (p. ej., Deuteronomio 4.15–20; Job 31.26–28) y que Pablo asocia con la trágica letanía de la obstinada rebeldía y el mal social de la humanidad (Romanos 1.25 y el contexto del pasaje).

El monoteísmo radical de Israel que se opuso a todos los llamados dioses de la naturaleza no privó a la naturaleza de su sacralidad y ni de significancia derivadas de su relación con Dios.

> En esta perspectiva de monoteísmo radical en la doctrina de la creación, no hay divinidades menores: ni el sol ni la luna (contra cuya adoración reacciona el texto de Génesis 1.14–18), ni becerros de oro ni otros 'ídolos', ni bosques sagrados ni árboles ancestrales, ni poderosos volcanes ni montañas, ni terribles bestias ni demonios, ni césares ni faraones ni héroes, ni siquiera Gaia o la Madre Tierra. En esta perspectiva, el politeísmo, el animismo, la astrología, el totemismo y otras formas de adoración a la naturaleza no solamente son idolatría sino también, como lo describieron una y otra vez los profetas, vanidad y necedad (ver Isaías 40.12–28; 43.9–20; 46.11; Hechos 14; 15). Solo el Creador merece la adoración. ... No obstante, aunque solo el Creador merece la adoración, todas las criaturas de Dios son dignas de consideración moral, como señal del valor impartido por Dios y como expresión de la adoración a Dios. La doctrina monoteísta de la creación no desacraliza la naturaleza.

La naturaleza es sagrada porque ha sido creada por Dios, declarada buena por él, y puesta bajo la suprema soberanía divina.[6]

Siendo así, ¿acaso no habrá convincentes implicancias éticas y misionales para quienes decimos adorar a este Dios como Creador del mundo, para quienes afirmamos conocerlo también como el Redentor del mundo? Si la tierra tiene una santidad que deriva de su relación con el Creador, entonces la manera en que tratamos a la tierra será el reflejo y la medida de nuestra relación con el Creador.

¿Qué desafíos ecológicos y misionales surgen de la afirmación de que la tierra pertenece a Dios? Resumiendo nuestro estudio hasta aquí, con seguridad encontramos implicancias ecológicas de considerar el orden creado como inherentemente bueno por el valor que tiene para Dios mismo. No es materia neutral que podamos manipular y comercializar, usar y abusar para nuestro propio provecho. Además, como parte de toda la creación, los seres humanos existimos no solamente para alabar y glorificar a Dios nosotros mismos sino que también debemos facilitar que el resto de la creación lo pueda hacer. Y si el mayor mandamiento es que debemos amar a Dios, con seguridad eso implica que debemos tratar lo que pertenece al Señor con honor, cuidado y respeto. Esto es así en cualquier relación humana. Si amas a alguien, cuidas lo que le pertenece.

Amar a Dios (incluso conocer a Dios, agregaría Jeremías [Jeremías 9.24]) significa valorar aquello que Dios valora. Inversamente, entonces, contribuir o participar en el abuso, la contaminación o la destrucción del orden natural es pisotear la bondad de Dios reflejada en la creación. Es desvalorizar lo que Dios valora, enmudecer la alabanza de Dios y disminuir su gloria.

La tierra es el campo de la misión de Dios y de la nuestra. Si Dios es dueño del universo, no hay ningún lugar que no le pertenezca. No hay ningún lugar donde podamos salir de su propiedad, ni entrar a la propiedad de alguna otra deidad ni a algún ámbito autónomo de propiedad privada.

Esas afirmaciones ya se hicieron en relación con YHVH en el Antiguo Testamento (p. ej. Salmo 139). Pero en el Nuevo Testamento

---

6 James A. Nash: *Loving Nature: Ecological Integrity and Christian Responsibility*, Abingdon, Nashville, 1991, p. 96.

se hacen las mismas afirmaciones en relación con Jesucristo. De pie sobre un monte con sus discípulos después de la resurrección, Jesús parafrasea las expresiones de Deuteronomio sobre YHVH ('El Señor es Dios arriba en el cielo y abajo en la tierra, y que no hay otro' [Deuteronomio 4.39]. 'Al Señor tu Dios le pertenecen los cielos y lo más alto de los cielos, la tierra y todo lo que hay en ella' [Deuteronomio 10.14]. 'Porque el Señor tu Dios es Dios de dioses y Señor de señores' [Deuteronomio 10.17]), y con calma los aplica a sí mismo: 'Se me ha dado toda autoridad en el cielo y en la tierra' (Mateo 28.18). *El Jesús resucitado reclama la misma propiedad y soberanía sobre toda la creación que el Antiguo Testamento afirma de YHVH.*

Toda la tierra, entonces, pertenece a Jesús. Le pertenece por derecho de creación, por derecho de redención y por derecho de herencia futura, como afirma Pablo en la magnífica declaración cósmica de Colosenses 1.15–20. De manera que dondequiera que vayamos en su nombre, estamos andando en su propiedad. No hay un centímetro de planeta que no pertenezca a Cristo. La misión es entonces una actividad autorizada llevada a cabo por arrendatarios bajo las instrucciones del dueño de la propiedad.

Supongamos que usted es inquilino en su casa o departamento y se ve desafiado en su derecho de instalar una nueva cocina o cuarto de baño. Siempre y cuando pueda apelar al contrato escrito del dueño de la propiedad que le permite ocuparse del asunto en lugar de él, su acción está autorizada. Si el dueño de la propiedad le encarga a usted su propósito de renovar la propiedad mientras vive en ella, entonces su 'misión' es una autorizada cooperación con y ejecución de la 'misión' del propietario. Usted se convierte en el agente de las intenciones del dueño para con la propiedad. Usted está llevando adelante legítimamente lo que el dueño quiere que se haga en su propiedad.

De manera que nuestra misión en la tierra de Dios no solo está autorizada por su verdadero dueño, además está protegida, asistida y garantizada por él. Vamos en su nombre. Actuamos con su autoridad. En consecuencia no hay lugar para el temor, todo suelo que pisamos ya le pertenece. Tampoco hay lugar para el dualismo. También sabemos, por supuesto, que la Biblia afirma que el maligno ejerce algún tipo de señorío y poder sobre la tierra. Pero no le pertenece. Su pretensión de propiedad y del derecho de entregarla a quienes lo adoran fue expuesta como fraudulenta por Jesús en su lucha con las tentaciones en el desierto. Cualquiera sea la autoridad que ejerce Satanás es usurpada e ilegítima, provisoria y sujeta a los límites finales establecidos por el verdadero dueño y Señor de la tierra, el Cordero que reina desde el trono de Dios (Apocalipsis 4—7).

Por lo tanto la sencilla afirmación bíblica de que 'la tierra es del SEÑOR' es una base no negociable para la ética ecológica y la confianza misional.

La gloria de Dios como la meta de la creación. '¿Cuál es la principal meta del hombre?' es una pregunta sobre el sentido y el propósito de la existencia humana. El Catecismo Abreviado de la Confesión de Westminster responde con hermosa sencillez bíblica: 'El principal fin del hombre es dar gloria a Dios y disfrutar para siempre de su presencia.' Sería igualmente bíblico repetir la pregunta acerca de toda la creación y dar exactamente la misma respuesta. La creación existe para la gloria y la alabanza de su Dios Creador y para el mutuo disfrute. Los seres humanos, siendo criaturas también, compartimos ese motivo de existencia: nuestro 'principal fin' es dar gloria a Dios, y al hacerlo, disfrutarnos porque disfrutamos de Dios. Esa meta para la vida humana centrada en Dios (para glorificarlo y disfrutar de él) no es algo que nos deje *apartados* del resto de la creación. Más bien es algo que *compartimos* con el resto de la creación. Es el fin último de toda la creación. La única diferencia es que, lógicamente, los seres humanos debemos glorificar a Dios en términos humanos, como corresponde a nuestra condición de ser la única criatura hecha a imagen de Dios. Por lo tanto, como seres humanos alabamos a Dios con el corazón, las manos y la voz, con la razón lo mismo que con las emociones, con el lenguaje, el arte, la música y los oficios... con todo lo que refleja al Dios a cuya imagen estamos hechos.

Pero todo el resto de la creación ya alaba a Dios y puede ser convocada (repetidamente) a hacerlo (p. ej. Salmo 145.10, 21; 148; 10.6). Hay una respuesta de gratitud que corresponde no solamente a los destinatarios humanos de la generosidad de Dios sino que también se atribuye a las criaturas no humanas (p. ej. Salmo 104.27–28). Tal vez no podamos explicar *cómo* es que la creación alaba al Hacedor, ya que solo conocemos la realidad de nuestra condición humana 'desde adentro' y lo que significa *para nosotros* alabarlo. Pero solo porque no podemos articular el *cómo* de la alabanza inarticulada de la creación, ni *cómo* Dios la recibe, no debemos negar que la creación alaba a Dios —porque está afirmado a lo largo de toda la Biblia con abrumadora convicción.

> Esta respuesta de gratitud es una característica fundamental de las criaturas, compartida por todos los seres creados sobre la tierra, tanto seres humanos como animales, campos, mares y montañas, tierra, viento, fuego y lluvia. El salmista carga a todas las cosas con el primer deber moral de la creación, adorar y alabar al Creador . . . En la perspectiva hebrea, la humanidad y el cosmos tienen significado moral, y se requiere de ambos una respuesta moral al creador, una respuesta a Dios que refleje su gloria y ofrezca una devolución de gratitud, alabanza y adoración [Salmo 150].[7]

Al final toda la creación se unirá en el gozo y la acción de gracias que acompañarán al Señor cuando venga como rey para poner todo en orden (es decir, para juzgar la tierra, p. ej. Salmo 96.10–13; 98.7–9).

Además, si consideramos la tarea de dar gloria a Dios, vale la pena observar que varios pasajes significativos vinculan la *gloria de Dios* con la *plenitud* de la tierra, es decir, la magníficamente variada abundancia de toda la biósfera: cielo, tierra y mar. El lenguaje de la plenitud es una característica de la narrativa de la creación. Desde el vacío total, la historia avanza a través de repetidas ocupaciones. Así, una vez que se han separado el agua y el cielo, el quinto día ve al agua llenarse de peces y a los cielos de aves, según la bendición y el mandato de Dios (Génesis 1.20–22). De la misma manera, al sexto día, después de la creación del resto de los animales de tierra, los seres humanos son bendecidos y se les manda 'llenar la tierra'. No es de sorprender entonces que el Salmo 104.24 pueda afirmar '¡Rebosa la tierra con todas tus criaturas!' Y el Salmo 24.1 puede describir esta plenitud de criaturas sencillamente como 'la plenitud de la tierra' (mi traducción). Lo mismo hace el Salmo 50.12, después de una ilustrativa lista que incluye los animales del bosque, el ganado de los miles de colinas, las aves de las alturas y las criaturas del campo: 'mío es

---

7 Michael S. Northcott: *The Environment and Christian Ethics*, Cambridge University Press, Cambridge, 1996, pp. 180–181.

el mundo y toda su plenitud' (mi traducción). De manera similar la frase 'la tierra y su plenitud' se convierte en una forma característica de hablar de todo el medio ambiente: a veces local, a veces universal (p. ej. Deuteronomio 33.16; Salmo 89.12; Isaías 34.1; Jeremías 47.2; Ezequiel 30.12; Miqueas 1.2).

Esto puede agregarle significado al canto del serafín en la visión del templo de Isaías:

> Santo, santo, santo, Jehová de los ejércitos
>> La plenitud de toda la tierra [es] su gloria. (Isaías 6.3, mi traducción)[8]

'La plenitud de la tierra' es una manera de hablar de la rica abundancia del orden creado, especialmente la creación no humana (cuando se tiene en vista a los seres humanos generalmente se los incluye como 'y los que en él habitan' [p. ej. Salmo 24.1].

Los serafines reconocen y celebran la gloria de Dios *en* la plenitud de la tierra. Aquello que manifiesta la gloria de Dios es la rebosante abundancia de la creación. La tierra está llena de la gloria de Dios porque lo que llena la tierra constituye (por lo menos una de las dimensiones de) la gloria de Dios. De manera similar, el Salmo 104.31 hace un paralelo entre la gloria de Dios y la obra creadora de Dios: 'Que la gloria del SEÑOR perdure eternamente; que el SEÑOR se regocije en sus obras'.

Por supuesto, deberíamos agregar que la gloria de Dios también trasciende a la creación, la precede y la supera. Como nos lo recuerda el Salmo 8.1, Dios ha establecido su gloria *sobre* los cielos'. Pero la creación no solamente *declara* la gloria de Dios (Salmos 19.1), la plenitud de la creación también es una parte *esencial* de esa gloria.

Reconocer el vínculo entre la plenitud de la tierra (es decir la totalidad de la vida creada) y la gloria de Dios significa, como nos lo recuerda Pablo, que los seres humanos se enfrentan diariamente con la realidad de Dios sencillamente por habitar en el planeta (Romanos 1.19–20).

---

8 Debo la sugerencia de este matiz en el significado de Isaías 6.3 a una conversación con Hilary Marlowe. También lo ofrece como traducción la versión NASB, y se analiza en relación al concepto de que toda la tierra constituye el templo cósmico de Dios en G. K. Beale, *The Temple and the Church's Mission: A Biblical Theology of the Dwelling Place of God*, New Studies in Biblical Theology, ed., D. A. Carson, Apollos, Leicester; InterVarsity Press, Downers Grove, Ill., 2004, p. 49.

Aquí también reconocemos una verdad de relevancia misional. Que todos los seres humanos habitan una tierra llena de gloria que revela y declara algo de su Creador. Lo que hacemos con esa experiencia es otro asunto, por supuesto. Pero esta verdad subyace no solamente al carácter radical de la exposición de Pablo del pecado y la idolatría universales, sino también a la aplicabilidad y la inteligibilidad universal del evangelio. Las mentes que han suprimido y cambiado esta verdad acerca del Creador pueden, por la gracia de Dios y el poder iluminador del evangelio, pasar de la oscuridad a la luz, para conocer nuevamente a su Creador como su Redentor por medio del mensaje de la cruz.

Dios redime toda la creación. Hasta aquí hemos reflexionado sobre la importancia de incluir la sólida doctrina bíblica de la creación al pensar sobre la tierra: lo que hacemos con ella, cómo vivimos en ella y para qué fue creada. Pero volver la mirada al Génesis y afirmar su gran verdad acerca de nuestro mundo no es suficiente. No podemos conducir un vehículo solo mirando por el espejo retrovisor. Tenemos que mirar adelante hacia nuestro destino. De igual manera, la Biblia nos enseña a valorar la tierra, no solamente en razón 'de dónde vino' (o más bien, de quién vino) sino también por su destino final. En otras palabras, necesitamos un fundamento escatológico tanto como la afirmación de la creación, para nuestra ética y nuestra misión ecológicas.

Uno de los lugares más ricos del Antiguo Testamento donde encontramos ese fundamento es en el libro de Isaías, y mucho de lo que dice el Nuevo Testamento es simplemente una exposición de la visión cósmica de Isaías a la luz de Jesucristo. Podemos comenzar con la gloriosa visión compuesta de Isaías 11.1–9, donde el gobierno justo del rey mesiánico se expresará en la armonía y la paz en el orden creado. Expectativas igualmente transformadoras para el orden creado asisten el regreso de los redimidos de Sión en Isaías 35. Sin embargo, la culminación de la visión escatológica del Antiguo Testamento en relación con la creación se halla en Isaías 65—66. Las palabras 'Presten atención, que estoy por crear un cielo nuevo y una tierra nueva' (Isaías 65.17) introducen una sección maravillosa que cabe leer en forma completa.

Presten atención, que estoy por crear
un cielo nuevo y una tierra nueva.

LA MISIÓN DE DIOS

No volverán a mencionarse las cosas pasadas,
 ni se traerán a la memoria.
Alégrense más bien, y
 regocíjense por siempre,
por lo que estoy a punto de crear:
Estoy por crear una Jerusalén feliz,
 un pueblo lleno de alegría.
Me regocijaré por Jerusalén
 y me alegraré en mi pueblo;
no volverán a oírse en ella
 voces de llanto ni gritos de clamor.
Nunca más habrá en ella
 niños que vivan pocos días,
 ni ancianos que no completen sus años.
El que muera a los cien años
 será considerado joven;
pero el que no llegue a esa edad
 será considerado maldito.
Construirán casas y las habitarán;
 plantarán viñas y comerán de su fruto.
Ya no construirán casas para
 que otros las habiten,
ni plantarán viñas para que
 otros las coman.
Porque los días de mi pueblo
 serán como los de un árbol;
mis escogidos disfrutarán
 de las obras de sus manos.
No trabajarán en vano,
 ni tendrán hijos para la desgracia;
tanto ellos como su descendencia
 serán simiente bendecida del Señor.
Antes que me llamen,
 yo les responderé;
todavía estarán hablando
 cuando ya los habré escuchado.
El lobo y el cordero pacerán juntos;

> el león comerá paja como el buey,
> y la serpiente se alimentará de polvo.
> En todo mi monte santo
> no habrá quien haga daño ni destruya,
> dice el SEÑOR. Isaías 65.17–25

Esta visión inspiradora describe la nueva creación de Dios como un lugar que será gozoso, libre de dolor y lágrimas, de vida plena, de trabajo satisfactorio garantizado, libre de la maldición del trabajo frustrante ¡y ecológicamente seguro! Es una visión que hace sombra a la mayoría de los sueños de la Nueva Era.

Éste y otros pasajes relacionados son el fundamento del Antiguo Testamento para la esperanza del Nuevo Testamento, el cual, lejos de rechazar o negar la tierra como tal o de representarnos flotando hacia algún otro lugar, mira también hacia adelante a una nueva creación redimida (Romanos 8.18–21) en la que morará la justicia (2 Pedro 3.10–13) porque Dios mismo morará allí con su pueblo (Apocalipsis 21.1–4).

La carga de esta visión escatológica para la creación es abrumadoramente positiva, y esto debe incidir en la forma que entendemos la imagen igualmente bíblica de la destrucción abrasadora y definitiva que espera al actual orden del mundo. Por ejemplo 2 Pedro 3.10 dice: 'En aquel día los cielos desaparecerán con un estruendo espantoso, los elementos serán destruidos por el fuego, y la tierra, con todo lo que hay en ella, será quemada'.

Prefiero la interpretación textual de la palabra final en este pasaje: que la tierra [y las obras que hay en ella] 'serán descubiertas' (NVI ofrece como variante, 'quedará al descubierto'; PDT, 'quedarán expuestas'; DHH, 'será sometida al juicio de Dios') a la que se refleja en algunas otras versiones (p. ej., RVR95; 'serán quemadas'; RVA, 'serán consumidas'). También encuentro convincente la interpretación de Richard Bauckham, a saber, que la tierra y todo lo que hay en ella será descubierto, es decir, expuesto y desnudado bajo el juicio de Dios para que los malvados y todas sus obras ya no puedan esconderse ni hallar protección.[9] En otras palabras, el propósito de la conflagración que se describe en este pasaje no es la

---

9 Richard Bauckham: *2 Peter and Jude*, Word Biblical Commentary 50, Word, Waco, Tex., 1983, pp. 316–22.

devastación del cosmos en sí mismo, sino más bien la purificación del orden pecaminoso del mundo en que vivimos, por medio de la destrucción de todo lo malo que hay en la creación, para establecer la nueva creación. Esto concuerda con la figura anterior del juicio en el diluvio en 2 Pedro 3.6–7, usado expresamente como antecedente para el juicio final. 'Por la palabra y el agua, el mundo de aquel entonces pereció inundado. Y ahora, por esa misma palabra, el cielo y la tierra están guardados para el fuego, reservados para el día del juicio y de la destrucción de los impíos.'

Un mundo de maldad fue barrido en el diluvio, pero el mundo como creación de Dios fue preservado. De manera similar, por analogía, el mundo de maldad y perversidad será barrido en el juicio catastrófico de Dios, pero la creación misma será renovada como morada de Dios y la humanidad redimida.

Pablo hace una doble afirmación similar cuando compara el futuro de la creación con el futuro de nuestros cuerpos en Romanos 8. Hay una continuidad y discontinuidad para la creación como la hay entre nuestra actual vida corporal y nuestra futura vida de resurrección, tal como la hubo para Jesús, quien en su cuerpo de resurrección es el primogénito de toda la nueva creación. Este cuerpo mío actual se descompondrá en la tierra o será quemado completamente. Pero el cuerpo de resurrección, que por supuesto será 'una nueva creación' (y en ese sentido discontinuo) será verdaderamente yo, la persona que Dios creó y redimió (y en ese sentido continuo). De manera similar, cualquiera sea realmente el sentido del lenguaje de juicio abrasador y destrucción en relación con nuestro universo físico, el propósito de Dios no es la devastación eterna del orden creado sino la restauración definitiva de su glorioso propósito.

Esta esperanza bíblica gloriosa para la tierra agrega una importante dimensión a nuestra ética ecológica. No se trata simplemente de mirar atrás a la creación inicial sino de mirar adelante a la nueva creación. Esto significa que nuestra motivación tiene una fuerza doble: un efecto del tipo atracción–expulsión. Hay una meta a la vista. Es cierto que en definitiva depende solo del poder de Dios para su cumplimiento, pero, como ocurre con otros aspectos de la escatología bíblica, lo que esperamos de Dios afecta la forma en que vivimos ahora y determina nuestros objetivos.

El papel de la apocalíptica y de la profecía en la Biblia no es simplemente predecir el futuro, sino también estimular e intentar el cambio y la integridad moral en el presente. El carácter físico y ecológico de la visión bíblica de la redención permite la esperanza en que la restauración de la armonía ecológica está dentro de las posibilidades de una historia humana redimida: esto no quita la necesidad del esfuerzo moral y social para responder a la crisis ecológica sino que afirma que las sociedades humanas que procuran reverenciar a Dios e imitar su justicia, también producirán los frutos de justicia y equidad en el orden moral humano y la armonía en el mundo natural. Según Ezequiel, hasta del desierto más árido puede volver a brotar vida, y los huesos secos se levantarán para alabar a su Creador.[10]

Es indudable que Isaías y Ezequiel tomaron su propia visión del futuro en parte del lenguaje de adoración de Israel: los Salmos. Y allí, en la imaginación de la fe no solo se convoca a toda la creación para alabar al Creador sino que también se la incluye en la visión de la futura restauración de Dios de toda la creación al lugar de confiabilidad, justicia y júbilo que estaba destinada a ser. El reino venidero de YHVH logrará esta meta de justicia y liberación para la creación, lo mismo que para la humanidad. Este tema se ve particularmente en los salmos sobre el reinado de YHVH (p. ej. Salmos 93, 96, 98). El nuevo cántico que entonarán las habitantes de toda la tierra en el Salmo 96 celebra un nuevo orden para toda la creación.

> Según el Salmo 96 el aspecto escatológico particular de la obra de Dios que amerita la alabanza especial de parte de todas las criaturas es el anuncio de que Dios viene a juzgar con justicia y con verdad (vv. 10, 13). Asociamos el juicio de Dios con toda clase de expectativas horrorosas. Sin embargo, su juicio no consiste únicamente en hacer rendir cuentas a sus enemigos. También se asocia con una anticipación jubilosa, porque todo lo que ahora está confuso, en discordia, sufriendo injusticia y violencia, será restablecido. Este es el sentido amplio del juicio que adoptaron los santos del Antiguo Testamento y en el que se gozaron. Dios no reina de manera tiránica ni gobierna con el terror; su reino infunde ternura y gozo.

---

10 Northcott: *Environment and Christian Ethics*, p. 195.

La *naturaleza* se regocijará de manera muy especial con la restauración de todas las cosas porque la venida de Dios pondrá fin a la violencia que ha venido sufriendo. La inauguración del nuevo orden de YHVH se manifestará tanto en el campo de la naturaleza como en el de la historia, como se evidencia también en Isaías 40—42. De modo glorioso el Salmo 96 y su hermano mellizo, el 98, recuerdan a la comunidad de creyentes que el propósito de la creación de Dios es nada menos que un nuevo cielo y una nueva tierra donde la justicia estará como en su casa.[11]

Como señala Francis Bridger, esta orientación escatológica protege nuestra preocupación ecológica de centrarse únicamente en las necesidades y ansiedades humanas y nos recuerda que en definitiva la tierra siempre ha pertenecido y siempre pertenecerá a Dios en Cristo. Por ello nuestros esfuerzos tienen un valor profético al señalar hacia la plena realización cósmica de esa verdad.

El principal argumento para la responsabilidad ecológica reside en la vinculación entre la vieja y la nueva creación. ... Somos llamados a ser administradores de la tierra en virtud no solamente de nuestra orientación hacia el mandato edénico del Creador, sino también por nuestra orientación hacia el futuro. Al actuar para preservar y mejorar el orden creado estamos indicando el futuro mandato de Dios en Cristo. ... Por eso, la ética ecológica no es antropocéntrica: da testimonio de los actos vindicativos de Dios en la creación y la redención. ... Paradójicamente, el hecho de que sea Dios quien produzca un nuevo orden de creación cuando llegue el Fin y que nosotros somos meramente señales indicadoras de ese futuro no debe restarnos incentivo. Más bien nos libera de la carga de la autonomía ética y tecnológica, y deja en claro que las pretensiones humanas de soberanía son relativas. El conocimiento de que el mundo es de Dios, que nuestros esfuerzos no están dirigidos a la construcción de una utopía ideal sino que, bajo Dios mismo, estamos construyendo cabeceras de puente del reino, sirve para volvernos humildes y llevarnos al lugar de la obediencia ética.[12]

---

11 Jannie Du Preez: 'Reading Three 'Enthronement Psalms' from the Ecological Perspective', *Missionalia* 19 (1991): 127.

12 Francis Bridger: 'Ecology and Eschatology: A Neglected Dimension', *Tyndale Bulletin* 41, nº 2 (1990): 301. Este artículo fue la respuesta y el agregado a uno anterior de Donald A. Hay: 'Christians in the Global Greenhouse', *Tydale Bulletin* 41, no. 1 (1990): 109-27.

El anhelo de William Cowper, de la futura restauración de la creación, se expresa en estas estrofas de un poema que está en el género de las profecías y los salmos.

Los gemidos de la naturaleza en este mundo de tinieblas
    que siglo tras siglo los cielos han oído, final seguro tienen.
Predicho por profetas, cantado por poetas,
    cuya antorcha en la lámpara de los profetas encendieron.
¡El tiempo de descanso, el prometido sabat viene ya!
    Ríos de júbilo riegan la tierra toda,
y de belleza visten los variados climas. Ya pasó
    el castigo de la esterilidad. El campo fructífero
ríe de abundancia; y la tierra una vez escasa
o fértil solo para su desgracia,
    de su lacerante maldición revocada goza.
En una, entretejidas las estaciones,
    la estación de la eterna primavera,
la huerta plaga alguna teme, y vallado no requiere,
    porque codicia ya no hay y todo es plenitud.
El león, el leopardo[13] y el oso
    con el inocente ganado pastan.
Una canción reúne las naciones, todas juntas a una proclaman,
    '¡Bendito el Cordero que por nosotros fue muerto!'
Los habitantes de los valles y de las montañas
    unos a otros se llaman, y las cumbres
de cada distante montaña, la estela de gozo captan;
    hasta que nación tras nación, ya su melodía en tono,
con la tierra toda, extasiadas aclamen.[14]

El cuidado de la creación y la misión cristiana

Es posible que exista una multitud, aunque tal vez no sea tan grande como debería ser, de cristianos que se preocupan por la creación y asumen seriamente sus responsabilidades para con el medio ambiente. Eligen en lo posible formas sustentables de energía, desconectan aparatos

---

13 En inglés 'libbard', se supone que el poeta quiso decir leopardo. [Nota del autor].
14 William Cowper: 'The Task', libro 6, líneas 729–733, 763–774, 791–797, en *Complete Poetical Works of William Cowper, Esq.*, ed. H. Stebbing, D. Appleton, N. York, 1856, pp. 344–45 (versión libre del traductor).

domésticos innecesarios. En la medida de lo posible adquieren la comida, la ropa, los bienes, y los servicios de empresas que practican políticas de medio ambiente éticamente sólidas. Participan en asociaciones de conservación. Evitan el exceso de consumo y los gastos innecesarios y reciclan todo lo que pueden. Ojalá este grupo crezca.

Pero sin duda sería menor el número (y está todavía lejos de ser una multitud) de los que incluirían el cuidado de la creación en su concepto bíblico de misión.[15] Y menor aun (aunque felizmente está creciendo), el número de aquellos que ven como su llamado misionero personal y específico el cuidado activo de la creación. La agencia explícitamente cristiana de medio ambiente y conservación A Rocha, fundada en 1983 en Portugal pero ahora con actividad internacional en todos los continentes, adopta una teología que afirma fuertemente que su trabajo no es solo un mandato bíblico sino también una dimensión esencial y legítima de la misión cristiana.[16]

Hablando en forma personal, comparto la convicción con la que comienza su artículo de 1991 Jannie du Preez: 'En los últimos años me fui convenciendo cada vez más de que la justicia para con la tierra (y en realidad para con todo el universo) forma parte integral de la misión de la iglesia.'[17]

Pero, ¿es así? Además de la detallada teología bíblica de las secciones anteriores de este capítulo, agregaría solamente algunos puntos que articulan cómo y por qué me parece que una teología bíblica de la misión, que surge de la misión de Dios mismo, como he venido intentando articular a lo largo del libro, debe incluir una esfera ecológica en su alcance y ver la acción práctica en el medio ambiente como una parte legítima de la misión cristiana.

El cuidado de la creación es un tema urgente en el mundo actual. ¿Hace falta repetirlo? Solo una obstinada ceguera peor que la de cualquier proverbial avestruz que esconde la cabeza en la arena puede ignorar los

---

15 Muy pocas teologías de misión incluyen el cuidado de la creación en su agenda. Una excepción es J. Andrew Kirk: *What is Mission? Theological Explorations*, Darton, Longman & Todd, Londres; Fortress Press, Minneapolis, 1999, pp. 164–83.

16 Para más detalles de su visión, su obra y su rica teología bíblica, sobre la que se funda todo el movimiento, ver su sitio www.arocha.org.

17 Du Preez: "Reading Three 'Enthronement Psalms'", p. 122. El mismo número de *Missionalia* (19, no. 2 [1991] incluía otros artículos que procuraban un vínculo explícito entre misión y ecología: J. A. Loader: 'Life, Wonder and Responsibility: Some Thoughts on Ecology and Christian Mission', *Missionalia* 19 (1991): 44–46; y J. J. Kritzinger: 'Mission and the Libertaion of Creation: A Critical Dialogue with M. L. Daneel', *Missionalia* 20 (1992): 99–115.

hechos de destrucción del ambiente y la aceleración de su ritmo. La lista es penosamente larga:

- La contaminación del aire, el mar, los ríos, los lagos y otras fuentes de agua.
- La destrucción de las selvas tropicales y muchos otros hábitats, con los terribles efectos sobre las formas de vida dependientes de ellos.
- La desertificación y pérdida de suelos.
- La desaparición de especies (mamíferos, plantas, aves, insectos) y la gran reducción de la biodiversidad en un planeta que depende de ella.
- La caza de especies hasta su extinción.
- La reducción de la capa de ozono.
- El aumento de los gases por el 'efecto invernadero' y el consiguiente calentamiento global.

Todo esto es una vasta catástrofe interrelacionada de inminente pérdida y destrucción, que afecta a todo el planeta y a todos sus habitantes humanos y no humanos. No preocuparse de ello es ser terriblemente ignorante o irresponsablemente insensible.

En el pasado los cristianos se han preocupado en forma instintiva por los grandes temas urgentes de cada generación, y los han incluido acertadamente en su concepto global del llamado y la práctica de la misión. Estos temas incluyeron los males de las enfermedades, de la ignorancia, de la esclavitud y de muchas otras formas de brutalidad y explotación. Los cristianos han asumido las causas de las viudas, los huérfanos, los refugiados, los prisioneros, los dementes, los hambrientos... Y últimamente ha crecido el número de los que se comprometen con la causa de 'hacer de la pobreza un tema del pasado'.

Enfrentados ahora con los terribles hechos del sufrimiento de la tierra misma, con toda seguridad debemos preguntarnos de qué manera responde Dios a ese abuso de su creación y entonces alinear los objetivos de nuestra misión para que incluyan lo que le preocupa a Dios. Si, como dice Jesús, Dios se interesa por su creación hasta el punto de

LA MISIÓN DE DIOS

saber cuando un gorrión cae de su nido, ¿qué tipo de cuidado se requiere de nosotros según el nivel de nuestro conocimiento? Es cierto que Jesús dio ese ejemplo para compararlo con el interés aún mayor que Dios tiene por sus hijos. Pero sería una absoluta distorsión de las Escrituras sostener que, porque Dios se interesa por nosotros más que por un gorrión, no necesitamos preocuparnos en absoluto de los gorriones, o que, porque somos más valiosos que los gorriones, éstos no valen nada.

Nuestra preocupación por la creación no debería ser una simple reacción negativa, prudencial o preventiva a un problema en aumento. Una razón mucho más positiva es que:

El cuidado de la creación surge del amor y la obediencia a Dios. 'Ama al SEÑOR tu Dios' es el primer y mayor mandamiento. En la experiencia humana, amar a alguien implica que uno se preocupa de cuidar lo que le pertenece. Destrozar las pertenencias de otra persona es incompatible con la declaración de amarla. Hemos visto el énfasis que pone la Biblia en señalar que la tierra pertenece a Dios, y más específicamente a Cristo, quien la creó, la redimió y es su heredero. Cuidar bien de la tierra, por amor a Cristo, es sin duda una dimensión fundamental del llamado de Dios a amarlo. Me resulta inexplicable que haya algunos cristianos que dicen amar y adorar a Dios, y ser discípulos de Jesús, pero no tienen ninguna preocupación por la tierra que lleva su sello de propiedad. No les preocupa el abuso de la tierra y por el contrario se suman a ese abuso con su estilo de vida derrochador y excesivamente consumista.

'Si ustedes me aman, obedecerán mis mandamientos' (Juan 14.15), dijo Jesús, repitiendo como hacía con frecuencia la devoción tanto ética como práctica de Deuteronomio. Y los mandamientos del Señor comienzan con el mandato fundamental en la creación de cuidar de la tierra. La obediencia a ese mandamiento es tan parte de nuestra misión y tarea humana como cualquier otra de las tareas y responsabilidades incorporadas en la creación: poblar la tierra, participar del ritmo de trabajo y descanso, y el matrimonio.

Ser cristianos no nos exime de ser personas. Tampoco una misión cristiana singular nos exime de nuestra misión como seres humanos. Dios nos hace responsables tanto de nuestra humanidad como de nuestro cristianismo. Como seres humanos cristianos, entonces, estamos doblemente obligados a entender el cuidado activo de la creación como parte fundamental de lo que significa amar y obedecer a Dios.

La narrativa de la creación *designa* a los seres humanos como virreyes de la creación con la *tarea* de cuidar la propiedad de Dios, la esfera donde se expresa su amor por los seres humanos independientemente de lo que piensan de él, y por toda la creación biótica y abiótica, con independencia de que pueda o no pensar en él. Esto es mucho más que una invitación, es una misión: vayan a toda mi creación y cuiden de ella, porque es la destinataria de mi amor. Sugiero que el primer encargo misionero es el *mandatum dominii terrae* [el mandato a tener dominio sobre la tierra] de Génesis 1.28, la tarea de cuidar el mundo.[18]

El cuidado de la creación ejercita nuestro papel sacerdotal y regio. Greg Beale sostiene de manera persuasiva que hay conexiones teológicas entre el tabernáculo/templo del Antiguo Testamento y (1) la figura de Edén en la narrativa de la creación y (2) la figura de todo el cosmos restaurado a través de Cristo para ser la morada de Dios. El templo es un microcosmos, tanto de la realidad de la primera creación como de la realidad de la nueva creación. En ambos casos vemos a Dios que mora en la tierra como su templo, con seres humanos que sirven a Dios y al templo como sacerdotes por él designados.[19]

El doble relato del mandato que Dios dio a la humanidad en Génesis 1—2 usa el lenguaje del sacerdocio y la realeza. La humanidad debe gobernar sobre el resto de la creación, y a Adán se lo pone en el huerto del Edén para que 'lo cultive y cuide de él'. Gobernar es la función de la realeza; servir y cuidar eran las principales funciones de los sacerdotes en relación con el tabernáculo y el templo.

De manera que la humanidad ha sido puesta en una relación con la tierra que combina las funciones de rey y sacerdote: para gobernar y para servir. Es una combinación intrínsecamente bíblica que encontramos perfectamente modelada en un amplio espectro de significados en Cristo, nuestro perfecto sacerdote y rey. Pero también es la figura que vemos de nuestro papel restaurado en la nueva creación. Las Escrituras dicen deliberadamente que gracias a la obra redentora del Cordero de Dios en

18 Loader: *'Life, Wonder and Responsibility'*, p. 53.
19 Beale: *Temple and Church's Mission.*

LA MISIÓN DE DIOS

la cruz, los seres humanos no solo son salvados sino también restaurados a su función sacerdotal y regia en la tierra, bajo la soberanía de Dios. 'De ellos hiciste un reino; los hiciste sacerdotes al servicio de nuestro Dios, y reinarán sobre la tierra' (Apocalipsis 5.10).

Se sigue, entonces, desde una perspectiva de la creación y escatológica, que el cuidado y la acción ecológica es una dimensión de nuestra misión en la medida que es una dimensión de la restauración del verdadero lugar y la responsabilidad de nuestra humanidad. Es actuar como para lo que fuimos originalmente creados y como para lo que un día seremos plenamente redimidos. La tierra aguarda la plena revelación de su rey y sacerdote asignado: la humanidad redimida bajo el señorío de Cristo. Nuestra acción en el presente anticipa y señala proféticamente hacia la meta final.

El cuidado de la creación pone a prueba nuestra motivación para la misión. A lo largo de este libro mi argumento ha sido que si comenzamos solamente desde la perspectiva de lo que los humanos hacemos o necesitamos, llegaremos a una visión inadecuada de la misión. Y sin duda también será inadecuada si solo terminamos allí. Con esto no estamos negando la legitimidad de muchos niveles diferentes de motivación para la misión que surgen de la necesidad humana.

Una motivación fuerte es la respuesta *evangelística* a la realidad del pecado humano. Sabemos que todas las personas están bajo el juicio de Dios, en la alienante oscuridad y desorientación del pecado. Nos sentimos motivados a llevarles las buenas nuevas de lo que Dios ha hecho para los pecadores por medio de Cristo, su cruz y su resurrección. Otra fuerte motivación es la respuesta *compasiva* ante la realidad de la necesidad humana: las dimensiones física, mental, emocional y social de nuestra condición humana fracturada. Nos sentimos motivados a enfrentar los efectos destructivos del pecado en todas aquellas áreas, a través de la acción médica, social, educativa y económica. En los capítulos 8 y 9 sostuve esa visión integral de la misión y expuse la necesidad de ver la cruz de Cristo como central a todas esas dimensiones. Todas son motivaciones para la misión válidas, bíblicas e imitadoras de Cristo.

Pero también he sostenido a lo largo del libro que nuestro punto de partida y de llegada en nuestra teología bíblica de misión debería ser la misión de Dios mismo. ¿Cuál es 'todo el propósito de Dios'? ¿Cuál es la misión global en la que se ha comprometido Dios y todo el desarrollo de la historia? No es solamente la salvación de los seres humanos sino también la redención de toda la creación. La sección escatológica de este capítulo (ver pp. 543–549) dejó este punto en claro. Dios está estableciendo una nueva creación por medio de la transformación y la renovación de la creación de manera análoga a la resurrección de su Hijo, y como morada para los cuerpos resucitados de su pueblo redimido.

La misión integral entonces no es completamente integral si solo incluye seres humanos (¡ni siquiera si los incluye integralmente!) y excluye el resto de la creación para cuya reconciliación Cristo derramó su sangre (Colosenses 1.20). Aquellos cristianos que han respondido al llamado de Dios a servirle entre las criaturas no humanas en proyectos ecológicos están comprometidos en un tipo especializado de misión que tiene su lugar legítimo en el marco amplio de todo lo que la misión de Dios tiene como meta. Su motivación surge de una conciencia del valor que tiene para Dios la creación y del deseo de responder a eso. No se trata de que los cristianos comprometidos en el cuidado de la creación carezcan de los sentimientos correspondientes por el cuidado de las necesidades humanas. Por el contrario, con frecuencia observo que la solicitud cristiana hacia la creación no humana se amplifica en su preocupación por las necesidades humanas.

El cuidado de la creación es una oportunidad profética para la iglesia. Con frecuencia los cristianos se sienten ansiosos porque 'el mundo es el que establece la agenda', es decir, respondemos a lo que está de turno en las modas cambiantes de la preocupación secular. Y sin duda es verdad que la preocupación por el ambiente está muy elevada en la lista de preocupaciones de nuestro mundo actual. Las encuestas a los jóvenes en Occidente con frecuencia descubren que la supervivencia del planeta Tierra está a la cabeza en su lista de preocupaciones. De todos modos, la iglesia debe responder a las realidades que enfrenta y con las que lucha el mundo, en cualquier área. Los profetas del Antiguo Testamento encaraban las realidades contemporáneas de su generación. Jesús hizo lo mismo. Eso fue lo que los hizo impopulares: su insoportable relevancia.

Si la iglesia se percata de la urgente necesidad de encarar la crisis ecológica y lo hace dentro de su marco bíblico de recursos y visión, entonces entrará en conflicto misional con por lo menos otras dos ideologías (y sin duda con muchas más):

1. El capitalismo global destructivo y la codicia que lo alimenta. No cabe duda de que el principal contribuyente del daño contemporáneo al ambiente es la insaciable apetencia de 'más' del capitalismo global. La pertinencia de la verdad bíblica no se aplica solo en la esfera privada cuando afirma que la codicia es idolatría y que el amor al dinero es la raíz de todos los males. Hay codicia por:

- los minerales y el petróleo, a cualquier costo
- tierras para la cría de ganado por la carne
- animales y plantas exóticos para satisfacer modas humanas obscenas de ropa, juguetes, adornos y afrodisíacos
- la explotación comercial o turística de hábitats frágiles irreemplazables
- el dominio del mercado por medio de prácticas que producen los bienes al menor costo para el explotador, y el máximo costo para el país y las personas explotadas

Si la iglesia quiere comprometerse en la protección del ambiente debe estar preparada para enfrentar las fuerzas de la codicia y del poder económico, los intereses creados y las maquinaciones políticas. Debe reconocer que hay más en juego que ser cariñosos con los animales y las personas. Debe emprender la investigación científica relevante para que su argumento tenga credibilidad. Debe estar dispuesta a recorrer el largo y duro camino que exige la lucha por la justicia y la compasión en un mundo caído, en éste como en cualquier otro campo de la misión.

2. Las espiritualidades panteístas, neopaganas y de la Nueva Era. Por extraño que parezca, vemos con frecuencia que quienes sienten atracción por las filosofías panteístas, neopaganas y de la Nueva Era, son también vehementes defensores del orden natural, pero desde una perspectiva diferente. La iglesia en misión debe ser testigo de la gran afirmación bíblica de que la tierra es del Señor. La tierra no es Gaia ni la Madre Tierra. No es un ser sensible independiente. No es una fuerza autónoma. No debe ser adorada, temida y ni siquiera amada, de alguna manera que

usurpe la deidad exclusiva del único Dios Creador vivo y personal. Por eso nuestra misión para con el ambiente jamás es romántica o mística. No estamos llamados a la 'unión con la naturaleza' sino a cuidar la tierra como un acto de amor y obediencia a su Creador y Redentor.

Aquí hay una oportunidad novedosa para la iglesia que posiblemente no estamos captando (con algunas excepciones como A Rocha). Es más probable que se pueda *culpar* a los cristianos por la crisis ecológica que verlos aportar algún tipo de buena noticia en relación con ella.

El cuidado de la creación expresa un equilibrio bíblico de compasión y justicia. El cuidado de la creación expresa compasión, porque ocuparse de la creación de Dios es un tipo de amor desinteresado, ejercido por el bien de criaturas que no pueden agradecer ni devolver. Es una forma de altruismo piadoso y verdaderamente bíblico. En este sentido refleja la misma calidad que el amor de Dios, no solamente en el sentido de que Dios ama a los seres humanos a pesar de la antipática enemistad hacia él sino también en el sentido más amplio de que 'El Señor es bueno con todos; él se compadece de *toda su creación*' (Salmo 145.9, 13, 17). Una vez más Jesús usa el amoroso cuidado de Dios por las aves y la belleza de la hierba y las flores como modelo de su amor todavía mayor por sus hijos humanos. Si Dios cuida con tan minuciosa compasión su creación no humana, ¿cuánto más deberían hacerlo aquellos que desean imitarlo? Me he sentido conmovido al presenciar el cuidado compasivo que ejercita con toda naturalidad el equipo de A Rocha cuando manejan cada pájaro en su programa de anillado de aves. Es una actitud afectuosa, solícita y, en mi opinión, verdaderamente a la imagen de Cristo, para con estos pequeños especímenes de la creación de Dios.

El cuidado de la creación representa la *justicia* porque la acción con el ambiente es una manera de defender a los débiles frente a los fuertes, a los impotentes frente a los poderosos, a los abusados frente al atacante, a los silenciados contra la estridencia de los especuladores. Y estos también son rasgos del carácter de Dios que se manifiestan en su ejercicio de la justicia. El Salmo 145 incluye la provisión de Dios para todas sus criaturas en la definición de su justicia lo mismo que de su amor (Salmo 145.13–17). En efecto, ubica el cuidado de Dios por la creación en paralelo con sus actos liberadores y vindicadores de justicia por su pueblo, reuniendo en una bella armonía las tradiciones de la creación y la redención del Antiguo Testamento.

No es de sorprender, entonces, que cuando el Antiguo Testamento intenta definir las marcas de una *persona* justa, no se detiene con el interés práctico por los seres *humanos* pobres y necesitados (aunque esa es por supuesto la nota dominante). Es verdad que 'el justo se ocupa de la causa del desvalido' (Proverbios 29.7). Pero el sabio también hace la afectuosa observación de que 'el justo atiende a las necesidades de su *bestia*' (Proverbios 12.10). La misión bíblica es tan integral como la justicia bíblica.

Conclusión

¿Qué, entonces, establece la preocupación ecológica y la acción específica por el medio ambiente como dimensiones legítimas de la misión bíblica? He sugerido, en relación con estas formas de acción, que:

- responden a un tema global urgente
- son expresión de nuestro amor y obediencia a Dios el Creador
- restauran nuestro verdadero papel sacerdotal y real en relación con la tierra
- exponen y expanden nuestra motivación para la misión integral
- constituyen una oportunidad profética contemporánea para la iglesia
- representan los valores bíblicos centrales de la compasión y la justicia

Todos estos puntos se basan en el valor *intrínseco* que tiene la creación para Dios y en el mandato autoevidente de que debemos cuidar de la creación como lo hace él. Esos puntos no están sujetos a ninguna otra utilidad o consecuencia de la acción, como el beneficio humano o los resultados evangelísticos. Debemos cuidar de la tierra porque pertenece a Dios y porque él nos lo indicó. Eso basta en sí mismo.

Sin embargo, como también somos parte de la creación, no cabe duda de que lo que beneficia a la creación en definitiva también es bueno para los seres humanos a largo plazo (aunque a corto plazo a menudo las necesidades humanas chocan con lo que es bueno para el ambiente). De ahí que los asuntos ambientales y los de desarrollo con frecuencia están entrelazados. Y más aun, como el sufrimiento de la creación está ligado a la maldad humana, las buenas nuevas para la tierra son parte de las buenas nuevas para las personas. En efecto, el evangelio es una buena nueva para toda la creación.

No es de sorprender que quienes toman seriamente, como cristianos, la responsabilidad de encarnar el amor de Dios por la creación, encuentran que su obediencia en esa esfera con frecuencia conduce a oportunidades para expresar el amor de Dios hacia personas que están perdidas, y que también sufren. La historia de A Rocha ha demostrado que, aunque las metas y las acciones del movimiento en el cuidado de la creación tienen su propia validez bíblica intrínseca, Dios honra esa obediencia bendiciendo y construyendo su iglesia también en el contexto de dicha actividad.

La verdadera acción ambiental cristiana es también provechosa para la evangelización, no porque sea algún tipo de portada para la 'misión real' sino porque declara en palabras y en hechos el amor ilimitado del Creador por toda su creación (el que por supuesto incluye su amor por los seres humanos) y no esconde la historia bíblica del costo que pagó el Creador para redimir a ambos. Esa acción es una encarnación misional de las verdades bíblicas de que el Señor ama todo lo que ha creado y que ese mismo Dios amó de tal manera al mundo que dio a su único Hijo no solamente para que los creyentes no perezcan, sino en definitiva para que todas las cosas en los cielos y en la tierra sean reconciliadas con Dios por medio de la sangre en la cruz. Porque Dios estaba en Cristo reconciliando consigo al mundo.

13 . La misión y la imagen de Dios

Nos volvemos ahora de la tierra a las criaturas humanas que Dios puso en ella. ¿Qué aspectos de las enseñanzas bíblicas sobre la humanidad como un todo son particularmente relevantes a nuestra exploración sobre la misión?

La humanidad a imagen de Dios

Creados a imagen de Dios. Este no es el lugar para emprender una investigación exhaustiva de todos los intentos que se han hecho para dilucidar en forma cabal el sentido de la afirmación bíblica de que Dios creó los seres humanos a su imagen y semejanza (Génesis 1.26–27).

> Ha habido mucho debate teológico por tratar de definir qué hay en el ser humano que se pueda señalar como la esencia de la imagen de Dios en nosotros. ¿Es nuestra racionalidad, nuestra conciencia moral, nuestra capacidad de relacionarnos, nuestro sentido de responsabilidad ante Dios? Incluso la postura erecta y la expresividad del rostro humano se han propuesto como el lugar de la imagen de Dios en la humanidad. Como la Biblia no define el término en ningún lugar, probablemente sea inútil tratar de hacerlo con precisión. En cualquier caso no deberíamos pensar tanto en la imagen de Dios como una 'cosa' independiente que poseemos. Dios no *dio* a los seres humanos su imagen. Más bien es una dimensión de nuestra creación misma. La expresión 'a nuestra imagen' es adverbial (es decir, declara la forma en que Dios nos hizo), no es adjetival (es decir, la descripción de una cualidad que poseemos). La imagen de Dios no es tanto algo que *poseemos*, sino lo que somos. *Ser humanos es ser a imagen de Dios.* No se trata de una característica extra que se agrega a nuestra especie. Pertenece a la definición de lo que es ser humano.[1]

Desde una perspectiva misionológica la afirmación de que los seres humanos han sido creados a imagen de Dios, junto con el contexto inmediato de las narrativas de Génesis 1—3, implica por lo menos cuatro

---

[1] Christopher J. H. Wright: *Old Testament Ethics for the People of God*, InterVarsityPress, Leicester; InterVarsity Press, Downers Grove, Ill., 2004, p. 119.

verdades significativas acerca de la humanidad, todas ellas vitales para la misión desde el punto de vista bíblico.

1. Dios puede dirigirse a los seres humanos. Los seres humanos son las criaturas a quienes Dios habla. En la narrativa de la creación Dios da a los diferentes tipos de criaturas subhumanas la instrucción básica de multiplicarse. Parecen no necesitar mayor nivel de comunicación ni de estímulo para realizar esa tarea. Sin embargo, en el caso del ser humano, encontramos a Dios no solamente hablando palabras de bendición y prosperidad, sino también de enseñanza, permiso y prohibición, seguidas después por preguntas, juicios y promesas. El ser humano es la criatura que tiene conciencia de Dios por medio de la comunicación y el diálogo racional. Y el Antiguo Testamento continúa señalando que eso se aplica a *todos* los seres humanos, independientemente de su etnia o condición pactada. Dios puede hablar con un Abimelec, con un Balaam o con un Nabucodonosor con la misma facilidad que con un Abraham, un Moisés o un Daniel. Ser humano es tener la capacidad de ser convocado por el Dios Creador.

Hay entonces una conciencia de Dios o una apertura a Dios que es común a toda la humanidad, en comparación con lo cual todo otro rótulo es secundario, incluyendo los religiosos. Cualquiera sea el ambiente cultural en que vive una persona, o la cosmovisión religiosa desde la que percibe su vida en este mundo, la principal base de su humanidad es que ha sido hecha a imagen de Dios. El Dios vivo Creador de toda carne no necesita permiso, traducción ni contextualización intercultural cuando elige comunicarse con cualquier persona que ha creado a su propia imagen. Ser humano es ser accesible a la comunicación del propio Creador. Admitimos, por supuesto, como dice Pablo, que en nuestro pecado y rebelión hemos suprimido y pervertido universalmente esa conciencia de Dios. No obstante, la palabra del evangelio tiene su potencial de vida precisamente porque aun los pecadores y los rebeldes son personas hechas a imagen de Dios y capaces de escuchar su voz.

2. Todos los seres humanos son responsables ante Dios. La otra cara de la moneda de ser capaces de comunicarnos con Dios es la responsabilidad. En la narrativa de la creación el hombre y la mujer son las criaturas que deben dar una respuesta cuando Dios se dirige a ellos. Incluso al esconderse de Dios, deben responder ante él. Este también es un fenómeno universal, independiente de la cultura y la religión.

> El Señor observa desde el cielo
>   y ve a toda la humanidad;
> él contempla desde su trono
>   a todos los habitantes de la tierra.
> Él es quien formó el corazón de todos,
>   y quien conoce a fondo todas sus acciones. Salmo 33.13–15

Esta es una afirmación asombrosa. Dios conoce a cada ser humano del planeta, lo considera y lo evalúa y lo hace responsable ante él.

Esta es la base de la ética bíblica de alcance universal. Es sobre la base de esta premisa, de que todos los seres humanos son responsables ante yhvh, es que Amós puede dirigir las acusaciones y el castigo de Dios a las naciones vecinas de Israel aunque no están bajo el pacto. Esas naciones no han recibido las leyes de yhvh como ocurrió con Israel en el Monte Sinaí (Deuteronomio 4.32–35; Salmo 147.19–20), pero sí conocen los principios de responsabilidad ética para con Dios y entre unos y otros.

De modo que hay puentes éticos comunes hacia la gente de todas las culturas. Hay algún sentido universal de obligación moral que los seres humanos comparten, y esto también constituye un importante fundamento misionológico.

3. Todos los seres humanos tienen dignidad e igualdad. Ser hechos a imagen de Dios es a un tiempo lo que nos separa del resto de los animales y lo que todos los seres humanos tenemos en común. *Ningún otro animal* fue creado a imagen de Dios, de modo que esto hace al fundamento de la dignidad y santidad únicas de la vida humana. Todos los demás seres humanos son creados a la imagen de Dios, de modo que esta es la base de la igualdad radical de todos los seres humanos, independientemente del género, etnia, religión o cualquier condición social, económica o política.

En estas afirmaciones de fe del Antiguo Testamento Israel fue muy diferente de las religiones vecinas del antiguo Cercano Oriente (y las tradiciones religiosas que han perdurado hasta hoy, como el hinduismo), en donde las diferencias entre seres humanos no son simplemente culturales o sociales, sino ontológicas. El antiguo proverbio acadio 'El hombre es la sombra de un dios; y el esclavo es la sombra del hombre' no encontró ningún aval en Israel. Esta nación tenía gradaciones sociales funcionales, pero un esclavo en Israel no necesitaba luchar por el derecho a ser considerado humano. Hablando de sus esclavos hombres y mujeres, Job afirmó, en pleno acuerdo con la teología de la creación de Israel, 'El mismo Dios que me formó en el vientre fue el que los formó también a ellos; nos dio forma en el seno materno' (Job 31.15).

La misión cristiana entonces debe tratar a todas las personas con la misma dignidad, igualdad y respeto. Cuando miramos a otra persona no vemos un rótulo (hindú, budista, musulmán, ateo, blanco, negro, etc.) sino la imagen de Dios. Vemos a alguien creado por Dios, convocado por Dios, responsable ante Dios, amado por Dios, valorado y evaluado por Dios. De modo que al afirmar el valor de alcanzar con la misión a todas las personas en todas partes, también debemos pensar críticamente sobre los *métodos*, las *actitudes* y las *suposiciones* con que lo hacemos. La validez de la evangelización *en principio* no legitima cualquiera ni todos los métodos de evangelización *en la práctica*. Nuestra comprensión de la dignidad de todas las personas hechas a imagen de Dios requiere una cuidadosa atención a la ética de la misión. Cualquier cosa que prive a otro ser humano de su dignidad o no muestre respeto, interés o genuina comprensión por todo lo que valora, en realidad es falta de amor.

Amar al vecino como a uno mismo no es solo el segundo mandamiento de la ley, es la consecuencia esencial de nuestra creación común y es tan relevante en la misión como cualquier otro ámbito de la vida. Amar no significa aceptar todo lo que cree o hace tu vecino. Pablo no aceptó la religiosidad de los atenienses, pero sí procuró relacionarse con ellos con amable respeto, a la misma vez que desafiaba sus suposiciones. Y como vimos en el capítulo 5, incluso los detractores paganos de Pablo reconocieron que Pablo no había 'blasfemado contra nuestra diosa' (Hechos 19.37). De igual manera Pedro, mientras anima a los cristianos a estar preparados para defender su fe cuando conversan con no creyentes, los anima a hacerlo 'con gentileza y respeto, manteniendo la conciencia limpia' (1 Pedro 3.15–16).

4. El evangelio bíblico es para todos. Por supuesto, la imagen de Dios no es lo único que los seres humanos tenemos universalmente en común. También somos todos pecadores y nos hemos rebelado contra nuestro Dios Creador, y como resultado de eso la imagen de Dios en nosotros, aunque no se ha perdido (porque es constitutiva de nuestra humanidad) está arruinada y distorsionada. La misión de Dios implica la restauración de las personas a esa verdadera imagen de Dios, de la que su propio Hijo, Jesús, es el modelo perfecto. Eso significa que así como el pecado es una realidad universal, que subyace a muchas formas culturales en las que se manifiesta, el evangelio también es un remedio universal que llega a cada necesidad humana en todas y cada una de las culturas.

Esto de ninguna manera significa ignorar la maravillosa variedad de etnias y culturas que enriquecen a la raza humana. Tampoco es minimizar las miles de maneras en que el evangelio echa raíz y se expresa en los diversos contextos culturales. Por el contrario, la verdadera riqueza del evangelio bíblico solo se verá plenamente en toda su gloria cuando brille como las muchas caras de un diamante, en todas las culturas redimidas en la nueva creación. Lo que este punto afirma es que la Biblia revela la respuesta de Dios al problema humano: una respuesta y un problema que son universales, no solo culturalmente relativos.

Cualesquiera hayan sido las maneras de presentarse o las caricaturas de ella, la misión cristiana no consiste en invitar o forzar a las personas a hacerse occidentales, coreanas o nigerianas. Es invitar a las personas a hacerse más plenamente *humanas* por medio del poder transformador del evangelio que es para todos porque responde a la necesidad más básica de todos y restaura la gloria compartida de lo que es ser verdaderamente humanos: hombre y mujer hechos a imagen de Dios.

Es por eso que la lucha teológica que se llevó a cabo y se ganó en el Nuevo Testamento fue tan importante: la conversión de los gentiles a Cristo no significó hacerse *judíos*. No, *los gentiles como gentiles* fueron bienvenidos en el pueblo de Dios sobre la misma base que los judíos:

arrepentimiento y fe en el Mesías, Jesús de Nazaret. Desde ese punto de vista, el evangelio proclamado por Pablo a los judíos en Antioquía de Pisidia o a los gentiles en la sofisticada y pagana Atenas era lo mismo. 'Este es Jesús, el cumplimiento de las esperanzas de Israel, el juez final de todo el mundo; confíen solo en él para tener salvación y perdón en el Dios viviente'. Aunque enraizado en la singularidad de la historia, la fe y la cultura del Israel del Antiguo Testamento, el evangelio de Cristo era el poder de Dios para la salvación de *todos* los que creen, judíos y gentiles.

Creados para una tarea. La humanidad fue puesta en la tierra con una misión: gobernar, preservar y cuidar el resto de la creación. Esto nos permite ver la preocupación y la acción ecológicas como parte válida de nuestra misión cristiana bíblica. Aquí analizaremos con algo más de profundidad el sentido de este mandato de Dios.[2]

Dios ordenó a la especie humana no solamente a poblar la tierra (un mandato que también dio a las demás criaturas) sino también a someter y gobernar al resto de las criaturas. Las palabras *kābaš* y *rādâ* (Génesis 1.28) son palabras fuertes, hablan de esfuerzo y dominio, y de la imposición de una voluntad sobre otra. Pero no son, como la mitología ecológica contemporánea las caricaturiza, términos que impliquen violencia o abuso. La idea de que esas palabras hubieran podido implicar explotación y abuso violento, y la acusación implícita de que el cristianismo es entonces una religión intrínsecamente hostil a la ecología es algo relativamente reciente.[3] Por lejos, la interpretación dominante de estas palabras tanto en la tradición judía como en la cristiana a lo largo de los siglos ha sido que conllevan un cuidado benevolente por el resto de la creación que le fuera confiada en custodia.[4]

---

2 Lo que sigue en el resto de esta sección está tomado principalmente de Wright: *Old Testament Ethics*, capítulo 4.
3 La fuente de esta idea extendida de que el cristianismo es responsable de nuestra crisis ecológica por su visión instrumentalista de la naturaleza, supuestamente enraizada en Génesis 1.28, se remonta al muy citado artículo reproducido con frecuencia, Lynn White: 'The Historical Roots of Our Ecological Crisis', *Science* 155 (1967): 1203–7. Desde entonces ha recibido reacciones de muchos críticos y se ha demostrado que se basó en un error de interpretación del texto hebreo del Génesis. James Barr, por ejemplo, en 1972 mostró que "El 'dominio' del hombre no contiene ningún elemento de explotación; se aproxima a la bien conocida idea oriental del Rey Pastor. ... La doctrina judeocristiana de la creación es mucho menos responsable de la crisis ecológica de lo que sugieren argumentos del tipo del de Lynn White. Por el contrario, la base bíblica de la doctrina de la creación llevaría en la dirección opuesta, alejándose de una licencia para explotar y hacia la responsabilidad de respetar y proteger'. James Barr: 'Man and Nature —the Ecological Controversy and the Old Testament', *Bulletin of the John Rylands Library of the University of Manchester* 55 (1972):22, 30.
4 Para una investigación minuciosa de las expresiones representativas de este punto de vista a lo largo de la historia cristiana, ver James A. Nash: 'The Ecological Complaint Against Christianity', en *Loving Nature: Ecological Integrity and Christian Responsibility*, Abingdon, Nahsville, 1991, pp. 68–92.

En un nivel, el primer término *kābaš*, autoriza a los seres humanos a hacer lo que toda otra especie sobre la tierra hace, que es usar el medioambiente para la vida y la supervivencia. Todas las especies de alguna u otra manera 'someten' la tierra en variados grados según lo necesario para su subsistencia. Es la naturaleza misma de la vida en la tierra. Aplicado a los seres humanos en este pasaje, probablemente no implica otra cosa que la tarea agrícola. Que los hombres hayan desarrollado herramientas y tecnología para concretar su forma singular de sojuzgar la tierra para su propio beneficio no difiere en principio de lo que hacen otras especies, si bien difiere mucho en el grado de impacto en la totalidad de medio ambiente.

La segunda palabra, *rādâ*, es más distintiva. Describe un papel y una función para los seres humanos que no se ha confiado a ninguna otra especie: la función de gobernar o ejercer dominio. Parece claro que lo que Dios está haciendo aquí es pasar a manos humanas una forma delegada de la propia autoridad real de Dios sobre la totalidad de su creación. Se ha señalado que los reyes y los emperadores de los tiempos antiguos (e incluso los dictadores en la actualidad) hacían instalar una imagen de sí mismos en extremos alejados de sus dominios para indicar su soberanía sobre ese territorio y su población. La imagen representaba la autoridad del verdadero rey. De manera similar Dios ha puesto la especie humana como la imagen, en la creación, de la autoridad que en definitiva le pertenece a él como Creador y Dueño de la tierra.

Aun con independencia de esa analogía, el Génesis describe la obra de Dios en términos de la realeza, aunque no usa la palabra *rey*. La obra creadora de Dios irradia sabiduría en la planificación, poder en la ejecución y bondad en la terminación. Sabiduría, poder y bondad son precisamente las cualidades que el Salmo 145 exalta en 'Mi Dios y rey', en relación con todas sus obras creadas. Hay una justicia y una bondad inherentes al poder de Dios como soberano que se ejerce hacia todo lo que ha creado. 'Estas son, efectivamente, cualidades de la realeza; sin usar el término, el autor de Génesis 1 celebra al Creador como *Rey* supremo en todas las cualidades que pertenecen al ideal de señorío, tanto como los Salmos 93 y 95—100 celebran al divino Rey como Creador'.[5]

---

5 Robert Murray: *The Cosmic Covenant: Biblical Themes of Justice, Peace and the Integrity of Creation*, Sheed & Ward, Londres, 1992, p.98.

La suposición natural entonces, es que una criatura hecha a la imagen de Dios reflejará esas mismas cualidades al llevar a cabo el mandato de dominio delegado. Cualquiera sea la forma en que se ejerce ese dominio *humano*, debe reflejar el carácter y los valores del señorío de *Dios mismo*. "La 'imagen' es un modelo regio y el tipo de gobierno que Dios confió a la humanidad es propio del ideal de señorío. *El ideal*, no los abusos ni los fracasos: no la tiranía ni la manipulación o explotación de los súbditos, sino un mandato dictado por la justicia, la misericordia y la verdadera preocupación por el bienestar de todos.'"[6]

Vemos entonces que el dominio humano sobre el resto de la creación debe ser un ejercicio de señorío que refleje el señorío de Dios mismo. La imagen de Dios no es una licencia para el abuso basado en la arrogante supremacía, sino un modelo que nos compromete a reflejar humildemente el carácter de Dios.

> Esta perspectiva invierte nuestra supremacía, porque si nos parecemos a Dios en cuanto a tener dominio, debemos sentir el llamado a ser 'imitadores de Dios' (Efesios 5.1, RVR95) en la forma de ejercer ese dominio. Lejos de dejarnos librados a nosotros mismos en la tierra, *la imago Dei* nos limita. Debemos ser reyes, no tiranos; si nos convertimos en lo segundo, negamos e incluso destruimos la imagen de Dios en nosotros. ¿Cómo ejerce Dios el dominio? El Salmo 145 nos dice que Dios es misericordioso, compasivo, bondadoso, fiel, amoroso, generoso y solícito, no solo con la humanidad sino también con 'toda su creación'. La acción característica de Dios es bendecir, y es el cuidado constante de Dios lo que permite que el ganado, los leones, e incluso las aves tengan alimento y agua (Salmo 104; Mateo 6.26).[7]

Si así es como actúa Dios, ¿cuánto más nos corresponde a nosotros, hechos a su imagen y dispuestos para ser como él, mostrar el mismo cuidado solícito por la creación que nos ha confiado gobernar?

Creados para vivir en relación. Génesis 1 establece la complementariedad humana entre hombre y mujer muy próxima a la imagen de Dios.

Y Dios creó al ser humano a su imagen;

---

6 Robert Murray: *The Cosmic Covenant: Biblical Themes of Justice, Peace and the Integrity of Creation*, Sheed & Ward, Londres, 1992, p.98.
7 Huw Spanner: 'Tyrants, Stewards —or Just Kings?' en *Animals on the Agenda: Questions About Animals for Theology and Ethics*, ed. Linzey Andrew y Dorothy Yamamoto, SCM Press, Londres, 1998, p. 222.

lo creó a imagen de Dios.
Hombre y mujer los creó. Génesis 1.27

Este ceñido paralelismo parece indicar que hay algo en esa integridad de la complementariedad de género en el ser humano y la relación mutua a que da lugar, que refleja algo propio de la naturaleza de Dios. No es que Dios sea sexualmente diferenciado sino que la relación es parte del ser mismo de Dios, y en consecuencia, también parte del ser humano mismo, creado a su imagen. La sexualidad humana refleja en el orden creado algo que es propio de Dios, de su ser divino no creado.

Génesis 2, por otra parte, establece la complementariedad del género humano en el contexto de una *tarea humana*. La repentina admisión de algo que 'no es bueno' en la evaluación que hace Dios de la creación, que ha sido repetidamente descripta como 'buena' y 'muy buena', es desconcertante. Lo que no era bueno es que el hombre (la 'criatura del polvo de la tierra') estuviera solo (Génesis 2.18). Pero en el contexto inmediato, el problema de esta soledad no es simplemente que pudiera sentirse solo, en sentido emocional. Dios no se refiere meramente a un problema psicológico, sino a uno de la creación.

El problema es que Dios le ha dado a esta criatura una tarea inmensa en Génesis 2.15. El hombre ha sido puesto en el jardín del Edén 'para que lo cultivara y lo cuidara'. Sumada a la tarea que se especifica en el relato anterior sobre la creación: llenar la tierra, sojuzgarla y gobernar sobre el resto de la creación animada (Génesis 1.28), la tarea humana parece ilimitada. Un hombre no puede enfrentar semejante desafío solo. Eso 'no es bueno'. Necesita *ayuda*. Por eso es significativo que el término usado para describir el proyecto en que Dios se ha embarcado ahora, no es encontrar una *compañía* para que deje se sentirse solo, sino un ayudante que esté a su lado en esta enorme tarea que se le ha conferido como siervo, cuidador, multiplicador, sojuzgador y regidor de la creación. El hombre no necesita solamente *compañía*. Necesita ayuda. El hombre y la mujer son necesarios no solo para la relación mutua en la que reflejarán a Dios (aunque ciertamente para eso) sino también para *ayudarse mutuamente* en el cumplimiento del mandato de la creación confiado a la humanidad.[8]

---

8 Debo esta aclaración al excelente debate en Christopher Ash: *Marriage: Sex in the Service of God*, InterVarsity Press, Leicester, 2003, especialmente el capítulo 7.

La humanidad entonces, fue creada en forma relacional, para relacionarse y para una tarea que requiere una cooperación relacional, -no solamente en el nivel biológico básico en que solo un hombre y una mujer pueden generar hijos para poblar la tierra, sino en un nivel social más amplio en que tanto el hombre como la mujer tienen papeles de ayuda mutua en la gran tarea de gobernar la creación en nombre de Dios mismo.

La intención creadora de Dios para la vida humana, desde el comienzo y orientada hacia la nueva creación, incluye la relación social. Las relaciones horizontales de afecto, comenzando por el matrimonio pero extendidas a todas las demás relaciones sociales, son parte del plan de Dios para la vida humana. Y como la caída destruyó esa dimensión relacional de la vida humana, restaurar las relaciones sociales saludables donde han sido rotas por el pecado es parte de la misión de Dios.

En consecuencia, como las relaciones sociales desde el vínculo sexual básico hasta los círculos más amplios de la comunidad humana están incluidas en la acción creadora y redentora de Dios mismo, todas caen dentro del campo de la agenda de nuestra misión humana. Este es otro pilote de la base bíblica para una teología integral de la misión. Nuestro objetivo misional no se limita a la tarea evangelizadora vital y urgente de ayudar a los *individuos* a llegar a una relación correcta con Dios que asegure su destino eterno individual. También compartimos la pasión de Dios por las relaciones humanas saludables aquí y ahora, entre individuos, en las familias, en los lugares de trabajo, en toda la sociedad y entre las naciones.[9]

La humanidad en rebelión

No obstante, el Génesis sigue adelante para mostrar que las cosas no ocurrieron como Dios quería. El pecado entró a la vida humana por la rebelión y la desobediencia. Y así como nuestra teología de la misión debe adoptar una perspectiva integral de la creación y la humanidad, también debe trabajar con una comprensión radical y abarcadora del pecado y del mal. La profunda sencillez de las narrativas de Génesis 1—11 nos muestra por lo menos tres cosas del pecado

---

9 La obra de la Relationships Foundation ha desarrollado este tema con mucha fuerza, tanto en lo conceptual como en lo práctico. La presentación más completa de su obra es Michael Schluter y John Ashcroft, ed.: *Jubilee Manifesto: A Framework, Agenda and Strategy for Christian Social Reform*, InterVarsity Press, Leicester, 2005.

que debemos tener en cuenta en la misión bíblica.

El pecado afecta todas las dimensiones de la persona. El retrato de la humanidad que encontramos en los primeros capítulos del Génesis es de la persona individual integral, pero con diversas dimensiones de vida y relaciones. En lugar de hablar de un ser humano que tiene 'un cuerpo' y 'un alma' y cualquier otra 'parte' que uno quiera agregar, preferimos hablar de la persona humana que vive una combinación totalmente integrada de diferentes dimensiones. Por lo menos cuatro aspectos de la vida humana se ven en estos primeros relatos. Los seres humanos son *físicos* (son criaturas de un mundo físico creado), *espirituales* (tienen una intimidad única de relación con Dios), *racionales* (tienen capacidades únicas de comunicación, lenguaje, capacidad para ser convocados, conciencia, memoria, emociones y voluntad) y *sociales* (su complementariedad física refleja la dimensión relacional de Dios y subyace todas las relaciones humanas). Todas esas dimensiones (la física, la espiritual, la racional y la social) se combinan en la persona humana integrada que se describe en Génesis 2.7 como 'ser viviente'.[10]

Sin embargo, lo que sigue mostrando la narrativa en Génesis 3 es que cada una de esas cuatro dimensiones estuvo implicada en la entrada del pecado en la vida humana y cada una de ellas también se vio afectada por las consecuencias de esa elección. La historia de la tentación de Eva y la connivencia de Adán comprometen todos los aspectos de la naturaleza humana.

- *Espiritualmente*, Eva fue llevada a dudar de la verdad y la bondad de Dios, socavando así la anterior relación de confianza y obediencia.
- *Mentalmente*, contempló la fruta en cuestión: su reflexión fue *racional* (era buena para comer), *estética* (era agradable a la vista) e *intelectual* (deseable para obtener sabiduría). Todas estas capacidades del intelecto humano son buenas en sí mismas, elogiadas como dones muy valorados de Dios. No había nada malo

---

10 Esta perspectiva compuesta por cuatro de las dimensiones de la persona humana total, también la adopta Jean-Paul Heldt como marco para la misión bíblica integral: "Revisiting the 'Whole Gospel': Toward a Biblical Model of Holistic Mission in the 21st Century", *Missiology* 32 (2004): 149–72.

en que Eva usara su mente; el problema era que estaba usando todas sus capacidades en una dirección prohibida por Dios. El problema no radicaba en la reflexión racional sino en la desobediencia que de ese modo se racionalizaba.

- *Físicamente*, 'ella tomó de su fruto y comió'. Estos son simples verbos que describen una acción física en un mundo físico.
- *Socialmente*, compartió el fruto con Adán *que estaba con ella* y con eso consintió en la dirección que estaba tomando la conversación, la reflexión y la acción. De manera que el pecado, que ya era espiritual, mental y físico también se hizo compartido; entró en el centro de la relación humana, generando inmediatamente la vergüenza mutua y después una descendencia cada vez más malévola.

Habiendo logrado entrar en cada dimensión de la personalidad humana, el pecado sigue adelante corrompiendo esas cuatro dimensiones de la vida y la experiencia humana:

- *Espiritualmente*, estamos alienados de Dios, temerosos de su presencia, desconfiados de su verdad, hostiles a su amor.
- *Racionalmente*, igual que la primera pareja humana, usamos nuestra mente para racionalizar el pecado, culpar a otros y excusarnos. Nuestro pensamiento se ha entenebrecido.
- *Físicamente*, estamos condenados a muerte, como lo estableció Dios, y sufrimos su invasión por medio de la enfermedad y el deterioro a lo largo de la vida, a la vez que el medioambiente gime por su esterilidad bajo la maldición de Dios.
- *Socialmente*, la vida humana está fracturada en cada uno de sus niveles, por la ira, los celos, la violencia y el asesinato incluso entre hermanos, como en la historia de Caín y Abel, intensificándose cada vez más hasta llegar a la tremenda descomposición social que describe gráficamente el resto de la narrativa bíblica.

Romanos 1—2 es el penetrante comentario de Pablo sobre el reinado universal del pecado en la vida humana y la sociedad. Al leer allí su agudo análisis, podemos ver las cuatro dimensiones de la personalidad humana comprometidas en el pecado y la rebelión humanos.

El pecado afecta a la sociedad y a la historia. Los efectos individuales del pecado son claramente evidentes en la narrativa del Génesis. Pero la Biblia avanza sobre un análisis mucho más profundo. Está lo que podría llamarse 'perspectiva profética' del pecado. En el canon del Antiguo Testamento los profetas no son únicamente aquellos cuyos libros llevan su nombre, desde Isaías a Malaquías, también están los que escribieron los libros históricos: los profetas antiguos. Estos autores de historia fueron proféticos porque observaron la sociedad y la historia desde la perspectiva de Dios y procuraron interpretar ambos a la luz de la palabra y los propósitos de Dios. Y desde esa perspectiva vieron que el pecado era algo mucho mayor de lo que se veía en el corazón y la conducta de los individuos.

El pecado se expande horizontalmente en la sociedad y se propagada verticalmente entre las generaciones. Así genera contextos y conexiones cargados de pecado colectivo. El pecado se vuelve endémico, estructural y entramado en la historia. Por eso los historiadores del Antiguo Testamento observan que las sociedades enteras se vuelven adictas al mal caótico (como lo representa el libro de los Jueces con su crescendo de conductas perversas). Isaías ataca a quienes legalizan la injusticia pasando leyes que dan legitimidad estructural a la opresión:

¡Ay de los que emiten decretos inicuos
    y publican edictos opresivos!
Privan de sus derechos a los pobres,
    y no les hacen justicia a los oprimidos de mi pueblo. Isaías 10.1–2

Jeremías se siente conmocionado al descubrir que toda la sociedad de Jerusalén está pervertida (Jeremías 5). Los historiadores comentan que los sucesivos reyes de Jerusalén (con muy pocas excepciones, como Ezequías y Josías) imitaron y luego sobrepasaron la maldad de sus predecesores, de tal manera que la perversidad del pueblo se fue acumulando en las generaciones hasta que el peso de la misma se hizo intolerable para Dios.

Aquí debemos ser cuidadosos, por supuesto. Hay gente reticente a hablar de 'pecado estructural', argumentando que solo las personas pueden pecar. El pecado es una elección personal libre hecha por personas morales. En ese sentido las estructuras no pueden pecar. Con eso concuerdo. No obstante, ningún ser humano nace o hace sus elecciones morales en un contexto impecable; nadie empieza de cero, en una hoja en blanco. Todos vivimos dentro de marcos sociales que no creamos. Estaban allí antes de que llegáramos y permanecerán después que nos hayamos ido, incluso si individualmente o como generación pudiéramos lograr cambios significativos en ellos. Y esos marcos son el resultado de las elecciones y las acciones de otras personas a lo largo del tiempo, todas ellas plagadas de pecado. De manera que aunque las estructuras no pecan en el sentido personal, sí encarnan una multitud de elecciones personales, muchas de ellas pecaminosas, que hemos llegado a aceptar en nuestros patrones culturales.

Al hablar de 'dimensión social' del pecado entonces, no estoy personificando las estructuras de la sociedad ni acusándolas de alguna forma de pecado personal que cometen los individuos. Pero sí creo que la Biblia nos autoriza a hablar de estructuras cargadas de pecado y generadoras de pecado en la vida humana comunitaria. No se trata de que al vivir dentro de esas estructuras nuestro pecado se vuelve justificable o inevitable. Seguimos siendo personas responsables ante Dios. Pero sí significa que formas de vida pecaminosas se normalizan, se racionalizan, se vuelven convincentes y aceptables en referencia a las estructuras y convenciones que hemos creado.

Por 'dimensión histórica' del pecado quiero significar que debemos mirar más al fondo de las causas de la conducta pecaminosa, repito, ni para justificarla ni para excusarla. Si una comunidad está plagada de males sociales, violencia, corrupción, familias fragmentadas y disfuncionales, predicar sobre el pecado individual y el arrepentimiento será una respuesta misional inadecuada. Plantearse la pregunta del 'por qué' en relación con los males que presenciamos en cualquier situación dada inevitablemente develará raíces históricas, que a veces se remontan muy atrás. A veces ayudar a las personas a identificar y entender las raíces y causas históricas de sus circunstancias presentes es un factor importante (aunque obviamente no suficiente) para la restauración comunitaria.

De modo que si nuestra misión consiste en llevar las *buenas nuevas* a todas las áreas de la vida humana, entonces es necesario investigar y analizar en qué consisten las *malas noticias*, horizontalmente en las estructuras de una sociedad dada y verticalmente en su historia. En el proceso se descubrirán muchos factores. Pero solo a medida que se descubran podrá el poder limpiador, sanador y reconciliador del evangelio deshacer sus funestos efectos.

El pecado afecta a todo el entorno de la vida humana. Cuando los seres humanos eligieron rebelarse contra el Creador, su desobediencia y Caída afectaron la totalidad de su entorno físico. Eso queda inmediatamente claro por las palabras de Dios a Adán: '¡Maldita será la tierra por tu culpa!' (Génesis 3.17). Pero en vista de la interrelación entre los seres humanos y el resto de la creación, no podría haber sido de otra forma. Richard Bauckman expresa muy bien los efectos inevitables:

> ¿Cómo afecta la caída a la naturaleza? ¿Es únicamente en la historia humana donde la obra creativa de Dios ha sido afectada, requiriendo ahora una obra de redención, mientras que en el relato de la naturaleza la creación sigue sin ser afectada por la caída? No puede ser así, porque la humanidad es parte de la totalidad interdependiente de la naturaleza, de manera que la perturbación en la historia humana necesariamente perturba la naturaleza, y como la humanidad es la especie dominante en la tierra, el pecado humano está destinado a tener efectos extendidos en la naturaleza como un todo. La caída perturbó la armoniosa relación de la humanidad con la naturaleza, alienándonos de ella, de tal manera que ahora la experimentamos como hostil; e introduciendo elementos de lucha y violencia en nuestra relación con la naturaleza. (Génesis 3.15, 17–19; 9.2).[11]

No entro aquí en la pregunta de si se puede hacer responsable a la caída de la humanidad de todos los fenómenos de la naturaleza que amenazan la vida humana (terremotos, inundaciones, volcanes, tsunamis, etc.) o nos perturban moralmente (el hecho universal de la depredación, el que todas las formas de vida se alimentan de otras formas de vida, y especialmente como ocurre con animales capaces de sentir dolor). Hay temas teológica y científicamente muy complejos en esas preguntas que se debaten acaloradamente entre cristianos creyentes en la Biblia.[12]

---

11 Richard Bauckham: 'First Steps to a Theology of Nature', *Evangelical Quarterly* 58 (1986): 240.
12 Un estudio útil en la gama de perspectivas sobre el mal 'natural' y 'moral' lo ofrece en forma concisa Nigel G. Wright: *A Theology of the Dark Side: Putting the Power of Evil in Its Place,* Paternoster, Carlisle, 2003.

Sin embargo, cualquiera sea nuestra visión de ellos, la Biblia declara sin lugar a dudas que la caída distorsionó y dañó radicalmente nuestra relación humana con la tierra misma y también frustró la función primaria de la creación en relación con Dios (ver Romanos 8.20). Vivimos en una tierra maldita (desde Adán) tanto como en una tierra de pacto (desde Noé). Nuestra teología de la misión debe tener en cuenta plenamente el realismo radical de lo primero y la esperanza ilimitada de lo segundo.

Vemos entonces que la aparente simplicidad de las narrativas de la creación y la caída contienen verdades profundas acerca del triángulo de relación entre Dios, la humanidad y todo el orden creado. Está claro que la Biblia nos ofrece una evaluación radical de los efectos de nuestra obstinada rebelión y caída en desobediencia, egocentrismo y pecado.

No se trata solamente de que cada dimensión de la persona humana esté afectada por el pecado. No es solo que toda persona humana sea pecadora. También se trata de que todas nuestras relaciones sociales y económicas entre nosotros, horizontal e históricamente, y nuestra relación ecológica con la tierra misma han sido torcidas y pervertidas.

Está claro que una teología y una práctica de la misión plenamente bíblicas deben tener en cuenta un informe bíblico completo sobre el pecado. Las estrategias misioneras que enfocan de manera exclusiva la maldad humana individual y aplican el remedio del evangelio solo en ese campo no pueden, por supuesto, ser acusadas de falta de celo bíblico en ese campo de la evangelización. Sin embargo, carecen de una comprensión bíblica plena de todo lo que el pecado es y produce, e inevitablemente carecen también de una comprensión bíblica integral de todo aquello a lo que el evangelio apunta y todo lo que nuestra misión debe encarar.

¿Un mal paradigmático?
El VIH/SIDA y la misión de la iglesia

La gran emergencia que enfrenta la familia humana es indudablemente el virus VIH/SIDA. Está devastando la vida humana en una escala que apenas podemos dimensionar. Imaginemos veinte aviones Boeing 747 que se estrellaran contra la tierra cada día, matando a todos sus pasajeros. Por lo menos ese número (siete a ocho mil) mueren cada día por enfermedades relacionadas con el SIDA. La gran mayoría son del África subsahariana (el lugar de más del 70 por ciento de los casos, las muertes y las nuevas infecciones de VIH/SIDA).

La escala es un concepto difícil en sí mismo. El mundo quedó horrorizado por el ataque a las Torres Gemelas de Nueva York el 11 de septiembre de 2001, en el que murieron alrededor de tres mil personas. *África sufre el equivalente a dos ataques del 9/11 cada día.*

El tsunami del Océano Índico en diciembre de 2004 se llevó aproximadamente 300 mil personas en un solo día. *El VIH/SIDA produce en África el equivalente a un tsunami por mes.*

Se ha estimado que globalmente hay por lo menos cuarenta y seis millones de personas infectadas; diariamente aparecen dieciséis mil nuevas infecciones; ya han muerto por SIDA veinte millones y para el 2020 habrán muerto por lo menos sesenta y cinco millones. Y mientras que las pandemias del pasado en la historia humana, como los brotes de peste negra y otras plagas tendieron a llevarse principalmente a los más débiles de la sociedad, los muy pequeños y los ancianos, el VIH/SIDA es más devastador entre la población de jóvenes adultos (de manera que los niños y los ancianos sobrevivientes sufren más todavía). Se lleva a la generación que trabaja, que cría a los niños, y deja atrás precisamente a los niños y ancianos para arreglárselas sin aquellos que normalmente los cuidarían. El SIDA está vaciando comunidades íntegras en África, dejando a los abuelos y a los niños desamparados en una lucha por sobrevivir y multiplicando la población más vulnerable, las viudas y los huérfanos. Cada catorce segundos se genera un nuevo huérfano por el SIDA. Tal vez tres en el lapso que leyó esta frase.[13]

Dos cosas me han movido a reflexionar sobre la naturaleza crítica del VIH/SIDA en relación con la misión. Una fue el artículo de Kenneth R. Ross: 'The HIV/AIDS Pandemic: What is at Stake for Christian Mission?' (La pandemia del VIH/SIDA: ¿qué está en juego para la misión cristiana?), en el que argumenta fervientemente que es el momento de una redefinición para la iglesia y la misión en medio de este terrible fenómeno, y que es mucho lo que está en juego.[14] La otra

---

13 Las estadísticas citadas aquí, por supuesto, reflejan lo que tenía a disposición en el momento de escribir. La situación cambia constantemente (por lo general empeora).

14 Kenneth R. Ross: 'The HIV/AIDS Pandemic; What Is at Stake for Christian Mission?' *Missiology* 32 (2004): 337–48. Los subtítulos de este artículo son: 'The Church at Stake —New Frontiers for Faith'; 'Gender at Stake

fue la reunión profundamente conmovedora en el Foro de Líderes de Misión en el Centro de Estudios de Ministerios en el Extranjero, en New Haven, Connecticut, en diciembre de 2004, donde el VIH/SIDA fue el tema principal y se escucharon exposiciones de personas profundamente comprometidas a un alto costo personal, trabajando en primera fila con el problema en África y China.

Me parece que el VIH/SIDA atrae a su espantoso vórtice a cada una de las dimensiones del mal que enfrentamos y de los que la Biblia nos advierte y a la misma vez requiere de cada dimensión de la misión que la Biblia describe. Pero al usar de esta manera al VIH/SIDA como un tipo de estudio de caso o paradigma de mal, *quiero dejar absolutamente en claro de que no estoy sugiriendo, de ninguna manera, que quienes sufren del VIH/SIDA encarnan el mal en algún sentido que no sea el común a toda la raza humana.*

Tampoco acepto la idea de que el VIH/SIDA es el juicio de Dios sobre sus víctimas. Incluso si reconocemos que la promiscuidad sexual es la mayor causa de infección, y que así algunas personas cosechan lo que siembran, hay demasiada gente (especialmente mujeres, niños y hasta no nacidos) que se han infectado o han sido afectados por la enfermedad sin ninguna culpa o pecado propio como para que su sufrimiento pueda ser considerado como el juicio de Dios sobre ellos. Más aun, hay muchos que se han infectado por hacer lo que agrada a Dios: cuidar de los enfermos y limpiar sus heridas —tanto los trabajadores de la salud como familiares de los enfermos. Muchos niños están infectados como resultado trágico del cuidado solícito e íntimo que dan a sus padres que están muriendo. Lamentablemente, la opinión de que esta enfermedad es el juicio directo de Dios sobre la víctima por sus propios pecados, ya sea expresada por otros o aceptada por el enfermo, es un ingrediente más para su aislamiento y sufrimiento.

Dimensiones del mal presentes en el contexto del VIH/SIDA. Es difícil pensar en alguna dimensión del mal que no esté presente de alguna manera en el terrible flagelo del VIH/SIDA. Sin intentar un análisis exhaustivo ni profundo, mi propia lectura y lo que escucho me permite

---

—Sexual Power and Politics'; 'Mission at Stake —The Need to Practice Presence'.

enumerar por lo menos los siguientes puntos en donde el VIH/SIDA es una espantosa máscara del mal y refleja aspectos de la caída:

- Es misterioso, en origen y causa, como el mal mismo. ¿Cómo puede haber un organismo así en la creación de Dios? ¿Por qué pasó a los humanos, aparentemente en 1934? ¿Por qué es tan resistente a todos los esfuerzos de la investigación por controlarlo? Y, como el mal mismo, combina algo que es 'natural' o externo a nosotros, por un lado, con la acción humana por medio de la que entra y se extiende, por el otro.

- Invade la vida y produce la muerte inevitable. Por supuesto, la muerte, la paga del pecado, espera a cada ser humano desde la caída, pero el VIH/SIDA adelanta la sentencia a la mitad de la vida y destruye la bendición, la abundancia y la plenitud de la vida, precisamente las cosas para las que Dios nos creó.

- Produce un prolongado sufrimiento, ansiedad, dolor y deterioro físicos. En muchos lugares de África llaman '*Slim*' (delgado, flaco) al VIH/SIDA porque deja a sus víctimas consumidas, como si se les hubiera succionado la fuerza misma de la vida. Ataca y destruye el sistema inmunológico que Dios puso en nuestro cuerpo para resistir todo tipo de enfermedades, dejando a la víctima indefensa contra su invasión. La Biblia también describe al mal con este lenguaje de 'deterioro de la vida'.

- Se extiende de muchas maneras, pero la principal es a través de la sexualidad humana, explotando y corrompiendo así la relación más íntima con la que Dios ha bendecido la vida. Más precisamente, se difunde por medio del instinto sexual masculino pecaminoso, con la desenfrenada tendencia del varón hacia la lujuria promiscua. Se ha determinado que la conducta sexual masculina subyace al 80% del SIDA endémico. Esto incluye tanto la conducta heterosexual como la homosexual, pero la primera es indudablemente responsable de la más elevada proporción de infecciones.

- Prospera sobre el desequilibrio de género entre los varones dominantes y las mujeres explotadas: algo que el Génesis 3 muestra como resultado de la caída. En Sudáfrica el 60% de las mujeres tienen su primera experiencia sexual en un contexto de coerción, y en el 40% de los casos la lleva a cabo un hombre de posición social, laboral o familiar más ventajosa.

- Afecta desproporcionadamente a las mujeres. En África, las mujeres y adolescentes tienen entre cinco y seis veces más posibilidades de contraer la infección que los hombres, en especial por su baja condición económica o social y la falta de control sobre la práctica sexual.
- No respeta la inocencia. Un gran número de mujeres infectadas han sido fieles a sus esposos pero sufren la infección que ellos les han trasmitido después de practicar la promiscuidad en otro lugar. También ocurre lo inverso, por supuesto. De la misma manera muchos bebés son víctimas inocentes por infección intrauterina.
- Produce viudas y huérfanos a una velocidad alarmante. Pero las prácticas económicas y culturales, combinadas con los prejuicios religiosos y el temor, con frecuencia empeoran la situación de las víctimas. Las viudas del SIDA generalmente sufren el quite de sus propiedades por parte de la familia del esposo, y pierden sus derechos de herencia. También desaparecen la compasión y la justicia.
- Destruye el futuro y arranca la esperanza de los individuos y las comunidades. Vidas jóvenes, con muchas expectativas por delante reciben repentinamente una sentencia de muerte. Incluso los no infectados encuentran que sus planes son arrojados al olvido por la repentina exigencia de cuidar a algún miembro de la familia a quien se le ha diagnosticado la infección. Pueblos y ciudades enteras quedan sin obreros, maestros, médicos, servidores públicos. Los cultivos quedan abandonados, y el hambre y la indigencia acechan los campos.
- Genera trauma psicológico masivo: temor, negación, pánico, culpa, odio a sí mismo, ira, venganzas violentas, desesperación. Por supuesto, como todo mal, despierta agudas preguntas sobre la bondad y la justicia de Dios.

- Provoca y explota la pobreza. 'El VIH/SIDA revela la fractura, las tensiones y presiones de la sociedad, explotando el desorden, la inequidad y la pobreza. El virus busca a los débiles, los pobres y los vulnerables. Destruye con más velocidad donde hay baja nutrición, sistemas de salud débiles y donde los gobiernos carecen de eficacia'.[15]
- También expone la desigualdad entre naciones ricas y pobres en el mundo. Si se contrae VIH/SIDA en un país occidental, la disponibilidad de las drogas antiretrovirales (ARV) a precio asequible significará que se puede esperar vivir una vida relativamente normal durante muchos años más, sin mucho más (según un experto) que los peligros e inconvenientes de alguien que sufre diabetes. Sin embargo, en la mayoría de los países del mundo de los Dos Tercios, los ARV cuestan fortunas que las víctimas no disponen. La batalla para conseguir que las compañías farmacéuticas, vergonzosamente reacias, se hagan cargo de esta injusticia, es una de las muchas historias trágicas de la enfermedad. Vemos que también hay una cuestión de justicia.
- Genera reacciones entre los demás (tanto dentro como fuera de la iglesia) que van de la negación al engaño, de la condena de la víctima hasta una falsa representación de los caminos de Dios.
- Es un asunto que queda atrapado en la corrupción y el orgullo de los políticos, donde la ocultación, el engaño y las luchas de poder por los recursos, los fondos extranjeros y demás, agravan el problema y retardan su solución.
- Es 'una enfermedad que afecta todos los aspectos de la condición humana en la tierra: *el trabajo, la productividad, la procreación, el placer, la fe, la educación, la salud física, la salud mental.* Una enfermedad que aplasta el alma de los más inocentes —*los niños*, dejándolos huérfanos, sin lo mínimo necesario, con traumas

---

15 Citado de 'Holistic Mission', Lausanne Occasional Paper no. 33, ed. Evvy Hay Cambell, 2004, disponible en www.lausanne.org. Esta afirmación breve pero poderosa enumera los siguientes aspectos de la crisis del VIH/SIDA. Es, dicen, una cuestión biológica, un asunto de la conducta, un asunto de los niños y los jóvenes, un asunto de género, un asunto de la pobreza, un asunto cultural, un asunto *socioeconómico*, un asunto de justicia, un asunto del engaño, un asunto de la compasión, un asunto de la evangelización mundial.

psicológicos, quizás a cargo de una casa con una abuela anciana o vagando por las calles de Kampala, Lusaka o Johannesburgo. Una enfermedad que afecta a todas las generaciones de la población: *a los no nacidos, a los bebés, a los niños, los jóvenes, los adultos y los abuelos.'*[16]

Al enfrentar un fenómeno tan extensamente devastador, no es ninguna exageración decir que en el VIH/SIDA vemos el rostro distorsionado, devorador y diabólico de un mal que rasga el alma misma de la vida humana en la tierra de Dios.

Dimensiones de la misión en repuesta al VIH/SIDA. Un mal tan abarcador demanda una respuesta integral. Afortunadamente muchos cristianos en todo el mundo, tanto en el gobierno como en organizaciones no gubernamentales, toman este asunto muy en serio. Sin embargo, entristece saber de iglesias que hacen el vacío a los infectados sobre la base de la suposición errada del juicio de Dios sobre su presunto pecado. La declaración de Lausana sobre el asunto señala el siguiente punto fundamental:

> El VIH/SIDA es una pandemia compleja y multifacética con una amplia gama de causas que interactúan, factores que contribuyen e impactos. En consecuencia esta pandemia requiere una respuesta misionera integral de las iglesias. Debemos aportar nuestra contribución en la lucha contra este desastre recurriendo a una cosmovisión cristiana que una cabalmente los aspectos materiales, psicológicos, sociales, culturales, políticos y espirituales de la vida, una cosmovisión que combine la evangelización, el discipulado, la acción social y la búsqueda de la justicia.[17]

Una respuesta misionera integral al VIH/SIDA, me parece, debería incluir por lo menos los siguientes elementos:

• Cuidado compasivo por los enfermos y los que están muriendo. Ningún discípulo de Jesús debería dudar de esto.

---

16 Angela M. Wakhweya: 'Look After Orphans and Widows in their Distress: A Public Health Professional's Perspective on Mission in an Era of HIV/AIDS', un artículo preparado para la Mission Leadership Forum, New Haven, Conn.: Overseas Ministry Study Center, 2004 (citado con permiso).
17 Cambell: 'Holistic Mission', disponible en www.lausanne.org.

- Cuidado más extensivo de aquellos cuyas vidas están devastadas de diversas maneras por los efectos de la enfermedad en su país, ya sea que estén personalmente infectados o no: la generación de empleos y el cuidado de las viudas y los huérfanos (uno de los mandamientos bíblicos más destacados desde el Éxodo hasta la carta de Santiago).
- Educación del infectado, el afectado, las iglesias, los pastores, los líderes civiles locales y todos los que tienen oportunidad de influir en las actitudes y las conductas, y especialmente las mujeres.
- Enfrentar y condenar las prácticas culturales y religiosas que aumentan el sufrimiento, tales como la estigmatización y el aislamiento del enfermo, el prejuicio y la opresión.
- Comprometerse en la lucha por encontrar el equilibrio adecuado en la asignación de los recursos para la prevención de la infección, por un lado, y el tratamiento (con ARV) de los ya infectados, por el otro. Hay asuntos médicos, políticos, económicos, culturales y de justicia en ese debate.
- Ofrecer y proveer capacitación para consejeros y apoyo psicológico y espiritual para las personas en todas las etapas: desde la prueba de resultado positivo hasta el momento de la muerte y el apoyo a los deudos.
- Compromiso con las dimensiones económica y política del problema, para quienes tienen un llamado en la esfera política.
- Dar testimonio evangelizador con sensibilidad, de la vida nueva y eterna que es nuestra en Cristo, el perdón de pecado, la esperanza de resurrección, y la certeza de que la muerte no tendrá la palabra final.

De todo lo que se ha venido debatiendo en este libro, debería quedar claro que todos estos aspectos (e indudablemente muchos otros) de nuestra respuesta misional son partes constitutivas de la forma integral en que procuramos encarnar la misión de Dios en su conflicto decisivo con el mal. Ningún enfoque único constituye una respuesta misional adecuada en sí misma. El VIH/SIDA, como el mal que encarna, es sencillamente demasiado grande para respuestas lineales. Si Dios ha creado y se preocupa por cada dimensión de la vida humana, entonces la misión de Dios es la erradicación de todo lo que ataca cada dimensión de la vida humana. Como el VIH/SIDA ataca todos los aspectos de la vida, debe ser confrontado en el más amplio frente posible. Solo un enfoque misional integral puede apenas comenzar a encarar el tema.

Lo definitivo de la evangelización y lo no definitivo de la muerte. Y en esa perspectiva bíblica integral, la necesidad de un evangelismo con mucha sensibilidad es clara y no negociable. Lo ubico al final de la lista no porque sea lo último que debamos hacer sino porque es lo definitivo, aquello que mantiene unidas todas las demás respuestas esenciales dentro de una cosmovisión verdaderamente cristiana en la que la muerte *no es* lo definitivo.

El hecho más ineludible del SIDA es que significa *inevitablemente la muerte.* Esa también es su más condenada huella del mal, porque la muerte *es* el gran mal, el enemigo final a destruir. Por supuesto, la muerte nos enfrenta a todos, pero el SIDA acelera el proceso y nos arroja nuestro último enemigo directamente a la cara. Plantea aquí mismo y ahora las cuestiones que todos tendemos a postergar en la vida, simplemente porque la vida se vuelve trágicamente corta. ¿Qué es la muerte? ¿Qué hay más allá de la muerte? ¿Hay alguna esperanza frente a la muerte?

De manera que mientras el SIDA genera una larga lista de asuntos temporales que deben encararse como parte de nuestro compromiso con la compasión y la justicia de Dios (asuntos médicos, sociales, psicológicos, sexuales, culturales, políticos, internacionales), también plantea, para el cristiano, el carácter definitivo del evangelio. Porque no importa lo devastadores que sean los efectos del SIDA en la vida de las personas aquí y ahora, 'también hay una pregunta sobre la eternidad'.[18]

'Predico como si fuera la última vez que lo hago, *como un hombre que está muriendo a hombres que están muriendo*', dijo Richard Baxter. Tal vez no hay otra frase que capte mejor la cruda realidad de la posición en que se encuentra la iglesia en medio de comunidades devastadas por el VIH/SIDA. Esta temible e inexplicable enfermedad privará a vidas humanas preciosas de su período esperable de vida y les arrancará las bendiciones

---

18 Doug McConnell, en una ampliación oral de su respuesta escrita a Wakhweya, 'Look After Orphans and Widows in their Distress'.

que estaban destinadas a disfrutar en el mundo de Dios. Las bendiciones del trabajo productivo, la crianza de una familia, el cultivo de la tierra, el contribuir con la sociedad, el cuidado de los ancianos. No hay otra manera de describir a este terrible mal que destruye la vida.

Pero cuando una persona pone su fe y su esperanza en el Salvador crucificado y resucitado, nada le puede quitar la vida de la nueva creación de la cual Cristo es el primogénito y la primicia. Solo el evangelio ofrece lo definitivo de esa esperanza y la seguridad de ese futuro. Solo el evangelio ofrece y proclama la promesa de una nueva humanidad a aquellos cuya actual humanidad ha sido destrozada y destruida por ese virus.

Digo 'solo el evangelio' con una doble intención. Primero, porque esta promesa fundamental de vida eterna para todo el que cree, basada en la cruz y en la resurrección de Cristo, es no negociable y no puede ser sustituida por, ni sublimada en, ninguna de las otras respuestas que debemos dar al VIH/SIDA, cada una de las cuales tiene su validez e imperativo cristiano igualmente no negociable. Pero segundo, digo solo el evangelio *cristiano*, por su diferencia con las demás religiones y la visión que sustentan de la muerte. Porque en realidad es el hecho crudo de la muerte lo que plantea y define con mayor claridad la división abismal entre las religiones y entre las muchas opiniones de lo que debería significar *la salvación*.

Uno de los mejores escritos sobre este asunto que jamás haya leído viene de la pluma de Carl Braaten. Habiendo señalado la vaguedad general que se da en el diálogo entre las diversas creencias cuando las personas hablan de 'salvación' sin definir su significado, o cuando la definen solo en términos de una amplia gama de posibles beneficios en esta vida (los que la Biblia también incluye, por supuesto, en su rico vocabulario de salvación), Braaten se vuelve a la singular perspectiva cristiana, tomada del Nuevo Testamento y centrada en la resurrección.

> En el nivel teológico, la salvación no es cualquier cosa que quisiéramos nombrar, la satisfacción de todas las necesidades o la compensación de cada carencia. ... La salvación en la Biblia es la promesa que Dios ofrece al mundo en el horizonte de nuestra perspectiva de muerte personal y universal. El evangelio es poder de Dios para salvación porque promete romper el círculo vicioso de la muerte. La muerte es el poder que arrastra a su círculo a todo ser viviente. ... Podemos obtener una salvación

parcial por lo que estemos dispuestos a pagar, pero ninguna de esas técnicas de salvación puede tener éxito en librar de la muerte.

La salvación en el Nuevo Testamento es lo que Dios ha hecho con la muerte en la resurrección de Jesús. La salvación es lo que te acontece a ti, a mí y a todo el mundo a pesar de la muerte. ... El evangelio es el anuncio de que en la historia de una persona la muerte ya no es el escatón, sino solo lo anterior a lo definitivo. Ahora ha pasado a la historia. La muerte ha quedado detrás de Jesús, calificándolo para conducir la marcha desde la muerte hasta la nueva vida. Siendo la muerte lo que separa a las personas de Dios, solo un poder que trascienda la muerte puede librar a los seres humanos para una vida eterna con Dios. Este es el significado de la salvación en el sentido cristiano y bíblico. Es una salvación escatológica porque el Dios que levantó a Jesús de la muerte ha superado a la misma como el escatón final de la vida. Nuestra salvación final reside en el futuro escatológico en el que nuestra propia muerte será dejada atrás. Esto no significa que no hay salvación en el presente, o aspectos ya realizados de la salvación. Significa que la salvación de la que ahora disfrutamos es como tomar prestado del futuro, es vivir ahora como si nuestro futuro se pudiera practicar en el presente, gracias a nuestra unión con el Cristo resucitado por medio de la fe y la esperanza.

Los teólogos que hablan de la salvación en las religiones no cristianas deberían decirnos si se trata de la misma salvación que Dios ha prometido al mundo al levantar a Jesús de la muerte. ... Una cristología que guarda silencio sobre la resurrección de Jesús no merece el nombre de cristiana y no debería llamarse cristología en absoluto.[19]

Y, debo agregar, una misionología que omita en el abanico de respuestas la única respuesta definitiva a la muerte, a quienes están en las garras de la muerte, tampoco tiene derecho a llamarse cristiana.

Sabiduría y cultura

Hasta aquí, en el capítulo 12 y en éste, hemos explorado el horizonte amplio del gran campo misionero de Dios: la tierra en toda su extensión y la raza humana. Hemos llegado a la conclusión de que si nuestra misión ha de ser fiel a la misión de Dios, entonces debe abarcar la totalidad de la tierra y comprometerse con la totalidad de la existencia y las

---

19 Carl E. Braaten: 'Who Do We Say That He Is?' On the Uniqueness and Universality of Jesus Christ', *Missiology* 8 (1980): 25–27.

necesidades humanas. Ahora nos acercamos a una sección del canon bíblico que con frecuencia se descuida en los libros sobre el fundamento bíblico para la misión (cosa que se ha dado también en los libros de teología bíblica en general): los libros sapienciales. Encontramos en el antiguo Israel una amplia tradición de fe y ética construida sobre una cosmovisión que emplea la lente de gran angular precisamente de esta perspectiva de creación integral y humanidad integral.

Observaremos primero cómo los pensadores y escritores sapienciales de Israel participaron con apertura de un diálogo internacional para discernir la sabiduría de Dios en culturas diferentes a la suya. En ese sentido fueron modelo del tipo de dinámica de puente que es parte de la tarea misionera de contextualización. En segundo lugar veremos cómo esta literatura toma la principal motivación para su ética de las tradiciones de la creación, más que del relato histórico de la redención de Israel, con lo cual una vez más sienta una tendencia al enfoque universal. Y finalmente escucharemos la voz más cuestionadora y luchadora de la Sabiduría, que nos aconseja a ser honestos en cuanto a la fe que tratamos de recomendar a otros, porque mientras es posible que tengamos seguridad acerca de muchas cosas, en nuestro mundo hay misterios y deficiencias, y hay muchas más preguntas que las respuestas que tenemos en la vida.[20]

Un puente internacional. 'Sabio' era el término usado para un tipo de personas conocidas en el mundo del antiguo Cercano Oriente. Eran personas renombradas por sus conocimientos, buscadas por sus consejos y su guía. En el nivel popular parecen haber recibido consultas como las que se hacen en una oficina de ayuda legal para el ciudadano. En el nivel más elevado, frecuentaban la corte del rey, como consejeros de los administradores y gobernantes. Nos ha llegado mucha literatura sobre esos grupos del Cercano Oriente, especialmente de Egipto y Mesopotamia. Hay manuales de instrucciones para agentes civiles, consejos prácticos para la vida pública, reflexiones sobre la vida en general, diálogos y poesías que ofrecen una variedad de consejos prácticos sobre moral y prudencia. De manera que la literatura sapiencial que encontramos en la Biblia (especialmente los libros de Proverbios, Job y Eclesiastés, además

---

20 Lucien Legrand incluye un capítulo sobre 'Wisdom and Cultures' (La sabiduría y las culturas), en: *The Bible on Culture: Belonging or Dissenting*, Orbis, Maryknoll, N. York, 2000, pp. 41–60.

de algunos Salmos) forman parte de un tipo de literatura común a lo largo de todo un espectro de la cultura del antiguo Cercano Oriente, que se remonta por lo menos mil años antes que los israelitas salieran de Egipto y se establecieran en Canaán.

Y los israelitas eran bien conscientes de este hecho. En realidad, expresaban admiración por los sabios de otras naciones, incluso cuando alaban a los propios. Por ejemplo, cuando el historiador registra que la sabiduría de Salomón superaba la de varios conocidos sabios de otros países, solo tiene sentido como halago si los últimos fueran reconocidos con razón por su gran sabiduría. No se trataba de rebajar la sabiduría de otras naciones sino de reconocer su gran reputación para exaltar la de Salomón como superior.

> [Salomón] sobrepasó en sabiduría a todos los sabios de oriente y de Egipto. En efecto, fue más sabio que nadie: más que Etán el ezraíta, y más que Hemán, Calcol y Dardá, los hijos de Majol. Por eso la fama de Salomón se difundió por todas las naciones vecinas. 1 Reyes 4.30–31

Otras naciones reconocidas en el Antiguo Testamento por sus hombres sabios (tanto en sentido positivo como negativo) incluyen Babilonia (Isaías 44.25; 47.10; Jeremías 50.35; 51.57; Daniel 2.12–13), Edom (Jeremías 49.7; Abdías 8), Tiro (Ezequiel 28; Zacarías 9.2), Asiria (Isaías 10.13) y Persia (Ester 1.13; 6.13). Claramente los dos más famosos eran Egipto y Babilonia, y esto también se refleja en los textos de sabiduría extra bíblicos que sobreviven de esos dos países. De Egipto tenemos textos que contienen la sabiduría de Phah-hotep, Merikare, Amenemhget, Ani, Amenemope y Onkhsheshonqy. De Babilonia vienen los Consejos de Sabiduría, el Hombre y su Dios, Ludlul Bel Nemeqi, Diálogo de Pesimismo, Teodicea Babilonia y Ahiqar. Estos textos están traducidos al inglés.[21] Además hay varias comparaciones excelentes y detalladas de sus enseñanzas con la literatura proverbial del Antiguo Testamento.[22]

Cuando se analizan estas comparaciones, se evidencia que había mu-

---

21 En sus traducciones al inglés, ver James B. Pritchard, ed.: *Ancient Near Eastern Texts*, Princeton University Press, Princeton, N. York, 1955; D. Winton Thomas, ed., *Documents from Old testament Times*, Harper Torchbooks, N. York, 1958; Miriam Lichtheim, ed.: *Ancient Egyptian Literature*, tres vols., University of California Press, Berkeley, 1975, 1976, 1980.

22 Por ejemplo Roland E. Murphy: *Proverbs*, Thomas Nelson, Nashville, 1998; Tremper Longman III: 'Proverbs' en: *Zondervan Illustrated Bible Backgrounds Commentary*, Zondervan, Grand Rapids (en preparación).

cho contacto entre los pensadores y escritores sabios de Israel y los de las naciones vecinas.[23] La literatura Sapiencial es sin duda el material más abiertamente internacional de toda la Biblia. Lo es en dos sentidos. Por un lado, trata muchos asuntos que son comunes en los textos de sabiduría de otras naciones. Estos incluyen habilidades sociales y relacionales básicas especialmente en las esferas de poder; la preocupación por el orden moral y la estabilidad social; el éxito, la felicidad y la paz en la vida personal, familiar y política; la reflexión sobre los problemas de la justicia divina en el mundo, las absurdidades de la vida y cómo enfrentarlas; el desafío del sufrimiento, especialmente cuando en apariencia es inmerecido.

Por el otro lado, es notoriamente claro que Israel estaba bien preparado para hacer uso de los materiales de sabiduría de aquellas otras naciones, para evaluarlos y donde fuera necesario editarlos y limpiarlos a la luz de la propia fe y luego incorporarlos tranquilamente a sus Sagradas Escrituras. El ejemplo más obvio es la inclusión de los dichos de Agur y del rey Lemuel en el libro de Proverbios, de quienes no sabemos absolutamente nada salvo que no eran israelitas. Y ahora está ampliamente aceptado que Proverbios 22.17—24.22 hace uso extensivo de un texto egipcio, la Sabiduría de Amenemope. En su conciso comentario sobre Proverbios, Tremper Longman III enumera sistemáticamente una amplia gama de comparaciones y similitudes entre la sabiduría familiar contenida en Proverbios 22.17—24.22 y pasajes hallados en muchos de los textos del antiguo Cercano Oriente.[24]

No obstante, al reconocer este importante bagaje internacional común, debemos ser enfáticos en que los sabios de Israel no plagiaron simplemente las tradiciones de otras naciones. La fe singular de Israel, en especial en las áreas que hemos explorado más atrás (su afirmación monoteísta de la singularidad de YHVH como Dios, y su reafirmación de la relación de Israel con él por medio del pacto), entró en conflicto con muchas de las suposiciones de la cosmovisión subyacente que encontraban en los textos de sabiduría de otras naciones. Muchas cosas que eran comunes en estos

---

23 Lo mismo que en otros aspectos de la vida de Israel, por ejemplo, en el lenguaje de adoración. Está claro que los salmos de Israel han tomado tranquilamente de la métrica poética cananea, de su imaginería e incluso aspectos de su mitología y los han utilizado para exaltar al poder soberano y providencial único de YHVH. Ver, por ejemplo, Donald Senior y Carroll Stuhlmueller: *The Biblical Foundations for Mission*, SCM Press, Londres, 1983, cap. 5.
24 Longman: 'Proverbs'.

últimos, están totalmente ausentes en la literatura sapiencial del Antiguo Testamento. Lo más obviamente ausente son los muchos dioses y diosas de la cosmovisión politeísta de las naciones vecinas.

Pero no se trata solamente de que los dioses e ídolos de otras naciones estén ausentes. También hay advertencias contra los mismos. Es muy probable que la personificación de la Sabiduría y la Insensatez de Proverbios 1—9 representen, respectivamente, a YHVH mismo como la fuente de toda verdadera sabiduría y a los otros dioses, que pueden ser muy seductores pero cuyos consejos llevan finalmente a la muerte, el final del camino de la idolatría. Por medio de este método literario metafórico, la literatura sapiencial está advirtiendo a Israel del peligro de la idolatría con la misma gravedad que lo hacen la ley y los profetas.

Junto con esta ausencia de otros dioses, la muy común confianza en la validez de todo tipo de prácticas mágicas, adivinatorias y ocultistas está también totalmente ausente de la sabiduría de Israel. Los sabios israelitas no propugnaban las cosas prohibidas por la ley de Israel.[25] Entre los efectos secundarios de una cosmovisión politeísta hay un potencial cinismo respecto de la moral (realmente no importa lo que haces, al final algún dios te alcanzará) y un fatalismo sobre la vida en general (en realidad no hay mucho que puedas hacer fuera de resignarte al hecho de que algunas circunstancias siempre estarán fuera de tu control).

Ambas actitudes se manifiestan en Eclesiastés, pero sin abandonar el monoteísmo fuertemente controlador ('el temor del Señor') por un lado, y por el otro la convicción de que no importa lo absurda que parezca la vida, los valores de la sabiduría, la rectitud y la fe piadosa se mantienen axiomáticos. Es esta firme ética monoteísta lo que hace positivamente diferente la Sabiduría del Antiguo Testamento. Su lema 'El temor del Señor es el principio del conocimiento/la sabiduría' (Proverbios 1.7) es la clave. 'El principio' no significa un punto de comienzo que uno deja atrás, sino un principio fundamental que gobierna todo lo demás. De manera que aunque la literatura sapiencial no hace mención explícita a las tradiciones históricas de la redención y el pacto de Israel, es esa tradición, encarnada

---

25 Encontramos una comparación muy completa de las prácticas religiosas aceptadas por las naciones vecinas, además de la exclusión de la adoración a YHVH en Glen A. Taylor: 'Supernatural Power Ritual and Divination in Ancient Israelite Society: a Social-Scientific, Poetic and Comparative Analysis of Deuteronomy 18', Tesis doctoral, Universidad de Gloucestershire, 2005.

en el nombre mismo de YHVH, la que subyace a toda la reflexión, la enseñanza y la lucha que sigue en estas páginas.

¿Qué consecuencias misionológicas podemos extraer de este doble aspecto del carácter internacional de la literatura sapiencial del Antiguo Testamento? Sugiero por lo menos cuatro.

Hay preocupaciones humanas comunes. Primero, Israel compartía el mismo tipo de preocupaciones acerca de la vida (su sentido y cómo vivirla de la mejor manera) que son propias de todas las culturas humanas. Las preguntas sobre las que reflexionaron los hombres y mujeres sabios de Israel, las respuestas a las que arribaron, los dilemas que dejaron sin solución, los consejos y la guía que ofrecían, todas resuenan con la experiencia humana común en todas partes. Por ese motivo, algunos misionólogos y profesionales transculturales sugieren que la literatura sapiencial provee uno de los mejores puentes para que la fe bíblica establezca contactos y compromisos significativos con culturas diversas en todo el mundo.[26]

Todas las culturas humanas se interesan por los asuntos de la vida familiar, el matrimonio, la paternidad, la amistad, las relaciones laborales, las habilidades y los peligros de la comunicación, la integridad en la esfera pública, el control de la ira y la violencia, el uso y mal uso del dinero (o su equivalente), las frustraciones diarias de la vida, las tensiones entre lo que es y lo que pensamos que debería ser, los profundos misterios de la enfermedad, el sufrimiento y la muerte. Y todas las culturas humanas tienen una sabiduría tradicional, oral o escrita, que trata estos temas. En efecto, generalmente se puede captar toda la cosmovisión subconsciente de una cultura a través de su sabiduría proverbial colectiva. Entonces, detectar las respuestas que la persona misma tiene sobre los asuntos de la vida y luego mostrarle cómo los encara la Biblia, puede ser una manera amistosa y no intimidatoria de lograr el interés de la persona por la verdad más amplia de la revelación bíblica.[27]

Reconocer la sabiduría de las naciones. Segundo, los sabios de Israel

---

26 Ver por ejemplo Michael Pocock: 'Selected Perspectives on World Religions from Wisdom Literature' en *Christianity and the Religions: A Biblical Theology of World Religions*, ed. E. Rommen y H. A. Netland, William Carey Library, Pasadena, Cal. 1995, pp. 45–55.

27 Una exploración de cómo funcionaría eso en una cultura particular la ofrece Mark Pietroni: 'Wisdom, Islam and Bangladesh: Can the Wisdom Literature Be Used as a Fruitful Starting Point for Communicating the Christian Faith to Muslims?', Tesis de maestría, All Nations Christian College, 1997.

descubrieron que podían afirmar muchos valores y enseñanzas que encontraban en las naciones ajenas al pacto. Este es un importante contrapeso al más conocido rechazo de los dioses y prácticas religiosas de otras naciones que encontramos en la ley y los profetas. La sabiduría es notoriamente abierta y afirmativa.

Una explicación para esto puede ser la fuerte convicción de la creación que tenía Israel acerca de toda la tierra y toda la humanidad. En toda la tierra podemos percibir la sabiduría del Creador, y todos los seres humanos están hechos a su imagen. Aunque había dimensiones exclusivas de Israel en la experiencia histórica de Dios en la revelación y la redención, Israel no tenía el monopolio de todas las cosas sabias, buenas y verdaderas. Desde luego tampoco lo tienen los cristianos. No se gana nada con negar, en cambio mucho se obtiene para la misión al respaldar aquellos aspectos de cualquier tradición cultural humana que sean compatibles con la verdad y los patrones morales bíblicos.

Pero es posible que otra razón para que Israel incorporara a su depósito la riqueza de la sabiduría de otras naciones, descanse en la idea de que eso era un sutil aspecto de la ofrenda que harían las naciones en su adoración y su tributo para la gloria de YHVH. Este es un tema importante en la teología de Israel sobre las naciones, que exploraremos en profundidad en el capítulo catorce. Pero si una dimensión de la expectativa de Israel era que la riqueza y el esplendor de las naciones contribuiría finalmente a la gloria de YHVH, no a los falsos dioses a los que en ese momento los atribuían, entonces uno puede ver en esta aceptación de la sabiduría de las naciones un adelanto de la reunión de las naciones mismas en la realización escatológica. Así como la *riqueza de las naciones* al fin será traída al templo y ofrecida a YHVH en adoración (una figura de Isaías 60—66 recuperada en Apocalipsis 21.24—27 cuando los reinos de este mundo traen todos sus logros, purificados y redimidos, al reino de Dios y su Cristo), también la *sabiduría de las naciones* puede ser traída a la casa de la sabiduría de Israel, purificada de su politeísmo, y dispuesta para servir solo a la honra y la gloria de YHVH. Este es un panorama amplio y maravillosamente alentador cuando se reflexiona por un momento en el enorme edificio de la sabidiuría cultural humana y lo imagina purificado de las manchas del pecado y las huellas de Satanás, enriqueciendo la vida de toda la humanidad redimida en la nueva creación.

Criticar la sabiduría de las naciones. Tercero, el enfoque acogedor de Israel a la sabiduría de otras naciones estaba lejos de ser una aceptación ciega de todo lo que allí encontraran. Por el contrario, no solo excluyeron cualquier indicio de participación de otros dioses, sino que también adaptaron los dichos que adoptaban al marco teológico y moral de su propia fe. Se acercaron a la sabiduría de otras naciones con el desinfectante religioso y moral provisto por el monoteísmo yahvista.

Frank Eakin sugiere que Israel pudo haber estado consciente de la obligación de hacerlo. Dios había dado una medida de sabiduría a todas las personas, pero solo había entregado la Torá a Israel (Salmo 147.19–10). Observa que *Eclesiástico 24.8–24* representa a YHVH proveyendo a la Sabiduría una tienda donde morar, es decir, la ley de Moisés, de manera que continúa diciendo:

> En cuanto a la sabiduría ¿cuál era entonces el privilegio de los israelitas? Como la tradicional visión de pacto, el privilegio de Israel se expresaba en su posesión exclusiva de la Torá. ... La Torá se entendía como la concesión especial de sabiduría de Dios para con Israel. ¿Cuál entonces era la responsabilidad de Israel? Si la sabiduría se había distribuido entre todos los hombres en la creación y a Israel en una proporción especial, era responsabilidad de Israel evaluar la sabiduría expresada por las naciones.

> La Torá les proporcionaba el criterio evaluativo para juzgar tanto la búsqueda pagana de sabiduría como la adquisición pagana de la misma.[28]

De manera que mientras un enfoque misional a otras culturas procurará afirmar todo lo que pueda de ellas, también discernirá las huellas del pecado, el egoísmo y la idolatría que infectan todas las culturas. Ese discernimiento no puede ser predeterminado sino que resulta de un largo compromiso y una profunda comprensión, de lo contrario, podemos

---

28 Frank E. Eakin: 'Wisdom, Creation and Covenant', *Perspectives in Religious Studies* 4 (1977): 237. Aunque Eakin no lo menciona, el hecho de que 'la Torá se entendía como un otorgamiento especial de sabiduría de parte de Dios para Israel' es coherente con las aseveraciones de Deuteronomio 4.6–8.

rechazar apresuradamente y sin verdadera comprensión todo aquello que nos resulta extraño o exótico. Una tarea misionológica constante, que no es solo contemporánea sino que se remonta a la Biblia misma, es identificar los criterios que determinan la delgada línea entre la relevancia cultural y el sincretismo teológico. Si Israel procuraba eso por medio de la revelación contenida en la Torá, ¿cuánto más nos corresponde a nosotros hacer uso de toda la Biblia en esta tarea misional de discernimiento y crítica cultural?

El puente de la sabiduría no es en sí mismo redentor. Cuarto, aunque la Sabiduría pueda proveer un puente, no contiene en sí misma el mensaje de salvación de todo el evangelio bíblico. La literatura sapiencial del Antiguo Testamento incorpora una autocrítica que cuestiona su propia idoneidad para resolver los problemas que enfrenta. Esto es parte del significado de la inclusión de Job y Eclesiastés junto a los Proverbios.

Según Proverbios hay principios generales que llevan a una vida buena y exitosa. Pero la vida no siempre resulta según esos principios. Las realidades que nacen de Génesis 3 son el crudo trasfondo para las luchas que vemos en Job y en Eclesiastés: la maldad satánica, el sufrimiento, la frustración, el trabajo sin sentido, las consecuencias impredecibles, el futuro incierto, la distorsión de la vida y la burla final de la muerte. La Sabiduría por sí misma no puede dar respuesta a esas preguntas, pero provee la clave que señala dónde podría hallarse la respuesta: en el temor del Señor Dios mismo.

Y el Señor, YHVH, por supuesto, es el Dios que Israel conocía por su experiencia histórica de elección, redención y pacto. Es allí donde cabe buscar el evangelio, la buena nueva del compromiso inquebrantable de YHVH de bendecir y salvar primero una nación para sí mismo y por medio de ella un pueblo tomado de todas las naciones. La Sabiduría entonces se ocupa del mundo de la creación de Dios, *tanto* en el nivel de su magnífica belleza y orden y la consistencia de sus procesos naturales y principios morales, *como* en el nivel de sus ambigüedades, dilemas y escandalosas absurdidades. Por un lado, es el mundo de Dios porque él lo creó. Por el otro, también es un mundo caído porque lo hemos arruinado. Por lo tanto es un mundo que necesita salvación. Y la sabiduría nos señala a YHVH, el Dios que es la única salvación e indirectamente en consecuencia, a la historia de los hechos de revelación y redención de YHVH donde es dable encontrar la salvación del mundo.[29]

Otra clave para esta perspectiva es la ubicación canónica de la tradición de Sabiduría vinculada con Salomón y la culminación del pacto davídico. Los pasajes de 1 Reyes que celebran el don de sabiduría dado por Dios a Salomón, para admiración de las naciones vecinas, también incluyen la construcción del templo. Y recordamos aquella parte de la oración de dedicación de Salomón que pide a Dios que bendiga a los extranjeros que se acerquen allí a adorarlo. De modo que aunque la literatura sapiencial en sí misma no menciona el éxodo, el pacto, el otorgamiento de la tierra ni la construcción del templo, la narrativa histórica vincula la sabiduría a esa tradición por asociación con Salomón. Cualquier sabiduría asociada con Salomón debe estar conectada con la tradición salomónica de que Dios debía bendecir las naciones en su interacción con Israel.

El compromiso misional entonces bien puede construir un puente con otras culturas por medio de la calidad internacional común de sabiduría bíblica, pero el puente mismo carece de la propiedad salvadora. En algún momento algo debe cruzar el puente. Y eso solo puede ser el mensaje del evangelio bíblico, de la identidad de YHVH y toda la historia bíblica de su redención del mundo por medio de Jesucristo.

Una ética de la creación. Cuando los enemigos de Jeremías citan lo que probablemente era un dicho común y una excusa para liberarse de él, hacen referencia a tres diferentes roles profesionales en la sociedad israelita:

> Porque no le faltará la ley al *sacerdote*, ni el consejo al *sabio*, ni la palabra al *profeta*. Jeremías 18.18 (énfasis agregado).

Los sacerdotes eran responsables de interpretar y enseñar la Torá. Se esperaba de los profetas que trajeran la palabra relevante de Dios directamente a cada situación o como respuesta a preguntas específicas. Y los hombres y mujeres sabios tenían todavía otro papel diferente. De forma que encontramos en la literatura sapiencial enfoques y

---

29 Este punto se debate de manera muy provechosa desde ambos ángulos en John Goldingay: *Theological Diversity and the Authority of the Old Testament*, Eerdmans, Grand Rapids, 1987, cap. 7.

acentos muy diferentes de los de la ley y los profetas. Esto no significa negar la coherencia básica entre los tres al nivel de las convicciones de fe y la cosmovisión moral de Israel. Pero las diferencias ameritan una cuidadosa observación.

Por ejemplo, mientras que la ley es rotundamente prescriptiva, la sabiduría es más reflexiva. Comparemos las leyes contra el adulterio con las advertencias contra el mismo pecado en Proverbios 5—6. La ley ordena y prohíbe sobre la base de la autoridad divina. La sabiduría recomienda, advierte y persuade sobre la base de la experiencia, la prudencia y las consecuencias desagradables. En términos éticos técnicos, el enfoque deontológico de la ley se equilibra con el enfoque de la sabiduría en las consecuencias. O de nuevo, donde los profetas abordan la corrupción política denunciando directamente a determinados reyes, la sabiduría expresa principios generales y expectativas de buen gobierno y señala escollos a evitar.

Pero la diferencia más marcada entre la ley y los profetas por un lado y la sabiduría por el otro reside en la apelación motivacional característica de cada uno. Los primeros apelan principalmente a la *historia de la redención* de Israel, mientras que la última apela en forma predominante a las convicciones de Israel acerca de la *creación*.

La mejor manera de ilustrar esta diferencia es tomar un tema muy caro a la ética bíblica en su conjunto: el tema de la justicia y la compasión por los pobres y los necesitados. Comenzamos explorando los siguientes pasajes de la ley y observando las bases teológicas y motivacionales que presentan para sus exhortaciones sobre el tema: Éxodo 23.9; Levítico 19.33–36; 25.39–43; Deuteronomio 15.12–15; 24.14–22.

Sin duda habrán observado que el énfasis en todos los casos está en el relato de lo que Dios había hecho por Israel al redimirlo sacándolo de Egipto. A la luz de esa gran demostración de justicia y compasión divinas, y en respuesta a ellas Israel debía hacer lo mismo. De esa manera la historia de la redención se vuelve un motivo muy poderoso para practicar la justicia social. Los principios éticos se hacen realidad imitando la historia conocida de las acciones de YHVH. Esto es parte de lo que significa 'andar en los caminos del Señor'.

Ahora leamos los siguientes pasajes de la literatura sapiencial, con la misma pregunta en mente: Proverbios 14.31; 17.5; 19.7; 22.2;

29.7, 13; Job 31.13–15.

Aquí el énfasis es sobre nuestra humanidad común, común porque todos compartimos al Creador único, Dios. Ricos o pobres, esclavos o libres, oprimidos u opresores, todos somos igualmente obra de las manos de Dios. Lo que hacemos a un ser humano, entonces, lo hacemos a su Hacedor, un profundo principio ético que Jesús reconfiguró en relación consigo mismo.

Lo que también está ausente de estos pasajes de Sabiduría es alguna referencia explícita a las grandes tradiciones históricas de la fe de Israel (él éxodo, el Sinaí, la tierra) a las que los profetas apelan con frecuencia. Esta ausencia no puede deberse a que los sabios de Israel *desconocieran* esas tradiciones. No podrían haber vivido en Israel sin conocerlas. Y por supuesto ese uso destacado del nombre divino del pacto, YHVH, hubiera supuesto la historia en la que ese nombre y personaje se había revelado. Sin embargo, es un hecho sorprendente que mientras la ley y los profetas están tan sólidamente fundados la historia central de Israel, la literatura sapiencial toma su teología y su ética de un orden moral más universal basado en la creación.[30]

Esto también tiene sus implicancias misionológicas. Al acercarnos a personas de otras culturas, religiones y cosmovisiones, compartimos una humanidad común y (lo reconozcan o no) un Dios Creador común. Cuando nuestro compromiso misional opera en determinado nivel cultural y social, tratando asuntos de interés ético, social, económico o político, no deberíamos sorprendernos de encontrar áreas de terreno común y causa común con personas que no se identificarían con el relato bíblico de la redención. Es a esa historia donde esperamos llevarlos en definitiva (recordando lo que anteriormente denominé 'el carácter definitivo del evangelio'), pero no tiene por qué ser el punto de partida de nuestro compromiso con ellos.

La tradición de sabiduría bíblica nos muestra que hay una cierta universalidad en la ética bíblica simplemente porque vivimos entre personas

---

30 Esta es tal vez una razón más sustancial para la reticencia de los escritores de la literatura sapiencial a invocar la tradición del pacto que la sugerida por Brueggemann, que consiste en que el ocultamiento de Dios en los asuntos de la vida diaria los dejaron con afirmaciones muy modestas para hacer acerca de YHVH en contraste con la gran cantidad de certezas de todos los 'verbos activos' de la gran tradición histórica. Walter Brueggermann: *Theology of the Old Testament: Testimony, Dispute, Advocacy*, Fortress Press, Minneapolis, 1997, p. 335.

hechas a imagen de Dios, habitamos el mundo de la creación de Dios, y por muy distorsionadas que estén estas verdades en las culturas humanas caídas, encontrarán un eco en todo corazón humano.[31]

Una fe honesta. La diferencia más desafiante entre la literatura sapiencial y el resto de la tradición del Antiguo Testamento aparece cuando algunas voces entre sus autores expresan dudas o cuestionan la aplicabilidad de algunas de las líneas principales de otras partes del Antiguo Testamento. Y sin embargo ese puede ser precisamente el propósito de la presencia de este material en el canon de las Escrituras: para obligarnos a una fe honesta que esté dispuesta a reconocer la existencia de dudas que no podemos descartar completamente y preguntas que no podemos responder de manera satisfactoria en los límites de nuestra experiencia y ni siquiera dentro de los límites de la revelación que Dios ha elegido darnos.

Un área problemática típica es la tensión entre, por un lado, las afirmaciones (que abundan en Deuteronomio y los Salmos) sobre que la obediencia a Dios es el camino de la bendición y el éxito en todas las esferas de la vida mientras que la ira y el castigo son el fin para el malvado, y por el otro, la simple observación de que con frecuencia eso no es cierto en nuestra experiencia. Podemos entusiasmarnos con las palabras del Salmo 146, pero las cosas parecen muy diferentes cuando leemos Job 24.1–12, donde vemos una descripción perturbadoramente veraz del mundo real, y llegamos al versículo 12: '¡Pero Dios ni se da por enterado!' Entonces nos hacemos eco del frustrante interrogante del primer versículo: '¿Por qué el Todopoderoso no fija fechas para sus juicios?' (PDT). De igual manera, tal vez aprobemos la doble lógica moral de Deuteronomio 30.15–20, pero ¿acaso no compartimos también la honestidad de Eclesiastés 8.11—9.4 en su queja por la inversión moral que la subvierte?

Es difícil evitar la impresión de que a veces los sabios de Israel presentan creencias israelitas básicas (YHVH ama a los débiles y los pobres; los justos serán bendecidos y vivirán, mientras que los malvados serán castigados y morirán) y luego lanzan el desafío: ¿Es posible conciliar eso con el mundo real donde vivimos? La vida sencillamente

---

31 La significación misional transcultural de este aspecto de la fe del Antiguo Testamento a partir de la creación, como se refleja en los libros de sabiduría, la usa Benno Van Den Toren como fundamento para un interesante análisis de la ética intercultural: 'God's Purpose for Creation as the Key to Understanding the Universality and Cultural Variety of Christian Ethics', *Missiology* 30 (2002): 215–33.

no cumple con esas reglas.

Y los sabios no son los únicos en hacerlo. El lenguaje de la queja, la protesta y el cuestionamiento perplejo también es notorio en los Salmos, en el centro mismo de la adoración de Israel a YHVH. '¿Hasta cuándo, SEÑOR, hasta cuándo?' (por ejemplo Salmo 6.3; 13.1–2; 62.3; 74.10); '¿Por qué, SEÑOR? (Salmo 10.1; 22.1; 43.2; 44.23–24; 88.14); '¿Dónde?' (Salmo 42.3; 79.10; 89.49).

Walter Brueggemann llama a toda esta línea de material en el Antiguo Testamento el 'contra testimonio israelita', es decir, la interrogación cruzada en el propio Antiguo Testamento del 'testimonio básico de Israel', sus creencias fundamentales acerca de la soberanía y la fidelidad de Dios. Parte de la fuerza y el poder de convicción del argumento bíblico radica en que contiene en sí mismo precisamente ese grado de debate interno y conflicto con las declaraciones centrales de una cosmovisión que se fundaba de manera explícita en la revelación y redención de Dios.

Además, como agrega Brueggemann, este no era un simple debate interno. Porque entre las cosas que Israel sabía de sí misma, como hemos explorado una y otra vez a lo largo de este libro, era que mantenía su propia fe *en custodia para el mundo*. La existencia misma de Israel era para el bien de las naciones. El Dios de Israel era el Dios de toda la tierra. Lo que era cierto para Israel era cierto para todos. Aquello con lo que luchara Israel sería un problema para todos. Hay entonces una dimensión misionológica implícita en la implacable honestidad del testimonio de Israel.

El testimonio central de Israel ... sostiene que YHVH es completamente soberano y totalmente confiable. Y en la mayoría de las oportunidades esa conclusión es adecuada. Es una conclusión bienvenida porque se presenta en un informe narrativo coherente de la realidad. Sin duda Israel llega a esa conclusión acerca de una soberanía competente y fidelidad confiable. Pero Israel vive en un mundo real y observa lo que ocurre a su alrededor. Israel es honesto, se rehúsa a negar lo que observa. Por lo tanto la cuestión de la soberanía competente y fidelidad confiable quedarán en el Antiguo Testamento como una cuestión de fe sincera todavía pendiente para Israel. Sabemos, por otra parte, que esos dos asuntos son fundamentales para todos los que viven en el mundo, ya sea que se involucren en el tema de Dios o no. En consecuencia estos dos puntos del examen cruzado no son un cómodo ejercicio interno para Israel. Más bien son una cuestión con la que Israel debe luchar por el bien del mundo.[32]

Por el bien del mundo entonces, debemos tomar este tono de voz en la literatura sapiencial seriamente, con sus preguntas incómodas, sus observaciones sagaces, su aceptación de las limitaciones de nuestra finitud. Hacerlo es parte de nuestra responsabilidad misional. La presencia de esos pasajes en nuestra Biblia es un desafío al dogmatismo irreflexivo que usa principios bíblicos indudables de una manera indebida, en circunstancias en que no son relevantes (como los amigos de Job). Esos pasajes bíblicos también son un cuestionamiento a la ingenuidad simplista que traza líneas directas automáticas y reversibles entre la fe y las recompensas materiales o entre la fe y las enfermedades. La misión que ignora las advertencias de los libros de sabiduría termina en la insensatez y miente sobre el así llamado evangelio de la prosperidad por un lado, o en el triunfalismo negador de conflicto propio del peor tipo de fundamentalismo arrogante por el otro.

El hecho es que el mundo plantea algunas preguntas muy duras para quienes, en línea con todo el testimonio bíblico, creen en un único Dios personal, bueno y soberano. La Sabiduría provee una licencia para pensar, discutir, luchar, protestar y cuestionar. Todo cuanto pide es que lo hagamos con una fe firme y un humilde compromiso reflejado en su propio testimonio fundamental de que 'Temer al Señor: ¡eso es sabiduría!/Apartarse del mal: ¡eso es discernimiento!' (Job 28.28)

Hemos explorado juntos un amplio panorama en este capítulo y el anterior. Pero ¿qué otra cosa podríamos esperar si nos preguntamos sobre el escenario donde se desarrolla la misión de Dios? Porque él es el Dios de toda la tierra, el Dios de todos los que habitan la tierra, y el Dios de toda sabiduría. Por lo tanto hemos explorado algunas de las consecuencias de esas verdades universales.

Toda la creación es el campo misionero de Dios, y como resultado de eso hay una dimensión ecológica ineludible en la misión a la que

---

32 Brueggemann: *Theology of the Old Testament*, p. 324. Ver también Walter Brueggemann: 'A New Creation –After the Sigh', *Currents in Theology and Mission* 11 (1984): 83–100.

estamos llamados.

Todos los seres humanos están hechos a imagen de Dios, y por lo tanto hay muchas consecuencias para nuestra misión que emergen de la humanidad común que compartimos con todos los otros habitantes del planeta. Además, todas las personas están radical y totalmente infectadas y afectadas por el pecado y el mal. Nuestra respuesta misional debe ser igualmente radical y exhaustiva como el problema que enfrenta, en el nombre de Cristo y el poder de la cruz.

Toda cultura humana manifiesta la ambigüedad de nuestra humanidad. Los sabios de Israel reconocieron lo que es bueno y verdadero en la sabiduría de otras naciones, pero también lo evaluaron a la luz de la revelación de Dios y rechazaron todo lo que era idólatra o moralmente inadecuado. También reconocieron las limitaciones de toda sabiduría humana que lucha con las preguntas más duras y enfrenta las batallas de la vida en este mundo caído.

Esa sabiduría bíblica nos está indicando a viva voz que nuestro esfuerzo misionero debería distinguirse por:

- una apertura crítica al mundo de Dios,
- el respeto de la imagen de Dios en la humanidad,
- humildad ante Dios y modestia en las afirmaciones y respuestas que ofrecemos a otros.

14 . Dios y las naciones en la perspectiva del Antiguo Testamento

Las naciones de la humanidad forman parte de la narrativa bíblica de principio a fin. Cuando no están en un primer plano, están en el trasfondo. Cuando no son el sujeto de los grandes hechos internacionales, son el objeto de la inspección o la acusación divina. Cuando no son el foco directo de la atención de Dios, son el medio que hace de contexto (para bien o para mal) de la vida del pueblo de Dios. La razón evidente para esto es que la Biblia se interesa, por supuesto, por la relación entre Dios y la humanidad. Y la humanidad existe en naciones. Y allí donde la Biblia se centra en el pueblo de Dios, este necesariamente vive en la historia en medio de las naciones. Está claro que 'Israel como luz para las naciones' no es un tema secundario en el proceso canónico. Las naciones son la matriz de la vida de Israel, la razón de ser de su existencia misma.[1]

Las naciones aparecen por primera vez en la gran narrativa bíblica en el contexto de la vida después del diluvio —el juicio catastrófico de Dios sobre la debilidad humana. Desde Génesis 11 las naciones han sido dispersadas, confundidas. El conflicto de las naciones refleja el quiebre de la humanidad como un todo. Con un propósito sin duda deliberado, el libro final de la Biblia llega a su punto culminante con la figura de las naciones con todos sus pecados expiados, caminando a la luz de Dios, trayendo su riqueza y esplendor a la ciudad de Dios, contribuyendo redimidos con su honor y gloria, al honor y la gloria del Cordero de Dios (Apocalipsis 21.24–27). La fractura de la humanidad recibe sanidad en el río y el árbol de la vida (Apocalipsis 22.1–2). Y entre estas dos grandes escenas en el Génesis y el Apocalipsis (el primero y el último estado de las naciones) la Biblia registra la historia de cómo tuvo lugar esa transformación cósmica. Es, en resumen, la misión de Dios que hemos procurado dilucidar en los capítulos anteriores. La misión de Dios es lo que llena la brecha entre la dispersión de las naciones en Génesis 11 y la sanidad de las naciones en Apocalipsis 22. Es la misión de Dios en relación con las naciones, posiblemente más que cualquier otro tema, lo que provee la clave que abre la gran narrativa bíblica.

En estos dos últimos capítulos (14 y 15) examinaremos ese gran arco de enseñanza y expectativa bíblica, que yace en el centro de una comprensión

---

1 Duane L. Christensen: 'Nations', en *Anchor Bible Dictionary*, ed. David Noel Freedman y otros, Doubleday, N. York, 1992, 4:1037.

verdaderamente bíblica de la misión. Veremos cómo se describen las naciones en el Antiguo Testamento como testigos de todo lo que Dios estaba haciendo en y por Israel, o con él. Luego observaremos que la expectativa de la fe y la adoración de Israel (aunque no siempre el resultado de su práctica) era que las naciones se beneficiaran de esa historia de salvación y le estuvieran agradecidas. Esto significa que las naciones finalmente reconocerían y adorarían a YHVH, el Dios de Israel, con todas las responsabilidades y bendiciones concomitantes de esa adoración. Más sorprendente aún es que hubo voces y visiones en el Antiguo Testamento que esperaban el día en que las naciones serían integradas a Israel de tal manera que la misma palabra Israel sería radicalmente extendida y redefinida. Todo esto constituía el horizonte de la misión a las naciones en el Nuevo Testamento y proveía el fuerte justificativo escriturario de tal misión para quienes se comprometían con ella.[2]

No obstante, antes de abocarnos al análisis recién bosquejado, tenemos que comenzar por ensayar algunas de las afirmaciones básicas que hace el Antiguo Testamento acerca de las naciones en general en relación con la intención creadora de Dios y su gobierno de la historia. Porque esta es la plataforma o el escenario donde tiene lugar el resultado histórico de la misión redentora de Dios a las naciones.

Las naciones en la creación y en la providencia

Las naciones son parte de la humanidad creada y redimida. Aunque primero encontramos a las naciones en el contexto de la caída y la arrogancia de la humanidad incluso después del diluvio, la Biblia no da a entender que la diversidad étnica o nacional sea en sí misma pecaminosa o el resultado de la Caída, incluso cuando los efectos nocivos de los conflictos entre las naciones efectivamente lo sean.[3] Más bien las naciones sencillamente 'están ahí' como una parte dada de la raza humana como Dios la creó.

---

2 Un análisis útil de algunos de los temas que tocaremos aquí lo encontramos en Walter Vogels, 'The New Universal Covenant', en: *God's Universal Covenant: A Biblical Study*, segunda edición, University of Ottawa Press, Ottawa, 1986, pp. 111–142.

3 Aquí uso el término *naciones* en un sentido amplio, como aparece en el Antiguo Testamento, no en el sentido más restringido de 'estado nación' que se desarrolló en la Europa posterior a la Reforma. Para un buen análisis del concepto de nacionalidad en relación con la identidad étnica, el territorio, la lengua, la realeza y los dioses, en la Biblia y en el antiguo Cercano Oriente, ver Daniel I. Block, 'Nations/Nationality', en: *New International Dictionary of Old Testament Theology and Exegesis*, ed. Willem A. Van Gemeren, Paternoster, Carlisle, 1996, 4:966–72; y Daniel I. Block: *The Gods of the Nations: Studies in Ancient Near Eastern National Theology*, 2ª ed., Baker Academia, Grand Rapids, 2001.

El gobierno de Dios sobre las naciones, ampliamente declarado a lo largo de todo el Antiguo Testamento, es en función del hecho de haberlas creado en primer lugar. Hablando como judío a los gentiles en un contexto evangelizador, Pablo da por sentado la diversidad de naciones dentro de la unidad de la humanidad y lo atribuye al Creador y su providencia en el gobierno del mundo. 'De un solo hombre hizo todas las naciones para que habitaran toda la tierra; y determinó los períodos de su historia y las fronteras de sus territorios' (Hechos 17.26).

Aunque Pablo sigue adelante citando autores griegos, su lenguaje en este versículo está tomado del Antiguo Testamento, de un antiguo canto de Moisés en Deuteronomio 32:

> Cuando el Altísimo dio su herencia a las naciones,
>> cuando dividió a toda la humanidad,
> les puso límites a los pueblos. Deuteronomio 32.8

Las diferencias nacionales, entonces, son parte de la caleidoscópica diversidad de la creación en el nivel humano, análoga a la asombrosa abundancia de la biodiversidad en todos los demás niveles de la creación de Dios.

Además, la visión escatológica de la humanidad redimida en la nueva creación señala la misma verdad. Los habitantes de la nueva creación no se describen como una masa homogénea ni como una única cultura global. Más bien exhibirán la continua y gloriosa diversidad de la raza humana a lo largo de la historia: de todas las naciones, tribus, pueblos y lenguas traerán su gloria y honor a la ciudad de Dios (Apocalipsis 7.9; 21.24–26). La imagen que preferimos para representar la figura bíblica de las naciones no es la de un crisol de razas (donde todas las diferencias se funden en una única aleación), sino la de un cuenco con ensalada (en el que todos los ingredientes conservan su color, textura y sabor particular). La nueva creación conservará la rica diversidad de la creación original, pero liberada de la carga de pecado por efecto de la caída. En otras palabras, la misión de Dios no es solo la salvación de innumerables almas sino específicamente la sanidad de las naciones.

Tanto la diversidad étnica dada en la creación como la visión escatológica de que todas las razas, lenguas y culturas están incluidas en la humanidad redimida, dicen mucho sobre el pecado y el escándalo del racismo. Este no es un tema que podamos profundizar aquí, pero desde luego es una tarea vital de la misión desafiar esta dimensión particular de nuestra caída, porque está claro en el Nuevo Testamento que el evangelio socava de manera radical toda suposición racista o racial en relación con nuestra posición ante Dios.[4]

Todas las naciones están bajo el juicio de Dios. Para quienes hemos incorporado una manera de pensar la vida, la fe y nuestra relación con Dios predominantemente individualista, uno de los conceptos bíblicos más difíciles de pensar es la idea de que Dios puede tratar con las naciones como un todo, y que lo hace. La Biblia, sin embargo, lo sostiene de una forma incuestionable, y no solo lo afirma sino que lo ilustra con lujo de detalles durante largos períodos de la historia. Desde el libro de Éxodo en adelante, las naciones juegan un papel en la narrativa bíblica, y la historia que se abre se vuelve un tanto paradigmática. La batalla entre YHVH y el faraón no es simplemente entre Dios y un individuo recalcitrante; toda la nación de Egipto está implicada en el pecado de opresión y sufre en el proceso de la justicia liberadora de Dios.

La narrativa sigue adelante mostrando cómo las sucesivas naciones se posicionan ya sea contra YHVH y su pueblo por su propia iniciativa maliciosa (por ejemplo los amalecitas, moabitas y amorreos) o se vuelven tan incorregiblemente malvadas que deben ser destruidas en cumplimiento del castigo de Dios (las naciones cananeas). Así, mientras a Israel se le advierte contra imaginar con arrogancia que su victoria sobre los cananeos será en razón de su propia justicia, Dios confirma que será en razón de la maldad de esas naciones (Deuteronomio 9.4–6). Dios quería usar a Israel como agente de su juicio histórico sobre la maldad de las naciones cananeas.

En este punto encuentro inapropiado el tratamiento (por lo demás, excelente) que da Walter Brueggemann del tema de las naciones en el Antiguo Testamento. Considera que los textos que hablan del juicio de YHVH sobre los cananeos trasuntan 'una agresiva insistencia en que las naciones no cuentan cuando Jehová otorga favores a Israel'. Habla de

---

4 Un excelente y minucioso estudio del tema lo provee J. Daniel Hays: *From Every People and Nation: A Biblical Theology of Race*, New Studies in Biblical Theology, Inter Varsity Press, Leicester; InterVarsity Press, Downers Grove, Ill., 2003. Un análisis igualmente agudo pero con aplicación más práctica es Dewi Hughes: *Castrating Culture: A Christian Perspective of Ethnic Identity from the Margins*, Paternoster, Carlisle, 2001.

'la condición preferencial de Israel', de una 'presentación excesivamente dura sobre las naciones a favor de Israel', lo cual es 'ideológico', porque 'la soberanía de YHVH se ve arrastrada descarada y directamente al servicio de la agenda política de Israel . ... [La destrucción de las naciones] sirve, desde un punto de vista negativo, para legitimar la pretensión de Israel sobre la tierra.'[5]

Pero Deuteronomio 9 argumenta precisamente lo contrario: Israel no tiene ningún derecho a la tierra. No tiene mayor justicia que las naciones. En realidad, el capítulo recalca que si alguien merece la destrucción, es Israel. Más aun, Israel existe solo por la gracia perdonadora de Dios. No, la destrucción de las naciones cananeas se describe una y otra vez no en términos ideológicos interesados sino en términos morales y teocéntricos. YHVH actúa según su justicia divina contra la notoria y excesiva maldad de esas naciones. Y hará lo mismo con Israel si sigue el camino de los cananeos. Lejos de ser ideológicos e interesados, esos pasajes en realidad se presentan como un contra argumento explícito de tales supuestos, y se encuadran como severas advertencias de que Israel, como todas las demás naciones, debe reconocer su propia maldad (que ya había provocado la ira de Dios) y enderezar su camino frente a Él.

Los profetas, en sus oráculos contra las naciones (aunque también incluyen notables palabras de esperanza y restauración futura) expresan la abrumadora convicción de que las naciones en general deben enfrentar el inminente juicio de Dios por una diversidad de razones, principalmente éticas. Isaías describe la sombría realidad en las incisivas palabras al comienzo de su llamado 'pequeño Apocalipsis'.

La tierra yace profanada,
    pisoteada por sus habitantes,
porque han desobedecido las leyes,
    han violado los estatutos,
han quebrantado el pacto eterno.
    Por eso una maldición consume a la tierra,
y los culpables son sus habitantes.

---

5 Walter Bruedggemann: *Theology of The Old Testament: Testimony, Dispute, Advocacy*, Fortress Press, Minneapolis, 1997, pp. 496–497.

Por eso el fuego los consume,
y solo quedan unos cuantos. Isaías 24.5–6

La maldad humana universal enfrenta el juicio divino universal. Está perfectamente claro a lo largo de la Biblia que esta es la posición de falta en que se encuentra la humanidad, para las naciones lo mismo que para los individuos. Así como la historia del Éxodo es paradigmática de YHVH obrando salvación, la historia de Sodoma y Gomorra es paradigmática de Dios en juicio con la maldad humana. Es muy probable que Pablo refrende esta tradición general, pintada en los colores y el idioma del episodio de Sodoma, en su representación de la corrupción humana universal y su propensión a la ira de Dios.[6]

Contra ese sombrío trasfondo, la misión de Dios de bendecir las naciones y la misión del pueblo de Dios como vehículo de tal bendición, realmente constituyen muy buenas noticias.

Cualquier nación puede ser el agente del juicio de Dios. En el caso de Sodoma y Gomorra, Dios cumplió su juicio sin intermediarios. Es por eso que la narrativa adquiere su proverbial fuerza como símbolo de la ira desnuda de Dios, que alcanza su punto culminante en la Biblia, por supuesto, en el libro del Apocalipsis. Sin embargo, en el curso normal de la historia, Dios usa una u otra nación como instrumento de su justicia soberana. El primer caso clásico de esto en la Biblia es la forma en que se interpreta repetidamente la conquista de Canaán como el resultado del juicio de YHVH sobre una sociedad cuya 'iniquidad había llegado al colmo' (una condición a la que todavía no había llegado cuando Dios se lo predijo a Abraham en Génesis 15.16). A los israelitas se les advirtió severamente que no interpretaran su victoria sobre las naciones de Canaán como atribuible de ninguna manera a su propia justicia. En cambio con toda seguridad podían inferir correctamente que era por la iniquidad de las naciones (Deuteronomio 9.4–6). En esta oportunidad Dios estaba usando a los israelitas como agentes de su juicio a los cananeos.

---

6 Philip E. Ester: 'The Sodom Tradition in Romans 1.18—32', *Biblical Theology Bulletin 34* (2004): 4–16.

Sin embargo, la lección que Israel tuvo que aprender de esta parte singular de su propia historia, estaba lejos de ser reconfortante. El hecho era que si Dios podía valerse de Israel como agente de su juicio sobre naciones impías, fácilmente podía aplicar el mismo principio a la inversa con el propio Israel. Es decir, si adoptaban las costumbres impías de las naciones que habían expulsado, correrían la misma suerte a manos de otras naciones. YHVH podía usar a Israel como agente de su juicio sobre otras naciones; de la misma manera podía usar otras naciones como agentes del juicio sobre Israel. En la Torá abundan advertencias de esto (p. ej.: Levítico 18.24–28; 26.17; 25.32–33; Deuteronomio 4.25–27; 28.25; 49.52; 29.25–28).

En la larga historia de Israel en el período del Antiguo Testamento, lo que predomina es esta última dirección del juicio de Dios. Jueces 2 describe el modelo instaurado en las primeras generaciones después del establecimiento de las tribus de Israel en la tierra de Canaán. Una y otra vez YHVH trajo otras naciones como instrumentos de su ira contra la rebelión y la apostasía de Israel (por ejemplo Amós 6.14; Oseas 10.10; Isaías 7.18; 9.11). En los últimos siglos de la monarquía, incluso los grandes imperios del mundo eran vistos por los profetas como no otra cosa que un bastón en manos de YHVH, una vara para castigar a Israel.

> ¡Ay de Asiria, vara de mi ira!
> ¡El garrote de mi enojo está en su mano!
> Lo envío contra una nación impía,
> lo mando contra un pueblo que me enfurece [es decir, Israel]. Isaías 10.5–6

Entonces Babilonia se convierte en agente del juicio de Dios, no solamente e sobre Israel sino sobre otros estados pequeños a los que Jeremías insta a reconocer la soberanía de YHVH, Dios de Israel y a someterse a 'su siervo' Nabucodonosor (Jeremías 25.9; 27.1–11). En efecto, el principio de que Dios puede usar cualquier nación como agente de su juicio sobre otra nación se aplica no solo a su trato con Israel. El juicio de Dios a Egipto también lo ejecutaría Nabucodonosor, según Ezequiel 30.10–11. Más tarde, por supuesto, Babilonia misma cae bajo la palabra profética de juicio. A pesar de que Dios la había usado para castigar a Israel, sus excesos pusieron a Babilonia a su vez en la onda explosiva de la ira de Dios, que esta vez sería ejecutada por el rey Ciro, rey de medos y persas (Isaías 13.17–19; 47.6–7).

De modo que el mensaje abrumador es coherente. Todas las naciones están en manos de YHVH, el Dios vivo. Sus victorias tampoco deben atribuirse a sus propios dioses sino a la soberanía de YHVH. Y a veces Dios puede usar una nación, cualquier nación, como agente de justicia histórica en la arena de los asuntos internacionales. Eso en sí mismo no convierte a la nación usada en más justa que cualquier otra (como se le dijo en forma categórica a Israel). Lo único que significa es que Dios sigue siendo soberano.

Toda nación puede ser receptora de la gracia de Dios. La misma condición de universalidad por la que todas las naciones enfrentan el juicio de Dios por su iniquidad e idolatría también se despliega en el pensamiento del Antiguo Testamento acerca de la misericordia de Dios. 'Tengo clemencia de quien quiero tenerla, y soy compasivo con quien quiero serlo' afirmó YHVH en el curso de su asombrosa revelación a Moisés y en la definición de su bondad y su nombre (Éxodo 33.19; ver 34.6–7). Ese era un principio que operaba no solamente en o a favor de Israel. Cualquier nación podía beneficiarse del mismo.

La más clara articulación de esta imparcialidad en el trato de Dios con las naciones la da Jeremías, después de visitar a un alfarero en su labor. La lección que aprende Jeremías al observar a un alfarero que anuncia una intención inicial pero luego cambia de planes y con ello también el resultado final, debido a cierta 'respuesta' de la arcilla, es que de la misma manera Dios responde según la respuesta humana al anuncio de sus propósitos. El punto central en la metáfora del alfarero en Jeremías 18 no reside tanto en la incuestionable soberanía del alfarero divino sino en el potencial que hay en la arcilla para provocar un cambio en la intención del alfarero. Y eso provee una oportunidad que Dios extiende, a modo de un principio general, a cualquier nación en cualquier época. Si una nación se arrepiente ante la declaración de Dios de su inminente juicio, será librada de esa suerte. Por el otro lado, si una nación comete el mal a pesar de la declaración de Dios de bendecirla, entonces sufrirá las consecuencias de su juicio (Jeremías 18.7–10).

El libro de Jonás se podría haber escrito como un estudio de caso sobre Jeremías 18.7–8. Jonás proclama el inminente juicio sobre Nínive. Toda la ciudad, desde el mayor hasta el menor, se arrepiente. De modo que también Dios 'se arrepiente' y retira su juicio. Pero el giro sorprendente del libro es que esta notable demostración de la misericordia de YHVH como Dios en su trato con una nación extranjera, es un bochorno para Jonás. Este conocía perfectamente el carácter cambiante de YHVH y cita el texto que es la prueba clave (Jonás 4.1–2; ver Éxodo 34.6–7). Pero lo que debería haber sido motivo de alabanza o por lo menos de reticente admiración (que YHVH terminara tratando a las otras naciones con la misma asombrosa misericordia que prodigaba a Israel) se convirtió en un asunto de amarga queja en boca de Jonás.

El libro de Jonás siempre ha figurado en los estudios bíblicos sobre la misión, considerado a veces como prácticamente la única parte del Antiguo Testamento con alguna relevancia. Aquí por fin tenemos a alguien que tiene alguna semejanza con un misionero actual, enviado a otro país a predicar la Palabra de Dios. No obstante, por mucho que puedan fascinarnos el carácter y las desventuras de Jonás, el verdadero desafío misionero del libro reside, indudable e intencionalmente, en su descripción de Dios. Si Jonás representa a Israel, como parece ser, entonces el libro presenta un fuerte desafío a Israel en relación con *su* actitud hacia las naciones (incluso las naciones enemigas que los profetas pusieron bajo el juicio anunciado por Dios), y en relación con su comprensión de la actitud de Dios hacia las naciones. La pregunta con final abierto del libro es un rechazo inquietante y persistente de nuestra tendencia a endilgar al Todopoderoso nuestros propios prejuicios etnocéntricos.[7]

Es interesante comparar y contrastar la respuesta de Jonás con la de Abraham ante la palabra de juicio divino sobre una nación pagana. Comisionado para proclamar el juicio de Nínive, Jonás huyó y se subió a un barco, alegando más tarde que lo había hecho precisamente porque sospechaba que YHVH volvería a ser quien era y mostraría compasión. Abraham, informado de la intención de Dios de investigar la protesta sobre Sodoma y Gomorra, pasa inmediatamente a la inter-

---

7 Una excelente y aguda interpretación misionológica reciente sobre Jonás se encuentra en Howard Peskett y Vinoth Ramachandra: *The Message of Mission*, The Bible Speaks Today, InterVarsity Press, Leicester; InterVarsity Press, Downers Grove, III., 2003.

cesión y encuentra a YHVH preparado para ser más misericordioso de lo que él había esperado en un comienzo.

Nathan MacDonald encuentra un hilo conductor entre textos como Génesis 18, Éxodo 32–34, Salmo 103.6–10 y Ezequiel 18. 'El Juez de toda la tierra', que incuestionablemente hará lo recto, es también el 'Dios misericordioso y compasivo' que 'no se alegra con la muerte del malvado, sino con que se convierta de su mala conducta y viva'. El carácter de YHVH se expresa en el perdón y la misericordia extendidos a todas las naciones, no solamente a Israel.[8]

Más tarde el mismo Jeremías extendió a las naciones alrededor de Judá la misma oferta de perdón y restauración divina con solo volverse y seguir los caminos de YHVH y su pueblo (Jeremías 12.14–17). Era la misma oferta, casi en el mismo lenguaje que Jeremías había usado con Judá, y probablemente con la misma poca esperanza de que fuera aceptado. No obstante, el punto es que no hay favoritismo en el trato de Dios con Israel y las naciones. Todas enfrentan el juicio de YHVH. Todas pueden volverse a YHVH y hallar su misericordia.

Con seguridad este debe ser uno de los elementos fundacionales de la contribución del Antiguo Testamento a nuestra teología de la misión:

- Si no fuera real que todas las naciones deben enfrentar el inminente juicio de Dios, no habría ninguna necesidad de proclamar el evangelio.
- Pero si no fuera por el hecho de que Dios trata con misericordia y perdón a todos los que se arrepienten, no habría evangelio que proclamar.

Todas las historias nacionales están bajo el control de Dios. En los capítulos anteriores he destacado la singularidad de la relación de Israel con YHVH. Su comprensión de la elección, la redención, el pacto y la santidad los separaba del resto de naciones a un nivel fundamental. Dios había escogido y hasta llamado a Israel y a ninguna otra nación (Deuteronomio

---

8 Nathan Mac Donald: 'Listening to Abraham—Litening to YHVH: Divine Justice and Mercy in Genesis 18.16–33', *Catholic Biblical Quarterly* 66 (2004): 25–43. MacDonald sugiere que parte del asunto en el encuentro entre Dios y Abraham en Génesis 18 es enseñar la naturaleza de la verdadera intercesión profética y la naturaleza perdonadora de Dios en la cual se basa. Ver también el análisis de este pasaje en el capítulo 11 (pp. 480-494)

7.7–11; Amós 3.2). Dios había redimido a Israel de una manera que no lo había hecho con ninguna otra nación (Deuteronomio 4.32–39). Dios había revelado su ley y entrado en una relación de pacto con Israel y con ninguna otra (Salmo 147.19–20). Y esta nación estaba llamada a encarnar y demostrar toda esta singularidad con una diferenciación práctica y ética de todas las demás naciones (Levítico 18.1–5). En todos estos aspectos la relación entre Dios y el Israel histórico del período del Antiguo Testamento no tenía precedentes (Dios no había hecho nada parecido antes) ni paralelo (no había hecho nada parecido en ninguna otra parte).

Además, hemos explorado las implicancias misionológicas de estas grandes afirmaciones únicas. Todas ellas surgen de la misión de Dios mismo y de la identidad y el rol de Israel dentro de esa misión. La misión de Dios es bendecir a todas las naciones de la tierra. Pero para esa meta universal eligió un medio muy particular: el pueblo de Israel. Su singularidad era en beneficio de la universalidad de Dios. Por eso, su ubicación singular como pueblo *elegido* de Dios era para que todas las naciones restantes fueran *bendecidas* por medio de Abraham. Su particular historia de *redención* era el paradigma de lo que Dios lograría finalmente (por medio de Cristo) para la liberación de todos de la esclavitud. Su singular manejo de la *revelación* era para que al fin la ley de Dios pudiera pasar de ellos a las otras naciones y hasta los confines de la tierra. Y su estructura particular de ética social, económica y política estaba destinada a mostrar cómo debería ser (y finalmente será) una comunidad de humanidad redimida bajo el reinado de Dios.

Entonces, todas estas dimensiones de la singularidad del Israel del Antiguo Testamento, son centrales para nuestra comprensión bíblica de la misión, y todas tienen su homólogo en las enseñanzas del Nuevo Testamento en relación con la singularidad de Cristo y la identidad de la misión de la iglesia.

Pero sería errado interpretar estas afirmaciones de la singularidad de *Israel* como equivalentes a una ausencia de compromiso de YHVH con los asuntos de *otras* naciones. Por el contrario, era parte de la audaz afirmación de Israel que YHVH, su Dios, era el supremo movedor de los hilos en el escenario de la historia internacional. Todas las naciones y sus reyes, de manera deliberada o inconsciente, van tejiendo sus historias bajo el plan maestro del Dios de Israel —no de sus propios dioses.

Esto hace que la afirmación de singularidad sea efectivamente más tajante. No se trataba solo de que Israel sostuviera que YHVH los había elegido, salvado y hecho un pacto singular con ellos mientras se mantenía indiferente o ignorante de las otras naciones. Eso en sí mismo no hubiera sido en realidad muy diferente, en principio, de la manera en que todas las naciones ven a sus propios dioses, como interesados en las naciones que los adoran. Para eso están los dioses en la cosmovisión politeísta. Que cada nación tenga su propio dios o dioses, y que ese dios mire por sus propios intereses y los de su pueblo.

La 'singularidad' en ese sentido genérico reducido, no es lo que el Israel del Antiguo Testamento pretendía para YHVH. Era una pretensión mucho más elevada y universal: una pretensión que, de no ser cierta, sería la más burda arrogancia. La pretensión era que YHVH era, en efecto, el Dios soberano de toda la tierra, que dirigía la historia y el destino de todas las naciones. Y en *ese* contexto de compromiso universal con *todas las naciones*, YHVH tenía una relación única *con Israel*.[9]

A veces esta afirmación de que YHVH era soberano sobre la historia de otras naciones se hace de manera poco perceptible, casi como entre paréntesis. A veces se hacía para producir efectos decididamente perturbadores y poco deseados.

Un ejemplo de esto último lo vemos en las advertencias hechas a Israel en el desierto, de no intentar tomar ninguna tierra de Edom, Moab o Amón, considerando que YHVH ya les había dado tierras después de expulsar a los habitantes… precisamente de la misma manera que estaba a punto de hacer para Israel en relación con Canaán (Deuteronomio 2.2–23). La manera en que se hacen esas declaraciones, casi como al pasar, no debería oscurecer su significación teológica.

Cuando se considera la notable teología de Deuteronomio sobre la tierra y la posesión de Canaán por parte de Israel, es muy sorprendente esta afirmación directa de que Jehová había dado otras tierras a otros pueblos, apoyada por los párrafos entre paréntesis que siguen.

---

9 Para un informe exhaustivo sobre cómo las antiguas naciones del Cercano Oriente veían a sus dioses y las relaciones entre los dioses y las naciones, y la particularidad de algunas de las afirmaciones que Israel hacía con relación a YHVH, ver Block, *God of The Nations*.

En tres oportunidades en ese pasaje dice que Jehová había dado tierras a Edom (Deuteronomio. 2.5), a Moab (Deuteronomio 2.9) y a Amón (Deuteronomio 2.19), utilizando el mismo lenguaje característico de su entrega de tierras a Israel. Aparte de esto, las antiguas notas de pie de página (Deuteronomio 2.10–12, 20–23) nos informan que los procesos de migración y conquista que había detrás del entonces vigente mapa territorial también habían estado bajo el control de YHVH. No solo se usa el mismo lenguaje que para el establecimiento de Israel, sino que se hace una comparación explícita: otras naciones habían conquistado y se habían establecido 'como hizo Israel en la tierra que Jehová les dio en posición' (Deuteronomio 2.12 RVR95).

Hay más teología contenida en aquellas oscuras notas (parte en forma explícita, parte latente) que el puede sugerir el comprensible uso del paréntesis en esta versión, abarcando los versículos 10–12. Primero, las notas afirman de manera inequívoca la soberanía internacional de YHVH. El mismo Dios que había declarado al Faraón que toda la tierra le pertenecía (Éxodo 9.14, 16, 29) había estado moviendo otras naciones en el tablero de la historia mucho antes del histórico éxodo y el establecimiento de Israel. Esta soberanía universal sobre las naciones fue muy importante para Israel en los siglos siguientes a medida que ellos mismos se unieron a las filas de los atacados y desposeídos. La comprensión profética tardía del 'uso' que YHVH hizo de asirios, babilonios y persas como agentes de los propósitos de Dios en la historia es, en efecto, coherente con este tema más profundo de la dirección final y universal de Dios en el destino de las naciones (ver Deuteronomio 32.8; Jeremías 18.1–10; 27.1–7).

Segundo, estas notas relativizan la tradición de la entrega de tierras de la que habla Deuteronomio, aunque no en el sentido de cuestionarla o debilitarla. La afirmación de la entrega de tierras por parte YHVH a Israel en cumplimiento de su promesa a Abraham es uno de los pilares fundamentales de la cosmovisión de Deuteronomio. Sin embargo, en principio y a un nivel puramente histórico no difería de lo que Dios había hecho en otras naciones. En el contexto inmediato, la derrota y adquisición de tierras de Sijón y de Og por parte de Israel no difería de las anteriores migraciones y asentamientos por la fuerza de otras naciones; todas se atribuyen a las disposiciones soberanas de Jehová.

Como Dios también había dado tierras a otras naciones, la singularidad de Israel radicaba no simplemente en haber recibido tierras de Dios, sino en la relación del pacto con YHVH. Y ese pacto se basaba en la fidelidad de Dios a la promesa a Abraham y al hecho histórico de su liberación de Egipto. Si ese pacto se veía amenazado por el desinterés de Israel, entonces los simples hechos históricos del éxodo y el establecimiento no contarían más, ante el juicio de Dios, que las migraciones de las otras naciones.[10]

Y esa última frase es precisamente el punto que toma Amós, como ejemplo del uso más perturbador de esta convicción teológica. En efecto, la relación de YHVH con Israel por medio del pacto era única (Amós 3.2), pero Israel no era la única nación con la que YHVH estaba relacionado en un sentido más amplio, y con seguridad no era la única nación con una historia de éxodos, migraciones y asentamientos.

[7a] ¿Acaso no se trata de que, como los hijos de Cus,
     también ustedes [son] para mí, hijos de Israel? afirma YHVH
[7b] ¿Acaso no se trata también de que traje a Israel de Egipto,
     y a los filisteos de Caftor y a los arameos de Quir? (Amós 9.7, mi traducción).[11]

Está claro que aquí Amós está socavando la falsa confianza de Israel en el lenguaje de su pacto o en el mero hecho histórico del éxodo. No podían decir '*nosotros* pertenecemos a Jehová' como si Dios no tuviera interés en ninguna *otra* nación. No podían señalar *su* historia sin observar que las otras

---

10 Christopher J. H. Wright: Deuteronomy, New International Biblical Commentary, Hendrikson, Peabody, Mass.; Paternoster, Carlisle, 1996, p. 36.
11 Las líneas del v.7 son una traducción literal del orden de palabras del hebreo. La mayoría de las versiones traducen la construcción como sigue: 'Hijos de Israel, ¿no me sois vosotros como hijos de cusitas?' Esto convierte la pregunta retórica en una simple comparación en la que cualquier condición especial para los hebreos se ve debilitada: 'ustedes no son nada diferentes/mejores para mí que cualquier nación distante'. Sin embargo, la expresión hebrea 'ustedes para mí' generalmente indica la relación posesiva, a saber, 'ustedes me pertenecen, son míos'. Es el equivalente de una parte de la fórmula del pacto 'Ustedes mi pueblo, yo su Dios'. No obstante, significativamente, la última afirmación se omite, en vista del rechazo rebelde del pueblo a YHVH y su pacto (ver el v. 8, donde se los describe como 'este reino pecaminoso'). Por lo tanto, Walter Vogels lee el texto con este sentido posesivo de la frase 'ustedes para mí' y entonces toma la pregunta retórica de v.7 como afirmando que las demás naciones pertenecen a YHVH tanto como Israel: '¿Acaso no son míos, hijos de Israel, como (son míos) los cusitas?' (Walter Vogels: God's Universal Covenant, p. 72). Sin embargo, es dudoso que el orden de las palabras del hebreo arroje este significado como el primero, y la traducción normal probablemente sea correcta. Sin embargo, Vogels hace bien en destacar lo que de otra manera sería una relación posesiva común de pacto expresada en las palabras 'ustedes para mí'. Vogels, no obstante, niega que este texto implique que las otras naciones tuvieran una relación de pacto con YHVH, porque no lo reconocen como Dios.

naciones tenían historias similares en las que YHVH había estado involucrado. En lugar de ser el 'reino de sacerdotes' de Dios (Éxodo 19.6), se han convertido en el 'reino pecaminoso'. Tal vez todavía quieran ser llamados *pueblo de* YHVH, pero lo que ahora está en duda es si *Él* quiere seguir llamándose *su* Dios. La singularidad de su elección, lejos de hacerlos inmunes al juicio, en realidad los expone mucho más al castigo de Dios (Amós 3.2).

El comentario de Alex Motyer sobre este punto es útil:

Hay un sentido en el que no hay diferencia entre Israel y cualquier otra nación. El Señor es el mismo Agente en toda historia nacional, toda migración racial. En este sentido no es más privilegio ser un israelita que ser un hotentote.

Un Señor rige para todos, señalando el lugar que deberán abandonar, la distancia que deberán moverse, y el lugar donde deberán establecerse.

El éxodo como hecho histórico no dice más de Dios de lo que lo hace la llegada de los filisteos de Caftor o de los sirios de Quir y no produce un beneficio automático más de lo que lo hacen aquellos sucesos organizados divinamente. Una acción histórica de Dios puede, por su voluntad, convertirse en un medio de bendición pero nunca lleva en sí mismo esa bendición. En este sentido el Israel del éxodo es similar a los filisteos que vinieron de Caftor o los sirios que, hasta donde nos informa Amós, ¡nunca fueron a ninguna parte!

Un gobierno divino rige a todos, y (8a) en su providencia moral observa a todos, y juzga a todos. El Señor no mira a los pueblos a la luz de su pasado histórico sino a la luz de su moral presente. Toda nación está igualmente bajo este escrutinio moral.[12]

Estas agudas observaciones, que son muy coherentes con todo lo que Amós ha dicho hasta aquí, son bastante claras en relación con Israel. Sin embargo, la pregunta polémica es, ¿qué afirma Amós 9.7 sobre las otras naciones? ¿Está realmente diciendo que no hay diferencia entre Israel y los cusitas, los filisteos y los sirios? Al usar el lenguaje de la pertenencia y el lenguaje del éxodo, ¿va tan lejos Amós como para afirmar que estas otras naciones están sobre la misma base de pacto que Israel en relación con

12 J. A. Motyer: *The Message of Amos*, The Bible Speaks Today, InterVarsity Press, Leicester; InterVarsity Press, Downers Grove, III., 1974, pp. 196–197.

YHVH?

Walter Vogels se pregunta si este pasaje (junto con otros como los de Deuteronomio), indica que había 'pactos divinos paralelos con diferentes naciones'.[13] Su respuesta es negativa. Es evidente que el Antiguo Testamento hace algunas llamativas afirmaciones que muestran que:

> ... la relación de Jehová con las naciones es muy similar a su relación con Israel. Interviene directamente en su historia, por lo tanto le pertenecen y son responsables ante él. Si las naciones se niegan a aceptar la relación con Jehová, experimentarán el castigo igual que Israel [como se puso de manifiesto en Amós 1—2], aunque siempre hay esperanzas. Pero observamos una diferencia importante: la ausencia de conocimientos por parte de las naciones, de la revelación de Jehová. En consecuencia, en sentido estricto, solo podemos hablar de un pacto con Israel, pero no de un pacto con otras naciones, ya que un pacto presupone conocimiento mutuo.[14]

Para expresarlo en forma sencilla, el pacto requiere dos lados: Israel pertenece a YHVH, y YHVH pertenece a Israel. ('Ustedes mi pueblo; yo su Dios'). Pero en el caso de las naciones podemos decir que las naciones pertenecen a YHVH, pero YHVH todavía no pertenece a las naciones. No es el Dios que ellos reconocen y adoran como propio. No hay ninguna reciprocidad de pacto.

Aun así, para seguir sosteniendo que la relación del pacto con Israel es única, debemos darle todo el peso (y tal vez más del que suele dársele) a esta tradición del Antiguo Testamento de que todas las naciones de la tierra tienen alguna relación con el Dios YHVH, son responsables delante de él y son regidas por él en el curso de su historia diversa. Porque este es el escenario en que tuvo lugar el compromiso histórico de Dios con Israel, como medio de llevar a cabo su misión redentora.

El Dios que llamó a Abraham para ser de bendición a todas las naciones es el Dios que gobierna las historias de las naciones. El Dios que llamó a Israel para ser su preciada posesión y reino sacerdotal es el Dios

---

13 Vogels: *God's Universal Covenant*, cap. 3.
14 *Ibid.*, pp. 71–72.

que puede decir 'mía es toda la tierra'.[15] Debemos resistir toda domesticación y reduccionismo por los que se confina a YHVH a los límites de Israel y prestar toda la atención a las afirmaciones universales que se hacen sobre él en el Antiguo Testamento.

Entonces, si por un lado, todas las naciones de la tierra están bajo el gobierno soberano de Dios y si, por el otro, Israel tiene una posición y una historia que es singular en algunos sentidos, ¿cuál es la relación entre las dos esferas de actividad de Dios? ¿Cómo se 'vinculan' las naciones en general con Israel en particular? La vinculación se puede describir en cuatro formas, que se construyen unas sobre otras teológicamente:

- Las naciones son observadoras y testigos de lo que YHVH hace en y con Israel.
- Las naciones pueden ser beneficiarias de las bendiciones inherentes al pacto de Israel.
- Las naciones llegarán a conocer y a adorar al Dios de Israel.
- Finalmente, las naciones serán incluidas en la identidad de Israel como pueblo de Dios.

Ahora pondremos la atención en estas cuatro percepciones.

Las naciones como testigos de la historia de Israel

Israel no vivió cerrado al vacío en un aislamiento del resto del mundo. Por el contrario, no podía haber vivido en un escenario internacional más atestado. La tierra de Canaán, como puente terrestre entre tres continentes, era un verdadero cruce de naciones. Entonces la presencia de Israel allí era internacionalmente visible. Siendo así, el Antiguo Testamento prevé varias formas en que la historia de Israel podría afectar a otras naciones. Las naciones eran espectadoras, o mejor, testigos de todo el barrido de la historia del Antiguo Testamento.

---

15 Ver también Bernard Renaud: 'Prophetic Criticism of Israel's Attitude to the Nations: A Few Landmarks' en *Truth and its Victims*, Concilium 20ª ed. Wim Beuken y otros., T & T Clark, Edimburgo, 1988, pp. 35-43; Paul R. Raabe: 'Look to the Holy One of Israel, All You Nations: The Oracles about the Nations Still Speak Today', *Concordia Journal* 30 (2004): 336–349.

Testigos de las grandes obras de la redención de Dios.

Las naciones temblarán al escucharlo;
    la angustia dominará a los filisteos.
Los jefes edomitas se llenarán de terror;
    temblarán de miedo los caudillos de Moab.
Los cananeos perderán el ánimo,
    pues caerá sobre ellos pavor y espanto.
Por tu gran poder, SEÑOR,
    quedarán mudos como piedras
hasta que haya pasado tu pueblo,
    el pueblo que adquiriste para ti. Éxodo 15.14–16

Con estas palabras el Cántico de Moisés prevé el efecto que tendrá en las naciones vecinas la liberación extraordinaria que acababa de ocurrir en el Mar Rojo. Una derrota tan manifiesta del imperio más poderoso de toda la región, el Egipto del faraón, sin duda provocaría temor entre las muchas naciones más pequeñas en el camino de Israel. Incluso una generación después, este efecto anticipado en las naciones se mostró acertado, como los espías de Josué lo supieron de boca de Rahab (Josué 2.9–11).

No obstante, incluso antes de cruzar el Mar Rojo, las grandes obras de Dios en Egipto mismo ocurren 'a la vista de' todos los egipcios. Como señala Vogels, la expresión 'a la vista de' generalmente tiene el sentido de 'frente a testigos', es decir, algo realizado en presencia pública y de manera verificable.

> La fórmula 'a la vista de...', utilizada en un contexto jurídico, significa una acción realizada frente a testigos legales (por ejemplo Jeremías 32.12). En algunos textos, aquellos frente a quienes ocurre algo no son simplemente espectadores, sino testigos de quienes también se espera que adopten una posición (Deuteronomio 31.7; Jeremías 28.1, 5, 11).

> Con frecuencia se dice que Jehová ha otorgado beneficios a Israel a la vista de las naciones. En otras palabras, las naciones son testigos, pero a la misma vez se las invita a adoptar una posición personal.[16]

---

16 Vogels: *God's Universal Covenant*, pp. 65–67.

De manera que las señales dadas por Moisés y Aarón se hacen 'en presencia del Faraón y de sus funcionarios' y la partida misma de los israelitas de Egipto ocurrió 'a la vista de todos los egipcios', en realidad, 'a la vista de las naciones' (Éxodo 7.20; Números 33.3; Levítico 26.45). De esa manera las naciones están llamadas a reflexionar en lo que han presenciado y a sacar conclusiones sobre la singularidad y el poder de YHVH, tal como sucede con Israel cuando se usa la misma expresión para ellos como testigos de todo lo que Dios ha hecho 'ante todo Israel' (Deuteronomio 34.12; ver Deuteronomio 4.34–35).

Ezequiel tiene la misma perspectiva de las grandes obras de Dios en la temprana historia de Israel. Mientras que Dios hubiera estado plenamente justificado de actuar en juicio contra Israel, más de una vez contuvo su ira y continuó preservándolos y liberándolos. Y todo ello para proteger la reputación de su nombre ante las naciones, bajo cuya mirada había sacado a Israel de Egipto. 'Pero decidí actuar en honor a mi nombre, para que no fuera profanado ante las naciones entre las cuales vivían los israelitas. Porque al sacar a los israelitas de Egipto yo me di a conocer a ellos en presencia de las naciones' (Ezequiel 20.9; ver Ezequiel 14.22).

Ezequiel tenía muy en mente a las naciones cuando anticipó la restauración que haría Dios de Israel después del juicio. Entonces las naciones verán y conocerán al verdadero Dios.

Testigos de las obligaciones de Israel por el pacto. Los tratados y los pactos en el mundo antiguo, lo mismo que hoy, requerían testigos. En el caso de tratados internacionales contemporáneos a la época del Israel del Antiguo Testamento, los testigos generalmente eran los diversos dioses de las partes implicadas o el orden natural deificado (el cielo, la tierra, los océanos, las montañas, etc.). En el caso de Israel, por supuesto, no se podía llamar a otros dioses por definición, a ser testigos del pacto entre Israel y YHVH, el Dios del cielo y de la tierra junto al que no hay otro dios. Por lo tanto se convocaba a la naturaleza personificada: 'Hoy pongo al cielo y a la tierra por testigos contra ustedes ...' (Deuteronomio 4.26; ver Deuteronomio 30.19; 31.28; 32.1; Isaías 1.2; Jeremías 2.12; Miqueas. 6.1–2). Pero la tierra es la morada de las naciones, de manera que por extensión también se describe a las naciones como testigos del pacto entre YHVH e Israel. Miqueas convoca a ambos cuando se embarca en su demanda contra Israel:

> Escuchen, pueblos todos;
>> preste atención la tierra
> y todo lo que hay en ella.
> Desde su santo templo
> el Señor, el SEÑOR omnipotente,
>> será testigo en contra de ustedes [Samaria y Jerusalén (v. 1)]. Miqueas 1.2

La misma convocatoria a las naciones como testigos del pacto de Dios con Israel (o su infracción) se encuentra en Jeremías 6.18–19 y en Amós 3.9 (donde se especifica a las naciones como Asiria y Egipto, los dos grandes poderes del mundo en aquella época).

Pero las naciones no solamente son convocadas a presenciar el cumplimiento o infracción del pacto. Idealmente, deberían poder observar a Israel viviendo de acuerdo al mismo. En realidad, ese testimonio ante las naciones de la sabiduría de los caminos de Dios encarnado en la vida social del pueblo de Dios, se presenta como una gran motivación para la obediencia a la ley de Dios. En un pasaje que hemos tenido ocasión de observar antes por sus implicancias misionológicas, Deuteronomio 4.6–8 describe a las naciones como interesadas y espectadoras admiradas de Israel, en términos de la proximidad y la eficacia del Dios que adoran y al que oran y de la justicia de su sistema social encarnado en todo el proyecto constitucional que es Deuteronomio.

De manera que en principio las naciones estaban invitadas a observar las cosas maravillosas que Dios hacía por Israel, también debían estar en condiciones de ver la receptiva rectitud de Israel mientras vive en los términos del pacto. En otras palabras, la visibilidad de Israel frente a otras naciones estaba destinada a ser no solo históricamente excepcional sino también radical y éticamente desafiante.

La misión de Dios implica el pueblo de Dios viviendo como Dios quiere a la vista de las naciones.[17]

---

17 Walter Vogels plantea el sugestivo punto adicional de que en los tratados antiguos los mismos testigos del tratado (es decir, los dioses) eran los llamados a ejecutar los castigos sobre la parte morosa. De manera similar, en la legislación de Israel, los testigos también tomaban parte en la ejecución de aquel a cuya condena habían colaborado con su testimonio. 'Los primeros en ejecutar el castigo serán los testigos.'

Testigos del juicio de Dios sobre Israel. Trágicamente, no resultó así. Incluso antes de abandonar el Sinaí, Israel había caído en la catastrófica rebeldía y apostasía del becerro de oro (Éxodo 32–34). La declarada intención de Dios de destruirlos por completo fue impedida solo por la intercesión de Moisés. Un elemento importante en esa intercesión (aparte de recordar a Dios tanto del pacto abrahámico como de la nueva relación establecida por el éxodo) es la advertencia a Dios de lo que las naciones (y en especial los egipcios) pensarían de él si lo hiciera. Si YHVH había sacado a Israel de Egipto 'a la vista de' todos los egipcios y de otras naciones, que no pensara que ahora podía arrojarlos al desierto sin más, como si nadie se percatara. Lo que se había hecho tan públicamente, no se podía deshacer ahora en secreto.

Si se esperaba que las naciones sacaran conclusiones sobre el gran poder liberador de YHVH en base al éxodo, ¿qué conclusiones sacarían ahora de tan sorprendente cambio radical de política? ¿Acaso no inferirían que YHVH era incompetente (por no poder completar lo que había comenzado) o peor todavía, malintencionado (porque generaba esperanzas de liberación solo para truncarlas en destrucción)? ¿Era ese el tipo de reputación que Dios quería que circulara por el Medio Oriente? (Ver Éxodo 32.12; ver Números 14.13–16; Deuteronomio 9.28). La clara presuposición que subyace a esa audaz intercesión es que cualquier cosa que Dios haga con su pueblo por ira, será tan visible para las naciones vecinas como todo lo que hizo por compasión. Y este es un punto que se repite en muchos lugares del Antiguo Testamento.

El incumplimiento de Israel no tomó a Dios por sorpresa. Es un hecho interesante que el libro de Deuteronomio comienza y termina con un fracaso. Su primer capítulo registra el fracaso de la generación del éxodo que no siguió a Dios hasta conquistar la tierra prometida. Termina con la anticipación del fracaso de las generaciones posteriores a Moisés en mantenerse fieles al pacto con YHVH. Y ese fracaso futuro finalmente generará tal invectiva del juicio de Dios que, otra vez, las naciones contemplarán con asombro.

> Todas las naciones preguntarán: '¿Por qué trató así el SEÑOR a esta tierra? ¿Por qué derramó con tanto ardor su furia sobre ella?' Y la respuesta será: 'Porque este pueblo abandonó el pacto del Dios de sus

padres, pacto que el SEÑOR hizo con ellos cuando los sacó de Egipto'.
Deuteronomio 29.24–25

Ezequiel lucha con la naturaleza pública del trato de Dios con su pueblo, porque, claro está, perteneció precisamente a la generación que experimentó la descarga total de la ira de Dios. Reconoce y acepta que el castigo de Israel era una necesidad moral y pasa sus cinco primeros años de ministerio tratando de persuadir de eso al primer grupo de exilados. El pecado de Israel era tan atroz, escandaloso e impenitente que a Dios no le quedó otra alternativa que cumplir con las amenazas del pacto y dispersarlos entre las naciones por la maldición del exilio que había tenido un lugar tan importante en sus advertencias al pueblo desde el comienzo.

> Hijo de hombre, cuando los israelitas habitaban en su propia tierra, ellos mismos la contaminaron con su conducta y sus acciones. Su conducta ante mí era semejante a la impureza de una mujer en sus días de menstruación. Por eso, por haber derramado tanta sangre sobre la tierra y por haberla contaminado con sus ídolos, desaté mi furor contra ellos. Los dispersé entre las naciones, y quedaron esparcidos entre diversos pueblos. Los juzgué según su conducta y sus acciones. Ezequiel 36.17–19

Pero la solución de un problema (la ira moral de Dios contra el pecado de Israel y la necesidad de su castigo) generó otro. Ahora se estaba haciendo un terrible daño a la reputación de Dios mismo, es decir, a su nombre personal, YHVH. Estaba siendo ridiculizado entre las naciones porque (hasta donde podían ver según su interpretación de los hechos), YHVH no se veía diferente de cualquiera de los muchos dioses derrotados de las pequeñas naciones que estaban siendo absorbidas por la máquina de guerra de Babilonia. Esto es lo que se quiere significar con la expresión que usa Ezequiel para describir el efecto del exilio: Israel profanaba el nombre de Jehová. Aquí profanar no significa usar malas palabras. Significa tratar como común u ordinario algo que debería ser santo. Así el nombre de YHVH, en lugar de ser honrado como el nombre del único Dios viviente, el Santo de Israel, estaba siendo arrastrado por las alcantarillas del escarnio entre las mismas naciones a la que Israel debía atraer a la esfera de la bendición de YHVH.

Pero al llegar a las distintas naciones, ellos profanaban mi santo nombre, pues se decía de ellos: 'Son el pueblo del Señor, pero han tenido que abandonar su tierra.' Así que tuve que defender [literalmente: tuve lástima de] mi santo nombre, el cual los israelitas profanaban entre las naciones por donde iban (Ezequiel 36.20–21).

Testigos de la restauración de Israel por parte de Dios. Ezequiel sigue adelante y declara que la solución del dilema que Dios enfrenta se dará a la vista de las naciones tanto como los hechos que lo causaron. Es decir, al castigar a Israel Dios había vindicado su justicia moral pero también había arriesgado perder su reputación entre las naciones (como lo había predicho Moisés siglos antes). Dios entonces decide actuar con perdón y restauración.

Pero debe quedar claro que esto no será únicamente para que Israel sea rescatado del agujero negro del exilio. Dios tiene una pasión más amplia (aunque no más honda) que su amor salvador por Israel, y es el de la protección de su propio nombre *entre las naciones*, y la visión de que todas lleguen a conocer y a honrar a YHVH como Dios. Al mismo tiempo, las naciones serán testigos de la restauración de Israel por parte de Dios, de la misma manera que fueron testigos de la obra original de liberación (el éxodo). Tal como fueron testigos del juicio del pacto (el exilio), también lo serán de la liberación restauradora de Dios (el retorno).

De manera que las maravillosas promesas de Ezequiel 36.24–28, incluyendo la reunión, la purificación, el nuevo corazón, el nuevo espíritu, el Espíritu de Dios mismo, la obediencia, el restablecimiento y la bendición del pacto van precedidos por el recordatorio de que el primero y principal propósito es la gloria del nombre de Dios entre las naciones que observan.

> Así dice el Señor omnipotente: 'Voy a actuar, pero no por ustedes sino por causa de mi santo nombre, que ustedes han profanado entre las naciones por donde han ido. Daré a conocer la grandeza de mi santo nombre, el cual ha sido profanado entre las naciones, el mismo que ustedes han profanado entre ellas. Cuando dé a conocer mi santidad entre ustedes, las naciones sabrán que yo soy el Señor. Lo afirma el Señor omnipotente. Ezequiel 36.22–23

Antes de abandonar Ezequiel vale la pena observar que esta notable descripción escatológica de los capítulos 38—39 del ataque al pueblo de Dios por parte de Gog, el príncipe de Magog, y el ejército de naciones con él, seguido de su total y absoluta destrucción, tiene como mensaje central que las naciones llegarán a conocer a YHVH como Dios en toda su gloria por esa señal y por la demostración final de protección a su pueblo de aquellos que buscan su destrucción. Podemos quedar tan fascinados por la característica inclinación de Ezequiel a dar detalles pintorescos o por la exagerada y sangrienta ampliación contemporánea de ello en las predicciones sobre el fin de los tiempos, que pasamos por alto el mensaje repetido que aparece en Ezequiel 38.16, 23; 39.6–7, 21–23, 27–29. Hasta el último momento, las naciones verán y sabrán lo que Dios hace por su pueblo, y las conclusiones que obtendrán serán irresistibles.

¿Cuál es la relevancia de esta sección (sobre las naciones como testigos de la obra de Dios en Israel) para la hermenéutica misional de las Escrituras que estamos tratando de desarrollar a lo largo del libro? He venido insistiendo todo el tiempo que nuestro primer dato en misionología bíblica debe ser la misión de Dios. Y hemos visto que la misión de Dios está fuertemente vinculada con la voluntad de Dios de que toda la creación lo conozca. Para esa meta está en acción en todo el escenario de la historia humana, no solamente entre el pueblo escogido como vehículo para su gran programa de redención en el mundo. Incluso cuando nos centramos, teniendo en cuenta los pasajes bíblicos mismos, en la historia de la relación de Dios con su pueblo, debemos recordar que Dios siempre actúa entre su pueblo con la mirada puesta en las naciones que observan. Las naciones no son solamente parte del escenario inicial de la narrativa. Se espera que sean los testigos de la acción. Las cosas ocurren 'ante sus ojos'. En consecuencia se espera una respuesta frente a lo que presencian. Como lo expresa Walter Vogels:

> Dios tiene básicamente la misma intención con las naciones que la que tenía con Israel porque ambos 'sabrán que soy Jehová'. Lejos de ser meros espectadores de algo que involucra solamente a Jehová e Israel, las naciones son testigos directamente implicados. Todo el pacto histórico entre Jehová e Israel tuvo desde el comienzo una dimensión universal. Las naciones son verdaderos testigos. Las acciones

salvadoras de Jehová y la restauración que obró en Israel, eran al mismo tiempo un mensaje para las naciones.[18]

Al tratar este aspecto de los oráculos sobre las naciones que encontramos en diversos profetas de Israel, incluyendo Ezequiel, he resumido el punto como sigue:

> Los profetas eran conscientes de dos verdades complementarias. Por un lado, todo lo que Jehová hacía entre las naciones era en definitiva pare el beneficio de Israel, el pueblo del pacto. Por el otro, todo lo que Jehová hacía con Israel era en última instancia para beneficio de las naciones. Esta doble realidad es significativa porque preserva la universalidad de la soberanía de Dios sobre todas las naciones, mientras que a la misma vez reconoce la particularidad de su relación única con Israel. El reino providencial de Dios sobre las naciones está relacionado con su propósito redentor para su pueblo; pero su obra redentora con su pueblo está relacionada con su propósito misionero entras las naciones. Las dos partes no se pueden separar. ...
>
> De la misma manera, suponiendo que el Dios de Isaías y de Ezequiel es también nuestro Dios y sigue en el trono del universo, tenemos que mirar el mundo de los asuntos internacionales y procurar discernir lo que Dios está haciendo que incide en la vida y el testimonio de su pueblo, la iglesia. Al mismo tiempo tenemos que preguntarnos si la iglesia, su vida y su testimonio, está realmente comprometida en su misión bíblica de traer la bendición de Dios a las naciones. Dios conduce el mundo para el bien de la iglesia; Dios conduce la iglesia para el bien del mundo. Debemos adaptar nuestra teología y nuestra misión a ambos polos de esta dinámica bíblica.[19]

Las naciones como beneficiarias de las bendiciones de Israel

El Antiguo Testamento no se conforma con dejar a las naciones en el papel pasivo de espectadores de todo lo que Dios está haciendo en

---

18 *Ibid.*, pp. 67–68.
19 Christopher J.H. Wright: *The Message of Ezekiel: A New Heart and a New Spirit*, The Bible Speaks Today, InterVarsity Press, Leicester; InterVarsity Press, Downers Grove, III., 2001, p. 260. En relación con el postulado de que 'Dios conduce el mundo para el bien de la iglesia', ver Efesios 1.21–22, que habla del dominio cósmico de Cristo ejercido 'para la iglesia'.

Israel. Las naciones verán que las relaciones de Dios con Israel no serán, para ellas, solamente cuestión de alternar admiración con horror. Toda la historia será, en definitiva, *para su bien último*. O, para seguir con la metáfora de los espectadores, todo el drama es para beneficio de la audiencia. Dos salmos ilustran este ángulo de nuestra exploración:

Salmo 47

Aplaudan, pueblos todos; aclamen a Dios con gritos de alegría.
 ¡Cuán imponente es el SEÑOR Altísimo,
el gran rey de toda la tierra! Salmo 47.1–2

Con estas palabras, algún salmista del antiguo Israel invitó a las naciones a unirse en el aplauso a YHVH, el Dios de Israel. El aplauso es casi universalmente un signo colectivo de aprobación. Los que aplauden reconocen que algo les ha producido placer o algún beneficio. Habla de aprecio y gratitud. Es una forma de acción de gracias física y audible que complementa o reemplaza a las palabras.

¿Para qué entonces invita el salmista a las naciones del mundo a aplaudir a YHVH? Al comienzo la respuesta parece perversa:

[YHVH] Sometió a nuestro dominio las naciones;
 puso a los pueblos bajo nuestros pies. Salmo 47.3

Se les pide a las naciones que aplaudan a YHVH porque es el Dios que los derrotó por medio de Israel. Es como pedirles a los habitantes de un país derrotado que agradezcan a la nación que los invadió. ¿Es que el salmo no es otra cosa que cínico imperialismo haciéndose pasar por adoración? La única alternativa para leerlo de esa manera es discernir en su contenido una convicción teológica más profunda sobre la relación de Dios con Israel y las naciones en el amplio espectro de su soberanía en la historia.

Se puede convocar a las naciones a aplaudir a YHVH porque en definitiva, incluso la derrota histórica de los cananeos a manos de Israel se verá como parte de una historia por la que toda la humanidad tendrá motivos suficientes para alabar a Dios. Mientras la cultura histórica de Canaán que enfrentaba a los israelitas se había degradado al punto de merecer el juicio divino, el Dios que ejercía ese juicio era también el gran

Rey sobre toda la tierra (el repetido énfasis del salmo), la justicia de cuyo reinado universal algún día sería reconocida por todos. Las naciones serán las beneficiarias finales de eso.

Salmo 67. Otro salmista elige el texto más elocuente del rico lenguaje y la liturgia en el acto de bendecir, a saber, la bendición de Aarón de Números 6.24–26. Era tarea de los sacerdotes pronunciar estas palabras y con ello invocar 'el Nombre sobre los israelitas'. Sería YHVH mismo quien bendeciría a su pueblo.

La bendición, por supuesto, era parte integral del pacto que Dios había hecho con Abraham. Sus descendientes vivirían en una relación de bendición declarada y protegida. Pero también debían ser el medio por el cual otras naciones serían bendecidas. Por lo tanto, el autor del Salmo 67 toma la bendición aarónica, que probablemente escuchó muchas veces en el contexto de la adoración en el santuario, y hace dos cosas.

Por un lado convierte su forma declarativa en oración, como para decir: 'Sí, que Dios realmente cumpla estas palabras. Que Dios, nuestro Dios, nos bendiga'. Pero por otro lado la vuelve del revés y ora para que la bendición de Dios sea el foco de la alabanza no solamente en Israel sino también entre todos los pueblos y hasta el confín de la tierra.

> Dios nos tenga compasión y nos bendiga;
> > Dios haga resplandecer su rostro sobre nosotros, *Selah*
> para que se conozcan en la tierra sus caminos,
> y entre todas las naciones su salvación.
> > Que te alaben, oh Dios, los pueblos;
> que todos los pueblos te alaben. Salmo 67.1–3

Como en el Salmo 47, el foco particular en el centro de este salmo (v. 4) es el reinado justo que Dios ejercerá sobre todas las naciones. Sin embargo, el versículo 6 agrega un factor más al político de carácter económico, a saber, la bendición de Dios expresada en la cosecha de los campos.[20] De manera

---

[20] Es característico, claro está, que la misma palabra *'eres* se use para la tierra de Israel (que es sin duda la ubicación de la cosecha referida en el versículo 6) y para la tierra como un todo (en los versículos 2, 4, 7). Es una expresión común que sin embargo encarna una verdad teológica: la tierra de Israel tiene un punto de referencia simbólico y escatológico, toda la tierra; así como el pueblo de Israel tiene un significado en el plan de Dios para toda la humanidad.

que los últimos dos versículos llevan al salmo a un punto culminante en una universalidad que abarca a Dios, a Israel y su tierra y a toda la tierra.

> La tierra dará entonces su fruto,
>> y Dios, nuestro Dios, nos bendecirá.
> Dios nos bendecirá,
>> y le temerán todos los confines de la tierra. Salmo 67.6–7

Hay varios otros textos en los que aparece la frase 'la tierra dará su fruto' prácticamente en los mismos términos léxicos que el Salmo 67.6 (con diferencias gramaticales mínimas). Nos ayudan a captar todo lo que implican las palabras de este salmo. Entre ellos están Levítico 25.19 (en el contexto de la promesa de Dios de proveer alimento a Israel si observaban el año de jubileo) y Levítico 26.4 (como parte de la promesa general de la continua bendición de Dios a Israel si vive en obediencia a su ley). El salmista bien pudo haber tenido en mente esas promesas de la Torá, ya que anticipa esa promesa particular dentro del ámbito del gobierno soberano de Dios, lo que implica un pueblo obediente. El Salmo 85.12 ubica la promesa de manera similar en el contexto del pueblo arrepentido y obediente. No obstante hay dos pasajes proféticos que también tienen estrechos paralelos.

Ezequiel 34.27 incluye la abundancia agrícola en esos términos, como parte de la promesa de Dios a Israel en la restauración futura después del exilio. Y en ese período posexílico, Zacarías 8.12–13 lo retoma como la señal de restauración de esa relación del pacto. De hecho Zacarías vincula estas palabras de promesa con el pacto abrahámico diciendo que Israel volverá a ser 'una bendición' entre las naciones, en lugar de un objeto de maldición.[21] Habrá un nuevo comienzo para el pueblo de Dios, el que Zacarías describe como sigue:

> La semilla crecerá bien,
>> las vides darán su fruto,
> *la tierra dará su cosecha*,
>> y los cielos derramarán el rocío. …

---

21 En este contexto el sentido de la profecía de Zacarías probablemente sea que, aunque las naciones han usado el nombre de Israel como una maldición (en vista de su manifiesta 'mala suerte'), pasarán a usarlo como una expresión de bendición (en vista de la manifiesta restauración de Dios de su buena fortuna).

Aunque ustedes han sido de maldición entre las naciones,
    casa de Judá y casa de Israel,
yo los salvaré, y serán de bendición.
Zacarías 8.12—13 (mi traducción, énfasis agregado).[22]

Se ha sugerido que el Salmo 67 y Zacarías 8 pueden haber estado vinculados al mismo contexto histórico, es decir, las cosechas en el período posexílico que señalaba el cumplimiento de Dios de su promesa de proteger y bendecir a su pueblo cuando volvieran a su tierra. Si es así, está claro que ambos pasajes van mucho más allá de esta prueba de renovación de la bendición de Dios sobre Israel sola y ven en ella la *primicia de la cosecha más amplia de Dios en todas las naciones de la tierra.*

> Bien podría ser, entonces, que en el Salmo 67 tengamos un eco de esta palabra profética: 'La tierra ha dado su fruto', ahora que Dios nos bendiga (ver Zacarías 8.13) y que lo vean todas las naciones. ...

Habiendo dado la tierra su fruto,
    Mi Dios, nuestro Dios, nos bendiga.
Que Dios nos bendiga.
    Para que lo honren hasta los extremos de la tierra. ...

> Aquí está presente una clara analogía con el texto de Zacarías 8. Los tiempos nuevos, el tiempo de la renovación ha comenzado, como queda señalado por el hecho de haber recibido una nueva cosecha. Que Dios siga ahora bendiciendo a su pueblo, y que lo vean las naciones y sepan lo que está ocurriendo. ...

> Es una señal de que la historia de Dios continúa no solo con su propio pueblo. La función de esta cosecha señaladamente importante es captar la atención de las naciones y moverlas a reconocer y alabar a Dios. La historia particular de Dios e Israel tiene que resultar en una bendición para todos, como lo anuncia la profecía de Zacarías 8.[23]

---

22 Esta versión de la última cláusula reconoce la construcción frecuente donde una afirmación futura seguida de otra convierte a la segunda en el propósito buscado por la primera. Dios salvará a Israel y serán una bendición. Pero 'ser una bendición' era la intención de Dios para Israel desde el comienzo, de modo que su nuevo acto de salvación será permitir el cumplimiento de esa intención.
23 Eep Talstra y Carl J. Bosma: 'Psalm 67: Blessing, Harvert and History', *Calvin Theological Journal* 36 (2001): 308, 309, 313.

Por la fuerza generalizadora del Salmo 67 como un todo, Brueggemann piensa que el 'nos' del último versículo bien podría ser expresado por las naciones mismas, no solamente Israel, que es claramente el sujeto en el versículo 1. Esa puede o no haber sido la intención del salmista, pero 'de cualquier manera el salmista concibe toda la tierra y toda su gente afirmando con alegría la soberanía de Jehová y recibiendo agradecidos de Jehová todas las bendiciones de una creación bien gobernada'.[24]

El Salmo 67 repite la oración sacerdotal de Aarón y en realidad pudo haber sido compuesta por un sacerdote. Destila la naturaleza misional del papel sacerdotal de Israel entre las naciones. Marvin Tate hace referencia a 'un notable resumen del Salmo 67 de I. Abrahams, *Annotations to the Hebrew Prayer Book, Pharisaism and the Gospels*':

> Este salmo es una oración pidiendo salvación en el sentido más amplio, y no solamente por Israel, sino para todo el mundo. La bendición de Israel debe ser una bendición para todos los hombres. Particularmente aquí, el salmista va más allá de adoptar la fórmula sacerdotal (Números 6.22–27), reclama para Israel la dignidad sacerdotal. Israel es el sumo sacerdote del mundo ... si Israel tiene la luz del rostro de Dios, el mundo no puede seguir en la oscuridad.[25]

Por lo tanto Israel, que se sabía el destinatario de tan grandes y abundantes bendiciones, al punto de poder exclamar 'Dichosa la nación cuyo Dios es el Señor' (Salmo 33.12), sabía que los beneficios de todo lo que Dios les había dado y había hecho en su historia, alguna vez sería motivo de gratitud entre el resto de naciones, para cuyo beneficio Israel había sido llamado de las entrañas de Abraham. Las naciones serán los beneficiarios finales (e intencionadas) de las bendiciones experimentadas en Israel.

Las naciones adorarán al Dios de Israel

La única respuesta apropiada ante los beneficios y las bendiciones recibidas de mano de Dios era la adoración y la obediencia. Esa era otra de las creencias básicas de Israel. Pero si eso era así para ellos, también debería serlo

---

24 Brueggemann: *Old Testament Theology*, p. 501.
25 Marvin E. Tate: *Psalms 51–100*, Word Biblical Commentary 20, Word, Dallas, 1990, p. 159.

para todas las naciones porque ellas también entraran en la esfera de la bendición de Dios. Efectivamente, las alabanzas por las bendiciones recibidas tenían un sesgo misional, llegar a las naciones mediante la proclamación.[26] De modo que hay una variedad de pasajes que anticipan la alabanza de las naciones, y algunos que hablan también de su obediencia.[27]

Este es un tema que tiene mucha importancia misionológica en nuestra investigación ya que la misión de Dios es llevar a toda la creación y a todas las naciones a una adoración universal y así cumplir la visión final del canon de las Escrituras. *Cómo* serán llevadas las naciones a esa obediencia y adoración a YHVH, el Dios de Israel, es, en el período del Antiguo Testamento, un misterio (como lo reconoció Pablo). Pero que las naciones un día traerán toda su adoración hasta el único y verdadero Dios está fuera de toda duda. Es notable el volumen de los pasajes que lo anticipan. Una vez más, estos pasajes son una combinación de salmos y textos proféticos.

Los salmos. El tema de la adoración que las naciones ofrecen a YHVH, Dios de Israel, está presente desde el comienzo hasta el final del salterio. Solo podemos señalar los pasajes clave sin mucho comentario exegético. Una sencilla clasificación nos ayudará a organizar el material.

La esperada *alabanza de las naciones* a YHVH ocurrirá:

- en respuesta a sus grandes obras en general
- en respuesta a la justicia de su soberano gobierno cósmico en particular
- en respuesta a su restauración de Sión (que será para el beneficio de todas las naciones)
- como parte de la alabanza universal de toda la creación

Las grandes obras de Dios. Un buen número de salmos celebran las grandes obras de Dios en la historia de Israel en particular y también, a veces, en el mundo más amplio de la creación, y entonces en ese contexto invitan a las

---

26 Patrick D. Millar: "'Enthroned on the Praises of Israel': The Praise of God in Old Testament Theology", *Interpretation* 39 (1985): 5–19. Ver también la cita de este excelente artículo en la página 132.

27 Scott Hahn sostiene apasionadamente lo que él llama 'una hermenéutica litúrgica', con lo que quiere decir un enfoque de las Escrituras que considera su principal meta llevar a la humanidad nuevamente a la gozosa y satisfactoria adoración del Dios Creador. Su ensayo vívido y esclarecedor se adapta perfectamente a la hermenéutica misionológica que he desarrollado en este libro, ya que he acentuado la importancia misionológica de la voluntad de Dios de ser conocido y adorado en toda su creación. Ver Scott Hahn: 'Canon, Cult and Covenant: Towards a Liturgical Hermeneutic', en *Canon and Biblical Interpretation*, Craig Bartholomew y otros, Paternoster, Carlisle; Zondervan, Grand Rapids (en preparación).

naciones a unirse en alabanza a Dios. El Salmo 66 señala que el poder de Dios distinguirá entre sus enemigos, que se postrarán (posiblemente antes de su destrucción) y aquellos que lo adoran de buen grado.

> Díganle a Dios: '¡Cuán imponentes son tus obras!
> Es tan grande tu poder
> que tus enemigos mismos se rinden ante ti.
> Toda la tierra se postra en tu presencia,
> y te cantan salmos;
> cantan salmos a tu nombre.' ... *Selah*
> Pueblos todos, bendigan a nuestro Dios,
> hagan oír la voz de su alabanza. Salmo 66.3–4, 8

El Salmo 68, al catalogar algunas de las poderosas obras de YHVH, también distingue entre las naciones impías que serán dispersadas y aquellas que se someterán a Dios en alabanza.

> Dispersa a las naciones belicosas.
> Egipto enviará embajadores,
> y Cus se someterá a Dios.
> Cántenle a Dios, oh reinos de la tierra,
> cántenle salmos al Señor. *Selah* Salmo 68.30–32

El Salmo 86 instala la alabanza de las naciones en el contexto de la singularidad de YHVH demostrada en sus obras incomparablemente poderosas.

> No hay, SEÑOR, entre los dioses otro como tú,
> ni hay obras semejantes a las tuyas.
> Todas las naciones que has creado
> vendrán, Señor, y ante ti se postrarán
> y glorificarán tu nombre.
> Porque tú eres grande y haces maravillas;
> ¡solo tú eres Dios! Salmo 86.8–10

Los Salmos 96 y 98 son muy similares. Ambos celebran el señorío de YHVH sobre toda la creación y anticipan que las grandes obras de salvación y creación de Dios serán el sujeto de un cántico nuevo que se extenderá por las naciones. El contenido de esta nueva canción es en esencia una nueva versión de los antiguos cánticos de Israel: el nombre, la salvación, la gloria y el poder de las grandes obras de YHVH. Lo novedoso es *dónde* se entonará (en toda la tierra) y *quienes* la cantarán (todos los pueblos). Lo que era un antiguo cántico de Israel se convierte en una nueva canción a medida que se van sumando los nuevos cantantes en círculos cada vez más grandes hasta los confines de la tierra. El Salmo 96 en particular reconoce la naturaleza polémica de esa visión universal, porque inevitablemente tendrá que transformar el escenario religioso. Los otros dioses deberán ser reconocidos por lo que son: 'nada' (Salmo 96.5), y en lugar de ello las naciones deberán atribuir toda la gloria a YHVH y traerle sus ofrendas (Salmo 96.7–9).

> Canten al SEÑOR un cántico nuevo;
>> canten al SEÑOR, habitantes de toda la tierra.
> Canten al SEÑOR, alaben su nombre;
>> anuncien día tras día su victoria.
> Proclamen su gloria entre las naciones,
>> sus maravillas entre todos los pueblos. Salmo 96.1–3

Los Salmos 97 y 99 también son un par similar que emprenden su llamado a alabar con la afirmación '¡El SEÑOR es rey!' y convocan a la tierra y a las costas lejanas a alegrarse (Salmo 97), y a las naciones y la tierra a temblar y estremecerse (Salmo 99). La grandeza, la justicia, la santidad y el perdón de YHVH son los principales motivos para anticipar esas respuestas.

El Salmo 138 intercala una notable oración por el mundo en medio de las alabanzas y oraciones del salmista por su propia relación con Dios. Una vez más, la anhelada alabanza de las naciones está directamente relacionada con las grandes verdades que percibirán acerca de YHVH como Dios. La alabanza de las naciones no es una aclamación vacía. Está llena de sólido contenido bíblico: las naciones llegarán a alabar a YHVH por sus *palabras*, sus *caminos* y su *gloria*.

> Oh SEÑOR, todos los reyes de la tierra
>> te alabarán al escuchar tus palabras.
> Celebrarán con cánticos tus caminos,
>> porque tu gloria, SEÑOR, es grande. Salmo 138.4–5

El gobierno soberano de Dios. La expectativa de que todas las naciones llegarán a adorar a YHVH surge también de la afirmación teológica de que solo él gobierna sobre todo el mundo. La escatología se alimenta de la confianza monoteísta explorada en el capítulo 3. El hecho de que el reino de YHVH es uno de justicia, motivo por el que las naciones traerán su alabanza, ya se ha analizado en relación con el Salmo 67 (ver pp. 633-636).

El Salmo 22 pone la alabanza de las naciones en un marco muy universal: la ofrecerán pobres y ricos (es decir, todos los segmentos de la sociedad [Salmo 22.26, 29]), y será ofrecida por generaciones que ya han pasado y por los todavía no nacidos (Salmo 22.29, 31). Ya sea en sentido vertical en toda la sociedad o en sentido horizontal a lo largo de la historia, la adoración a YHVH como gobernante soberano será ofrecida universalmente.

> Se acordarán del SEÑOR y se volverán a él
>> todos los confines de la tierra;
> ante él se postrarán
>> todas las familias de las naciones,
> porque del SEÑOR es el reino;
>> él gobierna sobre las naciones. Salmo 22.27–28

El Salmo 2 ve el gobierno de YHVH como una severa advertencia a las naciones de no continuar su rebelión contra él sino seguir el camino más sabio de adorarlo en humildad.

> Ustedes, los reyes, sean prudentes;
>> déjense enseñar, gobernantes de la tierra.
> Sirvan al SEÑOR con temor;
>> con temblor ríndanle alabanza. Salmo 2.10–11

Las naciones deben adoptar esta posición hacia YHVH porque él ha establecido a su rey ungido en Sión. La referencia al rey davídico histórico se fue haciendo cada vez más vacía, claro está, a medida que los titulares humanos de ese trono se fueron haciendo ellos mismos más rebeldes que los de las otras naciones. Lejos de guiar a Israel de tal manera que las naciones pudieran llegar a reconocer a YHVH, ser bendecidas por él y adorarlo, fue precisamente la maldad de los reyes de Israel lo que precipitó los hechos que se convirtieron en escándalo entre las naciones.[28]

La restauración de Sión por parte de Dios. Sin embargo, después de haber expresado todo el lamento por esos hechos, como ocurre profusamente en los últimos salmos, surge también allí la esperanza de la restauración de Sión, como ocurre en los profetas. Y esto también será un elemento en la alabanza a YHVH que se anticipa entre las naciones. Incluso antes que Israel, serán las naciones las que se maravillen por las cosas asombrosas que Dios ha hecho al restaurar Israel de la situación desesperada de cautiverio (Salmo 126.2–3).

El Salmo 102 vincula bellamente entre sí a una Sión restaurada y a las naciones adoradoras, en un pasaje que parece haber tenido una fuerte influencia en las expectativas judías dentro de las que surgieron la misión de Jesús mismo y sus seguidores. El escenario concebido era que una vez restaurada Sión, las naciones se reunirían para adorar y alabar a Dios, de tal manera que Israel resonaría con las alabanzas de Israel y las naciones juntas. Esta secuencia con seguridad influyó sobre la comprensión que Pablo tuvo de su propia época y misión: la restauración de Israel, la reunión de las naciones, la alegría compartida de ambas.

---

28 Podría ser que este fracaso del rey davídico provea una clave para la organización del salterio mismo. En este capítulo adopto un enfoque principalmente temático de los Salmos al recoger su relevancia misional. No obstante, el creciente interés en una lectura canónica del libro de los Salmos como un todo puede arrojar nueva significación misional. Desde la obra fundamental de Gerald H. Wilson: *The Editing of the Hebrew Salter*, Scholars Press, Chicago, 1985, otros estudiosos han explorado el efecto de la lectura de los salmos con el trasfondo narrativo de la historia del Antiguo Testamento, y con atención particular a los salmos en torno a las 'secciones' de los cinco libros en que se ha editado el salterio. (Para un análisis ver Gordon Wenham: 'Towards a Canonical reading of the Psalms', en *Canon and Biblical Interpretation*, ed. Craig Martholomew y otros, Paternoster, Carlisle; Zondervan, Grand Rapids (en preparación).

John Wigfield está explorando los vínculos entre los Salmos y Deuteronomio a la luz de 'Deuteronomy and Psalms: Evoking a Biblical Conversation', *Journal of Biblical Literature* 118/1 (1999) con la visión de una lectura misionológica del salterio como un todo. Si el israelita modelo del Salmo 1 representa el rey modelo de Deuteronomio 17, que debería guiar a Israel en los caminos de la obediencia a la ley de Dios, entonces, según Deuteronomio 4.6–8, las naciones deberían observar y ser atraídas por Israel. Entonces la pregunta del Salmo 2 es aguda y sorprendente: '¿Por qué se sublevan las naciones … contra el SEÑOR?' ¿Habrá sido porque Israel y su rey habían fallado en aproximarse a los ideales del Salmo 1? A pesar del abundante estímulo para una humilde y fiel obediencia en los libros 1 y 2, y a pesar de los ideales presentados al rey davídico en el Salmo 72 (final del libro 2), la realidad es que desde Salomón en adelante todos los reyes abandonaron a Dios y su ley, con el resultado de que la nación acabó en un obvio colapso desesperado del pacto davídico en el Salmo 89 (final del libro 3). De allí en adelante, los salmos ponen un énfasis más sostenido en las naciones en general y en el reinado de YHVH sobre Israel y las naciones. El enfoque global de la recopilación va ganando fuerza y volumen de manera un tanto similar a la creciente mirada universal escatológica de los profetas.

Es una hipótesis interesante que requiere clarificación y demostración. Pero muestra otro aspecto del canon en el que una hermenéutica misional puede abrir nuevos ángulos de enfoque.

Te levantarás y tendrás piedad de Sión,
  pues ya es tiempo de que la compadezcas.
¡Ha llegado el momento señalado! ...
  Las naciones temerán el nombre del SEÑOR;
todos los reyes de la tierra reconocerán su majestad.
  Porque el SEÑOR reconstruirá a Sión,
y se manifestará en su esplendor. ...
  Para proclamar en Sión el nombre del SEÑOR
y anunciar en Jerusalén su alabanza,
  cuando todos los pueblos y los reinos
se reúnan para adorar al SEÑOR. Salmo 102.13, 15–16, 21–22

Alabanza universal. Finalmente, algunos salmos anticipan la alabanza de las naciones sin otra razón que YHVH es digno de alabanza de todo el universo, de modo que ninguna nación puede quedar excluida o excusada de esa tarea. Hemos señalado al Salmo 47 con su supuesto de que YHVH es enaltecido como el gran Rey (p. 632), por lo tanto todos los reyes humanos deben sumarse naturalmente a las exclamaciones de gozo y alabanza. El Salmo 100 convoca a toda la tierra para aclamar con júbilo, mientras que el más breve de los salmos, el 117, invita a todas las naciones y a los pueblos a alabar a YHVH por su gran amor y su fidelidad eterna: cualidades que Israel conoce por propia experiencia, y que serán el tema de la alabanza universal entre las naciones.

Siendo el más breve de los salmos, el Salmo 117 ejerció una influencia teológica en Pablo fuera de proporción con su extensión. Provee el vocabulario tanto como el contenido temático de Romanos 15.8–11, destacando no solamente la fidelidad y misericordia de Dios (en lo que ha obtenido para las naciones por medio de Cristo) sino también el llamado a la alabanza que ahora se extiende a las naciones.[29]

El punto culminante del salterio, con su aluvión de alabanzas, se eleva a cimas retóricas de universalidad.

El Salmo 145 anticipa a toda la creación alabando a Dios, pero la parte humana de la misma lo hará porque ha llegado a conocer las obras y el reinado de Dios por el testimonio de su pueblo.

---

29 Jannie du Preez: 'The Missionary Significance of Psalm 117 in the Book of Psalms and in the New Testament', *Missionalia* 27 (1999): 369–376.

Que te alaben, Señor,
    todas tus obras;
que te bendigan tus fieles.
    Que hablen de la gloria de tu reino;
que proclamen tus proezas,
       para que todo el mundo conozca tus proezas
y la gloria y esplendor de tu reino. Salmo 145.10–12

El Salmo 148 también es un himno de alabanza a YHVH por parte de todo el orden creado, no es de sorprender entonces que incluya a 'los reyes de la tierra y todas las naciones, los príncipes y los gobernantes de la tierra' (Salmo 148.11)

Me he detenido mucho en este material en los Salmos de alabanza anticipada de YHVH por parte de todas las naciones, porque, aunque es de tan manifiesta significación misionológica, es fácil pasarla por alto. Hemos leído tanto los Salmos como cánticos del antiguo Israel, que podemos tender a pasar por alto versículos como estos como si fueran simples floreos retóricos, sin detenernos a maravillarnos por el vasto horizonte de expectativa e imaginación contenido en ellos. Casi siempre leemos los Salmos uno a la vez, con lo que perdemos la oportunidad de sentir la arrolladora fuerza acumulativa de un tema tan dominante en el asombroso discurso litúrgico de Israel.

Sin embargo, en cualquier teología bíblica de la misión o cualquier lectura misionológica de las Escrituras, este es, sin duda, un material de primera relevancia. Su amplitud de miras, su enfoque de inclusión universal, su pasmosa esperanza escatológica... todas estas características de los Salmos son componentes esenciales para articular el alcance de la misión de Dios en las Escrituras. Creighton Marlowe acuña un nombre muy apropiado para los salmos. Los llama 'la música de las misiones'.

Tanto Israel como la iglesia han sido comisionados o llamados a reflejar y presentar la luz de la revelación, las buenas noticias acerca de la verdadera naturaleza de Dios como Salvador, Juez, Rey, y Señor de la tierra y de todos sus habitantes. La tribuna sobre la que el pueblo de Dios de cualquier época se gana la oportunidad de ser escuchado ... puede y cambiará dramáticamente a lo largo de los siglos o milenios o puede ser tan diversa como los individuos o instituciones que procuran ser testigos. Pero el objetivo principal sigue siendo el mismo: visualizar y verbalizar la revelación del único Dios verdadero... ante el mundo alcanzable de naciones. Los salmos del Antiguo Testamento son cánticos sagrados (poesía hebrea con música) que en parte refuerzan de manera explícita este propósito divino para Israel y en consecuencia, implícitamente, para la iglesia. Celebran el carácter de los vínculos interculturales. Son la música de las misiones.[30]

Los profetas. Los pasajes que hemos analizado en los Salmos bien podrían calificarse como proféticos, tal es la amplitud de su visión. Sin embargo, entre los profetas, es el libro de Isaías el que tiene un interés más sostenido en la visión escatológica de las naciones ofreciendo sus alabanzas a YHVH. La encontramos tan al comienzo como Isaías 2 y participa del momento culminante del libro en 66.18–23.

Ha habido un intenso debate de eruditos sobre la naturaleza del así llamado universalismo de Isaías, especialmente los capítulos 40—55. Por un lado, están los que consideran estos capítulos como el pináculo de la visión 'misionera' de Israel: el extender la esperanza de la salvación de Dios a todas las naciones de la tierra y generar una visión de universalismo centrífugo. Por el otro, están los que ven esos capítulos simplemente como la cumbre del exclusivismo de Israel: todas las naciones tendrán que someterse a Israel y reconocer que el Dios de Israel es el único verdadero. En esta última perspectiva, estos capítulos están imbuidos de un espíritu de nacionalismo centrípeto más que de universalismo.[31]

Anthony Gelston y Michael Grisanti han provisto argumentos equilibrados y excelentes para el debate. Ambos sostienen que la visión de cualquiera de los dos polos de la dicotomía anterior es errónea. Vale la pena transcribir sus conclusiones, con las que acuerdo totalmente:

30 W. Creighton Marlowe: 'Music of Missions: Themes of Cross-Cultural Outreach in the Psalms', *Missiology* 26 (1998): 452. George Peters va más allá retóricamente, contando 'más de 175 referencias de tipo universalista relacionadas con las naciones del mundo. Muchas de ellas ofrecen esperanza de salvación a las naciones ... . En realidad, el Salterio es uno de los más grandes libros misioneros del mundo, aunque rara vez se lo mira desde ese punto de vista'. George W. Peters: *A Biblical Theology of Missions*, Moody Press, Chicago, 1972, pp. 115–116.
31 Una selección de literatura pertinente para el debate incluye a Robert Davidson: 'Universalism in Second Isaiah', *Scottish Journal of Theology* 16 (1963): 166–185; D. E. Hollenberg: "Nationalism and 'The Nations' in Isaiah XL—LV", *Vetus Testamentum* 19 (1969): 23–36; Harry Orlinsky: 'Nationalism–Universalism and Internationalism in Ancient Israel', en *Translating and Understanding the Old Testament: Essays in Honor of Herbert Gordon May*, ed. H. T. Frank y W. L. Reid, Abingdon, Nashville, 1970, pp. 206–236; D. W. Van Winkle: 'The Relationship of the Nations to Yahweh and to Israel in Isaiah XL—LV', *Vetus Testamentum* 35 (1985): 446–58; J. Blenkinsopp: 'Second Isaiah–Prophet of Universalism', *Journal for the Study of the Old Testament* 41 (1988): 83–103.

El universalismo que presento se encuentra en la segunda sección de Isaías y tiene tres hilos argumentales. Primero, está la afirmación de que YHVH es el único Dios verdadero, soberano sobre toda la creación, y en consecuencia sobre toda la humanidad. Segundo, está la expectativa de que esta verdad será reconocida por las naciones gentiles tanto como por Israel, con el corolario de que se someterán a él y reconocerán su gobierno universal. ... No obstante, hay un tercer hilo, que consiste en la oferta universal de la experiencia de salvación. En ninguna parte el profeta afirma que todos aprovecharán esa oferta. Por el contrario, hay indicaciones claras en 45.25 que algunos no lo harán ... para perjuicio de quienes persisten en la idolatría.[32]

Isaías 40–55 contiene pasajes que manifiestan ambos lados de esta tensión [entre nacionalismo y universalismo]. Los términos tradicionales 'nacionalismo' y 'universalismo' no revelan suficientemente los puntos constitutivos de este debate. ... Afirmaciones como que el profeta es el 'profeta misionero del Antiguo Testamento' o que es un ardiente nacionalista sin ninguna preocupación por las naciones, encuadran este debate. Entre estos dos extremos, el profeta Isaías no pinta a Israel como una nación de misioneros que recorren todo el mundo, ni excluye a las naciones de participar de la redención divina. ... El profeta sostiene que el trato especial de Dios con su pueblo elegido no solamente beneficia a Israel, sino que también tiene significación para todas las naciones. Isaías subraya el papel de Israel de ser testigo para las naciones ... en el sentido de ser un pueblo de Dios cuya vida debe llevar a las naciones a buscar a Dios (ver Isaías 2.1–4; 43.10–11). Es como pueblo elegido de Dios que Israel puede ejercer un papel mediador con relación a las naciones. El ferviente anhelo de Isaías es que responda a la intervención de Dios a su favor y cumpla con su papel de nación sierva de Dios ante el mundo.[33]

---

32 Anthony Gelston: 'Universalism in Second Isaiah', *Journal of Theological Studies* 43 (1992): 396.
33 Michael Grisanti: 'Israel's Mission to the Nations in Isaiah 40.55: An Update', *Master's Seminary Journal* 9 (1998): 61.

Volviendo al tema de las naciones que traen su alabanza a YHVH, Christopher Begg ha realizado un estudio exhaustivo de todos los pasajes en el libro de Isaías que presentan este tema, dividiendo el libro en secciones bastante clásicas.[34]

En Isaías 1—12 el tema recoge las profecías en relación a Israel. En Isaías 2.1–5 se hace un agudo contraste entre la expectativa escatológica del obediente culto de adoración, ajustado a la ley, de las naciones en el futuro y los rituales contemporáneos de la Israel rebelde del capítulo 1. Eso se repite en el capítulo 12, donde la ira ya aplacada de YHVH con Israel se encuentra con una corriente de alabanza que incluirá a las naciones y a todo el mundo (Isaías 12.4–5). En Isaías 13—27 (la sección de los oráculos en relación con las naciones) es evidente que la carga abrumadora está en las palabras de juicio contra las naciones coetáneas al mundo del profeta. Sin embargo 'se continúa expresando la expectativa de algún tipo de participación de una nación o las naciones en conjunto en la adoración a Jehová',[35] La más destacada de estas voces es la profecía en relación con Egipto en Isaías 19.16–25. Pero además de la esperanza que se expresa allí por Egipto, encontramos la anticipación de la adoración en forma de ofrendas y presentes que llevarán los etíopes (Isaías 18.7) y el pueblo de Tiro (Isaías 23.17–18). El llamado Apocalipsis de Isaías (capítulos 24—25) también contiene figuras no solo del juicio de Dios sobre toda la tierra, sino de la adoración que las naciones finalmente dirigirán a Dios. Después del juicio purgador, habrá gozosa y agradecida alabanza por parte de los sobrevivientes (Isaías 24.14–16). En Isaías 25 parece claro que los beneficios de la salvación de Dios, incluyendo finalmente la destrucción de la muerte misma, serán tanto para Israel como para todas las naciones, que se reunirán en el Monte de Sión para el banquete (v. 6) de manera que el 'nuestro' de Isaías 25.9 incluye ambos:

> En aquel día se dirá:
> '¡Sí, éste es nuestro Dios [de los israelitas y las naciones];
> en él confiamos, y él nos salvó!

---

34 Christopher T. Begg: 'The Peoples and the Worship of Yahweh in the Book of Isaiah' en *Worship and the Hebrew Bible*, ed. M. P. Graham, R. R. Marrs, y S. L. McKenzie, Sheffield Academic Press, Sheffield, 1999.

35 *Ibid.*, p. 39. Ver también como estudio más amplio del tema de las naciones en relación con la unidad del libro de Isaías, G. I. Davies: 'The Destiny of the Nations in the Book of Isaiah ', en: *The Book of Isaiah; Le Livre d'Isaie*, ed. J. Vermeylen, Leuven University Press, 1989, pp. 93–120.

¡Éste es el Señor, en él hemos confiando;
regocijémonos y alegrémonos en su salvación!'

En Isaías 40—55 el tema de la alabanza de las naciones vuelve ahora con mayor énfasis. Y su justicia y su ley se ejercerán en las naciones que la esperan con avidez (Isaías 42.1–4). En consecuencia, todas las naciones hasta los confines de la tierra pueden ser convocadas a adorarlo (Isaías 42.10–12) y finalmente lo harán en el despertar de la nueva obra redentora de Dios (Isaías 45.6, 14). La convocatoria se convierte en llamado en el punto culminante de Isaías 45, cuando YHVH invita al remanente de las naciones (como al remanente de Israel) a volverse a él para salvación y así convertirse de su última falsa adoración a la adoración exclusiva de YHVH (Isaías 45.22–25). Este llamado, realizado por un nuevo David, encontrará buena voluntad y pronta respuesta en naciones que hasta el momento eran desconocidas para Israel (Isaías 55.3–5).

En Isaías 56—66, la visión inicial de Isaías en el capítulo 2.1–5 (del peregrinaje de las naciones a Sión) se expande y aumenta en un rico caleidoscopio de anticipación. En un nivel individual, los extranjeros que antes estaban excluidos encontrarán que su alabanza es ahora aceptada en el templo (Isaías 56.3–8). En el nivel internacional, Isaías 60, junto con Isaías 61.5–7, expresan una gloriosa evocación de todos los sentidos, con la alabanza de las naciones ofrecida a YHVH y con la mediación de Israel que ahora funciona como se esperaba, como sacerdocio de las naciones. Tal como Israel traía sus diezmos y ofrendas a sus sacerdotes, también las naciones traerán su ofrenda a Israel como sacerdote de YHVH (Isaías 61.6). Es bastante probable que Pablo viera teológicamente su recolección financiera de entre las iglesias gentiles para la empobrecida iglesia de Jerusalén como una señal del cumplimiento escatológico de esas visiones proféticas.[36] Si bien hay una retórica de sumisión a Israel, puede tratarse de una figura del reconocimiento de que es el Dios de Israel quien reina en forma suprema. 'Este capítulo deja en claro que su homenaje está destinado en última instancia a Yahvéh mismo' (ver Isaías 60.6, 7, 9, 14, 16).[37]

---

36 Esto lo sostiene C. H. H. Scobie: 'Israel and the Nations: An Essay in Biblical Theology', *Tyndale Bulletin* 43, No.2 (1992): 283–305.
37 *Ibid.*, p. 50.

Walter Brueggemann está de acuerdo y continúa agregando un punto acerca del papel de la Torá en esta adoración escatológica de las naciones. Adorarán como naciones a las que se les ha enseñado los caminos de YHVH (como también anticipan Isaías 2.2–5 y 42.4).

> En esta visión hay dos cosas importantes. Primero, las naciones vienen gozosas, de buen grado y con expectativas. La fuerza política de la casa de David no los presiona ni los obliga, sino que han venido en reconocimiento de que es el único lugar donde es posible encontrar paz y justicia. Segundo, en el proceso de venir gustosamente, se declara que las naciones, lo mismo que Israel, están sujetas a la Torá de Jehová. Es decir, la Torá es tan pertinente para las naciones como lo es para Israel. Esto deja en claro que las naciones deberán tratar con la soberanía de Jehová, pero también que la Torá, aunque está en Jerusalén, no es propiedad exclusiva de Israel. Pertenece a las naciones tanto como a Israel.[38]

Walter Vogels también observa la fuerte conexión entre Sinaí y Sión en esta visión de las naciones. 'Lo que Israel celebró en el Sinaí, lo celebran las naciones en Sión. En el Sinaí Jehová dio su ley a Israel por medio de Moisés. Ahora da su revelación a las naciones por medio de Israel. En aquella oportunidad Israel fue designada como pueblo de Jehová, pero ahora todas las naciones son pueblo de Jehová'.[39]

Finalmente, en Isaías 66 las naciones que han sido el objeto de testimonios y convocatorias, una vez reunidas para la alabanza de YHVH, se convierten ellas mismas en agentes de testimonio y proclamación. Esta es la única pronunciación de misión inequívocamente centrífuga del Antiguo Testamento. Los que han sido destinatarios de la bendición abrahámica ahora se convierten en agentes de mediación para otros.

> Yo, por causa de sus acciones y sus ideas, estoy a punto de reunir a gente de toda nación y lengua; vendrán y verán mi gloria.
>
> Les daré una señal, y a algunos de sus sobrevivientes los enviaré a las naciones ... y a las costas lejanas que no han oído hablar de mi fama ni han visto mi gloria. Ellos anunciarán mi gloria entre las naciones. Isaías 66.18–19

---

38 Brueggemann, *Old Testament Theology*, pp. 501–502.
39 Vogels: *God's Universal Covenant*, p. 122.

Vale la pena citar casi completa la conclusión de Christopher Begg:

> El tema de la participación de las naciones con la adoración de Jehová se ha destacado como significativo a lo largo de todo el libro de Isaías, con una creciente atención dedicada a aquél a medida que se avanza desde los capítulos 1—39 a 40—66. Hasta un grado llamativo, los pasajes hablan en términos positivos de la relación de las naciones con la adoración de Jehová. …

Además, cierto número de pasajes anticipa a Israel ejerciendo un papel mediador en la adoración de las naciones por las que debe interceder (45.14) o realizar los sacrificios para los que proveen las víctimas (60.7; 61.6). … Es notable observar de qué manera los textos prevén a las naciones como adoradoras de Jehová, y cómo entran plenamente y con igualdad de condiciones a los privilegios de Israel. Por eso, los títulos usados en otras partes para Israel ('mi pueblo', 'obra de mis manos', 'siervos' 56.6), se usarán para las naciones. También serán 'misioneras' de Jehová (66.19) y sacerdotes (66.21). Los no israelitas deberán tener un altar propio (19.20), presentarán sacrificios agradables al Señor (19.21. 56.7) participarán de sus fiestas (56.6; 66.23), y tendrán parte en su pacto (56.6). Jehová por su parte 'enseñará' a las naciones (2.3), las alimentará (25.6), abolirá todas las causas de sufrimiento (25.7–8) y hará que él y su gloria sean conocidos por ellas (19.22; 66.18). *En resumen, la adoración de las naciones a Jehová constituye una clave, un componente insistentemente destacado de las esperanzas futuras que ocupa mucho lugar en el libro de Isaías.*[40]

Si se compara con Isaías, el tema es mucho más escaso en otros libros proféticos, pero no está ausente. Vale la pena examinar la siguiente lista de pasajes: Jeremías 3.17; 17.19–21; Miqueas 4.1–5; Sofonías 2.11; 3.9; Zacarías 8.20–22; 14.16; Malaquías 1.11.

Podemos decir entonces, con un amplio registro de textos de apoyo, que una parte significativa de la esperanza escatológica de Israel en relación a las naciones es que *a la larga ellas traerían su alabanza a* YHVH, *el único Dios vivo de toda la tierra.* Y nuevamente debemos agregar que tal visión constituye un importante hilo dentro de una teología bíblica

---

40 Begg: 'The Peoples and the Worship of Yahweh', pp. 54–55 (énfasis agregado).

de la misión, porque es la incansable misión de Dios (una misión en la que nos invita a participar) traer esa adoración universal de las naciones a una gozosa realidad.

Las naciones serán incluidas en la identidad de Israel

'Es notable observar' repitiendo la idea de Begg, 'de qué manera los textos prevén a las naciones como adoradoras de Jehová, y cómo entran plenamente y con igualdad de condiciones a los privilegios de Israel.'[41] Verdaderamente llamativo. Por lo tanto debemos volver a este punto culminante. Porque, para retomar mi metáfora anterior, el Antiguo Testamento no se contenta con describir a las naciones como espectadoras del gran drama que se juega entre YHVH e Israel, ni siquiera como espectadoras que aplauden porque perciben que el drama es en última instancia para su propio beneficio. La parte más radical de la visión del Antiguo Testamento está por delante. Porque el director divino tiene la intención de sacar a los espectadores de las butacas y llevarlos al escenario, para que se unan al elenco original y continúe la obra con una única pero infinitamente extendida compañía. Las naciones llegarán a compartir la identidad misma de Israel. El pueblo de Dios superará los límites de etnia y geografía. El nombre mismo 'Israel' será extendido y redefinido.

Estas no eran racionalizaciones teológicas posteriores a los hechos del apóstol Pablo, buscando justificar la inclusión de los gentiles a la iglesia. *Están afirmadas de manera inequívoca en el Antiguo Testamento como parte de la misión de Dios en relación con las naciones de la tierra.* El siguiente análisis de textos tomados de los Salmos y los Profetas lo pondrá en evidencia, ya que cuando Dios cumpla con su gran proyecto misional para la historia y la creación, las naciones de la tierra descubrirán que:

- estaban registradas en la ciudad de Dios
- fueron bendecidas con la salvación de Dios
- eran aceptadas en la casa de Dios
- eran convocadas por el de nombre de Dios
- estaban unidas al pueblo de Dios

---

41 *Ibid.*, p. 55.

Es imposible imaginar una inclusión más abarcadora.

Registradas en la ciudad de Dios. El Salmo 47 ya nos ha sorprendido con su descripción de las naciones que aplauden a YHVH por lo que ha ocurrido en la historia de Israel, incluso aunque implicaba el sometimiento de las naciones mismas en la historia de la conquista. Pero vienen más sorpresas. Si YHVH es, efectivamente, el Rey de toda la tierra, entonces, cuando la gran reunión de naciones se presente delante de él:

> Los príncipes de los pueblos se reunieron
>> como pueblo del Dios de Abraham,
> porque de Dios son los escudos de la tierra.
>> ¡Él es muy enaltecido! Salmo 47.9–10, RVR95

En la frase en hebreo no hay ninguna preposición entre 'los príncipes de las naciones' y 'pueblo del Dios de Abraham': sencillamente están en aposición, el uno se identifica con el otro.[42] Que Dios en este contexto sea nombrado específicamente como el Dios de Abraham es sin duda significativo, en vista de la universalidad de la promesa de Dios a Abraham. De modo que el registro de las naciones no dejará a las otras naciones ni atrás, ni abajo, y ni siquiera simplemente al lado de Israel, sino que en realidad las incluirá *como* Israel, es decir, parte del pueblo del padre Abraham.

> Los innumerables príncipes y pueblos llegarán a ser un pueblo, ya no volverán a ser extranjeros sino estarán en el pacto; esto se infiere porque se los llama *pueblo del Dios de Abraham*. Es el abundante cumplimiento de la promesa de Génesis 12.3; anticipa lo que Pablo expone sobre la inclusión de los gentiles como hijos de Abraham (Romanos 4.11; Gálatas 3.7–9).[43]

El Salmo 87 utiliza la figura del registro de naciones (v. 6) y, lo que es muy asombroso, pasa lista en Sión mismo. Se enumeran muchas naciones vecinas como habiendo 'nacido' allí, y como que están entre aquellos que 'me conocen' (v. 4, el lenguaje normalmente usado en forma exclusiva para Israel en el pacto). La expectativa es claramente que 'Sión' al final llegará a incluir

---

42 Los comentaristas se preguntan si el hebreo *'im* (con) se perdió por haplografía con el idéntico sonido consonántico *'am* (pueblo) que sigue. La LXX lo toma así. No obstante, no hay evidencia en los textos para una lectura más extensa, y el Texto Masorético tiene sentido cuando se lo toma como arriba.

43 Derek Kidner: *Psalms 1—72*, Tyndale Old Testament Commentaries, InterVarsity Press, Leicester, 1973, p. 178.

no solo a los israelitas sino a pueblos de otras naciones que serán adoptados y se les concederá el derecho de ciudadanos con los mismos derechos de los nativos que serán registrados allí por YHVH. Es revelador que a YHVH se le llama aquí *Elyon* [el Altísimo] (v. 5), el nombre original del Dios de Jerusalén, con fuertes vínculos con Abraham (Génesis 14.18–20).

La lista de naciones para ser enumeradas y registradas como ciudadanos de Sión incluye a los dos grandes imperios *enemigos* históricos, Egipto (Rahab) y Babilonia, junto con otros vecinos enemigos menores: filisteos, socios comerciales (Tiro) y representantes de regiones distantes (Cus). 'Cuando allá se pase lista', habrá algunos nombres que nos sorprenderán en el registro.

Bendecidas con la salvación de Dios. Como dije en el capítulo 7, (pp. 314-315), personalmente encuentro que Isaías 19.16–25 es una de las declaraciones más impresionantes entre los profetas, y uno de los textos misionológicamente más elocuentes del Antiguo Testamento.

El capítulo comienza de una manera que hemos llegado a esperar dentro del repertorio profético, un oráculo de condena contra Egipto en una secuencia de tales oráculos contra Babilonia, Moab, Siria y Cus. En Isaías 19.1–15 Egipto es colocado bajo el juicio histórico venidero de Dios en cada nivel de su religión, agricultura, pesca, industria y política. Ya hemos oído de este tipo de cosas.

Pero luego, desde el versículo 15 al 22, el futuro más indefinido ('en aquel día' se repite seis veces) verá una asombrosa transformación de la suerte de Egipto, en la que experimentarán por ellos mismos todo lo que Dios ha hecho por Israel cuando los liberó de la opresión egipcia. El profeta extiende a una nación extranjera el principio familiar por el que se hicieron las predicciones sobre la futura restauración de Israel, en términos tomados del pasado del mismo Israel (un nuevo éxodo, un nuevo pacto, una nueva protección en el desierto y entrada a la tierra, etc.). Aquí se usa el pasado de Israel para describir la bendición futura prometida a una nación extranjera que se vuelve a Dios.[44]

Los egipcios, que se habían negado a reconocer a YHVH, ahora cla-

---

44 'El autor de Isaías. 19.16–25 ... tomó imágenes de la experiencia de su propio pueblo para describir la salvación ofrecida a las naciones.... Se atrevió a aplicar a otras naciones lo que Israel pensaba que era su privilegio.' Vogels: *God's Universal Covenant*, p. 96.

marán a él (no a sus propios dioses). Él les enviará un Salvador y Liberador. Entonces conocerán a YHVH y lo adorarán (como hizo Israel en el éxodo). Incluso hablarán la lengua de Canaán (es decir, el hebreo, desde la perspectiva israelita; lo que en realidad quiere decir que los egipcios se identificarán de hecho con los israelitas). Serán azotados por plagas, pero YHVH los sanará. Todo esto es el Éxodo retomado y vuelto del revés. Es el Éxodo recargado y con papeles invertidos.

La lista de declaraciones sobre Egipto en esta increíble pieza de escritura escatológica tiene más detalles que cualquier otra cosa dicha sobre las naciones en otras partes.

> Isaías 19.16–25 supera no solo al resto de Isaías, sino de todo el Antiguo Testamento, anticipando que otras naciones (y aun algunas tradicionalmente enemigas) vendrán a participar en toda la gama de experiencias y prerrogativas hasta el momento únicamente de los israelitas … al punto que estarán en pleno pie de igualdad con Israel.[45]

Como si no fuera suficiente sorpresa lo que se ha dicho de Egipto, el profeta luego pone a Asiria en la ecuación y predice que estas dos grandes naciones se darán la mano (Isaías 19.23). Normalmente, eso inundaría de terror a los israelitas, porque Egipto y Asiria habían sido como trituradores de gigantes, capaces de aplastar a Israel en cada extremo de su historia y desde puntos cardinales opuestos. Pero la realidad histórica se invierte por completo en la predicción de que el propósito de su unificación será, no la unión de fuerzas para luchar contra YHVH y su pueblo, sino más bien porque 'adorarán juntos'. Esto supera la promesa de que los israelitas, que habían sido dispersados por Asiria o Egipto volverían a reunirse para adorar a Dios, como aparece en Isaías 27.12–13. Esta no es simplemente una profecía sobre la reunión de los exilados de Israel, sino sobre la reunión de las naciones entre las cuales (y a causa de algunas de las cuales) estaban exiliados. Los opresores de la dispersión se convertirían en los adoradores de la reunión. La historia se invierte en esta transformación escatológica. Los enemigos de Dios y de Israel

---

45 Begg: 'The Peoples and the Worship of Yahweh', p. 42.

estarán en paz con Israel y entre sí.[46]

Es indudable que en esta profecía altamente escatológica, el profeta usa a Egipto y Asiria en sentido figurado, es decir representan una inclusión más amplia de otras naciones, no solo las que se han mencionado de manera específica. De igual manera, las profecías sobre Babilonia (en ambos Testamentos) van más allá de las predicciones sobre la suerte histórica de la ciudad y el imperio de Babilonia, hasta representaciones visuales de la suerte final de los enemigos de Dios. Egipto y Asiria nunca alcanzaron tal unidad con Israel en los tiempos de Isaías ni en el nuestro. Pero la visión y la tarea que ella implica (o para decirlo de otra manera, la misión de Dios y de su pueblo) abarcan más que la geopolítica antigua o actual del Medio Oriente.

> Por lo tanto nos invita a mirar hacia adelante y a orar por la venida del día en que naciones como Egipto (y aquí podemos agregar nuestra nación) se inclinen ante Dios, cuando sus ciudades (y podemos agregar nuestra propia ciudad) reconozcan a Jehová, cuando esas naciones tengan una historia de salvación paralela a la de Israel, cuando los grandes poderes se unan en adoración, y cuando la promesa de Abraham se haga efectivamente realidad.[47]

Luego viene la sorpresa final:

> En aquel día Israel será, junto con Egipto y Asiria, una bendición en medio de la tierra. El SEÑOR Todopoderoso los bendecirá, diciendo: 'Bendito sea Egipto mi pueblo, y Asiria obra de mis manos, e Israel mi heredad.' Isaías 19.24–25

La identidad de Israel se *fusionará* con la de Egipto y Asiria. Por si las implicancias del versículo 24 no fueran suficientemente claras, el profeta las expresa de manera inequívoca (para no decir escandalosa), y adjudica a Egipto y Asiria descripciones que hasta el momento solo se podían

---

46 'El día en que Egipto y Asiria estén en paz entre sí y con Israel será el día en que todo el mundo esté en paz'. Barry Web: *The Message of Isaiah,* The Bible Speaks Today, InterVarsity Press, Leicester; InterVasity Press, Downers Grove, III., 1996, 96.
47 John Goldingay: *Isaiah,* New International Biblical Commentary, Endrikson, Peabody, Mass.; Paternoster, Carlisle, 2001, p. 121.

decir de Israel. De hecho, el orden de las palabras en hebreo es más enfático y chocante que la traducción NVI. Dice literalmente: 'Bendito mi pueblo, Egipto[!] y la obra de mis manos, Asiria[!], y mi herencia, Israel'. Es muy fuerte el desconcierto de leer 'Egipto' inmediatamente después de 'mi pueblo' (en lugar del esperado Israel) y de encontrar a Israel tercero en la lista. Pero es así. Los archienemigos de Israel serán absorbidos en la identidad, en los títulos y en los privilegios de Israel, y compartirán la bendición abrahámica del Dios vivo, YHVH.

Por supuesto, no se identificarán con el pueblo de Dios de esa manera mientras sigan enemistados. La transformación que se explicita acerca de Egipto, también se debe dar por sentado con Asiria. Solo cuando los enemigos de Dios claman a él, lo reconocen, lo adoran y se vuelven a él (vv. 20–22) pueden entonces disfrutar el rescate, la sanidad, la bendición y la inclusión. Eso era tan cierto para la rebelde Israel como para sus tradicionales enemigos. Pero es precisamente lo que logrará el amor y el poder transformador de Dios, para las naciones tanto como para Israel. Esa es la misión de Dios, quien está dedicado a convertir enemigos en amigos, como lo supo Saulo de Tarso mejor que nadie. Es muy posible que esta triple expresión de la inclusión de los gentiles en la identidad y los títulos de Israel (como coherederos, copartícipes y miembros de un mismo cuerpo con Israel) en Efesios 3.6 deba algo a este pasaje de Isaías.

Aceptadas en la casa de Dios. Isaías 56.3–8 es un pasaje inusual que está dirigido no a las naciones como un todo sino a individuos extranjeros, junto con los eunucos: dos grupos de personas que, en la comunidad a la que estas palabras fueron dirigidas, temían ser excluidos del pueblo de Dios. Sus temores estaban bien fundados, porque leyes como Deuteronomio 23.1–8 muestran que los varones castrados y ciertas categorías de extranjeros efectivamente tenían negado el acceso a la asamblea santa de los israelitas en momentos de adoración.

Entre las razones secundarias para esta exclusión bien pudo haber estado el criterio para la membresía del pacto en el Israel preexílico de que la persona debía pertenecer a una *familia* con propiedad de la tierra. El *linaje* (la participación en la estructura tribal étnica de Israel) y la *tierra* (la participación en la herencia de la tierra de YHVH) eran los elementos clave de la identidad y la inclusión en Israel.[48] El eunuco no podía tener familia porque, como se lamentaba, 'No soy más que un árbol seco'. Y el extranjero no podía tener parte en la tierra ya que esta se dividía exclusivamente entre las tribus, los clanes y las casas de Israel.

Dios se ocupa de manera directa de esas deficiencias paralizantes. El eunuco tendrá 'un monumento y un nombre' mejor que el que cualquier familia podría darle. El extranjero será llevado al monte santo de Dios, símbolo de participar en el reparto de la tierra. En pocas palabras, pertenecerán en forma plena de la ciudadanía de Israel.

¿En base a qué condiciones se hacen esas promesas? Precisamente las mismas condiciones que determinaban el goce ininterrumpido del privilegio de ser el pueblo de YHVH, es decir, la *fidelidad* incondicional al pacto con YHVH, la *adoración* exclusiva a YHVH y la estricta *obediencia* a sus leyes (Isaías 56.4–6). Como hemos señalado, la definición de Israel aquí está cambiando sutilmente de un pueblo *elegido* a un pueblo *que elige*.

> [A los extranjeros] los llevaré a mi monte santo;
> ¡los llenaré de alegría en mi casa de oración!
> Aceptaré los holocaustos y sacrificios
> que ofrezcan sobre mi altar,
> porque mi casa será llamada
> casa de oración para todos los pueblos. Isaías 56.7

No es difícil imaginar el creciente desconcierto y escándalo entre los habitantes nativos de Jerusalén a medida que la invitación divina trae al extranjero cada vez más cerca del corazón mismo de la exclusiva santidad de Israel.

Los extranjeros serán llevados al monte santo.

¿No es suficientemente cerca?

No, Dios los llenará de alegría en el templo.

Pero, ¿supongo que en los patios exteriores?

No, pueden traer sus ofrendas directamente al altar.

Nada de lo que estaba a disposición de los adoradores *israelitas* será negado a los *extranjeros* dispuestos a someterse al Dios de Israel. Si aceptan

---

48 Para ver más sobre este nexo total entre teología, economía y ética: Christopher J. H. Wright: *God's People in God's Land: Family, Land and Property in the Old Testament*, Eerdmans, Grand Rapids, 1990.

las condiciones de la participación en el pacto, serán aceptados en el corazón de la relación del pacto. Hallarán alegría en la casa del Señor: la alegría de la identidad y de la inclusión.

Una vez más, es muy posible que la mente de Pablo estuviera empapada de la dinámica de estos versos mientras escribía estas palabras a los beneficiarios de su cumplimiento:

> Recuerden que en ese entonces ustedes estaban separados de Cristo, excluidos de la ciudadanía de Israel y ajenos a los pactos de la promesa, sin esperanza y sin Dios en el mundo. Pero ahora en Cristo Jesús, a ustedes que antes estaban lejos, Dios los ha acercado mediante la sangre de Cristo. Efesios 2.12–13

Además, es muy difícil imaginar que Lucas no tuviera en mente este texto de Isaías, no exento de cierto sentido de humor e ironía, indudablemente, cuando escribió que el primer creyente en Jesús de fuera de la comunidad judía nativa fue efectivamente un *extranjero*, un *eunuco*, y estaba leyendo el rollo de Isaías, apenas a unas columnas de este pasaje. Lucas se toma el cuidado de señalar, sin embargo, en línea con su comprensión del cumplimiento de todas esas promesas en Cristo, que el etíope eunuco de Hechos 8, aunque efectivamente había asistido a Jerusalén a adorar, no halló gozo en el *templo*, sino cuando supo de *Jesús*, confió y fue bautizado, y siguió su camino gozoso. Jesús es aquel por medio del cual las personas de todas las naciones serán aceptadas en la casa de oración de Dios. La misión consiste en llevar las naciones a hallar gozo en la casa del Señor, trayéndolas a aquel que encarna esa casa en su propia persona y en la comunidad de creyentes.

Llamadas por el nombre de Dios. Los versículos 9.11–12 ponen un final asombroso al libro de Amós. Después del fuego del juicio, la destrucción y el exilio que dominaron todo el libro, la nota final es una de esperanza. Más allá del juicio, hay restauración y renovación en los planes de Dios. Ya que otros profetas anteriores al exilio podían combinar oráculos de juicio y esperanza, parece no haber ninguna razón forzosa para recortar estos pasajes de la profecía de Amós y disponerlos en otro lugar.

Lo que sorprende es que así como Amós comenzó en la arena internacional, también termina allí. Amós 1—2 describe la caótica maldad de las naciones vecinas (por supuesto, Israel no es mucho mejor) y las atronadoras palabras de YHVH sobre la ira venidera. Estos versículos finales describen la restauración no solamente del reino davídico y del templo (recordemos que Amós era de Judá, aunque su ministerio profético tuvo lugar en el reino del norte) sino también 'el remanente de Edom y todas las naciones que llevan mi nombre'.[49]

La gran sorpresa aquí es la combinación de la palabra plural *naciones* con el concepto de 'que llevan mi nombre'. Solo una nación, con seguridad, podría ser legítimamente descripta de esa forma. La expresión 'que llevan mi nombre' denota pertenencia y relación íntima. En el uso común, expresa el anhelo de las mujeres por pertenecer a su esposo (Isaías. 4.1), o la estrecha y confirmadora relación del profeta con su Dios (Jeremías 15.16).

Pero en el uso teológico significativo 'llevar el nombre de YHVH' apelaba a los puntos centrales de la relación única de Israel con YHVH. El arca del pacto llevaba su nombre (2 Samuel 6.2). Lo mismo con el templo el día de su dedicación, Salomón oró para que 'todos los pueblos de la tierra' llegaran a conocerlo (1 Reyes 8.43). Jerusalén, merecidamente o no, era la ciudad que se llamaba con el nombre de YHVH (Jeremías 25.29). Lo más significativo era que en el meollo de la bendición de Dios a Israel por el pacto estaba ser el pueblo que llevaría su nombre.

> Te confirmará Jehová como su pueblo santo, como te lo ha jurado, si guardas los mandamientos de Jehová, tu Dios, y sigues sus caminos. Entonces verán todos los pueblos de la tierra que *el nombre de Jehová es invocado sobre ti,* y te temerán. Deuteronomio 28.9–10 (RVR95, énfasis agregado).

Por cierto, esta era precisamente una de las marcas distintivas de Israel, porque las naciones extranjeras de los propios días de Israel podían agruparse simplemente como aquellos que nunca habían sido llamados por el nombre de YHVH (Isaías 63.19).

Entonces, ¿qué está diciendo Amós? Nada menos que, este gran privilegio, que las naciones debían reconocer respecto de Israel y de su

---

49 En relación con 'Edom' la LXX dice 'Adam' en lugar de 'Edom' (las consonantes hebreas son las mismas también) y esto lo convierte en 'el remanente de la humanidad'. Esta es una lectura entendible y tal vez correcta y condice con la nota universal de 'todas las naciones'. Con seguridad es la forma de texto que usa Santiago en Hechos 15.17.

templo, en realidad sería cierto respeto de las naciones mismas. Es una inversión escatológica de posición.

Como en los demás pasajes que ya hemos analizado, es también el lenguaje de la inclusión y la identidad. Llevar el nombre de YHVH era la etiqueta del contenido del arca, la placa de dedicación del templo, el mapa de referencia de Jerusalén y la insignia de solapa de todo israelita. Era el privilegio de definición de un solo pueblo en toda la tierra (Israel) ser conocido como 'la nación que lleva el nombre de YHVH'. Ahora, declara el profeta, esta identidad estará a disposición para 'todas las naciones'. ¿Cuánta más inclusión se podría esperar?

Las naciones que una vez estuvieron con Israel bajo el juicio de Dios en Amós 1—2, ahora están junto con Israel bajo la bendición de Dios en estos versículos finales. El concepto mismo de 'Israel' se ha extendido para incluirlos en esta designación clave: 'llevar mi nombre'.

Isaías 44.1–5 es otro pasaje poco común en que habla de individuos en lugar de naciones enteras. El contexto es la promesa de Dios a Israel en el exilio de que no desfallecerán ni morirán allí. Por el contrario, Dios tiene planes de futuro crecimiento para su pueblo, bajo el poder irrigador y fertilizante de su Espíritu. Dentro de esa visión, el profeta describe conversaciones individuales con YHVH.[50]

Uno dirá: 'Pertenezco al Señor';
    otro llevará el nombre de Jacob,
  y otro escribirá en su mano: 'Yo soy del Señor',
    y tomará para sí el nombre de Israel. Isaías 44.5

De manera que el crecimiento de Israel no solo será biológico (como lo describen las imágenes predominantes) sino también por extensión y conversión. Los extranjeros se unirán a Israel por el doble acto de identificarse con YHVH y con el pueblo de YHVH, Israel. No se puede pertenecer a uno sin el otro, pero la condición de membresía está abierta a quienes la elijan. Llevar el nombre de Dios, entonces, es tanto una

---

50 Algunos consideran que Isaías 44.5 no se refiere a extranjeros sino a los israelitas apóstatas que vuelven al redil arrepentidos y con renovada lealtad. Es posible, pero más bien, parece forzar el texto. Hablando estrictamente, ningún israelita de nacimiento necesitaba decir lo que lo que el interlocutor de este versículo afirma. De modo que en mi opinión tiene mucho más sentido considerar que esas palabras fueron expresadas por no israelitas que eligieron identificarse con YHVH y su pueblo por medio del uso de estas fórmulas.

visión escatológica para las *naciones* (como en Amós), como una elección y acción personal para el *individuo*. Una teología bíblica de la misión, por supuesto, incluye cómodamente a ambos.

Unidas al pueblo de Dios. Zacarías 2.10–11 viene en medio de una visión de aliento para el pueblo de la Jerusalén posexílica. En contraste con el programa iniciado por Nehemías, este profeta dice que la ciudad no necesitará paredes, en parte por la afluencia de nuevos habitantes en parte porque Dios mismo será una pared de fuego a su alrededor (Zacarías 2.3–5). Los enemigos que antes los despojaron, serán ellos mismos derrotados y despojados (2.8–9). Luego el Rey vendrá para habitar una vez más entre su pueblo.

> 'Grita y alégrate, oh hija de Sión. Mira, he aquí que yo vengo, y habitaré en medio de ti,' declara el Señor. 'Muchas naciones se unirán a YHVH en aquel día. Ellas me serán por pueblo. Y yo habitaré en medio de ustedes.' Zacarías 2.10—11 (mi traducción).

De manera que el mensaje del profeta a las naciones no era solamente de juicio destructivo, sino, más allá de eso, de inclusión en el pueblo de Dios. Y el mensaje del profeta para el pueblo de Israel no era de favoritismo excluyente de parte de Dios sino de expansión que incluiría no solamente a sus propios exilados de regreso, sino también a personas de 'muchas naciones'.

La repetida frase 'habitaré en medio de ti' es importante, tanto en contenido como en posición. Es la palabra *šākan* fuertemente asociada con el hecho de que Dios hace del tabernáculo y el templo su residencia. El nombre asociado es *šĕkînâ*, la presencia de Dios en el tabernáculo en medio de su pueblo. De modo que el primer uso de la frase en Zacarías 2.10 es una palabra de esperanza para la comunidad posexílica, en línea con las visiones de Ezequiel de que Dios retornaría a Sión para residir una vez más en la ciudad y el templo que tan penosamente había abandonado. Pero el segundo uso idéntico viene después de la predicción de la venida de las naciones para unirse a YHVH. Y esta repetición sella la afirmación de inclusión que ya ha sido señalada antes.

Primero, las naciones se unirán a YHVH, no simplemente a Israel. En otras palabras, no se unirán solo como subordinadas a Israel, en alguna ciudadanía de segunda. Pertenecerán a YHVH tal como Israel (como vimos en el Salmo 47).

Segundo, disfrutarán exactamente de la misma relación de pacto con YHVH que Israel. La expresión 'me serán por pueblo' es lenguaje del pacto, con raíces que se remontan hasta el Sinaí, y que hasta el momento se aplicaba solo a Israel. Es notable que, aunque 'las naciones' está en plural (lo mismo que el verbo 'serán'), el predicado está en singular 'por pueblo'. No se trata de 'Israel más las naciones' sino de 'las naciones lo mismo que Israel', un pueblo que pertenece a Dios.

De modo que, cuando la frase 'habitaré en medio de ti' se repite después del predicado que reúne a las naciones, es significativo que no cambie el sufijo final a 'habitaré en medio de ellos', sino que retiene el 'ti' segunda persona femenina singular, de la referencia original a Sión. 'Tú, Sión', sigues siendo la morada de Dios, pero 'tú' ya no serás simplemente una comunidad de judíos exilados que retornan. 'Tú' Sión, te convertirás en una comunidad multinacional de personas de muchas naciones, todas ellas pertenecerán a YHVH, y por ello se las considerará con justicia pertenecientes a Israel. Dios mismo morará en medio de 'ti' Sión de las naciones (ver Salmo 87). La identidad y la membresía de Israel han sido radicalmente redefinidas por YHVH mismo. Ya no se trata de Sión *y* las naciones sino de Sión incluidas las naciones.

Zacarías 9.7 muestra el alcance hasta el que se podría tomar esa visión, dentro de la escena política internacional contemporánea. Zacarías 9 comienza con una gira relámpago del mapa de los países del oeste asiático, de norte a sur, comenzando con las partes altas de Siria y terminando en la franja de Gaza (Zacarías 9.1–6). Todo lo que cae dentro de la visión del profeta es puesto bajo el ojo escrutador y el juicio inminente de YHVH.

Pero luego, una repentina palabra de esperanza se inmiscuye en relación con los filisteos… ¡justamente los *filisteos*!

> Yo quitaré la sangre de sus bocas, el alimento inmundo de entres sus dientes. Y el remanente, y pertenecerá a nuestro Dios. Y será como un clan en Judá, y Ecrón será como los jebuseos. Zacarías 9.7 (mi traducción).

Nuevamente encontramos que ese juicio (v. 6) no es la última palabra de Dios para las naciones, ni siquiera para una nación que había sido un enemigo empedernido de Israel desde tiempos inmemoriales. En lugar de eso, pueden ser purificados y limpiados de las prácticas paganas. Y, tal como Israel mismo después del fuego purificador del juicio de Dios, *un remanente pertenecerá* a 'nuestro Dios', es decir, un remanente de los filisteos pertenecerá al Dios de Israel.

De manera que se ofrece la misma esperanza a los filisteos que a la rebelde Israel, la esperanza de un remanente fiel. A este lenguaje de inclusión del pacto ('pertenecer a nuestro Dios') se agrega el lenguaje de la inclusión económica en la tierra y la estructura social de Israel (recordemos el punto en Isaías 56 que la tierra y el parentesco eran elementos esenciales de la identidad israelita y de la inclusión en el pacto, en el Antiguo Testamento). Los filisteos pasarían a ser un clan de Judá (!), incorporados de igual manera que los jebuseos, los habitantes originales de la Jerusalén cananea, habían sido incorporados por David a su nuevo reino.

Aquí hay una palabra notable, que muestra hasta qué punto la esperanza en la inclusión general de las naciones dentro de la identidad de Israel podía vestirse con el atuendo muy particular de la política internacional contemporánea, haciendo que todo se defina con más agudeza. Si hay esperanza para los filisteos, hay esperanza para cualquiera. Si Dios se propone incluir a los filisteos en Israel como parte del pueblo que pertenece a 'nuestro Dios' ¿quién puede ser excluido?

Necesitamos detenernos y tomar aire. Al mirar atrás al camino que hemos andado en este capítulo, debemos reconocer la magnitud del panorama que nos ha abierto. Debemos reconocer que hemos recopilado textos de una amplia variedad de fuentes canónicas y que no hemos procurado trabajar su contexto histórico, literario o social. No obstante, el alcance y el volumen del testimonio de los textos que hemos escuchado es verdaderamente admirable. La variedad de fechas y ubicación canónica también contribuye al punto. Desde los primeros textos hasta el período apostólico encontramos evidencias de una arraigada convicción en Israel sobre la relación entre su Dios y el resto de las naciones del mundo. Aquí hay un elemento central en la cosmovisión que modeló la vida y los pensamientos de este pueblo, tan firmemente arraigado (si es que no tan prominentemente ostentado) como los otros aspectos de su comprensión de sí mismo, su Dios y su mundo.

Hemos visto que los pilares de la cosmovisión de Israel incluían su condición de *elegidos* por YHVH en Abraham, su *redención* en el éxodo, la *relación del pacto* que detentaban con Dios, y la respuesta *ética* de santidad de vida y adoración que esa relación demandaba. Creían que todo eso era cierto sobre ellos en una forma única que *no* se aplicaba a otras naciones. Sin embargo, también sabían que su Dios Redentor era además el creador de todo el universo, *incluyendo* todas las demás naciones. De manera que articularon una perspectiva teológica de sólida coherencia sobre esas naciones, uniendo el realismo histórico (la exclusión vigente de las naciones de la experiencia de Israel) con un asombroso optimismo escatológico (la inclusión final de las naciones en todo lo que Israel creía sobre sí mismo).

Según este punto de vista amplio, todas las naciones del mundo fueron creadas por YHVH, están bajo su gobierno en sus asuntos históricos, son moralmente responsables ante él y especialmente en el manejo de la justicia. No obstante, como Israel, todas las naciones han quedado fuera de la gloria de Dios y se hallan en la misma situación de falta: bajo el juicio de Dios. El juicio vendrá sobre las naciones con la misma seguridad que vino sobre Israel. Pero después del juicio hay esperanza, porque siempre hay esperanza con el Dios de Israel.

De modo que así como el remanente de Israel experimentó la milagrosa y restauradora gracia de Dios en su propio regreso histórico de la tumba del exilio, así también el remanente de las naciones se volverá de manera definitiva al único Dios salvador, YHVH. Rechazando a los dioses falsos, se unirán a Israel trayendo sus alabanzas solo a YHVH. Y al hacerlo, Dios mismo los integrará a la relación del pacto, al tal punto que las diferencias entre Israel y las naciones finalmente serán fundidas en una comunidad multinacional perteneciente a YHVH y viviendo en una relación de bendición con él, en cumplimiento de la gran iniciativa del pacto establecida por la promesa a Abraham. Lo que distinguía a Israel de las naciones en su historia de Antiguo Testamento era esencial para la misión de Dios. Pero la misión de Dios era que esa distinción finalmente se disolviera a medida que las naciones llegaban a la unidad e identidad con Israel. Solamente el evangelio del Nuevo Testamento mostraría *cómo* podía eso ocurrir. Y solo la misión del Nuevo Testamento mostraría *cómo ocurrió* y continuará ocurriendo hasta que su reunión sea completa.

15 . Dios y las naciones en la misión del Nuevo Testamento

Al final del capítulo 14 esbocé los contornos generales de la visión de Israel sobre las naciones dentro de su cosmovisión básica de Dios y del mundo. Esta es la sólida base de convicción sobre la que Jesús y sus primeros seguidores construyeron el edificio que ha llegado a conocerse como la misión de la iglesia. Porque, como debieron haber razonado:

1. si el Dios de Israel es el Dios de todo el mundo,
2. si todas las naciones (incluida Israel) están bajo la ira y el juicio de Dios,
3. si aún así es la voluntad de Dios que todas las naciones de la tierra lleguen a conocerlo y adorarlo,
4. si Dios había elegido a Israel como el medio para traer esa bendición a todas las naciones,
5. si el Mesías habría de ser quien encarnara y cumpliera esa misión de Israel,
6. si Jesús de Nazaret, crucificado y resucitado es el Mesías...
7. entonces es hora de que las naciones reciban las buenas noticias.

Ya era hora de que las repetidas convocatorias de los salmos a proclamar y cantar entre las naciones las nuevas de la salvación de YHVH, y de que la visión de los profetas de que la salvación de YHVH debía llegar hasta los confines de la tierra, pasara de la imaginación de la fe a la arena del cumplimiento histórico.

¿Un mandato misionero en el Antiguo Testamento?

Sin embargo, esta lógica no fue a caer sencillamente en ese orden; no de entrada por cierto. Cuando por fin se puso en marcha la dinámica centrífuga del movimiento misionero de los primeros cristianos, era algo particularmente nuevo *en la práctica, si es que no también como concepto.* Claro que había precedentes en los esfuerzos judíos por ganar prosélitos. Pero la magnitud y la base teológica de la misión a las naciones gentiles que se da en el Nuevo Testamento superan todo lo logrado por las actividades proselitistas del judaísmo del Segundo Templo.[1]

Debemos retroceder un momento y preguntarnos si esa lógica debería haber generado la misión a las naciones mucho antes, es decir, en la historia del Israel del Antiguo Testamento. Hay quienes piensan que en realidad la intención de Dios era que los israelitas mismos se comprometieran con la misión evangelizadora centrífuga a las naciones.

Walter Kaiser presenta un fuerte argumento en favor de su apasionada convicción de que Israel tenía, y lo sabía, la tarea de llevar su mensaje de salvación de YHVH a las naciones, llamarlas a confiar, como correspondía que hicieran, en la Simiente prometida de Dios, aquel que vendría en cumplimiento de las promesas a Adán y Eva, a Abraham, y a David. Kaiser toma los muchos pasajes que hemos indicado en el capítulo 14 no solo como una convicción acerca de algo que Dios tiene intenciones de hacer por medio de Israel sino como algo que Israel tenía el mandato para hacer en ese momento y lugar.[2]

Sin embargo, me parece que no hay un mandato claro en la revelación de Dios a Israel a lo largo de los siglos para que se comprometiera en 'misiones' a las naciones en nuestro sentido de la palabra. Si Dios hubiera tenido la intención de que los israelitas viajaran a otras naciones para desafiar la adoración de otros dioses, para llamarlas al arrepentimiento ético y religioso, para relatarles todo lo que YHVH había hecho en y por Israel, y luego guiarlos a confiar en la Simiente prometida de Abraham para su salvación —si todo eso hubiera sido la intención de Dios para Israel, uno hubiera esperado encontrar algunas otras líneas de evidencia. Por ejemplo, en la Torá, aunque hemos observado las implicancias de la designación de Israel como sacerdote de Dios entre las naciones, no hay ningún mandamiento

---

1 Sin embargo, hay bastante desacuerdo sobre cuánta actividad proselitista hubo en realidad entre los judíos. Para una evaluación misiológica positiva de la diáspora judía y sus esfuerzos proselitistas, ver Richard R. De Ridder: *Discipling the Nations*, Baker, Grand Rapids, 1975, pp, 58–127. Para una discusión de espectro más amplio de todas las fuentes y literatura secundaria, ver Eckhard J. Schnabel: *Early Christian Mission*, t. I, '*Jesus and the Twelve*', InterVarsity Press, Leicester; Inter Varsity Press, Downers Grove, III., 2004, pp. 92–172.
2 Walter C. Kaiser (h.): *Mission in the Old Testament: Israel as a light to the Nations*, Baker, Grand Rapids, 2000. Kaiser trata muchos de los mismos textos que hemos analizado en este libro y en un nivel básico estoy de acuerdo sobre el fuerte mensaje misionero del Antiguo Testamento. No obstante todavía no estamos convencidos de su interpretación de esos textos como que implican un mandato misionero que tendría que haber resultado en que Israel se comprometiera en una misión centrífuga a las naciones.

claro y explícito de que los israelitas debieran *ir* a las naciones y ejercer allí esa función sacerdotal. No hay ninguna escasez de leyes sobre cómo debía vivir Israel en su tierra como socio de pacto de YHVH en medio de las naciones. De manera que si YHVH hubiera tenido la intención de que organizaran misiones a las naciones, con toda seguridad hubiera formulado instrucciones al efecto. Pero no las encontramos.

Y si las misiones concretas a las naciones hubieran sido una obligación de pacto conocida (lo que se esperaba que los israelitas dedujeran de su tradición narrativa de las promesas de Dios y del enfoque universal de sus cánticos de adoración), también hubiéramos esperado encontrar la condena explícita de los profetas al evidente *fracaso* de Israel en llevar adelante esa actividad misionera, en especial si hubiera habido ese elemento clave y consciente en la comprensión de Israel como supone Kaiser. Los profetas no estuvieron faltos de motivos para condenar a Israel. El *no vivir* en medio de las naciones según los principios del pacto con YHVH era una de ellos. Pero el *no ir* físicamente a las naciones con el mensaje de salvación no lo es. Esto sugiere que a esa altura nadie tenía la impresión de que debía ir, ni siquiera quienes estaban más cerca de la mente de Dios y su revelación.

Jonás, por supuesto, es una excepción a este principio; pero usarlo en apoyo de un presunto mandato misionero en el Antiguo Testamento, nos obliga a considerar la cuestión hermenéutica de la intención del libro, que es notoriamente controvertida.[3] El libro enseña lecciones importantes acerca de la naturaleza de Dios y su actitud hacia las naciones extranjeras. Esa es la idea central obvia del último capítulo: desafía con claridad el tipo de actitud que adopta Jonás en reacción a la suspensión del juicio a Nínive por parte de Dios. Pero es totalmente cuestionable decir que se escribió con la intención adicional de

---

3 Jonás no fue el único profeta en ir a una nación extranjera. Elías fue a la región de Tiro y Sidón para acompañar a la viuda de Sarepta que después llegó a creer en YHVH. Eliseo, después de su encuentro con Naamán (quien también llegó a creer después de ser sanado en Israel) fue por un tiempo a Damasco, capital de Siria (2 Reyes 8.7–15). No se nos dice lo que estuvo haciendo allí, pero el texto no da ninguna indicación de algo parecido a la evangelización. Estos relatos ciertamente muestran que la bendición de Dios se extendía a los extranjeros (como había orado Salomón y como Jesús señaló marcadamente a su audiencia en Nazaret), pero difícilmente tengan la forma de misiones organizadas o constituyan evidencia de que se esperaba esa actividad por parte del común de los israelitas. Ver también Walter A. Maier III: 'The Healing of Naaman in Missiological Perspective', *Concordia Theological Quarterly* 61 (1997): 177–96.

persuadir a otros israelitas a ser misioneros en el exterior como Jonás (aunque tal vez con menos obstinación y malhumorado descontento por las actitudes de misericordia de Dios). Lo que sí encontramos es la promesa clara de que la intención de *Dios* es extender esa bendición a las naciones, que *Dios* reunirá consigo a las naciones en el gran peregrinaje a Sión. La misión a las naciones desde la perspectiva del Antiguo Testamento es un acto escatológico de Dios, no (por ahora) una programa de envío de misioneros para el pueblo de Dios. Solo en Isaías 66 hay una palabra explícita sobre Dios enviando mensajeros a las naciones, y es como una expectativa futura supeditada primero a la reunión de Israel.

Aun así, lo que también encontramos es que Israel sin duda tenía algún sentido de misión, no de *ir* a alguna parte, sino de *ser* algo. Debían ser el pueblo santo del Dios YHVH. Tenían que llegar a conocerlo por lo que él es, a preservar la adoración verdadera y exclusiva para YHVH y a vivir según sus caminos y sus leyes en una entrega fiel a la relación de pacto con él. En todos estos sentidos *serían* luz y testigo para las naciones. Concuerdo entonces con la perspectiva de Eckhard Schnabel y Charles Scobie:

[Es] difícil, si no imposible, hablar de una tarea o comisión universal de Israel. Como yo entiendo el Antiguo Testamento, parece bastante claro que la 'misión' que YHVH dio a Israel (de adorarlo y cumplir su voluntad en agradecida y gozosa obediencia a las condiciones del pacto) fue una misión *local,* es decir una tarea que los israelitas debían llevar a cabo dentro de las fronteras de Israel. Lo *universal* serían las consecuencias de la obediencia de Israel, en el futuro *escatón.*[4]

Después de analizar parte del material que hemos explorado en este capítulo, Scobie concluye que:

A pesar de este notable conjunto de pasajes, el hecho es que no hay verdadera indicación de ningún proyecto misionero activo por parte de Israel en el período del Antiguo Testamento. Esto es así por tres importantes razones entrelazadas:

4 Eckhard J. Schnabel: 'Israel, the People of God, and the Nations', *Journal of The Evangelical Theological Society* 45 (2002): 40. Ver también el tratamiento exhaustivo de Schnabel del material del Antiguo Testamento y el análisis de las investigaciones revelantes en la primera parte de su magistral estudio *Early Christian Mission*, 1:55–91.

Primero, la reunión de las naciones *es un hecho escatológico*. Es algo que ocurrirá 'en los últimos días'. ... De manera que los gentiles serán plenamente aceptados, pero no en el presente; este es un acontecimiento que pertenece al futuro de Dios.

Segundo, la reunión de las naciones *no será obra de Israel*. Con frecuencia son aquellas naciones las que toman la iniciativa. En una serie de pasajes elocuentes, es Dios quien reúne a las naciones ..... .

Tercero, estos pasajes proféticos anticipan que *las naciones vienen a Israel, no que Israel irá a las naciones*. ... Este movimiento de la periferia al centro ha sido adecuadamente llamado 'centrípeto'.[5]

Sin embargo, cuando volvemos la página de Malaquías a Mateo, aterrizamos en un mundo absolutamente diferente. Encontramos la misma comprensión de la misión definitiva de Dios a las naciones que hemos visto aflorar de manera persistente a lo largo del Antiguo Testamento. Pero también descubrimos que ahora se ha transformado de lo que Schnabel llama una *idea* misionera a una enérgica *praxis* misionera.

En el comienzo estaba Jesús. Sin la persona de Jesús de Nazaret, el Hijo del Hombre mesiánico, no habría cristianos. Sin el ministerio de Jesús no habría misiones cristianas. Sin las misiones cristianas no hubiera habido un Occidente cristiano. El primer misionero cristiano no fue Pablo, sino Pedro, y Pedro no hubiera predicado un sermón 'misionero' en Pentecostés si no hubiera sido un discípulo de Jesús durante tres años.[6]

Con esas audaces palabras Eckhard Schnabel comienza su sólido estudio de la misión de la iglesia cristiana primitiva. Continúa examinando, en unos pocos trazos, la rapidez con que se extendió el movimiento,

5 Charles H. Scobie: 'Israel and the Nations: An Essay in Biblical Theology', *Tyndale Bulletin* 43, no. 2 (1992): 291–92. Mi única disputa con Schnabel y Scobie en estas citas es que minimizan el elemento de la convicción de Israel acerca de las naciones (exagerado por Kaiser), a saber, el tema preeminente en los Salmos de la proclamación de las obras de YHVH entre las naciones. Esto parece anticipar, a mi manera de ver, más que una misión 'local', en los términos de la significación universal de la revelación confiada a Israel. Sigo sosteniendo, sin embargo, que ese lenguaje pertenece a la retórica de la fe y la esperanza y no a que los salmistas se estuvieran ofreciendo o convocando a otros a enrolarse como misioneros para salir y proclamarlo entre las naciones.

6 Schnabel: *Early Christian Mission*, 1:3. Al decir 'el Occidente cristiano' Schnabel se refiere, por supuesto, a la realidad histórica de la amplia conversión de Europa durante los siglos posteriores al Nuevo Testamento, no a las actuales realidades globales. El sorprendente crecimiento de la iglesia alrededor del mundo en el siglo pasado ha convertido al (inapropiadamente llamado) Occidente cristiano en una minoría marginal del cristianismo mundial. Más del 75 % de todos los cristianos del mundo viven ahora en el sur del globo, el mundo mayoritario de África, América Latina y parte de Asia.

de 120 personas en el año 30 d.C. en Jerusalén hasta una comunidad que diecinueve años más tarde provocaba un gran revuelo en Roma, cuando el emperador Claudio expulsó a todos los judíos de la ciudad, y que luego de treinta y cuatro años era suficientemente provocativo como para atraer la persecución del emperador Nerón.

Entonces nosotros también debemos comenzar con Jesús y los apóstoles y luego mirar brevemente el relato de Lucas de la primitiva iglesia en Hechos, y finalmente al apóstol Pablo. En cada caso, nuestro propósito es ver cómo su interpretación bíblica de Dios y las naciones afectó la forma en que entendían su participación en la misión de Dios.

Queremos ver cómo el Nuevo Testamento toma y lleva a su plenitud toda la teología y las expectativas del Antiguo Testamento acerca de Dios y las naciones.

Jesús y los evangelistas

¿Cuáles eran las metas de Jesús?[7] ¿Qué se proponía hacer? ¿Cómo entendía su propia misión, y qué imaginaba que ocurriría después de su muerte?

Estas son grandes preguntas sobre las que se han derramado océanos de tinta. Afortunadamente hay algunos estudios sobre las investigaciones pertinentes y no necesitamos repetir aquí lo que está disponible en otras partes.[8]

Una de las maneras más simples de formular una respuesta coherente a las preguntas anteriores es observar lo que precedió y lo que siguió inmediatamente al ministerio terrenal de Jesús.

Todos los registros concuerdan en que el ministerio de Jesús surgió del ministerio de Juan el Bautista, y que el ministerio de Juan estaba destinado

---

7 Lo que sigue es muy resumido y se centra en temas que ya hemos analizado antes en este libro, especialmente en el capítulo 14. Un informe más detallado sobre el mensaje misionero particular de cada Evangelio se puede encontrar los capítulos 2 y 3 de David J. Bosch: *Transforming Mission: Paradigm Shifts in Theology of Mission*, Orbis, Maryknoll, N.York, 1991; los capítulos 9, 10, 11, 12 de Marcos, Mateo, y los escritos de Juan, respectivamente, en D. Senior y C. Stuhlmueller: *The Biblical Foundations for Mission*, SCM Press, Londres, 1983; Andreas J. Koestenberger y Meter O'Brien: *Salvation to the Ends of the Earth: A Biblical Theology of Mission*, Apollos, Leicester, 2001; capítulos 4, 5, 6, 8, de Marcos, Mateo, Lucas–Hechos y Juan, respectivamente, en Andreas J. Koestenberger: *The Missions of Jesus and the Disciples According to the Fourth Gospel: With Implications for the Fourth Gospel's Purpose and the Mission of the Contemporary Church*, Eerdmans, Grand Rapids, 1998.

8 Además de las obras magistrales de N. T. Eright, ver también R. T. France: *Jesus and the Old Testament: His Application of Old Testament Passages to Himself and His Mission*, Tyndale, Londres, 1971; Ben F. Meyer: *The Aims of Jesus*, SCM Press, Londres, 1979; Eckhard Schnabel: *Early Christian Mission*, vol. 1; Ben Witherington III: *The Christology of Jesus*, Fortress Press, Minneapolis, 1990.

a llamar a Israel al arrepentimiento en preparación para la venida del Señor. Es decir, fue un ministerio fundamentalmente profético que buscaba la restauración de Israel. Jesús se identificó con el mensaje de Juan y lo utilizó como la base del suyo.

Luego, muy poco después de la muerte y resurrección de Jesús, encontramos que sus primeros seguidores cruzan los límites del separatismo judío de los gentiles para poder compartir las buenas noticias sobre Jesús, apoyados y autenticados por manifestaciones del Espíritu Santo. En pocos años, quienes confesaban a Jesús como Salvador y Señor habían pasado de ser el grupo original de judíos creyentes convencidos para incluir a judíos helenizados, samaritanos, luego griegos, gente de diversos grupos étnicos de Asia Menor y finalmente echar raíces en la ciudad cosmopolita de Roma.

En otras palabras, el ministerio terrenal de Jesús fue emprendido por un movimiento cuya meta era la restauración de *Israel*. Pero Israel mismo ya había iniciado un movimiento que se proponía la reunión de *las naciones* en el nuevo pueblo mesiánico de Dios.

El impulso inicial para su ministerio fue llamar a Israel de vuelta a su Dios. El *impacto subsiguiente* de su ministerio fue una nueva comunidad que convocaba a las naciones a confiar en el Dios de Israel.

Necesitamos tener en mente esta doble dimensión de la misión de Jesús al leer el Nuevo Testamento. Es coherente no solamente con los pasajes del Antiguo Testamento que hemos analizado, en los que el escenario escatológico con frecuencia incluía esta secuencia: Israel sería restaurado y luego serían reunidas las naciones. O, como en Zacarías 2 y Zacarías 9, el Rey (es decir YHVH) retornaría a Sión (restaurando su reino en medio de ellos), y luego las naciones serían unidas a su pueblo. También refleja lo que se sabe de las expectativas judías en el período intertestamentario. Entre la enorme variedad de escenarios escatológicos encontrados en la literatura posterior al Antiguo Testamento, la nota dominante es la de la redención y restauración de Israel, pero una nota secundaria es también que, después del fuego purificador del juicio a los enemigos de Dios, se abriría el camino para la reunión de las naciones como lo anticiparon los grandes profetas canónicos.

LA MISIÓN DE DIOS

Jesús y los gentiles. Los Evangelios registran que Jesús limitó en forma deliberada su ministerio itinerante y el de sus discípulos mayormente a las 'ovejas perdidas del pueblo de Israel' (Mateo 10.6; 15.24). Pero también muestran cierto compromiso significativo con los gentiles y una conciencia de que la llegada del reino de Dios por medio de Jesús también debía afectarlos. Cuando se cotejan los siguientes incidentes y dichos se descubre que es sencillamente falso decir que Jesús no tenía interés en el mundo más allá de su propio pueblo judío.[9]

El siervo del centurión romano (Mateo 8.5–13; Lucas 7.1–10). Jesús responde con admiración ante la fe decidida del centurión, señalando que era mayor que la encontrada en Israel. Cabe suponer que lo significativo de la fe del centurión no fue que creyera en el poder de Jesús para hacer milagros de sanidad. Más bien era que él, un gentil, hubiera creído que la compasión y la sanidad de Jesús podían superar la división entre judíos y gentiles y alcanzar al siervo de un gentil. Eso era algo que los mismos vecinos de Jesús en Nazaret no podían tolerar. Entonces Jesús usa esa fe gentil como una oportunidad para señalar la esperanza escatológica de la reunión de naciones para el banquete mesiánico en el reino de Dios. Jesús quizás está combinando aquí pasajes que hablan del regreso de los judíos dispersos en todos los puntos cardinales (ver Salmo 107.3; Isaías 49.12), con el tema del peregrinaje y la adoración de las naciones (ver Isaías 59.19; Malaquías 1.11). Con seguridad muestra que si bien Jesús limitaba su misión terrenal mayormente al pueblo judío, el horizonte final de su visión era mucho más amplio.

---

9 Joachim Jeremias provee una discusión particularmente buena y detallada sobre la relación entre la manera en que Jesús confinó su propio ministerio y el de sus discípulos a los límites de Israel durante su vida, y luego los liberó a las misiones entre las naciones después de su muerte y resurrección, mostrando las raíces bíblicas para precisamente esa misión 'escindida', *Jesus' Promise to the Nations*, Studies in Biblical Tehology, scm Press, Londres, 1958; Fortress, Filadelfia, 1982. Un artículo sobre el mismo tema, más breve pero que hace reflexionar es T. W. Manson: *Jesus and the Non-Jews*, Athlone Press, Londres, 1955. Manson rechaza la idea del cristianismo liberal de que la misión de Jesús era solo la promulgación de ideales religiosos entre judíos y gentiles, sino que es más bien la creación de una comunidad completamente nueva, y esta era la preocupación de la iglesia primitiva también. 'El asunto vital a mediados del primer siglo era la incorporación de gentiles en el cuerpo cristiano, no la inculcación de ideas cristianas en la mentalidad gentil' (*Ibid.*, p. 6). '[La meta de Jesús era] construir en Israel un cuerpo de hombres y mujeres liberados del nacionalismo patriotero, de la ambición de imponer los ideales israelitas de fe y conducta en el resto del mundo por la fuerza de las armas; hombres y mujeres libres de orgullo espiritual con su condescendiente disposición para instruir a la generación menor en los elementos de la religión verdadera y la sana moral; hombres y mujeres que hubieran aprendido de Jesús cómo aceptar el gobierno de Dios para sí mismos, y cómo extenderlo a sus vecinos locales y afuera sirviéndolos en amor. Yo creo que Jesús vio la tarea inmediata como la de crear esa comunidad en Israel, con la esperanza de que transformara la vida de su propio pueblo, y que un Israel transformado podría transformar al mundo' (*Ibid.*, p. 18).

El endemoniado de Gadara y el sordomudo de Decápolis (Mateo 8.28–34; Marcos 5.1–20; Lucas 8.26–39; Marcos 7.31–35). La decisión de cruzar el Mar de Galilea vino de Jesús mismo, aunque sabía muy bien que el otro lado del lago era territorio gentil. La situación con que se encuentra allí peca de una triple impureza. En las proximidades hay una manada de cerdos impuros; el hombre con el que se encuentra vive en el mundo impuro de los muertos, y está poseído por una legión de espíritus impuros. Pero Jesús, lejos de contaminarse por el contacto con esa polución gentil, lo transforma por su presencia y sus palabras. Luego da el paso inusitado de decirle al hombre que hable a todo el mundo de las grandes obras y la misericordia del Señor, lo cual procedió a hacer con entusiasmo. Este hombre es en realidad el primer misionero gentil a los gentiles, comisionado por Cristo mismo. Está claro que su testimonio dio fruto en la región, porque en la siguiente visita de Jesús a Decápolis (de donde, recordemos, le habían suplicado que se fuera), la gente trajo al hombre sordo y mudo para que lo sanara, y es muy probable, por la posición que tiene en el relato, que la alimentación de la multitud de cuatro mil personas también ocurrió en la costa del lago de Decápolis, reflejando para beneficio de los gentiles uno de los milagros más significativos por los que Jesús demostró su identidad ante los judíos.

La mujer cananea (Mateo 15.21–28; Marcos 7.24–31). Como el centurión romano, la mujer cananea es otra gentil que sorprende a Jesús por la tenacidad de su fe, incluso frente al recordatorio de Jesús de la brecha que separaba a judíos de gentiles. La ubicación del relato también es muy significativa. Tanto Mateo como Marcos registran el hecho en el inicio de la discusión entre Jesús y los fariseos y otros maestros de la ley en relación con las comidas limpias y no limpias. En una radical reinterpretación, Jesús declara que la diferencia entre limpio y no limpio ahora debe entenderse en términos morales y no de comida; en términos de lo que sale del corazón, no de lo que entra por la boca. 'Con esto', comenta Marcos, 'Jesús declaraba limpios todos los alimentos' (Marcos 7.19). Pero la distinción entre limpio y no limpio en Israel era fundamentalmente un símbolo de la distinción entre Israel y las naciones. Por lo tanto, si Jesús abolía la distinción en relación con la comida (el símbolo), al mismo tiempo abolía la distinción en relación con judíos y gentiles (la realidad a la que apuntaba el símbolo). Esto hace más significativo que Mateo y Marcos relaten dos milagros para gentiles a continuación de la discusión (la mujer cananea y el hombre de Decápolis) y probablemente un tercero (si la alimentación de los cuatro mil ocurrió en el lado de Decápolis del lago). Por medio de la palabra y de la acción, Jesús está señalando las naciones como el horizonte amplio del poder salvador de Dios.

La señal profética en el templo (Mateo 21.12–13; Marcos 11.15–17; Lucas 19.45–46). Ahora hay un amplio acuerdo en que la acción de Jesús en el templo fue mucho más que una 'limpieza'. Más bien fue una señal profética que predecía la inminente destrucción del templo mismo.[10] Con seguridad este fue el primer cargo por el que las autoridades judías buscaron su ejecución. No obstante, Jesús vinculó su acción con dos pasajes de las Escrituras que clarifican su acción y hablan de su significado más amplio. Su cita de Jeremías 7.11 sobre el templo como 'cueva de ladrones' viene del famoso sermón de Jeremías en el primer templo, prediciendo su destrucción a manos de YHVH mismo a causa de la impenitente maldad de quienes seguían afirmando que adoraban a Dios allí. Su otra cita de Isaías 56.7 acerca de la intención de Dios de que su casa debía ser 'casa de oración para todas las naciones' muestra que lo que Jesús tenía en mente no era simplemente un juicio sobre el sistema presente del templo, sino también esa visión profética más amplia acerca del 'significado universal de la presencia de YHVH en Israel'.[11] Su acción fue "el anuncio de 'la hora del juicio' sobre el templo y sus líderes, y el anuncio de 'la hora de salvación para las naciones' las que, de allí en adelante, en forma independiente del templo, adorarán al Dios de Israel."[12]

La parábola de los labradores malvados (Mateo 21.33–46; Marcos 12.1–12; Lucas 20.9–19). Los tres Evangelios sinópticos registran la parábola de los labradores como una de las parábolas culminantes de Jesús, con un final tan acabado y un blanco tan claro (los líderes del pueblo judío del momento) que terminó precipitando los planes para arrestarlo y acusarlo. Es una figura nítida de la historia de Israel (visto como un viñedo de YHVH, una conocida metáfora del Antiguo Testamento [ver Isaías 5.1–7; Salmo 80.8–19]). Pero el giro en el relato es que, mientras

---

10 Para ampliar esta perspectiva ver especialmente N. T. Wright: *Jesus and the Victory of God*, SPCK, Londres, 1996, pp. 405–28.
11 Schnabel: *Early Christian Mission*, 1:341.
12 *Ibid.*, p. 342.

que la historia normalmente se habría narrado de tal manera que Dios al final justificara a Israel y destruyera todos los enemigos externos que amenazaban su viñedo (como en el Salmo 80), Jesús lo relata de manera que los verdaderos enemigos de Dios, el dueño del viñedo, son aquellos a quienes él ha confiado el cuidado de la viña, es decir, los líderes judíos. Y peor aún, predice que el dueño quitará la viña de manos de los administradores originales y la confiará a 'un pueblo que produzca los frutos' (Mateo 21.43).

Aquí hay dos puntos importantes. Por una parte, Jesús señala el final del monopolio del pueblo judío sobre la viña de Dios; otros serán llamados a servir a Dios en su reino. Por otra parte, hay solo una viña, y el propósito de Dios es que dé fruto. Esa era la misión de Israel. Dios busca un pueblo que dé frutos de vidas vividas delante de él reflejando su carácter de justicia, integridad y compasión. Ese es el fruto que Israel no produjo (ver Isaías 5.7), y que Dios ahora buscará de una compañía más amplia de 'labradores'. De manera que estos 'otros labradores', señalando a los gentiles que Dios llamará, no serán destinados a algún otro viñedo con el consecuente abandono del viñedo original. No, el plan de Dios es para este uno y único viñedo: su pueblo. Lo que está ocurriendo es la *extensión* de su administración más allá de los 'labradores' judíos originales, al mundo más amplio de los gentiles, que cumplirán para Dios con el propósito original: los frutos del viñedo.

La parábola del banquete de bodas (Mateo 22.1–10; Lucas 14.15–24). La figura pasa de Israel como un viñedo a Israel como compañero de pacto con YHVH en el gran banquete. Pero como los invitados originales se negaron a venir, la invitación se extiende a todo el mundo para que participen de la fiesta de bodas, y se llene de invitados. Ya se están esbozando los contornos de la misión a los gentiles. La parábola de Jesús se remite al gran banquete escatológico que incluiría judíos y gentiles. Pero mientras tanto, las comidas reales en la tierra se convirtieron en símbolos de esa comunión unificada. La pregunta de quién comería con quien en la 'comunión de la mesa' era de extrema importancia en el mundo antiguo. (Tampoco ha perdido su potencia en muchas sociedades modernas). Para los judíos estaba el tema de las leyes sobre comidas puras e impuras. Entre judíos, lo mismo que entre gentiles, las redes sociales y de clase se construían en torno a la inclusión o exclusión de la mesa. Por lo tanto, para los primeros cristianos la importancia de comer juntos como señal de unidad en Cristo era muy visible y de gran significado. Esa camaradería en la iglesia primitiva atravesaba por el medio la división entre judíos y gentiles y también la división social por el nivel económico. Un estudio fascinante sobre este tema en Lucas y los Hechos realizado por Hisao Kayama lo vincula con el concepto de misión de Lucas en ambos libros. Kayama concluye:

> El motivo de las comidas aparece con mucha frecuencia y transmite un importante mensaje teológico en Lucas y Los Hechos. Entendemos que se relaciona integralmente con el universalismo de Lucas, es decir, su programa misionero global que comienza en Jerusalén y se extiende hasta los confines de la tierra (Hechos 1.8). Lucas se encuentra en este cristianismo global en que los cristianos gentiles también están invitados a la mesa en tanto gentiles. ... A los lectores de Lucas y los Hechos se les recuerda que Jesús comió con cobradores de impuestos y pecadores (Lucas 5.27–32; 7.34; 15.2). La comunión de Jesús en la mesa con pecadores provee a Lucas y su comunidad una base teológica para una comunión cristiana en la mesa entre judíos y gentiles. ... El cristianismo como forma de comunión de la mesa se extendería hasta Roma, hasta el interior de Asia, hasta el Extremo Oriente, y hasta los confines de la tierra, desafiando y liberando a las personas de los tabúes nativos y culturales.[13]

Buenas nuevas para predicar a todas las naciones (Mateo 24.14; Marcos 13.10). En su advertencia a los discípulos de las pruebas que los esperaban y su aviso sobre lo que se podría considerar como señales del fin, Jesús presenta todo el período como de los 'dolores de parto'. Es decir, hechos como los que describe no son en sí mismos el fin, sino que, como la llegada del parto, apuntan a un resultado inevitable: el nacimiento de una nueva era. Mientras tanto, dice Jesús, sus mensajeros enfrentarán toda clase de oposición y sufrimiento. A pesar de todo eso,

---

13 Hishao Kayama: 'Christianity as table fellowship: Meals as a Symbol of the Universalism in Luke–Acts', en *From East to West: Essays in Honor of Donald G. Bloesch*, ed. Daniel J. Adams, University Press of America, Lanham, Md., 1997, p. 62.

la meta debe cumplirse. 'Primero tendrá que predicarse el evangelio a todas las naciones' (Marcos 13.10). El 'tendrá' de la profecía de Jesús aquí hace referencia al gran impulso escriturario, la misión inexorable de Dios de hacer que su salvación sea conocida por todas las naciones. Jesús no está organizando una agenda; sencillamente está afirmando un orden de hechos dentro del plan profetizado de Dios.

> El tiempo antes del fin, con sus tribulaciones, es el tiempo de la actividad misionera entre los gentiles y por ende el tiempo del cumplimiento de las antiguas profecías que anticipaban la conversión de las naciones. El término *dei* (*dei*, 'tendrá' en este caso) se refiere al plan de historia de la salvación, a los propósitos de Dios para el tiempo de los 'últimos días': la misión de los discípulos es y sigue siendo, como misión dada por Jesús, la proclamación universal del evangelio, incluso en tiempos de precariedad y en situaciones peligrosas.[14]

James W. Thompson tiene un punto de vista similar, comparando el uso de Marcos de la expresión *prōton dei* ('primero tendrá' [que ocurrir]) en Marcos 13.10, por un lado con las mismas palabras en Marcos 9.11 en relación con la necesidad de la venida de Elías antes de la era mesiánica, y por el otro con la clara convicción de Pablo de que 'la totalidad de los gentiles' tendrá que entrar antes del fin. La misión es entonces una necesidad escatológica, no solo para Pablo sino también para Jesús y la primera comunidad de discípulos.

> Esta comunidad, pensando que el tiempo del fin había comenzado por obra de Cristo, entendió la misión universal como necesidad escatológica. Vemos entonces que Marcos 13.10 no es un texto periférico para la comprensión neotestamentaria de la misión. Cuando se compara este pasaje con la comprensión de la misión en otros pasajes del Nuevo Testamento, particularmente en Pablo, hay que observar que la misión universal se veía normalmente como necesidad escatológica y precondición para el fin.[15]

La comisión a los discípulos después de la resurrección (Mateo 28.18–20; Lucas 24.46–49; Juan 20.21). Después de todas esas indicaciones en el cuerpo de los Evangelios, no es de sorprender que encontremos al Jesús

---

14 Schnabel: *Early Christian Mission*, 1:346.
15 James M. Thompson: 'The Gentile Mission as an Eschatological Necessity', *Restoration Quarterly* 14 (1971):27.

resucitado haciendo explícitas las implicancias universales de su identidad como Mesías y su misión para con Israel y las naciones. El lenguaje de la Gran Comisión (especialmente en Mateo) está impregnado del vocabulario y los conceptos del pacto del Antiguo Testamento,[16] Jesús adopta la postura del Señor cósmico, YHVH, él mismo; establece las condiciones de sus nuevos compañeros de pacto, hacer discípulos, bautizar y enseñar a las naciones; y luego concluye con la gran promesa del pacto: su presencia personal hasta el fin. Ahora se quitan por completo las limitaciones del ministerio terrenal de Jesús y de los primeros viajes misioneros de los discípulos a las fronteras de Israel. El Mesías ha resucitado; las naciones deben escuchar y ser llevadas al pacto por fe y obediencia (Mateo) y por arrepentimiento y perdón (Lucas).

Los evangelistas y los gentiles. A estos hechos y dichos del ministerio de Jesús, debemos agregar algunas de las pistas que dan los mismos evangelistas de su comprensión del significado universal de Jesús para las naciones, no solamente para los judíos.

Los gentiles en la genealogía de Jesús. Tanto Mateo como Lucas registran genealogías de Jesús (cuya conciliación no me preocupa en este momento). Lucas indica la universalidad de la relevancia de Jesús al rastrear su origen hasta 'Adán, el hijo de Dios'. Mateo hace lo mismo al seguir el origen de Jesús hasta Abraham, el hombre a quien Dios prometió su bendición para todas las naciones. Mateo va más allá al incluir en su lista de antepasados solamente a cuatro mujeres (Mateo. 1.3, 5, 6). Pero cada una de esas cuatro madres es una gentil: Tamar (cananea), Rajab (cananea), Rut (moabita) y Betsabé (hitita). Jesús, el Mesías de Israel tenía también sangre gentil.

Los aspectos internacionales de la infancia de Jesús. Mateo describe el significado internacional de Jesús al registrar primero cómo vinieron los magos del este a adorarlo, y luego cómo José llevó a María y al niño al oeste, a Egipto. Lucas ubica el nacimiento de Jesús en el contexto del decreto de Augusto de que 'de todo el mundo' (*oikoumenē*) fuera

---

16 Para un estudio muy abarcador de la tendencia universal y misional del Evangelio de Mateo en general y su coherencia con la teología paulina y la del Antiguo Testamento, ver James LaGrand: *The Earliest Christian Mission to 'All Nations' in the Light of Matthew's Gospel*, Eerdmans, Grand Rapids, 1995. Un estudio más popular pero provechosamente exhaustivo se puede encontrar en Martin Goldsmith: *Matthew and Mission: The Gospel Through Jewish Eyes*, Paternoster, Carlisle, 2001.

censado (Lucas 2.1, RVR95). Subraya la promesa a Abraham con su carácter universal implícito (Lucas 1.55, 73) y pone las palabras de universalidad en boca de Simeón, que reconoce a Jesús no solamente la 'gloria' de Israel sino también la 'luz' que ilumina a los gentiles (Lucas 2.30–32). Simeón también observa que la obra de salvación que comienza con el niño que tiene en brazos tendrá lugar 'a la vista de todos los pueblos', un término del Antiguo Testamento para indicar el testimonio de las naciones. De manera que cuando Lucas continúa con su segundo libro relatando la historia de la misión a los gentiles 'la misión en los Hechos es entonces la continuación y el cumplimiento del destino divinamente señalado de Jesús'.[17]

Las reseñas redaccionales sobre el alcance internacional de la influencia de Jesús. Aunque podemos sentirnos tentados a desestimar estas notas cortas de los escritores de los Evangelios como particularidades locales, es más probable que sean señales intencionales del impacto más amplio de Jesús. Su ministerio en realidad no quedó confinado a las fronteras de Israel, incluso si eso era lo que quería en primer término. Porque su fama se extendió a lo largo y a lo ancho, y representantes de las naciones vinieron para conocer y beneficiarse de su ministerio. Encontramos esas notas en Mateo 4.24–25, Marcos 3.7–8 y Lucas 6.17–18. Es significativa la dispersión geográfica de las regiones enumeradas.

La confesión del centurión en la cruz. (Mateo 27.54; Marcos 15.39). Por último, tanto Mateo como Marcos tal vez quisieron poner una nota de ironía en sus relatos de la crucifixión en la oportunidad en que, cuando los líderes de los judíos se niegan a reconocer la identidad de Jesús y están decididos a deshacerse de él, un representante de los gentiles exclama 'éste era el Hijo de Dios'. Aunque está claro que no podemos interpretar la afirmación como un repentino brote de iluminación trinitaria, y aunque probablemente el hombre quiso decir lo mismo que si hubiera descripto al emperador César como 'hijo de un dios', sigue siendo significativo que un soldado romano que debía lealtad al César pudiera decir esas palabras de aquel hombre a quien acababa de clavar en la cruz. Un gentil reconoce la verdad acerca de un crucificado, mientras los líderes judíos la rechazan. Probablemente Juan

---

17 James M. Scott: 'Acts 2.9–11 as an Anticipation of the Mission to the Nations' en *The Mission on the Early Church to Jews and Gentiles*, ed. J. Adna and H.Kvalbein, Mohr Siebeck, Tübingen, 2000, p. 88.

transmite la misma ironía en su relato del intercambio de Poncio Pilato con Jesús y con las palabras que Pilato hizo inscribir más tarde sobre la cabeza de Jesús. Incluso en forma de sarcasmo, los gentiles reconocían lo que los crucificadores negaban.

El uso de textos escriturarios enfocados en los gentiles. El uso que hace Mateo de las citas de las Escrituras en relación con Jesús es penetrante. En particular dos de ellas, no es de sorprender tomadas de Isaías, vinculan a Jesús con profecías sobre la inclusión de las naciones gentiles en el propósito redentor de Dios que se estaría cumpliendo por medio del Mesías. Mateo 4.15–16 cita Isaías 9.1–2 en relación con Jesús yendo a vivir en 'Galilea de los gentiles', en tanto que Mateo 12.18–21 cita Isaías 42.1–4 en relación con el ministerio de Siervo de Dios, que se extendería a las naciones.

La iglesia primitiva en Hechos

Al comienzo mismo de este libro observamos cómo Lucas, al final de su Evangelio, describe al Jesús resucitado insistiendo en que sus discípulos ahora deben leer sus Escrituras (el Antiguo Testamento) tanto en sentido mesiánico como misionológico. Las mismas Escrituras que señalan en forma inequívoca al Mesías también señalan que las buenas nuevas se extienden a las naciones. Lucas continúa esta perspectiva en su segundo libro, mostrando una y otra vez cómo la misión a los gentiles no es otra cosa que el cumplimiento de las Escrituras, y en especial de las profecías de Isaías.[18] Incluso la estructura general de la obra en dos libros de Lucas expresa esta teología subyacente. Comienza en Jerusalén y termina en Roma; desde el corazón de la fe de Israel (el templo) hasta el corazón del mundo de las naciones. Ese es el gran arco que constituye el avance geográfico y la dinámica teológica del informe de Lucas de 'las cosas que se han cumplido entre nosotros'. Y refleja toda la perspectiva bíblica que he venido examinando en las secciones anteriores. Las cosas que ocurren en el relato de Lucas, desde Juan el Bautista hasta Pablo

---

18 Thomas Moore considera que la mente de Lucas estaba empapada de Isaías y que tomó de ese profeta toda su visión de la historia de la salvación, incluyendo su comprensión de lo que habría ocurrido en Jesús y de lo que estaba ocurriendo ahora en la misión de la iglesia: "To the End of the Earth': The Goegraphical and Ethnic Universalism of Acts 1.8 in the Light of Isaianic Influence on Luke', *Journal of Evangelical Theological Society* 40 (1997): 389–99.

no son meramente una historia emocionante. Son 'las cosas que se han cumplido'. Llevan toda la historia de Israel del Antiguo Testamento a la culminación y a la meta, a medida que el propósito por el que Dios creó Israel en primer lugar (la bendición de todas las naciones) se hace ahora realidad por medio de la misión de la iglesia.[19]

Haría falta mucho más espacio del que tenemos aquí para examinar todos los pasajes en los que se expresa o se supone la perspectiva de Lucas sobre las naciones.[20] Lo más que puedo presentar son algunos casos destacados.

Pedro y Felipe. *Pentecostés y después*. Las primeras predicaciones de Pedro, incluso antes de su encuentro con Cornelio, indican una consciencia del significado más amplio de los hechos de Pascua y Pentecostés. Incluso la lista de personas a las que se dirige el día de Pentecostés probablemente tenga una intención universalizadora. James Scott lo vincula, junto con las alusiones a Babel en Hechos 2.2–4, con la Lista de Naciones de Génesis 10, y sostiene que 'los judíos de la diáspora que se reunieron en Jerusalén representan 'todas las naciones de la tierra' (Hechos 2.5) y señalan la tendencia universalista del libro de los Hechos'.[21] Por lo tanto, el llamamiento de Pedro a la multitud al arrepentimiento y al bautismo confirma que la promesa de perdón es para 'todos los extranjeros, es decir, para todos aquellos a quienes el Señor nuestro Dios quiera llamar' (lo cual nos recuerda de Isaías 44.3 y Joel 2.32).

De manera similar, en su predicación después de sanar al lisiado en la puerta del templo, Pedro proclama el cumplimiento de las palabras de los profetas, no solamente en cuanto a traer la bendición mesiánica a Israel (lo que la sanidad en nombre de Jesús había demostrado) sino también en el cumplimiento de la promesa a Abraham, específicamente que todos los pueblos de la tierra serán bendecidos (Hechos 3.25). Es decir que para Pedro (y Lucas) tanto la *universalidad* como la *particularidad* del pacto abrahámico están encarnados ahora en Jesús de Nazaret. Él es aquel por medio del cual ahora está disponible

---

19 Ver Ben F. Meyer: *The Early Christians: Their World Mission and Self-Discovery*, Michaer Glazier, Wilmington, Del., 1986.

20 En mi opinión, el informe incuestionablemente más exhaustivo y satisfactorio lo provee el monumental estudio de Eckhard Schnabel, *Early Christian Mission*.

21 Scott, 'Acts 2.9–11', p. 122.

la salvación para *todas* las naciones, pero él es el único en ocupar ese papel, no solo para Israel sino para todos, porque 'en ningún otro hay salvación, porque no hay bajo el cielo otro nombre dado a los hombres mediante el cual podamos ser salvos' (Hechos 4.12). La frase *bajo el cielo* recuerda la lista de naciones de Pentecostés e indica la afirmación universal que se hace.

Cornelio. No obstante hicieron falta ángeles y visiones para mover a Pedro más allá de la convicción teológica a la acción práctica. Una cosmovisión modelada por toda una vida dentro de las reglas de alimentación de la ley judía y el paradigma de segregación que simbolizaban no era fácil de dejar atrás. La historia de Cornelio, el centurión romano temeroso de Dios de Hechos 10–11 se ha descripto con frecuencia como la conversión de Pedro tanto como de Cornelio. Cornelio, 'temeroso de Dios' ya estaba, en cierto sentido, convertido al Dios de Israel, pero todavía no conocía a Jesús y el cumplimiento de las esperanzas de Israel en él. Hacía mucho que Pedro había confesado al 'Cristo, el Hijo del Dios viviente' y comprendía algo del sentido universal de eso. Pero fue recién por el encuentro con Cornelio y su testimonio que se convirtió al reconocimiento de que 'para Dios no hay favoritismos, sino que en toda nación él ve con agrado a los que le temen y actúan con justicia' (Hechos 10.34–35). El mero hecho de que Lucas dedica dos capítulos a relatar y luego repetir la historia, indica lo fundamental que era en su narrativa. Los asombrados comentarios, primero de los compañeros de Pedro y luego de la iglesia de Jerusalén, dejan en claro la importancia del momento: 'que el don del Espíritu Santo se hubiera derramado también sobre los gentiles', y que 'también a los gentiles les ha concedido Dios el arrepentimiento para vida' (Hechos 10.45; 11.18). El derramamiento del Espíritu y la concesión del arrepentimiento y el perdón estaban entre las señales clave del reino escatológico de Dios en la era mesiánica. Si Dios estaba ahora otorgando esas cosas a las naciones, entonces esa era ya debía estar amaneciendo, con todas sus implicancias universales para las naciones.

El etíope eunuco. Incluso antes que Pedro, Felipe ya estaba haciendo evangelismo fuera de los límites de la comunidad estrictamente judía. Primero en el movimiento de masa tan notable de Samaria, y luego el testimonio individual al etíope eunuco, en Hechos 8. No sabemos con seguridad si el oficial de la corte etíope era un gentil temeroso de Dios por el contacto con judíos en Etiopía, que había ido a Jerusalén a adorar (tal vez además de alguna diligencia diplomática), o si era en realidad un prosélito cabal. Depende si la descripción 'eunuco' se debe entender literalmente como un varón castrado (algunos sirvientes reales se sometían a este procedimiento, por ejemplo los que estaban a cargo del harén real), o como un simple sinónimo de oficial de la corte (como era en algunos casos). Si era físicamente eunuco, entonces, según la regla de exclusión de Deuteronomio 23.1, no podía ser un prosélito circuncidado. Si por el otro lado era simplemente un sirviente real con ese título oficial, entonces bien podría haber sido un prosélito y en consecuencia ya no un verdadero gentil (desde el punto de vista judío oficial). Puede ser, entonces, que Lucas estuviera mostrando el firme avance del evangelio, desde los judíos de Jerusalén, pasando por los samaritanos, hasta un *prosélito* gentil (el etíope) y más adelante un gentil *temeroso de Dios* (Cornelio) y por fin hasta el verdadero mundo gentil de griegos y otras nacionalidades (Antioquía).

Cualquiera haya sido la verdadera condición del etíope, Felipe no tarda en guiarlo a través de las palabras de Isaías hasta su cumplimiento con el Jesús de Nazaret crucificado y resucitado. Con seguridad Lucas vio en este hecho un cumplimiento de la promesa de Dios a los eunucos y extranjeros en Isaías 56. Y probablemente también registra el caso por lo significativo del hecho de que, con la conversación de este hombre, el evangelio se extiende más al sur hacia África, la tierra de Cam. Ya estaba alcanzando las tierras de Sem, y pronto, bajo Pablo, seguiría hasta el norte y el oeste hasta las tierras de Jafet.[22]

Jacobo y el Concilio de Jerusalén. La combinación de la misión de Pedro a Cornelio y el éxito de la misión de la iglesia de Antioquía en Asia Menor y Chipre, por medio de Pablo y Bernabé, produjo un gran problema teológico. El primer Concilio de Jerusalén se convocó en el año 48 d.C. para resolver el asunto y el informe de este hecho fundamental de la misión cristiana primitiva se encuentra en Hechos 15.

---

22 Se ha hecho la interesante sugerencia de que Lucas describe en forma deliberada la dispersión del evangelio por 'el mapa del mundo' implícito en la división judía de las naciones, centrada en Jerusalén, entre los hijos de Noé, Sem, Cam, y Jafet. Ver James M. Scott: 'Luke's Geographical Horizon', en *The Book of Acts in Its Graeco–Roman Setting*, ed. David W. J. Gill y Conrad Gempf, Paternoster, Exeter, 1994, pp. 483–544.

Lo primero que cabe decir es que el tema en discusión no era la *legitimidad* de la misión gentil en sí misma. La pregunta no era *si estaba bien* llevar el evangelio a los gentiles sino en *qué condiciones y bajo qué criterios* se podía admitir a los gentiles convertidos en la nueva comunidad del pueblo de Dios. Es importante subrayar esto porque hay quienes argumentan contra la autenticidad de los registros del evangelio sobre la Gran Comisión, sobre la base de que parece ser desconocida en este concilio en Jerusalén. Es decir, según esta perspectiva, si Jesús alguna vez pronunció las palabras que se le atribuyen al final de Mateo y Lucas (a saber, un mandato explícito de ir a los gentiles), entonces eso hubiera sido un argumento contundente al que Jacobo, Pablo y Pedro podían apelar contra los cristianos judíos más conservadores y sus escrúpulos.[23]

No obstante, esto interpreta mal la situación en Hechos 15. La noticia de la conversión de los gentiles fue recibida *con gozo* (v. 3), en tanto que los apóstoles misioneros fueron *bienvenidos* en Jerusalén (v. 4). El punto no era la legitimidad del esfuerzo por llevar los gentiles a la fe y a la conversión; era si los gentiles convertidos podían ser aceptados en la iglesia sin la circuncisión y la observancia de la ley (es decir, sin convertirse en verdaderos prosélitos del judaísmo). Los creyentes judíos conservadores insistían que así era el caso. Los apóstoles, (incluyendo Pedro y Jacobo, junto con Pablo) afirmaban que la nueva realidad inaugurada por el Mesías volvía innecesarios los requerimientos de prosélito.

Este asunto (los términos de la conversión) no se hubiera resuelto simplemente apelando al mandato de Jesús de ir a los gentiles. Ambas partes hubieran aceptado y estado de acuerdo en eso: las buenas nuevas eran para los gentiles que debían ser llevados a un discipulado obediente. La pregunta era, ¿qué implicaba ese discipulado, y cuáles eran las condiciones de ingreso? ¿Tenían los gentiles que hacerse judíos aparte de creer en Jesús?

> Estaríamos equivocados si culpáramos a los cristianos judíos que exigían la circuncisión a los creyentes gentiles de ignorar las promesas hechas a los gentiles en las Sagradas Escrituras. Indudablemente reconocían esas

---

23 Esta es la posición que adopta Alan Le Grys: *Preaching to the Nations: The Origin of the Mission in the Early Church*, SPCK, Londres, 1998. La lectura escéptica negativa e históricamente dubitativa del Nuevo Testamento que se ofrece en ese libro necesita ser rebatida por el sólido análisis de Schnabel, *Early Christian Mission*.

promesas, pero ... las interpretaban como un llamado a hacerse prosélitos cumplidores de la ley y circuncidados.[24]

El segundo punto importante a tener en cuenta en este informe es
el cuidado con que Jacobo asocia ciertos pasajes proféticos en un argumento exegético de notable habilidad y sutileza. El pasaje principal, por
supuesto, es Amós 9.11–12, pero alrededor de éste hay resonancias de
Oseas 3.5 ('después de estas cosas', referido al regreso escatológico del
Señor y a la restauración del gobierno davídico), Jeremías 12.15 (la promesa de que otras naciones pueden incorporase en medio del pueblo de
Dios) e Isaías 45.21 (que Dios había declarado mucho antes su intención de reunir a las naciones gentiles). Dentro de este marco Jacobo cita
Amós 9.11–12 que mira por un lado a la restauración del 'tabernáculo
caído de David' (RVR95), lo cual con seguridad se entendía como una
referencia al templo escatológico, es decir, el pueblo mesiánico de Dios;
y por el otro lado, mira a la inclusión de los gentiles como aquellos que
'llevan mi nombre [del Señor]', es decir, que son considerados como
pertenecientes a Israel simplemente como gentiles, no como habiéndose
convertido en judíos prosélitos.

El estudio más completo y satisfactorio de este pasaje complejo lo
ha realizado Richard Bauckham. Sus conclusiones son claras y convincentes. La comunidad cristiana primitiva se consideraba el templo escatológico que Jesús había prometido construir. A diferencia del
templo físico, los gentiles podían ser admitidos en este nuevo templo
mesiánico sin los requerimientos de proselitismo, y se podía funda-
mentar la legitimidad, incluso la antigüedad de esa interpretación, con
pasajes de las Escrituras.

> Hechos 15.16–18 no es el único texto que asocia la inclusión de los
> gentiles en el pueblo escatológico de Dios con una interpretación del
> templo escatológico como el pueblo escatológico de Dios. Efesios
> 2.11–22 y 1 Pedro 2.4–10 hacen lo mismo. ... Esta asociación de ideas
> tiene que haber sido de importancia fundamental. El templo era el
> corazón de Israel. Era el lugar donde el pueblo de Dios tenía acceso a

---

24 Jostein Adna: 'James' Position at the Summit Meeting of the Apostles and Elders in Jerusalem (Acts 15)', en *The Mission of the Early Church to Jews and Gentiles*, ed. Jostein Adna y Hans Kvalvein, Mohr Siebek, Tübingen, 2000, p. 148.

la presencia de Dios, mientras que a los gentiles, admitidos únicamente en los patios externos del Segundo Templo, les estaba prohibido, bajo pena de muerte, el ingreso a los recintos sagrados. Un pueblo de Dios definido por y centrado en ese templo como lugar de la morada de Dios con ellos, no podía incluir a los gentiles a menos que se hicieran judíos. Pero numerosas profecías describen el templo de la era mesiánica como un lugar donde los gentiles entrarían a la presencia de Dios (Salmo 96.7–8; Isaías 2.2–3; 25.6; 56.6–7; 66.23; Jeremías 3.17; Miqueas 4.1–2; Zacarías 14.16; 1 Enoc 90.33). Si se las entiende como referidas a los gentiles en tanto *gentiles,* en lugar de como prosélitos, la concepción que de sí misma tenía la iglesia primitiva como templo escatológico, como lugar de la presencia de Dios, podía aceptar la inclusión de los gentiles sin que se convirtieran en judíos por la circuncisión y la plena observancia de la ley mosaica. Por lo tanto es completamente posible que Amós 9.11–12, interpretado como la profecía de que Dios construiría el templo escatológico (la comunidad cristiana) de tal modo que los gentiles pudieran buscar allí su presencia, hubiera jugado un papel decisivo en el debate y la decisión de la iglesia de Jerusalén acerca del lugar de los gentiles cristianos. ... La significación de Amós 9.12, especialmente en la LXX, es muy cercana a la de Zacarías 2.11 (Hebreos 2.15): 'En aquel día, muchas naciones se unirán al SEÑOR. Ellas serán mi [LXX, 'su'] pueblo'. Pero mientras este pasaje se puede interpretar más fácilmente como que los gentiles se unirán al pueblo de Dios como prosélitos, Amós 9.12 dice que las naciones *en cuanto* naciones gentiles pertenecen a YHVH. No implica que tengan que hacerse judías, sino que 'todas las naciones' están incluidas en la relación de pacto. Es dudoso que se pudiera haber usado algún otro pasaje del Antiguo Testamento para arrojar más claridad sobre este punto.[25]

La adopción por Pablo de la misión del Siervo. Que Pablo se viera a sí mismo como el apóstol escatológico de Dios, comisionado para llevar a cabo la reunión de naciones tantas veces descripta en el Antiguo

---

25 Richard Bauckham: 'James and the Gentiles (Acts 15.13–21)', en *History, Literature, and Society in the Book of Acts,* ed. Ben Witherington III, Cambridge University Press, Cambridge ,1996, pp. 167, 169. Ver también Adna: 'James, Position at the Summit Meeting'. Para un debate sobre la exégesis e interpretación de este pasaje en relación con la discusión contemporánea sobre las perspectivas dispensacional y reformada de judíos y gentiles, ver también Walter C. Kaiser (h.): 'The Davidic Promise and the Inclusion of the Gentiles (Amos 9.9–15 and Acts 15.13–18),' *Journal of the Evangelical Theological Society* 20 (1977): 97–111.

Testamento, es algo que no necesita argumentos. La evidencia es abundante. Pero en el libro de Hechos, Lucas narra un momento significativo en los primeros viajes misioneros, cuando Pablo presenta una justificación particularmente rica basada en las Escrituras de la orientación de su estrategia misionera. Coherente con su política de al 'judío primeramente', Pablo siempre iba primero a las sinagogas judías de la diáspora cuando llegaba a una nueva ciudad. Lucas relata lo que sucedió cuando hizo lo mismo en Antioquía de Pisidia (Hechos 13.14–48).

El primer sábado Pablo da un largo sermón de las Escrituras que llega hasta Jesús. El mensaje, dice Pablo, es tanto para los hijos de Abraham como para los gentiles temerosos de Dios. Y el mensaje es que en la resurrección de Jesús, Dios ha cumplido lo que había prometido a sus antepasados (Hechos 13.32) y por medio de él ofrece perdón de los pecados. Un grupo de judíos y prosélitos aceptan el mensaje y se hacen creyentes (Hechos 13.43). Pero al sábado siguiente algunos de los judíos causan problemas y se vuelven contra Pablo. Esto genera en Pablo y Bernabé la siguiente respuesta decisiva:

> Era necesario que les anunciáramos la palabra de Dios primero a ustedes. Como la rechazan y no se consideran dignos de la vida eterna, ahora vamos a dirigirnos a los gentiles. Así nos lo ha mandado el Señor: 'Te he puesto por luz para las naciones, a fin de que lleves mi salvación hasta los confines de la tierra.' Hechos 13.46–47

Aquí Pablo está citando de Isaías 49.6, palabras dichas originalmente por Dios a su Siervo en la segunda de las llamadas Canciones del Siervo. Y toma esas palabras como un mandato personal para sí mismo en su trabajo misionero. Es un paso hermenéutico audaz.

El Siervo en Isaías. Los pasajes sobre el Siervo en Isaías 40—55 son sumamente ricos y superan nuestra exposición aquí. En apenas un esbozo de la corriente de pensamiento resumo el tema como sigue:

Israel estaba llamado a ser el Siervo de YHVH, como una dimensión de su elección en Abraham (Isaías 41.8–10). No obstante, la realidad histórica era que en el exilio Israel fue un Siervo en falta, ciego y sordo a las obras y a las palabras de Dios, y paralizado en su misión para Dios (Isaías 42.18–25). En una misteriosa revelación, Dios presenta a su propio Siervo, cuya identidad parece oscilar entre una encarnación *de* Israel y su misión, por una parte, y por la otra una figura individual que tiene una misión *hacia* Israel y más allá. Esta figura tendrá como primera misión el establecimiento de la justicia de Dios entre las naciones por medio de un ministerio de compasión, iluminación y liberación (Isaías 42.1–9). Será un pacto para el pueblo (que probablemente se refiera a Israel) y una luz para las naciones (v. 6). Esta doble misión se hace más explícita todavía en Isaías 49.1–6, donde, en respuesta a la queja del Siervo de que su misión para con Israel no está obteniendo ningún resultado, el Siervo recibe de Dios la comisión explícita de ser una luz para los gentiles y de llevar la salvación de Dios hasta los extremos de la tierra. De manera que su misión a las naciones no *remplaza* su misión a Israel, sino que es una *extensión* de ella. Los pasajes siguientes muestran que el Siervo sufrirá rechazo y desprecio (Isaías 50.4–1) y finalmente terminará con una violenta e injusta ejecución (Isaías 53). Sin embargo, entonces se reconocerá que su sufrimiento y muerte eran en realidad por el bien de quienes lo rechazaron. Dios lo vindicará por medio de la resurrección y finalmente será exaltado, glorificado y reconocido por las naciones.

Jesús como Siervo. Ahora está claro, a partir de los Evangelios, que Jesús se identificó fuertemente con el Siervo de Isaías, tanto en que su primera misión estuvo dirigida a Israel como en su disposición a entregar su vida como ofrenda y rescate (para usar el lenguaje de Isaías 53). Y queda igualmente claro que la iglesia primitiva en Hechos también hizo esa identificación. Lo que Pablo percibió es que, en un sentido, la doble misión del Siervo estuvo cronológicamente dividida. Jesús, nos dice Pablo, fue realmente el 'servidor de los judíos'. Pero el propósito era 'confirmar las promesas hechas a los patriarcas, y para que los gentiles glorifiquen a Dios por su compasión' (Romanos 15.8–9). En otras palabras, la misión del Siervo Jesús estuvo dirigida primero a la restauración de Israel, y eso fue lo que logró de antemano por medio de la resurrección. Pero la misión extendida del Siervo hacia las naciones 'hasta los confines de la tierra' no fue lograda por Jesús en su vida terrenal. Más bien era una tarea que ahora había confiado a su iglesia sierva.

Pablo y la misión de Siervo. De manera que en un salto de lógica hermenéutica Pablo puede tomar palabras de Isaías, expresadas por Dios a su *Siervo*, las que sabía que en definitiva aludían a Cristo, y leerlas como dirigidas a *sí mismo* como la encarnación de ese momento de la misión de la *iglesia* a las naciones. Interpreta su propia misión dentro de ese marco de historia y profecía de la salvación bíblica. El Siervo había venido, había muerto y había vuelto a vivir. En ese sentido, la principal misión del Siervo ya fue cumplida de una vez par siempre. Pero a la vez, lo que resta de la misión del Siervo (llevar la salvación hasta los confines de la tierra) sigue vigente. En el libro de Hechos, entonces, Lucas presenta algunos de los apóstoles clave del movimiento cristiano primitivo: Pedro, Jacobo y Pablo. Y los muestra unidos en estas grandes convicciones bíblicas y misionológicas. Todo lo que las Escrituras del Antiguo Testamento habían anticipado de los planes de Dios para el futuro de las naciones en la era de salvación escatológica se debe cumplir. Ya que Jesús, por medio de su cruz y su resurrección, debe ser proclamado y adorado como Señor y Cristo, esa nueva era está comenzando. Ha comenzado la redención de Israel, aunque no está completa. El reino de Dios está aquí, aunque no en su plenitud final. El templo escatológico está siendo reconstruido en la nueva comunidad del pueblo de Dios. Y las naciones están siendo reunidas en esa nueva comunidad por medio de la predicación del evangelio y el poder desbordante del Espíritu de Dios.[26]

Para Lucas, todo esto surgía de su comprensión de la historia de Israel. En cierto sentido Lucas no estaba escribiendo la historia primitiva de la iglesia. Estaba escribiendo la culminación de la historia de Israel. El pasado, como relatado en las Escrituras, ya tenía la promesa del futuro, un futuro que ahora era el presente de Lucas. Y solo en esa historia residía la salvación no solo de Israel sino de todo el mundo. Es por eso que Lucas incluye dos relatos detallados de la historia de Israel (capítulos 7 y 13) mostrando en ambos casos cómo solo su propósito en Cristo podía darle sentido a la historia. Y desde las Escrituras Lucas muestra que el nuevo fenómeno centrífugo *de misión a las naciones*, hasta los confines de la tierra, no era alguna innovación insólita sino sencillamente (en palabras de Jesús) 'lo que está escrito' (Lucas 24.46–47) y (en palabras de Pablo) 'lo que los profetas y Moisés ya dijeron que

---

26 Incluso el papel del Espíritu derramado tiene una importancia misionológica para Lucas en relación con el cumplimiento de las promesas del Antiguo Testamento acerca de la restauración de Israel. Ver John Michael Penny: *The Missionary Emphasis of Lukan Pneumatology*, Journal of Pentecostal Theology Supplement 12, Sheffield Academic, Sheffield, 1997.

sucedería' (Hechos 26.22).[27]

El apóstol Pablo

No hay necesidad de repetir la abundante evidencia del sentido de identidad y llamado de Pablo como apóstol de los gentiles. Su teología está llena de su visión de cómo la culminante obra de Dios en el Mesías Jesús ha abierto ahora el camino para que las personas de todas las naciones vengan a 'la obediencia de la fe' y a la rectitud del pacto delante de Dios.[28]

Sería interesante observar cómo algo de lo que Pablo tiene para decir sobre las naciones/gentiles coincide con el bosquejo que trazamos en el capítulo 14 en relación con las expectativas del Antiguo Testamento para las naciones. Esto no implica sugerir que Pablo tenía en mente ese marco en forma consciente cuando formulaba sus reflexiones. Más bien es para decir que todo el esquema de pensamiento de Pablo estaba tan modelado por el patrón de las Escrituras que casi cualquier diseño que concibiéramos para organizar esas Escrituras se vería también reflejado en Pablo.

Las naciones ven lo que Dios ha hecho. Que las naciones fueran testigo de todo lo que Dios había hecho en Israel era un tema importante en el Antiguo Testamento. Pablo (como Pedro frente al Sanedrín) destaca el hecho de que los acontecimientos de la vida, la muerte y la resurrección de Jesús no sucedieron 'en un rincón', sino que era asunto de registro y testimonio público, incluso entre la comunidad romana. Esta es una característica de sus diversos testimonios y defensas en la segunda mitad de Hechos (por ejemplo Hechos 26.26).

Cuando elogia a las nuevas iglesias por su fe y su fervor, Pablo a

---

27 Ver Jacob Jervell: 'The Future of the Past: Luke's Vision of Salvation History and Its Bearing on His Writing of History', en *History, Literature and Society in the Book of Acts*, ed. Ben Witherington III, Cambridge University Press, Cambridge, 1996, pp. 104–26. También Thomas J. Lane: *Luke and the Gentile Mission: Gospel Anticipates Acts*, Peter Lang, N. York, 1996.

28 Sobre la teología y la práctica de misión de Pablo en general, ver W. Paul Bowers: 'Mission' en *Dictionary of Paul and His Letters*, ed. Gerald F. Hawthorne y otros, InterVarsity Press, Downers Grove, Ill., 1993, pp. 608–19; David Bosch: *Transforming Mission*, capítulo 4; la magnífica colección de ensayos en Peter Bolt y Mark Thompson, ed.: *The Gospel to the Nations: Perspectives on Paul's Mission*, Intervarsity Press, Downers Grove, Ill.; Apollos, Leicester, 2000; Koestenberger: *Ends of the Earth*, capítulo 7; Peter T. O'Brien: *Gospel and Mission in the Writings of Paul: An Exegetical and Theological Analysis*, Baker, Grand Rapids, 1993; Paternoster, Carlisle, 1995; y el magistral Eckhard J. Schnabel: *Early Christian Mission, vol.2, Paul and the Early Church*, InterVarsity Press, Leicester; InterVarsity Press, Downers Grove, Ill., 2004.

veces comenta que se han vuelto muy visibles para el mundo externo (1 Tesalonicenses 1.8). Por momentos esto se vuelve una especie de hipérbole geográfica en la que Pablo puede afirmar que el evangelio se ha predicado 'en todo el mundo' (Colosenses 1.6), 'en toda la creación debajo del cielo' (Colosenses. 1.23). No cabe duda de que Pablo estaba conciente de que eso no era literalmente cierto, pero que expresa el mismo tipo de visibilidad universal de las obras de Dios entre su pueblo que encontramos también en el Antiguo Testamento.[29] Y así como los israelitas estaban llamados a vivir vidas con una santidad ética singular a la vista de las naciones, también Pablo insta a los cristianos a recordar que están siendo observados y deben actuar de manera que honre al evangelio (Filipenses 2.15; Colosenses 4.5–6; 1Tesalonicenses 4.11–12; Tito 2.9–10; ver 1 Pedro 2.12).

Las naciones se benefician de lo que Dios ha hecho. Cuando los gentiles escucharon las palabras de Pablo en Hechos 13.48 de que Dios estaba dirigiendo sus buenas noticias a ellos 'se alegraron y celebraron la palabra del Señor'. La bendición que Dios había traído a Israel, ahora se derramaba sobre las naciones. De todas maneras, por supuesto, siempre había sido esa la misión de Dios, y la hemos visto desde el llamamiento de Abraham (Génesis 12.1–3). En consecuencia, Pablo en particular vincula el cumplimiento de la promesa a Abraham en Cristo con los beneficios que ahora llegan a los gentiles. 'Nos rescató ... para que, por medio de Cristo Jesús, la bendición prometida a Abraham llegara a las naciones y para que por la fe recibiéramos el Espíritu según la promesa' (Gálatas 3.14).

El pasaje más rico que enumera los beneficios que se han acumulado para las naciones por obra de Dios en Cristo, es sin duda Efesios 2.11–22. Desde una figura de total marginación de todo lo que poseía Israel (v.12), el pasaje continúa mostrando cómo los gentiles han sido hechos ciudadanos del reino de Dios (ya no son extranjeros ni marginados), miembros de la familia de Dios (la casa de Israel) y lugar de la morada de Dios (ser incorporados al templo). Las ricas bendiciones de Israel ahora pertenecen a las naciones, por medio de Cristo. El propósito misional de Dios de

---

29 Para una discusión provechosa sobre la importancia misionológica de la hipérbole retórica de Pablo en estos pasajes, ver Richard Bauckham: *The Biblie and Mission: Christian Mission in a Postmodern World*, Paternoster, Carslile, 2003, pp. 21–26.

bendecir a Israel ahora da fruto en la bendición de todas las naciones.

Las naciones aportan su adoración a Dios. *¿Centrípeta o centrífuga?* Con frecuencia se dice que la principal diferencia entre el Antiguo y el Nuevo Testamento en sus conceptos de misión es que el Antiguo Testamento es básicamente centrípeto (las naciones vendrán a Israel/Sión/ YHVH) mientras que el Nuevo Testamento es básicamente centrífugo (los discípulos de Jesús deben salir a las naciones). Hay un obvio nivel de verdad en esta afirmación amplia, pero no es del todo adecuada.

Por una parte, también hay elementos centrífugos en la visión del Antiguo Testamento. Mientras se describe a las naciones reuniéndose en torno al centro, hay cosas que también van a las naciones; la ley se extiende a las islas que están a su espera; el Siervo aportará justicia a las naciones. Dios enviará mensajeros a las naciones para proclamar su gloria.

Y en el Nuevo Testamento, por otra parte, aunque es cierto que la comisión centrífuga de Jesús de ir a las naciones es un cambio radical de punto de partida, coherente con el inicio de una nueva era de salvación, el propósito de ese *ir a* es de tal manera que las naciones puedan ser *reunidas* en el reino de Dios en cumplimiento de la visión de las Escrituras.

> La afirmación central del Nuevo Testamento ... es que con el hecho de Cristo ya ha comenzado el Nuevo Orden. Las promesas del Antiguo Testamento están en proceso de cumplimiento, los cristianos viven en un período intermedio que ya pertenece al fin, pero también forma parte 'de la era presente'. Si bien la victoria final todavía está por delante, el reino de Dios ya se ha inaugurado. *Por lo tanto el tiempo para la reunión de los gentiles es ahora*, aunque tal vez solo se cumplirá plenamente en la consumación final.[30]

De manera que la misión centrífuga de la iglesia del Nuevo Testamento también tuvo su teología centrípeta: las naciones se están acercando, no a Jerusalén ni al templo físico ni a Israel como nación, sino a *Cristo* como el centro y al *nuevo templo* de Dios que estaba construyendo por medio de Cristo como morada de Dios por el Espíritu. De manera que Pablo puede usar el lenguaje de la distancia y la proximi-

---

30 C. H. H. Scobie: 'Israel and the Nations: An Essay in Biblical Theology', *Tyndale Bulletin* 43, no. 2 (1992): 297 (énfasis agregado).

dad en su descripción clásica de la transformación que la fe en Cristo ha hecho de la posición de los gentiles. De estar lejos, en la periferia, marginados de todo lo que Dios había hecho y prometido a Israel, ahora los gentiles han sido 'acercados' por medio de la sangre de Cristo (Efesios 2.11–22). Por lo tanto en la medida que el evangelio sale a las naciones (centrífugo), las naciones son reunidas en Cristo (centrípeto).

La ofrenda de las naciones. Es muy posible que Pablo haya visto en la colecta que organizó entre sus iglesias gentiles para llevar a los creyentes de Jerusalén que estaban siendo azotados por la pobreza (1 Corintios 16.1–4; 2 Corintios 8–9; Romanos 15.23–29; Hechos 24.17) una muestra o un símbolo del tributo de las naciones profetizado en el Antiguo Testamento. Invirtió mucha energía, tanto en sentido teológico como logístico en este acto, que por cierto tenía objetivos francamente caritativos como primera intención. Pablo lo percibió como un potente signo de la unidad entre creyentes gentiles y judíos que tan incondicionalmente afirmaba. Confiaba que generaría agradecimiento entre los cristianos de Jerusalén porque estos creyentes gentiles manifestaban una prueba tan tangible de su obediencia al evangelio (2 Corintios 9.12–13), que era precisamente lo anticipado por el Antiguo Testamento: las naciones responderían en obediencia al Dios viviente, lo que se manifestaría por las ofrendas traídas a su pueblo.

> A medida que los diversos grupos de gentiles reunían el dinero y llegaban a Jerusalén, Pablo habrá visto eso, al menos en parte, como una representación simbólica del tributo escatológico de las naciones ... La profecía del Antiguo Testamento sufre una vez más otro giro porque aunque el tributo de los gentiles es llevado a Jerusalén, no es llevado al templo, sino más bien a los 'santos', a la comunidad que ahora constituye el templo escatológico.[31]

Sin embargo, otro hilo en el pensamiento de Pablo sobre este asunto pudo haber sido considerar a las *naciones mismas*, con la adoración que ahora traen, como una ofrenda a Dios. En Romanos 15 Pablo celebra con una profusión de referencias a las Escrituras, el cumplimiento de la promesa de Dios a Abraham que ahora se hace realidad en la forma en que las naciones vienen a glorificar y adorar a Dios. Cita Salmo 18.49,

---

31 *Ibid.*, p. 303.

Deuteronomio 32.43, Salmo 117 e Isaías 11.10. Todos estos pasajes hablan del papel de las naciones en la adoración y la alabanza al Dios de Israel. Isaías 11.10 describe la venida del hijo mesiánico de David con un estandarte al que seguirán las naciones, otra figura centrípeta que Pablo retoma aquí.

El ministerio sacerdotal de evangelización en Pablo. Pero Pablo pasa luego a reflexionar sobre su propio papel en este proceso usando imágenes sacerdotales. Habla de la gracia que Dios le dio,

> de ser 'siervo del templo' [*leitourgos*] de Jesucristo a las naciones, ofreciendo el evangelio de Dios como un sacrificio sacerdotal [*hierourgounta*], para que la ofrenda de las naciones [*prosphora tōn ethnōn*] fuese aceptable, habiendo sido santificada por el Espíritu Santo. Romanos 15.16 (mi traducción).

Esta es una afirmación notable, ya que es el único lugar en el Nuevo Testamento en que alguien habla de su propio ministerio en términos sacerdotales.[32] El sacerdocio se afirma respecto de Jesús, nuestro gran sumo sacerdote, o bien de toda la comunidad cristiana en forma colectiva (1 Pedro 2.9). La figura sacerdotal jamás se usa respecto del ministerio *dentro* de la iglesia, pero en este caso Pablo lo usa respecto de su ministerio *evangelizador* a las naciones. Es difícil saber con exactitud qué dicen las Escrituras detrás de la figura de Pablo, pero no es imposible que se vea a sí mismo, en su rol de mediar entre Dios y las naciones y de acercar las naciones a Dios, como encarnando el ministerio sacerdotal de Israel mismo, a quien Dios había llamado a ser un 'reino de sacerdotes' entre las naciones, en Éxodo 19.3–6.

También es posible que haya estado influido aquí por la visión de Isaías 66.18–21. Porque allí Dios promete que los emisarios a las naciones traerán tanto judíos como gentiles como ofrenda al Señor, y el lenguaje usado es el del sacerdocio y el sacrificio. Eso se ajustaría al probable eco que hace

---

32 Efectivamente se trata de una afirmación de crucial importancia de Pablo en relación con la visión total de su ministerio y la teología que lo sustenta. Daniel Chae entiende Romanos 15.14–21 como una 'clave interpretativa de la carta' y sigue adelante afirmando que la visión de Pablo de su propio apostolado a los gentiles está ligado a su insistencia en la igualdad entre judíos y gentiles en el pecado, la justificación, su nueva posición frente a Jesús y en el plan total de Dios. Ver Daniel Jong–Sang Chae: *Paul as Apostle to the Gentiles: His Apostolic Self Awareness and its Influence on the Soteriological Argument in Romans,* Paternoster, Carlisle, 1997. Está disponible una versión más breve de su argumento en 'Paul's Apostolic Self Awareness and the Occasion and Purpose of Romans' en *Mission and Meaning: Essays presented to Peter Cotterell,* ed. Anthony Billington, Tony Lane y Max Turner, Paternoster, Reino Unido, 1995, pp. 116–137.

Pablo de Isaías 66 más tarde en Romanos 15 cuando describe sus propias intenciones misioneras como abarcando un arco desde Jerusalén, pasando por Asia Menor, vía Macedonia e Iliria y siguiendo hasta el extremo oriente. También concordaría bien con la referencia que sigue sobre la colecta entre los gentiles para la iglesia de Jerusalén (Hechos15.25–35 y confirmaría la interpretación de la misma en el último párrafo. 'Esta colecta monetaria para la Jerusalén terrena también se podría entender como una concreción material del hecho de que el apóstol estaba trayendo los gentiles a formar parte de la Jerusalén escatológica como ofrenda hasta el fin de los tiempos (Isaías 66.20)'.[33]

También resulta algo ambigua la frase 'la ofrenda de las naciones', según se entienda como genitivo subjetivo u objetivo. Es decir, ¿está pensando Pablo en 'la ofrenda hecha *por* las naciones', el tributo escatológico de las naciones, en forma de adoración y alabanza, que estos creyentes gentiles ahora ofrecen al Dios vivo en lugar de a sus ídolos anteriores? ¿O quiere decir 'la ofrenda *que consiste en* las naciones', entendiendo a las naciones mismas como la ofrenda que *Pablo* hace a Dios como fruto de su ministerio evangelístico/sacerdotal? Cualquiera sea el significado exacto, está claro que Pablo ve toda la misión a los gentiles como el cumplimiento de las profecías del Antiguo Testamento sobre la reunión de naciones y la adoración que en el proceso ellas elevarán al Dios de Israel.[34]

La obediencia de las naciones. No obstante, las grandes visiones del Antiguo Testamento anticiparon a las naciones del mundo no solo trayendo su adoración y su ofrenda a YHVH, el Dios de Israel, sino también aprendiendo a obedecerlo. Las naciones también tendrán que llegar a entender y aceptar la ley del pacto, a andar en sus caminos y a hacer justicia (Isaías. 2.3). La esperanza del Antiguo Testamento es fuertemente ética, tan ética como toda la historia de la elección, la redención y el

---

33   Ver Rainer Riesner: *Paul's Early Period; Chronology, Mission Strategy, Theology,* Eerdmans, Grand Rapids, 1998, p. 250.

34   Para ver algo sobre aspectos misionales agregados de Romanos 15 y el uso extensivo de Pablo del Antiguo Testamento, ver Steve Strauss: 'Missions Theology in Romans 15.14–33' *Bibliotheca Sacra 160* (2003): 457–74 (con agudos comentarios sobre la relevancia de este pasaje para la estrategia misionera contemporánea). Para una mayor reflexión sobre la dirección geográfica de las misiones de Pablo y Pedro, ver Lucien Legrand: 'Gal 2.9 and the Missionary Strategy of the Early Church' en *Bible, Hermeneutics, Mission: A Contribution to the Contextual Study of Holy Scripture,* ed. Tord Fornberg, Swedish Institute for Missionary Research, Uppsala, 1995, pp. 21–83; John Knox: 'Romans 15.14–33 and Paul's Conception of His Apostolic Mission', *Journal of Biblical Literature 83* (1964): 1–11; y con un debate sobre el tema y más bibliografía, Schnabel: *Early Christian Mission,* 2:1294–1300.

pacto sobre la que se funda. Y encontramos que esto también es un poderoso elemento en la visión que tiene Pablo de su misión. Su tarea no se limitaba a llevar a las naciones a adorar al Dios verdadero y hallar la salvación por medio de la fe en Jesucristo. Apuntaba también a la transformación ética, un gran desafío en el mundo degradado de la cultura grecorromana, como lo muestran sus epístolas. De modo que es significativo que Pablo comienza y termina su gran exposición misionera del evangelio (que espera llevar a España e invita a la iglesia en Roma a apoyarlo en eso) con un resumen del trabajo de su vida como destinado a lograr que *todas las naciones obedezcan a la fe*. Usa esa frase en secciones significativas de Romanos 1.5 y Romanos 16.26 y otra vez en Romanos 15.18. Y cuando aparece en el punto culminante de la carta, está enraizada en las Escrituras del Antiguo Testamento ('por medio de los escritos proféticos') y en la misión de Dios ('según su propio mandato'). Pablo entonces vio con nitidez su misión a la luz de la misión de Dios y de las Escrituras, y lo resumió como el de traer todas las naciones al conocimiento de fe y a la obediencia ética del único Dios vivo cuya gloria ahora se ha revelado en Cristo.

Las naciones comparten la identidad de Israel. Las imágenes más impresionantes que vimos respecto de las naciones en el Antiguo Testamento, son aquellas que las representan finalmente unidas a Israel. Diversos profetas y salmos hablan de las naciones como inscriptas en Sión, aceptadas en el altar de Dios, compartiendo los nombres y los títulos de Israel, unidas al Señor, portando el nombre del Señor, alojando al Señor en medio de ellas: es el lenguaje de identificación de Israel. En definitiva, la imagen no es simplemente de Israel *y* las naciones, sino de las naciones *como* Israel. La maldición de Babel en la división de las naciones (que precedió a la existencia y al llamado de Israel) llegará a su fin, para que los pueblos de todas las naciones puedan hacer lo que hizo Israel: 'invoquen el nombre del SEÑOR'.

> Purificaré los labios de los pueblos
>> para que todos invoquen el nombre del SEÑOR
> y le sirvan de común acuerdo. Sofonías 3.9

El *Shemá*, el gran privilegio de la confesión monoteísta de Israel será universalizada en toda la tierra. 'El SEÑOR reinará sobre toda la tierra. En aquel día el SEÑOR será el único Dios, y su nombre será el único nombre' (Zacarías 14.9), e implícitamente habrá un pueblo de 'toda la tierra' que adorará ese nombre. Pablo estaba fascinado con esa visión. Junto con los demás apóstoles en el Concilio de Jerusalén, rechazó cualquier interpretación de esos pasajes de las Escrituras que pudiera perpetuar el viejo sistema del templo de Jerusalén y todos los requerimientos del proselitismo. No se trata simplemente de que todas las naciones lleguen a ser parte del pueblo de Dios haciéndose judías según el antiguo pacto, como si el Mesías no hubiera venido e inaugurado una nueva era de cumplimiento escatológico. Más bien, se trata de que ahora todos, tanto judíos como gentiles, deben ser incorporados *en Cristo* por medio de la fe. No hay diferencia entre judíos y gentiles en cuanto al pecado y la rebelión; tampoco la hay en la manera en que encontrarán salvación e inclusión en el pueblo de Dios. Una vez 'en Cristo', ya sean judíos o gentiles, 'son uno solo en Cristo Jesús' (Gálatas 3.28), y por ello son uno solo como simiente espiritual de Abraham.

La exposición clásica de esto se halla en Efesios 2—3. Reuniendo todas las metáforas tomadas del Antiguo Testamento, Pablo subraya una y otra vez la unidad que ahora existe entre judíos y gentiles en Cristo como 'una nueva humanidad'. Vuelvo a repetir que la figura de Pablo no es la de judíos *más* gentiles, permaneciendo indefinidamente separados y con medios distintos de pertenencia al pacto y de acceso a Dios, sino más bien que por medio de la cruz Dios ha destruido las barreras entre ambos y ha creado una nueva entidad, para que ambos, juntos y de la misma manera, tengan acceso a Dios por el mismo Espíritu. De manera que Pablo usa el lenguaje de ciudadanía y familia (Efesios 2.19) y de templo (Efesios 2.21–22) para destacar la total inclusión de los gentiles en la identidad del Israel de Dios. Luego va más allá y acuña palabras para expresar esa unidad. 'Los gentiles son, junto con Israel, beneficiarios de la misma herencia, miembros de un mismo cuerpo y participantes igualmente de la promesa en Cristo Jesús mediante el evangelio' (Efesios 3.6). En Romanos 9—11 Pablo se esfuerza, usando sólida argumentación escrituraria, por demostrar que la inclusión de los gentiles, lejos de ser una *negación* de las Escrituras o un *abandono* por parte de Dios de su promesa a Israel, es en realidad el *cumplimiento* de ambos. Es por medio de la reunión de naciones que Dios está cumpliendo su promesa a Israel.

Queda una planta de olivo. Las naciones están siendo injertadas en ella, y la expectativa de Pablo es que en el asombroso plan de Dios, la reunión de los gentiles provocará tanto celo entre las ramas que no creen que aun ellas llegarán al arrepentimiento, la fe y la reinserción. 'Todo Israel será salvo' agrega Pablo, no tanto señalando un marco de *tiempo* sino el *método* que Dios ha elegido para llegar a su meta final (Romanos 11.25–26). Lo que implica toda la metáfora y su exposición es claro. En definitiva hay un único pueblo de Dios, y la única manera de pertenecer al mismo ahora, para judíos tanto para gentiles, es por la fe en el Mesías, Jesús de Nazaret. La reinserción de Israel que Pablo anticipa no puede darse con otros criterios, porque dice explícitamente 'si ellos dejan de ser incrédulos, serán injertados' (Romanos 11.23). Pablo no ofrece ninguna otra forma para que los judíos sean parte del Israel escatológico que la misma por la que los gentiles ahora están integrando esa comunidad: solo por medio de la fe en Jesús de Nazaret, el Mesías.

Por esa razón, como he afirmado enérgicamente en otros escritos, no veo justificación bíblica para la llamada teoría de los 'dos pactos', que afirma que los judíos todavía tienen una relación de pacto válida con Dios independientemente de Jesús, mientras que los gentiles tienen su relación de pacto por medio de Jesús, ni, para su funesta consecuencia, que la evangelización entre el pueblo judío es innecesaria y ofensiva. Pablo es absolutamente categórico en que:

- El único cumplimiento correcto de las Escrituras del Antiguo Testamento se encuentra en la nueva comunidad mesiánica de discípulos de Jesús.
- En esto consiste Israel, redefinido y extendido como estaba predicho en el Antiguo Testamento.
- Hay solo un nuevo pueblo de Dios, creado como nueva humanidad en Cristo, formado tanto por judíos como por gentiles que confían en él.
- En consecuencia el evangelio debe predicarse necesaria-

mente tanto a judíos como a gentiles: en efecto, al 'judío primeramente' porque todos han pecado y están separados de la gloria de Dios, los judíos lo mismo que los gentiles. Todos tienen urgente necesidad de las buenas nuevas de la cruz y la resurrección del Mesías.

Debemos recordar que la palabra *cristiano* era un sobrenombre al comienzo, incluso tal vez un insulto. De manera que al llamar al pueblo judío a la fe en Jesús como Mesías, no debemos presionar para que se conviertan al cristianismo (aunque se trata de una tergiversación muy generalizada de los hechos y los motivos en la evangelización a los judíos). Más bien debemos obrar como Pablo y Jesús, y Juan el Bautista antes que ellos, invitándolos a entrar a la comunidad del Israel redimido y restaurado, formada por Jesús, comprada con la sangre de su Pascua perfecta y fundada en la nueva era del reino de Dios por medio de su resurrección.

Es perfectamente demostrable que es falsa la idea de que la misión cristiana desde sus primeros días fue un abandono de los judíos. La Gran Comisión dirigió a los discípulos 'a todas las naciones'.

> Es tan difícil excluir a los judíos del mandato de hacer discípulos en todas las naciones como limitar el poder del Señor resucitado a todo el mundo con exclusión de Israel. La expansión de la misión de Dios a todas las naciones no puede implicar la exclusión de los judíos si tomamos en serio su declaración de poder en un reinado universal e ilimitado.[35]

Tal es, entonces, la teología misional gloriosamente integradora de las naciones que Pablo había extraído de su profundo compromiso con las Escrituras. Es muy poco probable que Pablo haya vivido hasta tener la oportunidad de leer el gran libro profético final del canon bíblico, el Apocalipsis, pero de haberlo hecho, le hubiera entibiado el corazón y despertado su total acuerdo. Porque también el Apocalipsis está saturado de imágenes, visiones y citas del Antiguo Testamento y especialmente por la forma en que anticipa la conclusión de la misión de Dios para las naciones y el cumplimiento de todas sus promesas del pacto.

---

35 Hans Kvalbein: 'Has Matthew Abandoned the Jews?' en *The Mission of the Early Church to Jews and Gentiles*, ed. Jostein Adna and Hans Kvalbein, Mohr Siebeck, Tübingen, 2000, pp. 45–62.

Como vimos al final del capítulo 10 (pp. 475-476), todas las grandes figuras del pacto están allí. Noé está allí en la visión de una nueva creación, un nuevo cielo y una nueva tierra después del juicio (Apocalipsis 21.1). Abraham está allí en la reunión y la bendición de todas las naciones de todos los pueblos y lenguas (Apocalipsis 7.9). Moisés está allí confirmando las declaraciones del pacto de que 'Él acampará en medio de ellos, y ellos serán su pueblo' y 'Dios mismo estará con ellos y será su Dios' (Apocalipsis 21.3). David está allí en la ciudad santa, la nueva Jerusalén y la expansión del templo para incluir a toda la creación (Apocalipsis 21), y en la identidad de Jesús como el León de Judá y la Raíz de David (Apocalipsis 5.5). El nuevo pacto está también allí en que todo eso se logrará por medio de la sangre del Cordero sacrificado (Apocalipsis 5.12). Purificadas por el juicio y la destrucción de toda maldad, humana y satánica, las naciones de todo el mundo se unirán en alabanza a Dios por su salvación (Apocalipsis 7.9–10). Traerán toda la riqueza de sus conquistas históricas a la ciudad de Dios, como lo había predicho Isaías (Apocalipsis 21.24, 26), la ciudad que ahora abarca toda la extensión de la nueva creación. Y el río y el árbol de vida, vedados a la humanidad en los primeros capítulos de la gran narrativa bíblica, proveerán, en el último capítulo, la sanidad tan largamente anhelada por las naciones desde la dispersión de Babel (Apocalipsis. 22.2). La maldición será quitada de toda la creación (Apocalipsis 22.3). La tierra se llenará de la gloria de Dios y todas las naciones de la humanidad caminarán en su luz (Apocalipsis 21.24).

Esta es la gloriosa culminación de la gran narrativa bíblica. Es el triunfo de la misión de Dios.

Epílogo

¿Cuál fue la pregunta, entonces?

En la introducción dije que las raíces de este libro van muy atrás en mi propio pensamiento, pero el disparador que lo impulsó en la dirección que ha seguido fue la desafiante pregunta que me dirigió Anthony Billington después de una conferencia que dicté en 1998. Era una pregunta sobre la validez de utilizar un marco misionológico como acercamiento hermenéutico a la lectura de la Biblia. ¿Es posible, es legítimo, es útil que los cristianos lean toda la Biblia desde el ángulo de la misión? ¿Y qué ocurre si lo hacen?

El desafío que de inmediato me llegó en el intento de contestar esa pregunta tan fundamental fue este: todo depende de la misión de quién estamos hablando. Si por 'misión' estamos pensando en las 'misiones', y en los grandes y encomiables esfuerzos de los misioneros transculturales, entonces todavía estaríamos esforzándonos en defender una respuesta afirmativa a la primera pregunta. Si bien la empresa misionera humana puede encontrar amplia justificación y un explícito imperativo textual en la Biblia, sería una hermenéutica distorsionada y exagerada, según mi parecer, la que intentara sostener que toda la Biblia gira en torno a la misión en el sentido estrechamente definido de actividades misioneras humanas.

Sin embargo, no solamente en razón de esa consideración táctica, sino más bien debido a una profunda convicción teológica, he sostenido que es engañoso, cuando menos, tomar nuestro punto de partida y paradigma misionológico solamente a partir de las actividades humanas de la misión, no importa lo necesarias, bíblicamente ordenadas y dirigidas por el Espíritu que puedan ser. Más bien, así como 'la salvación viene de nuestro Dios' (Apocalipsis 7.10), así también nos llega la misión. La Biblia nos presenta y nos revela al Dios cuya obra creativa y redentora está saturada, de comienzo a fin, de la gran misión del propio Dios, con su decidida y soberana intencionalidad. Toda misión o todas las misiones que iniciamos, o en las que invertimos nuestra propia vocación, dones y energías, nacen de la anterior y más importante realidad de la misión de Dios. Dios está en misión, y nosotros, según esa hermosa frase de Pablo, 'somos colaboradores al servicio de Dios' (1 Corintios 3.9).

Habiendo hecho ese cambio reorientador paradigmático en nuestro concepto del significado fundamental de la misión bíblica, entonces sí toda la Biblia puede (y yo diría, debe) leerse a la luz de esta perspectiva totalizadora y direccional. La Biblia nos entrega 'todo el propósito de Dios': el plan, el propósito y la misión de Dios para toda la creación, la cual será reconciliada con Dios por la cruz de Cristo (Colosenses 1.20).

Desde esta plataforma de lanzamiento, proseguimos luego a explorar, a través del libro, la trayectoria de la misión de Dios tal como ella se desenvuelve en el gran tapiz de las Escrituras (si se puede perdonar semejante mezcla de metáforas).

- En la Parte 2, vimos la voluntad propulsora del único Dios vivo a ser conocido a través de toda la creación como quien realmente es, Dios el SEÑOR, YHVH, el Santo de Israel, encarnado en Jesús de Nazaret, crucificado, resucitado, ascendido y que regresará. Y en contraste con este monoteísmo misional dinámico vimos el desenmascaramiento, el rechazo y la final destrucción de todos los dioses falsos, cualquiera fuese su origen, identidad o poder.

- En la Parte 3, nos maravillamos ante el infatigable compromiso asumido por Dios de bendecir a todas las naciones de la humanidad mediante la formación de un pueblo como vehículo para el cumplimiento de su meta de redención. Viajamos a través de los dos Testamentos: observando la paradójica elección de este pueblo particular con su misión universal; captando el vasto campo de la obra redentora de Dios en su historia; escuchando la acumulación de certidumbres en la relación de pacto a la que los llamó; siendo desafiados por las exigencias éticas que la nueva vida que habrían de vivir a la vista de las naciones por el bien de las naciones. Este es el pueblo al cual pertenecemos. Esta es la historia de la cual formamos parte. Esta es la misión en la que somos llamados a participar.

- En la Parte 4, ampliamos aun más nuestra visión al contemplar la forma en que Dios se comprometía con toda su creación, con la tierra misma, con los humanos hechos a su imagen, y con todas las culturas y naciones. Y terminamos, como también lo hace la Biblia, sobrecogidos por la visión de la meta escatológica definitiva de Dios de que algún día la gente de toda tribu, pueblo, nación y lengua entonará sus alabanzas en la nueva creación.

Esto, he procurado argumentar, se parece en alguna medida a lo que significa encarar una lectura misionológica de todo el canon de la Escritura.

¿Pero qué sucede cuando lo leemos de esta manera? Esta fue nuestra segunda pregunta. La primera fue si la misión de Dios provee un marco hermenéutico válido, o un mapa confiable para el viaje destinado a lograr una comprensión bíblica, y yo he presentado un caso que, creo, justifica la conclusión de que los cristianos pueden y deben leer toda su Biblia con un marco inclusivo de esta clase. Pero, ¿qué ocurre cuando lo hacen?

Comencé el libro con reminiscencias de una experiencia personal que influyó en mí mucho antes de dedicarme a escribir este libro. Tal vez pueda concluir con una reflexión sobre algunas transformaciones en cuanto a la perspectiva personal que ha acompañado la preparación de este libro. Porque este libro ha sido con certeza un viaje de descubrimiento para su autor. Acepté genuinamente el desafío de la pregunta de Anthony Billington sin saber con seguridad hacia dónde me llevaría.

Cuando comprendemos que toda la Biblia constituye la coherente revelación de la misión de Dios, cuando vemos esto como la clave que libera su resuelta determinación de presentar la grandiosa narración bíblica, entonces encontramos que toda nuestra cosmovisión queda marcada por esta visión. Como bien se ha documentado, toda cosmovisión humana constituye la elaboración de alguna narración. Vivimos apoyándonos en la historia o las historias que creemos la verdadera, la historia o historias que creemos que 'nos lo cuentan tal como fue'. ¿Qué significa, entonces, vivir aceptando esta historia? Esta es 'La historia', la grandiosa narrativa que se extiende desde la creación hasta la nueva creación, y que da cuenta de todo lo ocurrido entre tanto. Esta es 'La historia' que nos cuenta de dónde hemos venido, cómo fue que llegamos a estar aquí, quiénes somos, por qué el mundo se encuentra en el lamentable estado en que está, cómo puede (y ha sido) transformado, y hacia dónde vamos en última instancia. Y toda esta historia ha sido proclamada sobre la realidad de este Dios y la misión de este Dios. Él es el iniciador de esta historia, el que relata la historia, el actor principal en la historia, el que ideó y dirigió la obra, es el sentido de la historia y el que finalmente la completa. Él es su comienzo, su centro y su fin. Es la historia de la misión de Dios, de este Dios y ningún otro.

Ahora bien, una comprensión así de la misión de Dios, como el corazón de toda la realidad, toda la creación, toda la historia y todo lo que todavía hay por delante de nosotros genera una cosmovisión particular que no puede menos que ser radicalmente transformada y profundamente centrada en Dios. Y mi experiencia de luchar con el impresionante entorno de esta visión de la realidad organizada desde la Biblia, centrada en Dios, impulsada por la misión, ha sido la de encontrar que vuelve al revés y cabeza abajo algunas de las formas usuales en las que solemos pensar en la vida cristiana y de las preguntas que acostumbramos hacer. Esta cosmovisión, que coloca la misión de Dios en el centro mismo de toda la existencia, es perturbadoramente subversiva y relativiza incómodamente nuestro propio lugar en el gran esquema de las cosas. Desde luego que se trata de un correctivo muy saludable para la egocéntrica obsesión de buena parte de la cultura occidental incluida, lamentablemente, hasta la cultura cristiana occidental. Nos obliga constantemente a abrir los ojos para ver el cuadro grande, más bien que a refugiarnos en el cómodo narcisismo de nuestros propios mundillos.

- Preguntamos, '¿Dónde encaja Dios en la historia de mi vida?' cuando la verdadera pregunta es dónde encaja mi propia vida tan pequeña en esta gran historia de la misión de Dios.
- Queremos ser impulsados por un propósito que haya sido preparado exactamente para nuestra propia vida individual (lo cual desde luego es infinitamente preferible a vivir sin rumbo), cuando deberíamos estar comprobando el propósito de la vida toda, incluida la nuestra, envuelta en la gran misión de Dios para toda la creación.
- Hablamos de los problemas de 'aplicar la Biblia a nuestra vida', lo cual con frecuencia significa modificar la Biblia de modo más bien cualitativo para acomodarla a la supuesta 'realidad' de la

vida que vivimos 'en el mundo real'. ¿Qué significaría aplicar nuestra vida a la Biblia en cambio, considerando que la Biblia sea la realidad, la historia verdadera a la que somos llamados a conformar nuestra vida?

• Forcejeamos con la cuestión de cómo podemos 'lograr que el evangelio sea pertinente para el mundo' (una vez más, esto por lo menos es preferible a tratarlo como no pertinente). Pero en esta Historia, lo que Dios busca es transformar al mundo para que se adapte al evangelio.

• Nos preguntamos si, o de qué manera, el cuidado de la creación, por ejemplo, puede encuadrar en nuestro concepto y práctica de la misión, cuando esta Historia nos desafía a nosotros a pensar si nuestra vida, vivida en la tierra de Dios y a la vista de Dios, se alinean con, o está horriblemente fuera de alineación con, la misión de Dios que va desde la creación hasta la transformación cósmica y la llegada de un nuevo cielo y una nueva tierra.

• Discutimos sobre lo que puede legítimamente incluirse en la misión que Dios espera que lleve a cabo la iglesia, cuando tendríamos que preguntar qué clase de iglesia espera Dios para su misión en toda su plenitud.

• Puedo preguntarme qué clase de misión tiene Dios para mí, cuando debería preguntar qué clase de persona espera Dios que sea yo para su misión.

El único concepto de misión en el que se encuadra Dios es aquel en el que él es el principio, el centro y el fin (parafraseando lo que una vez dijo Lesslie Newbigin acerca de la resurrección).[1] Y el único acceso que tenemos a esa misión de Dios se nos ofrece en la Biblia. Esta es la grandiosa narrativa que se nos abre cuando giramos la llave hermenéutica de la lectura de todas las Escrituras a la luz de la misión de Dios.

Fue el Jesús resucitado, para volver a donde comenzamos en la introducción a la Parte 1, quien abrió los ojos de los discípulos para que

---

1 'De hecho, la simple verdad es que la resurrección no puede acomodarse de ninguna manera a nada que no sea el punto inicial'; en *Truth to Tell: the Gospel as Public Truth*, SPCK, Londres, 1991, p. 11.

entendieran las Escrituras, leyéndolas a la doble luz de su propia identidad como el Mesías y de la constante misión a todas las naciones en el poder del Espíritu. 'Esto es lo que está escrito, ... y serán mis testigos ... hasta los confines de la tierra', les dijo, en ese vínculo ricamente misional que abarca el final del Evangelio de Lucas y el comienzo de Hechos.

Es el Jesús resucitado el único digno de abrir el rollo, refiriéndose al significado de toda la historia. Y su autoridad y mérito para hacerlo radican en la cruz, que es redentora, universal y victoriosa (Apocalipsis 5.9–10). El Cristo crucificado y resucitado es la llave para toda la historia, porque él es el que cumplió la misión de Dios para toda la creación.

Entonces, si es en el Cristo crucificado y resucitado en quien encontramos el foco central de todo el grandioso relato de la Biblia, y en ella también el foco central de toda la misión de Dios, nuestra respuesta no puede ser más clara. Antes de dedicarnos a elaborar lo que significa en la práctica el que Jesús le dijera a sus discípulos, 'como el Padre me envió a mí, así yo los envío a ustedes' (Juan 20.21), y en función de nuestra participación personal en la misión de Dios en nuestro propio contexto y ante nuestra propia generación, es preciso que antes que nada nos arrodillemos con Tomás ante Cristo y confesemos, '¡Señor mío y Dios mío!' (Juan 20.28).

Bibliografía

Adna, Jostein. "James' Position at the Summit Meeting of the Apostles and Elders in Jerusalem (Acts 15)." En *The Mission of the Early Church to Jews and Gentiles*, editado por Adna Jostein y Hans Kvalbein, pp. 125-61. Tübingen: Mohr Siebeck, 2000.

Adna, Jostein y Hans Kvalbein, ed. *The Mission of the Early Church to Jews and Gentiles*. Tübingen: Mohr Siebeck, 2000.

Albrektson, Bertil. *History and the Gods: An Essay on the Idea of Historical Events as Divine Manifestations in the Ancient Near East and in Israel.* Lund: Gleerup, 1967.

Allis, O. T., "The Blessing of Abraham." *Princeton Theological Review* 25 (1927): 263-98.

Anderson, Bernard W. "Unity and Diversity in God's Creation: A Study of the Babel Story." *Currents in Theology and Mission* 5 (1978): 69-81.

Anderson, Gerald H., ed. *The Theology of Christian Missions.* New York: McGraw Hill; Londres: SCM Press, 1961.

Arnold, Clinton. *Powers of Darkness: A Thoughtful, Biblical Look at an Urgent Challenge Facing the Church.* Leicester, U.K.: Inter-Varsity Press; Downers Grove, Ill.: InterVarsity Press, 1992.

Ash, Christopher. *Marriage: Sex in the Service of God.* Leicester: Inter-Varsity Press, 2003.

Ashley, Timothy. *The Book of Numbers.* New International Commentary on the Old Testament. Grand Rapids: Eerdmans, 1993.

Bailley Wells, Jo. *God's Holy People: A Theme in Biblical Theology.* JSOT Series Suplementarias, 305. Sheffield, U.K.: Sheffield Academic Press, 2000.

Baker, Christopher J. *Covenant and Liberation: Giving New Heart to God's Endangered Family.* Frankfurt: Peter Lang; New York: Peter Lang, 1991.

Barker, P. A. "Sabbath, Sabbatical Year, Jubilee." En *Dictionary of the Old Testament: Pentateuch*, editado por David W. Baker y Alexander T. Desmond, pp. 695-706. Downers Grove, Ill.: InterVarsity Press; Leicester, U.K.: Inter-Varsity Press, 2003.

Barr, James, "Man and Nature—The Ecological Controversy and the Old Testament." *Bulletin of the John Rylands Library of the University of Manchester* 55 (1972): 9-32.

Bartholomew, Craig y otros, ed. *Canon and Biblical Interpretation.* Carlisle, U.K.: Paternoster; Grand Rapids: Zondervan, en preparación.

Bartholomew, Craig y Michael W. Goheen. "Story and Biblical Theology." En *Out of Egypt: Biblical Theology and Biblical Interpretation*, editado por Craig Bartholomew y otros, pp. 144-71. Carlisle, U.K.: Paternoster; Grand Rapids: Zondervan, 2004.

Bartholomew, Craig, y Thorsten Moritz, ed. *Christ and Consumerism: A Critical Analysis of the Spirit of the Age*. Carlisle, U.K.: Paternoster, 2000.

Bartholomew, Craig, y otros, ed. *Out of Egypt: Biblical Theology and Biblical Interpretation*. Scripture and Hermeneutics Series. Carlisle, U.K.: Paternoster; Grand Rapids: Zondervan, 2004.

Barton, John. " 'The Work of Human Hands' (Ps 115:4): Idolatry in the Old Testament." *Ex Auditu* 15 (1999): 63-72.

Bauckham, Richard. *2 Peter, Jude*. Word Biblical Commentary 50. Waco, Tex.: Word, 1983.

———. "First Steps to a Theology of Nature." *Evangelical Quarterly* 58 (1986): 229-44.

———. "James and the Gentiles (Acts 15:13-21)." En *History, Literature, and Society in the Book of Acts*, editado por Ben Witherington III, pp. 154-84. Cambridge: Cambridge University Press, 1996.

———. *God Crucified: Monotheism and Christology in the New Testament*. Carlisle, U.K.: Paternoster, 1998.

———. *The Bible and Mission: Christian Mission in a Postmodern World*. Carlisle, U.K.: Paternoster, 2003.

———. "Biblical Theology and the Problems of Monotheism." En *Out of Egypt: Biblical Theology and Biblical Interpretation*, editado por Craig Bartholomew y otros, pp. 187-232. Carlisle, U.K.: Paternoster; Grand Rapids: Zondervan, 2004.

Beale, G. K. *The Temple and the Church's Mission: A Biblical Theology of the Dwelling Place of God*. New Studies in Biblical Theology, editado por D. A. Carson. Downers Grove, Ill.: InterVarsity Press; Leicester, U.K.: Apollos, 2004.

Begg, Christopher T. "The Peoples and the Worship of Yahweh in the Book of Isaiah." En *Worship and the Hebrew Bible*, editado por M. P. Graham, R. R. Marrs y S. L. McKenzie, pp. 35-55. Sheffield, U.K.: Sheffield Academic Press, 1999.

Billington, Antony, Tony Lane y Max Turner, ed. *Mission and Meaning: Essays Presented to Peter Cotterell*. Carlisle, U.K.: Paternoster, 1995.

Blauw, Johannes. *The Missionary Nature of the Church.* New York: McGraw Hill, 1962.

Blenkinsopp, J. "Second Isaiah—Prophet of Universalism." *Journal for the Study of the Old Testament* 41 (1988): 83-103.

Block, Daniel I. "Nations/Nationality." En *New International Dictionary of Old Testament Theology and Exegesis,* editado por Willem A. VanGemeren, 4:966-72. Carlisle, U.K.: Paternoster, 1996.

———. *The Gods of the Nations: Studies in Ancient Near Eastern National Theology.* 2a. ed. Grand Rapids: Baker; Leicester, U.K.: Apollos, 2000.

Bluedorn, Wolfgang. *Yahweh Versus Baalism: A Theological Reading of the Gideon-Abimelech Narrative.* JSOT Suplemento 329. Sheffield, U.K.: Sheffield Academic, 2001.

Bockmuehl, Klaus. *Evangelicals and Social Ethics.* Downers Grove, Ill.: InterVarsity Press; Exeter, U.K.: Paternoster, 1975.

Bolt, Peter, y Mark Thompson, ed. *The Gospel to the Nations: Perspectives on Paul's Mission.* Downers Grove, Ill.: InterVarsity Press; Leicester, U.K.: Apollos, 2000.

Bosch, David J. *Witness to the World: The Christian Mission in Theological Perspective.* Londres: Marshall, Morgan & Scott, 1980.

———. *Transforming Mission: Paradigm Shifts in Theology of Mission.* Maryknoll, N.Y.: Orbis, 1991.

———. "Hermeneutical Principles in the Biblical Foundation for Mission." *Evangelical Review of Theology* 17 (1993): 437-51.

Bowers, W. Paul. "Fulfilling the Gospel: The Scope of the Pauline Mission." *Journal of the Evangelical Theological Society* 30 (1987): 185-98.

———. "Mission." En *Dictionary of Paul and His Letters,* editado por Gerald F. Hawthorne y otros, pp. 608-19. Downers Grove, Ill.: InterVarsity Press; Leicester, U.K.: Inter-Varsity Press, 1993.

Boyce, Richard Nelson. *The Cry to God in the Old Testament.* Atlanta: Scholars Press, 1988.

Boyley, Mark. "1 Peter—A Mission Document?" *Reformed Theological Review* 63 (2004): 72-86.

Braaten, Carl E. "Who Do We Say That He Is? On the Uniqueness and Universality of Jesus Christ." *Missiology* 8 (1980): 13-30.

———. "The Mission of the Gospel to the Nations." *Dialog* 30 (1991): 124-31.

Brawley, Robert L. "For Blessing All Families of the Earth: Covenant Traditions in Luke-Acts." *Currents in Theology and Mission* 22 (1995): 18-26.

———. "Reverberations of Abrahamic Covenant Traditions in the Ethics of Matthew." En *Realia Dei*, editado por Prescott H. Williams y Theodore Hiebert, pp. 26-46. Atlanta: Scholars Press, 1999.

Brett, Mark G. "Nationalism and the Hebrew Bible." En *The Bible in Ethics*, editado por John W. Rogerson, Margaret Davies y M. Daniel Carroll R., pp. 136-63. Sheffield: Sheffield Academic, 1995.

Bridger, Francis. "Ecology and Eschatology: A Neglected Dimension." *Tyndale Bulletin* 41, nº 2 (1990): 290-301.

Briggs, Richard S. "The Uses of Speech-Act Theory in Biblical Interpretation." *Currents in Theology and Mission* 9 (2001): 229-76.

Bronner, Leah. *The Stories of Elijah and Elisha: As Polemics Against Baal Worship.* Leiden: E. J. Brill, 1968.

Brownson, James V., "Speaking the Truth in Love: Elements of a Missional Hermeneutic." En *The Church Between Gospel and Culture*, editado por George R. Hunsberger y Craig Van Gelder, pp. 228-59. Grand Rapids: Eerdmans, 1996.

———. *Speaking the Truth in Love: New Testament Resources for a Missional Hermeneutic.* Harrisburg, Penn.: Trinity Press International, 1998.

Broyles, Craig C. *Psalms.* New International Biblical Commentary. Peabody, Mass.: Hendrikson; Carlisle, U.K.: Paternoster, 1999.

Bruce, F. F. *This Is That: The New Testament Development of Some Old Testament Themes.* Exeter, U.K.: Paternoster; Grand Rapids: Eerdmans, 1968.

Bruckner, James K. *Implied Law in the Abraham Narrative: A Literary and Theological Analysis.* JSOT Suplemento 335. Sheffield, U.K.: Sheffield Academic Press, 2001.

Brueggemann, Walter. *Genesis.* Interpretation. Atlanta: John Knox Press, 1982.

———. "A New Creation—After the Sigh." *Currents in Theology and Mission* 11 (1984): 83-100.

———. *To Pluck up, To Tear Down: A Commentary on the Book of Jeremiah 1-25.* International Theological Commentary. Grand Rapids: Eerdmans; Edinburgh: Handsel Press, 1988.

———. *First and Second Samuel.* Interpretation. Louisville: John Knox Press, 1990.

————. *A Social Reading of the Old Testament: Prophetic Approaches to Israel's Communal Life*, editado por Patrick D. Miller. Minneapolis: Fortress, 1994.

————. *Theology of the Old Testament: Testimony, Dispute, Advocacy*. Minneapolis: Fortress, 1997.

Burnett, David. *God's Mission, Healing the Nations*. Edición revisada. Carlisle, U.K.: Paternoster, 1996.

Calvin, John. *Genesis*. Crossway Classic Commentaries, editado por Alister McGrath y J. I. Packer. Wheaton, Ill.: Crossway Books, 2001.

Capes, David B. *Old Testament Yahweh Texts in Paul's Christology*. Tübingen: Mohr Siebeck, 1992.

Carrick, Ian. "'The Earth God Has Given to Human Beings' (Ps 115:16): Unwrapping the Gift and Its Consequences." *Missionalia* 19 (1991): 33-43.

Carroll R., M. Daniel. "Blessing the Nations: Toward a Biblical Theology of Mission from Genesis." *Bulletin for Biblical Research* 10 (2000): 17-34.

Chae, Daniel Jong-Sang. "Paul's Apostolic Self-Awareness and the Occasion and Purpose of Romans." En *Mission and Meaning: Essays Presented to Peter Cotterell*, editado por Anthony Billington, Tony Lane y Max Turner, pp. 116-37. Carlisle, U.K.: Paternoster, 1995.

Chae, Daniel Jong-Sang. *Paul as Apostle to the Gentiles: His Apostolic Self-Awareness and Its Influence on the Soteriological Argument in Romans*. Carlisle, U.K.: Paternoster, 1997.

Chisholm, Robert B. "The Polemic Against Baalism in Israel's Early History and Literature." *Bibliotheca Sacra* 150 (1994): 267-83.

————. "'To Whom Shall You Compare Me?' Yahweh's Polemic Against Baal and the Babylonian Idol-Gods in Prophetic Literature." En *Christianity and the Religions: A Biblical Theology of World Religions*, editado por E. Rommen y H. A. Netland, pp. 56-71. Pasadena: William Carey Library, 1995.

Christensen, Duane L. "Nations." En *Anchor Bible Dictionary*, editado por David Noel Freedman y otros, 4:1037-49. New York: Doubleday, 1992.

Clements, Ronald E. "Worship and Ethics: A Re-examination of Psalm 15." En *Worship and the Hebrew Bible*, editado por M. P. Graham, R. R.

Marrs y S. L. McKenzie, p. 284. Sheffield, U.K.: Sheffield Academic Press, 1999.

Clements, Ronald E. "Monotheism and the Canonical Process." *Theology* 87 (1984): 336-44.

Clifford, Richard J. "The Function of the Idol Passages in Second Isaiah." *Catholic Biblical Quarterly* 42 (1980): 450-64.

Comfort, P. W. "Idolatry." En *Dictionary of Paul and His Letters*, editado por Gerald F. Hawthorne y otros, pp. 424-26. Downers Grove, Ill.: InterVarsity Press; Leicester, U.K.: Inter-Varsity Press, 1993.

Cotterell, Peter. *Mission and Meaninglessness: The Good News in a World of Suffering and Disorder*. Londres: SPCK, 1990.

Craigie, Peter C. *Psalms 1-50*. Word Bible Commentary 19. Waco, Tex.: Word, 1983.

Crawley, Winston. *Biblical Light for the Global Task: The Bible and Mission Strategy*. Nashville: Convention Press, 1989.

Daneel, M. L. "The Liberation of Creation: African Traditional Religious and Independent Church Perspectives." *Missionalia* 19 (1991): 99-121.

Davidson, Robert. "Universalism in Second Isaiah." *Scottish Journal of Theology* 16 (1963): 166-85.

Davies, Eryl W. "Walking in God's Ways: The Concept of *Imitatio Dei* in the Old Testament." En *True Wisdom*, editado por Edward Ball, pp. 99-115. Sheffield, U.K.: Sheffield Academic Press, 1999.

Davies, G. I. "The Destiny of the Nations in the Book of Isaiah." En *The Book of Isaiah*, editado por Jacques Vermeylen, pp. 93-120. Leuven: Leuven University Press, 1989.

Davies, Graham. "The Theology of Exodus." En *In Search of True Wisdom: Essays in Old Testament Interpretation in Honor of Ronald E. Clements*, editado por Edward Ball, pp. 137-52. Sheffield, U.K.: Sheffield Academic Press, 1999.

Day, John. "Asherah," "Baal (Deity)", y "Canaan, Religion Of". En *Anchor Bible Dictionary*, editado por David Noel Freedman, 1:483-87, 545-49, 831-37. N.Y.: Doubleday, 1992.

De Ridder, Richard R. *Discipling the Nations*. Kampen: J. H. Kok, 1971; Grand Rapids: Baker, 1975.

Deist, Ferdinand. "The Exodus Motif in the Old Testament and the Theology of Liberation." *Missionalia* 5 (1977): 58-69.

Dever, William G. *Did God Have a Wife? Archaeology and Folk Religion in Ancient Israel.* Grand Rapids: Eerdmans, 2005.

DeVries, Simon J. *1 Kings.* Word Biblical Commentary. Waco, Tex.: Word, 1985.

Donaldson, Terence L., " 'The Gospel That I Proclaim among the Gentiles' (Gal. 2.2): Universalistic or Israel-Centred?" En *Gospel in Paul: Studies on Corinthians, Galatians and Romans for Richard N. Longenecker,* editado por Peter Richardson y L. Ann Jervis, pp. 166-93. Sheffield, U.K.: Sheffield Academic Press, 1994.

Du Preez, J. "Reading Three 'Enthronement Psalms' from an Ecological Perspective." *Missionalia* 19 (1991): 122-30.

———. "The Missionary Significance of Psalm 117 in the Book of Psalms and in the New Testament." *Missionalia* 27 (1999): 369-76. DuBois, Francis M. Editado por *Classics of Christian Missions.* Nashville: Broadman, 1979.

Duchrow, Ulrich. " 'It Is Not So Among You': On the Mission of the People of God Among the Nations." *Reformed World* 43 (1993): 112-24.

Durham, John I. *Exodus.* Word Biblical Commentary 3. Waco, Tex.: Word, 1987.

Eakin, Frank E. "Wisdom, Creation and Covenant." *Perspectives in Religious Studies* 4 (1977): 226-39.

Ellul, Jacques. *The New Demons.* Londres: Mowbrays, 1976.

Elsdon, Ron. *Green House Theology: Biblical Perspectives on Caring for Creation.* Tunbridge Wells, U.K.: Monarch, 1992.

Engle, Richard W. "Contextualization in Missions: A Biblical and Theological Appraisal." *Grace Theological Journal* 4 (1983): 85-107.

Escobar, Samuel. *A Time for Mission: The Challenge for Global Christianity.* Global Christian Library. Leicester, U.K.: Inter-Varsity Press; Downers Grove, Ill.: InterVarsity Press, 2003.

Esler, Philip E. "The Sodom Tradition in Romans 1:18-32." *Biblical Theology Bulletin* 34 (2004): 4-16.

Fager, Jeffrey A. *Land Tenure and the Biblical Jubilee.* JSOT Suplementos 155. Sheffield, U.K.: JSOT Press, 1993.

Fee, Gordon D. *The First Epistle to the Corinthians.* New International Commentary on the New Testament. Grand Rapids: Eerdmans, 1987.

Fensham, F. C. "A Few Observations on the Polarisation between Yahweh and Baal in 1 Kings 17-19." *Zeitschrift für die alttestamentliche Wissenschaft* 92 (1980): 227-36.

Filbeck, David. *Yes, God of the Gentiles Too: The Missionary Message of the Old Testament.* Wheaton, Ill.: Billy Graham Center, 1994.

France, R. T. *Jesus and the Old Testament: His Application of Old Testament Passages to Himself and His Mission.* Londres: Tyndale, 1971.

Franks, Martha. "Election, Pluralism, and the Missiology of Scripture in a Postmodern Age." *Missiology* 26 (1998): 329-43.

Fretheim, Terence E. *Exodus.* Interpretation. Louisville: John Knox Press, 1991.

Gelston, Anthony. "The Missionary Message of Second Isaiah." *Scottish Journal of Theology* 18 (1965): 308-18.

———. "Universalism in Second Isaiah." *Journal of Theological Studies* 43 (1992): 377-98.

Glasser, Arthur. "Help from an Unexpected Quarter, Or the Old Testament and Contextualization." *Missiology* 7 (1979): 403-10.

Gnanakan, Ken. *Kingdom Concerns: A Biblical Theology of Mission Today.* Bangalore: Theological Book Trust, 1989; Leicester, U.K.: Inter-Varsity Press, 1993.

Gnuse, Robert Karl. *No Other Gods: Emergent Monotheism in Israel.* JSOT Series Suplementarias 241. Sheffield, U.K.: Sheffield Academic Press, 1997.

Goerner, Henry C. *Thus It Is Written.* Nashville: Broadman Press, 1971.

———. *All Nations in God's Purpose: What the Bible Teaches About Missions.* Nashville: Broadman, 1979.

Goldenberg, Robert. *The Nations That Know Thee Not: Ancient Jewish Attitudes Towards Other Religions.* Sheffield, U.K.: Sheffield Academic Press, 1997.

Goldingay, John. "The Man of War and the Suffering Servant: The Old Testament and the Theology of Liberation." *Tyndale Bulletin* 27 (1976): 79-113.

———. *Theological Diversity and the Authority of the Old Testament.* Grand Rapids: Eerdmans, 1987.

———. "Justice and Salvation for Israel and Canaan." En *Reading the Hebrew Bible for a New Millennium: Form, Concept, and Theological Perspective,* editado por Wonil Kim y otros, pp. 169-87. Harrisburg, Penn.: Trinity Press International, 2000.

————. *Isaiah.* New International Biblical Commentary. Peabody, Mass.: Hendrikson; Carlisle, U.K.: Paternoster, 2001.

————. *Old Testament Theology.* 2 vols. Downers Grove, Ill.: InterVarsity Press, 2003.

Goldingay, John, y Christopher Wright. " 'Yahweh Our God Yahweh One': The Oneness of God in the Old Testament." En *One God, One Lord: Christianity in a World of Religious Pluralism,* editado por Andrew D. Clarke y Bruce Winter, pp. 43-62. Carlisle, U.K.: Paternoster, Grand Rapids: Baker, 1992.

Goldsmith, Martin. *Matthew and Mission: The Gospel through Jewish Eyes.* Carlisle, U.K.: Paternoster, 2001.

Goldsworthy, Graeme L. "The Great Indicative: An Aspect of a Biblical Theology of Mission." *Reformed Theological Review* 55 (1996): 2-13.

Gossai, Hemchand. *Justice, Righteousness and the Social Critique of the Eighth-Century Prophets.* American University Studies Series 7: Theology and Religion 141. New York: Peter Lang, 1993.

Gottwald, Norman K. *The Tribes of Yahweh: A Sociology of the Religion of Liberated Israel 1250-1050 BCE.* Maryknoll, N.Y.: Orbis; Londres: SCM Press, 1979.

Goudzwaard, Bob. *Idols of Our Time.* Downers Grove, Ill.: InterVarsity Press, 1984.

Granberg-Michaelson, Wesley. "Redeeming the Earth: A Theology for This World." *Covenant Quarterly* 42 (1984): 17-29.

Greenberg, Moshe. "Mankind, Israel and the Nations in the Hebraic Heritage." En *No Man Is Alien: Essays on the Unity of Mankind,* editado por J. Robert Nelson, pp. 15-40. Leiden: E. J. Brill, 1971.

Greene, Colin J. D. *Christology in Cultural Perspective: Marking out the Horizons.* Grand Rapids: Eerdmans; Carlisle, U.K.: Paternoster, 2003.

Greenslade, Philip. *A Passion for God's Story.* Carlisle, U.K.: Paternoster, 2002.

Grisanti, Michael A. "Israel's Mission to the Nations in Isaiah 40-55: An Update." *Master's Seminary Journal* 9 (1998): 39-61.

Groot, A. de. "One Bible and Many Interpretive Contexts: Hermeneutics in Missiology." En *Missiology: An Ecumenical Introduction,* editado por A. Camps, L. A. Hoedemaker y M. R. Spindler. Grand Rapids: Eerdmans, 1995.

Grueneberg, Keith N. *Abraham, Blessing and the Nation: A Philological and Exegetical Study of Genesis 12:3 in Its Narrative Context.* Beihefte zur Zeitschrift für die alttestamentliche Wissenschaft. Berlin: Walter de Gruyter; N.Y.: Walter de Gruyter, 2003.

Guenther, Titus F. "Missionary Vision and Practice in the Old Testament." En *Reclaiming the Old Testament: Essays in Honor of Waldemar Janzen,* editado por Gordon Zerbe, pp. 146-64. Winnepeg: CMBC Publications, 2001.

Hahn, Scott W. "Canon, Cult and Covenant: Towards a Liturgical Hermeneutic." En *Canon and Biblical Interpretation,* editado por Craig Bartholomew y otros, Grand Rapids: Zondervan; Carlisle, U.K.: Paternoster, en preparación.

Hanke, Howard A. *From Eden to Eternity: A Survey of Christology and Ecclesiology I the Old Testament and Their Redemptive Relationship to Man from Adam to the End of Time.* Grand Rapids: Eerdmans, 1960.

Harrelson, Walter. "On God's Care for the Earth: Psalm 104." *Currents in Theology and Mission* 2 (1975): 19-22.

Harris, Murray J. *Jesus as God: The New Testament Use of Theos in Reference to Jesus.* Grand Rapids: Baker, 1992.

Hartley, John E. *Leviticus.* Word Biblical Commentary 4. Dallas: Word, 1992.

Hay, Donald A. "Christians in the Global Greenhouse." *Tyndale Bulletin* 41, nº 1 (1990): 109-27.

Hays, J. Daniel. *From Every People and Nation: A Biblical Theology of Race.* New Studies in Biblical Theology. Leicester, U.K.: Inter-Varsity Press; Downers Grove: InterVarsity Press, 2003.

Hedlund, Roger. *The Mission of the Church in the World: A Biblical Theology.* Grand Rapids: Baker, 1991.

Heldt, Jean-Paul. "Revisiting the 'Whole Gospel': Toward a Biblical Model of Holistic Mission in the 21st Century." *Missiology* 32 (2004): 149-72.

Hertig, Paul. "The Jubilee Mission of Jesus in the Gospel of Luke: Reversals of Fortunes." *Missiology* 26 (1998): 167-79.

———. "The Subversive Kingship of Jesus and Christian Social Witness." *Missiology* 32 (2004): 475-90.

Hesselgrave, David J. "A Missionary Hermeneutic: Understanding Scripture in the Light of World Mission." *International Journal of Frontier Missions* 10 (1993): 17-20.

Hoedemaker, L. A. "The People of God and the Ends of the Earth." En *Missiology: An Ecumenical Introduction*, editado por A. Camps, L. A. Hoedemaker y M. R. Spindler. Grand Rapids: Eerdmans, 1995.

Hoffman, Yair. "The Concept of 'Other Gods' in the Deuteronomistic Literature." In *Politics and Theopolitics*, editado por Henning Graf Reventlow, Yair Hoffman and Benjamin Uffenheimer, pp. 66-84. Sheffield, U.K.: JSOT Press, 1994.

Holert, M. Louise. "Extrinsic Evil Powers in the Old Testament." Tesis de Licenciatura, Fuller Theological Seminary, 1985.

Hollenberg, C. E. "Nationalism and the Nations in Isaiah XL-LV." *Vetus Testamentum* 19 (1969): 23-36.

Holwerda, David E. *Jesus and Israel: One Covenant or Two?* Grand Rapids: Eerdmans; Leicester, U.K.: Apollos, 1995.

Honig, A. G. *What Is Mission? The Meaning of the Rootedness of the Church in Israel for a Correct Conception of Mission.* Kampen: Uitgeversmaatschappij J. H. Kok, 1982.

Houston, Walter. *Purity and Monotheism: Clean and Unclean Animals in Biblical Law.* JSOT Suplementos. Sheffield, U.K.: Sheffield Academic, 1993.

Hubbard, Robert L. *"yāša'"* En *New International Dictionary of Old Testament Theology and Exegesis*, editado por Willem A. VanGemeren, 2:556-62. Grand Rapids: Zondervan, 1997.

Hughes, Dewi. *Castrating Culture: A Christian Perspective on Ethnic Identity from the Margins.* Carlisle, U.K.: Paternoster, 2001.

Hurtado, Larry W. *One God, One Lord: Early Christian Devotion and Ancient Jewish Monotheism.* Edinburgh: T&T Clark, 1998.

———. *Lord Jesus Christ: Devotion to Jesus in Earliest Christianity.* Grand Rapids: Eerdmans, 2003.

———. *How on Earth Did Jesus Become a God? Historical Questions About Earliest Devotion to Jesus.* Grand Rapids: Eerdmans, 2006.

Jenkins, Philip. *The Next Christendom: The Coming of Global Christianity.* Oxford: Oxford University Press, 2002.

Jeremias, Joachim. *Jesus' Promise to the Nations.* Studies in Biblical Theology.

Londres: scm Press, 1958; Filadelfia: Fortress, 1982.

Jervell, Jacob. "The Future of the Past: Luke's Vision of Salvation History and Its Bearing on His Writing of History." En *History, Literature and Society in the Book of Acts*, editado por Ben Witherington III, pp. 104-26. Cambridge: Cambridge University Press, 1996.

Jonge, Marinus de. *God's Final Envoy: Early Christology and Jesus' View of His Mission*. Grand Rapids: Eerdmans, 1998.

Kaiser, Walter C.,(h.) Jr. "The Davidic Promise and the Inclusion of the Gentiles (Amos 9:9-15 and Acts 15:13-18)." *Journal of the Evangelical Theological Society* 20 (1977): 97-111.

———. *Mission in the Old Testament: Israel as a Light to the Nations*. Grand Rapids: Baker, 2000.

Kayama, Hisao. "Christianity as Table Fellowship: Meals as a Symbol of the Universalism in Luke-Acts." En *From East to West: Essays in Honor of Donald G. Bloesch*, editado por Daniel J. Adams, pp. 51-62. Lanham, Md., and Oxford: University Press of America, 1997.

Keck, Leander E. *Who Is Jesus? History in Perfect Tense*. Columbia: University of South Carolina Press, 2000.

Kim, Seyoon, *The Origin of Paul's Gospel*. 2a. ed. Grand Rapids: Eerdmans, 1984.

Kirk, J. Andrew. *What Is Mission? Theological Explorations*. Londres: Darton, Longman & Todd; Minneapolis: Fortress Press, 1999.

Kirk, J. Andrew y Kevin J. Vanhoozer, ed. *To Stake a Claim: Mission and the Western Crisis of Knowledge*. Maryknoll, N.Y.: Orbis, 1999.

Klein, Ralph W. "Liberated Leadership. Masters and 'Lords' in Biblical Perspective." *Currents in Theology and Mission* 9 (1982): 282-90.

Knox, John. "Romans 15:14-33 and Paul's Conception of His Apostolic Mission." *Journal of Biblical Literature* 83 (1964): 1-11.

Koestenberger, A. J., and P. T. O'Brien. *Salvation to the Ends of the Earth: A Biblical Theology of Mission*. Leicester, U.K.: Apollos, 2001.

Koestenberger, Andreas J. "The Challenge of a Systematized Biblical Theology of Mission: Missiological Insights from the Gospel of John." *Missiology* 23 (1995): 445-64.

———. *The Missions of Jesus and the Disciples According to the Fourth Gospel: With Implications for the Fourth Gospel's Purpose and the Mission of the*

Contemporary Church. Grand Rapids: Eerdmans, 1998.

———. "The Place of Mission in New Testament Theology: An Attempt to Determine the Significance of Mission Within the Scope of the New Testament's Message as a Whole." *Missiology* 27 (1999): 347-62.

Kritzinger, J. J. "Mission, Development, and Ecology." *Missionalia* 19 (1991): 4-19.

———. "Mission and the Liberation of Creation: A Critical Dialogue with M. L. Daneel." *Missionalia* 20 (1992): 99-115.

Kruse, Heinz. "Exodus 19:5 and the Mission of Israel." *Northeast Asia Journal of Theology* 24-25 (1980): 129-35.

Kvalbein, Hans. "Has Matthew Abandoned the Jews?" En *The Mission of the Early Church to Jews and Gentiles,* editado por Jostein Adna y Hans Kvalbein, pp. 45-62. Tübingen: Mohr Siebeck, 2000.

LaGrand, James. *The Earliest Christian Mission to "All Nations" in the Light of Matthew's Gospel.* Grand Rapids: Eerdmans, 1995.

Lane, Thomas J. *Luke and the Gentile Mission: Gospel Anticipates Acts.* Frankfurt y New York: Peter Lang, 1996.

Lang, Bernard. *The Hebrew God: Portrait of an Ancient Deity.* New Haven, Conn., y Londres: Yale University Press, 2002.

Larkin, William J., y Joel F. Williams, eds. *Mission in the New Testament: An Evangelical Approach.* Maryknoll, N.Y.: Orbis, 1998.

Le Grys, Alan. *Preaching to the Nations: The Origin of Mission in the Early Church.* Londres: SPCK, 1998.

Legrand, Lucien. *Unity and Plurality: Mission in the Bible.* Maryknoll, N.Y.: Orbis, 1990.

———. "Gal 2:9 and the Missionary Strategy of the Early Church." En *Bible, Hermeneutics, Mission: A Contribution to the Contextual Study of Holy Scripture,* editado por Tord Fornberg, pp. 21-83. Uppsala: Swedish Institute for Missionary Research, 1995.

———. *The Bible on Culture: Belonging or Dissenting.* Maryknoll, N.Y.: Orbis, 2000.

Lichtheim, Miriam, ed. *Ancient Egyptian Literature.* 3 vols. Berkeley: University of California Press, 1975, 1976, 1980.

Lind, Millard C., "Refocusing Theological Education to Mission: The Old Testament and Contextualization." *Missiology* 10 (1982): 141-60.

———. "Monotheism, Power and Justice: A Study in Isaiah 40-55." *Catholic*

Biblical Quarterly 46 (1984): 432-46.

Loader, J. A. "Life, Wonder and Responsibility: Some Thoughts on Ecology and Christian Mission." *Missionalia* 19 (1991): 44-56.

Lohfink, Norbert, y Erich Zenger. *God of Israel and the Nations: Studies in Isaiah and the Psalms.* Collegeville, Minn.: Liturgical Press, 2000.

Longman, Tremper, III. "Proverbs." En *Zondervan Illustrated Bible Backgrounds Commentary.* Grand Rapids: Zondervan, en preparación.

Lubeck, R. J. "Prophetic Sabotage: A Look at Jonah 3:2-4." *Trinity Journal* 9 (1988): 37-46.

MacDonald, Nathan. *Deuteronomy and the Meaning of "Monotheism."* Tübingen: Mohr Siebeck, 2003.

———. "Listening to Abraham—Listening to YHWH: Divine Justice and Mercy in Genesis 18:16-33." *Catholic Biblical Quarterly* 66 (2004): 25-43.

———. "Whose Monotheism? Which Rationality?" In *The Old Testament in Its World,* editado por R. P. Gordon y Johannes C. de Moor, pp. 45-67. Leiden: Brill, 2005.

Machinist, Peter. "The Question of Distinctiveness in Ancient Israel." In *Essential Papers on Israel and the Ancient near East,* editado por F. E. Greenspan, pp. 420-42. N.Y. y Londres: New York University Press, 1991.

Maier, Walter A., III. "The Healing of Naaman in Missiological Perspective." *Concordia Theological Quarterly* 61 (1997): 177-96.

Manson, T. W. *Jesus and the Non-Jews.* Londres: Athlone Press, 1955.

Marak, Krickwin C., y Atul Y. Aghamkar, ed. *Ecological Challenge and Christian Mission.* Delhi: ISPCK, 1998.

Marlowe, W. Creighton. "Music of Missions: Themes of Cross-Cultural Outreach in the Psalms." *Missiology* 26 (1998): 445-56.

Marshall, I. Howard. *New Testament Theology: Many Witnesses, One Gospel.* Leicester, U.K.: Inter-Varsity Press; Downers Grove: InterVarsity Press, 2004.

Martens, Elmer A. *God's Design: A Focus on Old Testament Theology.* 2a. ed. Grand Rapids: Baker; Leicester, U.K.: Apollos, 1994.

Martin-Achard, Robert. *A Light to the Nations: A Study of the Old Testament Conception of Israel's Mission to the World,* traducido por John Penney Smith. Edinburgh & Londres: Oliver & Boyd, 1962.

Mason, John. "Biblical Teaching and Assisting the Poor." *Transformation* 4, nº 2 (1987): 1-14.

Matlack, Hugh. "The Play of Wisdom." *Currents in Theology and Mission* 15 (1988): 425-30.

Matthew, C. V., ed. *Integral Mission: The Way Forward: Essays in Honour of Dr. Saphir P. Athyal.* Tiruvalla, India: Christava Sahitya Samithi, 2006.

May, Herbert G. "Theological Universalism in the Old Testament." *Journal of Bible and Religion* 15 (1947): 100-107.

———. "Aspects of the Imagery of World Dominion and World State in the Old Testament." En *Essays in Old Testament Ethics,* editado por John T. Willis y James L. Crenshaw, pp. 57-76. New York: KTAV, 1974.

McConville, J. G. *Deuteronomy.* Apollos Old Testament Commentary. Leicester, U.K.: Apollos; Downers Grove, Ill.: InterVarsity Press, 2002.

Meyer, Ben F. *The Aims of Jesus.* Londres: SCM Press, 1979.

———. *The Early Christians: Their World Mission and Self-Discovery.* Wilmington, Del.: Michael Glazier, 1986.

Middleton, J. Richard, y Brian J. Walsh. *Truth Is Stranger Than It Used to Be: Biblical Faith in a Postmodern Age.* Downers Grove, Ill.: InterVarsity Press; Londres: SPCK, 1995.

Miller, Patrick D., h. "Syntax and Theology in Genesis XII 3a." *Vetus Testamentum* 34 (1984): 472-75.

———. "Deuteronomy and Psalms: Evoking a Biblical Conversation." *Journal of Biblical Literature* 118 (1999): 3-18.

———. "'Enthroned on the Praises of Israel': The Praise of God in Old Testament Theology." *Interpretation* 39 (1985): 5-19.

———. "Cosmology and World Order in the Old Testament: The Divine Council as Cosmic-Political Symbol." *Horizons in Biblical Theology* 9 (1987): 53-78.

———. "God's Other Stories: On the Margins of Deuteronomic Theology." En *Realia Dei,* editado por P. H. Williams y T. Hiebert, pp. 185-94. Atlanta: Scholars Press, 1999.

Moberly, R. W. L. "Christ as the Key to Scripture: Genesis 22 Reconsidered." En *He Swore an Oath: Biblical Themes from Genesis 12-50.* edited por R. S. Hess y otros. Carlisle, U.K.: Paternoster; Grand Rapids: Baker, 1994.

Mohol, Eliya. "The Covenantal Rationale for Membership in the Zion Community Envisaged in Isaiah 56-66." Tesis Doctoral, *All Nations Christian College*, 1998.

Moore, Peter C. *Disarming the Secular Gods*. Downers Grove, Ill.: InterVarsity Press; Leicester, U.K.: Inter-Varsity Press, 1989.

Moore, Thomas S. " 'To the End of the Earth': The Geographical and Ethnic Universalism of Acts 1:8 in Light of Isaianic Influence on Luke." *Journal of the Evangelical Theological Society* 40 (1997): 389-99.

Mott, Stephen Charles. *Jesus and Social Ethics*. Grove Booklets on Ethics. Nottingham, U.K.: Grove Books, 1984.

———. "The Use of the New Testament in Social Ethics." *Transformation* 1, nº 2-3 (1984): 21-26, 19-25.

———. "The Contribution of the Bible to Economic Thought." *Transformation* 4, nº 3-4 (1987): 25-34.

———. *A Christian Perspective on Political Thought*. Oxford: Oxford University Press, 1993.

Motyer, Alex. *The Message of Exodus*. The Bible Speaks Today. Leicester, U.K.: Inter-Varsity Press; Downers Grove, Ill.: InterVarsity Press, 2005.

Motyer, J. A., *The Message of Amos*. The Bible Speaks Today. Leicester, U.K.: Inter-Varsity Press; Downers Grove, Ill.: InterVarsity Press, 1974.

———. *The Prophecy of Isaiah*. Leicester, U.K.: Inter-Varsity Press; Downers Grove, Ill.: InterVarsity Press, 1993.

Mouw, Richard J. *When the Kings Come Marching In*. Ed. revisada, Grand Rapids y Cambridge: Eerdmans, 2000.

Muilenburg, James. "Abraham and the Nations: Blessing and World History." *Interpretation* 19 (1965): 387-98.

Murphy, Roland E. *Proverbs*. Nashville: Thomas Nelson, 1998.

Murray, Robert. *The Cosmic Covenant: Biblical Themes of Justice, Peace and the Integrity of Creation*. Londres: Sheed & Ward, 1992.

Nash, James A. *Loving Nature: Ecological Integrity and Christian Responsibility*. Nashville: Abingdon, 1991.

Newbigin, Lesslie. *Trinitarian Doctrine for Today's Mission*. Carlisle, U.K.: Paternoster, 1998.

Newton, Thurber L. "Care for the Creation as Mission Responsibility." *International Review of Mission* 79 (1990): 143-49.

Northcott, Michael S. *The Environment and Christian Ethics*. Cambridge: Cambridge University Press, 1996.

O'Brien, P. T. *Gospel and Mission in the Writings of Paul: An Exegetical and Theological Analysis*. Grand Rapids: Baker, 1993: Carlisle, U.K.: Paternoster, 1995.

O'Donovan, Oliver. *Resurrection and Moral Order: An Outline for Evangelical Ethics*. Leicester, U.K.: Inter-Varsity Press, 1986.

Orlinsky, Harry M. "Nationalism-Universalism and Internationalism in Ancient Israel." En *Translating and Understanding the Old Testament: Essays in Honor of Herbert Gordon May*, editado por Harry Thomas Frank y William L. Reed. Nashville: Abingdon, 1970.

Pao, David. *Acts and the Isaianic New Exodus*. Grand Rapids: Baker, 2000.

Pate, C. Marvin, y otros. *The Story of Israel: A Biblical Theology*. Downers Grove, Ill.: InterVarsity Press; Leicester, U.K.: Inter-Varsity Press, 2004.

Paterson, John. "From Nationalism to Universalism in the Old Testament." En *Christian World Mission*, editado por William K. Anderson. Nashville: Parthenon, 1946.

Patrick, Dale. *The Rendering of God in the Old Testament*. Overtures to Biblical Theology. Filadelfia: Fortress, 1981.

Patterson, Richard D., y Michael Travers. "Contours of the Exodus Motif in Jesus' Earthly Ministry." *Westminster Theological Journal* 66 (2004): 25-47.

Penny, John Michael. *The Missionary Emphasis of Lukan Pneumatology*. Journal of Pentecostal Theology, Suplemento 12. Sheffield, U.K.: Sheffield Academic, 1997.

Peskett, Howard, y Vinoth Ramachandra. *The Message of Mission*. The Bible Speaks Today. Leicester, U.K.: Inter-Varsity Press; Downers Grove, Ill.: InterVarsity Press, 2003.

Peters, George W. *A Biblical Theology of Missions*. Chicago: Moody Press, 1972.

Pietroni, Mark. "Wisdom, Islam and Bangladesh: Can the Wisdom Literature Be Used as a Fruitful Starting Point for Communicating the Christian Faith to Muslims?" Tesis de licenciatura, *All Nations Christian College*, 1997.

Piper, John. *Let the Nations Be Glad! The Supremacy of God in Missions*. 2a. ed. Grand Rapids: Baker Academic, 1993; Leicester, U.K.: Inter-Varsity Press, 2003.

Plant, Raymond. *Politics, Theology and History.* Cambridge: Cambridge University Press, 2001.

Pleins, J. David. *The Social Visions of the Hebrew Bible: A Theological Introduction.* Louisville: Westminster John Knox, 2001.

Pocock, Michael. "Selected Perspectives on World Religions from Wisdom Literature." En *Christianity and the Religions: A Biblical Theology of World Religions,* editado por E. Rommen y Harold A. Netland, pp. 45-55. Pasadena: William Carey Library, 1995.

Poston, Larry. "Christian Reconstructionism and the Christian World Mission." *Missiology* 23 (1995): 467-75.

Priebe, Duane. "A Holy God, an Idolatrous People, and Religious Pluralism: Hosea 1-3." *Currents in Theology and Mission* 23 (1996): 126-33.

Pritchard, James B., ed. *Ancient Near Eastern Texts.* Princeton, N.J.: Princeton University Press, 1955.

Raabe, Paul R. "Look to the Holy One of Israel, All You Nations: The Oracles About the Nations Still Speak Today." *Concordia Journal* 30 (2004): 336-49.

Rabinowitz, Jacob. *The Faces of God: Canaanite Mythology as Hebrew Theology.* Woodstock, Conn.: Spring Publications, 1998.

Rad, Gerhard von. *Genesis: A Commentary.* 2a. ed. Londres: SCM Press, 1963.

Ramachandra, Vinoth. *Gods That Fail: Modern Idolatry and Christian Mission.* Carlisle, U.K.: Paternoster; Downers Grove, Ill.: InterVarsity Press, 1996.

——. *The Recovery of Mission.* Carlisle, U.K.: Paternoster, 1996.

Renaud, Bernard. "Prophetic Criticism of Israel's Attitude to the Nations: A Few Landmarks." *Concilium* 20 (1988): 35-43.

Retif, A., y P. Lamarche. *The Salvation of the Gentiles and the Prophets.* Living Word Series 4. Editado por Gerard S. Sloyan. Baltimore and Dublin: Helicon Press, 1966.

Reventlow, Henning Graf, Yair Hoffman y Benjamin Uffenheimer. *Politics and Theopolitics in the Bible and Postbiblical Literature.* JSOT Series Suplementarías 171. Editado por David J. A. Clines and Philip R.Davies. Sheffield, U.K.: JSOT Press, 1994.

Ridder, Richard R. de. *Discipling the Nations.* Grand Rapids: Baker, 1975.

Riesner, Rainer. *Paul's Early Period: Chronology, Mission Strategy, Theology.* Grand Rapids and Cambridge: Eerdmans, 1998.

Ringe, S. H. *Jesus, Liberation, and the Biblical Jubilee: Images for Ethics and Christology.* Filadelfia: Fortress, 1985.

Rodd, Cyril. *Glimpses of a Strange Land: Studies in Old Testament Ethics.* Edinburgh: T&T Clark, 2001.

Ross, Kenneth R. "The HIV/Aids Pandemic: What Is at Stake for Christian Mission?" *Missiology* 32 (2004): 337-48.

Rowe, Jonathan Y. "Holy to the Lord: Universality in the Deuteronomic History and Its Relationship to the Authors' Theology of History." Tesis de Licenciatura, *All Nations Christian College*, 1997.

Rowley, H. H. *Israel's Mission to the World.* Londres: SCM Press, 1939.

———. *The Missionary Message of the Old Testament.* Londres: Carey Press, 1944.

Samuel, Vinay, y Chris Sugden, ed. *Sharing Jesus in the Two-thirds World: Evangelical Christologies from the Contexts of Poverty, Powerlessness and Religious Pluralism.* Grand Rapids: Eerdmans, 1983.

Scheurer, Erich. *Altes Testament und Mission: Zur Begruendung des Missionsauftrages.* Basel: Brunnen, 1996.

Schluter, Michael, y Roy Clements. *Reactivating the Extended Family: From Biblical Norms to Public Policy in Britain.* Cambridge: Jubilee Centre, 1986.

Schluter, Michael, y John Ashcroft, eds. *Jubilee Manifesto: A Framework, Agenda & Strategy for Christian Social Reform.* Leicester, U.K.: Inter-Varsity Press, 2005.

Schmidt, Werner H. *The Faith of the Old Testament: A History,* translated by John Sturdy. Filadelfia: Westminster Press; Oxford: Blackwell, 1983.

Schnabel, Eckhard J. "Jesus and the Beginnings of the Mission to the Gentiles." En *Jesus of Nazareth: Lord and Christ,* editado por Joel B. Green y Max Turner, pp. 37-58. Carlisle, U.K.: Paternoster; Grand Rapids: Eerdmans, 1994.

———. "Israel, the People of God, and the Nations." *Journal of the Evangelical Theological Society* 45 (2002): 35-57.

———. "John and the Future of the Nations." *Bulletin for Biblical Research* 12 (2002): 243-71.

———. *Early Christian Mission.* Vol. 1, *Jesus and the Twelve.* Downers Grove, Ill.: InterVarsity Press; Leicester, U.K.: Inter-Varsity Press, 2004.

———. *Early Christian Mission.* Vol. 2, *Paul and the Early Church.* Downers

Grove, Ill.: InterVarsity Press; Leicester, U.K.: Inter-Varsity Press, 2004.

Scobie, C. H. H. "Israel and the Nations: An Essay in Biblical Theology." *Tyndale Bulletin* 43, nº 2 (1992): 283-305.

Scott, James M. "Restoration of Israel." En *Dictionary of Paul and His Letters,* editado por Gerald F. Hawthorne y Ralph. P. Martin, pp. 796-805. Downers Grove, Ill.: InterVarsity Press; Leicester, U.K.: Inter-Varsity Press, 1993.

———. "Luke's Geographical Horizon." En *The Book of Acts in Its Graeco-Roman Setting,* editado por David W. J. Gill y Conrad Gempf, pp. 483-544. Exeter, U.K.: Paternoster, 1994.

———. *Paul and the Nations: The Old Testament and Jewish Background of Paul's Mission to the Nations with Special Reference to the Destination of Galatians.* Tübingen: Mohr Siebeck, 1995.

———. "Acts 2:9-11 as an Anticipation of the Mission to the Nations." En *The Mission of the Early Church to Jews and Gentiles,* editado por Jostein Adna y Hans Kvalbein, pp. 87-123. Tübingen: Mohr Siebeck, 2000.

Seitz, Christopher. *Word Without End.* Grand Rapids: Eerdmans, 1998.

———. *Figured Out: Typology and Providence in Christian Scripture.* Louisville: Westminster John Knox, 2001.

Senior, Donald. "Correlating Images of Church and Images of Mission in the New Testament." *Missiology* 23 (1995): 3-16.

Senior, Donald, y Stuhlmueller, C. *The Biblical Foundations for Mission.* Londres: scm Press, 1983.

Sherwin, Simon. " 'I Am against You': Yahweh's Judgment on the Nations and Its Ancient Near Eastern Context." *Tyndale Bulletin* 54 (2003): 149-60.

Simkins, Ronald A. *Creator and Creation: Nature in the Worldview of Ancient Israel.* Peabody, Mass.: Hendrickson, 1994.

Sloan, R. B., Jr. *The Favorable Year of the Lord: A Study of Jubilary Theology in the Gospel of Luke.* Austin, Tex.: Schola, 1977.

Smith, Morton. "The Common Theology of the Ancient Near East." En *Essential Papers on Israel and the Ancient Near East,* editado por F. E. Greenspan, pp. 49-65. New York y Londres: New York University Press, 1991.

Smith, W. Cantwell. "Idolatry in Comparative Perspective." In *The Myth of Christian Uniqueness,* editado por J. Hick and P. F. Knitter, pp. 53-68.

Maryknoll, N.Y.: Orbis; Londres: SCM Press, 1987.

Soards, Marion L. "Key Issues in Biblical Studies and Their Bearing on Mission Studies." *Missiology* 24 (1996): 93-109.

Spanner, Huw. "Tyrants, Stewards—or Just Kings?" en *Animals on the Agenda: Questions About Animals for Theology and Ethics,* editado por Linzey Andrew and Dorothy Yamamoto. Londres: SCM Press, 1998.

Spindler, M. R. *La Mission: Combat Pour Le Salut Du Monde.* Neuchatel, Suiza: Delachaux & Niestle, 1967.

———. "The Biblical Grounding and Orientation of Mission." En *Missiology: An Ecumenical Introduction,* editado por A. Camps, L. A. Hoedemaker y M. R. Spindler, pp. 123-43. Grand Rapids: Eerdmans, 1995.

Squires, John T. *The Plan of God in Luke-Acts.* SNTS Monografía 76. Cambridge: Cambridge University Press, 1993.

Stott, John R. W. *Christian Mission in the Modern World.* Londres: Falcon, 1975.

Stott, John R. W., ed. *Making Christ Known: Historic Mission Documents from the Lausanne Movement 1974-1989.* Carlisle, U.K.: Paternoster, 1996.

Strauss, Steve. "Missions Theology in Romans 15:14-33." *Bibliotheca Sacra* 160 (2003): 457-74.

Taber, Charles R. "Missiology and the Bible." *Missiology* 11 (1983): 229-45.

———. "Mission and Ideologies: Confronting the Idols." *Mission Studies* 10 (1993): 179-81.

Talstra, Eep, y Carl J. Bosma. "Psalm 67: Blessing, Harvest and History: A Proposal for Exegetical Methodology." *Calvin Theological Journal* 36 (2001): 290-313.

Tate, Marvin E. *Psalms 51-100.* Word Biblical Commentary 20. Dallas: Word, 1990.

Taylor, Glen A. "Supernatural Power Ritual and Divination in Ancient Israelite Society: A Social-Scientific, Poetics and Comparative Analysis of Deuteronomy 18." Tesis Doctoral., University of Gloucester, 2005.

Taylor, William D., ed. *Global Missiology for the 21st Century: The Iguassu Dialogue.* Grand Rapids: Baker, 2000.

Thomas, D. Winton, ed. *Documents from Old Testament Times.* New York: Harper Torchbooks, 1958.

Thompson, J. A. *The Book of Jeremiah.* New International Commentary on the

Old Testament. Grand Rapids: Eerdmans, 1980.

Thompson, James M. "The Gentile Mission as an Eschatological Necessity." *Restoration Quarterly* 14 (1971): 18-27.

Ucko, Hans, ed. *The Jubilee Challenge: Utopia or Possibility: Jewish and Christian Insights.* Geneva: World Council of Churches Publications, 1997.

Van Den Toren, Benno. "God's Purpose for Creation as the Key to Understanding the Universality and Cultural Variety of Christian Ethics." *Missiology* 30 (2002): 215-33.

Van Engen, Charles. "The Relation of Bible and Mission in Mission Theology." En *The Good News of the Kingdom,* editado por Charles Van Engen, Dean S. Gilliland y Paul Pierson, pp. 27-36. Maryknoll, N.Y.: Orbis, 1993.

———. *Mission on the Way: Issues in Mission Theology.* Grand Rapids: Baker, 1996.

Van Winkle, D. W. "The Relationship of the Nations to Yahweh and to Israel in Isaiah XL-LV." *Vetus Testamentum* 35 (1985): 446-58.

Verkuyl, J. *Contemporary Missiology: An Introduction.* Grand Rapids: Eerdmans, 1978.

Vicedom, Georg F. *The Mission of God: An Introduction to a Theology of Mission.* Trans. Gilbert A. Thiele y Dennis Hilgendorf. St. Louis: Concordia, 1965.

Voegelin, E. *Israel and Revelation.* Baton Rouge: Louisiana State University, 1956.

Vogels, Walter. "Covenant and Universalism: A Guide for a Missionary Reading of the Old Testament." *Zeitschrift für Missionswissenschaft und Religionswissenschaft* 57 (1973): 25-32.

———. *God's Universal Covenant: A Biblical Study.* 2a. ed. Ottawa: University of Ottawa Press, 1986.

Walls, Andrew F. *The Missionary Movement in Christian History: Studies in the Transmission of Faith.* Maryknoll, N.Y.: Orbis; Edinburgh: T&T Clark, 1996.

Walter, J. A. *A Long Way from Home: A Sociological Exploration of Contemporary Idolatry.* Carlisle, U.K.: Paternoster, 1979.

Walzer, Michael. *Exodus and Revolution.* N.Y.: Basic Books, 1985.

Warren, Max. *I Believe in the Great Commission.* Londres: Hodder & Stoughton; Grand Rapids: Eerdmans, 1976.

Watts, Rikki. *Isaiah's New Exodus in Mark.* Grand Rapids: Baker, 1997.

Webb, Barry. *The Message of Isaiah*. The Bible Speaks Today. Leicester, U.K.: Inter-Varsity Press; Downers Grove, Ill.: InterVarsity Press, 1996.

Weinfeld, Moshe. *Social Justice in Ancient Israel and in the Ancient Near East*. Minneapolis: Fortress Press, 1995.

Wells, Jo Bailey. *God's Holy People: A Theme in Biblical Theology*. JSOT Suplementos 305. Sheffield, U.K.: Sheffield Academic, 2000.

Wengst, Klaus. "Babylon the Great and the New Jerusalem: The Visionary View of Political Reality in the Revelation of John." En *Politics and Theopolitics*, editado por Henning Graf Reventlow, Yair Hoffman and Benjamin Uffenheimer, pp. 189-202. Sheffield, U.K.: JSOT Press, 1994.

Wenham, Gordon J. *The Book of Leviticus*. New International Commentary on the Old Testament. Grand Rapids: Eerdmans, 1979.

———. "Towards a Canonical Reading of the Psalms." En *Canon and Biblical Interpretation*, editado por Craig Bartholomew y otros, Grand Rapids: Zondervan; Carlisle, U.K.: Paternoster, en preparación.

———. *Genesis 1-15*. Word Biblical Commentary 1. Dallas: Word, 1987.

———. *Genesis 16-50*. Word Biblical Commentary 2. Dallas: Word, 1994.

Wente, Edward F. "Egyptian Religion." En *Anchor Bible Dictionary*, editado por David Noel Freedman, 2:408-12. N.Y.: Doubleday, 1992.

Westermann, Claus. *Isaiah 40-66: A Commentary*, tranducido por David Stalker. Londres: SCM Press, 1969.

———. *Genesis 12-36: A Commentary*, translated by John J. Scullion. Minneapolis: Augsburg Press; Londres: SPCK, 1985.

White, Lynn. "The Historical Roots of Our Ecologic Crisis." *Science* 155 (1967): 1203-07.

Williams, David A. " 'Then They Will Know That I Am the Lord': The Missiological Significance of Ezekiel's Concern for the Nations as Evident in the Use of the Recognition Formula." Tesis de Licenciatura, *All Nations Christian College*, 1998.

Willoughby, Robert. "The Concept of Jubilee and Luke 4:18-30." En *Mission and Meaning: Essays Presented to Peter Cotterell*, editado por Anthony Billington, Tony Lane y Max Turner, pp. 41-55. Carlisle, U.K.: Paternoster, 1995.

Wilson, Gerald H. *The Editing of the Hebrew Psalter*. Chicago: Scholars Press, 1985.

Wilson, Stephen G. *The Gentiles and the Gentile Mission in Luke-Acts.* SNTS Monograph 23. Cambridge: Cambridge University Press, 1973.

Wink, Walter. *Naming the Powers: The Language of Power in the New Testament.* Filadelphia: Fortress Press, 1984.

———. *Unmasking the Powers: The Invisible Forces That Determine Human Existence.* Filadelphia: Fortress Press, 1986.

———. *Engaging the Powers: Discernment and Resistance in a World of Domination.* Minneapolis: Fortress Press, 1992.

Winter, Bruce. "On Introducing Gods to Athens: An Alternative Reading of Acts 17:18-20." *Tyndale Bulletin* 47 (1996): 71-90.

Wintle, Brian. "A Biblical Perspective on Idolatry." En *The Indian Church in Context: Her Emergence, Growth and Mission,* editado por Mark T. B. Laing, pp. 55-77. Delhi: ISPCK, 2003.

Witherington, Ben, III. *The Christolology of Jesus.* Minneapolis: Fortress Press, 1990.

———. *Paul's Narrative Thought World: The Tapestry of Tragedy and Triumph.* Louisville: Westminster/John Knox, 1994.

Wright, Christopher J. H. *The Uniqueness of Jesus.* Londres y Grand Rapids: Monarch, 1997.

———. *God's People in God's Land: Family, Land and Property in the Old Testament.* Grand Rapids: Eerdmans; Carlisle, U.K.: Paternoster, 1990.

———. "Family." En *Anchor Bible Dictionary,* editado por David Noel Freedman, 2:761-69. N.Y.: Doubleday, 1992.

———. "Jubilee, Year Of." En *Anchor Bible Dictionary,* editado por D. N. Freedman, 3:1025-30. N.Y.: Doubleday, 1992.

———. *Knowing Jesus through the Old Testament.* Londres: Marshall Pickering; Downers Grove, Ill.: InterVarsity Press, 1992.

———. *Deuteronomy.* New International Biblical Commentary. Peabody, Mass.: Hendrikson; Carlisle, U.K.: Paternoster, 1996.

———. "Christ and the Mosaic of Pluralisms: Challenges to Evangelical Missiology in the 21st Century." En *Global Missiology for the 21st Century: The Iguassu Dialogue,* editado por William D. Taylor. Grand Rapids: Baker, 2000.

———. *The Message of Ezekiel: A New Heart and a New Spirit.* The Bible

Speaks Today. Leicester, U.K.: Inter-Varsity Press; Downers Grove, Ill.: InterVarsity Press, 2001.

———. "Future Trends in Mission." En *The Futures of Evangelicalism: Issues and Prospects,* editado por Craig Bartholomew, Robin Parry y Andrew West, pp. 149-63. Leicester, U.K.: Inter-Varsity Press, 2003.

———. "Implications of Conversion in the Old Testament and the New." *International Bulletin of Missionary Research* 28 (2004): 14-19.

———. "Mission as a Matrix for Hermeneutics and Biblical Theology." En *Out of Egypt: Biblical Theology and Biblical Interpretation,* editado por Craig Bartholomew y otros, pp. 102-43. Carlisle, U.K.: Paternoster; Grand Rapids: Zondervan, 2004.

———. *Old Testament Ethics for the People of God.* Leicester, U.K.: Inter-Varsity Press; Downers Grove, Ill.: InterVarsity Press, 2004.

Wright, G. E. "The Old Testament Basis for the Christian Mission." En *The Theology of Christian Missions,* editado por Gerald H. Anderson. New York: McGraw Hill; Londres: scм Press, 1961.

Wright, N. T. "Monotheism, Christology and Ethics: 1 Corinthians 8." In *The Climax of the Covenant: Christ and the Law in Pauline Theology,* pp. 120-36. Edinburgh: т&т Clark, 1991.

———. *The New Testament and the People of God.* Londres: spck, 1992.

———. "Gospel and Theology in Galatians." In *Gospel in Paul: Studies on Corinthians, Galatians and Romans for Richard N. Longenecker,* editado por L. Ann Jervis y Peter Richardson, p. 108. Sheffield, U.K.: Sheffield Academic, 1994.

———. *Jesus and the Victory of God.* Londres: spck, 1996.

Wright, Nigel G. *A Theology of the Dark Side: Putting the Power of Evil in Its Place.* Carlisle, U.K.: Paternoster, 2003.

Wyatt, N. *Religious Texts from Ugarit.* Sheffield, U.K.: Sheffield Academic Press, 1998.

Editoriales de la Comunidad Internacional de Estudiantes Evangélicos (CIEE) apoyan esta publicación de Certeza Unida:

Andamio, Alts Forns 68, Sótano 1, 08038, Barcelona, España.
editorial@publicacionesandamio.com | *www.publicacionesandamio.com*
Certeza Argentina, Bernardo de Irigoyen 654,
(c1072AAN) Ciudad Autónoma de Buenos Aires, Argentina.
certeza@certezaargentina.com.ar | *www.certezaargentina.com.ar*
Ediciones Puma, Av. Arnaldo Márquez 855 Jesús María, Lima, Perú.
puma@cenip.org | *ventas@edicionespuma.org* | *www.edicionespuma.org*
Lámpara, Calle Almirante Grau N° 464, San Pedro, Casilla 8924,
La Paz, Bolivia. *coorlamp@entelnet.bo*

A la CIEE la componen los siguientes movimientos nacionales:

Asociación Bíblica Universitaria Argentina (ABUA)
Comunidad Cristiana Universitaria, Bolivia (CCU)
Aliança Bíblica Universitária do Brasil (ABUB)
Grupo Bíblico Universitario de Chile (GBUCH)
Unidad Cristiana Universitaria, Colombia (UCU)
Estudiantes Cristianos Unidos, Costa Rica (ECU)
Grupo de Estudiantes y Profesionales Evangélicos Koinonía, Cuba
Comunidad de Estudiantes Cristianos del Ecuador (CECE)
Movimiento Universitario Cristiano , El Salvador (MUC)
Grupo Evangélico Universitario, Guatemala (GEU)
Comunidad Cristiana Universitaria de Honduras (CCUH)
Compañerismo Estudiantil Asociación Civil, México (COMPA)
Comunidad de Estudiantes Cristianos de Nicaragua (CECNIC)
Comunidad de Estudiantes Cristianos, Panamá (CEC)
Grupo Bíblico Universitario del Paraguay (GBUP)
Asociación de Grupos Evangélicos Universitarios del Perú (AGEUP)
Asociación Bíblica Universitaria de Puerto Rico (ABU)
Asociación Dominicana de Estudiantes Evangélicos (ADEE)
Comunidad Bíblica Universitaria del Uruguay (CBUU)
Movimiento Universitario Evangélico Venezolano (MUEVE)
**Oficina Regional de la ciee: c/o abub, Caixa Postal 2216,
01060-970 São Paulo, SP, Brasil.**
cieeal@cieeal.org | *secregional@cieeal.org* | *www.cieeal.org*

El mensaje de Hechos

John Stott

Este comentario lo animará a compararse
con la iglesia del primer siglo y recuperar
algo de su confianza, de su entusiasmo,
su visión y su poder.

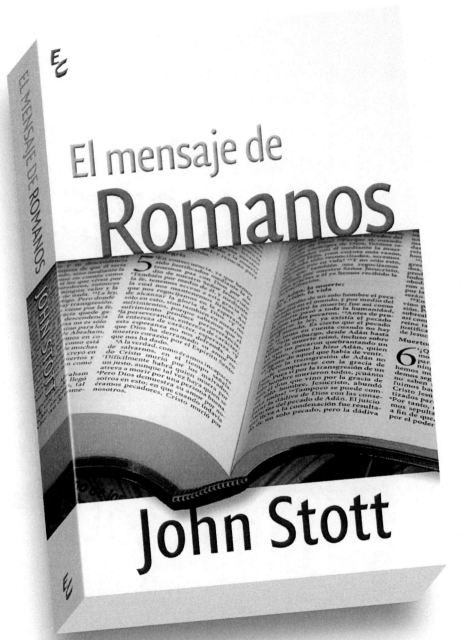

El mensaje de
Romanos

John Stott

El libro de Romanos encierra las más hermosas verdades bíblicas. Stott las comparte con sabiduría y profundidad.

CERTEZA
UNIDA

El mensaje de Efesios

John Stott

**Un comentario que expone
el texto bíblico con fidelidad
y lo aplica a la vida contemporánea.**

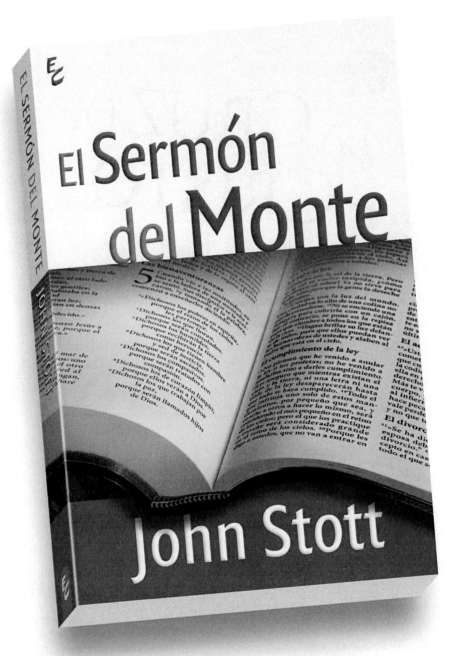

El Sermón del Monte

John Stott

La presentación más completa
de la vida en el reino de Dios.

CERTEZA
UNIDA

LA CRUZ DE CRISTO

JOHN STOTT

La cruz de Cristo es el fundamento
y modelo para la vida, la adoración,
la esperanza y la misión del cristiano.

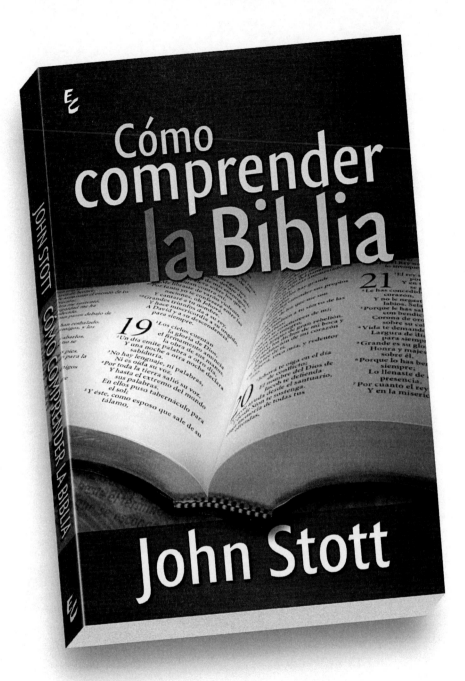

Los secretos de la madurez cristiana están en la Biblia al alcance de quien quiera descubrirlos.

CERTEZA
UNIDA

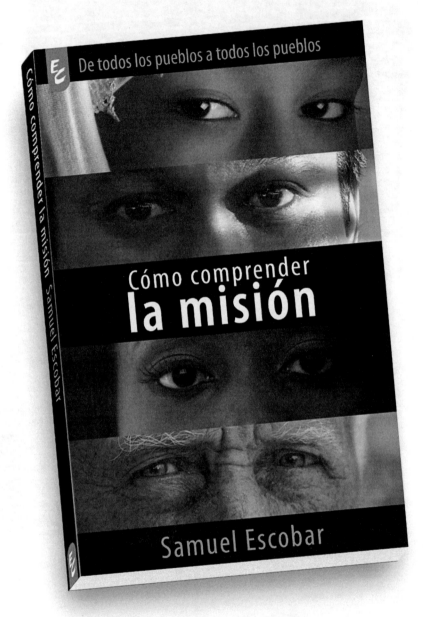

De todos los pueblos a todos los pueblos

Cómo comprender
la misión

Samuel Escobar

**Un desafío a no olvidar
a los que diariamente se pierden
sin conocer de Cristo.**

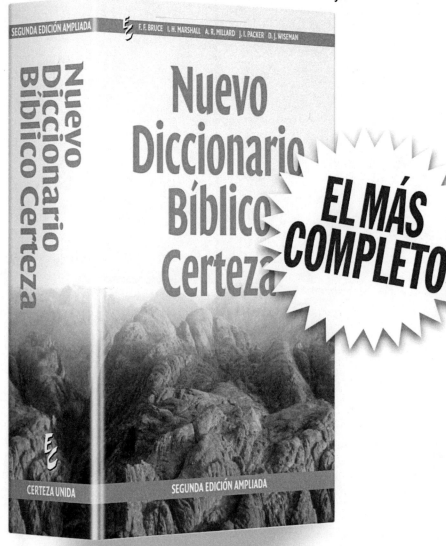

Esta edición se terminó de imprimir
en Editorial Buena Semilla,
Carrera 31, n° 64 A-34, Bogotá, Colombia,
en el mes de octubre de 2009.